S0-AAJ-125

HISTORIA DE LA LITERATURA HISPANOAMERICANA

I

DEL DESCUBRIMIENTO AL MODERNISMO

HISTORIA DE LA LITERATURA HISPANOAMERICANA

I
DEL DESCUBRIMIENTO AL MODERNISMO

ROBERTO GONZÁLEZ ECHEVARRÍA y ENRIQUE PUPO-WALKER (eds.)

Sánchez Pacheco, 85, 28002 Madrid
www.editorialgredos.com

 Título original: *The Cambridge History of Latin American Literature*

Traducción de Ana Santonja Querol y Consuelo Triviño Anzola
Revisión de John Deredita

Diseño de cubierta: Manuel Janeiro

Depósito Legal: M. 209-2006
ISBN 84-249-2784-2. Obra completa
ISBN 84-249-2785-0. Tomo I
Impreso en España. Printed in Spain
Encuadernación Ramos
Gráficas Cóndor, S. A.
Esteban Terradas, 12. Polígono Industrial. Leganés (Madrid), 2006

LISTA DE AUTORES

Rolena Adorno, Universidad de Yale
Antonio Benítez-Rojo (†), Amherst College
David H. Bost, Universidad de Furman
Andrew Bush, Vassar College
Frank Dauster, Universidad de Rutgers
Roberto González Echevarría, Universidad de Yale
Asunción Lavrin, Universidad Estatal de Arizona
Frederick Luciani, Universidad de Colgate
Josefina Ludmer, Universidad de Yale
Stephanie Merrim, Universidad de Brown
Margarita Peña, Colegio de México
Enrique Pupo-Walker, Universidad de Vanderbilt
Kathleen Ross, Universidad de Nueva York
Nicolas Shumway, Universidad de Texas
Martin S. Stabb, Universidad Estatal de Pennsylvania
Karen Stolley, Universidad de Emory

AGRADECIMIENTOS

Una obra colectiva como ésta es, por su naturaleza, el producto del trabajo y el esfuerzo de muchas personas que aparecen como editores o autores y otras como colaboradoras de una forma no tan obvia. Nos gustaría que todas estas personas recibieran aquí nuestro agradecimiento, aunque sabemos, mal que nos pese, que cometeremos errores de omisión. Por eso pedimos por anticipado disculpas.

Antes de nada, debemos dar las gracias a los autores y autoras que, además de escribir sus capítulos, nos han ayudado de otras muchas maneras. En primer lugar debemos dar las gracias a la profesora Cathy L. Jrade, que leyó no pocos manuscritos, nos dio consejos muy específicos y útiles sobre algunos temas, nos ayudó con los prólogos y participó en reuniones en las que se tomaron decisiones de gran importancia. Reconocemos aquí nuestra gran deuda hacia la profesora Jrade, que también sirvió como receptora de ideas, que depuraba o ayudaba a descartar. La profesora Sylvia Molloy nos dio consejos muy importantes sobre la elección de autores y sobre cómo incluir de la mejor forma los trabajos de las escritoras en la *Historia*. Los profesores Aníbal González Pérez, Gustavo Pérez Firmat y Kathleen Ross también nos ayudaron con sus consejos, amistad y erudición. Estamos especialmente agradecidos a Andrew Bush y José Quiroga a quienes les pedimos que escribieran colaboraciones específicas en un periodo de tiempo muy breve.

Los empleados de la biblioteca de Yale y los de la de Vanderbilt nos ayudaron con las cuestiones bibliográficas y el personal de las respectivas oficinas de fondos y contratos fueron nuestros nexos con las fundaciones que hicieron esta *Historia* posible. Nos gustaría destacar aquí la ayuda de Steven H. Smart en Vanderbilt y la de Alice Oliver en Yale. Tenemos, por supuesto, una enorme deuda de gratitud con el Fondo Nacional para las Humanidades de los Estados Unidos, que nos dio una beca de tres años que nos permitió seguir trabajando durante los veranos, y a la Fundación Rockefeller que nos proporcionó otra beca que sirvió para redondear la del Fondo. En el Fondo nos atendió cortésmente David Wise, que fue siempre paciente con nuestras preguntas y peticiones. Completar un proyecto tan complejo y largo como este habría sido imposible sin la ayuda financiera de estas instituciones y queremos hacer público nuestro sincero aprecio hacia ellas.

Durante el periodo de cinco años que ha durado este proyecto, el Centro para los Estudios Iberoamericanos y los Estudios Ibéricos de Vanderbilt ha servido como oficina para la *Historia de la literatura hispanoamericana de Cambridge.* Nos hemos beneficiados de todas sus instalaciones y queremos agradecer a Vanderbilt su generosidad por ponerlas a nuestra disposición. El bien más inconmensurable de este Centro y la persona a la que le debemos todo nuestro agradecimiento es la Sra. Norma Antillón, secretaria técnica del director. Ella fue la única presencia continua en la *Historia* cuando nuestras responsabilidades académicas nos alejaban de ella; a veces incluso parecía ser ella misma la *Historia,* como saben los autores que tenían que hablar y negociar con ella cuando nosotros no estábamos. Sería imposible incluso intentar comenzar a enumerar sus muchas aportaciones y preferimos expresarle desde aquí nuestra profunda gratitud por su fidelidad, su devoción, su atención y su firme compromiso con el éxito de esta obra. También queremos mostrar nuestro agradecimiento a la Señora Sandra Guardo, secretaria del Departamento de Español y Portugués de la Universidad de Yale que nos prestó su gran ayuda en múltiples ocasiones. Además la Señora Suzan McIntire, secretaria del Centro de Programas Internacionales de Vanderbilt, colaboró en los aspectos administrativos del proyecto.

Desearíamos también agradecer al Señor Kevin Taylor de la Cambridge University Press (Inglaterra) su ejemplar atención en todos los asuntos concernientes a esta *Historia*. También estamos agradecidos a la Señora Jay Williams, que nos aconsejó sobre las cuestiones contractuales y nos ayudó a mejorar el estilo de algunos capítulos. Queremos expresar también nuestro agradecimiento a los traductores, que trabajaron muy arduamente en la transformación de la prosa española al inglés académico: Susan Griswold, Georgina Dopico Black, David Jackson y Cindy Najmulski.

Finalmente, agradecemos la paciencia y los ánimos de nuestras esposas, Betty e Isabel, que no sólo posibilitaron nuestros encuentros sino que además los hicieron placenteros.

Roberto González Echevarría
Enrique Pupo-Walker
Septiembre de 2005

(John Deredita llevó a cabo la exigente labor de corregir las traducciones al castellano para esta edición española de la *Historia*. Agradecemos su devoción y probidad, así como su disposición a trabajar bajo enormes presiones de tiempo. R.G.E.)

PRÓLOGO A LA EDICIÓN ESPAÑOLA

La publicación, en 1996, del original de la obra que el lector tiene en sus manos fue por sí sola indicio de la trascendencia alcanzada por la literatura hispanoamericana en las últimas décadas. El hispanismo inglés, sobre todo en las grandes universidades de Cambridge y Oxford, aunque también en la Universidad de Londres y la de Liverpool, tiene una larga y estimable historia, pero se había concentrado casi exclusivamente en la literatura peninsular, muy específicamente la del Siglo de Oro. Muy significativo fue que la Editorial de Cambridge les encomendara a los coordinadores la producción de una obra de esta envergadura y alcance, que habría de movilizar a un buen número de hispanoamericanistas ingleses, europeos, norteamericanos e hispanoamericanos. No es menos significativo que la Editorial Gredos, de reconocido prestigio académico, se decida a sacar una traducción de la obra, ya que en el pasado esa casa le había dedicado limitada atención a la literatura hispanoamericana. Todo ello indica que la literatura americana en lengua española ha madurado como disciplina académica y que ha ingresado de lleno en el programa de estudio de las universidades de la Península. Conviene repasar el cómo y especular sobre el porqué de semejante fenómeno antes de pasar a la tarea de actualizar la *Historia,* dando cuenta somera de qué ha ocurrido en el campo en la casi una década transcurrida desde su publicación.

El fenómeno que súbitamente puso la literatura hispanoamericana a la vanguardia de la occidental fue el llamado *boom* de la novela latinoamericana —siempre que digo «latinoamericana» lo hago para incluir al Brasil[1]. Se trató del surgimiento de, especialmente, cuatro novelistas, que a mediados de los sesenta empezaron a recibir premios literarios por sus obras, y por las traducciones de sus obras, cuyas ventas alcanzaron cifras jamás vistas antes para libros escritos en es-

[1] El tercer volumen de la *Cambridge History of Latin American Literature* está dedicado a la literatura brasileña y no ha sido incluido en esta versión española. El *boom* ha sido estudiado por Emir Rodríguez Monegal en su *El Boom de la novela latinoamericana* (Caracas: Editorial Tiempo Nuevo, 1972) y José Donoso en *Historia personal del Boom* (Barcelona: Anagrama, 1972), entre otros, y en el segundo volumen de esta *Historia* Randolph Pope y Gustavo Pellón hacen un recuento detallado del mismo. Hay una reciente y valiosa síntesis de la historia de la novela hispanoamericana en el siglo xx: Raymond Leslie Williams, *The Twentieth Century Spanish American Novel* (Austin, Texas: University of Texas Press, 2003).

pañol. Éstos fueron: el argentino Julio Cortázar, el peruano Mario Vargas Llosa, el colombiano Gabriel García Márquez y el mexicano Carlos Fuentes. Cortázar hizo historia con *Rayuela* (1966), una novela extremadamente experimental, llena de humorismo y de un espíritu lúdico, como su nombre anuncia, sin abandonar una temática muy seria sobre la nacionalidad argentina y las complejidades de la creación literaria. Vargas Llosa ganó el premio Biblioteca Breve, que daba la editorial barcelonesa Seix Barral, con *La ciudad y los perros* (1962), obra también experimental en su forma, aunque no tanto como *Rayuela,* ubicada en una escuela militar, que combina las convenciones de la novela de educación con una pesquisa sobre la violencia y el militarismo en el Perú y América Latina en general. García Márquez escribió la obra maestra de todo el grupo, *Cien años de soledad* (1967), en la que hace una síntesis de la historia latinoamericana a través de la evolución de una familia que funda, se asienta y evoluciona en Macondo, un pueblo imaginario en el que ocurren cosas fuera de lo natural. Fuentes vuelve en *La muerte de Artemio Cruz* (1962) a la historia de la Revolución Mexicana, temática medular de la narrativa moderna de su país, pero la trae hasta los años cincuenta, para explorar las consecuencias e impacto de ésta en el presente. Es una novela también fraguada según técnicas experimentales de la vanguardia novelística internacional.

A estos cuatro protagonistas del Boom se sumaron otros de no menos talento y éxito. El español Juan Goytisolo, que con obras como *Señas de identidad* (1966) y *Reivindicación del Conde Don Julián* (1970), se integró a la corriente de exploración de mitos nacionales a través de la narrativa. El chileno José Donoso, autor de *Coronación* (1962) ofreció una visión despiadada de la burguesía de su país, y luego *El obsceno pájaro de la noche* (1970), profunda y complicada novela que se sumerge en el tema de las relaciones entre la locura, lo abyecto y la creación literaria. El cubano José Lezama Lima fue esencialmente un poeta, pero su *Paradiso* (1966), especie de novela de educación que combina una morosa evocación de la vida de una familia cubana en un lenguaje densamente poético que tiene mucho de Proust y de Joyce.

La eclosión de los sesenta también conllevó el reconocimiento de los predecesores y maestros latinoamericanos de los novelistas que de pronto salieron a la palestra, precursores que, irónicamente, en casi ningún caso han sido superados por sus afamados discípulos. Éstos fueron, sobre todo, el argentino Jorge Luis Borges, el cubano Alejo Carpentier, el uruguayo Juan Carlos Onetti, el guatemalteco Miguel Ángel Asturias y el mexicano Juan Rulfo. Borges, de ya casi setenta años cuando surge el Boom, consolidó su fama entonces y hoy se está de acuerdo en que fue la más grande figura de la literatura latinoamericana de todos los tiempos, y un escritor que logró inscribirse en lo que hoy, gracias a Harold Bloom, conocemos como el «canon occidental»[2]. Carpentier, a partir de *El reino de este mun-*

[2] Harold Bloom, *The Western Canon: The Books and the School of the Ages* (Nueva York: Harcourt Brace, 1994).

do (1949), su brillante novela sobre la Revolución Haitiana, su gran novela de la selva *Los pasos perdidos* (1953), su colección de relatos *Guerra del tiempo* (1958), y la espléndida novela histórica *El siglo de las luces* (1962), fue reconocido como el maestro de los novelistas del Boom, tanto por su teoría y práctica de «lo real maravilloso americano» —también conocida como «realismo mágico»— como por haber dado con la temática central de la narrativa latinoamericana: la historia del Nuevo Mundo, la última gran ruptura en la historia de Occidente[3]. Borges y Carpentier, que merecían el Premio Nobel, no lo recibieron, pero sí Asturias, un escritor de calidad menos uniforme, pero igualmente influyente. Tampoco recibió el premio Rulfo, probablemente, con Borges y el brasileño João Guimanães Rosa, el cuentista latinoamericano más original, y cuya novela *Pedro Páramo* (1955) y colección de relatos *El llano en llamas* (1953), no han sido superados por discípulos suyos, como Gabriel García Márquez, que sí recibió el Nobel, sobre todo por *Cien años de soledad,* novela que debe no poco al mexicano.

Resulta evidente que el Premio Nobel no es una medida fidedigna o justa de calidad, pero si lo usamos para, a ojo de buen cubero, calcular el nivel literario imperante en lengua española entre los sesenta y los setenta, no podemos dejar de notar que en esos treinta años recibieron esa alta distinción Asturias (1967), Vicente Aleixandre (1977), Pablo Neruda (1971), García Márquez (1982), Octavio Paz (1990) y Camilo José Cela (1989). Borges, Carpentier, y también Rulfo, debieron haberlo recibido, y hoy se especula, no sin fundamento, que Vargas Llosa va a ser galardonado pronto.

Con lo anterior debe recalcarse también que el Boom fue no sólo de narradores sino también de poetas, aunque esto no se reconoce generalmente. En Hispanoamérica, durante las tres décadas en cuestión (de 1960 a 1990), estaban activos Paz, el propio Borges, Lezama Lima, Nicolás Guillén, Neruda, entre los más conocidos, pero además otros de importantes obras como Oliverio Girondo, Nicanor Parra, Gastón Baquero, Rosario Castellanos, mientras que en España, quedaban, de la Generación del '27, el mencionado Aleixandre y Rafael Alberti. Si sumamos los poetas a los prosistas y a los españoles los latinoamericanos el saldo es muy impresionante. Podría decirse que no había habido, ni ha vuelto a haber, una constelación semejante de escritores en nuestra lengua desde el Siglo de Oro.

En términos puramente literarios las razones para la aparición repentina de tantos novelistas destacados son relativamente fáciles de explicar. Se trató, especialmente entre los hispanoamericanos, de la llegada tardía pero influyente de la vanguardia narrativa al ámbito de lengua española; es decir, del legado de prosistas de lo que en inglés se llama *Modernism,* y que incluye a Henry James, Marcel Proust, James Joyce, Franz Kafka, John Dos Passos, William Faulkner y Ernest Hemingway. En términos generales podría decirse que lo que estos narradores aportaron fueron las técnicas necesarias para romper con el realismo de corte de-

[3] Hago un estudio pormenorizado de la obra de Carpentier, y del realismo mágico, en mi *Alejo Carpentier: el peregrino en su patria,* 2.ª ed. (Madrid: Gredos, 2004). La edición original, en inglés, es de 1977.

cimonónico que todavía imperaba en la novela regionalista hispanoamericana (Rómulo Gallegos, José Eustasio Rivera, Ricardo Güiraldes, Mariano Azuela), y entre los españoles en la novelística de la Generación del 98 (Valle-Inclán, Pío Baroja) y la de la Guerra Civil (Miguel Delibes). Había excepciones a todo esto, naturalmente, y escritores como Proust y Joyce ya habían sido leídos y hasta traducidos en España e Hispanoamérica antes de los años sesenta del pasado siglo. Pero en ese momento la recepción de éstos, sobre todo de los norteamericanos, especialmente Faulkner, fue masiva y decisiva[4]. Aparecieron en las nuevas novelas narradores múltiples, que a veces se contradicen entre sí, argumentos fragmentados que revelaban una temporalidad subjetiva a veces expresada mediante el flujo de conciencia, y una prosa de gran espesor poético. Porque la otra gran influencia en la nueva narrativa hispanoamericana fue la poesía, que antes del Boom había sido el género de mayor éxito en la región. En la abarcadora concepción histórica de *Cien años de soledad* hay mucho de Carpentier y no poco de Faulkner, pero también hay mucho del *Canto general* de Neruda. Y algunos de los prosistas, notablemente Borges y Lezama, eran también o principalmente poetas. Las nuevas novelas buscaban no ya reflejar una realidad sino penetrarla y hacerla revelar sus esencias a través de un lenguaje poético fraguado de metáforas, símiles, y recursos como la aliteración, la paranomasia y otras figuras y técnicas propias de la poesía.

En términos de la historia no literaria sino más convencionalmente política y social, el Boom parece haber obedecido a varios factores, o por lo menos ser síntoma o reflejo de ellos. El primero fue la Revolución Cubana, cuyo triunfo en 1959, antes de derivar en régimen totalitario represivo, sirvió de imán a la gran mayoría de la intelectualidad no ya de Hispanoamérica sino del mundo entero. En La Habana se dieron cita artistas e intelectuales que contribuyeron a crear la sensación de que algo realmente nuevo había surgido, y de que ese algo merecía una expresión también nueva, a tono con la rebeldía que se manifestaba por todas partes y en todas las esferas artísticas, sobre todo la música popular, la televisión y el cine. De pronto, con movimientos estudiantiles como el 68 de París, los de oposición a la guerra de Viet Nam en Estados Unidos, brotes guerrilleros en Hispanoamérica, África y otros países de lo que entonces empezó a llamarse Tercer Mundo, hubo un clima en que todas las formas de expresión anteriores se hacían obsoletas, cosas de museo —así toda la literatura regionalista, encarnada en figuras literarias que parecían pertenecer a una época remota, rebasada, de complicidades entre el estado y las artes. No se vislumbró que, con una implacable circularidad, lo mismo, pero aún peor, regresaría a Cuba. Pero en el momento de euforia pocos se previnieron contra los fatalismos de la política, incluso cuando el régimen cubano empezó a perseguir a intelectuales y artistas y se desataron escánda-

[4] James East Irby, «La influencia de William Faulkner en cuatro narradores hispanoamericanos», tesis, Universidad Nacional Autónoma de México, 1956. Los cuatro narradores que estudió Irby en esta obra pionera, de difícil acceso, fueron Lino Novás Calvo, Juan Carlos Onetti, José Revueltas y Juan Rulfo.

los internacionales por ello, como el notorio «caso Padilla»[5]. Poco a poco, tarde o temprano, los escritores del Boom —Fuentes, Vargas Llosa, Goytisolo, pero nunca García Márquez o Cortázar— rompieron con La Habana. Pero todo este ambiente político y cultural fuel caldo de cultivo para el surgimiento de la gran novelística hispanoamericana, y de la no menos notable poesía[6].

La publicación de obras de la envergadura y resonancia de *Cien años de soledad* fomentaron la expectativa de que otras de igual calidad iban a ser producidas pronto, ya fuera como prolongación del Boom o como un movimiento totalmente nuevo de igual importancia. Hubo una promoción de escritores más jóvenes que fueron arrastrados por el impulso iniciado por el Boom que escribieron obras de gran mérito, en especial los cubanos Guillermo Cabrera Infante, Severo Sarduy y Reinaldo Arenas, y el argentino Manuel Puig. *Tres tristes tigres* (1966), la novela que hizo famoso a Cabrera Infante, ganó el premio Biblioteca Breve, como antes las del Boom. Es una obra tan experimental como *Rayuela,* pero con más humorismo y rebosante de juegos lingüísticos al estilo de Joyce. Sarduy, afiliado al grupo estructuralista radicado en París que publicaba *Tel Quel,* revista de teoría crítica de gran impacto, escribió algunas de las obras más difíciles producidas entonces, en que hacía alarde de un dominio exquisito de técnicas literarias relacio nadas con el estructuralismo, sobre todo en su vertiente psicoanalítica derivada de Jacques Lacan. *De donde son los cantantes* (1967) fue la de mayor éxito. Es una especie de alegoría de la cultura e historia cubanas que culmina con la violencia total de la Revolución, cuya sección final, «Entrada de Cristo en La Habana», es una poco velada sátira de Fidel Castro y su llegada a la capital después de la huida de Fulgencio Batista. Arenas, perseguido y encarcelado en Cuba por sus actividades homosexuales y políticas, y de enorme talento natural, escribió obras verdaderamente notables, como *El mundo alucinante* (1969) y la colección de cuentos *Con los ojos cerrados* (1972). La novela se basa en la vida de Fray Servando Teresa de Mier, fraile mexicano que vivió a fines del siglo XVIII y principios del XIX, y que llevó una ajetreada vida de prófugo de la justicia —como Arenas. Los cuentos son de los mejores escritos en esa época, comparables a los de Cortázar. Puig y Sarduy murieron jóvenes de SIDA, y Arenas, que sufría del mismo mal y, ya en el exilio, amargado por tanta persecución, se suicidó en Nueva York. Por lo que puede decirse que la generación de narradores que siguieron inmediatamente des-

[5] Lourdes Casal, *El caso Padilla: literatura y revolución en Cuba. Documentos* (Miami: Ediciones Universal, *c.* 1972).

[6] Resulta instructivo que el impacto de la Revolución Cubana sobre la literatura haya sido indirecto y, en gran medida, contrario a la doctrina comunista que el régimen hizo suya, ya que el Boom fue un fenómeno típico de la vanguardia artística, reñida ésta con el marxismo. El tipo de literatura que el régimen promovió activamente, realismo socialista, poesía conversacional, novela testimonio, no dejó huella ninguna, excepto por la última, que gozó de cierta boga pero dejó, a la postre, un legado muy pobre, apenas una obra notable, *Biografía de un cimarrón* (1966), de Miguel Barnet. De lo demás, incluso o sobre todo de crítica, no quedó nada, y las grandes obras publicadas en Cuba, *El siglo de las luces,* de Carpentier (que en realidad primero apareció en México) y *Paradiso,* esta última en particular, no tienen nada que ver con el realismo socialista o el marxismo.

pués de los del Boom se malogró temprano, creando un vacío, una ruptura en lo que podría haber sido una continuidad más natural, si es que se puede hablar de semejante cosa en historia literaria.

De todos modos la expectativa de obras del nivel de las del Boom no se cumplió, aunque algunas de las mencionadas en el párrafo anterior son muy meritorias. Lo que sí ocurrió fue que los integrantes originales del grupo continuaron publicando novelas de gran calidad, en algunos casos superior que las que los hicieron famosos en los años sesenta. Cortázar nunca llegó a publicar nada tan bueno o ni siquiera tan llamativo como *Rayuela* o, sobre todo los cuentos contenidos en colecciones como *Las armas secretas* (1958) o *Todos los fuegos el fuego* (1966), y, siendo, con mucho, el mayor de los cuatro novelistas del Boom, fue el primero de los cuatro en morir, en 1984[7]. Pero García Márquez, Vargas Llosa y Fuentes publicaron novelas importantes. El primero dos de gran valor, *El amor en los tiempos del cólera* (1985), y *El general en su laberinto* (1989); la segunda basada en los últimos meses de la vida de Simón Bolívar, la primera una dilatada historia de amor ubicada en la Colombia provinciana. Vargas Llosa ha escrito numerosísimas novelas, siendo la mejor *La guerra del fin del mundo* (1981), donde retoma la historia de Canudos, la ciudadela que se hizo fuerte en el interior del Brasil y fue aniquilada por las fuerzas de la República, que había sido tema de la obra maestra *Os sertaos* (1900), del brasileño Euclides da Cunha. Fuentes ha escrito también muchas novelas en los últimos años —algunas de dudosa calidad—, siendo la mejor *La campaña* (1990), obra histórica situada en la Argentina durante la lucha por la independencia.

Sólo si no tomamos en cuenta la prolongada producción de los grandes del Boom podemos permitirnos la prisa de hablar de un Post-Boom, algo que no ha dejado de hacer la crítica, con desiguales resultados. El problema es la dificultad para discernir diferencias entre obras producidas tan próximas en el tiempo, y también que las supuestas obras del Post-Boom no son de la calidad y riqueza de las anteriores, y por consiguiente no han generado una crítica de alto nivel. La ruptura es difícil de ver, pero en términos muy generales podría hablarse de una ligereza o, si se quiere, estudiada superficialidad en las obras más recientes, y el abandono de los «grandes temas», de las doctrinas o teorías globalizantes. Esto último es una idea derivada del influyente libro de François Lyotard *La condition postmoderne* (1966), y equivale a emparejar el Post-Boom con la postmodernidad. En narrativa esto significa el abandono de la dificultad causada en las novelas del Boom por técnicas narrativas vanguardistas que hacen arduo el acceso a las obras, y un retorno a recursos tradicionales como los argumentos consecutivos, o lineales, y la incorporación de técnicas tomadas de los medios masivos de comunicación, como el cine, las telenovelas o los muñequitos (cómics). En breve, las grandes novelas del Boom eran ambiciosas construcciones lingüísticas enca-

[7] Cortázar había nacido en 1914, Carlos Fuentes en 1928, Gabriel García Márquez en 1928, Mario Vargas Llosa en 1936.

minadas a revelar una profunda verdad poética referente a la historia, la cultura nacional del escritor, o la cultura hispanoamericana en general, entreverada con una lacerante reflexión sobre la naturaleza de la escritura y las dificultades que ésta encuentra en la expresión de esa verdad. La presencia seductora de ese enigma que se anuncia y oculta a la vez en el proceso de lectura desaparece o se atenúa en las obras de lo que pudiéramos llamar el Post-Boom, y en esto sí parecen caer bajo la condición postmoderna preconizada por Lyotard.

En un libro que discrepa de esta fusión de Post-Boom y postmodernismo, pero que en realidad lucha infructuosamente por definir el primero en términos parecidos a los mencionados arriba (superficialidad, presencia de los medios masivos), Donald L. Shaw estudia las obras de Isabel Allende, Antonio Skármeta, Luisa Valenzuela, Rosario Ferré y Gustavo Sainz, un grupo de dudosa coherencia y (salvo algunos textos de Ferré) de inferior calidad —ninguno se ha impuesto y definido o es apto para servir de guía a un movimiento[8]. Además, Ferré por ejemplo, pero sobre todo Allende, están tan marcadas por García Márquez (Ferré también por Cortázar) que la única vía para hacer una valoración positiva de sus obras es declararlas parodias o pastiches de las de esos maestros del Boom. Raymond Leslie Williams arguye vigorosamente a favor de la existencia de un movimiento postmodernista en la narrativa hispanoamericana y hasta llega a parcelarlo geográficamente (México, mundo andino, Caribe), suministrando gran cantidad de ejemplos de escritores —por ejemplo la chilena Diamela Eltit, el argentino Ricardo Piglia[9]. Como en el caso de Shaw, el problema surge cuando consideramos el poquísimo impacto que estos escritores han tenido en comparación con los del Boom, y lo difícil que resulta reunirlos en base a una serie de ideas y técnicas comunes, más allá de las mencionadas antes.

Con mejor fundamento y distancia temporal de sus objetos de estudio, Aníbal González, percibe en la narrativa hispanoamericana más reciente un viraje hacia lo sentimental y la temática del amor, lo cual coincide con la idea de que los nuevos novelistas buscan formas y asuntos en un pasado muy anterior al Boom, y que sus obras aspiran a ser más asequibles y hasta apetecibles al lector común[10]. Buen ejemplo de ello sería *Mujer en traje de batalla* (2001), del cubano recientemente fallecido (2005), Antonio Benítez Rojo, que ha sido un verdadero éxito de librería y parece hecha para convertirse en película. Autor de la novela histórica *El mar de las lentejas* (1966), de factura carpenteriana, Benítez Rojo relata en su nueva obra los amores de Enriqueta Faber, intrépida francesa de la era napoleónica que,

[8] *The Post-Boom in Spanish American Fiction* (Nueva York: State University of New York Press, 1998).

[9] *The Postmodern Novel in Latin America: Politics, Culture and the Crisis of Truth* (Nueva York: Saint Martin Press, 1995).

[10] Aníbal González ha esbozado su tesis en «La república del deseo: *Canción de Rachel,* de Miguel Barnet y la nueva novela sentimental», recogido en *Cuba: un siglo de literatura (1902-2002)*, coordinadores Anke Birkenmaier y Roberto González Echevarría (Madrid: Colibrí, 2004), págs. 245-264. Ver del mismo autor *Killer Books: Writing, Violence, and Ethics in Modern Spanish American Narrative* (Austin: University of Texas Press, 2001).

disfrazada de hombre para poder hacerse médico, luego de ejercer su profesión en la campaña rusa recala en Cuba, donde llega hasta a casarse con otro hombre. El travestismo, que recuerda a Sarduy, y la melodramática historia de amor están muy a tono con lo propuesto por González. Otros críticos que se ocupan actualmente de la narrativa que hoy se hace en Hispanoamérica son la argentina Josefina Ludmer y el venezolano Gustavo Guerrero. Ludmer se interesa precisamente por el «presentismo» de esa narrativa, la preocupación por ser y estar en el presente, espinoso tema filosófico que se despliega en la temática de lo ultramoderno, la globalización de la cultura, la vida de los jóvenes. Guerrero, además de profesor y crítico importante es asesor literario de la Editorial Gallimard para el área española e hispanoamericana, por lo tanto uno de los forjadores del canon actual. Ha destacado, entre otras obras, la de la cubana afincada en Puerto Rico Mayra Montero, cuya novela más conocida es *La última noche que pasé contigo* (1991), y la obra del joven guatemalteco Rodrigo Rey Rosa, autor de novelas como *Cárcel de árboles* (1992) y *Piedras encantadas* (2001)[11]. Otros críticos autorizados, como René Prieto, valoran la obra de la novelista argentina Tununa Mercado, autora de *Canon de alcoba* (1989) y *En estado de memoria* (1992)[12]. Resulta evidente que el número de escritoras tratando de abrirse paso ha aumentado mucho y que la crítica hace todo lo posible por acogerlas, pero aparte de Isabel Allende, que se ha hecho popular en Europa, ninguna ha tenido un gran éxito de librería o publicado una indiscutible obra maestra.

Yo, por mi parte, añadiría a la lista de los prometedores ya casi consagrados al mexicano Jorge Volpi, autor de *En busca de Klingsor* (1999) y *El fin de la locura* (2003), esta última un repaso de los años sesenta, los del Boom, visto desde París y a través de un protagonista mexicano que se dedica al psicoanálisis y al turismo revolucionario de la época. Es una obra desengañada en que el joven escritor hace un severo ajuste de cuentas con la obra de sus mayores. También añadiría las novelas y cuentos del boliviano Edmundo Paz Soldán, que ya suman una obra de considerable calidad y densidad, y los ensayos del cubano Antonio José Ponte, que labra una obra esmerada y ambiciosa en el medio menos propicio —la Cuba de Castro, de la que es disidente pero se niega a abandonar pese al hostigamiento de las autoridades. Entre sus libros se encuentran *Las comidas profundas* (1997) y *El libro perdido de los origenistas* (2002).

Ha habido un eclipse en la poesía, aunque hay poetas destacados como Gonzalo Rojas (Chile), Ana María Rodas (Guatemala), Alfonso Quijada Urías (El Salvador), Ana Istarú (Costa Rica), Álvaro Mutis (Colombia), Homero Aridjis (México), Carlos Germán Belli (Perú). Pero no se vislumbra en el horizonte ninguna figura de la eminencia de un Paz, un Neruda, o un Lezama Lima, aunque hay poetas de obra considerable como, además de los mencionados, el mexicano

---

[11] Gustavo Guerrero, *La religión del vacío y otros ensayos* (México: Fondo de Cultura Económica, 2002).

[12] El trabajo de Prieto sobre Mercado aparece en su *Body of Writing: Figuring Desire in Spanish American Literature* (Durham: Duke University Press, 2000).

José Emilio Pacheco y el colombiano Gustavo Cobo Borda. La obra de otros que brillaron fugazmente gracias a acontecimientos políticos, como el nicaragüense Ernesto Cardenal, no ha sobrevivido el pasar de éstos, como ocurrió con varios cubanos cuya poesía surgió y fue promovida por la Revolución. La poesía social no dejó legado ni obras maestras. El talento parece haberse inclinado más hacia la prosa, tal vez por el enorme éxito de los novelistas, o porque los tiempos no son propicios para la poesía. Esto es precisamente lo que siente Cobo Borda, según lo expresa en «Poética», que reza en su totalidad:

> ¿Cómo escribir ahora poesía,
> por qué no callarnos definitivamente
> y dedicarnos a cosas más útiles?
> ¿Para qué aumentar las dudas,
> revivir antiguos conflictos,
> imprevistas ternuras;
> ese poco de ruido
> añadido a un mundo
> que lo sobrepasa y anula?
> ¿Se aclara algo con semejante ovillo?
> Nadie la necesita.
> Residuo de viejas glorias,
> ¿a quién acompaña, qué heridas cura? [13].

No es nueva, sin embargo, la idea de que la poesía es inútil, sobre todo en tiempos de crisis, que —íntima o histórica— son siempre los del poeta. Es una sensación que se remonta al Romanticismo y forma parte de la poesía desde entonces. En época de escasez poética, sin embargo, el lamento y pregunta de Cobo Borda podría tener un tono más urgente que el de un mero tópico. Pero éstos son juicios apresurados y superficiales de mi parte, también influidos por el mismo fenómeno que nos hace esperar la llegada del próximo César Vallejo como si fuera a anunciarse con el mismo ruido que el próximo García Márquez, cuando en poesía la consagración es siempre más callada. Además, no sabemos si uno o varios poetas están urdiendo grandes obras en la clandestinidad, o simplemente en la intimidad.

Pero lo que la publicación de la *Cambridge History of Latin American Literature* reflejaba no era sólo la nueva importancia de la literatura hispanoamericana sino el nivel que había alcanzado el estudio de ésta en el ámbito universitario como resultado del Boom y sus secuelas. No es que careciera del todo de presencia institucional antes, pero, aún en la propia Hispanoamérica, para no hablar del resto del mundo, era limitado el estudio de los autores hispanoamericanos. En la secundaria se estudiaba a Rubén Darío y el Modernismo, se leían las novelas regionalistas —*Don Segundo Sombra, Doña Bárbara, La vorágine, Los de abajo*— y la poesía de un Pablo Neruda o César Vallejo, pero, con raras excepciones, eso

[13] Juan Gustavo Cobo Borda, *Poesías* (Alcalá de Henares: Pliego Poético Universidad de Alcalá de Henares, 2002), s. n.

era todo. En el extranjero la situación era similar, si no peor. En las universidades había especialistas en literatura colonial —José J. Arrom en Yale, por ejemplo—, y en los programas doctorales se estudiaba el *Facundo,* y muy poco más. Era típico que en un departamento de literaturas hispánicas de una universidad norteamericana, pongamos por caso, el «hispanoamericanista» se ocupara de todo, desde las crónicas de la Conquista hasta Rómulo Gallegos, mientras que había especialistas en literatura española medieval, del Siglo de Oro y moderna, como mínimo[14]. Esto empezó a cambiar en los años setenta y hoy día se ha llegado al extremo de haber departamentos de hispánicas en que se omite por completo la literatura española. Semejantes radicalismos no son comunes, pero son un indicio del cambio que ha ocurrido. Lo más importante y valioso de ese cambio ha sido no sólo el estudio sistemático y crecientemente especializado en el buen sentido de la palabra de la literatura hispanoamericana moderna, sino el florecimiento de los estudios coloniales, que por primera vez se han convertido en una disciplina, en un área de estudio con cátedras y revistas académicas dedicadas exclusivamente a su estudio[15]. Este mismo primer volumen de nuestra *Historia* es prueba de ello. En él escriben algunos de los más autorizados especialistas en los estudios literarios coloniales, profesores como Rolena Adorno, que ha publicado excelentes ediciones críticas de textos tan importantes como los de Felipe Guamán Poma de Ayala y Alvar Núñez Cabeza de Vaca[16]. El interés por Guamán Poma, figura conocida hasta la edición de Adorno por un exiguo grupo de especialistas, es otro ejemplo del crecimiento del campo colonial —su nombre ni siquiera aparece en las historias literarias anteriores al Boom. Un texto tan complejo como el de Guamán Poma, que es como una especie de *Finnegans Wake* andino por su complejidad lingüística y retórica, no habría despertado el interés ni sostenido la atención de profesores de *literatura* en el pasado: sólo los más asiduos coleccionistas, anticuarios y filólogos se habrían (y se habían) acercado a él. Hoy afortunadamente contamos con el trabajo de Adorno y sus colaboradores, que con los instrumentos más autorizados de la paleografía y la filología lo desmenuzan y recomponen, pero sin olvidar el enigmático, complejo y profundo valor estético de la obra, que fue lo que motivó su primera aproximación a ella.

Menos desatendida había sido la obra de Sor Juana Inés de la Cruz, la gran poetisa y monja mexicana del siglo XVII, que ya había sido reconocida en vida propia por su enorme talento y valiosísima obra. Pero en los últimos años los estudios sorjuaninos han experimentado un *boom* propio, en cierta medida detonado

---

[14] Me ocupo de este tema en detalle en el capítulo de este volumen intitulado «Breve historia de la historia de la literatura hispanoamericana».

[15] Por ejemplo, la *Latin American Colonial Review* (Abingdon, Oxfordshire, U. K.: Carfax International Publishers, 1992-).

[16] Rolena Adorno and Charles Pautz, *Alvar Núñez Cabeza de Vaca: His account, his life, and the expedition of Pánfilo de Narváez* (Lincoln, Nebraska, University of Nebraska Press, 1999); Felipe Guamán Poma de Ayala, *Primer nueva corónica y buen gobierno* ed. crítica de John V. Murra y Rolena Adorno, traducciones y análisis textual del quechua de Jorge L. Urioste (México, Siglo Veintiuno, 1980).

por el feminismo en su vertiente crítico-literaria, pero también por el creciente interés por el estudio de las culturas virreinales. La culminación de estos estudios fue sin duda la biografía literaria de Sor Juana escrita por nada menos que Octavio Paz, feliz conjunción de sensibilidad poética, amplia erudición, y anclaje en un presente pletórico de cuestiones críticas que Paz no soslaya[17]. El libro de Paz marca también la conjunción de las estéticas del Barroco de Indias y lo que se ha venido a llamar el Neo-Barroco[18]. Como podrá observarse en el contenido de este tomo, Sor Juana no ha sido el único autor del Barroco de Indias que ha merecido renovada atención, lo mismo puede decirse de su amigo Carlos de Sigüenza y Góngora y, del Virreinato de Nueva España (Perú), Juan de Espinosa Medrano y Juan del Valle y Caviedes.

También se han renovado en los últimos años los estudios de la literatura hispanoamericana del siglo XIX, sobre todo la escrita en torno a los movimientos independentistas y durante la consolidación de la nacionalidad de los países que surgen de éstos. De entre ellos, el más sobresaliente es *El género gauchesco: un tratado sobre la patria*[19], de la antes mencionada profesora argentina Josefina Ludmer, que logra establecer una relación de continuidad entre la legislación destinada a la conscripción del gaucho en el ejército nacional y la aparición de la literatura de tema gauchesco. En ambos procesos hay una apropiación de la voz del gaucho que pretende convertirlo en soldado de la patria y representante autóctono y genuino de la nación. Otro estudio importante, paralelo al de Ludmer en el deseo de mostrar cómo una figura marginal es absorbida por la (en este caso, dado que Cuba no fue independiente hasta mucho más tarde) emergente nacionalidad, es el de William Luis, *Literary Bondage*[20], en el que se estudia la incorporación y persistencia de la figura del esclavo negro en la literatura cubana desde el siglo XIX hasta el XX. Estudios parecidos y también de interés, aunque menos atentos a la literatura que a la evolución ideológica, sobre todo en el ensayo, son los de la argentina Susana Rotker-Martínez y la venezolana Beatriz González-Stephan[21]. Todo lo anterior es muestra de cómo los estudios de períodos anteriores al Modernismo se han enriquecido.

Pero el Modernismo también ha seguido siendo objeto de atención porque nunca se puede soslayar la importancia que tuvo en el nacimiento de la literatura

[17] Octavio Paz, *Sor Juana Inés de la Cruz o las trampas de la fe* (México: Fondo de Cultura Económica, 1982).

[18] Ver Roberto González Echevarría, *La prole de Celestina: continuidades del barroco en las literaturas española e hispanoamericana* (Madrid: Colibrí, 1999).

[19] Josefina Ludmer, *El género gauchesco: un tratado sobre la patria* (Buenos Aires: Sudamericana, 1988).

[20] William Luis, *Literary Bondage: Slavery in Cuban Narrative* (Austin: University of Texas Press, 1990).

[21] Ver *Ensayistas de nuestra América*, estudio preliminar, selección y notas sobre los autores de Susana Rotker (Buenos Aires: Editorial Losada, 1994), y *Esplendores y miserias del siglo XIX: cultura y sociedad en América Latina,* compiladora Beatriz González Stephan (Caracas: Monte Ávila Editores Latinoamericana; Equinoccio, Ediciones de la Universidad Simón Bolívar, 1995).

hispanoamericana del siglo xx. Un estudio que surgió del capítulo dedicado al tema en la edición original de esta *Historia* (fenómeno que se repitió en otros casos, como en el estudio de William Luis sobre las literaturas hispánicas en los Estados Unidos) fue el de Cathy L. Jrade, *Modernismo, Modernity, and the Development of Spanish American Literature*[22], que vincula la llegada de la modernidad a las sociedades hispanoamericanas al desarrollo de la poesía modernista. El libro de Jrade elevó el nivel del debate sobre el Modernismo y además logró establecer la continuidad de éste en la literatura hispanoamericana subsiguiente hasta el *boom,* lo cual prueba una vez más la influencia de éste en el desarrollo de los estudios de literatura hispanoamericana de períodos anteriores.

El ensayo de Luis sobre las literaturas hispánicas en los Estados Unidos (que aparece en el segundo volumen de esta *Historia)* da cuenta de un fenómeno que ha ido adquiriendo creciente importancia: la aparición de figuras de la diáspora hispanoamericana que escriben en español o inglés sobre sus vidas en Estados Unidos, o sobre sus países de origen. Oscar Hijuelos, de origen cubano pero nacido en Estados Unidos, Richard Rodríguez, de ascendencia mexicana, y muchos otros más, han publicado obras que han llegado al gran público, y en las universidades norteamericanas se ha creado el campo de estudio, de difícil ubicación, de esa literatura híbrida. Quien mejor ha teorizado sobre el asunto es el cubano Gustavo Pérez Firmat, cuya obra ha aparecido preferentemente en inglés. Su libro más reciente, *Tongue Ties: Logo-Eroticism in Anglo-Hispanic Literature* (Nueva York: Palgrave, 2003), analiza la obra no sólo de escritores hispanoamericanos radicados en Estados Unidos cuya lengua materna se ve amenazada por el inglés, sino la de grandes poetas españoles como Juan Ramón Jiménez, Pedro Salinas y Luis Cernuda, que también pasaron temporadas en ese país y se vieron afectados por la injerencia de su idioma. *Tongue Ties* es un libro que se enfrenta a problemas y dilemas de la creación poética en relación con la lengua madre que trascienden el contexto específico del siglo xx y escritores desraizados por procesos políticos de diversa índole, ya que en otras épocas el bilingüismo, la diglosia, constituyó una complicación de peso para los poetas —por ejemplo, en la Edad Media, cuando la lengua culta en el antiguo Imperio Romano era el latín, y Dante escribió a favor del vernáculo en *De vulgari eloquentia.* Por eso *Tongue Ties* es el libro más maduro sobre el tema de las literaturas de inflexión hispánica en Estados Unidos.

Algo irreversible y positivo que trajo el *boom* y sus efectos ha sido la unificación desjerarquizada de las literaturas en lengua española. La literatura de la Península no ocupa ya una posición hegemónica ni en el mercado de libros ni en el ambiente universitario. Como ya se dijo, en algunas universidades norteamericanas (ninguna de las principales) el vuelco ha sido tal que el estudio de la literatura española ha sido eliminado del todo. Sin llegar a estos excesos, el estudio de am-

---

[22] Cathy L. Jrade, *Modernismo, Modernity, and the Development of Spanish American Literature* (Austin: University of Texas Press, 1998).

bas se ha nivelado, hasta en la propia España, donde en los últimos treinta años se han creado no pocas cátedras de literatura hispanoamericana y ésta se ha convertido en asignatura importante en los programas de estudio. Hoy hay en España autorizados hispanoamericanistas como Carmen Ruiz Barrionuevo en Salamanca, Trinidad Barrera y Carmen de Mora en Sevilla, José Carlos González Boixo en León, Antonio Fernández Ferrer en Alcalá, Álvaro Salvador en Granada, Juana Martínez en la Complutense de Madrid, Yolanda Novo en Santiago de Compostela, y así sucesivamente. Han surgido, además, revistas académicas como *Anales de Literatura Hispanoamericana* de la Complutense de Madrid, y otras literarias de más actualidad que se ocupan tanto de literatura hispanoamericana como española: *Lateral* en Barcelona y *Letras Libres* en Madrid. Y si antes los novelistas hispanoamericanos recibían apetecidos premios literarios en España, hoy novelistas españoles, como Javier Marías, fue ganador del Premio Rómulo Gallegos en Venezuela (1995), y Juan Goytisolo, del Juan Rulfo en México (2004).

Lo anterior no quiere decir que la circulación de libros en español sea libre y abundante por todo el ámbito de lengua española. Los imperativos del mercado llevan a ciertas editoriales españolas a tirar ediciones para España que no circulan en Hispanoamérica y viceversa, y hay países como Cuba en que la presencia de un régimen totalitario imposibilita el libre tráfico de libros, mientras que en otros la pobreza sigue haciendo estragos en la difusión de la cultura. Pero en términos generales la situación es mucho mejor hoy que antes de los sesenta, cuando apenas si se vendían los libros hispanoamericanos (Carpentier, por ejemplo, se tuvo que pagar la publicación de obras maestras como *El reino de este mundo* y *Los pasos perdidos)* y la censura del régimen franquista hacía difícil la circulación de ciertos libros españoles o de cualquier origen —lo cual no imposibilitó que España, sobre todo Barcelona, jugara un papel decisivo en el surgimiento del *boom*. La publicación de esta *Historia* en España —quisieran los coordinadores— deberá ser un suceso importante en ese proceso de consolidación del estudio de la literatura hispanoamericana en sus universidades y otros centros culturales.

Roberto González Echevarría
Northford, Connecticut
Noviembre de 2004

PREFACIO GENERAL

En 1893 el célebre crítico e historiador español Marcelino Menéndez y Pelayo publicó su influyente *Antología de la poesía hispanoamericana*, que fue no sólo la primera historia de la poesía hispanoamericana, sino también la primera historia de la literatura hispanoamericana. La *Antología* se publicó cuando el Modernismo, el primer movimiento poético que surgió en América Latina, se encontraba en su punto álgido en todo el mundo hispano. Con el Modernismo, la literatura hispanoamericana llegó a la mayoría de edad, mientras que con la *Antología*, editada y prologada por el más importante crítico de la lengua, adquirió un carácter institucional y un respeto académico que no había tenido hasta entonces. La *Historia* que el lector tiene en sus manos se publica en un momento extraordinario de expansión y reconocimiento internacional de la literatura latinoamericana. Escritores como Jorge Luis Borges, Alejo Carpentier, Julio Cortázar, João Guimarães Rosa, José Lezama Lima, Gabriel García Márquez, Octavio Paz, Mario Vargas Llosa y otros muchos han hecho posible la consolidación de la literatura hispanoamericana como disciplina académica y su reconocimiento en el mercado literario internacional. García Márquez y Paz han recibido incluso el galardón más alto, el Premio Nobel. Sin los logros de estos autores, el público en general, las editoriales e incluso las universidades de todo el mundo, seguirían considerando la producción literaria hispanoamericana como un mero apéndice de la literatura española, dependiente de críticos como Menéndez y Pelayo para su legitimación. También a ellos se debe la existencia de esta *Historia*. El Modernismo le asignó a Hispanoamérica un lugar en el mundo literario español y estos autores la situaron en el centro de la literatura mundial.

La literatura hispanoamericana disfruta hoy en día de un reconocimiento mundial. En concreto, los novelistas hispanoamericanos se leen y se imitan no sólo en Occidente, sino en todo el mundo. Por ejemplo, Leo Ou-fan-Lee, un profesor de literatura china en la Universidad de Harvard, escribió no hace mucho que los escritores hispanoamericanos «ejercen hoy un poderoso impacto sobre muchos jóvenes autores chinos». Hace tan sólo treinta años una afirmación de este tipo habría sido impensable. Dado el atractivo y el alcance universal de esta literatura, parece apropiado quizás que esta *Historia* sea el resultado del esfuerzo conjunto de un grupo de profesores universitarios que trabajan en los Estados Unidos, Inglaterra y Europa continental, así como en Hispanoamérica. La literatura hispanoamericana está hoy en la cumbre de los movimientos literarios internacionales que comenzaron con las vanguardias en los años veinte. Estos movimientos, así como los que les siguieron, son en esencia cosmopolitas.

Esta *Historia* trata de beneficiarse en la medida de lo posible de la extensa e internacional lista de autores mencionados y, al mismo tiempo, pretende lograr una coherencia interna derivada de una serie de normas y valores académicos comunes. Al ser una historia académica, se preocupa por la exactitud objetiva, por las fuentes y las influencias y por la relación de la literatura con la historia en general. En otras palabras, nuestro trabajo se basa en una visión general del pasado, y no sólo del pasado de nuestro objeto de estudio, sino de cómo éste ha sido estudiado con anterioridad. Construimos siempre sobre lo que ha sido dicho antes y cuando no lo hacemos exponemos claramente nuestras razones para ello. No sólo queremos contar una historia, sino que además intentamos contar cómo se ha contado anteriormente. Aparte de estas cuestiones, que derivan de unos conceptos ideológicos muy generales, nuestro trabajo no está dominado por ninguna imposición ideológica o metodológica. Al contrario de lo que ocurre con muchas otras, nuestra *Historia* no está circunscrita por la visión filosófica o estética de un solo autor. Cuando los editores invitaron a cada uno de los autores a colaborar, les pidió que fueran innovadores en su modo de abordar el tema. Se consultó con cada uno de ellos los límites de su área de estudio y se les preguntó si consideraban que el tema que iban a desarrollar constituía en sí mismo una línea temática coherente dentro de la historia de la literatura latinoamericana. En conclusión, se le pidió a cada uno, que fueran conscientes de sus propias selecciones, no sólo que hicieran un repaso y esbozaran una puesta al día de sus respectivos campos de conocimiento. En este sentido, la *Historia* no es únicamente una historia de la literatura hispanoamericana, sino también una declaración del estado actual de la historiografía literaria hispanoamericana. A pesar de que esta libertad que cada autor ha tenido a la hora de desarrollar su tema haya dado como resultado cierta desigualdad en el producto final de conjunto, los editores están convencidos de que este eclecticismo aumenta el valor de la *Historia,* tanto a nivel de referencia intelectual como a nivel de aventura intelectual. Algunas obras literarias, a las que antes se les había prestado poca atención (y a veces ninguna), han sido considerados por nuestros autores y presentados en esta obra por vez primera. Por ejemplo, esta es la primera historia de la literatura hispanoamericana que abarca totalmente el periodo colonial, además de las obras de mujeres escritoras y de la literatura escrita en español por los chicanos y otros autores hispanos en varias regiones de Norteamérica. Paralelamente, esta es la primera historia de la literatura hispanoamericana que confronta las obras de autores afro-hispanos y afro-americanos. En resumen, los editores creen que esta *Historia* es una reafirmación y expansión del canon de la literatura hispanoamericana vista en el amplio contexto del Nuevo Mundo.

Somos conscientes, por supuesto, de que hay grandes presupuestos ideológicos tras nuestra obra. Uno de ellos tiene que ver con la existencia de la literatura hispanoamericana como tal. Desde que fue creada deliberadamente como concepto y como campo de estudio en los años treinta del siglo XIX, la literatura hispanoamericana se ha debatido entre ser una única literatura o las diversas literaturas de diferentes países que se comunican en una misma lengua. Los autores más reconocidos, desde Andrés Bello a Octavio Paz, han apoyado la existencia de una literatura hispanoamericana única, que va más allá de las fronteras nacionales; y si pensamos que la tradición se construye en base a las obras más importantes, como hacemos aquí, entonces podemos asumir la existencia de una única literatura hispanoamericana. Pero no todo el mundo está convencido de esto y nosotros no cuestionamos que existan particularidades que distingan a algunas literaturas nacionales dentro de Hispanoamérica. Además, las peculiaridades nacionales de literaturas como las de Cuba, México, Argentina, Chile o Colombia son también innegables. Pero estas diferencias son en gran medida temáticas. Por ejemplo, la vida de los negros y su origen africano tienen un papel muy importante en la literatura caribeña, mientras que en el cono sur son las tradiciones gauchescas las que tienen una importancia preeminente a nivel temático. Sin embargo, hay un cierto paralelismo entre las formas en las que estas figuras aparecen en sus respectivas literaturas nacionales, que también se extiende a cómo los indios son representados en lugares como Perú o México. Las tradiciones nacionales ponen el énfasis en las diferencias y las obras que de ellas surgen no pasan de ser productos locales. Pero los autores y las obras más poderosas atraviesan las fronteras y se sumergen en las semejanzas. Y de esta manera se consolida una especie de literatura global a la que todos aspiran. Consideramos que la parte más influyente y significativa de la literatura hispanoamericana es la que surge de una intertextualidad transnacional. La recuperación del periodo colonial es un esfuerzo por constituir una literatura continental con un origen y desarrollo comunes, el esfuerzo por rescatar el momento cuando la América española era una unidad. Esta es una de las razones más poderosas que hacen posible el incremento de los estudios sobre el periodo colonial en los últimos años a nivel universitario.

Las dimensiones de este crecimiento se hacen evidentes en especial en los capítulos dedicados a la cultura colonial. Hasta hace pocos años, la literatura colonial era sobre todo un tema reservado al interés de los coleccionistas de antigüedades, pero desde hace poco se ha dado un cambio tan drástico como irreversible. Los editores y autores de esta obra pretendemos reflejar este cambio. Antes de los años sesenta pocas universidades (ni fuera ni dentro de Hispanoamérica) ofrecían cursos sobre los escritores hispanoamericanos del periodo colonial, pero hoy muchas incluyen en sus programas de estudio a Sor Juana Inés de la Cruz, Bernal Díaz del Castillo y a Garcilaso de la Vega, el Inca, entre otros. En los niveles de postgrado hay también cursos monográficos sobre estas figuras y también sobre otras como Colón, Gonzalo Fernández de Oviedo y otros tantos historiadores del descubrimiento y la conquista de América. Los estudios sobre estos autores han aumentado notablemente tanto en profundidad como en sofisticación. Hoy se organizan simposios internacionales dedicados íntegramente a la literatura colonial, y también sesiones monográficas dentro de encuentros periódicos, como las convenciones anuales de la Modern Language Asociation of America (MLA).

Dada la naturaleza de las crónicas del descubrimiento y conquista, esta obra necesariamente aporta herramientas metodológicas y materiales de aprendizaje poco comunes en la educación literaria. El giro interdisciplinario de nuestra empresa lo pone de manifiesto la colaboración de Asunción Lavrin (en el volumen 1). La productiva fusión de disciplinas es la consecuencia natural del reciente cambio en la aproximación al campo. Durante las dos últimas décadas el estudio de la literatura colonial latinoamericana se ha enriquecido por esta ampliación de horizontes a nivel interdisciplinario. El redescubrimiento de la historiografía temprana de las Américas combina libremente los hallazgos del análisis retórico, la disciplina histórica, la antropología y la arqueología. Esta creciente convergencia de disciplinas, que no tiene precedentes en la historiografía literaria, ha hecho posible algunos tipos de cooperación interdisciplinaria excepcionales en el campo de los estudios hispánicos, que abren una puerta a las investigaciones del futuro.

La incorporación del periodo colonial a los estudios de la literatura hispanoamericana ha mejorado la calidad general de la crítica que se refiere a la producción de esta etapa, al mostrar el poco valor de los acercamientos periodísticos basados solamente en la producción literaria más reciente. Semejante avance está íntimamente ligado a la legitimación de la literatura hispanoamericana como disciplina académica, fenómeno muy reciente. Curiosamente, este movimiento descubre también los fuertes vínculos que unen a la literatura latinoamericana con la española, tanto en la época colonial como en la actual. La Edad Media, el Renacimiento y el Barroco de la Península Ibérica influyeron poderosamente sobre la literatura latinoamericana y esta es la razón de que tenga un pasado común con su contraparte metropolitana. Desde una perspectiva académica, se supone que los especialistas en la literatura colonial (y esperemos que de la moderna también) deben estar en posesión de sólidos conocimientos sobre la literatura medieval, renacentista y del Siglo de Oro. Una sexta parte de esta *Historia* está dedicada al periodo colonial y los capítulos que se centran en los periodos más modernos reflejan el peso de ese pasado vivo.

Otra de las razones del incremento de los estudios sobre la literatura colonial es que los autores hispanoamericanos modernos han descubierto que el comienzo de la tradición literaria, a la que pertenecen, se encuentra en el Barroco de Indias o en las crónicas del descubrimiento y la conquista. Una de las últimas pruebas de este fenómeno es el voluminoso estudio de Octavio Paz sobre Sor Juana. Autores contemporáneos como Carpentier, García Márquez o Neruda, entre otros, han escrito sobre figuras coloniales o han declarado su enorme deuda con ellos en entrevistas o artículos. Haroldo de Campos ha desarrollado una teoría sobre la literatura brasileña basada en la presencia continuada del barroco colonial o el retorno consciente de muchos autores hacia este. Muchas obras contemporáneas, en español o portugués, incluyen temas, personajes o historias que derivan de los textos coloniales. Este retorno al pasado colonial, que subraya su vigencia en el presente, completa la tradición literaria hispanoamericana y la sitúa en un marco temporal continuado de cinco siglos. No importa si al examinarlo de cerca nos parece que esto no es más que un pretexto o una fábula acerca de sus orígenes. La literatura crea sus propias ficciones históricas y su propia historia al realizarse en la ficción. Nuestra *Historia* refleja esta ficción en su totalidad a la vez que trata de ser concreta e históricamente exacta. También en este sentido, la nuestra es una historia de la historia de la literatura hispanoamericana.

Los editores creemos que esta es la primera obra que reconoce la riqueza y la diversidad de la literatura hispanoamericana en el siglo XIX (anterior al Modernismo). Este campo, que aún no ha tenido el reconocimiento institucional que se le ha dado al periodo colonial, ha comenzado recientemente a recibir atención tanto de escritores como de académicos. Los capítulos dedicados a la literatura del siglo XIX se cuentan entre los más innovadores y constituyen el área en la que nuestros autores realizan las investigaciones más novedosas. No se trata sólo de una historia que resume este campo de estudio, sino que los trabajos sobre el siglo XIX bien podrían ser la base de una nueva área de especialización académica.

La riqueza y la profundidad de la literatura latinoamericana en el periodo colonial y durante el siglo pasado es una de las características, quizás la más poderosa, que la distingue del resto de las literaturas del llamado Tercer Mundo. Durante los años sesenta, cuando comenzaba la revolución cubana y otros movimientos políticos encaminados a terminar con el colonialismo, muchos autores hispanoamericanos se aliaron con otros autores cuya lucha parecía similar. Fuesen cuales fuesen los resultados de estas alianzas políticas el hecho es que por Tercer Mundo se entienden las naciones que emergieron de la debacle del colonialismo europeo del siglo XIX, pero Hispanoamérica, al ser el producto de un colonialismo mucho más antiguo y diferente, tiene también una tradición literaria diferente. Las literaturas del Tercer Mundo emergen, en gran parte, durante el siglo XX, mientras que la hispanoamericana se remonta al menos hasta el XVI. La cultura hispanoamericana acarrea el peso de una cultura occidental que se extiende hasta la Edad Media, en cuyo ocaso se instauró el Imperio Español en el Nuevo Mundo. La cultura hispanoamericana se caracterizó desde el principio por sus ostentosas capitales, gobernadas por virreyes, que en muchos casos superaban en esplendor a las ciudades del Viejo Mundo, ya que debían competir con los magníficos centros urbanos de los aztecas, los mayas o los incas. Esta calidad urbana de Hispanoamérica se debe también al escolasticismo español, que se basaba en el presupuesto aristotélico de que la civilización era, como indica la etimología, propia de las ciudades. La cultura colonial hispanoamericana, medieval en muchos casos, se encuentra tan distante de la norteamericana o de la del Tercer Mundo, que si se comparan se puede incurrir en grandes malentendidos y distorsiones. El deseo de solidarizarse con los acontecimientos del Tercer Mundo es un elemento importante de la literatura hispanoamericana reciente, que incluso puede delinear todo un movimiento, pero no hace de ésta una literatura tercermundista. La literatura hispanoamericana no es nueva, aunque una de sus fábulas sobre su origen así lo sugiera. Nuestra *Historia,* así lo esperamos, deja esto muy claro ofreciendo suficientes pruebas de ello.

La cuestión de lo nuevo es tan aguda en la literatura hispanoamericana debido precisamente a que se trata de una cultura muy antigua, tanto a través de sus raíces europeas como de las de las culturas nativas y africanas. Toda la historia de Macondo, la ciudad fantástica de *Cien años de soledad* de García Márquez, un microcosmos que representa a Hispanoamérica, había sido escrita previamente, en sánscrito, por un mago; es una historia que nace de los propios orígenes de la historia y de la escritura. En esos orígenes la escritura precede a la historia. Las literaturas del Tercer Mundo son recientes, pues muchas han surgido en el siglo XX. Los escritores hispanoamericanos encuentran a sus antepasados dentro de lo que ellos consideran como literatura propia, en los siglos XVI y XVII. La polémica y apasionada biografía de Sor Juana Inés de la Cruz, escrita por Octavio Paz es un ejemplo. Había academias de literatura de estilo renacentista en Lima a finales del siglo XVI y cientos de poetas petrarquistas en el México del siglo XVII. Si alguien lo duda que lea la obra *Petrarquismo peruano* de Alicia de Colombí-Monguió y *Los libros del conquistador* y *Tiempos barrocos en el antiguo México* de Irving A. Leonard.

Los editores y autores hemos tratado de escribir, con todos nuestros medios, una historia informativa, fiable, de referencia útil y que a la vez sea un buen instrumento de investigación. Debido a ello hemos tratado de facilitar todas las referencias bibliográficas y documentales. De hecho, creemos que las bibliografías selectivas referentes a cada capítulo constituyen por sí mismas una contribución importante al campo, así como lo hace la bibliografía general del final, que fue reunida por un bibliógrafo profesional. En algunos casos (un buen ejemplo es la lista completa de novelas regionalistas de Carlos J. Alonso) las bibliografías son el resultado de una investigación totalmente novedosa. Todas las bibliografías secundarias son selectivas y las anotaciones pretenden guiar a los que las consulten hacia los trabajos más novedosos y prometedores. Si se leen a la vez que sus capítulos correspondientes, las bibliografías deberían dar al crítico la capacidad de comenzar a desarrollar su propia y original aportación. Los editores esperamos que este caso se dé a menudo y que esta *Historia* se convierta en un buen auspicio para los próximos cien años de literatura hispanoamericana.

RGE y EPW

INTRODUCCIÓN AL VOLUMEN I

La concepción de la literatura hispanoamericana como una categoría con coherencia propia, comenzó con el academicismo romántico y, en términos generales, se basó en nociones deterministas y trascendentales de la historia, la tradición y el medio cultural. En efecto la literatura romántica ofrecía, con singular soltura hechos legendarios verídicos muchas veces extraídos de textos del pasado. Aun así, no podemos asumir que los antiguos textos europeos fueran la única base de desarrollo de la tradición literaria americana dado el contexto nacionalista de la Hispanoamérica del siglo XIX. Los autores más importantes de este periodo eligieron como fuentes fundamentales de la literatura histórica y de la prosa de ficción de la América hispanoparlante las primeras crónicas del descubrimiento y la exploración del Nuevo Mundo. Podemos encontrar ejemplos de ello en los *Infortunios de Alonso Ramírez* (1680) y otros escritos del sabio mexicano Carlos de Sigüenza y Góngora (1645-1700). Como también aparecen en el *Lazarillo de ciegos caminantes* (1773) del español Alonso Carrió de la Vandera (1715-1778). Como es evidente, las referencias a los modelos de narrativa histórica de autores como Gonzalo Fernández de Oviedo (1478-1557), Francisco López de Gómara (1512-1572) o Alvar Núñez Cabeza de Vaca (¿1490-1557?), están más patentes en los ensayos y ficciones de los argentinos Esteban Echeverría (1805-1851), Juan Bautista Alberdi (1810-1884) y el colombiano José Caicedo Rojas (1816-1897), entre otros. Para los lectores de numerosos países, las primeras crónicas se habían constituido, sin pretenderlo, en la tipología e iconografía americana que posteriormente se recogería en los textos poéticos más importantes. *La Araucana* (1569-1589) de Alonso Ercilla (1533-1594), *Grandeza mexicana* (1602) de Bernardo de Balbuena (1562-1627) y la obra de Lope de Vega *El Nuevo Mundo descubierto por Cristóbal Colón* (1611) son ejemplos sobresalientes del proceso de recodificación de las realidades hispanoamericanas. Incluso podemos llegar a afirmar que el material iconográfico implícito en la narrativa del descubrimiento y la conquista ha sido recurrente en muchas narrativas históricas, en ficciones, cuadros e ilustraciones gráficas que se realizaron durante los siglos XIX y XX. Las excelentes ilustraciones del *Atlas physique, politique et naturelle de Cuba*, de Ramón de la Sagra, o los grandes paisajes pintados por el alemán Johann M. Rugendas y el mexicano José María Velasco son muestras de la rica iconografía americana.

Adoptar las crónicas del descubrimiento y la conquista como textos de fundación requería, aun en este caso, una ampliación considerable de las fronteras de la historia literaria. Hay que recordar que las primeras narrativas del descubrimiento son un híbrido entre lo que un lector moderno asociaría con el discurso de la historia, la teología, la antropología, la geografía y las ciencias naturales. A pesar de todo, el éxito de estos libros no se debe exclusivamente a la riqueza de datos que muchas veces son contradictorios. Llaman la atención del lector aspectos más imaginativos y originales así como los numerosos episodios cargados de desilusión, introspección y fracasos. También gustan al lector las partes en las que el acto de escribir evoca imaginarios ocultos del autor o se convierte en una forma de legitimación personal. Este tipo de cuestiones atemporales son típicas preocupaciones literarias y además exigen una forma de lectura ecléctica no muy diferente a la aplicada en la interpretación de muchos textos latinoamericanos escritos después del siglo XIX. Así, la lectura de la historia nos dice mucho sobre la forma de enfrentarnos al proceso de formación de la actividad literaria en Hispanoamérica. Asimismo algunos discursos no literarios han tenido que ver enormemente con la creación de ficciones escritas desde el siglo XVI, pero sólo recientemente hemos comenzado a comprender el peculiar proceso de creación sincrética de los discursos literarios hispanoamericanos. Las observaciones hechas hasta ahora nos conducen entre otras cosas a la enorme importancia de las letras coloniales en la historia cultural de Hispanoamérica. Los primeros estudiosos de este tema en los comienzos del siglo XX, como Irving A. Leonard, Edmundo O'Gorman y José J. Arrom, entre otros, ya apuntaban a la necesidad de un examen cabal de las prácticas literarias del pasado. Afortunadamente, gran cantidad de académicos llevan a cabo hoy en día una revisión completa de la historiografía literaria de las Américas. El rigor de su trabajo está garantizado por una amplia base teórica y unos cimientos históricos y filológicos muy sólidos. Además, últimamente varios estudios han dado como fruto exámenes detenidos de muchos textos individuales. Nos sentimos orgullosos de que muchos de los responsables de la renovación de los estudios coloniales hayan colaborado en este libro.

En el primer capítulo de este volumen Roberto González Echevarría aborda los controvertidos e inciertos, orígenes de la historiografía literaria de Hispanoamérica. En el siguiente, Rolena Adorno estudia las artes verbales entre los indígenas del Nuevo Mundo. Sugiere con acierto que sin reconocer la presencia de voces nativas (incluyendo a los escritores mestizos) «no podría hacerse una historia completa de la cultura colonial de la América hispana». Las obras que se analizan en su capítulo corresponden sobre todo a las que interpretan la vida de los nativos y sus tradiciones autóctonas bajo el mandato colonial. Los ocho capítulos siguientes abarcan de la forma más extensa publicada hasta ahora el periodo colonial. Stephanie Merrim no sólo comenta los textos más relevantes durante los primeros cincuenta años de historiografía hispánica del Nuevo Mundo, sino que también revela los diferentes tipos de «infrahistoria» que es fruto muchas veces de la desobediencia, la crueldad, el interés personal o los intentos fallidos de colonizar a los nativos o de conseguir su conversión a la religión católica. La profesora Merrim deja claro que muchas de las primeras narrativas sobre el Nuevo Mundo resultaron de las ambiciones personales o de la necesidad de buscar el perdón y la legitimación de ciertos actos. A veces, aquellas tempranas descripciones de la realidad americana estaban llenas de motivos legendarios y utópicos que tendrían su eco en la ficción moderna hispanoamericana. Igual de revelador es el texto de Kathleen Ross que se centra en la narrativa histórica escrita entre 1550 y 1620. En él explica los criterios que permitieron la inclusión del discurso histórico dentro del canon literario hispanoamericano y también describe la forma cómo los historiadores tradicionales y los académicos de la literatura han leído los textos coloniales hispanoamericanos. Este profundo análisis de los caminos actuales de investigación, revela las consideraciones teóricas y la interdisciplinariedad que constituye la base de los estudios más recientes sobre la literatura colonial.

Al igual que Merrim y Ross, David Boost demuestra en su acercamiento a la escritura histórica del último periodo colonial, cómo una interpretación creativa del discurso colonial puede ayudarnos a comprender el pasado y, en concreto, sus textos. Boost, además, nos advierte sobre el gran número de escritos que han sido olvidados por los académicos tanto de la historia como de la literatura. La enorme producción de textos poéticos líricos y épicos del periodo colonial la corroboran Margarita Peña y Roberto González Echevarría. En sus respectivos ensayos se comentan los textos y sus características diferenciadoras y se tienen en cuenta trabajos muy pertinentes que son poco conocidos, incluso entre los especialistas en literatura colonial. Esta amplia visión de la creatividad literaria se complementa con tres capítulos que describen la actividad teatral durante los tres primeros siglos de la colonia. Frederick Luciani se refiere aquí a una gran cantidad de textos escritos y llevados a las tablas en ese periodo. Además, aduciendo nuevas pruebas, Luciani analiza el contenido sincrético de muchas obras de teatro y sus funciones artísticas y rituales. Asunción Lavrin es la responsable de investigar el amplio espectro de la vida cultural de los virreinatos. Con los instrumentos de una historiadora, la profesora Lavrin aporta una serie de datos extraídos directamente de material de archivo y otras fuentes primarias. Demuestra así explícitamente los procesos de interacción cultural que tuvieron lugar entre los europeos y los indígenas. Nos explica cómo la fuerza de las culturas nativas suponía un enorme impedimento para los españoles a la hora de implantar su cultura. Contrariamente a la noción popular, la derrota física de los amerindios no supuso la desaparición total de sus legados culturales ni de sus formas de creación artística. La explicación que ofrece Lavrin de la temprana formación de una sociedad hispanoamericana en la Nueva España, permite comprender la importancia del crecimiento de una poderosa burocracia en los virreinatos. El ensayo de Karen Stolley complementa el de Lavrin con su descripción de la vida cultural de los virreinatos de la zona del Perú y del Río de la Plata. Su artículo se centra en las creaciones literarias así como en la importancia de la cultura popular durante el último periodo del Imperio Español.

La poesía neoclásica y romántica que se escribió al principio de siglo XIX refleja la lucha por la independencia política y la inestabilidad del primer periodo republicano. Andrew Bush nos ofrece una aguda y original lectura de estos textos en un sustancioso capítulo en el que revela buena cantidad de información desconocida. La controvertida huella de la modernidad en Hispanoamérica y los discursos críticos que se formaron en este desigual proceso son los temas sobre los que escriben Nicolas Shumway y Martin Stabb. Ambos tocan una variedad de temas y subrayan la vital importancia del ensayo entre los textos políticos y literarios producidos en el siglo XIX.

En un ensayo crucial pero olvidado, Andrés Bello (1781-1865) enfatiza el papel de la narrativa histórica y de ficción en la creación de una identidad nacional. El ensayo de Antonio Benítez Rojo sobre la narrativa del siglo XIX vuelve a llamar la atención sobre este tema. El artículo se centra en la novela y, en especial, en el papel de las obras de ficción en la infraestructura imaginaria de las naciones. El acercamiento interdisciplinario a la novela realizado por Benítez Rojo se ve reforzado por los capítulos que Josefina Ludmer y Enrique Pupo-Walker dedican al género gauchesco y a la narrativa breve del siglo XIX. La lectura comprehensiva que la profesora Ludmer hace de un tipo particular de creación literaria como el género gauchesco tiene en cuenta una gran cantidad de fuentes tradicionales, de fuentes no literarias y también los textos de autores que se apropiaron del lenguaje coloquial usado por los gauchos y los payadores. El último capítulo de este volumen sirve para cerrar la exposición temática con la amplia investigación que hace Frank Dauster de las actividades teatrales del siglo XIX. Aquí nos describe las formas dominantes de representación teatral y los éxitos irregulares que tuvo este género durante las primeras fases del periodo republicano. Dauster, al igual que algunos otros colaboradores en esta obra, subraya la dificultad de reunir en su trabajo un gran número de literaturas nacionales diferentes. Sugiere que este esfuerzo convierte en polémico el acercamiento historiográfico a las letras hispanoamericanas. Como hemos visto y veremos, los dieciocho capítulos que contiene este volumen de historiografía literaria de Hispanoamérica se surten de nuevas referencias y novedosas aproximaciones analíticas. El punto de vista que ofrecemos puede afectar a la visión que tenemos de los textos, ya sean canónicos o menos conocidos. Así creemos cumplir con nuestros objetivos, pues más que diseminar el conocimiento hemos intentado ampliarlo.

Enrique Pupo-Walker

[1]

BREVE HISTORIA DE LA HISTORIA DE LA LITERATURA LATINOAMERICANA[1]

Roberto González Echevarría

Hasta finales del siglo xviii y principios del xix, cuando la idea de la literatura como categoría independiente se comenzó a extender, no fue posible concebir una literatura hispanoamericana, y menos una que fuese merecedora de una historia propia. Desde el comienzo del Renacimiento se consideró que las artes y las letras se derivaban de los inmanentes e ideales modelos clásicos de expresión estética, y que bien podían ser una copia o una corrupción de esos modelos. El cambio fundamental que permitió el nacimiento de la literatura hispanoamricana fue el abandono gradual de la abstracción formalista del periodo neoclásico, a favor de un concepto de la creación artística psicológico, empírico y contingente. Si asumimos que el medio, con todos sus detalles concretos, y la sicología individual del creador son factores determinantes para la creación artística, entonces su trabajo reflejará las condiciones que definen al individuo y la naturaleza que lo envuelve y que él expresa. Sólo cuando nació lo que conocemos como espíritu romántico fue posible pensar en el problema de la diferencia de la naturaleza americana en términos de su influencia en la creación literaria.

Sin embargo, esto no significa que algunos escritores del Barroco colonial no escribieran pensándose a sí mismos como portadores de la tradición literaria hispanoamericana. Tradición no es sinónimo de historia literaria. Es la suma de obras que un autor o una serie de ellos conciben como antecedente, como origen, como conexión con el pasado literario del que proceden. La tradición es un pasado dinámico, vivo y común. Su existencia puede o no ser explícita, pero necesariamente está siempre implícita. Por otro lado, la historia literaria es la actividad consciente y deliberada de mostrar cómo algunas obras se determinan mutuamente en el tiempo entre individuos que comparten una misma lengua y, a veces, un mismo espacio geográfico. Se trata de una actividad cuya intención es metadis-

[1] Siempre que escriba «latinoamericana» incluyo a la literatura brasileña.

cursiva y se manifiesta no sólo cuando se escriben historias literarias, sino también ensayos, trabajos didácticos, destinados a dar forma a un currículo y , muchas veces, en la edición de antologías. Las historias, los manuales, los ensayos críticos y las antologías son las formas narrativas a través de las cuales se expresa la historia literaria. Aun así estos libros son producto, en su dimensión historiográfica, de las historias que cuentan. Del mismo modo que, muchas veces, comparten una ideología común con las obras literaria cuyas historias narran. Por esta razón es posible pensar que las historias literarias no son metadiscursivas, sino que pertenecen a la economía textual del periodo en el que han sido escritas. La historia literaria es entonces una forma narrativa, quizás incluso un género menor, nacido en el periodo que va entre la Ilustración y el Romanticismo, en la transición de la concepción de la literatura concebida como una y eterna a la concepción de una literatura como una creación cuyas características vienen determinadas por su espacio y su tiempo. Herder, Schlegel, Villemain, Le Harpe, Sismondi, Madame de Staël o Sainte-Beuve son los harto conocidos nombres que encabezan la historia de la historia de la literatura.

Paradójicamente, al ser producida en regiones tan distantes y diferentes a Europa, tanto a nivel geográfico como cultural, la literatura hispanoamericana y su historia sólo pudieron ser concebidas al amparo de estas ideas occidentales. Cuanto más distinta, peculiar y diferente, más fácil era pensar en la literatura desde nociones creadas para expresar lo nuevo. La individualidad y la diferencia en el origen que postula el Romanticismo transforma la distancia que separa a Europa de América en puente para la creación literaria hispanoamericana, y esta vinculación sirve como su pre-texto o mito fundacional. Sin este prerrequisito de originalidad, la literatura hispanoamericana habría sido siempre una manifestación falsa, distante e inauténtica de la literatura europea. No obstante, si uno se atiene a los principios de la doctrina neoclásica, se podría decir que toda literatura, independientemente de donde sea creada, imita las formas clásicas que no se desvalorizan ni son menos auténticas por estar distantes de su lugar de origen. Si seguimos esta línea de argumentación, la literatura hispanoamericana no se distingue en nada de las europeas. Muchos autores hispanoamericanos, entre ellos algunos de los más importantes como Octavio Paz o Jorge Luis Borges, han defendido esta opinión de forma recurrente ya fuera deliberada o inconscientemente. Aun así, la opinión que ha prevalecido ha sido la otra, más polémica, que reconoce la individualidad de la literatura hispanoamericana aliada, muchas veces, a la lucha por la independencia política y cultural.

Si la noción de la literatura hispanoamericana ha existido sólo desde principios del siglo XIX, y si el concepto de literatura en general sólo se ha formulado en ese periodo, podemos concluir que la literatura hispanoamericana empezó a existir como tal desde el comienzo mismo de la literatura. En este sentido no se trata de una literatura reciente, como algunos sugieren, sino de una literatura cuyas características fundacionales son más concretas e intensas que las de las literaturas europeas aunque no necesariamente diferentes. Esta es mi opinión al reconstruir de forma esquemática la historia de las actividades literarias, polifacéticas y políticas que definieron las primeras fronteras entre la historia hispanoamericana y su literatura. Esta reconstrucción es justamente la contraria a la que Enrique Anderson Imbert hizo en su canónica *Historia de la literatura hispanoamericana*. Para el crítico argentino lo que importaba era lo que concebía como la historia de la literatura en sí y no la actividad que la producía y la definía: «Sabemos que, en Hispanoamérica, es frecuente que, dentro de la vida literaria, haya personalidades extraordinarias que estudian o promueven la literatura, pero no la producen. Más: a veces los hombres que más influyen en los grupos literarios son, precisamente, los que no escriben poesía, novela o drama. Es de lamentar, pero forzosamente debemos excluirlos de una historia de la poesía, de la novela y del drama» *(Historia,* 12). Por el contrario yo intentaré centrarme precisamente en aquellas figuras que hacen posible la producción literaria, definiéndola y reinventándola en el proceso.

Más allá de las de las obvias dificultades relacionadas con la investigación en sí misma, las dificultades inherentes a esta tarea derivan de la posibilidad de una fragmentación cuya semilla se encuentra en el concepto romántico de la literatura nacional y en la historiografía literaria. Esto se debe a que si cabe la posibilidad de pensar en términos de una literatura latinoamericana que existe en virtud de su distancia espacial y temporal respecto a las literaturas europeas, también debe ser posible pensar en una literatura argentina, una mexicana, una cubana y así sucesivamente. Este dilema ha sido la fuente de muchas polémicas que se extienden hasta el presente, así como de las soluciones más variopintas aunque ninguna totalmente satisfactoria. Si renunciamos a la diversidad nos encontramos con una literatura hispanoamericana como mera proyección de la literatura europea; si nos apoyamos en la diversidad, no podemos negar la existencia de una literatura costarricense, una colombiana una boliviana. Para algunos, la defensa de una de estas dos posiciones se ha convertido en una cruzada personal basada en lealtades nacionales o culturales cuya fuente podría ser el amor por la lengua o por algún tipo de tradición local. En última instancia no podemos ignorar la polémica; la continua lucha de la Literatura Hispanoamericana para definirse a sí misma se encuentra arraigada en lo más profundo de su ser. Sin embargo, este proceso de formación no conduce a una respuesta satisfactoria y su función por lo tanto es sólo formar parte de la totalidad y en ningún caso puede definir a esta o contenerla.

La investigación sobre los orígenes de la historiografía literaria hispanoamericana tiene como punto de partida inevitable la lectura de la primera gran empresa narrativa que tuvo por objeto a la literatura hispanoamericana: la *Antología de poetas hispanoamericanos* de Marcelino Menéndez Pelayo. A pesar de que la *Antología* sólo incluye la poesía, su propuesta histórica equipara poesía a literatura. La *Historia de la poesía hispanoamericana,* como se llamó a la reedición de la influyente obra de Menéndez Pelayo tuvo un papel muy importante en la elaboración de la historiografía literaria hispanoamericana, tanto a nivel continental, como a nivel nacional en cada país hispanoamericano. La primera pregunta que uno se hacía sobre la venerable pero a veces irritante *Antología* era la siguiente: ¿Cuáles fueron las fuentes de Menéndez Pelayo? ¿De qué libros disponía cuando se dispuso a redactar esta vasta visión? Un paseo por la biblioteca de Menéndez Pelayo nos revela una buena parte del mapa, en líneas generales, de la difusión de la literatura hispanoamericana en el siglo XIX. También revela los nombres de los fundadores y promotores de la literatura hispanoamericana, que hacen posible, al acudir directamente a sus obras, ir aún más allá del contenido de la biblioteca de Menéndez Pelayo, sin negar su increíble riqueza y variedad.

Como en casi todo lo que concierne a los orígenes de la literatura hispanoamericana, la figura fundadora es el venezolano Andrés Bello (1781-1865). Bello tocó muchos campos y disciplinas: fue poeta, gramático, clasicista, profesor, botánico y uno de los fundadores del Código Civil chileno. Para nosotros, sin embargo, es importante por sólo dos razones. Primera, a pesar de tener una formación neoclásica, su interés por las variadas posibilidades de la naturaleza americana, como la de ser fuente de inspiración poética, hacen de Bello un romántico. Claramente reúne estas dos tendencias en cuyo encuentro se forja la idea de una literatura hispanoamericana. Segunda, durante su prolongado exilio en Londres (1810-1829), realiza una serie de actividades como promotor y editor cultural, con las que se adelanta a otros autores hispanoamericanos que llevarán a cabo una tarea semejante treinta años después en París. En esos años, Bello publica dos revistas, *Biblioteca Americana* y *Repertorio Americano* que son las antecesoras de muchas revistas hispanoamericanas que se publicarán en Europa, como *Correo Americano*, en la mitad del siglo XIX o *Mundo Nuevo* en los años sesenta del siglo XX. Es a través de estas revistas y las actividades que las rodean que Bello le da ímpetu a la idea de una literatura hispanoamericana, independiente de la de Europa y capaz de reflejar la peculiar naturaleza hispanoamericana. Este es el tema de sus grandes poemas de este periodo, particularmente de *Alocución a la poesía*, publicada en el *Repertorio*. Bello cuyo espíritu era romántico, presenció la culminación del romanticismo en Londres, posiblemente su centro más importante. Pero este venezolano se expresaba de forma neoclásica. Sus seguidores, los fundadores de la tradición literaria hispanoamericana, serían románticos tanto de espíritu como de forma, pero ninguno sobrepasaría a su maestro como poeta, editor o pensador. Menéndez Pelayo basó su famosa *Antología* en los trabajos de estos románticos.

El perfil general de estos fundadores es el que describiré a continuación. Eran por supuesto, románticos, muchos de ellos argentinos, pero también había peruanos, chilenos, venezolanos y colombianos. Adquirieron o reafirmaron su sentimiento de ciudadanos continentales en sus viajes a otros países hispanoamericanos bien como diplomáticos de sus respectivos gobiernos o como exiliados. Lo que es más importante, sin embargo, es que se encontraron los unos a los otros en París, donde también eran diplomáticos o exiliados y donde publicaron algunas de sus antologías y otros trabajos de crítica. París se convirtió entonces, y sigue siéndolo hoy, en la supracapital cultural de América Latina. Estos autores, que se reunían inevitablemente en cafés y que crearon las alianzas políticas y artísticas hoy conocidas, eran por lo general personas políticamente activas y preocupadas por la educación en sus respectivos países de origen que se encontraban en el turbulento proceso de reorganización republicana. El papel de la literatura era muy importante en ese momento debido a que se estaba decidiendo el espacio que ocuparía en la educación escolar y universitaria.

El sentimiento de pertenencia a un mismo continente cultural y político se veía reflejado en colecciones de ensayos compilados por un cierto autor, que contenían a autores de países latinoamericanos diferentes al suyo, en antologías donde, por ejemplo, un editor argentino incluye a poetas cubanos como José María Heredia o Plácido (José de la Concepción Valdés). Hay incluso una antología que incluye obras de poetas brasileños en portugués; su editor fue el argentino Francisco Lagomaggiore y la colección tenía por título *América literaria: producciones selectas en prosa y verso*. Otra más, editada en Argentina por Carlos Romagosa, incluía autores norteamericanos (Poe, Longfellow y Whitman) traducidas al español: *Joyas poéticas americanas. Colección de poesías escogidas. Originales de autores nacidos en América*.

Un ejemplo representativo de este grupo de fundadores es el colombiano José María Torres Caicedo (1830-1889), un diplomático, ensayista y crítico que vivió en Paris a mediados de ese siglo, y donde conoció a muchos otros latinoamericanos, sobre los que escribió en una serie de ensayos a los que llamó *Ensayos biográficos y de crítica literaria sobre los principales publicistas, historiadores, poetas y literatos de América Latina*. Torres Caicedo fue uno de los primeros y más asiduos promotores del término *América Latina*, y planeó escribir lo que habría sido la primera historia de la literatura latinoamericana. Murió en un manicomio en Auteuil, cerca de París, como nos cuenta el académico argentino Emilio Carilla en el más completo estudio dedicado a Torres Caicedo, a quien consideraba el «descubridor» de la literatura argentina por los estudios que el colombiano dedicó a personas como Juan Bautista Alberdi (Carilla, «José María Torres Caicedo, "descubridor" de la literatura argentina»). Los fundadores de la historia literaria latinoamericana no sólo editaban antologías; algunos eran críticos, cronistas, periodistas o académicos e incluso tenían antecesores.

Antes de que estos fundadores formularan los conceptos que darían lugar a la historiografía literaria hispanoamericana, y mientras lo hacían, también existía un grupo de individuos, desperdigados en el tiempo y en el espacio y sin un objetivo común, que constituyeron una especie de tradición por su cuenta y que conservaron la memoria de trabajos escritos en Hispanoamérica en los siglos XV, XVI y XVII. Este linaje tan maravilloso como olvidado se componía de anticuarios, bibliófilos y bibliógrafos y continúa existiendo en la actualidad. Su genealogía se extiende desde Antonio León Pinelo (Perú, finales del siglo XVI-1600), hasta Nicolás de Antonio (España, 1617-1684), Juan José Eguiara y Eguren (México, 1695-1763) y, más recientemente, desde Alejandro Tapia y Rivera (Puerto Rico, 1826-1882) a Joaquín Icazbalceta (México, 1825-1894) o José Toribio Medina (Chile, 1852-1930). Algunos de ellos, Tapia y Rivera, eran también poetas, pero todos ellos eran sobre todo coleccionistas y bibliógrafos. Pero la palabra «coleccionista» no quiere decir aquí un recolector pasivo de libros y papeles viejos. En algunos casos, como el de José Mariano Beristáin y Souza (México, 1756-1817), estos anticuarios escribieron verdaderos libros de crítica literaria. Su *Bibliotheca Hispano-Americana Septentrional*, publicada en 1816, por ejemplo, contiene incisivos ensayos sobre personajes como Colón, Sor Juana y Hernán Cortés, entre otros. Este grupo no promovía en absoluto la idea de que las obras por ellos relacionadas constituyeran un cuerpo literario autóctono (exceptuando a Medina y a García Icazbalceta) sino más bien, un prolífico ejemplo del genio americano aplicado a la tarea de componer obras literarias en el sentido universal y ahistórico que prevaleció hasta el romanticismo. El trabajo de acopio de estos coleccionistas, independientemente de su intención, hizo posible que los fundadores encontraran un acervo de conocimiento indispensable para la elaboración de un comienzo histórico, un origen para su esquema narrativo.

Los fundadores sí tenían un objetivo común y establecieron un fuerte vínculo entre sus actividades y la independencia del continente. Fueron un grupo prolífico y han sido objeto de estudios excelentes como el de Rosalba Campra y Beatriz González Stephan. Lo que más llama la atención de la variedad de libros que escribieron es el enorme número de antologías. La más importante de ellas es sin duda la primera: *América poética*, recopilada por el argentino Juan María Gutiérrez, y publicada significativamente en Valparaíso, Chile, y no en Buenos Aires, durante el exilio del autor allí. En un gesto que proclama su deseo de fundar una tradición poética americana, Gutiérrez abre su *América poética* con la «Alocución» de Bello como una especie de epígrafe. Su antología vendría a ser la respuesta a la llamada a las musas por parte del venezolano, un acto verdaderamente fundacional de dimensiones continentales. Otros muchos le siguieron, incluyendo una nueva *América poética* (París, 1875), editada por el chileno José Domingo Cortés. Cortés fue también el autor de *Parnaso peruano* y de *Parnaso arjentino* [sic]. Cortés era obviamente el más asiduo compilador entre los fundadores y sus colecciones no se llamaban sólo «parnasos», sino también «galerías», «albums», «coronas», «ramilletes», «guirnaldas» y «mixturas». Los pintorescos títulos de estos venerables volúmenes, muchos de los cuales sirvieron como fuente a Menéndez Pelayo, nos permite tomar el pulso de la época, a la vez que ofrecen una visión de conjunto de los comienzos de la tradición literaria hispanoamericana, así como de las primeras manifestaciones de un tipo de historiografía literaria hispanoamericana. Esa tradición y esa temprana historia no es sólo escrita, sino que también tiene un carácter humano, en que se constituye tanto por el tráfico de individuos como por el de libros. Se trata de una circulación transcontinental que continúa naturalmente hasta el presente y que afecta al concepto amplio de una literatura hispanoamericana y lo enfrenta al restringido de las literaturas nacionales de manera enérgica.

La aparición de antologías comienza, en orden cronológico, con la anónima pero fundamental *La lira argentina, o colección de las piezas poéticas, dadas a luz en Buenos Ayres durante la guerra de su independencia* y termina, pasando por esa cumbre importante que es la *América poética,* con la obra de Pedro Pablo Figueroa *Prosistas y poetas de América moderna*. En estos momentos el Modernismo ya había alcanzado su esplendor. La tendencia culmina con la publicación de «parnasos» de casi todos los países hispanoamericanos por la editorial Maucci de Barcelona, entre 1910 y 1925. Estas son colecciones desiguales de características generalmente comerciales, muchas veces sin ni siquiera un prólogo o bibliografías. Aun así estos modestos libros siguen revelando la importancia de la poesía americana después del Modernismo, y la longevidad del movimiento poético que los fundadores iniciaron y promovieron con sus antologías.

Después de la mitad del siglo XIX comenzaron a aparecer, además de estas antologías, libros de crítica o periodismo literario sobre escritores hispanoamericanos, escritos por otros hispanoamericanos, que daban fe del profundo y vasto alcance que había tenido la tradición. Por ejemplo y como ya hemos descrito, en 1863 el colombiano José María Torres Caicedo publicó un ensayo bibliográfico sobre el argentino Juan Bautista Alberdi, y en 1882 el chileno Miguel Luis Amunátegui publicó una biografía del venezolano Andrés Bello titulada *Vida de Don Andrés Bello*. Como ya vimos, Torres Caicedo fue promotor de la unidad cultural latinoamericana y publicó en París una revista llamada *El Correo de Ultramar*, donde se publicaron los artículos que él escribía sobre sus colegas escritores (Carilla, «El primer biógrafo de Alberdi [José María Torres Caicedo]»). Entre todas las obras del mismo tipo debemos destacar también la del venezolano Rufino Blanco-Fombona, *Autores americanos juzgados por los españoles;* la del chileno José Victoriano Lastarria *Recuerdos literarios: datos para la historia literaria de América española i el progreso intelectual en Chile;* la colección de ensayos del mexicano Francisco Sosa *Escritores y poetas sudamericanos*, que ya comenta a algunos de sus predecesores, y el indiscreto y entretenido *Confidencias literarias* del argentino Martín García Merou.

También se publicaban trabajos de naturaleza más académica, como los del chileno Diego Barros Arana, en cuyo proyecto *Biblioteca Americana. Collection d'ouvrages inédits ou rares sur l'Amérique* intentó publicar en París obras de los siglos XVI y XVII. Además, encontramos varios estudios del mejicano Joaquín García Icazbalceta, como también sus traducciones de los *Diálogos latinos* de Francisco Cervantes de Salazar y su tratado titulado *Francisco de Terrazas y otros poetas del siglo XVI*. En Chile, Gregorio Víctor Amunátegui y B. Vicuña Mackenna publicaron sus *Informes presentados al decano de la Facultad de Humanidades sobre la Historia de la literatura colonial de Chile (1541-1810),* una respuesta crítica a la *Historia de la literatura colonial de Chile* de José Toribio Medina, que había participado en un concurso y se había publicado en 1878. Mientras tanto, el colombiano José María Vergara y Vergara publicaba su *Historia de la literatura en Nueva Granada*, cuya primera parte se intitulaba *Desde la conquista hasta la independencia (1538-1820)* y el ecuatoriano Juan León Mera su *Ojeada histórico-crítica sobre la poesía ecuatoriana desde su época más remota hasta nuestros días,* cuya segunda edición apareció en 1893.

La orientación histórica de estas obras académicas se enfrenta a la visión más periodística y actual de muchas antologías, aunque no de todas. Gran parte de estas y también del primer periodismo literario, constituyen los manifiestos poéticos americanos, no sólo porque recogen poemas de un gran número de países hispanoamericanos sino también porque incorporan, de forma casi exclusiva, trabajos del periodo inmediatamente posterior a la independencia. Parece claro que una de las ideas implícitas en estos libros es que la literatura hispanoamericana comienza donde comienzan la libertad política con respecto a la metrópoli y el nacimiento de las nuevas naciones. Pero, como es natural en el espíritu histórico que dominaba entre los románticos, el pensar sobre la existencia de una literatura hispanoamericana y escribir su historia significaba elaborar una narrativa que tuviera un principio, un cuerpo y, si no un final, al menos lazos que lo unieran a su presente. La imaginación romántica en la que la idea de una literatura hispanoamericana se forma es, sobre todo, narrativa, al igual que lo es la ciencia de la filología, que expresa el concepto del nacimiento y desarrollo de la literatura y los idiomas nacionales como una evolución, comprensible de la misma manera que lo es la de los fósiles que los naturalistas descubren y estudian. ¿Cuál es el principio de esta literatura?

En la tradición filológica, la historia literaria tiene siempre su origen en una canción épica que expresa el nacimiento de una lengua y una literatura que comienzan en la tradición oral popular. Esto dio pie a los estudios fundacionales de la *Chanson de Roland,* el *Nibelungenlied* y el *Poema de Mío Cid*. Deberíamos recordar que Bello fue el primer crítico que dedicó estudios importantes al *Poema*, que culminaron con una edición suya. Está bastante claro que el origen de la tradición literaria hispanoamericana, el comienzo de la narrativa de esta historia, podría muy bien haber sido la literatura española medieval o del Renacimiento. Pero esto no la habría hecho distinta y autónoma en su desarrollo sino más bien un mero apéndice, rama o desviación. El origen debía estar, más bien, en una literatura escrita en la colonia, con todos los problemas delicados y complejos que inevitablemente generaría esta idea. Juan María Gutiérrez, José Antonio Echeverría, José Toribio Medina y otros fundadores de la historiografía literaria hispanoamericana formularían unos comienzos literarios cuyos orígenes se remontarían a la colonia y que a menudo hundirían sus raíces en un tipo de épica renacentista del estilo de *La Araucana*, *Espejo de paciencia* o *Arauco domado*.

Las obras del periodo colonial eran problemáticas, porque la etapa en la que emergieron pertenecía al pasado español que la Independencia trataría de erradicar. ¿Cómo podían ser consideradas como sus orígenes unas obras concebidas bajo la hegemonía del «coloniaje», el término negativo que se usaba para describir la etapa colonial? Muchas de las obras coloniales eran explícitamente barrocas, escritas en un estilo que los románticos detestaban y asociaban directamente con la dominación española y esto entrañaba una dificultad estética. Crear un origen basado en estos elementos no era tarea fácil. La forma como Juan María Gutiérrez y José Toribio Medina se enfrentaron a estos problemas es ejemplar en la historia de la historiografía literaria hispanoamericana que intentó convertirse en narrativa dotada de un principio, de un inicio. A pesar de los cincuenta años que les separan, Gutiérrez y Medina comienzan sus proyectos narrativos desde un punto común, basado en las mismas ideas fundacionales. Lo que estos fundadores consiguieron efectivamente fue la monumentalización de la épica colonial basada en el modelo romántico-filológico del origen y evolución de las lenguas europeas.

Por monumentalización quiero decir darle a algo una posición privilegiada, forzándolo a que se convierta en el cúmulo de metáforas que constituyen una ideología en su más puro estado. Estas metáforas se intensifican en proporción directa a la inadecuación del objeto monumentalizado. El objeto monumentalizado en este sentido, se erige de forma análoga a la construcción de una ficción, pero lo caracteriza el pretender revelar o contener en sí mismo su propio origen. El tema obsesivo del discurso de la monumentalización es la verdad, lo que es auténtico o propio. Es por lo tanto la proyección o hipóstasis del núcleo conceptual-metafórico que constituye una ideología y dentro del cual se encuentra muy a menudo alojada una disciplina, como la historia o la crítica literaria. El modelo romántico de la filología se basó en el tipo de esquema evolutivo que se desarrollaba de lo simple a lo complejo, de lo primitivo a lo decadente, de lo singular a lo plural y prolijo, de la claridad a la ambigüedad y a la confusión. De aquí se deduce el atractivo de la épica para el proyecto romántico de historiografía literaria, porque con sus héroes de una pieza y su mundo maniqueo, establecía una incisiva división entre el bien y el mal. Lo épico se convierte entonces en un origen deseado, cuyo mundo de violencia (muertes, venganza y batallas sangrientas) emula la ruptura de un nacimiento. Se da una exaltación de los valores nacionales vinculados a lo estético; una sencillez lingüística, ética y política que es la proyección del primitivismo general de la ideología romántica en su rechazo del barroco. Aún así la épica colonial era un producto típicamente renacentista, derivado de Ariosto y Tasso, y con características diametralmente opuestas a la concepción romántica de la épica nacional. Este es un reto que da lugar a una dc las más características ficciones filológicas hechas por los fundadores que además demuestra la relación inversa entre inadecuación y monumentalización.

Durante su exilio en Chile, Juan María Gutiérrez comenzó la peliaguda tarea de preparar una edición académica del *Arauco domado*, que se publicó en Valparaíso en 1848. Su proyecto tenía mucho que ver con el del cubano José Antonio Echeverría, que «descubrió» el *Espejo de paciencia*, una épica histórica que él también sitúa en los fundamentos de la tradición literaria cubana y que extrae de la primera historia de la isla que se había publicado (González Echevarría, «Reflexiones sobre *Espejo de paciencia*»). El interés de Gutiérrez por la épica es también paralelo al del chileno Diego Barros Arana, cuya edición de *Purén indómito* del capitán Fernando Álvarez de Toledo inauguró una serie de obras sobre la América colonial publicados en París. Independientemente de lo modesta que pueda parecer hoy la edición de Gutiérrez del poema de Oña, su praparación fue un acto pletórico de repercusiones políticas que el argentino asumió con sumo cuidado y deliberación. En un ensayo contemporáneo a la edición y recopilado en un volumen titulado *Escritores coloniales americanos*, Gutiérrez explica las razones, más allá de su vocación de coleccionista, que lo llevaron a estudiar el poema de Oña y facilitarle su lectura al público americano. Nos puede parecer sorprendente, pero Gutiérrez no tenía mucha confianza en el valor literario de *Arauco domado:* «Dos centurias y media han pasado sobre el poema de que vamos hablando, y en consideración a sus años tiene derecho a que le sean perdonados sus dejos de mal gusto, la afectación de sentencioso, las flaquezas de entonación, y el desgreño y poca cultura que a veces empañan sus estancias» (pág. 360). Lo que le importaba a Gutiérrez, en sus esfuerzos por monumentalizar el poema, era la verdad histórica que supuestamente contenía y, como consecuencia, su aptitud para dar fe de la singularidad de Chile y América como territorios capaces de producir sus propias expresiones artísticas originales. Las diferencias fundamentales y fundacionales dentro de América no son valores transmitidos por el renacentista poema de Oña (que, por el contrario, constituirían un impedimento a la expresión de su genuinidad y autenticidad), sino que, más bien, sus contenidos, que reflejan fielmente episodios históricos verificables, son los que fijan un origen verdadero en un tiempo y un espacio determinado: «Su libro [de Oña] es precioso, no por lo raro que se ha hecho en el mundo, sino porque es una de las fuentes a que se acude a empaparse en la verdad cuando se ha de escribir sobre ciertos periodos de la primitiva historia de Chile» (pág. 357). La clave está en «empaparse en la verdad» y la «historia primitiva» que apuntan a la formulación romántica de la épica nacional. Los defectos artísticos, la aspereza, le dan al poema una autenticidad aún mayor. Leer el *Arauco domado* equivale a «destapar» esa historia «primitiva», a dejarse penetrar por la misma historia y su prístina forma, a «empaparse». El primitivismo, en este contexto, nos transporta a ese origen amorfo en el que la verdad refulge dentro de la violencia de un nacimiento. Los motivos que empujaban a Oña, de acuerdo con Gutiérrez, se pueden resumir como sigue: «Eran las glorias de su patria las que debía cantar; el suelo de su nacimiento el que debía describir» (pág. 356). El compilador de *América poética* termina su ensayo con un manifiesto resonante sobre el americanismo poético y la defensa de la literatura colonial. Primero explica cómo el hecho de que América fuese inseparable de su metrópoli, dio lugar a que los hombres americanos y sus actos no se pudiesen distinguir de los españoles, así sus diferencias no se tomaron en cuenta («Pasaron como cosas de España los hombres americanos y también sus obras») y él proclama que «las glorias del continente americano no han empezado a ser nuestras sino desde principios de este siglo» (pág. 372). Termina con una declaración que es en realidad la glosa de un verso de *Grandeza Mexicana* de Bernardo Balbuena:

> *Donde nadie creyó que hubiese mundo,* estaban destinados a nacer nada menos que los inspiradores, si no los maestros, de los portentosos ingenios europeos. Si el mexicano Ruiz de Alarcón no hubiese escrito *La verdad sospechosa,* no contaría el teatro francés entre sus bellezas clásicas al *Mentiroso* de Corneille. Si Pedro de Oña

no hubiese escrito el *Arauco domado,* es muy probable que Lope de Vega tampoco hubiera escrito el drama de igual título, ni el canto de amor y las escenas al borde del agua entre Caupolicán y su querida, que embellecen la primera jornada (pág. 372).

Los escritores coloniales no aparecen aquí como los seguidores de los europeos sino, al contrario, como sus precursores, habitantes de ese primer momento de historia que sólo se puede expresar plenamente con una poesía épica. La monumentalización se completa con este último gesto.

Gutiérrez fue lo suficientemente prudente como para erigir en monumento fundacional una obra escrita por un nativo del nuevo mundo. José Toribio Medina, sin embargo, decidió elegir para mayor dificultad a *La Araucana* como fundamento, a pesar de que Ercilla fuese español, cosa que Medina nunca negó o trató de soslayar. ¿Cómo entonces se pudo pensar que el poema era chileno? Medina nos ofrece este argumento: las únicas obras literarias del Chile colonial que merecen cierta atención son las que describen las guerras con los indios araucanos. En la introducción a su *Historia de la literatura colonial de Chile*, Medina dice: «¿Quién leería ahora las historias sobre las vidas de personajes místicos, los hinchados volúmenes de sermones, las colecciones de versos extravagantes que se escribieron durante esos tiempos en la capital del virreinato? Por otro lado, ¿no son algunos de los numerosos libros escritos sobre las guerras en Arauco monumentos que se merecen ser consultados?» (pág. xii) El tema de la guerra es, como hemos visto, un importante componente de la épica, uno de los que la definen y distinguen. Un segundo factor crucial que se puede añadir es que los poetas que cantaron las guerras araucanas fueron todos partícipes en ellas, y por lo tanto su testimonio es fiable, en cuanto es producto de una experiencia directa y no de la literatura. Esta escritura es ya chilena porque surge de acontecimientos que ocurrieron en suelo chileno, acontecimientos que determinan el carácter de todos los textos que surgieron de ellos independientemente de la nacionalidad del autor: «Los actos que se llevaron a cabo en ese estrecho trozo de tierra [Arauco], fueron los que despertaron el genio poético de Ercilla e influyeron, innegablemente, en la inclinación de este trabajo [...] Esta es la razón por la que *La Araucana* es sobre todo chilena y ha de tener un lugar en nuestra literatura...» (pág. 4). Medina atribuye a las guerras en Arauco la chispa inicial que prendió el genio poético de Ercilla: no sólo el poema sino la misma posibilidad de escribir tiene su origen en el momento en el que el poeta se enfrenta a su nuevo entorno, encuentro que le dejará una marca indeleble y le permitirá crear el texto fundacional. Esta es la razón por la que Medina abre su *Historia de la literatura colonial de Chile* con tres capítulos sobre Ercilla, el pedestal sobre el que edificará todo su proyecto narrativo.

Este proyecto no era otro que la historia de la literatura chilena durante el periodo colonial, no de la literatura hispanoamericana en general, a pesar de que en otros países (como en el caso de Cuba antes mencionado) se estaba llevando a cabo un proceso paralelo. Aún así, y a pesar de toda la actividad resumida hasta ahora, no se escribió ninguna historia de la literatura hispanoamericana durante el siglo XIX. La primera obra que puede considerarse una historia de la literatura hispanoamericana es la ya mencionada *Antología de poetas hispano-americanos* de Menéndez Pelayo, cuyo primer volumen apareció en 1893. El proyecto de una historia completa, que algunos como Torres Caicedo ya habían imaginado, se pospuso probablemente debido a la necesidad más acuciante de escribir las historias de cada literatura nacional, que fueron las que comenzaron a publicarse durante el siglo XIX. Esta tarea tuvo su origen en los nacionalismos predominantes y estaba muy a menudo aliada a la elaboración de programas escolares, programas universitarios, etc. El proyecto nunca terminado de Torres Caicedo y la obra de Menéndez Pelayo comparten una característica común con casi todas las historias generales de la literatura hispanoamericana que se han escrito desde entonces. Están escritas fuera de Hispanoamérica, ya sea por autores hispanoamericanos o por extranjeros. Es como si ese punto de vista global sólo se pudiera alcanzar desde la distancia y sin las presiones nacionalistas de la patria.

La mera existencia de los fundadores y en particular de sus libros y revistas, fuerza a revisar ideas generalmente aceptadas de cuándo la idea de una literatura hispanoamericana comenzó a surgir. Emir Rodríguez Monegal, por ejemplo, escribió en su *Borzoi Anthology of Latin American Literature (Antología Borzoi de la literatura latinoamericana)* que «sólo con la llegada del Modernismo comenzó la literatura hispanoamericana general a emerger desde los caminos separados por los que se desarrollaba. Los escritores comenzaron a viajar por todo el continente; por primera vez sus obras se publicaron y se discutieron fuera de sus países de origen y se hicieron famosas hasta en España y Francia» (I, 337). Las antologías, trabajos críticos y hasta los tratados académicos que hemos mencionado aquí demuestran que el proceso ya había comenzado cuarenta años antes. La *Antología* de Menéndez Pelayo abarca sólo hasta el momento en el que el Modernismo empieza a brillar en el horizonte (a comienzo de los años noventa del XIX), pero el crítico ya había tenido acceso a suficientes libros que, o bien habían cruzado el Atlántico para acabar en su voraz biblioteca, o bien habían sido publicados en la vecina Francia o en la propia España.

La *Antología* de Menéndez Pelayo sigue siendo la primera y más influyente obra sobre la historia de la literatura hispanoamericana. Pruebas de esta longeva influencia son no sólo la extensa presencia de los comentarios del español en muchas historias de las literaturas nacionales a lo largo y ancho de Hispanoamérica, sino también la concepción de las historias escritas años más tarde por autores hispanoamericanos (José J. Arrom, por ejemplo), concebidas en función del rechazo de los principios y opiniones del español. Para bien o para mal, la *Antología* de Menéndez Pelayo es el punto de partida de la mayor parte de la historiografía de la literatura hispanoamericana en el siglo XX. Porque era de una personalidad recia y obstinada, segura de sí misma y paternalista, muchas veces se hace difícil comulgar con la idea de que la *Antología* de Menéndez Pelayo sea una obra de enorme importancia; a pesar de que los voluminosos tomos están aún repletos de información y análisis valiosos, sin mencionar los textos cuidadosamente reproducidos. Menéndez Pelayo fue capaz de recoger una asombrosa cantidad de información de toda Hispanoamérica en un momento en el que las comunicaciones eran lentas y poco fiables y cuando muy pocos o ningún académico tenía un conocimiento amplio de la poesía que se había producido en el Nuevo Mundo. Gracias al dramático progreso en las comunicaciones así como a muchas otras mejoras que facilitan nuestra labor hoy, su hazaña jamás podrá ser igualada.

Lo dicho debe ser recordado cuando se consideren los motivos de Menéndez Pelayo para acopiar una compilación tan extensa. Cómo debería ser evidente por la fecha de publicación del primer volumen, la *Antología* fue concebida para conmemorar el cuarto centenario del descubrimiento de América, o, dicho con las rimbombantes palabras de Menéndez Pelayo: «Ese acto maravilloso y superhumano gracias al cual nuestra lengua resonó desde las orillas del Río Bravo hasta la Tierra del Fuego» *(Antología,* iv). La Real Academia Española, de la cual Menéndez Pelayo se considera con estudiada modestia un mero escribano, desea compensar el penoso estado de España como potencia mundial con esta orgullosa muestra de su influencia y supervivencia en el tiempo... Antes había descrito cómo el poderío de Grecia y Roma pervivió en sus colonias. La *Antología,* ese «modesto monumento erigido en honor a la gloria de nuestra lengua común» (pág. iv) garantizará además «la entrada oficial de la poesía hispanoamericana al tesoro de la literatura española, a donde debía pertenecer desde hace mucho tiempo» (pág. v). La gran extensión de la *Antología* reproduce, como queda claro, la unidad perdida del inmenso Imperio Español, una identidad transnacional que no podría llevar a las nuevas naciones hispanoamericanas a ningún otro origen que no fuera la propia España. Otro motivo, y una vez más la fecha de publicación de la *Antología* es crucial, es protegerse de lo que Menéndez Pelayo ve como la influencia perniciosa de la poesía francesa en la hispanoamericana, que la está alejando de sus genuinas fuentes españolas. El Modernismo florecía a su alrededor y cualquier cosa moderna alarmaba al sabio español, que veía claramente que su influencia implicaría necesariamente el rechazo a la madre patria y haría estragos en su sistema de valores.

El colonialismo sin tregua de Menéndez Pelayo se manifiesta también de forma chocante en su concepción del carácter de la poesía hispanoamericana, cuando afirma que ésta ha pasado por todos los cambios promovidos por los movimientos artísticos europeos sin alcanzar una originalidad perceptible, excepto la que conlleva el especial tratamiento del paisaje del continente y el ardor político creado por las guerras de independencia. Por ello, la poesía hispanoamericana más original es, para él, la descriptiva o la política: Andrés Bello, Joaquín Olmedo y José María Heredia son los mejores poetas hispanoamericanos (a pesar de que él personalmente deplora el anti-españolismo del último). Por supuesto, lo que Menéndez Pelayo intenta de forma explícita es negar la influencia indígena del Nuevo Mundo en la poesía hispanoamericana, subrayando la pureza de su ascendencia española: «sobre los pocos y oscuros fragmentos que quedan de aquellos lenguajes primitivos... Su influencia en la poesía española en América ha sido tan ligera, o mejor, tan inexistente (fuera de los roces de pasada de algún autor), que la historia de esta poesía puede ser narrada en su integridad omitiendo totalmente esos supuestos orígenes que dejaremos para los análisis y estudios de los filólogos» (pág. viii). Esta idea se repite con fastidiosa insistencia durante toda la *Antología*. La consecuencia de esta postura es que se ha producido mucha literatura y crítica hispanoamericana dirigida a atacarla, con lo que se prolonga así la influencia de la *Antología* hasta hoy.

Menéndez y Pelayo dividió su obra obedeciendo a las fronteras regionales o nacionales. Dedicó la mayor parte de sus páginas a México, Chile, Perú y Argentina, creando ya de paso la historia más completa de la poesía colonial hispanoamericana conocida antes y ahora. Estudió entonces las literaturas nacionales hasta más o menos el momento en que escribe, pero dejó fuera de su obra a escritores vivos por miedo a juzgarles con demasiada severidad. Esto limitaba bastante su alcance, pero lo que quedó del estudio de la poesía hispanoamericana de los siglos XVIII y XIX es bastante admirable. Menéndez Pelayo era un neoclasicista de todo corazón y por ello se sentía sobre todo atraído por las odas escritas por Bello, Heredia y Olmedo. También admiraba bastante la poesía nacionalista inspirada en acciones militares como las de Simón Bolívar. Menéndez Pelayo tuvo predilecciones bastante certeras y no hay duda de que la *Antología* contribuyó a canonizar a esos valiosos escritores. Sin embargo, no se puede ser tan benévolo con sus juicios críticos cuando nos damos cuenta de que uno de los modelos con los que compara a estos hispanoamericanos es el superficial y altisonante Quintana, un poeta español felizmente olvidado en la actualidad. También es irritante, por supuesto, su olvido de poetas de la talla de Plácido, menos académico en su clasicismo pero más romántico, y sobre el que el español dice, con una condescendencia intolerable, que escribe «disparates sonoros » (II, xxxvi). Es muy larga la lista de poetas, extremadamente ortodoxos y correctos retórica y gramaticalmente, a los que Menéndez Pelayo aclama pero que han sido relegados merecidamente a notas a pie de página en historias de literaturas nacionales. Sin embargo, el valor de la *Antología* como testimonio de la existencia de una unidad que vale la pena preservar y cuidar es innegable, como irónicamente afirmaría el movimiento modernista que tanto detestaba Menédez Pelayo, sobre todo, su figura central, Rubén Darío. Sin embargo, el peripatético nicaragüense volvería a abogar por la unidad de toda la poesía española, incluyendo de forma enérgica a la española, en el mismo momento en el que los volúmenes de la *Antología* circulaban por toda Hispanoamérica. Sería miope ver estos dos como fenómenos antitéticos.

De acuerdo con Carlos Hamilton, la primera cátedra dedicada exclusivamente a la literatura hispanoamericana fue inaugurada por Federico de Onís en la Universidad de Columbia en 1916 (Hamilton, *Historia de la literatura hispanoamericana,* 7). En ese mismo año, otro miembro del profesorado de Columbia, Alfred Coester, publicó su *Literary History of Spanish America (Historia literaria de hispanoamérica),* que fue, estrictamente hablando, la primera historia de la literatura hispanoamericana dado que la de Menéndez Pelayo era una historia de la poesía. La obra de Coester debe mucho a la *Antología* de Menéndez Pelayo y, como ésta, aún tiene mucho que ofrecer a pesar de sus más que cuestionables premisas. Su intención al escribir el libro es que los hispanoamericanos conozcan a sus compañeros de continente, ya que «Las principales características y tendencias de la mente hispanoamericana se revelan en su literatura» (pág. vii). Sin embargo, Coester no está ni siquiera seguro de que lo que los hispanoamericanos escriben sea literatura: «Pero, ¿debemos llamar a los escritos hispanoamericanos literatura?» (pág. vii). Su respuesta es una anécdota muy reveladora que merece la pena citar:

> Hace unos años, un profesor de Argentina quiso desarrollar un curso para los estudiantes de literatura hispanoamericana. Al plan se opuso Bartolomé Mitre, ex presidente de la República y poeta e historiador de primera línea, diciendo que no existía tal cosa. Sostenía que un número de libros no hacen por sí mismos una literatura; a pesar de estar unidos por una lengua común, las producciones impresas de los hispanoamericanos no tenían una unión lógica y no había pruebas de que se encaminasen hacia un objetivo común. Por otro lado admitía que sus «producciones literarias podían ser consideradas no como modelos sino como hechos, clasificadas como las expresiones de su vida social durante tres periodos: la época colonial, la lucha por la libertad y la existencia independiente de algunas repúblicas» (pág. viii).

Coester adopta la división sugerida por Mitre. Su historia abarca el periodo colonial considerado como una unidad; divide el periodo revolucionario en dos, Sur y Norte (México y las Antillas) y luego dedica capítulos individuales a las literaturas de cada país, menos a las de Bolivia y Perú que están reunidas en uno sólo (para respetar las fronteras coloniales) y los países de América Central que junta en un capítulo que incluye la República Dominicana y Puerto Rico. Cierra con un capítulo sobre el movimiento modernista y vuelve así a restaurar la unidad.

Coester nos advierte, sin embargo, de que «la originalidad de la literatura hispanoamericana se apoya mayormente en su objeto, en sus retratos de los escenarios naturales y su vida social» (pág. xi). Añade, haciéndose eco de las ideas de Menéndez Pelayo, que «la forma de la literatura latinoamericana ha sido una imitación, mientras que su objeto es original» (pág. x). Advierte al lector que tenga estas características en mente: «El lector, consciente desde el principio de que se enfrenta a un tipo de literatura extremadamente provinciano, no esperará encontrar grandes obras de arte» (pág. x). Sin embargo, una vez dicho esto, Coester escribe una obra digna de ser mencionada, con una información tan detallada que demuestra su rigor en una investigación seria, profunda y poco afectada por sus prejuicios sobre el objeto de estudio. El conocimiento del que hace gala Coester sobre las revistas hispanoamericanas del siglo XIX es excelente y fue posible gracias a la enorme colección que tenía a su disposición en Harvard, Columbia, y a la Hispanic Society of America. También recibió la ayuda de Pedro y Max Henríquez Ureña, y de su mentor, J. D. M. Ford. Su punto de vista sobre el periodo colonial es también muy completo, al igual que lo es su capítulo concluyente sobre el Modernismo.

La obra de Coester fue seguida por la *Nueva historia de la literatura americana* de Luis Alberto Sánchez, una de las pocas excepciones de la regla respecto a la producción de las historias de la literatura hispanoamericana escritas fuera de Hispanoamérica, ya que ésta fue escrita en la patria del peruano. La obra es, hasta donde yo sé, la primera historia de la literatura hispanoamericana escrita por un hispanoamericano. Sánchez es cauto en su acercamiento a los temas controvertidos y confía en la autoridad de la *Antología* de Menéndez Pelayo para apuntalar sus opiniones. Ya habla de la existencia de una «sensibilidad, una dirección y una cultura» (pág. 23) que son propias de Hispanoamérica. Sin embargo, Sánchez escribe en un ambiente muy diferente al de Menéndez Pelayo, en el que la seguridad sobre el valor de la cultura europea mostrada por el español se ha perdido debido a las catástrofes de la Primera Guerra Mundial. Un clima general de rechazo de Occidente y una exaltación de lo «primitivo», así como una poderosa inclinación política contra el poder de las clases al que había estado sujeta la Europa del siglo XIX hacía que muchos artistas buscasen nuevos modos de expresión. En Hispanoamérica, la Revolución Mexicana llamó la atención sobre el decisivo componente indígena de la cultura de ese país, y en el Caribe, el movimiento afroantillano exaltó el componente africano de la cultura de las islas. En el caso de Sánchez, parece claro que su visión recibe la influencia del APRISMO, el movimiento político liderado por Raúl Haya de la Torre que quería hacer por la sociedad peruana lo que la Revolución Mexicana había hecho por México: hacer visible el impacto de la población indígena y convertirla en el objetivo de un programa político. Para él es también la novela, más que la poesía, la que determinó el carácter real de Hispanoamérica. Sánchez vio en la novela de la tierra o regionalista la épica que Hispanoamérica estaba buscando (pág. 35). La *Nueva historia de la literatura hispanoamericana* es menos fiable que la *Antología* de Menéndez Pelayo y muy lejana a la *Historia* de Coester en términos de calidad general. Sin embargo es un anticipo de lo que vendrá y un reflejo verdadero de la ideología que subyace en la literatura hispanoamericana en el despertar de las vanguardias artísticas y políticas de los años veinte.

La siguiente historia de la literatura hispanoamericana, si seguimos las fechas de publicación, fue la *Épica de la literatura latinoamericana* de Arturo Torres Ríoseco, un chileno, profesor del Departamento de Español en la Universidad de California. Esta es realmente una historia de la literatura de América *Latina*, porque incluye a Brasil. Torres Ríoseco era ya el autor de una *Antología de la literatura hispanoamericana* (Nueva York, F. S. Crofts Co., 1939), que anticipa su *Épica*. Ambos libros fueron escritos para el público norteamericano, sobre todo para estudiantes universitarios (la introducción de la *Antología* contiene un interesante recuento de los estudios literarios sobre Latinoamérica en Estados Unidos llevados a cabo hasta aquel momento). Su objetivo es mostrar que la literatura latinoamericana ha alcanzado una edad de oro porque sus autores se han dado cuenta de que una conciencia «unida a su tierra» les puede llevar lejos de las imitaciones de lo europeo. Elogia, como ya hizo Sánchez, la novela de la tierra, que es realmente su punto de partida. A pesar de su título desafortunado y su tono algo proselitista, la *Épica* es un libro bien concebido, de amplias miras y con una información tan notable como útil. Fue un libro popular en su tiempo. La California Press publicó una segunda edición aumentada (1961) y disfrutó del raro privilegio de ser traducida al chino (Beijing, 1972).

Poco después de Torres Ríoseco el dominicano Pedro Henríquez Ureña, con su *Literary Currents in Hispanic America (Corrientes literarias en hispanoamérica),* publicó la primera historia realmente significativa de la literatura hispanoamericana, que tuvo su origen en el Curso de Conferencias Charles Eliot Norton de Harvard en 1940-1941. Además de la distancia física aparentemente necesaria para tener una visión general de la historia literaria hispanoamericana, un elemento adicional aparece en la obra de Henríquez Ureña: su libro fue escrito originalmente en inglés y traducido al español, tras su prematura muerte, por Joaquín Díez-Canedo. (Parece que Torres Ríoseco escribió originalmente su *Épica* en español y luego él u otra persona la tradujo al inglés). *Corrientes literarias* es una obra maestra, escrita por un hombre de letras además de un académico cuya prodigiosa formación cultural se hace evidente en cada página. Henríquez Ureña da la impresión de haberlo leído todo en todos los idiomas europeos. Su libro sigue siendo convincente gracias a su habilidad para ver con mucha naturalidad la literatura hispanoamericana en un contexto muy rico y también por su conocimiento al milímetro de la literatura y el arte de cada país hispanoamericano. Por ello cuando habla de la búsqueda hispanoamericana de la expresión artística individual, el tema principal del libro, no suena vulgar, como es el caso de algunos de sus muchos discípulos e imitadores. Un verdadero heredero de Bello, con el cual comienza su historia sólo para volver atrás la vista hacia el periodo colonial, Henríquez Ureña fue un humanista de la mejor tradición y en todos los sentidos del término.

A pesar de que Henríquez Ureña dice que su libro no es una historia completa de la literatura hispanoamericana, sino sólo de aquella literatura que busca una expresión hispanoamericana, la verdad es que *Corrientes literarias* no es sólo una historia de la literatura hispanoamericana sino tal vez aún la mejor. La más sobresaliente parte del libro de Henríquez Ureña es la referida al periodo colonial, es decir, al comienzo de la historiografía literaria hispanoamericana que, como hemos visto antes, fue una enorme fuente de problemas para los fundadores. En un maravilloso primer capítulo, donde Henríquez Ureña hace gala de un profundo conocimiento de las letras medievales y renacentistas, se enumeran los temas que fueron fundamento de la literatura hispanoamericana. Algunos de ellos, como la descripción del «hombre primitivo» tendrían una profunda influencia en el pensamiento europeo. La recurrencia de utopías que se sitúan en América (More), la descripción edénica de la naturaleza, las polémicas en torno al trato que debía recibir la población indígena, se convierten en un tesoro de tópicos y tropos que serán el corazón de la literatura hispanoamericana. El origen de la historia hispanoamericana se encuentra en este conjunto de elementos, en esa temática, una especie de mitología literaria que se entreteje en poemas, novelas y ensayos y se extiende en el tiempo. De esta forma Henríquez Ureña soluciona el problema de las nacionalidades. Al crear una tradición literaria en los tropos, es decir, en el discurso literario, Henríquez Ureña consigue dar unidad a la historia literaria hispanoamericana, permitiendo que se perciba la continuidad entre Colón y Carpentier o entre Balbuena y Neruda.

La visión de la cultura de Henríquez Ureña es holística. *Corrientes literarias* es también una historia de la cultura hispanoamericana, e incluso también una historia de Hispanoamérica (incluyendo, por cierto, a Brasil). Sus subdivisiones cronológicas se adaptan de forma natural al esquema general, con tres periodos que dividen el siglo XIX, y dos que le conducen a la época del autor. La versión española, publicada en México, incorporó una serie de complementos académicos que la completaron, como notas y bibliografía que se extrajeron de la otra gran obra de Henríquez Ureña, *Historia de la cultura en al América Hispánica* (1947). *Las corrientes literarias en la América Hispánica* es la más detallada historia de la literatura hispanoamericana que ha habido, exceptuando la de Enríque Anderson Imbert (a la que se dedicará espacio a continuación), y es también el punto culminante de la tradición cuya propia historia nos transmite: la de la búsqueda de la expresión americana. Otros libros lo seguirán, como *La expresión americana* (1958), brillante obra de José Lezama Lima, y contribuirán con su granito de arena, pero no superarán a esta obra ni en riqueza, ni en elegancia de estilo y pensamiento ni en rigor intelectual.

La obra de Henríquez Ureña vino seguida de otra excepción por estar escrita y publicada por el argentino Julio A. Leguizamón en su Buenos Aires natal, la *Historia de la literatura hispanoamericana*. La enorme historia en dos volúmenes se forjó en torno a una bibliografía de la literatura hispanoamericana que el argentino decidió reunir. La *Historia* contiene una gran parte de esta bibliografía primitiva sobre todo en los capítulos sobre literatura contemporánea. En este sentido, Leguizamón es más un heredero de aquellos anticuarios, bibliófilos y bibliógrafos de los que antes hemos tratado. La dependencia de Leguizamón de Menéndez Pelayo es muy grande y los criterios que sigue a la hora de hacer las divisiones geográficas y temporales se asemejan vagamente a las del español. La *Historia* es un conjunto con una bella impresión y edición que tenía como objetivo ser un libro de referencia más que un trabajo de historiografía literaria. Es significativo que una editorial del renombre de Emecé en Buenos Aires se arriesgase a publicar este libro tan caro sobre el tema de la historia literaria hispanoamericana. Parece indicar que en los años cuarenta la existencia de este campo de estudio ya era un hecho. También parece indicar lo mismo el que comenzaran a aparecer libros de historia de la literatura en idiomas diferentes al portugués y al español.

Hubo dos profesores franceses que publicaron sendas historias de la literatura hispanoamericana en los primeros años cincuenta: *La Histoire de la littérature américaine de langue espagnole*, de Robert Bazin, y la *Histoire des lettres hispa-*

noaméricaines de Charles V. Aubrun. El de Bazin es un manual para las escuelas francesas cuyo mérito principal es, según su autor, «meramente el de existir». La obra de Auburn es más ambiciosa, a pesar de que su autor también la llama «manual». El opina que las obras maestras son escasas en Hispanoamérica, donde la calidad de vida «no ha permitido que las personalidades más fuertes se reflejen en trabajos de valor eterno» (pág. 5). Para Aubrun, cuyo criterio es sobre todo estético, la literatura hispanoamericana no comienza su vida independiente hasta 1890, ya que hasta entonces había una fuerte influencia española. Ninguno de estos dos trabajos se acercan al de Henríquez Ureña y pronto fueron absorbidos por la publicación de la monumental historia de Anderson Imbert.

Profesor, crítico y escritor, el argentino Enrique Anderson Imbert publicó su *Historia de la literatura hispanoamericana* cuando ejercía la docencia en la Universidad de Michigan. Incluso hoy es considerada como la historia más importante de todas, la más extensa y detallada, con la diferencia respecto a otras, de que su autor fue el mejor crítico literario que ha tenido Hispanoamérica. Un hombre de gusto y sensibilidad exquisitos, autor de buenos ensayos y cuentos, Anderson Imbert demostró también ser un investigador sin tregua con una poderosa capacidad de procesar enormes cantidades de información. Su *Historia* cubre toda la gama de la literatura hispanoamericana desde Colón hasta las novelas y poemas más novedosos de su tiempo. Anderson Imbert fue cuidadoso a la hora de incluir a autores de todos los lugares de Hispanoamérica y mencionar todos los géneros, describiendo siempre los hechos básicos, como fechas, así como dando una visión general de cada periodo significativo. Dividió la historia aproximadamente por generaciones, pero no se rigió por las estrictas las reglas de un método. Al contrario que a Henríquez Ureña, a Anderson Imbert no le interesaba la búsqueda o la expresión de la identidad cultural por parte de la literatura hispanoamericana. Estaba interesado en la literatura hispanoamericana en la medida en la que era literatura, expresión o creación de valores estéticos.

Anderson Imbert es, sobre todo, un crítico formalista, con una concepción idealista del desarrollo histórico, que en su caso significa que cuenta de manera muy precisa la historia de las ideas y de los movimientos artísticos. La historia en sentido estricto sirve de fondo, hábilmente integrada en el panorama cuando es necesario, pero nunca de forma excesiva. Anderson Imbert habla de sus ambiciones y frustraciones en este revelador primer párrafo del «Prólogo» de la *Historia:*

> De los muchos peligros que corre un historiador de la literatura, dos son gravísimos: el de especializarse en el estudio de obras maestras aisladas entre sí, o el de especializarse en el estudio de las circunstancias en que esas obras se escribieron. Si hace lo primero nos dará una colección de ensayos críticos discontinuos, es decir, una historia de la literatura con poca historia. Si hace lo segundo nos dará referencias exteriores al proceso de la civilización, es decir, una historia de la literatura con poca literatura. ¿Es posible una Historia-historia de la Literatura-literatura? Por lo menos, es posible intentarla. Sería una historia que diera sentido a los momentos expresivos de ciertos hombres que se

> pusieron a escribir, a lo largo de siglos. En vez de abstraer por un lado las obras producidas y, por otro, las circunstancias en que se produjeron, tal historia las integraría dentro de la existencia concreta de los escritores. Cada escritor afirma valores estéticos que se le han formado mientras contemplaba su horizonte histórico; y son estos valores los que deberían constituir el verdadero sujeto de una Historia de la Literatura *(Historia,* 7).

En sus mejores momentos, que son muchos, Anderson Imbert consigue esta deseada síntesis de texto y contexto, a través de la elegante fluidez de su discurso. La *Historia* está llena de atisbos muy penetrantes sobre todo de las obras clave y de panoramas muy útiles de una historia que nunca es verdaderamente histórica, sino más bien ideológica.

En cualquier caso, Anderson Imbert no está sólo preocupado por la dificultad de su tarea en abstracto, sino más bien por la perspectiva de su aplicación concreta a la historia literaria hispanoamericana. Haciendo eco de los sentimientos que ya hemos encontrado en Coester y en Aubrun, Anderson Imbert deplora la calidad general de los textos literarios hispanoamericanos y, en particular, la ausencia de verdaderas obras maestras: «Nuestras contribuciones efectivas a la literatura internacional son mínimas», y se lamenta de que «En general, nos aflige la improvisación, el fragmentarismo y la impureza» (pág. 7). Esta condición de la literatura hispanoamericana le hace incluir a «muchos autores menores» mientras «buscamos ansiosamente a los pocos que han expresado valores estéticos que pueden entrar dentro de la categoría de belleza» (pág. 16). Este agravante no quita que Anderson Imbert escriba páginas memorables sobre los cronistas del descubrimiento y la conquista del nuevo mundo, a pesar de saber que estos no escribieron con el objetivo de alcanzar la huidiza categoría de belleza. En otros casos no es tan benévolo, pero en general es generoso en sus juicios y generalmente no falla en sus afirmaciones. Sigue a la *Antología* de Menéndez Pelayo, de la que su *Historia* es una digna heredera, en la práctica de hacer juicios estéticos de las obras. Sin embargo, la diferencia principal entre el español y el argentino es que Anderson Imbert es también heredero del Modernismo y de las vanguardias, y por ello su estética se basa en valores más cosmopolitas. Aún así, la *Historia de la literatura hispanoamericana* de Anderson Imbert es la primera empresa histórica que sale airosa cuando se la compara con la *Antología* de Menéndez Pelayo en cuanto al número de obras que abarca.

La *Historia* de Anderson Imbert, que se reeditó varias veces durante los años cincuenta, fue seguida por *Literatura hispanoamericana*, de Ángel Valbuena Briones, que se publicó como el cuarto volumen de la popular *Historia de la literatura española* de Ángel Valbuena Pratt. Valbuena Briones, poco preocupado por problemas de historiografía, comienza su libro con Bernal Díaz del Castillo, cuya *Historia verdadera* elogia como uno de los mejores libros hispanoamericanos escritos por un español. Como hizo Menéndez Pelayo, Valbuena Briones enfatiza el vínculo entre la literatura hispanoamericana y España, cerrando así su volumen con alabanzas a Alfonso Reyes, cuyos lazos con la madre patria y devoción a la literatura española son de sobra conocidos.

Un cubano, José J. Arrom, escribió *Esquema generacional de las letras hispaoamericanas* en la Universidad de Yale, donde fue profesor de literatura hispanoamericana durante más de treinta años. Es la más explícita de las historias en lo que respecta a fijar su punto de partida. Arrom, discípulo de Henríquez Ureña no sólo en los detalles de su metodología sino en el objetivo general de su libro, que es descubrir las particularidades de la expresión hispanoamericana, sigue un método generacional, como ya advierte el título. Declara que en esto imita a Henríquez Ureña, que había dividido su *Historia* en generaciones de treinta años sin especificarlo. Arrom, crítico de Anderson Imbert (y, por lo tanto, de Menéndez Pelayo) da por zanjadas muchas de las cuestiones que habían sido polémicas con respecto a los orígenes de la historiografía hispanoamericana, entre ellas la categoría englobante de «literatura hispanoamericana», planteando que el único problema consiste en encontrar una unidad cronológica para organizar la masa de literatura que se ha acumulado durante cuatro siglos de creación. Como es obvio, también asume que el periodo colonial es parte de la literatura hispanoamericana. Está claro que la aplicación del método generacional que hace Arrom es demasiado mecánica, y que busca la regularidad en muchos casos combinando diferentes categorías de eventos: por ejemplo, la publicación de un libro y el momento en el que se escribió. Este método también asume que toda la historia hispanoamericana, no sólo la literatura, evoluciona también en periodos de treinta años. Arrom cae en la trampa sobre la que Anderson Imbert había advertido en su prólogo, cuando dijo que «la excesiva regularidad indicaría que el historiador, por el prurito de embellecer su visión, se está dejando arrastrar por simetrías y metáforas» *(Historia,* 9). Los fallos del *Esquema* se hacen más obvios tanto en los periodos de muy poca producción, como en los de mucha, en los que Arrom o destaca obras demasiado oscuras, o bien mete su material en una estrecha camisa de fuerza. Además, al contrario que el de Henríquez Ureña, cuya familiaridad con las literaturas europeas le permite situar a la literatura hispanoamericana en un amplio contexto, el método generacional de Arrom hace que la literatura hispanoamericana parezca autárquica y autosuficiente, cualidades que por supuesto no tiene. Hay un cierto academicismo sofocante en el *Esquema,* como si los libros hubieran sido apilados en diferentes mesas de una biblioteca y organizados de acuerdo con las fechas de sus autores. Y para terminar, Arrom es un crítico muy deficiente en lo que respecta al periodo moderno, sobre todo del Modernismo en adelante, cuando la literatura hispanoamericana se hace más cosmopolita. El *Esquema* se muestra, de hecho, adverso a la literatura moderna hispanoamericana; su base ideológica ha de irse a buscar en una especie de biologismo muy decimonónico.

Habiendo dicho lo anterior, hemos de añadir, sin embargo, que el *Esquema* de Arrom es la mejor introducción a las letras del periodo colonial que existe y una gran contribución al estudio del Barroco de Indias. Hay muchas observaciones acertadas en la descripción de los otros periodos, pero los capítulos sobre la literatura colonial, que es el fundamento del proyecto de Arrom, son sin duda los mejores del libro. A pesar de que sigue lo dicho por Henríquez Ureña sobre los temas que toca la literatura hispanoamericana que surge en el siglo XVI, Arrom se centra más en cómo los españoles se convirtieron en criollos, diciendo abiertamente que la literatura de la América del siglo XVI la escribía gente que ya tenía una perspectiva americana. Esta es la afirmación más tajante de Arrom y tal vez también el argumento más productivo del *Esquema:* el situar el origen de la conciencia creativa americana más atrás en la historia americana, en un momento más temprano. Esta visión es fructífera sobre todo cuando se aplica al análisis de las obras del Barroco de Indias, muchas de las cuales son rescatadas del olvido gracias a la perspectiva de Arrom: los excesos de la estética barroca americana surgen del esfuerzo por encorsetar la realidad americana dentro de los moldes de expresión europeos. El análisis que Arrom hace de poetas como Bernardo de Balbuena o Hernando Domínguez Camargo es ejemplar en lo que a esto se refiere. La contribución de Arrom al estudio de lo que yo llamo el Barroco Colonial (ver capítulo 6 de este volumen) es fundamental y ha sido reforzada por la segunda edición del *Esquema*. Es la parte más moderna del *Esquema,* la que más lo vincula a la literatura hispanoamericana contemporánea.

Desde el *Esquema* de Arrom no se ha vuelto a publicar ninguna historia general de la literatura hispanoamericana de importancia, es decir, un trabajo concebido desde un punto de vista explícitamente historiográfico que intente dar una visión de toda la literatura hispanoamericana. Esto no significa, por supuesto, que muchos de los esfuerzos parciales, o los proyectos de una historia de este tipo, publicados desde los años sesenta, carezcan de valor. La mera existencia de tales libros es por sí misma un factor histórico de mucha importancia. Revela el creciente interés por la literatura latinoamericana tanto en Latinoamérica como fuera. Algunos acontecimientos recientes, como el llamado *boom* de la novela latinoamericana o la revolución cubana, han atraído todas las miradas del mundo hacia la literatura latinoamericana, cambiando drásticamente su propia percepción de sí misma y la de los que escriben sobre ella.

A pesar de ser muy agudo en su trabajo sobre algunos autores, la *Historia de la literatura hispanoamericana* de Giuseppe Bellini es, en parte, la reproducción de un libro publicado en los cincuenta. La *Historia de la literatura española e hispanoamericana* de Emiliano Díez-Echarri y José María Roca Franquesa, prolija en detalles históricos, información bibliográfica y buena escritura, ostenta la mejor integración de las literaturas peninsular y americana. La *Historia de la literatura hispanoamericana* de Raimundo Lazo ve los periodos coloniales de cada región como precursores de las literaturas nacionales y mezcla la historia con la historia literaria de forma convincente. Es también lamentablemente ignorada muy a menudo. *An Introduction to Spanish American Literature (Una Introducción a la literatura hispanoamericana)* y *Spanish American Literature since Independence (Literatura hispanoamericana desde la independencia)* de la profesora Jean Franco han circulado por los circuitos angloparlantes, donde se aprovecharon de la repentina popularidad de la literatura latinoamericana en el mundo académico. La *Breve historia de la literatura hispanoamericana* de Luis Leal es un buen manual. Luis Íñigo Madrigal editó la colectiva *Historia de la Literatura Hispanoamericana,* un proyecto muy desigual que se malogró por su deficiente edición, mientras que Cedomil Goic reunía una serie de fragmentos críticos sobre autores y movimientos de importancia en su *Historia y crítica de la literatura hispanoamericana.* Ambos libros dan muestra de la prominencia alcanzada por la literatura hispanoamericana en España, donde se han creado varias cátedras sobre el tema en los últimos veinticinco años.

Sobresalen entre los proyectos historiográficos más ambiciosos *Los hijos del limo: Del Romanticismo a la Vanguardia*, de Octavio Paz, que fue producto del Curso de Conferencias Charles Eliot Norton en Harvard, como *Las Corrientes Literarias* de Henríquez Ureña, pero esta vez en 1972, y también la *Borzoi Anthology of Latin American Literature: From the time of Columbus to the twentieth century (Antología de la literatura hispanoamericana de Borzoi: desde la época de Colón al siglo XX)* compilada por el crítico uruguayo Emir Rodríguez Monegal cuando era profesor en Yale. La *Antología*, al igual que la de Franco, es fundamentalmente un instrumento pedagógico concebido con el fin de beneficiarse de la súbita popularidad de la literatura hispanoamericana en el mundo angloparlante. Abarca todo el panorama de la literatura latinoamericana incluyendo a Brasil. Rodríguez Monegal, director de la influyente revista *Mundo Nuevo,* que se publicaba en París al final de los sesenta, tuvo un papel similar al de los compiladores de antologías en el siglo XIX. Como sus antecesores, el centro de operaciones de Rodríguez Monegal era París, desde donde su revista ayudó a fomentar el *boom* de la novela latinoamericana, un movimiento de dimensiones y aspiraciones continentales que tuvo un tremendo impacto en la crítica de la literatura latinoamericana en general. El más importante fue convencer a los autores latinoamericanos y a los que escriben sobre la literatura latinoamericana, del sentido de la importancia y relevancia de esta literatura. La literatura latinoamericana deja de verse como una pariente pobre de la española o como el mero reflejo de las literaturas europeas, siempre un paso por detrás de las novedades de los centros de cultura. Ya no hay necesidad, en otras palabras, de disculparse por la poca calidad de la literatura hispanoamericana, como había tenido que hacer Anderson Imbert. Los latinoamericanos sienten que su literatura es una de las más importantes del mundo, tal vez la única presente por igual en todos los países del planeta. Esta actitud prevalece sobre todo entre los escritores de prosa narrativa y afecta en proporción decreciente a los autores de poesía, ensayo y hasta teatro. En los últimos treinta años hemos tenido cuatro premios Nobel de Hispanoamérica: Miguel Ángel Asturias (Guatemala), Pablo Neruda (Chile), Gabriel García Márquez (Colombia) y Octavio Paz (México). Dos poetas y dos novelistas han obtenido el más grande reconocimiento, pero muchos creen que Alejo Carpentier (Cuba) y, sobre todo, Jorge Luis Borges (Argentina) se merecían también el premio, y ahora muchos también apoyan a Carlos Fuentes (México) y Mario Vargas Llosa (Perú). Pero esto es sólo la punta del iceberg. Los autores latinoamericanos han ganado numerosos premios en los últimos treinta años, y sus libros, tanto en su lengua original como en sus traducciones, se han vendido más que nunca. Además, muchas revistas literarias de gran importancia han dedicado incontables números especiales a la literatura latinoamericana o a algún escritor latinoamericano en concreto y se han creado cátedras relacionadas con el tema en muchas universidades. Resumiendo, dado el carácter internacional del *boom*, no se puede seguir pensando que la historia de la literatura latinoamericana tenga un desarrollo cerrado en sí misma, una genealogía que vaya desde Rómulo Gallegos hasta Gabriel García Márquez o desde Rubén Darío hasta Octavio Paz. Es evidente que la literatura latinoamericana se produce en la encrucijada de todas las literaturas modernas más importantes. Esto se refleja en la composición y en el tono de la *Antología* de Rodríguez Monegal.

Los hijos del limo de Octavio Paz sólo se refiere a la poesía, pero está formulado de tal forma que puede abarcar la totalidad de la literatura hispanoamericana. Su punto de partida es que la poesía moderna se crea en contra de la modernidad, es decir, contra las afirmaciones racionalistas de la Ilustración. Pero, como Octavio Paz plantea, en el mundo hispánico no hubo Ilustración, por lo que la poesía romántica, fundamento de la literatura moderna, fue una poesía vacía. Los románticos, dice Paz, no tenían a qué oponerse. No hay romanticismo de altura en España, y la poesía moderna no comienza hasta el Modernismo y las vanguardias. En el capítulo de Andrew Bush de esta *Historia* sobre la poesía hispanoamericana de los siglos XVIII y XIX se refutan las premisas de Paz, y libros como el de Flitter suministran elementos que también hacen dudar de ellas. Sea como sea, lo que es indiscutible es que al negar que los románticos sean sus precursores lo que hace Paz es situar sus orígenes como escritor y el de otros hispanoamericanos más atrás, en el Barroco. Da igual, esto es una ficción necesaria para la creación, una especie de mito literario; lo importante es que en este momento de la historia literaria de Hispanoamérica, se percibe el Barroco como un origen más vigoroso, presente y actual que el Romanticismo. El trabajo que llevan a cabo Bush y otros sobre los siglos XVIII y XIX —un campo que se encontraba muy necesitado de un estudio que lo reanimase y que Paz no llevó a cabo— puede llevar a un cambio en la percepción del tema en el futuro cercano. Aún así, el trabajo de Paz, así como el de Rodríguez Monegal, como proyectos historiográficos, reflejan la necesidad que tienen los autores hispanoamericanos de encontrar un origen tan cercano al comienzo como sea posible, de recobrar las obras de los autores coloniales y rescribirlos desde una perspectiva moderna. Irónicamente, este es un proyecto muy romántico, muy parecido a lo que los románticos europeos hicieron con la Edad Media.

En los últimos treinta años ha nacido un nuevo tipo de proyecto que ha sido impulsado sobre todo por la revolución cubana; primero por sus triunfos, más tarde por los esfuerzos de la propaganda del régimen en la esfera cultural de todo el Continente. Fue la aventura de escribir una historia social de la literatura hispanoamericana, que, desde la perspectiva marxista, vería la historia como el resultado de la praxis social de las élites, es decir, de los grupos que producen la literatura. Alejandro Losada, Ana Pizarro y otros han publicado interesantes prolegómenos a esta empresa, pero no ha surgido ninguna historia completa, salvo esfuerzos parciales y dispersos. El más exitoso de estos fue *La ciudad letrada* de Ángel Rama que establece conexiones interesantes entre las élites «letradas» (ilustradas) y la producción literaria, sobre todo en el periodo moderno. Pero Rama, que murió antes de ver su ensayo publicado, no tuvo tiempo de desarrollar completamente una idea que habría llevado años de investigación. Uno se pregunta sobre el destino de todos estos trabajos tras el colapso del comunismo en Europa del Este y la Unión Soviética y el marxismo como doctrina y método cae en el descrédito.

Tal vez, dado el enorme crecimiento del campo de la literatura hispanoamericana ya es imposible escribir una historia de la literatura hispanoamericana que narre de forma continua su trayectoria desde un solo punto de vista metodológico. Paradójicamente la enorme acumulación de nuevas ideas que ha suscitado el estudio extensivo e intensivo de la literatura hispanoamericana ha hecho que este proyecto sea ya imposible. También podría ser que la historia literaria en forma de narrativa sea ya obsoleta, particularmente cuando se enfrenta a los variados fenómenos característicos de la literatura hispanoamericana. Las modas metodológicas actuales hacen que parezca imposible que se vuelva a escribir una historia como la de Arrom o la de Anderson Imbert. Yo no creo que la prosa y la poesía sean compatibles cronológicamente y he intentado un tipo diferente de aproximación a la narrativa latinoamericana *(Mith and Archive* [*Mito y archivo*]). Lo que observo a mi alrededor mientras escribo estas páginas parece indicar que otros sienten lo mismo.

En el caso de esta historia, nuestro objetivo es posibilitar una especie de toma de pulso del presente de la historiografía literaria latinoamericana mediante una serie de diferentes acercamientos.

[2]
CULTURAS EN CONTACTO: MESOAMÉRICA, LOS ANDES Y LA TRADICIÓN ESCRITA EUROPEA

ROLENA ADORNO

El repertorio de textos y tradiciones que se han de considerar aquí corresponde, en último término, a las interpretaciones hechas por miembros de las culturas americanas nativas durante la época colonial española. Sin el colonialismo europeo no habría existido ese abanico de producciones culturales, transcritas según el alfabeto de varias lenguas. Y es que si no se contemplan las voces nativas americanas y a los que se encuentran en posiciones cercanas a ellas (como las que ocupaban los autores mestizos), no puede haber una historia completa de la cultura colonial hispanoamericana, ni en el mundo de la palabra hablada ni en el de la escrita. Por ello las «culturas en contacto» son el punto de partida desde el cual comenzamos este ensayo sobre las expresiones culturales de la América indígena a partir de 1492.

INTRODUCCIÓN: CULTURAS EN CONTACTO

Pero, nosotros,
¿qué es lo que ahora podremos decir?
Aunque obramos como señores,
somos madres y padres de la gente,
¿Acaso aquí, delante de vosotros,
debemos destruir la antigua regla de vida?
¿La que en mucho tuvieron,
nuestros abuelos, nuestras abuelas,
la que mucho ponderaron,
la que mantuvieron con admiración,
los señores, los gobernantes?

(Coloquios y doctrina cristiana, los diálogos de 1524 según el texto de Fray Bernardino de Sahagún y sus colaboradores indige-

nas, ed. facsimilar del manuscrito original a cargo de Miguel León-Portilla, Universidad Nacional Autónoma de México / Fundación de Investigaciones Sociales, 1986, pág. 139.)

Estas palabras constituyen uno de los primeros ejemplos de las tradiciones culturales que consideraremos aquí. Como la mayoría de los textos que estudiaremos, este pasaje es una reconstrucción de otro anterior a él. Escritas en 1564 por Fray Bernardino de Sahagún y sus cuatro colaboradores nahuas, Antonio Valeriano, Antonio Vegerano, Martín Iacobita y Andrés Leonardo, estas palabras se inspiraban en una conversación que habría tenido lugar en 1524 entre los primeros doce frailes franciscanos en la Nueva España y los ancianos y sacerdotes mexicas (los aztecas). Como ocurre con muchos de los textos de este tipo, su veracidad histórica ahora comienza a ser aceptada (León-Portilla, *Coloquios y doctrina cristiana*, 23-5). Volvamos al relato en el cual los señores y ancianos aztecas discuten la forma de responder:

Entonces así se dialogó,
muy largo tiempo, con gran cuidado, se hizo el discurso,
dos veces, tres veces, se hicieron oír las palabras
a los ofrendadores del fuego,
como las habían dicho los sacerdotes.
Y aquellos que oyeron esto,
mucho se perturbaron,
mucho se afligieron,
como si se hubieran caído
y se hubieran espantado,
estuvieran aterrorizados.
Así, al fin, se dio a luz la palabra,
cuando el discurso se unificó,
se convino que a la mañana siguiente
todos los señores fueran juntos,
se fueran en grupo a aparecer ante el rostro
de los doce sacerdotes.

(*Coloquios y doctrina cristiana, los diálogos de 1524,* pág. 143 *según el texto de Fray Bernardino de Sahagún y sus colaboradores indígenas*, ed. facsimilar del manuscrito original a cargo de Miguel León-Portilla, Universidad Nacional Autónoma de México / Fundación de Investigaciones Sociales, 1986, pág. 143.)

La escena resume todos los aspectos pertinentes de este ensayo: los guardianes de la antigua palabra del saber amerindio se reúnen con los guardianes de la tradición cultural europea. El poder militar y político está de un solo lado pero no puede sobreponerse a la autoridad cultural y espiritual del otro. La angustia que produce la confrontación entre los antiguos dioses y la nueva deidad cristiana da lugar primero a una discusión entre los sabios ancianos aztecas *(tlamatinime)* y luego a su respuesta pública para los frailes franciscanos. Después de discutir hasta que «se dio a luz la palabra» y «el discurso se unificó», los «sabios de la palabra» se enfrentaron a «los doce sacerdotes» (León-Portilla, *Los diálogos aztecohispánicos,* 143). En este escenario idealizado, oímos las sabias voces de la tradición nativa precolombina, de los que «despliegan [las hojas de] los libros, la tinta negra, los que tienen a su cargo las pinturas» (León-Portilla, *Coloquios y doctrina cristiana,* 141).

Sahagún y sus colaboradores tuvieron éxito cuando recrearon estos primeros momentos en los que los señores nativos toman contacto con las ideas e ideologías extranjeras. A partir de aquí, la mayor parte de las producciones culturales de las que nos ocuparemos reflejarán momentos posteriores del largo periodo colonial de coexistencia cultural. La situación fue muy bien descrita por primera vez por un señor nativo mexicano en una conversación con Fray Diego Durán. Este recuerda cómo se había enfadado con el caballero, que era presumiblemente cristiano, por haber subvencionado una boda pagana y además, muy cara. El nativo replicó con rapidez, «¡Padre, no te espantes pues todavía estamos *nepantla!» (Historia de las Indias de Nueva España,* II, 268). Cuando le preguntó a su interlocutor a que tipo de «en el medio» se refería con el uso de ese «vocablo y metáfora», el interpelado le respondió a Durán que los mexicas de su época «aun estaban neutros», no muy devotos de una u otra religión pero que, en efecto, participaban de las dos.

Esta imagen del *nepantlismo,* definida por León-Portilla como «la situación en la que una persona permanece suspendida entre un pasado perdido o desfigurado y un presente que no ha sido comprendido o asimilado» (Klor de Alva, «Conflicto Espiritual y Acomodación en Nueva España», 353), se debería recordar durante el siguiente razonamiento. Como nos muestran las investigaciones recientes (ver León-Portilla, «Testimonios nahuas sobre la conquista espiritual»; Klor de Alva «Conflicto espiritual»; Adorno, *Guaman Poma;* MacCormack, «Pachacuti»), muchas veces resulta engañoso considerar estas obras como prueba de un sincretismo cultural (es decir, la producción de un todo armonioso, algo muy diferente al *nepantlismo).* Por ello nuestro resumen del campo cultural que estudiamos es el siguiente:

Nacidas en el periodo colonial, a menudo con referencias a lo precolombino y creadas por individuos con el ánimo de preservar y comunicar sus tradiciones nativas aunque fuese recurriendo a las extranjeras, las tradiciones que vamos a estudiar aquí enlazan formulaciones culturales y actividades simbólicas muy diversas, tanto orales como escritas. En estas producciones culturales se unen diversos sistemas de pensamiento y expresión pero las reformulaciones de la experiencia nativa resultantes no tienden tanto a la resolución de conflictos o tensiones entre las culturas donantes, sino más a crear nuevas síntesis culturales cuyo rasgo dominante es la coexistencia incómoda de sus diversos y a veces contradictorios componentes.

¿QUÉ TIPO DE PRODUCCIÓN CULTURAL? ¿QUÉ TIPO DE HISTORIA?

En la década de 1880 a 1890, Daniel G. Brinton fue uno de los pioneros en considerar como literatura la expresión cultural indígena americana. Bajo el título «The Library of Aboriginal American Literatures» («Biblioteca de literaturas aborígenes de América»), publicó una serie de textos y estudios amerindios, después de publicar un monográfico titulado *Aboriginal American Authors and their Productions... a chapter in the history of literature* (*Autores y producciones aborígenes americanos... un capítulo en la historia de la literatura*). Un siglo después aún nos preocupan los mismos problemas que importaron a Brinton. De modo que el interés actual por tratar las producciones culturales de la América nativa como literatura, ha surgido, al menos para Mesoamérica, de la obra monumental de Garibay *(Historia de la literatura náhuatl)* y de León-Portilla *(Literaturas precolombinas de México*; *Literatura del México antiguo),* y, en el Perú (nos referimos a su extensión geográfica y jurisdiccional en la época colonial, es decir, en casi toda la Sudamérica hispánica), de Arguedas *(Tupac Amaru; Dioses y hombres),* Farfán *(Poesía folklórica quechua; El drama quechua Apu Ollantay)* y Lara *(La tragedia del fin de Atawallpa; La literatura de los quechuas).* La conceptualización literaria de la producción cultural verbal ha sido un paso muy importante en la valoración de la misma. (Este reconocimiento complementa, pero no reproduce, las aproximaciones a los documentos nativos coloniales estudiados por sus contribuciones a los estudios históricos y antropológicos).

Hoy en día estas producciones culturales se han apreciado desde un punto de vista más amplio e interdisciplinario que analiza la reconstrucción de la historia cultural colonial desde una óptica más comprehensiva y compleja. Últimamente, el título de «literatura» para identificar los textos de contenido amerindio y forma europea, no gusta mucho a los investigadores de nuestro campo, ya que tiende a limitar el estudio a una serie de parámetros y preguntas que se adaptan mejor a la producción estética basada en las tradiciones bíblicas y clásicas occidentales. La «literatura» considerada como un nombre que designa o describe, pierde su validez en nuestro contexto y podemos reconocer que la «literatura» como concepto dieciochesco, localizado en el mundo mediterráneo de tradiciones grecorromanas y judeocristianas (ver Mignolo, «La lengua, la letra, el territorio»), acoge un campo de actividad creativa y reflexión crítica diferente de, y sólo parcialmente relacionado con, los considerados aquí.

A pesar de ello, si dejamos de lado el contenido del conjunto cultural europeo específico al que se ha aplicado definitivamente el término «literatura» y, en vez de ello, consideramos los principios de reflexión e interpretación a través de los cuales una cultura se comprende a sí misma, mediante actividades simbólicas verbales, entonces veremos que las tradiciones examinadas aquí tienen algo en común con lo literario. Una observación pertinente al analizar esta afirmación, sería que aquello que se define como «literario» está totalmente determinado por los que participan en la cultura en la que se encuentra el objeto. Desde dentro del sistema cultural de las sociedades occidentales postindustriales podemos reconocer muchas interpretaciones históricas, teatrales, líricas y de la prosa de nuestra propia cultura. Es difícil si no imposible reconocer las interpretaciones correspondientes (o no) a culturas que son muy diferentes a la nuestra, como las nativas de América. Por ello, cuando al ver el *Popol Vuh,* decimos «esto no es literatura», tenemos que tener muy claro que lo rechazamos como tal con respecto a un conjunto histórico-cultural específico que deriva de las tradiciones grecorromanas y judeocristianas pero que lo reconocemos como uno de los grandes logros culturales en cuanto a su interpretación colectiva de la experiencia humana. En este sentido las tradiciones estudiadas en este ensayo pertenece a la «historia de la literatura latinoamericana».

Las tradiciones culturales de los nativos americanos, sólo conocidas por ser conservadas en forma escrita en tiempos coloniales, se verán como complementarias a, y no como antecedentes de, el desarrollo de la literatura latinoamericana. En el pasado, el legado de la expresión amerindia precolombina se ha idealizado como precursor de la literatura fundacional de Hispanoamérica. Por el contrario, desde aquí apoyamos la idea de que la conservación del legado de la antigua cultura nativa es necesariamente un fenómeno policultural y colonial. Debido a ello no nos revela el pasado precolombino sino más bien los procesos de intercambio cultural en la época colonial. No consideramos que la cultura americana indígena fuese absorbida por la europea sino que se dio la adaptación, la supervivencia y la innovación de las tradiciones autóctonas americanas en un nuevo y complejo entorno policultural.

Inmediatamente nos encontramos con el problema de la terminología y nos parece apropiada la palabra «texto» para designar estas complejas producciones culturales. Tal vez sea por su raíz, cuyo significado es «tejer», por lo que nos parece etimológicamente compatible con la producción oral (Ong, *Orality and literacy* [*Lo oral y lo literario*], pág. 13). Al mismo tiempo, el término «texto» sugiere la integración de formulaciones culturales diversas y varios tipos de actividades simbólicas.

¿Qué tipo de preguntas hay que hacerles a estos textos? Estos «tejidos» verbales responderían sólo a algunas de las preguntas hechas a las obras de la tradición europeo-occidental de las *belles lettres*. Algunas cuestiones filológicas y textuales son pertinentes como, por ejemplo, la fijación filológica de los textos, la identificación de fuentes e influencias y la relación interna de las partes del texto. Dependiendo del tipo particular de texto analizado, la aplicación de modelos literarios occidentales sólo en algunas ocasiones ha ayudado a la comprensión de los mecanismos internos de la obra bajo consideración. En ese sentido ponemos el énfasis en el proceso de producción de estos textos para reorientar nuestras investigaciones. Reconstruyendo las circunstancias de la creación de estas expresiones culturales y examinando las razones por las que fueron escritos, podemos evaluar con mayor éxito los restos textuales del encuentro entre las culturas nativas americanas y la tradición escrita europea. Siempre que consideremos las actividades basadas en la creación de textos como constitutivas (y no meramente reflexivas) de las prácticas sociales, los textos escritos o transcritos de autoría colectiva o individual nos pueden revelar muchas cosas sobre la compenetración de las culturas europea y amerindia en el periodo colonial.

LA AUTORÍA Y SUS CARACTERÍSTICAS

Todas las producciones culturales aquí examinadas son de contenidos aristocráticos y muchas veces sagrados, y los individuos que las produjeron son también una elite en perspectiva y/o en formación. En el último caso, con «elite» más que a un estatus social de un cierto individuo dentro de la jerarquía nativa tradicional, nos referimos al acceso de ese individuo a las instituciones de la sociedad colonial (por ejemplo, la de la cultura escrita). Por lo tanto, desde el punto de vista de su recepción, estos textos pertenecen más a una historia intelectual y cultural que a un historia social.

Como ya anticipamos al principio, es imposible comprender las tradiciones nativas en los tiempos coloniales sin tener en cuenta la interacción entre las elites indígenas americanas y la iglesia europea. La escritura alfabética y la tradición nativa se unieron porque la escritura era una institución del colonialismo empleada para dar cuenta de y ordenar a las sociedades nativas, erradicar sus prácticas espirituales tradicionales y evangelizar a sus gentes. Paradójicamente este uso de la cultura escrita para borrar la herencia nativa también sirvió para preservar sus más nobles frutos. En México, los esfuerzos incansables de Fray Bernardino de Sahagún produjeron uno de los estudios más destacados de su época sobre una sociedad del siglo XVI; en el Perú, la compilación de tradiciones nativas del cura criollo Francisco de Ávila, escrita con el propósito de erradicarlas, tuvo como resultado un magnífico tapiz de la vida y las creencias espirituales de los Andes contenida en *Runa yndio ñiscap machoncuna,* mejor conocida como el manuscrito de Huarochirí. El clero europeo hizo posible desde el principio la conservación (y también la destrucción) de las expresiones culturales amerindias. Cualquier tipo de aproximación global al tema requiere un análisis de los escritores misioneros. Para una bibliografía comentada de los escritos de cronistas e historiadores religiosos sobre las culturas nativas de Mesoamérica ver Cline *(Guide to Ethnohistorical Sources* [*Guía de fuentes etnohistóricas*]) y, para el Perú, la edición hecha por Pease en 1986 de Porras Barrenechea *(Los cronistas del Perú, 1528-1650).*

La colaboración de informantes nativos fue esencial para la investigación que los misioneros hicieron sobre las tradiciones nativas. Muy a menudo, fueron los señores étnicos y sus herederos los que se convirtieron en informantes bilingües. En México muchos fueron formados por frailes en instituciones como el Colegio de la Santa Cruz de Santiago Tlaltelolco, fundado por franciscanos (ver Garibay, *Historia);* en el Perú, fueron los jesuitas los que organizaron colegios para los hijos de los señores nativos (ver Albó, «Jesuitas y culturas indígenas»). Había muchas maneras para que los nativos adquirieran conocimiento de la lengua de los conquistadores y por ello se les llamó *indios ladinos*. En 1611, Covarrubias *(Tesoro de la lengua,* 747) definió como *ladino* «al morisco y al estrangero» que se desenvolvía con tal soltura en castellano que nadie lo tomaría por un extranjero y que era muy prudente y agudo en todo lo que hacía. *Indio ladino* se convirtió en el término con el que se designaba a todo nativo que aprendía la lengua colonial (fuese señor étnico o vagabundo); los tipos sociales y los individuos que se les conocía como indios ladinos eran muchos y variados y sólo ahora se comienza a estudiarlos sistemáticamente.

Cuando aprendieron a leer y a escribir, los nativos se convirtieron en amanuenses así como en intérpretes orales (ver Solano, «El intérprete»). En tales circunstancias, comenzó la práctica independiente de la escritura por parte de los nativos y se bifurcó en dos tipos de expresión escrita, a veces mutuamente excluyentes y, a veces, superpuestos. Por un lado, se hicieron esfuerzos para comunicar los intereses de la sociedad nativa a sus señores extranjeros (relaciones y crónicas escritas en español) y, por otro, se tomaron iniciativas para preservar la herencia cultural nativa y protegerla de los europeos (algunos textos mayas, como el *Popol Vuh* y los *Libros de Chilam Balam*, de los mayas quichés y yucatecos respectivamente, se tradujeron al alfabeto romano).

Una de las áreas de investigación que responde a los tipos de interacción cultural más importantes y que aquí nos interesa es el estudio de cómo las tradiciones orales y los jeroglíficos (pictogramas e ideogramas) se transformaron cuando fueron traducidos al alfabeto romano. Para un estudio del impacto de la cultura escrita en las artes tradicionales de la escritura y el recuerdo en el México colonial ver Gruzinski *(La colonisation de l'imaginaire);* para ver una formulación teórica sobre el estudio de las primeras tradiciones coloniales de mezcla oral/escrita ver Mignolo («Anahuac y sus otros»); y para estos procesos de transformación cultural en el Perú y en México, ver Scharlau y Münzel *(Qellqay),* Scharlau («Mündliche Überlieferung-Schriftlich Gefasst»; «Escrituras en contacto») y Scharlau (ed.) (*Bild-Wort-Schrift*).

Con excepción de aquellos textos que no tienen por objeto las experiencias y culturas nativas americanas (ver Garibay, *Historia*, II, 222-33), los textos que han sobrevivido al encuentro España/América incluyen estas características: 1) la necesidad imperativa de preservar el conocimiento de la cultura nativa, marginada, denigrada y forzada a una existencia clandestina, 2) la expresión de la amargura por la destrucción de monumentos culturales nativos, 3) la elaboración de profecías, tanto para explicar las circunstancias históricas del momento, como para anticipar un futuro incierto, 4) la aparición de movimientos mesiánicos, preservados como profecías que prometían la caída de la dominación extranjera y la restauración del orden tradicional, 5) la reformulación de la historia étnica en un intento por recobrarla, y 6) el esfuerzo para dar sentido a las creencias e ideologías en conflicto, que por lo general no alcanzaban a resolver las contradicciones. Para descripciones más detalladas y una comparación de las respuestas de los nativos americanos y de los moriscos españoles a los esfuerzos para erradicar sus culturas, ver Luce López-Baralt («Crónica de la destrucción del mundo»), Salomon («Chronicles of the impossible» [Crónicas de lo imposible]) y Adorno («La Ciudad letrada»).

LA CUESTIÓN DE LO ORAL

Una de las observaciones fundamentales en el estudio de estas tradiciones culturales hispanoamericanas es la coexistencia de lo oral y lo escrito. Los debates actuales sobre la naturaleza y el desarrollo del empleo del lenguaje escrito alfabético *(literacy)* (Jack Goody, Brian V. Street), recalcan la dificultad de conocer y explicar el carácter de la cultura oral, así como la de evaluar los residuos orales en los documentos escritos.

Desde nuestra propia perspectiva como miembros de culturas escritas, es fácil subestimar el poder del discurso oral humano en sus usos rituales y formales. Los testimonios de la era precolombina que se conservan en los escritos de los primeros tiempos coloniales nos permiten reorientar nuestro conocimiento. Por ejemplo, el *Códice Matritense* describe al narrador nahua o *tlaquetzqui* ideal como el que «dice cosas con el espíritu, los labios y la boca de un artista»: «El buen narrador... tiene flores en los labios. Sus palabras desbordan consejos, las flores salen de su boca». El mal narrador, sin embargo, «dice palabras inútiles, no tiene dignidad» (León-Portilla *Precolumbian Literatures* [*Literaturas precolombinas*], 27-8). Los discursos de los *huehuehtlahtolli* («discursos de los ancianos») que se conservan escritos dan fe del papel que tenía el discurso oral y formal como fuente de conocimiento y formación para la vida en la sociedad nahua. Las transcripciones de las profecías *katun* de los mayas yucatecas revelan que los discursos irresponsables y a la deriva se consideraban como una de las pruebas más importantes de que la sociedad se encontraba en proceso de degeneración y desintegración (Roys, «The Maya Katun prophecies» [«Las profecías katun mayas», 24). El *Popol Vuh* nos cuenta que, entre los mayas quiché, la antigua palabra (el discurso sagrado) era el potencial y fuente de todo lo que se hacía en su tierra (D. Tedlock, *Popol Vuh,* 71). En los Andes, los cronistas nativos decían que los primeros habitantes guardaban obediencia al primer inca debido a las asombrosas dotes oratorias de Manco Capac y Mama Ocllo (El Inca Garcilaso de la Vega, *Obras Completas,* II, 27-8; Guaman Poma, *Nueva Crónica,* 81).

Uno de los problemas en torno a la relación de lo oral con la tradición escrita y lo oral como el punto mediador entre las tradiciones de escritura alfabética y jeroglífica, es el supuesto paso de la tradición oral a la escrita. Aunque muchas veces se asume que la tradición escrita sustituyó a la oral y a la escritura jeroglífica, hay pruebas de que bien entrado el siglo XVII y, en algunos casos, hasta el XIX, los modelos tradicionales de creación y conservación del saber persistieron (Roys, *The Book of Chilam Balam,* [*El libro de Chilam Balam*], 3-5).

La conservación escrita de lecturas de textos jeroglíficos o discursos orales es uno de los logros fundamentales de los misioneros españoles, los nativos americanos y los escritores mestizos. La forma de traducir y transcribir estos textos era muy variada. Entre los mayas yucatecas de las tierras bajas, por ejemplo, eran comunes las transcripciones literales de los contenidos de jeroglíficos; en libros existentes como el *Chilam Balam,* hay secciones de prosa que son transcripciones literales de jeroglíficos (Roys, *The Book of Chilam Balam,* 5). Entre los mayas de las tierras altas, sin embargo, las glosas de narraciones orales eran más frecuentes. Como apunta Dennis Tedlock *(Popol Vuh,* 32) en su narración de cómo los representantes de los tres linajes nobles de Q'umaraqaj (Utatlán) crearon un texto escrito del *Popol Vuh,* una traducción jeroglífico por jeroglífico habría tenido como resultado «un texto que no habría tenido sentido más que para un buen actor y adivino». En vez de eso los escritores apuntaron lo que un lector del antiguo texto habría dicho si hubiera tenido que hacer una «larga representación» contando la historia contenida en aquellos símbolos (D. Tedlock, *Popol Vuh,* 32). La conservación de estas representaciones *(performances),* congeladas en el tiempo y escritas, muchas veces esconden más que revelan las características fundamentales de las tradiciones orales. Al respecto, Dennis Tedlock *(The Spoken Word* [*La palabra hablada*], 13, 19) arroja nuevas luces al decir que las tradiciones orales no se pueden describir a través de la aparente cualidad de monólogo de una sola representación, sino teniendo en cuenta cómo se ha expresado y englobado dicha representación en el contexto de un diálogo mucho mayor.

Otro problema a la hora de describir por escrito las representaciones orales tiene que ver con la métrica. Las indagaciones más recientes insisten en que la forma más fidedigna de reproducir composiciones de culturas no europeas se consiga intentando reproducir las unidades de la composición original en vez de imponer el criterio de versificación propio de la tradición europea. Esta toma de posición reconoce las limitaciones de los paradigmas literarios europeos para analizar las producciones verbales de los nativos americanos (ver León-Portilla en Edmonson [ed.], *Supplement).*

El valor relativo que se puede asignar a las fuentes escritas y a las que son transcripciones de discursos orales es un asunto clave en las obras que consideramos aquí. Ha sido un lugar común considerar lo no escrito como mítico cuando lo mítico quiere decir ficticio y falso («no una verdad literal»). Por ejemplo, las crónicas nativas han sido juzgadas como fantasiosas porque contradecían o no estaban corroboradas por las fuentes europeas. Actualmente comprendemos que tales narraciones tratan de historias que pasaban desapercibidas para los europeos o que éstos no compartían (Recinos, *Crónicas indígenas;* MacCormack, «Atahualpa y el libro»). Esta es sólo un área en la que los presupuestos sobre el estatus de lo oral con respecto a lo escrito, empiezan a ser reconsiderados seriamente.

EL TIEMPO: EL PASADO EN EL PRESENTE

Bajo el título de «El tiempo: el pasado en el presente» se engloban dos cuestiones: una tiene que ver con el hecho de que los primeros escritos de la etapa colonial sobre las costumbres nativas estaban íntimamente ligados a los intereses del presente. La otra tiene que ver con la forma de tratar el tiempo en estos escritos, que ofrece varios problemas: la relación de lo temporal con lo intemporal, la contraposición de conceptos diferentes del tiempo (el lineal enfrentado al cíclico) y, finalmente, la relación del concepto de tiempo con el de espacio.

A pesar de que el contenido de muchas de estas producciones culturales es retrospectivo, la preocupación sobre el presente —la de explicar el presente a través de una visión del pasado— está muy marcada en todas ellas. Muchas veces se han descrito estas obras como recuerdos nostálgicos de un pasado irrecuperable. Y a pesar de que tales observaciones pueden tener una parte de verdad, tienden a distorsionar más que a elucidar la evidencia. La etnografía y la investigación historiográfica, al igual que los estudios literarios nos han revelado que los escritos nativos tales como las historias y genealogías dinásticas tienen objetivos prácticos inmediatos (ver González Echevarría, «José Arrom»; Farris, *Maya Society under Colonial Rule* [*La sociedad maya durante la dominación colonial*], 246-7; Adorno, *Guaman Poma)*. En general, las crónicas y relaciones de Mesoamérica y los Andes se pueden entender dentro del contexto del sistema jurídico español y de las «probanzas de méritos y servicios» que eran objeto de atención de todos los aspirantes a conseguir propiedades y privilegios.

Como las coordenadas más básicas de la experiencia humana, los conceptos de tiempo y de espacio varían de una cultura a otra y así presentan grandes dificultades de comprensión. En los textos coloniales de herencia pre-hispánica, el problema no es sólo aislar o identificar los conceptos autóctonos sino también determinar el nivel de adaptación de éstos a la cronología europea. Como señaló Frank Salomon en su estudio de los cronistas nativos peruanos («Chronicles» [Crónicas], 9), «la raíz del conflicto... en las crónicas de autoría indígena es la diferencia entre los modos andino y europeo de concebir la relación entre lo histórico y lo intemporal».

El estudio de los textos que nos ocupan requiere que dejemos de separar lo histórico de lo mítico en dos discretas categorías y comencemos a concebir la posibilidad de su convergencia. El *Popol Vuh* y los relatos del manuscrito de Huarochirí, nos enseñan, por ejemplo, que las formas en que los mayas y los andinos concibieron lo mítico y lo histórico eran, tal como dijo Dennis Tedlock *(Popol*

Vuh, 63) «más complementarias que opuestas, más mutuamente porosas que excluyentes».

Sobre la común dicotomía de tiempo cíclico versus tiempo lineal, no podemos asumir que el concepto de tiempo cíclico dominaba por completo sobre el lineal; lo demuestran los estudios de las tradiciones maya y quechua (D. Tedlock, *Popol Vuh;* Salomon «Chronicles»). Para entender las nociones amerindias del tiempo, la mejor figura geométrica no es el círculo ni la línea recta sino la hélice: una línea curva, en espiral que nunca pasa dos veces por el mismo sitio pero que repite su movimiento básico. Esto significa que no se esperaba que ni el tiempo ni las vivencias se repitiesen exactamente; más bien los hechos en el tiempo se iban acumulando y los pasados no se olvidaban (B. Tedlock, *Time and the Highland Maya* [*El tiempo y los Mayas de las Regiones Altas*], 176-7; D. Tedlock, *Popol Vuh,* 64; Salomon, «Chronicles», 10-11). «No se puede borrar el tiempo», le dijo a Barbara Tedlock su maestra quiché *(Time,* 177), que nos describe cómo las sucesivas creaciones y destrucciones cataclísmicas del mundo a las que se refiere el *Popol Vuh* no se aislaban totalmente unas de las otras, sino que, más bien, cada época contenía herencias de todas las épocas anteriores. De esta forma, la investigación de los hechos de otro tiempo demanda el reconocimiento de una dialéctica entre lo único o lineal y lo cíclico o repetido (B. Tedlock, *Time,* 177).

Lo que se puede deducir de este ejemplo es que la búsqueda de un patrón y un significado no contradijo sino que, de hecho hizo posible que los mayas aceptaran información de más allá de los confines de su mundo autóctono y su experiencia histórica y cultural (D. Tedlock, *Popol Vuh,* 64; Roys, *Book of Chilam Balam* [*Libro del Chilam Balam*], 3-4; Szemiński, «Las generaciones», 105-6). Un ejemplo son las profecías sobre la llegada de personas de lugares lejanos que se encuentran en los relatos de los indígenas y de los misioneros. Estos testimonios, que se han tomado como prueba de la rigidez de la tradición cultural autóctona americana (Todorov, *The Conquest of America* [*La Conquista de América*]), se pueden interpretar como un indicador de la capacidad de los autores e informantes autóctonos de incluir e integrar lo nuevo y extraño. Los primeros escritos coloniales —desde los códices mayas hasta las crónicas peruanas— dan muestra de esta capacidad de recopilar, improvisar y adaptar.

Otra consideración es la relación de los conceptos de tiempo y espacio, tanto en las tradiciones mesoamericanas como en las andinas. Como Burkhart *(The Slippery Earth,* 72) aclara, refiriéndose a Mesoamérica, que «el tiempo no se puede separar del espacio. La distancia espacial es correlativa a la distancia temporal». Una vez más encontramos importantes diferencias entre las aproximaciones amerindias y las europeas. Estas diferencias nos conducen muchas veces a hacer más simples y rígidos de lo que son los aspectos extraordinariamente complejos de la relación espacio-tiempo amerindia. La relación homóloga de tiempo y espacio no sólo se da en cuestiones aisladas sino que también en los principios generales de organización (Wachtel, *Sociedad e ideología,* 182). Las relaciones entre tiempo y espacio y historia y mito que establecían los amerindios tanto de la época precolombina como después de la conquista tendieron, según las conclusiones de los Tedlock (B. Tedlock, *Time;* D. Tedlock, *Popol Vuh),* más hacia la integración que hacia segregación, más hacia la acumulación que hacia la sustitución y más hacia la colaboración que hacia la exclusividad. Para Mesoamérica, ver *El pueblo del sol* de Caso; *Aztec Thought and Culture* [*Cultura y pensamiento azteca*] de León-Portilla; *Time* de B. Tedlock; *Popol Vuh* de D. Tedlock; *The Slippery Earth* [*La tierra resbaladiza*] de Burkhart. Para los Andes, *Ideología mesiánica* de Ossio; *Sociedad e ideología,* de Wachtel; «Chronicles» de Salomon; «De la imagen de Wiraqucan»; *Un Kuraca* de Szeminski.

LAS CUATRO ÁREAS GEOGRÁFICO-CULTURALES PRINCIPALES

Destacamos cuatro áreas geográfico-culturales: la nahua de México central, la maya de las regiones bajas del área maya de Yucatán, la quiché de las tierras altas mayas y la quechua de los Andes. Las tradiciones mesoamericanas se definen según las divisiones que se establecieron en el *Handbook of Middle American Indians* [*Manual de los indígenas de Mesoamérica*] y su censo de manuscritos en prosa de tradición histórica nativa (Gibson y Glass, en Cline *et al.* [eds.] *Guide... Part Four).* El lector debería consultar el *Handbook* para México del Norte y Occidental (La tradición tarasca de Michoacán), Oaxaca y América Central. El estudio que hizo Brinton en 1883 sobre la comedia bailada *El Güegüense* es un punto de partida apropiado para el estudio de la tradición nahua y mangue de Nicaragua. En lo que se refiere a los Andes, nos centraremos en las tradiciones quechuas más importantes. Para el Anfiteatro del Caribe, las voces de los nativos se pueden percibir en la *Relación acerca de las antigüedades de los indios,* de Fray Ramón Pané (ver *Mitología,* de Arrom; *Relación,* de Pané, y *El mito taíno,* de M. López-Baralt).

Las diferencias entre las tradiciones coloniales de los nahuas, los mayas de las tierras altas y bajas y las andinos de lengua quechua son notables. En los dos grandes centros coloniales de México y el Perú, sedes de las culturas imperiales de los aztecas y los incas, que florecieron durante la época de la invasión española, encontramos un número abundante de textos nativos y textos inspirados en lo nativo diseñados precisamente para comunicarse con la sociedad dominante. En contraste, tanto los quichés de las tierras altas, como los yucatecas de las bajas, desarrollaron varias tradiciones escritas ajenas y desafiantes respecto a la sociedad extranjera de los colonizadores.

Aun hay otro contraste importante entre las culturas nahuas y las andinas. En el valle central de México, los nahuas produjeron, gracias al ímpetu de las enseñanzas franciscanas, un impresionante número de obras encaminadas a la conservación de la historia y la cultura precolombinas. En el Perú, por otro lado, encontramos un número pequeño de obras, aunque entre ellas hay textos de complejidad y riqueza extraordinarias.

Dar cuenta de todas las diferencias mencionadas hasta ahora es una tarea que sobrepasa los objetivos de este ensayo. El tomar nota de estas diferencias nos recuerda, sin embargo, la diversidad de las culturas coloniales que fueron fruto de la interacción a lo largo del tiempo de una sola cultura hegemónica con las zonas culturales de Mesoamérica y los Andes de una extraordinaria variedad, que, a su vez, comprendían grandes diferenciaciones internas.

A pesar de que la producción cultural de la primera etapa colonial, entre 1525 y 1650, más o menos, fue bastante conocida, algunas de las tradiciones que consideraremos sólo se dieron a conocer entre los europeos en los siglos siguientes (por ejemplo, el descubrimiento y la transcripción en el siglo XVIII del *Popol Vuh* por parte del cura español Francisco Ximénez) y la práctica de algunas tradiciones (como los dramas bailados de Guatemala) que continúa hasta el día de hoy.

Debido a la imposibilidad de describir en su totalidad cada área de producción cultural, se debería atender de manera esencial a las recomendaciones bibliográficas proporcionadas en cada breve apartado.

La tradición nahua

Tras la derrota de la Confederación Azteca (la Triple Alianza) a manos de las fuerzas españolas y nativas aliadas al mando de Hernán Cortés —en una guerra de dos años de duración—, la soberanía española se impuso en el valle central de México en 1521. Poco tiempo después, las órdenes mendicantes, es decir, los Franciscanos (1523-1524), los Dominicos (1526) y los Agustinos (1533), fueron llegando para evangelizar a los nativos (Ricard, *The Spiritual Conquest of Mexico* [*La conquista espiritual de México*], 2-3). Se fundaron escuelas religiosas muy pronto, comenzando por la del padre flamenco Pedro de Gante, en 1523. La fundación del Colegio de la Santa Cruz de Santiago Tlaltelolco, el seis de enero de 1536, fue de especial importancia.

La tradición escrita más rica y variada de las consideradas aquí es la de los nahuas de México Central. La introducción de la escritura alfabética fomentó la conservación de la cultura náhuatl y el desarrollo de una extraordinaria tradición escrita en nahua que se extendió durante todo el periodo colonial. En el siglo XVI, la actividad de los frailes ayudó a producir una clase de nahuas ilustrados, bi- o trilingües, cuyas empresas historiográficas en español, náhuatl y, a veces, en latín, han llegado a constituir una tradición escrita de gran importancia. Garibay *(Historia)* nos ofrece la enumeración más extensa de las producciones culturales escritas de autores de formación nahua y un importante estudio de los textos primarios y sus traducciones. La segunda parte de su estudio, sobre el periodo de 1521 a 1750, destaca la labor de los frailes misioneros y los estudiosos nativos, y abarca géneros desde el religioso-didáctico, hasta el histórico y tiene en cuenta la labor lingüística y cultural de los traductores.

Fundado por los franciscanos para los hijos de las elites nahuas, el objetivo principal del Colegio de Tlaltelolco fue el de educar a las clases nobles a la manera europea. Sin acceso al sacerdocio de la Iglesia Católica Romana, estos nobles bien educados tenían pocas salidas para sus conocimientos. Con sus profesores europeos y sus alumnos mexicanos (que pronto se convertirían en profesores), el Colegio era el centro de la vida intelectual colonial que se centraba en el estudio y la interpretación de la cultura nahua en su relación con la cristiana. Aún no se ha escrito la historia completa de los trabajos, de los profesores, alumnos, ni del auge y declive (a mitad de siglo) del Colegio. Invitamos al lector a que consulte, sin embargo, la *Utopía* de Baudot; *El primer colegio,* de Borgia Steck; *La conversion des indiens,* de Duverger; *Historia,* II, 215-20, de Garibay; *El imperial colegio,* de Ocaranza; *Spiritual Conquest* [*Conquista espiritual*], de Ricard. Para la perspectiva nahua sobre la actividad de los franciscanos en el siglo XVI, ver *Los Franciscanos,* de León-Portilla.

De las producciones culturales en náhuatl y español, recogidas por Garibay, la porción mejor documentada y estudiada hasta ahora es la referente a la tradición histórica (Gibson y Glass, en Cline *et al. Guide... Part Four)*. En México hubo varios escritores de historia de tradición nativa. Los más notables fueron Hernando Alvarado Tezozomoc (activo desde 1598 hasta comienzos del siglo XVII), Fernando de Alva Ixtlilxóchitl (1578-1648, aprox.), Domingo Francisco de San Antón Muñón Chimalpain Quauhtlehuanitzin (nacido en 1579), Diego Muñoz Camargo (1529-1599 aprox.) y Juan Bautista de Pomar (activo en 1582). Cada uno de ellos daba cuenta de la historia nativa desde la perspectiva de su herencia dinástica y representaban en su conjunto muchas de las etnias que habitaban en el valle central de México, según fueron identificadas por Gibson *(The Aztecs,* 9, 21).

De ascendencia mexica (azteca), Alvarado Tezozomoc era hijo de uno de los *tlatoani* o señores de Tenochtitlán bajo el dominio español y de Francisca de Montezuma, y por lo tanto era nieto de Montezuma II (Garibay, *Historia,* II, 299; Keen, *The Aztec Image* [*La imagen azteca*], 132). Tezozomoc dejó un gran relato que se desarrollaba desde la llegada de los mexica al poder al final del siglo XIV hasta la conquista española en su *Crónica mexicana* (1598); escribió en náhuatl la *Crónica Mexicayotl* en 1609 (Gibson y Glass, en Cline *et al., Guide... Part Four,* 326). Juan Bautista de Pomar era un mestizo descendiente de los señores acolhua de Texcoco de la época precolombina. Su *Relación de Texcoco,* que fue más tarde conocida y citada por Alva Ixtlilxóchitl, se escribió en respuesta al cuestionario de la relación geográfica de 1577 y se considera una de las mayores fuentes de información sobre deidades nativas y otros aspectos de la cultura precolombina y colonial (Gibson y Glass, en Cline *et al. Guide... Part Four,* 355). Alva Ixtlilxóchitl era descendiente de los Acolhuaque, señores de Texcoco, y escribió sobre la historia acolhua en su *Historia chichimeca* y muchas relaciones en castellano.

Chimalpáin era descendiente de los Chalcas de quienes narró la historia en relaciones escritas en náhuatl (Gibson, *The Aztecs,* 15). La obra de Diego Muñoz Camargo representa la perspectiva de los tlascaltecas que poblaban un área al Noreste del valle de México y que eran enemigos irreconciliables de los mexica. Muñoz Camargo era hijo del conquistador Diego Muñoz y de una mujer nativa; contrajo matrimonio con una mujer noble de Tlaxcala (Keen, *The Aztec Image,* 127) y escribió la *Historia de Tlaxcala* (al final del siglo XVI) que incluye migraciones, historia dinástica y la conquista española de México con la ayuda de sus aliados tlascaltecas (Gibson y Glass, en Cline *et al. Guide... Part Four,* 350-1).

Cada uno de estos autores, al igual que sus contemporáneos en el Perú después del gobierno del virrey Francisco de Toledo (1569-1681) narraron la historia de sus pueblos desde los orígenes de las dinastías hasta la dominación española. En todos los casos se recuperaba el pasado para influir en el presente. Estos escritores están siendo hoy objeto de nuevos estudios; ver Garibay *(Historia),* Gibson y Glass (en Cline *et al. Guide... Part Four);* para un resumen de las historias dinásticas contenidas en los textos coloniales, ver Jiménez Moreno («Síntesis»).

Además de los textos de autoría nativa, encontramos referencias indirectas a actitudes y patrones de significación nativos en los escritos de los misioneros españoles. El más importante por su magnitud y por su conservación de las tradiciones culturales nahuas es la obra del franciscano Bernardino de Sahagún y de sus colaboradores e informantes nahuas. También son significativas las obras de Fray Andrés de Olmos, Fray Toribio de Benavente Motolinía, Fray Francisco de las Navas, Fray Diego Durán, Fray Jerónimo de Mendieta y Fray Juan de Torquemada; ver Cline (ed.) *Guide... Part Two* y Gibson (en Cline *et al. Guide... Part Four).* Para estudios más focalizados ver Baudot, *Utopía;* Edmonson (ed.) *Sixteenth Century Mexico* [*El México del Siglo XVI*]; Horcasitas, *El Teatro náhuatl;* Klor de Alva *et al.* (eds.), *The Work of Bernardino de Sahagún* [*La obra de Fray Bernardino de Sahagún*]. Garibay *(Historia),* Jiménez Moreno («La historiografía tetzcocana») y Gibson y Glass (en Cline *et al. Guide... Part Four)* clasifican por etapas las obras en colaboración de españoles y nahuas del siglo XVI. Obras como el *Anónimo franciscano de Culhuacán*, la *Relación de Michoacán* y la *Historia de los mexicanos por sus pinturas* se deben también tener en cuenta; ver Gibson (en Cline *et al., Guide... Part Four).*

León-Portilla (en Edmonson [ed.], *Supplement* [*Suplemento*], 12, 20) identifica dos tipos de obras que conservan en forma escrita las tradiciones orales de herencia prehispánica mesoamericana e insiste en no identificarlos como variantes de estructuras literarias europeas: el *tlahtolli* («palabra, discurso, narrativa») y el *cuicatl* («canciones, himnos, palabras»). Dentro del tipo *tlahtolli,* que incluiría lo que nosotros llamamos «mitos, leyendas, anales, crónicas, historias y cuentos» (León-Portilla en Edmonson [ed.] *Supplement,* 20) está el *huehuehtlahtolli,* que consistía en diálogos didácticos entre padre e hijo, marido y mujer, patrón y huésped. Diseñados para enseñar los valores aztecas y las normas de buena conducta, los *huehuehtlahtolli* se adaptaron a las enseñanzas del cristianismo y siguieron siendo una tradición nativa de importancia durante los tiempos coloniales (ver Gibson y Glass en Cline *et al., Guide... Part Four;* Baudot, *Utopía;* Karttunen y Lockhart, *The Art of Nahuatl Speech* [*El Arte del discurso náhuatl*]).

El otro arte verbal de origen precolombino mencionado anteriormente fue el *cuicatl,* «canciones, himnos, poemas», muchos de los cuales eran de tradición sagrada, elaborados por los *cuicapicqui* o «hacedores de canciones» (León-Portilla en Edmonson, *Supplement,* 8). León-Portilla (en Edmonson, *Supplement,* 12-20) resuelve los problemas particulares de transcripción y traducción paleográfica del *cuicatl* resistiendo la tentación de dividir el texto en líneas o versos, basados en los paralelismos o en la complementariedad de los significados. En lugar de esto se basa en las unidades de expresión tal y como los manuscritos las presentan; este tipo de acercamiento es típico de los intentos más recientes de tratar temas como el periodo rítmico y la medida al recobrar las tradiciones nativas. Para encontrar las mayores compilaciones de *cuicatl,* ver Gibson y Glass (en Cline *et al., Guide... Part Four),* para las ediciones de las dos colecciones más importantes ver Garibay *(Poesía náhuatl).*

Existen otros tipos de obras, caracterizadas por Garibay como los más originales de la tradición colonial nahua, que son los diálogos interculturales (tales como el transcrito al comienzo de este ensayo) y las narraciones históricas que contienen una defensa o apología velada. Garibay *(Historia,* II, 235-6) consideraba el *Libro de los coloquios,* el Libro XII del Códice Florentino, y la *Relación de las apariciones guadalupanas* como los más destacados representantes de este grupo. Estos revelan, al más alto nivel de complejidad cultural, el significado del encuentro español/americano desde el punto de vista nativo. Los *Coloquios* constituyen uno de los pocos grandes momentos de diálogo entre las tradiciones nativas americanas y las europeas; para traducciones y comentarios recientes ver Klor de Alva («Aztec-Spanish dialogues»), León-Portilla *(Coloquios y doctrina)* y Duverger *(La conversión).*

Para la historia y la cultura del México colonial, sobre todo en lo que se refiere a la interacción europea/nativa, ver Gibson *(The Aztecs),* Liss (Mexico under Spain [*México bajo España*]), Gibson y Wachtel en Bethell, *Cambridge History,* vols. I y II; Lafaye, en Bethell *(The Cambridge History of Latin America* [*La historia de Latinoamérica de Cambridge*], vols. I y II) y Keen *(The Aztec Image).*

Los mayas de las tierras altas: las tradiciones quiché y cakchiquel

La ocupación española del reino quiché en las tierras altas de lo que hoy es Guatemala comenzó en diciembre de 1523, bajo el liderazgo de Pedro de Alvarado. Siete meses después, en julio de 1524, la capital quiché, Q'umaraqaj (Utatlán) se rindió y Alvarado fundó la ciudad española de Guatemala. Otra de las principales naciones de las tierras altas, la de los cakchiquel, que había ofrecido amistad a

Cortés en 1520, proporcionó a muchos de los guerreros que ayudaron a los españoles a vencer a la comunidad quiché, superior a ellos en número. La resistencia quiché a la invasión duró, sin embargo, muchos años más.

Aunque no tan voluminosa como la tradición escrita náhuatl, la de los mayas quichés, según Edmonson (en Edmonson, *Supplement,* 107), se puede documentar de una manera más continua. El legado quiché más extraordinario es el *Popol Vuh.* Entre 1554 y 1558, en la ciudad al noreste de la actual ciudad de Guatemala, los escritores de la versión alfabética escribieron lo que recordaban o habían visto de la versión jeroglífica de un texto conocido como el «libro del consejo», «un lugar desde el que observar 'la luz que provenía del otro lado del mar', el relato de 'nuestro lugar en la oscuridad', un lugar para ver 'el alba de la vida'» (D. Tedlock, *Popol Vuh,* 71). Al ver el texto sagrado o una versión de éste en la ciudad colindante de Chichicastenango entre 1701 y 1703, el fraile dominico Francisco Ximénez realizó lo que hoy conocemos como la única copia que ha llegado hasta nuestros días del texto quiché del *Popol Vuh;* añadió a éste una traducción al español (D. Tedlock, *Popol Vuh,* 28-31).

Comenzando con la creación del hombre y extendiéndose hasta después de la conquista española, el *Popol Vuh* constituye una declaración de supremacía de tres ramas de los señores quichés e incluye relatos de la conquista y derechos tributarios del estado quiché. Como un almacén de todas las tradiciones anteriores, el carácter colonial del *Popol Vuh* del siglo XVI es evidente en lo que se refiere al enfrentamiento entre las enseñanzas antiguas y las cristianas y el intento de preservar las tradiciones sagradas de los mayas en la clandestinidad (D. Tedlock, *Popol Vuh,* 33, 60, 71).

Otra tradición histórica muy significativa de los quichés coloniales se encuentra en los *títulos* de tradición oral que fueron transcritos al alfabeto latino y a la lengua maya por los indígenas. A menudo redactados para apoyar las demandas de territorio, oficio y título apelando a la antigüedad de la nobleza de los autores (Edmonson, en Edmonson, *Supplement,* 116-21), y sólo a veces independientes de cualquier reclamo territorial (Carmack, *Quichean Civilization* [*Civilización quiché*], 19), los *títulos* solían comenzar con relatos sobre la Cuarta Creación y documentaban la descendencia de sus redactores de los Primeros Cuatro Padres de la tradición maya (Carmack, *Quichean Civilization,* 117-19; D. Tedlock, *Popol Vuh,* 60). Recinos *(Crónicas indígenas)* tradujo al español una pequeña pero importante colección de tales títulos e historias que complementan los de las dos tradiciones existentes más importantes de las zonas altas (el *Popol Vuh* y los *Anales de los Cakchiqueles).*

El drama bailado es otra de las grandes categorías de producción cultural entre los quichés coloniales. Sobre este tipo de producción cultural en general, Mace *(Two Spanish-Quiché Dance-dramas* [*Dos danzas-teatro hispano-quichés*], 9) dice: «Las danzas rituales y los dramas bailados que los españoles llamaban bailes, se encontraban entre la formas más importantes de veneración religiosa practicadas por los indios de Mesoamérica». El ejemplo más conocido es el *Rabinal Achi* o *Danza de la Trompeta* que celebraba el valor militar y conmemoraba el sacrificio de un señor quiché. El *Rabinal Achi,* que se recogió en Rabinal en 1850 y se escribió en quiché sin ninguna palabra en español, refleja una larga resistencia a la presencia e influencia europeas. Se tradujo hace poco al español (Montendre, *Teatro Indígena).* Para una introducción general sobre el tema y un estudio detallado de los dos textos de Rabinal ver Mace *(Two... Dance-dramas);* Bode («Dance» [«Baile»]) ofrece un estudio extenso de la *Danza de la Conquista* quiché.

Otro grupo maya importante de las tierras altas eran los cakchiqueles. Éstos formaron anteriormente una solo nación junto a los quichés y luego se convirtieron en una nación bien organizada y agresiva, proclive a la expansión militar y económica. Junto al *Popol Vuh* de los quichés, los *Anales de los cakchiqueles* constituyen los relatos más importantes de las tradiciones nativas de lo mayas de las tierras altas. Los *Anales* nos ofrecen la reconstrucción más completa de la sociedad y la cultura cakchiquel a lo largo del tiempo, comenzando por la creación y continuando con la migración de los antepasados desde Tulán hasta las regiones del lago Atitlán, la fundación de Iximche, su capital, y muchos otros relatos de historia militar que se extendían hasta sus relaciones con los primeros españoles en 1524 y terminando en el año 1601.

Para una bibliografía completa de las fuentes manuscritas y publicadas de prosa de los mayas de las tierras altas, ver Gibson (en Cline *et al., Guide... Part Four,* 391-8); Carmack *(Quichean Civilization)* nos da una detallada descripción e inventario de los textos y fuentes quichés o relacionadas con ellos. Edmonson (en Edmonson, *Supplement)* da una visión panorámica de la prosa y el verso quichés en la época colonial. Para los textos quichés traducidos al español o al inglés ver Brinton *(Annals),* Recinos *(Popol Vuh, Memorial, Crónicas),* Recinos y Goetz *(Annals of the Cakchiquels* [*Anales de los cakchiqueles*]), Bode («The dance of the conquest of Guatemala» [«La danza de la conquista de Guatemala»]), Mace *(Spanish-Quiché Dance-Dramas),* D. Tedlock *(The Spoken Word* [*La Palabra hablada*], *Popol Vuh).* Para la sociedad y la cultura quichés ver Carmack *(Quiché Mayas* [*Los mayas quichés*] y B. Tedlock *(Time).*

Los mayas de las tierras bajas de Yucatán

La primera noticia que tuvieron los españoles de la existencia de Yucatán se produjo en 1517 durante un viaje de exploración de Francisco Hernández de Córdoba que partió de Cuba. Tras las campañas en las tierras altas de América Central y Honduras, en 1527 los españoles se esfuerzan por rendir Yucatán bajo las órdenes de uno de los lugartenientes de Cortés, Francisco de Montejo. Debido a la represión de la Gran Rebelión en 1547 (el levantamiento de los mayas de las regiones central y oriental), la presencia española en la península quedó asegurada. Aun así, y como el territorio de Yucatán estaba dividido en, al menos, dieciséis principados autónomos, se tuvo que tratar con cada uno de ellos por separado. La fuerte resistencia de los mayas de Yucatán era un problema duradero (Farriss, *Maya Society* [*La Sociedad maya*], 12-14).

La tradición más notable que ha sobrevivido de la cultura maya precolombina —los Libros de *Chilam Balam*— es una prueba de la resistencia de esa cultura. Llamado así en honor al sacerdote maya del siglo xv Balam, que anunció proféticamente la llegada de una nueva religión, los diferentes libros del *Chilam Balam* se identifican también por el nombre del pueblo en el que cada uno de ellos fue encontrado. Gibson (en Cline *et al. Guide... Part Four,* 380) se refiere a catorce de estos ejemplares, la mayor parte de los cuales datan de los siglos xviii y xix pero cuyos contenidos son mucho más antiguos. Una vez transcritos del lenguaje jeroglífico, estos documentos coloniales se ocultaron a la vista de los colonizadores.

Cuando el misionero Pedro Sánchez de Aguilar escribió sobre la supervivencia de las prácticas religiosas y rituales mayas en su *Informe contra idolorum cultores del obispado de Yucatán* (1613), describió cómo los mayas yucatecos leían sus libros en las asambleas y recitaban relatos históricos; mientras unos tocaban los tambores, otros cantaban y otros escenificaban los contenidos dramáticos que se relataban (citado en Roys, *Book of Chilam Balam,* 5). A pesar de que la iglesia colonial condenaba los libros del *Chilam Balam,* no los usaron como pruebas de *prima facie* del crimen de idolatría, como lo fueron los textos escritos en jeroglíficos (Roys, *Book of Chilam Balam,* 5). La certeza de que cada comunidad conservaba, usaba y revisaba su propio ejemplar prueba la centralidad de las tradiciones del *Chilam Balam*. Acumulativos en cronología y enciclopédicos en alcance, los textos del *Chilam Balam* que han llegado hasta nuestros días preservan tradiciones ancestrales así como relatos históricos de los tiempos coloniales a la vez que representan aspectos relacionados con la religión, la historia, la cronología, la medicina y las profecías.

Las profecías mayas estaban relacionadas con los días, los años *(tun),* los ciclos de veinte años *(katun)* o con profetas reconocidos (el retorno de Kukulcan-Quetzalcoatl) (Roys, *Book of Chilam Balam,* 182). Las profecías referentes a los *katun* que contenían referencias históricas eran particularmente importantes; se esperaba que un suceso que ocurría en un *katun* ocurriese en otro, pasados varios *katuns*. La historia y las profecías estaban, por lo tanto, muy unidas y los libros de profecías eran considerados también históricos (ver Edmonson, *The Ancient Future of the Itza* [*El antiguo futuro de los itza*]).

Llama la atención sobremanera el carácter sintético de los *Libros del Chilam Balam* y su uso exclusivo por los mayas. Al incorporar las creencias mayas tradicionales con las influencias cristianas europeas en lo referente a religión, los textos religiosos de los mayas incluían conceptos cristianos y en ellos se introdujeron traducciones mayas de textos religiosos españoles así como expresiones en latín. En lo referente a la cronología, se copiaron y tradujeron almanaques europeos que contenían predicciones astrológicas que se mezclaron con otros elementos del calendario nativo. En los textos de medicina se fundieron los remedios europeos y los mayas. A pesar de que se considera que el libro del *Chilam Balam* más conocido, el de *Chumayel,* tiene pocas influencias europeas, es uno de los pocos en los que se subraya que la profecía de la nueva religión que hace el profeta Balam (sin duda gracias a la influencia de los frailes franciscanos) se refiere a la llegada de los europeos y a la conquista española. El *Chumayel* también describe la supervivencia de las tradiciones mayas a través de sucesivas invasiones de extranjeros; ver Brotherston («Continuity» [«Continuidad»]). Los libros del *Chilam Balam* representan, sobre todo, la importante tradición de continuidad y cambio dentro de la historia de la producción cultural colonial.

Además de las tradiciones del *Chilam Balam,* los mayas yucatecos produjeron crónicas de la historia maya, obras de carácter dramático y lírico, textos médicos y almanaques predictivos. Un tipo de composición lírica está representado por las quince canciones de los *Cantares de Dzitbalché,* el único ejemplo conocido de este género. Ver Barrera Vázquez *(El libro de los cantares).*

Las crónicas y los títulos (reclamaciones sobre tierras o fronteras) con contenido histórico creadas en el siglo XVI fueron de mucha importancia, incluyendo la *Crónica de Calkini* (1577-1813), la *Crónica de Yaxkukul* (1511-1553) de Macan Pech y la *Crónica de Chac Xulub Chen* (1511-1562) de Nakuk Pech, así como numerosas colecciones de documentos sobre tierras (Edmonson y Bricker, «Yucatecan Mayan Literature» [«Literatura Maya Yucateca»], 50). Las obras dramáticas conmemorativas e históricas que contienen valores rituales y proféticos son habituales durante los siglos XVI y XVII. Edmonson y Bricker (pag. 49-51) citan las *Ceremonias del Katun,* el *May* y el *Baktun* como obras rituales que se representaban para inaugurar los nuevos ciclos, observando que los mayas «mantenían su ritual calendario tradicional, que llegó a sobrevivir al imperio español».

Gibson (en Cline *et al. Guide... Part Four,* 379-91) revisa los textos en prosa de los mayas de las tierras bajas, que a su juicio pertenecen a la tradición histórica nativa; ver también Glass (en Cline *et al., Guide... Part Four)* para referencias comentadas y Edmonson y Bricker para un análisis, siglo por siglo, de las producciones culturales de los mayas yucatecos. Estos tres ensayos bibliográficos permiten acceder al enorme caudal de textos y traducciones de las producciones del lenguaje nativo de los mayas yucatecos publicados. Para los textos, traducciones y comentarios principales, ver Barrera Vázquez y Morley («Maya chronicles» [«Crónicas mayas»]), Mediz Boyo *(Libro de Chilam Balam de Chumayel),* Roys *(Book of Chilam Balam,* «The Prophecies of the Maya Tuns», «The Maya Katun Prophecies» [*Libro del Chilam Balam,* «Las profecías de los tun mayas», «Las profecias *katun* de los mayas]), Craine y Reindorp *(The Codex Pérez* [*El Códice Pérez*]), Brotherston («Continuity»), Edmonson *(Ancient Future, Heaven-born Mérida* [*Futuro Antiguo, Mérida nacida del cielo*]).

LOS ANDINOS DE LENGUA QUECHUA

La conquista española del Perú empieza con el tercer viaje de Pizarro, quien sale de Panamá el 16 de noviembre de 1532 y captura por sorpresa al príncipe inca Atahualpa, al que encuentra inmerso en una guerra de sucesión dinástica contra su hermanastro Huáscar. La conquista sin embargo no fue fácil, porque los sucesores incas organizaron desde Vilcabamba una resistencia que duró cuarenta años. Un ejemplo notable de esta resistencia es la del inca Manco durante el asedio a Cuzco, ocurrido en 1536-7. El resultado fue la declaración de guerra a Vilcabamba por Toledo y la captura y ejecución de Tupac Amaru en 1572.

Titu Cusi Yupanqui, que gobernó el estado disidente de Vilcabamba desde 1557 a 1570, y como tutor de su hermano Tupac Amaru, dictó una relación de las quejas del Inca Manco sobre el proceder de los españoles de Cuzco. Su testimonio fue transcrito del quechua por el agustino Fray Marcos de García en 1570. Esta traducción al español es la única que se conserva (ver Tito Cusi Yupanqui, *Ynstrucción del Inga don Diego de Castro Titu Cussi Yupanqui...)*. Otros relatos testimoniales incas sobre la conquista española se pueden encontrar en Guillén Guillén *(Versión inca de la conquista)*.

En lo que se refiere a la existencia de textos notariales o a la tradición escritural y a los textos escritos producidos por quechuas monolingües, encontramos un contraste aparente entre la tradición quechua en los Andes y las nahuas y mayas de Mesoamérica. Aún está por determinar el alcance de los registros escritos de los quechuas. En todo caso, hasta el día de hoy se conocen pocos textos (en español y quechua) que fueron escritos por nativos quechuas bilingües. Los escritores misioneros también han sido importantes en la medida en que han permitido acceder indirectamente a otros textos (ver Lara, *La literatura de los quechuas)*.

Los escritos al estilo de las crónicas europeas que conocemos son tres: la *Relación de antigüedades deste reyno del Pirú* (1613?), de Juan de Santacruz Pachacuti Yamqui; el *Primer nueva corónica y buen gobierno* (1612-1615), de Felipe Guaman Poma de Ayala; y la *Primera y segunda partes de los Comentarios reales de los Incas* (1609, 1617) del Inca Garcilaso de la Vega. De los tres cronistas que escribieron la historia de los incas solo el Inca Garcilaso, hijo del capitán español Sebastián Garcilaso de la Vega y de la inca *palla* (noble) Isabel Chimpu Ocllo, reconstruyó la historia dinástica de los incas desde una perspectiva inca. Guaman Poma se identificaba a sí mismo, por el lado de su padre, con la dinastía anterior a los incas, la de la región de Yarovilca Huánuco, en Chinchaysuyo, aunque decía ser de ascendencia inca por parte de su madre. Santacruz Pachacuti Yamqui tampoco pertenecía a la realeza del Cuzco, ya que era un *kuraka* (señor étnico) de los Collahuas, situados entre el Cuzco y el lago Titicaca, en Collasuyo.

El Inca Garcilaso explicó conceptos del quechua para facilitar la comprensión de la historia y la cultura incas; Guaman Poma y Pachacuti Yamqui intercalaban a menudo textos en quechua dentro de sus obras en español. Al igual que los de los escritos de tradición histórica de Mesoamérica, los autores de estos textos se explicaban a grandes rasgos, elaborando grandes diseños cosmológicos inspirados por el fuerte deseo de redimir el presente. Sólo uno de ellos (Guaman Poma de Ayala) describió la sociedad colonial en profundidad; en este aspecto su *Nueva corónica y buen gobierno* se destaca entre otras crónicas del virreino de Nueva

España y del Perú, a la vez que hace explícita la necesidad del historiador nativo de vincular las prerrogativas tradicionales e históricas con las exigencias coloniales del momento. Para comentarios sobre estos escritos y sus autores, ver Adorno *(Guamán Poma),* Chang-Rodríguez *(La apropiación del signo),* Jákfalvi-Leiva *(Traducción, escritura y violencia colonizadora),* M. López Baralt *(Icono y conquista),* MacCormack («Pachacuti», «Atahualpa y el libro»), Pease («Introducción»), Pupo-Walker *(Historia, creación y profecía*), Scharlau («Abhangigkeit und Autonomie»), Szemiński («De la imagen de Wiraqucan») y Zamora *(Language, Authority and Indigenous History* [*Lenguaje, autoridad e historia indígena*]).

El texto quechua más importante del primer periodo colonial es el manuscrito de Huarochirí, *Runa yndio ñiscap machoncuna*. Las tradiciones orales que se pasaron al alfabeto escrito al principio del siglo xvii, en el reasentamiento colonial de San Damián de Checa, en la provincia de Huarochirí, fueron reunidas bajo la dirección del párroco local Francisco de Ávila. Estas historias le sirvieron sin duda para localizar e identificar los lugares donde se celebraban los rituales tradicionales y las prácticas que se llevaban a cabo, para luego proceder a su erradicación en 1608 (Acosta, «Estudio biográfico sobre Francisco de Ávila», 596).

La primera traducción al español de este documento quechua, de José María Arguedas, se llamó *Dioses y hombres de Huarochirí* (pág. 9) y lo describía como «la visión total que la humanidad antigua tenía de sus orígenes, del mundo, de las relaciones del hombre con el universo y de las relaciones de los seres humanos entre sí» así como de las perturbaciones causadas por la dominación española. Utilizando los testimonios de quienes no fueron observadores pasivos sino participantes activos en las tradiciones que describían, los narradores hablan de la genealogía de los dioses, los conflictos entre ellos y contra los cristianos españoles que les destruirían. Desde la perspectiva nativa colonial, la batalla épica era la de los viejos dioses contra los nuevos; el manuscrito de Huarochirí contiene relatos (capítulos 20, 21) que revelan la angustia espiritual de los cristianos neófitos perseguidos por las antiguas divinidades.

Las tradiciones que se recogen en Huarochirí no representan una tradición local ni parroquial. Debido al reasentamiento obligado en la zona de gentes de diversas áreas y etnias las divinidades, las personas y los rituales que se describían en San Damián, habían sido traídos de otras regiones. Al igual que los grandes monumentos de las tierras altas y bajas de los mayas, los relatos incluyen ceremonias rituales y canciones sagradas transcritas y transformadas a partir de la tradición oral. Para traducciones y comentarios sobre el texto, ver Acosta («Estudio biográfico»), Salomon («Chronicles»), Salomon y Urioste *(The Huarochirí Manuscript* [*El manuscrito de Huarochirí*]), Taylor *(Ritos y tradiciones)* y Urioste *(Hijos de Pariya Qaga).*

Aparte de las investigaciones dirigidas por Francisco de Ávila, habría que hacer referencia a otros varios autores eclesiásticos españoles y criollos que escribieron sobre la cultura colonial nativa. Entre ellos están: Cristóbal de Albornoz, el inspector eclesiástico que persiguió el movimiento revitalista de *Taki Unquy,* en Lucanas, en los años sesenta del siglo XVI, el cura mestizo del Cuzco, Cristóbal de Molina; el cura Miguel Cabello Balboa, el cura jesuita José de Acosta, el fraile mercedario Martín de Murúa, y el cura jesuita Bernabé de Cobo. Ver Rowe («Inca Culture» [Cultura inca], 192-97) y Porras Barrenechea *(Los cronistas del Perú)* para una visión panorámica de estas y otras interpretaciones europeas del siglo XVI de la cultura andina.

La colaboración entre los misioneros y los nativos en los Andes no ha sido documentada tan sistemáticamente como la de los franciscanos y los nahuas en el México colonial. Por tanto, el campo de la relación entre el trabajo intelectual y los escritos de los europeos y de los nativos andinos está aún por explorar. Las coincidencias conceptuales, por ejemplo, entre un escritor nativo como Guaman Poma de Ayala y los relatos de Fernando de Montesinos, Fray Buenaventura de Salinas y Córdoba y Fray Martín de Murúa, sugieren que aún queda mucho por aprender de este tipo de producciones culturales coloniales en el Perú. Sobre este ejemplo, ver Imbelloni («La tradición peruana») y Ballesteros Gaibrois («Relación entre Fray Martín», «Dos cronistas paralelos»), y para una serie de diálogos que revelan la visión misionera pro-andina de las relaciones entre los colonizadores y los nativos, ver Quiroga *(Coloquios de la verdad).*

Las obras dramáticas coloniales, como el *Apu Ollantay* y la *Tragedia del fin de Atahualpa,* que son los ejemplos más conocidos, revelan otra constelación dentro del universo simbólico andino que nos ayuda a interpretar su experiencia. Estas composiciones dramáticas en verso, al igual que los otros dos ejemplos conocidos, tuvieron su origen probablemente en el siglo XVIII (Mannheim, «On the sibilants of colonial southern Peruvian Quechua» [De loa sibilantes del quechua colonial del Perú sureño], 182). El origen, la autoría y la base cultural del *Apu Ollantay* han sido objeto de muchos debates; la obra existe en al menos nueve versiones manuscritas (Mannheim, «On... sibilants», 184). Lara *(La literatura,* 89), describe el *Apu Ollantay* y la *Tragedia del fin de Atahualpa,* como escritos que siguen la tradición de la *wanka* (composición dramática que se centra en los hechos históricos y en la que la solemnidad y la pena se atenúan con el humor). Ver Lara *(La tragedia, La literatura)* y Meneses *(Teatro quechua colonial)* para información sobre el teatro quechua colonial.

Para una visión en conjunto de las tradiciones quechuas coloniales identificadas como poéticas, dramáticas y narrativas, ver Lara *(La literatura).* La edición de Pease de Porras Barrenechea *(Los cronistas del Perú)* es la mejor fuente de cronistas indígenas y de toda la tradición historiográfica colonial del Perú. El inventario fundamental de escritos en quechua del periodo colonial está en Rivet y Créqui-Monfort *(Bibliographie des langues aymará et kicua);* ver también Mannheim («On... Sibilants»). Para una visión del entorno político, social y económico de la cultura pre-colombina y colonial, ver Hemming *(The Conquest of the Incas* [*La conquista de los incas*]), Rowe («The Incas under Spanish Colonial institutions» [«Los incas bajo las instituciones coloniales españolas»], «Inca Culture at the time of the Spanish Conquest» [«Cultura inca en los tiempos de la conquista española»]), Kubler («The Quechua in the colonial world» [«Los quechuas en el mundo colonial»]), Murra (en Bethell, *Cambridge History),* Stern *(Perú's Indian Peoples* [*Los Indios del Perú*]), Spalding *(Huarochirí),* Duviols *(La destrucción de las religiones andinas)* y Wachtel *(Sociedad e ideología, The Vision of the Vanquished* [*La visión de los vencidos*]). Sobre la historia de la política lingüística de los españoles con los pueblos quechuas ver Mannheim («Una nación acorralada»). Sobre la ideología y las creencias espirituales de los nativos coloniales ver Pease *(El Dios creador andino)* y Ossio *(Ideología Mesiánica).*

CONCLUSIÓN

Volvamos a los diálogos hispano-aztecas de 1524. Los frailes hablan con los señores mexica sobre las sagradas escrituras:

> Ésta es la palabra muy verdadera.
> Por ella se ve cómo fuimos hechos
> nosotros, los hombres de la tierra.
> Porque todo esto es palabra divina
> y nosotros sabemos
> que muchos son vuestros engaños,
> que os dejaron
> vuestros padres.
> De ello
> nada hay recto,
> nada verdadero,
> nada digno de creerse,
> todo eso sólo es palabras vanas.
> Pero todo lo que os decimos,
> todo está en el libro divino,
> allí está pintado.

(*Coloquios y doctrina cristiana, los diálogos de 1524 según el texto de Fray Bernardino de Sahagún y sus colaboradores indígenas*, ed. facsimilar del manuscrito original a cargo de Miguel León-Portilla, Universidad Autónoma de México / Fundación de Investigaciones Sociales, 1986, pág. 193-195.)

Con estas palabras, los misioneros en el diálogo escrito por Sahagún, Valeriano, Vegerano, Iacobita y Leonardo, proclaman la victoria de la antigua palabra cristiana, describiéndola con términos semejantes a los de la tradición escrita azteca («allí está pintado»). El triunfo de las «palabras verdaderas» de los europeos sobre las «palabras vanas» de los mexica se anuncia así, pero esta profecía no se iba a cumplir tan fácilmente. Como hemos visto, la superviviencia de las tradiciones culturales autóctonas y su adaptación a las necesidades de la vida bajo el imperio colonial continuaron hasta el final de los tiempos coloniales y más aún.

Sobre este tema vamos a terminar con un ejemplo andino contemporáneo. A principios de los setenta del siglo xx, Alejandro Ortiz Rescaniere recopiló versiones actuales del mito de Inkarrí, que profetiza el retorno de los dioses andinos y los gobernantes incas. Entre las versiones ayacuchas del mito de Inkarrí encontramos a un pastor quechua de Chacaray que cuenta cómo Inkarrí, hijo de la madre luna y el padre sol, fue decapitado; su cuerpo se quedó en el Perú pero su cabeza fue llevada a España. Es claro que el pastor que narró esta historia quechua, crea o no que los incas volverán, percibe que las tradiciones occidentales sagradas y escritas se mantienen muy apartadas de su vida. El pastor cuenta:

> Cuando murió, llegó Jesucristo, el poderoso del Cielo. Él no tiene que ver nada con Inkarrí que está en la tierra. Cristo está aparte, no se mete con nosotros. Tiene el mundo en la mano como una naranja.
>
> (Ortiz Rescaniere, *De Adaneva a Incarrí,* 132)

Para este narrador quechua moderno, los dos mundos —el suyo propio y el del dios europeo— están separados (págs. 59, 86 y 161). El pastor no expresa ninguna expectación ni ningún deseo incumplido respecto al hecho de que estos dos mundos se reúnan.

Este relato es un ejemplo emblemático de uno de los legados culturales de la aventura europea de hispanizar el Nuevo Mundo que comenzó hace 500 años. La narración es tradicional, oral y en una lengua amerindia. Su noción de a quién pertenecen las «palabras verdaderas» y las «palabras vanas» está clara. El narrador amerindio ha aceptado el *nepantlismo* y parece haber construido su hogar dentro de él. La figura que ahora ocupa el incómodo lugar intermedio es en sí misma la fuente de la nueva religión. Los textos y tradiciones que hemos examinado son una parte importante de la larga historia de las colonizaciones españolas de las Américas. Menos integradas en esta historia que complementarias a ella son las historias que se cuentan (y que a veces se esconden) y que narran de infinidad de maneras el drama de las culturas en contacto y los riesgos y retos que se encuentran en el camino de conseguir la supervivencia cultural.

[3]

LOS PRIMEROS CINCUENTA AÑOS DE HISTORIOGRAFÍA HISPANA SOBRE EL NUEVO MUNDO: EL CARIBE, MÉXICO Y AMÉRICA CENTRAL

Stephanie Merrim

Cincuenta años después de la llegada de Colón las áreas sedentarias de Latinoamérica habían sido conquistadas por España, que así inauguraba su Edad de Oro. Los asedios a las nuevas tierras tomaban dimensiones épicas y consiguieron victorias de importancia monumental para la Iglesia y el Estado español. Incluso se decía que los soldados españoles en sí podían competir en lealtad y heroísmo con los antiguos romanos, pues una y otra vez grupos pequeños vencían a grupos más grandes.

Centrándonos en la primera oleada de conquistas en el Caribe, México y América Central, sin embargo, nos enfrentamos a un hecho irónico aunque, tal vez, inevitable: que este manto de la victoria, la lealtad y el heroísmo español estaba tejido en gran medida con fracasos y transgresiones. Acciones menos que heroicas son la base y en ocasiones el desencadenante de las victorias finales. Está claro que todo el descubrimiento y la conquista se deben a los errores de cálculo de Colón. Sin embargo no vayamos a olvidar, para mencionar sólo algunos ejemplos notorios, que a Colón se le llevó de vuelta a España más tarde esposado con cadenas; que la conquista de México se debió a que Hernán Cortés desobedeció las órdenes de Diego Velázquez; que las peregrinaciones que acabaron en descubrimiento de Alvar Núñez Cabeza de Vaca a través de la parte suroccidental de Norteamérica hasta México se debieron a que sus compañeros perecieron cuando se hundió su barco. La desobediencia hacia los superiores, la crueldad para con la población nativa, el interés personal, los intentos fallidos de conversión religiosa, la incomprensión del Nuevo Mundo, etc., forman hitos en una descripción «desmesurada» de la conquista, vista desde dentro.

Es exactamente esta infra-historia la que obligaría a los exploradores y a los conquistadores a ofrecer a sus contemporáneos y a la posteridad los primeros relatos históricos del Nuevo Mundo. Los fracasos necesitaban ser justificados, las infracciones reparadas, los errrores y confusiones explicados, las injusticias enderezadas. Muchos de los primeros escritos historiográficos del Nuevo Mundo estaban motivados no sólo por el deseo de narrar las victorias sino, hasta un nivel importante, por la necesidad de pedir perdón, legitimación, poder y recompensa, necesidades éstas que darían a sus escritos una urgencia especial. Una urgencia especial *y* un interés narrativo —ya que por necesidad los actores-cronistas del Nuevo Mundo tramaron estrategias verbales complejas para montar sus autodefensas y peticiones. Antes que subordinarse a la acción, la escritura se convirtió en una forma esencial de la acción en sí misma y una consciencia del efecto que causarían sus palabras es evidente entre estos primeros escritores. Así fue como los hombres de armas, a veces mal preparados para esta tarea, se convirtieron en hombres de letras que podían dar forma a textos tan matizados y estratégicamente construidos como muchas obras de literatura. Redactados cuidadosamente dentro del lenguaje del éxito, ofrecerían sus fracasos. Esta era la razón también por la que sus textos adquirían a menudo una complejidad proporcional a las de las malas acciones por las que los autores intentaban rendir cuentas[1].

El hecho de que dejaran constancia de una nueva realidad le da también a estos textos un interés intrínseco enorme. Mientras «inventaban» el Nuevo Mundo, citando la célebre frase de Edmundo O'Gorman, los primeros escritores enmarcaron las imágenes y los tópicos fundacionales —de utopía, civilización y barbarie— que resonarían en los escritos europeos y latinoamericanos y también influirían en las políticas colonialistas por siglos. Al mismo tiempo, el acto de escribirle a la Corona era, para los actores de la conquista, más una rutina que un acto reflexivo, un acto de obligación, de servicio y de información. En el preámbulo de la *Quinta carta-relación,* por ejemplo, Cortés prometía darle a Carlos V todos los detalles, hasta de la desastrosa expedición a Honduras, «para no cambiar mi hábito de contárselo todo a Su Majestad» (pág. 337). Cortés y los demás gastaron miles de páginas en este esfuerzo: una reciente edición de los escritos públicos de Colón con-

---

[1] Aquí y en los razonamientos posteriores me baso naturalmente en mis anteriores estudios sobre este periodo. Estos incluyen: «*Sumario de la Natural Historia de las Indias:* Fernández de Oviedo's apprehension of the new in nature and culture» [*Sumario de la Natural Historia de las Indias*: la aprehensión de Fernández de Oviedo hacia lo nuevo en la naturaleza y en la cultura] en René Jara y Nicholas Spadaccini (eds.), *1492-1992: Re/Discovering colonial writing* [*1492-1992: Re/Descubriendo los escritos coloniales*], Hispanic Issues, Minneapolis, The Prisma Institute, 1989; «Civilización y barbarie: Prescott como lector de Cortés», *La Historia en la Literatura Iberoamericana. Memorias del XXVI Congreso del Instituto Internacional de Literatura Iberoamericana*, 1989; «Ariadne's thread: auto-bio-graphy, history and Cortés's Segunda carta-relación» [El hilo de Ariadna: auto-bio-grafía, historia y la segunda carta-relación de Cortés], *Dispositio*, II, 28-9 (1986), 57-83; «Un *mare magno* e oculto: anatomy of Fernández de Oviedo's *Historia General y Natural de las Indias*» [Un *mare magno* e oculto: anatomía de la *Historia general y natural de las Indias* de Fernández de Oviedo], *Revista de Estudios Hispánicos,* II (1984), 101-20; «The castle of discourse: Fernández de Oviedo's *Don Claribalte* (1519)» [El castillo del discurso: *Don Claribalte* (1519) de Fernández de Oviedo], *Modern Language Notes*, 97 (1982), 329-46; «Historia y escritura en las crónicas de Indias: ensayo de un método», *Explicación de Textos Literarios,* 9: 2 (1981), 193-200.

tiene unas 400 páginas, una edición de la *Historia general y natural de las Indias* del cronista oficial Fernández de Oviedo llega a miles. Somos testigos aquí no sólo del comienzo de la representación de América, sino también de los andamios de papel que inundaban y alimentaban a la maquinaria legal de las colonias.

El objetivo de nuestro ensayo es a la vez diferenciar la forma de este *corpus* enredado de escritos y analizar los complejos perfiles de los textos clave individuales. Esta finalidad, unida a la naturaleza poco convencional de nuestro objeto, nos ha llevado a escribir una «historia literaria» en cierto modo inusual. Ya que, como bien sabe el lector, el estudio de la historiografía desde un punto de vista literario es un campo relativamente nuevo, hay pocos hechos reconocidos. Escribir una historia literaria de la historiografía implica desarrollar una serie de criterios con los cuales se pueda establecer un canon, un ejercicio de presunción que no se puede evitar. En consecuencia y de forma casi necesaria, no hemos elegido simplemente examinar todos los escritos del periodo (ya que su valor literario es desigual), ni seguir el sendero más obvio que nos llevaría a centrarnos en las impresiones fundacionales de América (que haría poca justicia a la complejidad de los textos). En vez de esto, analizaremos con algún detalle «la invención de América» y otras cuestiones en el ámbito de obras representativas que, según creemos, contienen los mayores intereses culturales *y* textuales —más particularmente lo último porque es el resultado de la dinámica de petición y persuasión mencionadas más arriba. Ésta incluye las obras de Cristóbal Colón, Fray Ramón Pané, Hernán Cortés, Gonzalo Fernández de Oviedo y Bartolomé de las Casas.

Nos encontramos ante una serie de escritores muy diferentes unos de otros en lo que se refiere a educación e ideologías y ante unos textos de naturalezas muy diversas. Aun así, por el hecho de ser europeos, los autores comparten una amplia herencia cultural —medieval en su fervor religioso, renacentista en su espíritu de iniciativa comercial y científica, española en su sentido del honor. Cada escritor, en mayor o menor medida, hace parte de la conquista y apoya de alguna manera el objetivo de conversión religiosa de los nativos. Cada uno de ellos escribe de y desde el Nuevo Mundo, describiéndolo al Viejo Mundo por primera vez y contribuyendo así otra pieza a la empresa colectiva que es la conquista y la conversión. Por ello, *cada una* de estas obras cuenta una historia de oro y almas, a la vez que ofrece su propio retrato de los amerindios. Por estas razones y debido a nuestros objetivos de análisis, así podríamos comprender la historiografía de los primeros cincuenta años del Nuevo Mundo hispano como una «familia» y series textuales. Como en cualquier familia, sus miembros comparten ciertos rasgos definitorios a la vez que conservan su individualidad. Para mostrar estos dos aspectos de la familia, el de comunidad y el de unicidad, abordaremos las obras como una serie textual, estableciendo comparaciones entre ellas y mostrando cómo unas se hacen eco de otras y se repiten.

La tarea general de registrar tanto los eventos como la realidad multiforme del Nuevo Mundo, y su preocupación particular por disculparse, nos da las características definitorias de esta «familia» de textos. Mostremos, de una forma esquemática que más tarde se matizará con las discusiones de cada obra individualmente, las características que encontramos en todos los textos.

1. *Autobiografía e historiografía*. Los participantes se hicieron historiadores por necesidad; los escritores se preocuparon no sólo de los hechos históricos sino del papel que jugaron en ellos. De esta forma entra el «yo» del autor en la historiografía, dándole una dimensión autobiográfica. Al estar inmersos en sus situaciones apremiantes individuales, los autores escribían la «historia» que les dictaba su circunstancia personal, instaurando lo que llamaremos un discurso «auto-histórico». La creación de un *personaje* literario que reflejara al autor de acuerdo con las líneas generales establecidas por la literatura y la hagiografía; y de manera notoria, la consciencia del papel que como escritores desempeñaban, serían el resultado de la personalización de la historiografía.

2. *La pragmática: el escritor se imagina al lector*. Como nos hemos dado cuenta, a la vez que el «yo» del autor entra en la historiografía, entra también su interés personal. Lo que el autor pretende escribiendo es conseguir algún tipo de recompensa, tangible o intangible, desde la fama hasta el poder. Este tipo de recompensa sólo podría provenir de la conjunción vital entre el texto y el lector que podría otorgarla, siendo este lector la corona. Las estrategias, forma y contenido de estas obras reflejarán así profundamente y estarán condicionados por la relación del autor con su público, lo cual equivale a decir por su *contexto pragmático*. Para entender la dinámica, literaria o de cualquier otro tipo, de los textos, tenemos que reconstruir este contexto: a quién se dirigían, bajo qué circunstancias y con qué fines —lo cual nos lleva al género de la *Relación*.

3. *Exponiendo un caso: la relación*. Colón escribió un diario, Cortés escribió cartas, Oviedo un «resumen» de los fenómenos naturales y culturales del Nuevo Mundo. Aún así, detrás de todos estos variados formatos yace la dinámica de la petición, característica de un cierto tipo de *relación,* un género en el que Pané, Cortés, Cabeza de Vaca y Las Casas inscribirían sus obras. Las *relaciones de hechos,* era un humilde género forense cuyas raíces estaban en el feudalismo, un género del que se valían las personas medias para presentar sus propias historias de vida y sus casos legales para pedir una recompensa por los servicios prestados. Dirigida a personas superiores que serían las que juzgasen, tribuna de información autobiográfica, familiar hasta a los menos educados, la *relación* práctica se adecuaba muy bien a las necesidades particulares de los escritores del Nuevo Mundo.

4. *Los textos híbridos*. Por la enorme cantidad de información que contenían, los primeros escritos del Nuevo Mundo desbordaban incluso las amorfas fronteras del género de la *relación*. Eran textos híbridos, monstruos holgados que abarcaban muchos nuevos campos de conocimiento que más tarde se convertirían en disciplinas académicas con derecho propio. Como ha escrito Francisco Esteve-Barba, cada historiador se convertía en «un nuevo Herodoto: triple padre de la historia, la etnografía y la geografía [a lo que podríamos añadir la autobiografía], todo en uno» *(Historia de la historiografía indiana,* 12). Otro factor esencial que contribuyó a la naturaleza híbrida de estos escritos fue el uso amplio que sus auto-

res hacían de otros textos y modelos de texto: escritos filosóficos y legales y también novelas de caballería, la épica, los clásicos, la hagiografía, el mito, las primeras historias de viajes, etc. Estos modelos tendrían muchos papeles cruciales para los autores, conduciendo sus confusas percepciones, permitiéndoles acomodar lo nuevo en términos ya familiares y sirviendo de cimientos de las estrategias literarias. Desarrollaremos este tema en el curso de nuestros análisis.

Hacia el final de los primeros cincuenta años de existencia del Nuevo Mundo para el Viejo, se había completado todo un ciclo. España había descubierto, apropiado y poblado las nuevas tierras de una región particular. Del mismo modo, todo un ciclo de historias se había narrado, historias que eran a la vez muy diferentes e interrelacionadas. La proteica historia de oro y almas de nuestra familia de textos y sus características compartidas que acabamos de describir contienen las corrientes cruzadas de un relato en continua evolución. Desde el «barbarismo» pastoral de las Indias Occidentales a la refinada civilización azteca, desde la resistencia a la asimilación hasta la defensa de la "otredad" de los indios, desde el descubrimiento hasta la destrucción del Nuevo Mundo, y de modo figurativo, desde la Creación hasta la Caída, seguiremos el serpenteante curso de este relato.

CRISTÓBAL COLÓN: EL «DIARIO DE A BORDO» (1492) Y LA «RELACIÓN DEL TERCER VIAJE» (1498)

La historia comienza, naturalmente, con el muy extraordinario y a menudo lírico *Diario de a bordo* [*Diario del primer viaje de Cristóbal Colón, 1492-1493*] de Cristóbal Colón (1451-1506). Su diario nos cuenta detalladamente (normalmente día a día) los primeros viajes del explorador al Nuevo Mundo —sobre todo a Cuba y a la Española— buscando las tierras de Oriente. Debido a la pérdida de los originales, sólo podemos acceder al *Diario* a través de la transcripción selectiva a la vez que copiosa de Bartolomé de las Casas, que alterna las palabras de Colón con resúmenes propios del transcriptor (volveremos a analizar este tema más adelante).

Las Casas, defensor de las Indias y de los indios, da rienda suelta a las expresiones de «maravilla» con las que transmite Colón sus primeras impresiones del Nuevo Mundo, y debido a las cuales el *Diario* se ha hecho famoso. La hipérbole abunda cuando Colón describe la belleza de las gentes, la diversidad del paisaje, tan diferente del español. Con un vocabulario repetitivo y conjugando algunos elementos, inspirado en los modelos conocidos (un paisaje azul y verde, las suaves brisas, las montañas altas, las tierras fértiles, las canciones de imaginarios ruiseñores, gente bella y amable), este Colón extasiado da vida a las Indias Occidentales para sus lectores. A pesar de contar con pocos recursos, su retrato evoca efectivamente los paisajes pastorales y utópicos que antes sólo se hallaban en la literatura y funda una imagen edénica de América que cautivó la imaginación europea.

La pobreza del lenguaje de Colón es conocida por los académicos, a pesar de que se cree que el español fue su primera lengua escrita. Aún así, a los escritos de Colón no les falta arte. El *Diario* en sí mismo representa una innovación en cuanto al género, ya que se trata de un diario personal explícitamente dirigido a los Reyes Católicos. Consciente de las expectativas de la Corona, Colón lleva a cabo en él la delicada tarea de ajustar lo que realmente encontró con lo que se esperaba que encontrase —el Oriente, oro, especias y almas a las que convertir a la religión. Para esconder sus fracasos, Colón se expresa con un «lenguaje de éxito», en el sentido de la estrategia, la temática y el estilo. Como veremos, su palabra despierta inventa en vez de dar nombre a América.

A través de todo el *Diario,* Colón mantiene una visión doble, mercantil y religiosa, acorde tanto con sus propias necesidades como con las de la Corona. Por ello, estos primeros retratos de los nativos del Nuevo Mundo están tramados en términos de la receptividad de los indios hacia el comercio y la conversión religiosa. En gran parte, Colón agrupa a todos los indios en un conjunto que constantemente tilda de inocente, pueril y pacífico: generosos hasta la exageración («dan todo lo que tienen»; «dan como brutos»), emocionados con las chucherías que los españoles pretenden cambiarles por oro y que además no necesitaban ni tenían armas. A los ojos de Colón, al no tener ninguna «secta» religiosa ni ningún tipo de cultura evolucionada, los indios eran una *tabula rasa* sobre la cual la cultura española se podía grabar fácilmente (dice, «y creo que se podrán convertir en cristianos muy fácilmente»). Como ilustra el siguiente ejemplo, desde el mismo día del desembarco, los intereses mercantiles y religiosos fluyen unidos en la descripción que Colón hace de las Indias:

> [...] porque nos tuviesen mucha amistad, porque cognoçí que era gente que mejor se libraría y convertiría a nuestra sancta fe con amor que no por fuerça les di a algunos d'ellos unos bonetes colorados y unas cuentas de vidrio que se ponían al pescueço y otras cosas muchas de poco valor, con que ovieron mucho plazer y quedaron tanto nuestros que era una maravilla. Los cuales después venían a las barcas de los navíos adonde nos estávamos, nadando, y nos traían papagayos y otras cosas muchas, y nos las trocavan por otras cosas que nos les dávamos, como cuentezillas de vidrio y cascaveles (11 de octubre, pág. 110) [2].

La mayor excepción de este homogéneo retrato de los receptivos nativos son los caribes, y se puede atribuir en parte a las lecturas que habían dado forma a las expectativas de Colón en este viaje. De las más de 2000 notas a los márgenes de las copias que tenía Colón de los primeros viajes de Marco Polo, Pierre D'Ailly, Eneas Silvio y Plinio, los eruditos han reconstruido una imagen del mundo oriental de riquezas míticas, civilización alta y clima templado que motivaron el viaje

[2] Todas las citas del *Diario* son de la edición moderna (1985) de Arranz; las citas de todos los demás escritos de Colón son de la edición de Varela de 1984 (edición de Varela, Alianza, 1997).

de Colón. El que éste conociera previamente o no la existencia del Nuevo Mundo *per se* (cuestión que ha sido acaloradamente discutida durante siglos) cambia en poco el sentido de sus escritos. Pues, hasta el final, Colón trató de igualar la realidad con sus modelos *a priori:* hasta después del tercer viaje, transmite un mensaje al Papa en 1502 en el que afirma con toda seguridad: «Esta isla es Tharsis, es Cethia, es Ophir y Ophaz e Çipanga [Japón]» (pág. 479). Además, como ha detallado ampliamente Beatriz Pastor *(Discurso narrativo de la conquista de América,* capítulo 1), en los escritos del primer viaje y los siguientes, Colón moldeó sus descripciones de acuerdo con las expectativas fijas que nunca abandonó, sin importarle cuán poco la realidad se ajustara a ellas. Las referencias de fórmula relacionadas con los climas serenos, el bello paisaje, las gentes de piel cada vez más clara, los indicios de oro, responden a este proceso que Pastor llama «verificación descriptiva». Este proceso llevaría a Colón a unas deducciones bastante curiosas sobre las tribus del Caribe que eran más salvajes y amenazaban a los amables arahuacos y sobre los que se rumoreaba que eran caníbales. A pesar de que esta tribu no favorecía sus otros intereses Colón desarrolló en su *Diario* la etimología Caribe>Caniba>Caníbal>gente del Gran Kan («los Caniba no son otra cosa sino la gente del gran Can», 11 de diciembre, pág. 158) y por ello defendió que los caribes portadores de armas como «gente de razón» (23 de noviembre, pág. 142).

Estas nuevas tierras, como podemos apreciar, no eran lo que Colón ni la Corona habían esperado que fueran. Sin embargo, a través de una serie de maniobras transparentes, Colón retrató su *potencial* para llegar a serlo, o al menos para servir a la Corona. Un sentimiento de futuro domina el texto: señalando que cada tierra que se va descubriendo es mejor que la anterior, Colón establece un ritmo inexorable de mejora y promesa. Al mismo tiempo pone un énfasis insistente en la presencia de ríos, fuentes posibles de oro o puertos comerciales en potencia y en la fertilidad de las tierras, preparadas para su desarrollo: «Era cosa de maravilla ver aquellos valles y ríos y buenas aguas y tierras para pan, para ganado de toda suerte, de qu'ellos no tienen alguna [!], para güertas y para todas las cosas del mundo qu'el hombre sepa pedir» (16 de diciembre, pág. 163). La palabra «señal» se encuentra por doquier en el *Diario* y lo que Colón ve se convierte en un indicio de lo que espera encontrar, sobre todo de oro y de cualquier otro botín valioso: «dize el Almirante que vido a uno d'ellos un pedaço de plata labrado colgado a la nariz, que tuvo por señal que en la tierra avía plata» (1 de noviembre, pág. 129). Las señales no eran siempre tan claras. Colón admite repetidas veces estar bloqueado por su falta de habilidad para discernir el potencial que hay en los fenómenos naturales que le rodean: «[...] y después ha árboles de mill maneras y todos ⟨dan⟩ de su manera fruto diferentes, y todos güelen que es maravilla, que yo estoy el más penado del mundo de no los cognoçer, porque soy bien cierto que todos son cosa de valía» (21 de octubre, pág. 121). Es este aspecto práctico de la «otredad» del Nuevo Mundo lo que más hace vacilar a Colón en el *Diario*.

En el Nuevo Mundo del *Diario* de Colón, vibrante de inmanencia, los árboles están siempre a punto de revelar su verdadera naturaleza preciosa, las cosechas a punto de producir sus tesoros, Colón a punto de llegar a las tierras de oro, pero impedido en el último momento por una tormenta. Un cambio crucial ocurre, sin embargo, cuando el Almirante escribe sobre La Española, que diestramente retrata como un lugar en el que lo buscado se convierte en lo encontrado. Aquí, por fin, Colón encuentra una sociedad más compleja que se aproxima a la civilización oriental esperada. A su jefe le llama «rey»; de su gente dice que «serían cuasi tan blancos como en España» (16 de diciembre, pág. 163) si se protegieran del sol; él dota su ceremonial con una curiosa pompa: «sin duda pareçiera bien a Vuestras Altezas su estado y acatamiento que todos le tienen [al "rey"], puesto que todos andan desnudos» (18 de diciembre, pág. 165). Los nativos de esta nueva tierra, que trae recuerdos tanto de España como de Oriente, dan a Colón una magnífica recepción. Se encuentra rodeado de una muchedumbre, el «rey» le cede sus tierras (18 de diciembre, pág. 166), y aún mejor, La Española parece ser esa fuente de oro tanto tiempo buscada. A pesar de que sólo aparecen pequeñas pepitas, los *relatos* sobre el oro se extienden —relatos de islas cercanas «que tenían más oro que tierra» (22 de diciembre, pág. 172); del rey que promete cubrir a Colón con oro (27 de diciembre, pág. 181), construirle una estatua de tamaño real hecha de oro (2 de enero, pág. 185). Colón concluye que Cibao, en el interior de La Española, es Cipango (24 de diciembre, pág. 175; 4 de enero, pág. 187), y en un momento emblemático viste al «rey» con ropas españolas (26 de diciembre, pág. 179), uniendo así simbólicamente los dos mundos. Poco después, debido a la fuerza que le dan estos supuestos relatos sobre el oro, Colón decide volver a España, porque, como dice, «avía hallado lo que buscava» (9 de enero, pág. 192).

En efecto, esto puede ser verdad; puede que haya encontrado lo que *él* buscaba. Como el lector puede deducir, durante todo el *Diario* Colón se las ha arreglado para evitar las grandes mentiras. Este esfuerzo se fortalece a través de algunas construcciones estilísticas persistentes. El lenguaje de Colón en el *Diario* tiende hacia la imprecisión en el uso de expresiones hiperbólicas («labrado muy a maravilla», pág. 111); adjetivos dramáticos pero imprecisos (tan, muy, todo, muchos, bueno); estadísticas nebulosas (infinitas islas, mil maneras). Los verbos de pensamiento y percepción hacen que las frases resulten equívocas (no lo dudó, entendió, parecía, pensó). El uso extensivo del subjuntivo y el condicional («y dan por cualquier cosa lo que les den, sin dezir qu'es poco, y creo que así harían de especiería y de oro si los tuviesen», pág. 151) puede también dar un sentido bastante resbaladizo a una frase. Tomando su estilo junto con los mecanismos de descripción y potencialidad ya mencionados vemos que Colón tal vez tuviera poco que perder al invitar a los «hombres doctos» a ir al Nuevo Mundo, para «ver la verdad de todo» lo que dice (27 de noviembre, pág. 147) —ya que ha desarrollado un lenguaje más allá de la verdad y de la falsedad.

Colón da muestras de más variedad de estrategias e invención que cualquier autor individual de nuestro periodo. Dado el decepcionante rendimiento de almas y de oro conseguidos en el segundo viaje, en el «Memorial a A. Torres» (1494) desarrollará un plan para mandar a los caníbales a España como esclavos. En la

Relación del cuarto viaje (1503), débil de espíritu y tal vez de mente, el Colón que había firmado como «Christo ferens» ["portador para Cristo"], renovaría las estrambóticas promesas de oro, ahora apoyadas por la voz divina que dice haber oído. Su *personaje* literario, antes convencionalmente heroico, se convierte en patético y emotivo. El Almirante, como dramatiza la aguda lectura de Alejo Carpentier en su novela *El arpa y la sombra,* reinventa su misión, sus razones, y a sí mismo, a cada paso.

Carpentier hace que el personaje de Colón diga, respecto a la *Relación del tercer viaje:* «Y, al tratar de sustituir la Carne de las Indias por el Oro de las Indias, ya que vi que el oro no se encontraría y la carne no se vendería, prodigioso mago que soy, comencé a sustituir palabras por oro y carne» (pág. 154). El cinismo tiñe la lectura de Carpentier; aún así, en varios aspectos de la *Relación* podemos apreciar la sustitución de *mundo* por *palabra* que da al texto este interés tan particular. Durante su tercer viaje, Colón había hecho una breve parada en el golfo de Paria, en la costa de Venezuela, «descubriendo» sin saberlo América del Sur. Al hallar allí la tan necesitada agua potable, continuó navegando a La Española para encontrar allí que, tras una rebelión liderada por Francisco Roldán, el enviado de la corona, Francisco de Bobadilla, había tomado el poder y con él las pertenencias de Colón. Ninguna de estas adversidades, sin embargo, aparecen en la *Relación,* escrita poco después de la llegada de Colón a Santo Domingo. En vez de ello, Colón dedica la mayor parte del informe a cuestiones teóricas e intangibles, culminando con la increíble teoría del Paraíso Terrenal.

Adhiriéndose a la retórica epistolar, la *Relación* comienza con el *exordium* (unas advertencias preliminares) y termina con la *peroratio* (una conclusión persuasiva). Para dar más énfasis, estas dos secciones presentan los mismos temas y los mismos razonamientos. Colón admite amargamente que ha sido desacreditado de forma cruel por no mandar de regreso «navíos cargados de oro» (pág. 367 [y....]). En lugar de los bienes materiales, Colón intentará dirigir los pensamientos de la Corona hacia los beneficios intangibles que se pueden conseguir gracias a su descubrimiento. Sin duda, la extensión de «nuestra sancta fe» (pág. 383) tiene consecuencias importantes. Pero Colón subraya también a la Corona la intangibilidad de la fama y la gloria que traerá el descubrimiento de este, ahora llamado «otro mundo» (pág. 383 y [...]). Elabora listados de mandatarios que, considerando que era su obligación, «gastaron dineros y gente y pusieron mucha diligençia en saber los secretos del mundo y darlos a entender a los pueblos» (pág. 382), sin reparar en las pérdidas financieras. De forma magistral, el autor recuerda al Rey Fernando su promesa cuando le dijo que «su voluntad hera de proseguir esta empresa y sostenerla aunque no fuese sino penas, y qu'el gasto que en ello se fazía que lo tenía en nada, que en otras cosas no tan grandes gastavan mucho más [...]» (pág. 384), consiguiendo así acomodar las palabras del Rey a sus propios intereses.

En la *narratio* o cuerpo de la *Relación,* mientras narra el viaje en sí mismo, Colón dirige su vista por primera vez hacia una especulación mayor sobre este «otro mundo» que ha encontrado. El descubrimiento de agua potable en Paria se lo reclama, ya que si Paria es una isla, ¿cómo puede haber agua potable? y (como varios académicos han explicado[3]), si Paria no fuese una isla, ¿podría ser otra masa terrestre fuera de la masa continua conocida, el Orbis Terrarum, dibujada por los cosmógrafos cristianos medievales? La imagen del mundo que Colón había heredado no permitía, por herética, la existencia de tierras habitables más allá del ecuador, de un Orbis Alterius ajeno a la cristiandad.

La teoría de un Paraíso Terrenal conllevaba una solución ideal para este y otros dilemas de Colón. Presentándose a sí mismo ya como un académico, y mostrando una densa erudición, Colón refuta los razonamientos de Ptolomeo y otros, diciendo que el mundo no es una esfera sino más bien una bola con una protuberancia en forma de pera. Uniendo la cosmografía, el empirismo y la leyenda bíblica, así como lo sagrado y lo erótico, especula que en la punta de la pera —como si fuese, afirma, el pezón del pecho de una mujer— está el Paraíso Terrenal. De ahí viene la fuente de la «suavísma temperançia» (pág. 380) que Colón había descrito en el *Diario;* allí «naçen cosas preçiosas» (pág. 381); y por allí discurren los cuatro ríos principales del mundo (pág. 380), el agua potable que lo había asombrado tanto. Como Colón había dicho al final de su *Diario,* los teólogos sagrados y los sabios filósofos situaron el Paraíso Terrenal en el «fin de Oriente» (pág. 367) y, por ello, las nuevas teorías de Colón dejaban intacto su modelo oriental. Más aún, de ahí provenía el hecho de que sus descubrimientos hubieran sido incompletos: el Paraíso Terrenal, la recompensa más grande de todos los esfuerzos de Colón, no podía ni debía ser hollado. Debía permanecer intangible e intocable: «Porque allí creo que sea el Paraíso Terrenal, a salvo por voluntad divina» (pág. 380).

Aunque no fuese concebida en sí como una locura, la teoría de Colón se recibió como tal. No hay ninguna prueba de que la Corona quedara impresionada por esta nueva posesión tan extraordinaria; Colón tuvo que esperar seis semanas para ser juzgado tras su regreso, después de ser enviado encadenado a España por Bobadilla. Los intercambios desiguales habían hecho que el lenguaje fuese demasiado lejos al servicio de la autoexculpación, sin presentar ninguna realidad que lo apoyase.

FRAY RAMÓN PANÉ: «RELACIÓN ACERCA DE LAS ANTIGÜEDADES DE LOS INDIOS» (1498)

El retrato que hace el Diario de la comprensión por parte de Colón de los lenguajes amerindios delata sus malas relaciones con los indios. En algunos momentos Colón adjudica palabras a los nativos que eran de imposible entendimiento para él (por ejemplo cuando habla del grito de que los españoles habían descendido

[3] Ver O'Gorman, *La Invención de América,* 94-104 (Centro de estudios latinoamericanos, U. de Varsovia, 1999), y Boorstin, *Los descubridores,* cap. 32.

del cielo); en otros admite que se daba una incomprensión mutua total. Para poner remedio a esta última situación, en 1495, Colón mandó al fraile jerónimo Ramón Pané (fechas desconocidas) a La Española a aprender la lengua de los taínos con orden de investigar sus «idolatrías y sus creencias» (pág. 21). Pané presentó el fruto de sus esfuerzos en una simple *relación* escrita que tiene tres partes: una transcripción de los mitos taínos, que los informantes nativos dictaron a Pané; una descripción de sus prácticas religiosas; el relato que hace Pané de sus éxitos y fracasos al bautizar a los nativos. En conjunto, las órdenes de Colón produjeron, gracias a la diligencia de este «pobre ermitaño», como él se llamaba, el primer estudio etnográfico del Nuevo Mundo, lo más cercano a una narración de primera mano de la cultura taína que nos ha llegado. Comencemos, pues, analizando el contenido cultural de este texto fundacional, para luego observar la forma en la que Pané «procesó» su experiencia del mundo nativo.

Para los no iniciados, los mitos taínos transcritos fielmente en los primeros once capítulos de Pané se asemejan a relatos confusos de travesuras sexuales, estafas, transformaciones y transgresiones: Mácocael sale de una cueva para que el sol lo transforme en piedra. Guahayona se lleva a las mujeres de La Española a la isla de Matininó. El pájaro *inriri* crea un nuevo surtido de mujeres perforando sus sexos sobre criaturas asexuadas que caen de los árboles. Cuatro hermanos gemelos roban el pan de *casabe* y se les recompensa con el polvo alucinógeno *cohoba*. Del hombro de Deminán Caracaracol surge una mujer-tortuga, que los hermanos se ponen seriamente a criar. Los exegetas modernos, sin embargo, han descubierto la profunda importancia de los mitos taínos. Vinculándolos con los arquetipos arahuacos, hasta donde se han seguido sus raíces, los antropólogos (Arrom, *Mitología y artes prehispánicas de las Antillas;* Alegría, *Apuntes en torno a la mitología de los indios taínos;* López-Baralt, *El mito taíno)* han llegado a la conclusión de que estos relatos representan entre otras cosas respectivamente un mito sobre la creación, los orígenes de la exogamia, los rituales de la pubertad, el otorgamiento de las bases culturales y la transición desde una sociedad cazadora-recolectora hasta una sociedad agraria sedentaria.

La segunda sección del texto de Pané se desplaza del oír al ver, de los mitos a los rituales y leyendas, y desde la relación tiempo-espacio de los mitos hasta un presente histórico. Desde el capítulo 12 al 25, Pané describe las prácticas religiosas taínas, siendo testigo de muchas de ellas personalmente y centrándose en las concepciones de la otra vida, las prácticas de los *behiques* o sacerdotes-chamanes, los efectos de la *cohoba* y los *cemíes* o dioses del hogar. De los capítulos dedicados por completo a los dioses *cemí* (20-24) el lector puede desenterrar una información cultural importante, cosa que no hizo Pané: una explicación para los huracanes (23), de por qué se construyen templos (24), y la leyenda de un *cemí* que se sublevó contra los españoles (22). Siguiendo este hilo de dominación española hasta el presente, y el futuro, la sección termina con una dramática profecía de destrucción que dos jefes taínos le transmitieron a Pané. Parecida a la profecía a la que recurriría el Moctezuma de Cortés, predice que «una gente vestida vendrá a sus tierras para dominarlos y matarlos, y que morirán de hambre» (pág. 48).

Por lo que podemos deducir de su *relación,* el significado real de la información que hemos enumerado se le escapaba a Pané. A pesar de que era inevitable que no pudiera pensar en términos antropológicos modernos, mucho dependía de la visión del mundo de Pané. Del pasado de Pané sabemos poco, además de que era catalán de nacimiento. Las Casas, que lo conoció, lo describe como «una persona de mente simple... que no hablaba el español muy bien» (Arrom, edic. de Pané, pág. 117), capaz de predicar sólo los rudimentos de la fe «de una forma muy defectuosa y confusa» (Arrom, edic., pág. 105). Lo demás debemos deducirlo de su *relación* —que asume la forma de la lectura del otro por un hombre corriente del siglo XV que muestra indicios de ser una persona con un marco de referencia cultural bastante estrecho.

¿Cómo narra Pané las leyendas taínas, con frecuencia indecentes y siempre desconcertantes? Para su gran crédito y nuestro beneficio, él se considera a sí mismo claramente obligado a cumplir con la tarea de proporcionar una *relación* informativa («*bajo las órdenes* del ilustre Almirante... Escribo lo que he sido capaz de aprender y descubrir sobre las creencias e idolatrías de los indios...», pág. 21, cursiva añadida). «Lo que vi es lo que voy a contar» (pág. 45): en general Pané es un simple escriba fiel, que transcribe de forma imparcial y sin impedimentos lo que le cuentan exactamente como se lo cuentan. Sin embargo a veces no se puede contener y comenta lo que percibe como ilógico en los mitos, su desorden. En estos momento el fraile pide excusas por su texto, atribuyendo sus errores a que los taínos no poseen un sistema de escritura. Por ejemplo: «Y no tienen ni un sistema de escritura ni ningún documento escrito, no saben contar bien estas historias, y yo no las puedo escribir bien. Por esta razón creo que lo que estoy escribiendo en primer lugar debería ir en último... Pero todo lo que escribo lo digo tal y como me lo cuentan, así lo escribo; pongo las cosas como las he oído a los nativos del campo» (pág. 26). El encuentro de Pané con el discurso del otro, como vemos, está marcado por la incomprensión de las formas orales de transmisión.

Las prácticas religiosas de los nativos afectan bastante a Pané. A pesar de que sigue siendo bastante objetivo, expone aquí sus prejuicios de formas sutiles y no tan sutiles. Habla repetidas veces de la sinrazón alcohólica que producen las ingestiones ceremoniales de *cohoba* y también de los trucos de los *behiques,* a los que llama «hechiceros» y «médicos brujos» (pág. 41). Sobre los *cemíes* y los que los adoran apunta intencionadamente: «Esta gente simple e ignorante, que no tiene ningún conocimiento de nuestra sagrada fe, cree que sus ídolos o, más correctamente, sus demonios, de verdad hacen estas cosas» (pág. 35). La falta de una perspectiva más extensa por parte del fraile se nos revela aún más claramente cuando leemos los comentarios que sobre su texto hicieron Pedro Mártir de Anglería y Bartolomé de las Casas, ambos influidos por el humanismo renacentista. Mártir compara los *cemíes* con los dríadas, los sátiros y los faunos de los mitos clásicos (Arrom, edic. de Pané, pág. 98). Las Casas intenta discernir en las ficciones de los behiques una alegoría o moraleja semejante a las de los poetas clásicos (Arrom, edic. de Pané, pág. 114). Un sentimiento de relativismo cultural, un conocimiento de «otras historias» permiten que los comentaristas de la obra de Pané transciendan la reacción religiosa cerrada contra estas novedades.

Quizás enfrentándose a las «otras historias» a las que *él* había cedido en un principio su texto, cuando en la breve tercera parte de su relación (capítulos 25 y 26) Pané por fin nos cuenta su propia historia de los esfuerzos para proselitizar, reclama un acercamiento más convencional a la historia escrita. «Ahora quiero hablar de los que he visto y he vivido...» (pág. 48) comienza, por primera vez anteponiendo su «yo» y sus acciones y, por lo tanto, mudándose al género autobiográfico típico de la *relación de hechos*. Mientras que antes Pané se veía obligado al principio a contar historias ajenas, y ahora contará una historia casi ejemplar llena de trasfondos hagiográficos —de conversiones, martirios y milagros. Al principio creía que su fiel transcripción estaba poniendo en primer lugar lo que debía estar en último y ahora contará de forma cronológica sus encuentros con los jefes Guarionex y Mabiatué, anotando todos los lugares y las fechas de forma precisa. Esta contradicción entre la primera y la tercera parte de su obra produce, en efecto, un texto *mestizo,* con una lógica taína al principio y luego una española.

La tercera parte no logra ser sin embargo una historia cristiana enteramente ejemplar ya que debe comunicar tanto los éxitos dramáticos como los fracasos dramáticos de la conversión. Pané parece al menos haber comprendido la gran importancia de la horrenda profecía taína, es decir, que bien podría estar relacionada con la llegada de los españoles. La tercera sección autobiográfica comienza a mitad del capítulo, justo después de haber referido la profecía, y Pané se esmera en mostrar en ella que los españoles han ido allí no para destruir sino para ilustrar a los indios. Textualmente, dedica el mayor espacio al bautismo del primer indígena, Juan Mateo. Sin embargo, en realidad los fracasos eran más que los éxitos y Pané se ve obligado a relatar el asesinato de algunos taínos cristianizados, su exasperante fracaso al tratar de convertir a Guarinex y la profanación de las imágenes católicas. Para mitigar este fracaso, en el lugar en el que fueron enterradas las imágenes nacieron «dos o tres plantas de batata (ñame)... Que tomaron la forma de una cruz» (pág. 54), intervención que él consideró un milagro.

Al fracasar en sus intentos evangélicos que supone aprobados divinamente, el fraile adopta una actitud firme en su último capítulo, aconsejando que se convierta a los indios por la fuerza cuando se requiera. Dándole un nuevo uso al comentario de Colón sobre la docilidad de los nativos, afirma: «Y en verdad la isla necesita grandemente a gente que castigue a los mandatarios cuando se lo merezcan [y] que les hagan saber los caminos de la sagrada fe católica y los adoctrinen sobre ella; porque no pueden resistirse ni lo harán» (págs. 54-5). Al formular la petición de un cambio político, Pané se excedió en su papel de fiel «relator» (escritor de relaciones*)*. Y, de hecho, hay indicios de que el fraile consideraba su trabajo como algo más que una *relación.* En el capítulo 25, por ejemplo, lo llama un «libro», y un comentario de Mártir nos sugiere que tal vez el trabajo fuera publicado[4]. La experiencia de Pané (al contrario de la de otros escritores posteriores) no le hizo apreciar más a los nativos; la frustración, la incomprensión y la incondicional defensa de su forma de ver el mundo hicieron de este «pobre ermitaño» un autor en vez de un «relator».

HERNÁN CORTÉS: «SEGUNDA CARTA RELACIÓN» (1520) Y OTROS ESCRITOS DE MÉXICO

A pesar de los intentos de Pané por devenir autor, éste sigue siendo más que nada un informante que retrata sus circunstancias sin mucha maña y sin interés personal. Hernán Cortés (1485-1547), en cambio, era un político brillante con muchos conocimientos tácticos respecto a la vida y al arte. Todos los escritos de Cortés son actos de ingeniería; daremos cuenta de su arte a través de un análisis de la *Segunda carta-relación,* tal vez la más importante de sus obras en cuanto a hechos y palabras.

Las apabullantes victorias que Cortés describe en su texto son los triunfos de un genio militar, que pronto percibió y capitalizó el antagonismo entre los aztecas y las tribus colindantes, y afinó sin violencia el rendimiento de Tenochtitlán por Moctezuma. Sus primeras acciones más triunfantes en la arena mexicana proceden más de la astucia o *frode* que de la *forza* (fuerza), y, a cada paso, Cortés nos muestra el agudo funcionamiento de su mente. Cortés nos hace parte de su estrategia a través de un patrón cognitivo omnipresente que es la estructura de este y otros textos, en el que Cortés típicamente VE lo que está ocurriendo o recibe información, REFLEXIONA sobre lo que ha percibido o aprendido, DECIDE su forma de actuar, y ACTÚA, normalmente de forma fructífera. Por ejemplo: (al decidirse a abandonar Tenochtitlán para enfrentarse a Pánfilo Narváez) «Y al *ver* el gran daño que se estaba causando y cómo todo el país estaba revolucionado por Narváez, *me pareció* que si iba a donde él estaba, se calmaría... Y también porque yo *intentaba* hacer las paces con Narváez para poner fin al gran mal que había comenzado. Así que *partí* ese mismo día...» (pág. 147, cursivas añadidas).

La partida cuyo comienzo describe aquí Cortés y que llevaría a la pérdida del imperio mexicano, presagia las catástrofes e infracciones tan impresionantes a las que la *relación* tendrá que referirse. Es de sobra conocido que Cortés salió rápidamente de Cuba para México, con desprecio de su gobernador, Diego Velázquez. Al llegar a Veracruz, Cortés se desentendió de la autoridad de Velázquez y constituyó un consejo municipal por el que fue nombrado líder y capitán. Cortés y supuestamente sus hombres redactaron una carta (a la que nos referiremos más adelante) informando al Trono de estos sucesos para luego continuar marcha hasta la capital azteca. Allí, poco después de la «rendición» del imperio de Mocte-

[4] Como apunta Alegría *(Apuntes),* Pedro Mártir dijo que Pané era el «autor de un pequeño libro».

zuma ante España, Cortés apresó al emperador —un acto de presunción viniendo de un ciudadano común. Sin embargo, poco después de su victoria, Cortés recibió la noticia de que el enviado de Velázquez, Pánfilo de Narváez, había llegado para arrestar al rebelde y apropiarse de sus ganancias. Saliendo hacia la costa para librar batalla contra Narváez, Cortés dejó Tenochtitlán en las manos de Pedro de Alvarado —que hizo masacrar a muchos aztecas durante una ceremonia religiosa. Cuando Cortés volvió los españoles eran asediados y sus hombres se vieron forzados a huir. Así, durante esta noche conocida como «la noche triste», Cortés perdió el imperio que había ganado tan rápidamente.

En la *Segunda carta-relación* Cortés tenía obviamente una segunda batalla que combatir, una batalla verbal, para la que estaba muy bien preparado. De hecho, durante sus dos años de estudio en Salamanca, su preparación para notario y sus varios años de experiencia como secretario de Diego Velázquez, Cortés había adquirido un amplio conocimiento de la escritura e interpretación de documentos legales que acaso lo habían preparado mucho mejor para una batalla verbal que para una física. Escribiendo pues durante las convulsiones de la reconquista de México, Cortés debía reivindicar los hechos antes referidos; conseguir la sanción de Carlos V (que no había recibido todavía) de su desobediencia oficial, y obtener la ayuda de la Corona para las subsecuentes batallas. Para lograr estos objetivos, Cortés se embarcó en una guerra verbal maquiavélica cuyas estrategias y maniobras son comparables con las que caracterizaron su liderazgo. En beneficio propio, el conquistador equipara sus intereses personales a los de la Corona y produce un intrincado texto que contiene estas tácticas y sus consecuencias.

Al moldear su auto-imagen Cortés reestablece su lealtad a la Corona y exalta su persona

En el corazón de la *Segunda carta-relación* se encuentra la transformación del rebelde en líder modélico (ver Pastor, *Discurso*, Cap. 2). A lo largo de esta *relación* y todas las otras, Cortés se describe a sí mismo de acuerdo con el tópico del alto Medioevo del vasallo desinteresado cuyo único deseo es servir a su monarca. Según el retrato que hace de sí mismo, los intereses de Cortés estaban totalmente subordinados a la Corona. El Capitán subraya el continuo absoluto que existe entre él y el Emperador, cuestión que se refleja tanto en sus propios actos («En mi última *relación,* mi muy excelente Príncipe, informé a su Majestad de las ciudades y pueblos que se habían ofrecido a su servicio real hasta entonces, y a las que había apresado y conquistado para usted», pág. 81), como en la manera en que los demás percibían estos actos (los votos de Moctezuma a Cortés, «te obedeceremos y te tomaremos como soberano en el lugar del gran soberano del que hablas», pág. 117). De forma similar, el comportamiento de Cortés lo muestra ante Carlos V como un monarca católico ideal, ya que se presenta a sí mismo perdonando de forma rutinaria y benevolente a los indios que se inclinan ante él como vasallos.

A pesar de que el texto de Cortés podría incitar al lector moderno a lamentarse por la vileza de la Conquista, éste llegó a considerarse parte de la narrativa heroica de su tiempo. Por encima de su imagen implícita de genio político, Cortés se construye un *personaje* más cercano al de héroe épico. Se atribuye un valor personal extraordinario, bastante celo religioso y una visión de futuro inequívoca. Se sitúa a sí mismo al frente de la conquista —no existe ningún otro personaje heroico en su narración, todas las otras personas que ostentan el poder son denigradas. El «yo» de Cortés domina su texto y sus conjugaciones verbales, ya que usa la primera persona del singular incluso cuando narra las acciones en grupo. En la famosa versión «democrática» de la conquista de México de la *Historia verdadera de la conquista de la Nueva España* (alrededor de 1568) de Bernal Díaz del Castillo, Cortés recibe consejos sabios de sus hombres en situaciones cruciales. En la versión de Cortés, el héroe actúa de forma independiente; sólo cuando se toma una decisión que podría ser cuestionada, por ejemplo cuando deciden huir de Tenochtitlán (pág. 162), se la atribuye al grupo al completo.

Cortés exalta sus descubrimientos, adaptándolos a las necesidades de la Corona

Igual de gloriosa es la imagen de México que elabora Cortés para los ojos de Carlos V. La *Españ*ola de Colón era una España en potencia, aún tropicalmente paradisíaca. Cortés parece haber encontrado en México el mundo que Colón buscaba, es decir, una gran civilización desbordante de riquezas materiales. La bautiza «Nueva España» (pág. 137) e informa a Carlos V de que éste se puede considerar «nuevo emperador» (pág. 80) de estas tierras que, tal como evidencia la descripción de México efectuada por Cortés, colmará las necesidades económicas del imperio español. La «Nueva España» complementará y sostendrá a la España imperial. Por ello, la grandeza de México, su civilización «bárbara», se convierten en el tema central de la descripción de Cortés. Un grupo de frases contienen la clave de su México:

> Y por no ser más prolijo en la relación de las cosas de esta gran ciudad, aunque no acabaría tan aína, no quiero decir más sino que en su servicio y trato de la gente de ella hay la manera casi de vivir que en España; y con tanto concierto y orden como allá, y que considerando esta gente ser bárbara y tan apartada del conocimiento de Dios y de la comunicación de otras naciones de razón es cosa admirable ver la que tienen en todas las cosas.
>
> En lo del servicio de Mutezuma y de las cosas de admiración que tenía por grandeza y estado, hay tanto que escribir que certifico a Vuestra Alteza que yo no sé por dónde comenzar, que pueda acabar de decir alguna parte de ellas, porque, como ya he dicho, ¿qué más grandeza puede ser que un señor bárbaro como este tuviese contrahechas de oro y plata y piedras y plumas, todas las cosas que debajo del cielo hay en su señorío...? (pág. 137).

Este pasaje hace parte del exhaustivo «inventario» en el que, tras capturar y encarcelar a Moctezuma, Cortés enumera las nuevas posesiones de la Corona desde un punto de vista pecuniario. México, como vemos, aparece como una contraparte de España pero ostentando un esplendor casi oriental. Y Cortés, lleno de asombro, se maravilla de la conjunción antinatural de la barbarie y la civilización en la corte de Moctezuma. Barbarie, en la Castilla del siglo XVI, significaba a la vez extranjero, salvaje y pagano. Claramente para Cortés el paganismo no impide la creación de una civilización, de «orden y armonía» o de artefactos magníficos de oro. De hecho, el proselitismo contra lo pagano tiene un papel muy secundario en la *Segunda carta-relación*. Sólo una vez Cortés se muestra a sí mismo predicando a los aztecas (pág. 89). Mientras que a otros cronistas les horrorizaban las prácticas religiosas aztecas, Cortés admiraba la altura de los templos y el tamaño de los ídolos. El esplendor material de la civilización azteca eclipsa su barbarie.

Cortés justifica sus abusos de poder

Más allá de esta breve incursión en la temática religiosa, y en los bienes y la «harmonía y orden» de sus mercados, Cortés no facilita mucha información sobre los pueblos indígenas que encuentra. Su «carta-relación-autobiografía» es mucho menos una memoria etnográfica que militar en la que los indígenas sólo tienen funciones puramente estratégicas, reales y textuales. Despacha la masacre de miles de cholulanos, una maniobra clave de su plan militar, diciendo: «Al día siguiente toda la ciudad estaba llena de gente... como si nunca hubiera sucedido lo que sucedió» (pág. 105). Después de cada asedio, Cortés muestra a los indígenas pidiéndole perdón de manera convencional y jurando lealtad al rey español, lo cual está muy bien para lo que J. H. Elliott («Cortés, Velázquez and Charles V», xxvii) ha llamado el «tema imperial» de la carta, diseñado para halagar al nuevo emperador Carlos V.

El retrato que hace la *Segunda carta-relación* de un azteca en particular, Moctezuma, sigue siendo tan extraordinario y sospechoso que ha dado lugar a preguntas que subsisten hasta hoy. ¿Cedió realmente Moctezuma su imperio, creyendo que el rey español era un antepasado azteca largamente esperado que por fin había venido a reclamar lo que era suyo por derecho de nacimiento, como sugieren las palabras que Cortés pone en su boca durante sus dos discursos? ¿Se dejó apresar Moctezuma sin oponer resistencia? ¿Fueron sus propias gentes las que le apedrearon hasta su muerte? De todas estas cuestiones al menos hay una que no admite dudas: que Cortés, sabedor de los peligros para la soberanía que entrañaba el que derrocara a un emperador, intentó por todos los medios dar a entender que la rendición de Moctezuma fue voluntaria.

Más aún, de forma sutil, se muestra a Moctezuma como merecedor de su destino. El historiador americano W. H. Prescott leyó bien las señales variadas que había esparcido Cortés cuando dijo: «No es fácil hacer un retrato de Moctezuma con sus verdaderos colores, ya que se nos ha mostrado en dos aspectos, con caracteres de lo más opuesto y contradictorio» *(Historia de la conquista de México,* 437). Por una parte, en las secciones de inventario, Moctezuma aparece como soberano de una fortuna y un poder tremendos. Como tal, sin embargo, abusa de su poder, y es un tirano odiado por las gentes a las que subyuga y un traidor que no juega limpio con el rey español incluso después de jurarle lealtad. Por otra parte, el temido Moctezuma muestra una atracción por la frivolidad y el lujo, su trágico defecto. Pueril, como los indios de Colón, y excesivo, el Moctezuma de Cortés se divierte durante su confinamiento («Y muy a menudo fue [a sus residencias en el campo] a entretenerse, y siempre volvía muy alegre y contento», pág. 122). Inconsciente por lo que parece de los hechos que están ocurriendo a su alrededor, este Moctezuma se deja arruinar por su refinamiento o civilización excesiva.

Por muy complejo que sea su tratamiento de Moctezuma, el punto de reunión central de la creación de Cortés está sin duda en la campaña textual que construye contra Diego Velázquez y Pánfilo Narváez. Varios estudiosos (ver Elliott, «Cortés»; Frankl, «Hernán Cortés»; Pastor, *Discurso)* han descubierto las líneas marcadas de la argumentación en la que se apoya Cortés para defenderse de sus archienemigos en la primera y segunda carta. A saber: el ansia de lograr bienes materiales los motivaba a conquistar México para ellos y no para la Corona. En los casos en los que Cortés actúa como un fiel vasallo al servicio de los intereses de la Corona, ellos se mueven por intereses *personales*. Los traidores Velázquez y Narváez incitan a los indios y a Moctezuma a rebelarse contra Cortés y por ende contra el Trono. La obediencia a Velázquez, que es él mismo desleal, implica así la complicidad con un traidor, y —el giro final— la rebelión contra Velázquez supone un servicio leal al rey. Al elaborar esta defensa Cortés usa una serie de técnicas que vendrían a caracterizar sus escritos. Primero, a pesar de que hay evidencias que prueban que Cortés redactaba sus relaciones a partir de las notas que tomaba mientras se producían los acontecimientos, éste sigue un desarrollo cronológico que evita cualquier comentario de conjunto y cualquier reordenamiento temporal. Al darles forma desde dentro, permite que los sucesos se desarrollen por su propio camino, que parece ineludible. Segundo, Cortés representa a sus aliados y enemigos de una forma maniquea. Al crecer su ira contra los intrusos, la invectiva de Cortés llega a un grado de oscura fiebre: «Y si no cumplen procederé contra ellos como si fueran traidores y vasallos pérfidos y malignos que se han rebelado contra su rey y que usurparan sus reinos y dominios...» (pág. 150).

Cortés reivindica sus fracasos y pide ayuda

Cortés posiblemente no reordena pero sí suprime algunos sucesos. Para citar el ejemplo más llamativo, en ningún momento de la relación sugiere que Alvarado se convirtiera en jefe temporal, razón que desencadenó el proceso de la pérdida de México. En vez de ello culpa una vez más a Narváez. Cortés prevé que si marcha hacia la costa para enfrentarse a Narváez dejando Tenochtitlán, «habrá una revuelta y perderé las joyas y a la ciudad en sí misma» (pág. 146). Como producto de esta profecía cumplida de antemano, encontramos que, aunque en el mundo de los hechos históricos Velázquez y Narváez casi destruyen a Cortés, en el mundo textual lo salvan ostensiblemente.

Para narrar su único fracaso admitido, los sucesos de «la noche triste» y sus consecuencias, el autor combina un dramático grupo de técnicas. Adoptando un tono extrañamente emotivo, subraya su petición de ayuda dando rienda suelta sentimental a una descripción del sufrimiento de sus hombres, a su propio heroísmo y los muchos elementos que se hallaban en su contra. Cortés roza también una forma que recuerda a la épica y a las novelas de caballerías, al atribuirle a Dios sus pequeñas victorias dentro del mar de fracasos: «Si Dios no hubiera decidido de forma misteriosa salvarnos, habría sido imposible escapar de allí, y ya los que quedaban en la ciudad extendían la noticia de que yo había muerto» (pág. 161). Si Dios, al parecer, estaba de su parte, ¿cómo podía no estarlo la Corona? Tras la huida de Tenochtitlán, sin embargo, la narración vuelve a su ritmo de fórmula anterior y a una modalidad triunfal: Cortés rodea el valle Anáhuac consiguiendo nuevos aliados que, como siempre, juran lealtad al Rey. La relación termina con una petición de ayuda, dando a entender que más que un fracaso la «noche triste» fue el comienzo de las nuevas victorias.

Incluso tras conseguir la reconquista de México, Cortés tendrá que narrar fracasos tan grandes como el de la «noche de las tristezas» mezclados con sus victorias y teniendo que idear los medios de hacerlo. En la *Tercera carta-relación* (1522), por ejemplo, aún sin haber obtenido una respuesta de Carlos V a sus misivas anteriores, Cortés debe hacer referencia al hecho de que tuvo que arrasar la magnífica Tenochtitlán al reconquistarla. En esta ocasión se presenta a sí mismo como un conquistador amante de la paz, que se ve forzado a convertirse en un guerrero belicoso por los aztecas suicidas decididos a autodestruirse. Mientras los diseños, como éste, de sus obras, responden a las siempre cambiantes circunstancias, Cortés ejecuta las mismas en gran parte valiéndose de recursos acuñados —muchos de los cuales hemos visto usados en la *Segunda relación*. El Cortés de la *Cuarta carta-relación,* ahora legitimado por el Emperador español, siente la suficiente confianza en sí mismo para revelar el «malestar» y los «tumultos» sediciosos que sacuden las tierras. Rogando nuevos honores, vuelve a vilipendiar a sus enemigos por su deslealtad y desarrolla por extenso los servicios que él ha prestado a la Corona. Cortés emerge de la desastrosa expedición a Honduras, sobre la que trata la *Quinta carta-relación,* siendo un hombre abatido y asediado. Sus escritos dejan de mantener su característica postura heroica y revierten al tono emocional y patético que ya encontrábamos en el final de la *Segunda relación,* y llevando las expresiones de celo religioso a alturas mayores y más genuinas. El espíritu y la forma de ver el mundo de Cortés han sufrido cambios importantes; su «lenguaje» se amplía para acomodarlos.

Al contrario que los escritos proteicos de Colón, pues, los de Cortés recurren a un repertorio de técnicas pequeño pero adaptable. La presencia de estas características en la carta de 1519, que se supone dictada por el «Consejo de Justicia y Municipal de la Rica Villa de la Vera Cruz» ha ayudado a que los académicos identifiquen como su arquitecto a Cortés y como su modelo político el código legal de Alfonso X. Como explica Victor Frankl en su artículo pionero («Hernán Cortés», 58), «El autor de la *Primera carta de relación* es sin duda el mismo Cortés. Tanto la estructura de la carta —formas análogas a las encontradas en las cartas sucesivas—, como los motivos ideológicos predominantes, que también se reflejan en las cartas posteriores, sirven de prueba». Las *Siete partidas* Alfonsinas (con fecha de 1256 a 1263) dieron a Cortés un modelo ideológico en el que vasallos y monarca se unían en la empresa común de defender al Estado contra intereses privados y egoístas, y tal modelo resonaría a través de sus obras[5]. En la carta de 1519, Cortés borda este paradigma usando el modo retórico maniqueo típico de sus escritos posteriores. Describe de una forma muy animada a Velázquez, a quien presenta como un individuo motivado por puro egoísmo, y a sí mismo como alguien motivado por el «celo para servir a su Majestad» (pág. 48). Esta polarización, a su vez, permite a Cortés eludir la autoridad de Velázquez para constituir el Consejo de Vera Cruz que protegerá los intereses de la Corona, acciones que sientan los cimientos de las subsecuentes maniobras del conquistador.

Dada la inconfundible continuidad de estilo, pensamiento y acciones entre la primera carta y las posteriores, conviene preguntarse ¿por qué motivo Cortés esconde su «yo» en ésta carta? Las *Siete partidas* dice que sólo a través del consenso de todos los ciudadanos pueden desoírse las leyes para el bien común. Por ello en la parte legal más importante, la carta cambia desde una tercera persona del singular a una primera persona del plural. En nombre de toda la gente, este «nosotros», el cuerpo de soldados, exhorta a Cortés para que funde una ciudad, tome sus riendas y, por último, para que se quiten los poderes a Velázquez. En tercera persona Cortés se pinta a sí mismo como consintiendo de mala gana a sus pedidos. Este es un movimiento maestro, un emblema perfecto del virtuosismo de Cortés en el ámbito político, legal y literario.

GONZALO FERNÁNDEZ DE OVIEDO: «SUMARIO DE LA NATURAL HISTORIA DE LAS INDIAS» (1526) E «HISTORIA GENERAL Y NATURAL DE LAS INDIAS» (1535); PEDRO MÁRTIR DE ANGLERÍA, «DÉCADAS DEL NUEVO MUNDO» (1493-1525).

Al igual que otros, también nosotros podemos preguntarnos si alguien percibió el Nuevo Mundo como si lo viera por primera vez. Ya hemos podido imaginar

[5] Nuestro resumen de las *Siete Partidas* está tomado del que hace Elliott («Cortés») en este y otros puntos.

cuál sería la respuesta en lo que respecta a Colón. Gonzalo Fernández de Oviedo (1478-1557), por otro lado, adquirió fama de haber sido uno de los primeros exploradores capaces de percibir el nuevo significado de América (O'Gorman, *Cuatro historiadores de Indias*, 55). Este juicio nos ofrece un provocador punto de vista para entrar en la vida, pensamiento y escritura de Oviedo, en particular con respecto a su *Sumario*. Pues Oviedo creció en la Corte española, se educó en la cultura renacentista italiana y era un apasionado devoto de los asuntos de la aristocracia. Al mismo tiempo se convirtió en una especie de soldado de fortuna que llegó pronto al Nuevo Mundo (1514) con el puesto de Supervisor de las Fundiciones de Oro, pasó la mayor parte de su vida en las Indias y se convirtió en su cronista oficial (1532) además de un miembro perpetuo del Consejo de Santo Domingo y gobernador de su fortaleza. Oviedo fue un cronista voraz, un erasmista, un imperialista incondicional y un cristiano, era a la vez *el proveedor de lo nuevo y el guardián de lo antiguo*. Examinemos en el contexto del *Sumario,* cómo esta mezcla inusual moldea sus escritos sobre las Indias y su actitud hacia ellas.

El *Sumario,* primera historia natural del Nuevo Mundo y primer estudio etnográfico de América Central, se escribió por encargo de Carlos V para satisfacer su curiosidad sobre su nueva propiedad. Oviedo lo escribió en España, basándose en sus recuerdos, y en una reconstrucción de las notas que había tomado ya para la *Historia general* (los temas del *Sumario* vuelven a aparecer, aumentados, en este trabajo más extenso). El *Sumario* sigue un eje geográfico y se basa en la taxonomía científica de la *Historia natural* de Plinio, procediendo desde La Española hasta Tierra Firme y detallando la fauna, flora, población y «ciertos ritos y ceremonias de estas gentes salvajes» (pág. 49) de cada espacio.

A pesar de su diseño general, como sugiere su título, el *Sumario* de Oviedo sigue siendo una asociación de misceláneas de los hechos peculiares y extraños pertenecientes a sus temas. En la introducción al *Sumario,* Oviedo dilucida el propósito de su obra y el criterio de su material —el producir información nueva. «Si no fuere tan ordenado lo que aquí está contenido», escribe, «no mire vuestra majestad en esto, sino en la novedad de lo que quiero decir, que es el fin con que a esto me muevo» (pág. 49). De manera muy interesante, las primeras experiencias de Oviedo en el Nuevo Mundo habían producido un nuevo tipo de texto, una novela aristocrática de caballería que se desarrolla en España (aunque tal vez fuese escrita en las Indias) que lleva por título *Don Claribalte* (1519) y que no contiene una palabra sobre el Nuevo Mundo. En todo caso, el refugio inicial de Oviedo en el romance caballeresco, repleto de lo milagroso y lo increíble, como lo está todo el género, pudo ser el resorte que lo empujó a buscar y aceptar lo nuevo y lo maravilloso que luego se destaca en el *Sumario*.

El criterio de la novedad aplicado a la Naturaleza produjo efectos totalmente diferentes que cuando se aplicaban a la cultura. Los retratos que Oviedo hace de la nueva flora y fauna están llenos de un entusiasmo hiperbólico o de una apreciación ecuánime. Describe los objetos de acuerdo con dos parámetros básicos, el estético y el práctico, procediendo analíticamente por partes sobre la superficie sensual de los fenómenos y usando un lenguaje que no es ni técnico ni teórico y es a veces lírico. Con descripciones casi románticas, Oviedo crea y da vida a viñetas sorprendentes recurriendo a anécdotas y apelando a los sentidos de la vista, el olfato, el oído, el gusto y el tacto. Por ejemplo en su descripción en miniatura de los «Leopardos» (¡que eran jaguares de verdad!), comienza comparándolos con lo conocido para finalizar con lo desconocido y sorprendente: «También hay leopardos en Tierra Firme, de la misma talla y apariencia de los que se ven aquí o en África, y son ágiles y fieros; pero ni éstos ni los leones han hecho daño hasta ahora a ningún cristiano, tampoco se comen a los indios, como sí hacen los tigres» (pág. 98). Como vemos aquí, cautivado por los nuevos fenómenos, Oviedo cae a veces en actos de credulidad benigna. La novedad despierta en él una fascinación no sólo con lo bello sino también con lo peligroso y grotesco: se glorifica en la diversidad de la naturaleza y en sus secretos escondidos.

La escritura que hace Oviedo sobre las novedades en los fenómenos naturales del Nuevo Mundo es, hasta un grado importante, una re-escritura, en el que se equilibran la erudición y el empirismo. Tal vez, como sugiere el reconocimiento que hace a este autor clásico en la introducción, Oviedo decide ser el Plinio del Nuevo Mundo, ya que se puede concebir que la *Historia natural* (siglo I d. C.) inspirase no sólo la taxonomía de los animales del *Sumario,* sino también su visión utilitaria de la ciencia, su sensualidad y su apreciación exuberante de la naturaleza. Algo parecido a un Libro de los Récords Mundiales, la *Historia natural* tanto se regocija en lo superlativo y en lo curioso como gravita hacia los extremos de los fenómenos humanos y naturales, al igual que el *Sumario*. Al mismo tiempo, Oviedo le da mucha importancia en la introducción a su propio conocimiento de primera mano de los materiales del *Sumario*, a los que atribuye el que su texto sea verdadero y único. Esta experiencia y experimentación resuenan insistentemente durante todas las descripciones naturales del *Sumario* mientras Oviedo las apoya con referencias a su «yo» que ha probado, presenciado, tocado, oído, etc., los múltiples fenómenos —lo que hace que el *Sumario* sea una autobiografía *de facto*. Poniendo de relieve su propia contribución, se opone a los antiguos, corrigiendo y modificando sus observaciones así como anotando aquellos fenómenos que son enteramente nuevos. La mezcla de empirismo y erudición permite a Oviedo ver más allá de los clásicos, una rejilla que, durante el Renacimiento permitía a la vez que impedía las nuevas percepciones científicas[6].

La comprensión de lo nuevo que tenían Oviedo y otros cronistas, parafraseando a J. H. Elliott, no progresaba de forma lineal, sino que implicaba «una serie de avances y retrocesos» *(El viejo mundo,* 14). Los aspectos prácticos o extrínsecos de la cultura amerindia —su comida, recolección de comida y su manera de vivir— suscitan la misma ecuanimidad apreciativa y las mismas técnicas descriptivas que encontramos en las descripciones de la naturaleza de Oviedo. El ojo aristocrático

[6] Ver el capítulo I de *El viejo mundo y el nuevo* de Elliott (Alianza, 1972) y Álvarez López («La historia natural en Fernández de Oviedo») para una discusión sobre este importante tema.

del autor le hace admirar, también, las manifestaciones de nobleza o pompa de los indios. Sin embargo, en el largo capítulo 10, «Los indios de Tierra Firme: sus costumbres y ceremonias» cuando dirige su atención hacia estos aspectos intrínsecos del mundo nativo, la percepción de lo nuevo por parte de Oviedo llega a ser una de rencor y sensacionalismo. A pesar de que, en general, mantiene un tono realista que apenas cuaja en la invectiva (como por ejemplo al describir a los indios de Urabá: «Y comen carne humana, y son abominables, sodomitas y crueles...», pág. 73). La selección que hace Oviedo de «nuevos» materiales traiciona su actitud de juicio hacia los indios a los que ve como «presos» de las garras del diablo (pág. 84). En el capítulo 10 y en otras partes del *Sumario,* Oviedo trata, con una cierta credulidad y a veces abierta condenación, el canibalismo, la adoración del diablo, las prácticas de los chamanes, los sacrificios, la homosexualidad, la sodomía, la poligamia, la violación, el nudismo, los abortos, los rituales de enterramiento, las prácticas guerreras, etc. A él en esta vena desafortunada debemos el primer retrato de las mujeres indígenas reales (en comparación con las míticas amazonas que describieron Colón y Pané) a las que pinta de forma grotesca como criaturas de sensualidad desaforada. Portador del código moral español, Oviedo codifica la cultura del Nuevo Mundo de acuerdo con su visión del mundo.

A pesar de que en gran medida el Viejo y el Nuevo Mundo son semejantes para Oviedo y Pané, la familiaridad de Oviedo con otros contextos reduce —aunque no hace desaparecer— su severidad al retratar a los indígenas. En un momento dado afirma que prácticas tales como sacrificios, supersticiones y adoraciones del diablo no son ni mucho menos únicas en los indios ya que eran comunes en los mundos paganos griegos, romanos y troyanos (pág. 82). Además, al contrario que otros cronistas, Oviedo creía que los indios formaban parte de la raza humana: «En algunos lugares son negros, en otras provincias son blancos, pero son todos hombres» (pág. 94). En el segundo libro de la *Historia,* Oviedo llegó a decir que las Indias eran las legendarias Hespérides, sobre las que, según él, España ya tenía posesión anteriormente. La condición de españoles y católicos en una vida anterior que toman pues los indios les otorga la cualidad de ser seres humanos y justifica a la vez el discurso moral de Oviedo.

Sin embargo ni esto ni el criterio de novedad de Oviedo explican su tendencia a contar historias transgresoras. La descarada lascivia del autor, su falta de decoro (al fin y al cabo, ésta es una *relación* dirigida al rey) y su escandaloso sensacionalismo no tienen parangón con ninguna obra contemporánea y sin duda van en contra de la incomodidad de Pané frente a su exótico material. Por otro lado podemos descubrir la actitud de Oviedo ya en las «etnografías» antiguas a las que él estaba acostumbrado. En su *Historia*, Oviedo no sólo cita a Plinio, sino también a San Isidoro y a Pedro Mejía. Estos autores españoles escribieron, como Plinio, obras de carácter popular propagando historias de las curiosidades, maravillas, monstruos y prácticas extrañas de lugares y gentes casi desconocidas (ver Hogden, *Early Anthropology in the Sixteenth and Seventeenth centuries* [*Primera antropología de los siglos XVI y XVII*], capítulos 1 y 2). Una vez más, cuando presenta su nuevo material, Oviedo sigue contando historias en cierto sentido antiguas.

Por otro lado, una explicación más amplia de su regocijo en información chocante y de su criterio de novedad, se encuentra en la dinámica de la relación en sí misma (él llama a su trabajo «sumario», «repertorio» o «relación», dependiendo del momento). Sabemos lo que Oviedo piensa respecto al estado de las almas de los indios; pero, ¿qué tiene que decir este supervisor de las fundiciones de oro en cuanto al oro? El autor dedica los tres últimos capítulos del *Sumario* a los preciosos productos de oro y perlas. Por primera vez, se ocupa directamente de las preocupaciones materiales de la Corona, con menciones hiperbólicas de las innumerables riquezas de las Indias. Al mismo tiempo, el autor muestra, de forma ostentosa, sus *conocimientos* con respecto a la minería, la navegación y la pesca de perlas, subrayando que ha sido contratado como consejero en muchas ocasiones (pág. 161-2). Oviedo, que no es un conquistador que pueda ofrecer a la Corona ningún botín material de su labor, hace que sus escritos e información privilegiada de todo tipo parezcan un bien material —su «oro» y su servicio. En la última frase del *Sumario,* concluye: «Como este material no tiene comparación, y es tan extraño, creo que mis vigilias, y el tiempo y esfuerzo que me ha costado ver y registrar estas cosas está bien empleado, y sobre todo si su Majestad se considera bien servido con este pequeño servicio...» (pág. 178). Con Oviedo el conocimiento se convierte en una unidad de cambio valiosa en la conquista de América, y su conquista es también una conquista intelectual.

Lo nuevo y lo clásico, la erudición y el empirismo, la palabra y la riqueza, todos unen fuerzas en el *Sumario* para «autorizar» a Oviedo, es decir, para dar autoridad a sus esfuerzos y para mostrarlo como autor. Oviedo llevaría a nuevas alturas y efectos esta doble «autorización» en la *Historia general y natural de las Indias*. En 1532, el mismo año que perdió la gobernanción de Cartagena a la que había aspirado, Oviedo fue nombrado Cronista Oficial por Carlos V. Podemos deducir que, al fallar en sus intentos de lograr una posición política, éste comenzó a buscar un reconocimiento y hasta un cierto poder como escritor. Por supuesto, en el prólogo de la *Historia*, enfatiza su «inclinación natural» (edición de Tudela Bueso, vol. 1, 4) a la escritura, jura «dedicar el resto de su vida» (1, 9) a hacer una crónica de cada esquina del mundo bajo su cargo como escritor y subraya los trabajos físicos y los peligros que ha tenido que superar para aprender. Los biógrafos de Oviedo sostienen que nunca cesó de presionar para lograr una posición política (ver Otté, «Aspiraciones y actividades heterogéneas de Gonzalo Fernández de Oviedo, cronista»). Hubiera o no un motivo oculto en su rechazo de recompensas, aquí habla como un escritor e intelectual que deja claro que las únicas recompensas a las que aspira son intangibles: la salvación de su alma, la «gracia» del Rey y «mi honor» (1, 12). Para Cortés y otros actores-cronistas, la «fama» abstracta (fama y buena reputación) tan preciada en la España del Siglo de Oro eran sólo productos secundarios de sus escritos. Para Oviedo, el escritor, la «fama» era aparentemente el primer objetivo. El magnificado sentido de autoría que hemos encontrado en Oviedo —que supone un nuevo desarrollo en la historiografía del Nuevo Mundo y que reflejaba una nueva relación con la Corona— daría forma a los rasgos más característicos de la *Historia* hacia los que nos volvemos ahora.

En el Prólogo y en partes sucesivas, Oviedo afirma encontrarse sobrecogido por la enormidad del material por tratar. Y es normal que lo estuviera, pues en la omnívora *Historia* Oviedo se propone la tarea de hacer una crónica del descubrimiento, la conquista, el asentamiento, la naturaleza y la cultura del Caribe, México, América Central *y* del Sur, desde que el Viejo Mundo descubrió su existencia hasta el presente. Oviedo, un escritor compulsivo, seguramente comenzó a construir la *Historia* en 1514 y continuó su composición, a la vez que otros proyectos, hasta su muerte en 1557. Como resultado, los cinco volúmenes de la edición de Tudela Bueso de los cincuenta libros de la *Historia* contiene más de 2.000 páginas. Tal vez debido a su longitud prohibitiva, sólo un cuarto de la obra se publicó en vida de Oviedo (la *Historia* se publicó por primera vez en su totalidad en 1851): en 1535, el Prólogo, los primeros diecinueve y parte de lo que sería el Libro Cincuenta se publicaron en Sevilla, y se publicó una segunda edición de este material en 1547. La versión de 1535 (que corresponden a los volúmenes 1 y 2 de la edición de Tudela Bueso, que es la que nosotros manejamos aquí) contiene, de forma alargada, todo el material del *Sumario,* y también las rutas de navegación y la historia española hasta entonces de La Española, Puerto Rico, Cuba, Tierra Firme y Jamaica; termina, como lo haría la *Historia* completa, con historias de naufragios. En la versión de 1535 encontramos, también, casi todos los rasgos definitorios de la *Historia* definitiva. Vamos a centrarnos en estos rasgos y a citar material de la obra completa que sea pertinente.

En vista de su actitud en lo que respecta al tema de la autoría, resulta curioso que tanto la forma de compilar la *Historia* como la estructura final del libro parezcan implicar una *falta* de dirección autoral de su parte. En Santo Domingo, Oviedo recibió de todos los actores principales y figuras políticas de la conquista los informes que la Corona había ordenado se le entregasen. Sus fuentes hacen de la *Historia* el repertorio de información más grande de los primeros años del Nuevo Mundo español. Según llegaban estos informes, Oviedo los incorporaba a la *Historia*. En general, ésta intenta seguir un diseño dual, geográfico y cronológico. Como si estuviera dibujando un mapa supremo, la obra enfoca un área, describe sus contornos geográficos y luego rellena el mapa con los fenómenos culturales y naturales así como con los hechos históricos que pertenecen a la región en orden cronológico. Pero Oviedo, tan arrebatado con sus fuentes, estropearía este diseño presentando relatos múltiples e incluso contradictorios del mismo hecho e interrumpiendo el orden cronológico para incorporar la información nueva que iba llegando. Un título de un capítulo como el siguiente da muestra de las predilecciones e incoherencias que han nublado la reputación de bien construida de la *Historia:* «De un caso nuevamente venido a noticia del auctor de estas historias e nueva materia y de admiración a cuantos la oyeren o supieren, acaescida pocos días ha» (1, 221).

El *modus operandi* de Oviedo, sin tomar en consideración sus predilecciones personales, recuerda al de los cronistas medievales cuya tarea era básicamente transcribir fuentes históricas. De hecho, Oviedo se describe a sí mismo como alguien que acumula y compila material. Aún así, trabajando de este modo, crea algunos papeles especiales para el cronista, y a pesar de la apariencia de desorden textual, controla su material de la siguiente forma. Primero, rara vez se limita a la mera transcripción de sus fuentes. En cambio, normalmente las revisa, sintetiza y reescribe: añadiendo juicios de valor personales y corrigiendo su información, tejiéndolos en una narrativa en tercera persona y muchas veces animando su prosa utilitaria con discursos inventados, caracterizaciones y matices psicológicos. Con Oviedo, dice Gerbi, el género de la crónica «que estaba renqueante en Europa, da un nuevo giro a la vida en las Indias y alcanza verdaderas 'alturas literarias'» *(La naturaleza en las Indias Nuevas: de Cristóbal Colón a Gonzalo Fernández de Oviedo*, Fondo de Cultura Económica, 1973). Segundo, asume la responsabilidad personal por la veracidad de sus fuentes, reivindicando los espacios entre sucesos y su descripción como su territorio. (De aquí las intervenciones editoriales que hemos comentado.) Tercero, trasforma su *Historia* en una especie de enciclopedia al unir por referencias cruzadas todo el material de forma elaborada. Y, por último, sabedor de las peculiaridades de su texto, propone una noción de la verdad que justifica las múltiples versiones de los eventos particulares que muchas veces ofrece. En el Libro 33, el autor dice que la verdad es la suma de perspectivas diversas. Puesto que cree que nadie, excepto Dios, tiene la llave de la verdad, sugiere con una metáfora interesante que los mortales, y la *Historia*, sólo pueden actuar como un juzgado que admite una serie de testimonios (IV, 224).

Otros historiadores nuestros se pararon a reflexionar sobre su tarea de escritores. Tanto Colón como Cortés tienen momentos de consciencia de sí mismos a nivel literario en los que se dicen incapaces de registrar la abundancia y la naturaleza extraordinaria del Nuevo Mundo. Oviedo lleva esta autoconsciencia literaria mucho más allá y ofrece una justificación teórica para la estructura y el material de su texto. En libro tras libro de la *Historia* reitera una idea típica del Renacimiento, la de que en la naturaleza, que es la creación de Dios, podemos leer Su firma; la contemplación de la naturaleza nos lleva a la contemplación de Dios. Oviedo traslada esta actitud renacentista española, adaptándola a los retos del Nuevo Mundo. Para él la vasta realidad inexplorada de las Indias supone un «*mare magnum*» lleno de secretos, es decir, con nuevos ejemplos de los poderes infinitos de Dios: «Los secretos de este gran mundo nuestro de las Indias siempre nos enseñarán cosas nuevas, tanto a nosotros como a aquellos que nos seguirán en esta contemplación y lectura deliciosa de los trabajos de Dios» (I, 224). El propósito tanto de la faceta general (la propiamente histórica) como de la natural de la *Historia,* como dice Oviedo en el Libro 32, es revelar estos secretos vírgenes. También la información autobiográfica que presenta Oviedo, mucho más completa que la del *Sumario,* está de acuerdo con la noción de secretos. Por ejemplo, introduce a su esposa en el Libro 6 diciendo que nunca escupía y que, de la noche a la mañana, su pelo se volvió blanco. En su explicación teológica, pues, encontramos la racionalización última del criterio de novedad. Además, el hecho de que los secretos se le vayan desvelando a su paso impredecible, justifica el que la información sea introducida de una manera muy fortuita en la *Historia,* el escrito en el que Oviedo lee los secretos del mundo. Por esta razón Oviedo compara su *Historia* con un banquete de platos sabrosos y variados (I, 218 *et passim).*

Tan delicioso es el banquete, tan cautivadores los «secretos» del texto, que Oviedo intenta con obra atraer a los lectores para que se alejen de lecturas más perniciosas. A pesar de que él fuese autor de una novela de caballería, más tarde en su vida experimentará un disgusto propio de Erasmo hacia este tipo de pasatiempo frívolo, denunciando las novelas como «tratados depravados», «totalmente faltos de verdad» (II, 312). Albergando unas ambiciones literarias considerables para la *Historia*, Oviedo la ofrece continuamente como sustituto de y opuesto correctivo a las novelas de caballería. Su *Historia* reemplaza las «vanidades fabulistas» de la novela de caballerías con las verdaderas maravillas del Nuevo Mundo que lleva al pensamiento de uno hacia Dios: «Cuanto más que son en sí estas cosas tan apartadas e nuevas, que no hay necesidad de ficciones para dar admiración a las gentes, ni para dejar de dar infinitas gracias al Maestro de la Natura» (II, 7).

Estas tendencias erasmistas en cuanto a lo didáctico y a lo moral, en combinación con el carácter enjuiciador propio de Oviedo determina el último pero más importante nuevo rol de la *Historia*. Hemos visto que Oviedo, Cronista Oficial, aparentemente no aspira a ninguna recompensa material. Su puesto le obliga, como dice el mismo Oviedo, a permanecer fiel sólo a «la pureza y el valor de la verdad» (I, clxvi). Libre para decir la verdad, de hecho obligado a hacerlo profesional y moralmente, Oviedo se representa como crítico muy severo de la conquista, haciendo de la *Historia* un amplio fórum para el castigo verbal de cualquier tipo de inmoralidad.

Es importante recalcar que, en la *Historia,* Oviedo somete a nuestra mirada los pecados de los españoles así como los que considera propios de los indios paganos, haciendo de su trabajo una especie de historia universal de la infamia. (Debemos añadir que se dan alabanzas cuando Oviedo las cree debidas, pero este no es el caso normalmente). De hecho, una gran parte de la historia general gira en torno a los tópicos que Oviedo en un momento define como «hechos horribles, diabólicos y feos, combinados con los engaños y supercherías y deslealtad de algunos hombres que han venido aquí...» (II, 40). Para Oviedo, el Nuevo Mundo es una «casa de la discordia» (II, 408) y su *Historia* está llena de historias de ambiciones presuntuosas, abusos de poder y renuncia de honores. Ni los conquistadores ni los curas escapan a su condena. El oro y las almas se encuentran a la misma altura cuando Oviedo se lamenta por su pérdida —y denuncia a los curas codiciosos que descuidan sus obligaciones religiosas para ganar riquezas. La posición de Oviedo como Supervisor de las Fundiciones le facilita una ventana al mundo de la avaricia española, contra la que arremete repetidamente, por ejemplo: «La avaricia de los hombres los dispone para cualquier tipo de trabajos, repugnancias y peligros» (II, 144). Curiosamente en estos momentos el tono vehemente, la postura moral y la crítica constante contra los españoles, hacen que la voz de Oviedo y la de su adversario pro-indigena, Bartolomé de las Casas, sean casi indistinguibles.

Probablemente, la comparación más rica, poniendo de relieve características fundamentales de las dos obras, es la que se puede hacer entre la *Historia* de Oviedo y las *Décadas del Nuevo Mundo,* de Pedro Mártir de Anglería (1457-1526). Sus circunstancias y metodología guardan semejanzas muy interesantes. Mártir, un milanés ducho en el humanismo italiano, pasó muchos años en la Corte española de Fernando e Isabel como confesor de la reina y cronista de las Indias *de facto*. A pesar de que nunca puso un pie en las Indias (razón por la cual prestamos menos atención a sus obras en este ensayo), Mártir reunió celosamente toda la información que pudo sobre el Nuevo Mundo, leyendo reportajes y entrevistando a los participantes de primera mano. Entre 1493 y 1525 escribió toda esta información en cartas en latín que se publicaron en fascículos como las *Décadas* y que se reunieron con el tiempo en el volumen *De orbe novo*. Como Oviedo y con el mismo desorden, transcribía la información según la recibía, encantado con cada nuevo trozo («¿Qué manjar más delicioso que estas nuevas podía presentarse a un claro entendimiento?», pág. X) y con un entusiasmo especial hacia las novedades del Nuevo Mundo.

En una carta a la Corona escrita desde Santo Domingo, Oviedo hace del saber su moneda, su arma moral y su poder en la conquista del Nuevo Mundo. Mártir, en gran parte alejado de las disputas, escribe una historia desde el punto de vista de un intelectual desvinculado, consiguiendo reconocimiento gracias a su sofisticada formación cultural. Las *Décadas,* pues, no tienen la conciencia de sí tan agresiva que caracteriza a la *Historia* en varios aspectos. Los juicios tenaces, las venganzas, la autobiografía y la teorización de la historia se sitúan en un discreto segundo plano en la adaptación de la información que hace el sereno Mártir en términos humanísticos. Porque, como veíamos en su interpretación de la relación de Pané, Mártir ve el Nuevo Mundo como una reencarnación de la edad de oro de los mitos clásicos como el mundo pastoral y utópico resucitado. Desde esta perspectiva aborda las cuestiones espinosas de los eventos del Nuevo Mundo, de modo que prefiere concentrarse con olímpica transcendencia en los temas «deliciosos y geniales» (pág. 319) que, como veremos, teje con muy buen resultado literario. Dedicado al placer de los lectores, que depende tanto de su pulido estilo como de la novedad del material, Mártir escribe con el único propósito de proporcionar placer: «Difícilmente podría yo adornar algo tan elegantemente... Porque nunca cogí una pluma para escribir como un historiador sino sólo para dar placer» (pág. 7). Así, donde Oviedo usa su información para un número variado de fines, Mártir considera como objetivos suficientes la sensibilidad humanística y el celo por el conocimiento en sí mismos.

Las *Décadas* son un magnífico ejemplo de la estética literaria humanista del Viejo Mundo. Mártir une una amplia variedad de instrumentos retóricos, verbos intensos, adjetivos, imágenes y superlativos al igual que ejemplos de mitos e historia clásica, con la intención de dar a la historia el sabor de un cuento. Con un admirable instinto y unas frases equilibradas, dramatiza sus narraciones —extrapolando detalles, redondeando a los personajes y presentando retratos idealizados de la exuberancia del paisaje del Nuevo Mundo que a veces recuerdan a Colón. Su estilo es contenido y elegante pero emotivo, colorista y vital.

A pesar de las tendencias humanistas que se desplegaban en el *Sumario,* y tal vez dejando ver una cierta «ansia de influencia», Oviedo objeta a los escritos de su colega cronista. Despotrica contra Mártir e historiadores similares que escriben con un estilo ornamentado y artificial, sin conocimiento directo de su objeto. El Nuevo Mundo, y, en particular la «casa de la discordia», requerían otra estética. Como nos dice Oviedo haciendo referencia a la *Historia*, sería un estilo simple con un giro moralista: la gente común y no educada encontraría en sus líneas «ejemplos suficientes para el castigo y corrección de sus vidas» (III, 364). Cuando Oviedo da forma al material histórico virgen y lo convierte en un relato, tienden a ser historias ejemplares muchas veces rematadas de aforismos moralizantes, no como las de Mártir. Además, como se puede deducir de la *Historia*, la narrativa del Nuevo Mundo desde dentro da lugar a anécdotas locales, detalles y hasta en cierta medida algo de sarcasmo y humor negro. Totalmente unido a su material y sin ninguna perspectiva trascendente, las historiografías del Nuevo Mundo como la *Historia* mostraban lo que pasa realmente cuando los elementos de las novelas de caballerías se encuentran con la realidad. Sin duda, el regodeo en lo «barroco, anecdótico y mínimo» (Salas, *Tres cronistas de Indias*, 103), por lo que la *Historia* ha sido duramente criticada, permanecería en trabajos tales como la *Historia verdadera de la conquista de la Nueva España,* de Bernal Díaz del Castillo (alrededor de 1568), y *El carnero* (1636-1638), de Juan Rodríguez Freyle, y se ha convertido en una característica definitoria de la narrativa colonial.

ALVAR NÚÑEZ CABEZA DE VACA: «NAUFRAGIOS» (1542)

En 1527, Alvar Núñez (1490?-1559?) embarcó como diputado y tesorero de la expedición de seiscientos hombres liderada por Pánfilo de Narváez con órdenes de explorar y conquistar la Florida. Una serie de naufragios catastróficos dejaron a Núñez como capitán en tierra de unas fuerzas muy reducidas y lo condenaron a ocho años de peregrinaje a través del Sudoeste de Norteamérica desde Texas a California y finalmente a México, donde su compañía se unió a otros españoles. Sólo cuatro hombres salieron con vida de este naufragio en territorios indígenas. Alvar Núñez contaría su historia y la de estos hombres en una relación para la Corona escrita después de 1537, publicada en 1542 y titulada posteriormente con acierto *Naufragios* [*Relación de Núñez Cabeza de Vaca*]. Desde Homero hasta la novela bizantina y más allá, los naufragios poseen una rica historia literaria y están cargados de posibilidades simbólicas de renacimiento del individuo y recreación de la sociedad. La historiografía del Nuevo Mundo también capitalizó el atractivo especial de los naufragios. Cuando Oviedo presenta la *Relación* de Núñez en el Libro XXXIII de la *Historia,* la enmarcó en un halo de historia moral. En su versión los españoles comienzan a vagar como expiación por la avaricia de su jefe Narváez, y los «peregrinos» son luego rescatados por Dios, que les da poderes curativos milagrosos. (Encontramos alegorías similares en las historias de naufragios del Libro Cincuenta de la *Historia,* anteriormente mencionado.) Cuando Núñez cuenta su historia del naufragio y del nuevo nacimiento a la vida indígena, le da no sólo dimensiones morales sino también dimensiones humanas y literarias exaltadas. Los *Naufragios* de Núñez es uno de las obras más ricas de la primera narrativa colonial y la que ha recibido el tratamiento crítico más digno[7]. Aquí la historia del naufragio une fuerzas con el retrato auténtico de la vida de los indios del Nuevo Mundo y con la relación de una expedición fallida, que resultó en una obra multifacética de cuyos aspectos nos ocuparemos uno a uno.

En la historia de héroes característica de la conquista española, como ya hemos visto en Cortés y hasta cierto punto en Colón (y más tarde en Bernal Díaz y Francisco López de Gómara), el conquistador llega a un nuevo lugar, lo conquista e impone la cultura de su sociedad de origen en el territorio dominado. Con Núñez somos testigos no sólo del naufragio de los conquistadores sino también de todo el proyecto de colonización. Al ser conquistado por los indios —porque le sobrepasan en poder y se ve atraído a conocerles más a fondo— en el conquistador se lleva a cabo una transformación espiritual y la historia de héroes sufre importantes inversiones. La primera etapa de este drama en desarrollo, después de sus primeros naufragios, encuentra a los españoles intentando sobrevivir en Florida a través del conocido método de capturar indios y sobornarlos con chucherías. Su naufragio definitivo en la península a la que llaman Isla de Mal Hado (cerca de Galveston, Texas) entraña sin embargo una muerte y una resurrección simbólicas. «Desnudos como habíamos venido al mundo y habiendo perdido todo lo que poseíamos», escribe Núñez, «éramos la viva imagen de la muerte» (pág. 72). Como los indios descritos por Colón, desnudos figurativa y literalmente, se habían convertido en sujetos preparados para empezar el aprendizaje sobre otra cultura que

[7] El considerable interés etnográfico, ideológico y literario de los *Naufragios* ha sido objeto de mucha atención crítica sofisticada. Como el texto ejemplifica muy bien las premisas de este estudio ha sido discutido muchas veces en términos semejantes a los nuestros. Nuestra discusión, por lo tanto se apoya mucho, y por ello lo agradecemos, en los estudios de Lagmanovich («Los *Naufragios*... como construcción narrativa»), Lewis («Los *Naufragios* de Alvar Núñez»), Molloy («Alteridad y reconocimiento en los *Naufragios»)* y Pupo-Walker *(La Vocación Literaria,* «Pesquisas» y «Notas») como también en Carreño *(«Naufragios»),* Invernizzi («Naufragios e infortunios»), Lafaye («Les miracles») y mis propios artículos sobre el tema («Historia y escritura», *Ariadne's Thread).* Estos estudios recientes coinciden entre sí y se construyen uno sobre otro en un diálogo productivo. Por esta razón y para evitar cargar nuestro ensayo, no hemos citado las fuentes en muchos casos —y pedimos disculpa a los autores por ello.

comenzará poco después. Parece que los indios que los encontraron en este penoso estado se echaron a llorar por ver a los españoles tan cambiados, pero aun así les hicieron a sus cautivos trabajar de forma brutal. Al igual que Cortés pero con unas intenciones distintas, Núñez se da cuenta pronto de que las tribus están en guerra y se convierte en negociante que circula entre las dos partes en conflicto, asegurándose así la libertad de movimiento y eludiendo la esclavitud. Pero el paso siguiente en esta batalla picaresca contra el hambre le vuelve a convertir en esclavo, del indio de un solo ojo y su familia que tienen a otro español cautivo. Aquí Núñez aprende a comer *tunas* (una especie de peras espinosas) que son la base de la alimentación de los indios y el centro de su existencia.

El objetivo de la expedición de Núñez no era ya ni la conquista ni el descubrimiento sino más bien la pura supervivencia y regreso a casa. Para ello él y sus compañeros se escapan de la Isla del Mal Hado y de sus recolectores de *tunas,* que han mostrado un sadismo con los extranjeros sólo comparable con el que tenían algunos españoles con los indios. En este punto crucial, seis años después de su naufragio, cuando los españoles se guían sólo por sus propios designios, recurren a una forma híbrida de curación a través de la fe. Los indios de la isla de Mal Hado los habían obligado antes a curar amenazándolos con no darles de comer; los españoles accedieron de mal grado, y realizaron una ceremonia en la que mezclaban elementos de los rituales indígenas que habían visto con prácticas de la misa cristiana. Núñez escribe que desde entonces tenían fama de curanderos y que esto les serviría de pasaporte para salir de la esclavitud y las penurias. Mientras el pequeño grupo de españoles viaja de tribu en tribu, «con la ayuda de Dios» realizan curas cada vez más milagrosas para más y más indios. Curiosamente, consiguen así, a través de la adaptación de una ceremonia indígena, lo que son los pilares de su propia civilización: carne cocinada y un hogar. Su reputación y los poderes que se les atribuyen crecen, haciendo que les sigan tres o cuatro mil indios. Al encontrar un lugar en el mundo indígena y al no tener que luchar por la supervivencia, Núñez comienza a apreciar intelectualmente esta cultura. Las más y más detalladas descripciones etnográficas sobre cada tribu que estudia en los *Naufragios,* son una muestra de la agudeza de sus percepciones.

Cuando están en lo más alto de sus triunfos, los españoles reciben noticias de la presencia de otros «cristianos» —una campana de cobre hecha de una forma diferente a la indígena. Al comienzo, Núñez había dicho que el oro era «lo único que valoramos» (pág. 48); ahora aprecian los metales como algo que tiene menor valor material y son más bien un signo de civilización. A principios de su regreso al mundo español, no es oro sino almas que Núñez valora más. En los últimos cinco capítulos, las curas dan paso a la predicación explícita a los indios que antes se habían horrorizado ante la violencia de otros españoles (en ese momento Núñez ya habla seis lenguas indígenas). Y, al contrario que todos los esfuerzos para lograr la conversión que hemos visto hasta ahora en la mayoría de los textos, los de Núñez dan sus frutos —porque ya los indios obedecen rápidamente a los españoles que se han ganado esa «autoridad» en el Nuevo Mundo con sus acciones beneficiosas. Sin embargo, los frutos más grandes de las experiencias de Núñez surgen en su dramático retorno al mundo español. Mientras los primeros españoles con los que se encuentra se admiran de su apariencia indígena («estaban muy asustados de verme tan extrañamente vestido y en compañía de indios», pág. 130), el mismo Núñez se ha horrorizado ante las crueldades hechas por los españoles a los indios. «El conquistador «conquistado» comienza ahora a predicar entre *los suyos* en beneficio de los indios, usando sus logros para pedir, como hizo Bartolomé de las Casas, la justicia en el tratamiento y la conversión no violenta de los indígenas.

Otras ironías más agudas subrayan el carácter tan distinto del relato de Núñez y sus experiencias si se comparan con cualquiera de las experiencias bajo nuestro análisis. En los *Naufragios* no se menciona el canibalismo de los indios. Sólo los españoles (no los hombres de Núñez ni él) recurren al canibalismo en su esfuerzo por sobrevivir. Según se informa, los indios se escandalizan de su comportamiento. Tampoco ve Núñez nada de diabólico en las prácticas religiosas de los indios. El único «diablo» que aparece en sus textos es «Mala Cosa». Un doble demoniaco de Núñez y sus hombres, este curandero barbudo legendario curaba a los indios a través de técnicas terroríficamente violentas. En los *Naufragios* resurge otra leyenda, la de los españoles como «Hijos del Sol», en un contexto inesperado. Los nativos que acompañan a los españoles mientras estos ejercen sus poderes curativos comienzan a demandar a sus semejantes indios una contrapartida a cambio de los servicios de los extranjeros, y en efecto a robarles y saquearles. «Y para consolarlos», escribe Núñez, «los indios les decían que éramos los hijos del sol» (pág. 114). Por primera vez los españoles niegan su divinidad, denunciando que este título es una mentira que sus compañeros de viaje han ideado para lograr ganancias propias. Podemos intuir a partir de esto que un desarrollo secundario insólito está relacionado con las curas que describe Núñez. Cuando los indios curados regalan sus posesiones de buen grado, obedeciendo a la descripción de Colón, los españoles rechazan cualquier ganancia material más allá de la necesaria para sobrevivir. Son los empresariales indios, reasumiendo algunos de los peores aspectos de la conquista, los que aterran y saquean.

Por último, queremos subrayar lo irónico que resulta el hecho de que al dejar atrás su propia civilización, los españoles supuestamente fuesen capaces de realizar sus valores más puros, a salvo de la codicia y la inmoralidad que eran endémicas en la conquista. En uno de los últimos capítulos, Núñez hace que los indios ofrezcan un extraordinario panegírico sobre la «diferencia» de los españoles amigos, cuando los nativos que le siguen establecen una comparación entre los españoles que conocen y los que temen. (Los indios a los que escucha a hurtadillas Núñez mantienen que) «hemos curado a los enfermos y los otros mataron a los sanos; y que nosotros estamos desnudos y descalzos mientras que ellos van vestidos, con caballos y lanzas; y que no hemos hurtado nada... Mientras que los otros deseaban robar todo lo que encontraban...» (pág. 132). Lo que este «nosotros» en su pureza ha conseguido está cerca del estado milenario imaginado por los franciscanos para el Nuevo Mundo. Núñez deja a los indios construyendo iglesias y transformados, se podría concluir, en mejores cristianos que los españoles que los esclavizarían.

Subrayando así su fama y éxito en el Nuevo Mundo, Núñez hace ver que lo que realmente tiene en mente es conseguir la fama y el éxito en la Corte española. Los comentarios de Núñez en el prólogo revelan que el autor espera que su relación compense el fracaso de la expedición naufragada. O bien la fortuna, o Dios, explica a modo de disculpa, tono característico del prólogo, pueden frustrar los «deseos y voluntades» de servir de un individuo. Al comienzo de la expedición, Núñez había pensado que sus «trabajos y servicios» hablarían por él de tal forma que «yo no tendría necesidad de hablar para que contasen conmigo»[8] entre los que prestaban servicio a Carlos V. En vez de ello, sólo puede ofrecer este relato de sus desgraciadas aventuras, «que ruego sea recibido en lugar de mi servicio, porque es lo único que pudo traer consigo un hombre que regresó desnudo» (citado en Pastor, *Discurso,* 292). Al igual que en el caso de Oviedo pero ahora bajo circunstancias más calamitosas, en lugar de acciones heroicas y botines materiales, la relación se convierte en la forma básica de servicio.

Esta relación, un acto de servicio en sí misma, también presenta argumentos convincentes para otros servicios que Núñez ha prestado a la Corona en el Nuevo Mundo. El lector cauteloso podrá distinguir en los *Naufragios* tres registros diferentes —tres unidades de estilo y contenido— que hablan cada una de servicios meritorios diferentes. El primer registro corresponde a la fase trágica, la de los naufragios en sí y las miserias que ocasionaron. Aquí encontramos que Núñez asume un papel evidentemente no heroico que hace más dramático el entorno hostil, los sufrimientos y las desgracias de que fueron víctimas. Un clima de mal agüero (en Florida encuentran las tumbas de varios comerciantes castellanos) y un punto de vista miedoso («después de media hora vinieron otros cien indios arqueros y, sin importar su talla, nuestro miedo los hizo parecer gigantes», pág. 71) son característicos de esta sección. Núñez enumera repetidamente largas listas de los obstáculos que se les presentaban. De modo análogo también hace gran uso de la *brevitatis formula* en esta primera sección, una construcción retórica que sirve aquí para intensificar lo que reduce: «No me explayaré ya que cualquiera puede imaginar lo que puede pasar en una tierra tan extraña y diabólica, a la que tanto falta cualquier tipo de descanso...» (pág. 32). Además, como ya hemos visto, en los momentos cruciales y para dar más efecto, Núñez cambia de perspectiva narrativa para detallar la reacción de los *indios* al verlos en aquel estado *menguado*. Todas estas maneras de acentuar las durezas que han sufrido, hacen que parezca que el sufrimiento es una forma de servicio en sí misma merecedora de una recompensa.

[8] Citamos los fragmentos importantes acotados en español por Lewis («Los *Naufragios»)* y Pastor *(Discurso).* Enrique Pupo-Walker estaba preparando la primera edición crítica de los *Naufragios* (Madrid, Castalia, 1992), sin embargo aún no estaba terminada cuando yo escribí este ensayo.

En el prólogo, Núñez promete dar a Su Majestad «todo (...) [lo] que un hombre que salió desnudo pudo sacar consigo». Sus experiencias en el Nuevo Mundo han transformado al autor, hombre de armas, en un hombre de letras cuyo relato puede servir de guía para los futuros viajeros: «He deseado contar esto para que... aquellos que vengan aquí estén al corriente de sus costumbres [las de los indios]» (pág. 106-7). El segundo registro se encuentra en las extensas secciones dedicadas a la observación etnográfica intercalada en la narración de su vida entre los indios tras el naufragio. Como Oviedo, Núñez se centra en las «costumbres extrañas» (pág. 80) del mundo indio, pero sus relatos carecen en general de los prejuicios eurocéntricos presentes en casi toda la primera etnografía del Nuevo Mundo. Al contrario que Pané y Oviedo, en su texto figuran pocas comparaciones con su propio mundo u otras culturas, ya sean estas implícitas o explícitas. Esto no es una perspectiva cerrada: no ve el mundo indio tanto como una cultura bárbara sino como una civilización de derecho propio cuyas costumbres ha de transmitir.

Los críticos no han dejado de darse cuenta de que, mientras que en los primeros diecinueve capítulos de los *Naufragios* abarcan seis años de sus experiencias, los siguientes diecinueve (que comienzan con el trabajo a tiempo completo de los españoles como curanderos) engloban sólo dos. Esta fase privilegiada y triunfante de las experiencias de Núñez, nuestro tercer registro, contiene las características más enigmáticas del texto. En la detalladamente trabajada sección final encontramos un paisaje de eventos milagrosos y portentos lleno de matices hagiográficos y literarios. Con las resurrecciones de los muertos que lleva a cabo Núñez y la profecía del «Mora de los Hornachos» de que la expedición fracasaría y de que Dios haría milagros en cada persona que sobreviviese y en efecto la haría rica), el autor crea un clima imaginativo que hace que lo sobrenatural se convierta en natural y previsible. Como Núñez escribe en el prólogo: el lector encontrará en su texto «algunas cosas muy nuevas, y para algunos muy difíciles de creer, pueden sin duda creerlas». A pesar de que lo asegure, la realidad de estos sucesos increíbles continúa en suspenso; sin embargo la *función* de estos elementos en el texto es incuestionable. Porque, como ya hizo para Cortés, el retrato de sus infortunios como determinados por un Dios que hacía milagros a favor de los españoles, sirve directamente a los intereses exculpatorios de Núñez. El tercer registro transforma la fallida expedición en un triunfo espiritual, otro tipo de historia de héroes, culminando con los sermones que Núñez transcribe a través del discurso indirecto en los últimos capítulos del texto y en sus triunfos evangelizadores.

La utilización que hace Núñez de las alusiones bíblicas y los tonos hagiográficos en esta fase, merece una atención especial. Al narrar las milagrosas curas que ha llevado a cabo, el autor hace gala de cierta delicadeza al cuidarse de atribuirlas a Dios. Un incidente simbólico al comienzo de su carrera como curandero (cap. 21) puede hacer que Núñez aparezca como tocado por la mano de Dios: desnudo y perdido en la selva encuentra un arbusto en llamas cuyo calor lo mantiene con vida durante cinco días. En el siguiente capítulo encontramos a Núñez resucitando a los muertos y situado en la posición de curandero mayor. Durante esos cinco días en la selva, Núñez no comió nada supuestamente, y la sangre manaba de sus pies descalzos. Momentos de martirio similares le son impuestos por las circunstancias, y el tono emotivo de la fase trágica anterior toma tintes de santidad heroica: «Encontrándome en estas circunstancias cansadas no tuve más remedio ni consuelo que pensar en la Pasión de nuestro salvador Jesucristo y en la sangre que derramó por mí...» (págs. 101-2). Más tarde, ya acompañados de una multitud de indios que «creían que veníamos del cielo» (pág. 124) y ya en ruta hacia el mundo español, los españoles apenas comen ni duermen, impulsados por un ascetismo que parecen haber adquirido para crear ejemplo entre sus seguidores. Aunque los españoles parecen determinar su propio destino, al final del texto Núñez dice que toda la aventura había sido decidida de antemano. Como ya hemos mencionado, el autor recurre a la profecía —un método usado en la hagiografía, por las novelas bizantinas y en otras historias de naufragios— para situar a su expedición en un marco circular de providencia: «Y todo en nuestro viaje ocurrió como ella predijo» (pág. 141).

El martirio es sólo una de las formas en las que Núñez se describe a sí mismo. El autor crea un rol positivo para sí mismo en cada fase de su drama de tres actos. Con la esperanza de que lo premien con la gobernación de Florida (que, aunque él no lo supiera, ya había sido otorgada a Hernando de Soto), Núñez no pierde una oportunidad para presentar sus acciones bajo una luz favorable. Al principio se contrasta insistentemente con Narváez, criticando la ineptitud cobarde del líder y tomando el mando de la nave y de la expedición cuando Narváez desaparece. Luego, en el segundo modo, subraya su papel de escritor, presentador elegido para transmitir información etnográfica. En todo la obra, y cada vez más en el tercer modo, Núñez centra su narración en sí mismo y sus éxitos heroicos como el curador más importante, el líder de la expedición que regresa al mundo español, y como intermediario a favor de los indios. Es esta heroica imagen de Núñez (más que en la otra de antihéroe picaresco, otra posible lectura de la obra) la que ha sido consagrada con los años por los lectores de los *Naufragios* —prueba de la eficacia del autorretrato de Núñez (Lewis, «Los *Naufragios»,* 688-9). Y, como podemos suponer, su transformación efectiva de antihéroe en héroe de muchas dimensiones, por un lado, y del naufragio en relato heroico, por otro, le hicieron merecedor de la gobernación de Río de la Plata que le concedió Carlos V poco después de que presentara esta relación.

BARTOLOMÉ DE LAS CASAS, «BREVÍSIMA RELACIÓN DE LA DESTRUCCIÓN DE LAS INDIAS» (1542)

Hemos visto cómo Oviedo y Núñez, que escribieron a partir de su experiencia personal, llevaron los escritos de las Indias a un nuevo plano crítico de la conquista. En España la cuestión de las Indias y de los derechos de los indios en particular, se hizo también más urgente en varios frentes. En el momento en el que Núñez y Oviedo estaban escribiendo, las primeras leyes sobre los indios (las *Leyes de Burgos,* 1512) se promulgaron causando poco efecto; el supervisor Consejo de las Indias se formó (1524), y se promulgaron edictos reales y papales para proteger los derechos de los indios. Además, con la llegada del renacimiento jurídico y teológico en la década de 1520 a 1530 gracias a los esfuerzos de la llamada Escuela de Salamanca, el debate sobre los indios había tomado dimensiones filosóficas. En sus famosas conferencias en la Universidad de Salamanca desde 1529 a 1546, Francisco de Vitoria sostuvo que los indios debían ser considerados seres racionales con derecho de domino sobre sus tierras (ver Pagden, *The Fall of Natural Man* [*La caída del hombre natural*], cap. 4). En 1542, exactamente cincuenta años y un mes después del desembarco de Colón, el debate llegó a un punto álgido cuando la Corona promulgó las Nuevas Leyes que abolían la Encomienda —las reformas más profundas de la política española sobre las Indias que se propusieron durante todo el periodo colonial.

El fraile dominico Bartolomé de las Casas (1474-1557) tuvo un papel central en este drama. Desde 1514 se había dedicado resueltamente a defender los derechos de los indios a sus tierras y las medidas de conversión pacífica. En el Nuevo Mundo había intentado, sin éxito, llevar a cabo sus teorías; cuando sus esfuerzos fallaron volvió a la escritura y escribió varios tratados para el Consejo de Indias abogando por los derechos de la población nativa, siguiendo las líneas de razonamiento propuestas por la Escuela de Salamanca. Después de haber sido citado para dirigirse al Consejo de Indias que entonces consideraba las Nuevas Leyes, Carlos V pidió a Las Casas que presentara por escrito un resumen de su posición al respecto. El resultado fue la *Brevísima,* compuesta para la Corona en 1542 para promover las Nuevas Leyes que sus ideas había ayudado a formular, y que fue publicada previa actualización diez años después.

Esta denuncia monolítica de la destrucción española de las Indias habla en muchas lenguas para promover su causa. Un memorial de agravios sin pausa, la *Brevísima* presenta pruebas, generales y particulares, del daño que han causado los españoles. Su andamiaje superficial es el de una historia que examina cronológica y sistemáticamente el diezmamiento de cada territorio conocido del Nuevo Mundo. Con algo de anti-historia también, la *Brevísima* detalla desde un punto de vista global la historia que Núñez —filtrada a través del prisma de sus propias experiencias y objetivos— había comenzado a contar, es decir, la historia no de las Indias sino de los indios bajo cincuenta años de dominación española. Así, la *Brevísima vuelve a* contar, entre otras, las historias que contaron Colón, Pané y Cortés, rellenando los espacios que ellos con frecuencia dejaron vacíos, como medida estratégica. (Cuando, por ejemplo, Las Casas vuelve a narrar las primeras etapas de la conquista de México, se centra sólo en la masacre de los Cholulanos, el encarcelamiento de Moctezuma y la masacre de los aztecas por Alvarado). La *Brevísima* defiende el caso de los indios desde un punto de vista *filosófico* y demuestra que las acciones españolas han violado las leyes divinas, humanas y naturales. Las Casas añade información *autobiográfica,* testimonios personales respaldados por la integridad de su «yo», apoyando las peticiones de la *Brevísima.* Además, como el título indica, la *Brevísima* es una *relación* urgiendo a la Corona para que apoye la reforma ya que si no arriesga la perdición moral de España. La urgencia de estas peticiones estaba renovada con más fuerza en 1552 ya que los colonos en oposición violenta a las Nuevas Leyes habían hecho que estas fuesen revocadas en gran parte en 1545.

De nuestro «muy breve» resumen el lector puede deducir las características que definen a la *Brevísima* encima de y contraria a los textos de su periodo. A saber: que con la petición y persuasión más urgente y hablando desde un punto de vista retrospectivo, Las Casas desarrolla una nueva y muy efectiva forma de escribir historia. En efecto, se enfrenta explícitamente con aquellos que «piensan y dicen y *escriben* que las victorias que han conseguido maltratando a los indios han sido por la gracia de Dios porque sus guerras diabólicas eran justas» (pág. 125, cursiva añadida). Para mostrar la mentira de estos escritos, la argumentación de Las Casas subvierte categórica e irónicamente las premisas de esta putativa conquista evangélica, desmitificando la empresa española. Según Las Casas: los conquistadores españoles, supuestos creadores de la Palabra, han convertido las paradisiacas Indias en un infierno; los españoles no han hecho ni un acto bueno y los indios no han cometido ninguna ofensa; si existe una guerra justa esta es la de los indios intrínsecamente santos contra los «civilizados» españoles, cuyas acciones les revelan totalmente vacíos de razón; el servicio a la Corona, bajo estas circunstancias, supone un deservicio hacia Dios; etc. Al contrario que las de Núñez, las ironías de los argumentos de Las Casas vuelven del revés conscientemente —más que por defecto— las premisas del cuento heroico. Además, al haber leído los primeros escritos de Colón (cf. pág. 85), Las Casas revela lo que ha sucedido con algunas de sus afirmaciones más importantes. Los indios tratables e inocentes idealizados por Colón, retratados por Las Casas en los mismos términos exactamente, se ven forzados a convertirse en héroes trágicos que en vano resisten la brutalidad de los diabólicos españoles. Y Dios, que una vez estuvo en el lado de los conquistadores piadosos, ahora ayuda a la resistencia de los indios. Los indios del *Diario* «dan como brutos», los de la *Brevísima,* en una metáfora consciente, son tratados como bestias. Los nativos desilusionados entienden ahora claramente que los españoles no han «venido del cielo» —excepto si es el oro el que se sienta en el trono celestial. En donde Colón insiste en su incapacidad para expresar en palabras la realidad lo nuevo, reiterando que «esto hay que verlo para creerlo», Las Casas repite sólo que ver es *no creer* las atrocidades que se han cometido, «no hay palabras humanas, ni noticias ni esfuerzos suficientes para dar fe de las acciones tan chocantes...» (pág. 105). Como vemos, Las Casas usa el lenguaje del descubrimiento para narrar la destrucción de las Indias.

Oviedo y Núñez hacen de la escritura su forma de servicio y un sustituto de los bienes materiales; con Las Casas la escritura es en sí misma una forma de acción. Y cuando las palabras de la *Brevísima* actúan, lo hacen vigorosamente, por una vez sin ninguna estrategia escondida ni dobles intenciones. Su estilo mordaz, una retórica total de la denuncia, no se para ante nada en su esfuerzo de convencer. Un par de extractos del prólogo ilustran las características consistentes que desarrolla el sistema estilístico de Las Casas: «Todas estas universas e infinitas gentes a *toto genero* crió Dios las más simples, sin maldades ni dobleces, obedientísimas, fidelísimas a sus señores naturales y a los cristianos a quien sirven» (pág. 71); «En estas ovejas mansas y de las calidades susodichas por su hacedor y criador así dotadas, entraron los españoles desde luego que las conocieron como lobos y tigres y leones cruelísimos de muchos días hambrientos. Y otra cosa no han hecho de cuarenta años a esta parte, hasta hoy, y hoy en este día lo hacen, sino despedazallas, matallas, angustiallas, afligillas, atormentallas y destruillas...» (págs. 72-3). Los razonamientos de Las Casas se desarrollan a través de extremos totalizantes *(todos* estos indios inocentes, los españoles *sólo* han traído destrucción) y antítesis maníqueas (indios inocentes, españoles crueles) ampliadas por la imagen bíblica, repetida más de veinte veces en el texto, de corderos dóciles enfrentados a tigres y lobos crueles. El uso de construcciones anafóricas, cadenas de adjetivos o verbos sinónimos, superlativos, hipérboles y, en otros momentos, exclamaciones intensamente emotivas, hacen que el estilo de Las Casas se haga abrumadoramente enfático. Esta misma cualidad insistente caracteriza la estructura de la obra. La exposición de Las Casas demuestra formulariamente cómo han sucedido los mismos eventos lugar tras lugar. Cada sección dedicada a cada territorio muestra un patrón general idéntico (cuya primera parte es una vez más parecida a la del *Diario* de Colón): la tierra es un *locus amoenus* paradisíaco lleno de gentes, los españoles son recibidos generosamente a su llegada, proceden a quebrar la confianza de los indios tratándolos de forma brutal y saqueando sus tierras. Por encima y más allá del contenido de la *Brevísima,* pues, está tal vez el estilo enfático de la obra y su estructura que han causado que sea tomada como la afirmación definitiva de la «leyenda negra» de la conquista española.

Como sugiere su asociación con la «leyenda negra», los objetivos telescópicos y persuasivos de la *Brevísima* crearon una forma de escribir historia que se ha probado como muy efectiva a la vez que problemática. Al componer desde España «sumario brevísimo de muy difusa historia» (pág. 69), Las Casas se distancia mucho de los embrollos particulares que tendría una historia del Nuevo Mundo vista desde dentro, como la de Oviedo, para aclarar lo que ve como los principios generales de lo ocurrido en las Indias. De forma llana, tendenciosa y simplista, reduce todos los espacios y sucesos a una matriz central de inocencia indígena víctima de la avaricia y la brutalidad española y apunta a una «regla» autoimpuesta como principio de su escritura: «Y son tantas [las crueldades] que afirmaron la regla que arriba al principio pusimos: que cuanto más procedían en descubrir y destrozar y perder gentes y tierras, tanto más señaladas crueldades e iniquidades contra Dios y sus prójimos perpetraban» (pág. 150). Cuando Las Casas cita un suceso en particular, como hace a menudo, es para ilustrar y dar una luz dramática a este principio general. En la falta de especificidad se ven también implicados de manera escandalosa otros niveles del texto. Las Casas se toma notorias libertades con los hechos y las estadísticas, inflándolas para usarlas como meras armas estilísticas en su batalla verbal (un ejemplo de entre toda la legión: en los Lucayos, «donde no había más de quinientos miles de almas, no queda ni una criatura», pág. 77). Al reducir a todos los «tiranos» a un solo paradigma, falla al no señalar a los que acusa. Las Casas también falla al no mencionar las olas de enfermedades que diezmaron a la población nativa; la única «pestilencia» (pág. 102) que identifica como tal son los españoles.

Todos los factores enumerados en el párrafo anterior han provisto de un amplio arsenal a los que denunciarían a la *Brevísima*, y por lo tanto a la «leyenda negra», como vacía de verdad y mérito. A pesar de que la parcialidad no sería apropiada en un estudio como el presente, sí que nos conviene ofrecer las ciertas revelaciones que se ganan situando este texto en su contexto. Primero, debemos saber que en el contexto de las propias obras de Las Casas, la *Brevísima* es sólo un resumen sinóptico y abiertamente tendencioso de la impresionante *Historia de las Indias* que el fraile había comenzado en 1527. Allí encontraremos muchos de los detalles que se echan de menos, las pruebas de las afirmaciones, el nombramiento de los culpables. De semejante importancia es el contexto político y filosófico detallado al comienzo de nuestro análisis de la *Brevísima*, y las muchas lenguas en las que el texto habla. El problema real en cuanto a la licencia factual de la *Brevísima* parecería girar en torno a la cuestión de si el texto es una historia, ya que las historias conllevan un compromiso con un tipo particular de verdad. Aunque parezca monolítica, la *Brevísima* es claramente más que una historia: debería ser vista como el resultado de su tiempo, un texto transicional y *multidimensional* que acomoda las preocupaciones retrospectivamente históricas como también nuevas preocupaciones políticas, filosóficas y morales que habían surgido y pedían expresión. Además, viendo la naturaleza e implicaciones de la búsqueda de Las Casas, podemos concluir que es la voz del moralista la que domina y subsume todas las demás voces —como historia, memorial de agravios, relación, tratado filosófico, autobiografía— con las que el texto habla. Avalle Arce dice en su brillante análisis de la *Brevísima* («Las hipérboles del padre Las Casas»), que, al escribir más como un moralista ultrajado que como un historiador, Las Casas se mueve dentro del reino de los absolutos; sirve una verdad más grande, La Verdad; esta verdad no guarda relación con el relativismo o los matices. Así tal vez se pueda comprender, aunque no justificar totalmente, el tratamiento idiosincrásico de los hechos históricos por Las Casas y la forma de escribir historia de la *Brevísima*.

CRISTÓBAL COLÓN, «DIARIO DE A BORDO», REEDICIÓN Y CONCLUSIONES

Nuestro estudio de la familia de textos de los primeros cincuenta años quedaría incompleto si no examináramos su texto inaugural, el *Diario* de Colón, dentro del marco de los escritos de quien lo transcribió. Ya que para comprender plenamente el problema central de la representación que hace Colón del Nuevo Mundo, debemos comprender el *Diario* al menos hasta cierto punto como texto de Las Casas. Antes de hacerlo, sin embargo, debemos dirigir nuestra atención hacia algunos de los misterios que rodean la transcripción de Las Casas, que es en realidad un resumen del trabajo de Colón. ¿Por qué compuso Las Casas un resumen del *Diario*? Una comparación del *Diario* con la *Historia de las Indias* muestra que los temas que destaca el *Diario* son las bases de la argumentación histórica de Las Casas en la obra histórica. De ahí hemos concluido, al igual que otros, como es lógico, que Las Casas transcribió y resumió el *Diario* prestando clara atención a sus propios argumentos, de la misma manera que los eruditos toman notas sobre una obra para su uso personal. La cuestión de exactamente cuándo realizó Las Casas la transcripción (que no tiene fecha) sigue siendo objeto de conjeturas informadas, pero en cambio no tiene casi ninguna importancia para el propósito de nuestra argumentación.

La cuestión de precisamente cómo fue transcrito el *Diario* por Las Casas es de gran consecuencia, en cambio, y da cauce a otra lectura de la obra. Ya hemos dicho antes que el resumen de Las Casas alterna citas directas claramente extraídas de las palabras de Colón, con resúmenes en tercera persona de los apuntes del *Diario* (ver Zamora, «Todas son palabras formales del Almirante», para un estudio de las intervenciones editoriales de Las Casas). Como se podría esperar dado el propósito del fraile al transcribir el *Diario,* los pasajes reproducidos exactamente de la obra de Colón son un anteproyecto de las preocupaciones de Las Casas. Se centran constantemente en un grupo selecto de cuestiones: las Indias como un *locus amoenus;* la generosidad, mansedumbre, bondad y perfección física de los indios; lo fácil que será su conversión a la cristiandad; la avaricia de los españoles en su búsqueda de oro; el providencialismo del descubrimiento, etc. En estas fórmulas del descubrimiento, reconocemos fácilmente las semillas de los argumentos que la *Brevísima* y la *Historia de las Indias* usan para oponerse a la destrucción. Del mismo modo, lo que se nos permite oír de la voz propia de Colón es de hecho un eco de la voz de Las Casas. Como habrá notado el lector, tanto en el estilo como en la ideología de su retrato de los indios, las voces de Las Casas y de Colón se parecen extraordinariamente.

Aunque las dos voces puedan producir palabras casi idénticas, los *significados* de estas frases del *Diario* cambian totalmente de acuerdo con las intenciones de cada autor. El *Diario,* leído en el contexto de las obras de Las Casas es, naturalmente, un texto muy diferente al *Diario* leído desde el punto de vista de Colón. A pesar de que sería bien interesante analizar todas las citas directas en el *Diario* desde esta perspectiva, nos debemos limitar aquí a un par de ejemplos inequívocos. «Sus Majestades estarían muy impresionadas sin duda con el estatus y la reverencia que le dan [al «Rey»], ya que van todos desnudos» *(Diario,* pág. 155). Colón usa este pasaje refiriéndose a las tendencias ceremoniales de los nativos de La Española como prueba de que ha llegado a Cipango/Japón; Las Casas posiblemente la transcribe para dar importancia a su argumentación aristotélica de que los indios son seres racionales en virtud de su probada habilidad para desarrollar un gobierno. «Cuanto tienen y tenían davan por cualquiera cosa que por ello se le diese, hasta tomar un pedazo de bidrio o de escudilla rota o cosa semejante, quier [a] fuese oro quier fuese otra cosa de cualquier valor» *(Textos y documentos:* Varela, 1997, pág. 230). Situada en el contexto de las obras de Las Casas, el acento recae en la generosidad intrínseca de los indios y la adulación ingenua hacia los españoles; en el mundo de Colón la palabra ORO destaca de forma notable. Es en verdad curioso el ver que de las palabras de Colón emerge un texto muy diferente —el de Las Casas. Lo que en Colón puede ser estrategia e interés propio, en el sistema de Las Casas se convierte en una expresión directa de unos intereses morales y filosóficos mayores. Y lo que algunos verían como los orígenes del discurso del colonialismo del Nuevo Mundo en Colón comparte así el mismo espacio que los elementos básicos del discurso anticolonialista de Las Casas.

Los íntimos vínculos entre el *Diario* y la *Brevísima* son la base de muchas reflexiones, así como de las breves conclusiones de este ensayo. Primero, queda claro que con Colón y Las Casas nuestro ciclo de textos se cierra en un círculo. No sólo su principio contiene su final, sino que, como ya dijimos al comienzo, se ha completado una trayectoria: desde el descubrimiento hasta la destrucción, de la Creación a la Caída, de la explotación a la defensa de los indios. Se han contado todo un grupo de historias, y, de hecho, en 1552, con la *Historia de las Indias y la conquista de México*, por Francisco López de Gómara, capellán de Cortés, comenzarían a ser *re*contadas. La perspectiva aduladora y retóricamente elegante, de segunda mano, de Gómara idealiza, entreteje y pule las cartas de relación de Cortés.

Segundo, a pesar de que hemos notado un progreso considerable en las actitudes de los escritores hacia los pueblos nativos, aún hace falta que surja una imagen independiente de los indígenas. Tanto Colón como Las Casas idealizan a los indígenas en los términos idénticos, para lograr objetivos diferentes pero obvios. Las visiones de Pané y Oviedo se circunscriben a sus propias perspectivas culturales. Cortés y, hasta cierto punto, Núñez, caracterizan a los indios de formas que se adhieren a las intenciones exculpatorias de sus textos. Todos los escritores «usan» de cierto modo a los indígenas en sus estratagemas narrativas. Tendremos que esperar hasta la siguiente generación, la de los misioneros-historiadores como Bernardino de Sahagún y Motolinía que recogieron las versiones de los indígenas de su historia, para oír a los nativos contar sus historias en algo que se aproxima a sus propias palabras.

Por último, las dos voces diferentes —de Colón y Las Casas— que hemos distinguido en el *Diario,* contienen un importante mensaje respecto del acercamiento que hemos propuesto para la lectura de textos historigráficos de los primeros cincuenta años de escritos del Nuevo Mundo y, tal vez, más allá. Una comprensión del contexto, pragmático e intelectual, en el que escribieron Colón y Las Casas nos permitió discernir los significados divergentes que se podían contener en una sola frase. Así que nos ha parecido esencial situar todos nuestros textos dentro de un contexto más amplio para percibir sus estrategias narrativas y dimensiones literarias. Ya que, hasta un punto significativo, los factores externos no literarios fueron los que motivaron las disculpas y las peticiones que engendraron el interés narrativo de este texto. De esto podemos concluir que cuando se intente abrir las puertas que conducen al terreno literario de los textos historigráficos, el análisis literario puede aventurarse provechosamente más allá de su propio terreno y, para citar a J. L. Austin, explorar el mundo del «hacer cosas con palabras».

[4]

HISTORIADORES DE LA CONQUISTA Y COLONIZACIÓN DEL NUEVO MUNDO: 1550-1620

KATHLEEN ROSS

INTRODUCCIÓN

¿Quiénes eran los historiadores que escribían sobre la conquista y la colonización de Hispanoamérica después de la primera mitad del siglo XVI? ¿Qué importancia tienen para la historia de la literatura hispanoamericana? ¿Cómo debe retratar una historia dc la historiografía las corrientes literarias de una época? Este ensayo responderá a las preguntas planteadas, con el objetivo de difundir nuevas voces y escuchar a las antiguas desde distintas y novedosas perspectivas. Cualquier estudio que intente resumir setenta años de historia escrita debe elegir muy bien entre muchas fuentes, y por necesidad se verá influenciado por el pensamiento crítico de su propio tiempo. Sin embargo, al aproximarnos al período de 1550-1620, nos encontramos con algunos problemas específicos tanto de la época como de su literatura. Definirlos es en y por sí mismo una parte importante de esta historia literaria, y es pues el tema inicial hacia donde vamos a dirigir nuestra atención.

El primero de estos problemas tiene que ver con la relación entre texto y cultura. El comentario que aquí hagamos de cada texto irá acompañado de una descripción de su entorno extratextual durante su época en concreto. Seguimos esta línea de trabajo con la convicción de que la escritura del periodo no era simplemente un mero reflejo de su medio sino que más bien estaba unida a la cultura exterior, y era en efecto fundamental para su creación. El asunto se complica en el periodo de 1550-1620 ya que, mientras que algunos textos se publicaban según se acababan de escribir o poco después, otros no se publicaron sino cientos de años después, sobre todo en el siglo XIX. Por tanto nos encontramos ante un proceso dual de formación histórica: los textos que tuvieron repercusión sobre su propia época por un lado y, por otro, los que definen la historia literaria tal y como la vemos hoy. Es necesario llevar a cabo una lectura doble de las dos tradiciones si deseamos retratar con claridad la escritura de estos setenta años, separando las obras que actuaron recíprocamente con su cultura contemporánea y los que se introdujeron en la historia de la literatura hispanoamericana tras la independencia.

El proceso es totalmente diferente —incluso contrario— al de redescubrir obras que eran muy conocidas en su época pero que ahora han sido olvidadas. Esta labor de rescate de textos, un trabajo de historia de la literatura que ha cobrado mucha importancia en los campos de estudios feministas y étnicos en Norteamérica, es apropiado para el periodo moderno pero no para el de 1550 a 1620. Porque, por lo que sabemos, las oportunidades de publicar eran muy limitadas en la Hispanoamérica de aquella época, debido a la novedad de la imprenta (la primera se fundó en la ciudad de México en 1535; y en 1583 en Lima) y a la censura de la Iglesia y el Estado. Pocas personas sabían leer en español y muchas menos tenían el tiempo y el espacio necesarios para escribir. Muchas de las obras que comentaremos estaban escritas para el público europeo y los autores de algunas eran españoles.

Esto nos lleva a una segunda consideración, la de la naturaleza de la literatura colonial en este periodo y el significado del término «colonial». La mayor parte de la población de Hispanoamérica al final del siglo XVI y comienzos del XVII era dominada por una minoría europea; esto incluye tanto a los grupos españoles como a los criollos (españoles nacidos en América). El control europeo era cultural así como político y económico. Si bien la cultura amerindia sobrevivió y hasta opuso resistencia a este control, fue objeto de una dura represión por parte de los conquistadores. Aún así, la historia de los misioneros que intentaron preservar esta cultura en extinción es también parte de la historia de esta época, y es una parte importante de la fisonomía de una sociedad en formación.

El mayor de los retos de la escritura de estos años, sin embargo, es la observación del surgimiento de escritores cuya mera existencia se debía a la conquista. Los historiadores criollos, mestizos y mulatos, y la nobleza indígena bautizada que componía sus palabras en latín y español: ésta es la historia de una nueva literatura nacida de la rica mezcla cultural que llegó a ser la Hispanoamérica colonial. Entre estas voces se contaban aquellas que eran ignoradas o silenciadas por la Iglesia y el Estado. Cuando ahora las escuchamos, cuatro siglos después, debemos reconocer no sólo la resistencia o la aceptación del dominio europeo, sino también una participación activa, vital en la definición de la historia del Nuevo Mundo para esa época y la actual, desde una diferencia que se terminaría llamando americana.

Describir en su totalidad las historias del periodo 1550-1620 en su contexto cultural, implica pues percatarse de otra dualidad, la de la metrópoli al lado de la colonia. La experiencia de España de ese periodo fue decisiva para América en algunos aspectos, y en otros estuvo determinada en su mayor parte por lo que estaba ocurriendo en su imperio occidental. El contexto de este periodo, los factores externos a la escritura histórica que llegaron a ser parte de ésta y que eran en efecto formados por ese contexto, son transatlánticos. Al transferirse las instituciones culturales españoles a suelo americano, se convirtieron en costumbres americanas que, o bien imitaron o cambiaron o exageraron el modelo europeo. La escritura de la historia no fue una excepción y, para entender estos setenta años hispanoamericanos, debemos hacernos una idea del modelo así como de sus variantes.

Lo que requiere una historia literaria del periodo 1550-1620, en resumen, es una visión triple: del periodo en sí mismo, de la España contemporánea y de la forma en que estas historias se leían en el siglo XIX, que influye ampliamente en la manera en que las leemos hoy en día. Estos tres enfoques tienen un papel importante en la creación de una identidad literaria que conforma un episodio crucial de la historia de la literatura en Hispanoamérica.

Un último concepto importante en este capítulo es el relacionado con las categorías del discurso. La «historia» tomó diferentes aspectos durante el periodo 1550-1620. Como veremos en el curso de nuestro razonamiento, la categoría de «historia» era sólo una de las muchas que emplearon los escritores que intentaron describir los sucesos de su tiempo o los del pasado. Esta flexibilidad de las definiciones tradicionales fue otro de los cambios como resultado de la expansión del mundo al incluirse el continente americano.

La inclusión de una historia de la historiografía en un libro dedicado a la historia de la literatura, plantea el problema de las fronteras entre lo imaginario y lo verídico. Una vez más, debemos ampliar las a menudo rígidas categorías de la época actual para poder valorar la escritura de otra época. Si usamos la terminología de los géneros literarios modernos para describir estas formas narrativas híbridas y complejas es posible que no podamos profundizar mucho en nuestra investigación sobre tales obras. A la vez, situar las exigencias modernas de objetividad en la historia premoderna trata inadecuadamente las obras que se escribieron con otros objetivos en mente. Esto es seguramente cierto para las historias producidas en el periodo 1550-1620, escritas en una época en la que la historia formaba parte de la retórica, y los significados de palabras tales como verdad o ficción eran muy diferentes de las definiciones actuales. Nuestra historia literaria de los textos históricos se basará en estos supuestos.

EL CONTEXTO HISTÓRICO DE LA ÉPOCA: ESPAÑA Y AMÉRICA

¿Qué define el periodo de 1550-1620 en España? Entre los sucesos más conocidos de la época encontramos el reinado de dos reyes, el final del Renacimiento y el comienzo del periodo barroco en arte y literatura, y el cierre del país respecto al resto de Europa. La bancarrota del tesoro metropolitano y el desmoronamiento del comercio con América son otros, tal vez menos directamente recordados. En las colonias americanas transatlánticas estaban ocurriendo cosas también muy importantes: la resolución de la «cuestión indígena» con una relación incómoda entre los encomenderos (colonizadores que recibían indígenas junto con las tierras) y la Corona; la expansión de la industria y la producción; el lujo para las elites que se sostenían gracias al trabajo de los nativos y los esclavos. El número de mujeres que emigraban desde España aumenta. Las nuevas generaciones, nacidas tras el periodo primero de violencia alcanzan la madurez en estos años y esto marca el fin de la época de la conquista y el comienzo de una sociedad nueva y heterogénea.

Cuando Felipe II llega al trono de España, Italia y Holanda en 1556, hereda el poder sobre una América muy diferente a la de las primeras décadas del siglo. El drama del encuentro del mundo viejo con el nuevo, la emoción del descubrimiento y el terror de la conquista sólo se daban ya en las fronteras más remotas, y ya se habían asentado las estructuras básicas de poder. Aún quedaban las tareas de la expansión interior, tanto material como simbólica, que consolidaría y edificaría sobre la labor de la conquista.

La caña de azúcar se plantó por primera vez en Cuba en 1550; el tabaco se introdujo en Europa cinco años después. Este intercambio de productos naturales simboliza los cambios surgidos a raíz de la presencia de Europa en América, y las relaciones entre la colonia y el colonizador a mediados del siglo XVI. Porque al lado de la explotación de las riquezas del Nuevo Mundo por el viejo, se estaba desarrollando una cultura heterogénea en las Indias. Sobre el fondo de la cultura indígena que nunca llegó a desaparecer, a pesar de los grandes cambios, los mestizos, los criollos y los mulatos comenzaron su propia línea de producción —escrita y de otros tipos— cuando las primeras generaciones nacidas en América alcanzaron la madurez. La caña de azúcar plantada en Cuba y, más intensamente, las minas de plata de México y Perú, tendrían un papel importante en la creación de una economía más autosuficiente que gradualmente separaría América de España.

El periodo de setenta años entre 1550 y 1620 se puede dividir a grandes rasgos en dos etapas: el reinado de Felipe II (1556-1598) y el de su hijo Felipe III (1598-1621). A pesar de que la historia de los monarcas y de la aristocracia no puede definir por sí misma una época, en el caso de la escritura histórica sí que puede ser un punto de partida para comprender quién escribió qué y por qué lo hizo. El tipo de gobierno puesto en vigor por el Rey y las limitaciones impuestas a la publicación de ciertos contenidos son factores clave para determinar qué tipo de textos llegaban a las imprentas. Las directrices de la Corona también decidieron sobre el destino de las narraciones que sólo pudieron publicarse siglos después.

La obsesión de Felipe II por la documentación y la burocracia durante su gobierno, dejó como herencia escritos que habían cruzado el océano en ambas direcciones. Asimismo su preocupación por la herejía llevó la Inquisición a América en 1571. Por ello, tanto la calidad como la cantidad de los escritos estaban en relación directa con el tipo de gobierno impuesto por el Rey. Las formas legales de discurso en particular definieron, como nunca lo habían hecho antes, las narrativas de las Indias, y en su mayoría éstas estaban compuestas aún por españoles. Los narradores indígenas contaban mientras tanto otro tipo de historia a los misioneros españoles, quienes la recogían, pero sólo hacia el final del reinado de Felipe II fue posible que los escritores nacidos en América (tanto de ascendencia europea como indígena) compusieran sus propias historias.

Con la llegada al trono de Felipe III comenzó un periodo de decadencia cuyo deterioro alcanzó primero a los que ocupaban las más altas posiciones, cuando el monarca abdicó de su liderazgo moral y comenzó a favorecer los intereses de determinados sectores de la elite gobernante. En esos momentos esta elite estableció relaciones entre la metrópoli y la colonia, mientras seguía la colonización y la sociedad americana se hacía más compleja. En este clima de recursos menguantes y divisiones raciales crecientes, la primera generación de historiadores mestizos comenzaron a rescribir las crónicas de la conquista para incluir en ellas su visión de lo sucedido desde 1492. Sería entonces una tarea revisionista e interpretativa, la que llevaría a cabo un nuevo tipo de historiador.

Una literatura que reflejaba todos estos desarrollos también participaba en su evolución. Los historiadores como Bartolomé de las Casas, Francisco López de Gómara, Bernardino de Sahagún o José de Acosta continuaron el trabajo de «nombrar» América y sus habitantes para los lectores europeos. Pedro Cieza de León, Agustín de Zárate y Ruy Díaz de Guzmán hicieron la crónica de la expansión del imperio por Perú, Chile y Argentina. En Pedro de Valdivia encontramos la voz de un conquistador de la primera mitad del siglo XVI a quien no se publicó hasta décadas después. Otras voces vienen de Juan Suárez de Peralta, Fernando Alvarado Tezozomoc y Fernando de Alva Ixtlilxóchitl, las de los descendientes de la nobleza tanto española como azteca; sus trabajos no fueron publicados hasta el siglo XIX. Garcilaso Inca de la Vega y Guaman Poma de Ayala nos ofrecen dos textos muy diferentes sobre la colonización andina. En Bernal Díaz del Castillo vemos al conquistador hecho colonizador, una vida que se desarrolló a lo largo de casi todo el siglo XIX.

Las escritoras, que pertenecían exclusivamente a conventos de clausura, formaron un grupo significativo dentro de los historiadores de las colonias. Las narraciones de cronistas tales como Mariana de la Encarnación o Inés de la Cruz comienzan a ser estudiadas por los expertos en la actualidad y la mayoría se encuentran sólo en manuscritos. Los primeros conventos para mujeres se fundaron en México durante el mandato de Felipe II y en ellos arraigó la literatura escrita por mujeres en Hispanoamérica. Las mujeres comenzaron a emigrar desde España de forma masiva a partir de mediados de siglo; tanto las escritoras españolas como sus colegas criollas participaron en el desarrollo de amplias comunidades femeninas en los conventos, que tuvieron un importante papel en la cultura urbana.

Vemos, pues, que un repaso a estos setenta años nos sitúa ante un momento de cambio en la historia literaria de Hispanoamérica: es el punto en el que los escritores nacidos en América se unen a los soldados y los clérigos españoles en la tarea de narrar el Nuevo Mundo. La adaptación de los modelos europeos para las crónicas e historias, la importancia del testigo presencial que marcaba a la narrativa americana desde sus orígenes, adquieren una nueva forma en este periodo. Los narradores de la segunda mitad del siglo XVI y los de las dos primeras décadas del XVII, son testigos en gran parte del fenómeno del rápido cambio social, que ellos mismos ayudan a crear a través del lenguaje y la memoria.

1550-1599: CORRIENTES INTELECTUALES Y RETÓRICAS

La segunda mitad del siglo XVI fue testigo del final de la hegemonía del humanismo renacentista en los círculos intelectuales españoles. En ese periodo los rígidos métodos escolásticos lograron un dominio completo de la educación y la enseñanza. Esta tendencia escolástica, que había empezado antes, se fue endureciendo a medida que avanza el siglo; como señala J. H. Elliott, los sucesos de los años 1556-1563 transformaron de manera irreversible a España desde el Renacimiento hasta la Contrarreforma, y la sociedad que hasta entonces se mantuvo abierta al resto de Europa, se cerró en sí misma (Elliott, *Imperial Spain 1469-1716* [*La España imperial*], 221). Este cambio definiría a España, y luego a sus colonias americanas, durante los siglos venideros. En una sociedad caracterizada por la ortodoxia de la contrarreforma, no había espacio para el pensamiento de Erasmo o de los que no se adhiriesen al catolicismo más estricto. Muchos académicos humanistas huyeron de España hacia otras naciones más tolerantes, sobre todo Italia.

La separación de España, y sus posesiones en América, del Imperio Germano al subir al trono Felipe II, agudizó aún más el aislamiento ibero. Mientras la reforma protestante se extendía, España cerró sus puertas a la inteligencia con todas sus fuerzas y la Inquisición se dedicó a intimidar o a reprimir a quienes se desviaban del camino. A pesar de que la leyenda negra anti-española —el retrato que algunos hacen de España como poder conquistador implacable y bárbaro— tienda a exagerar la crueldad sanguinaria de la represión eclesiástica, la amenaza de violencia proyectaba una sombra constante y siniestra sobre la actividad intelectual. Hay muchas cosas aun por conocer de estos momentos; la investigación sobre la literatura confiscada por la Inquisición acaba de comenzar. En México se realizan los primeros esfuerzos para catalogar este tipo de textos, que se guardan en el Archivo Nacional. Cuando estén clasificados, la imagen que podremos construir sobre la literatura colonial puede cambiar bastante, sobre todo en lo que se refiere a los siglos XVII y XVIII.

Estos cambios significaron para las colonias americanas, que iniciaban una fase crucial de expansión comercial y cultural, la implantación de un régimen colonial que pretendía el control más estricto de la vida mental y espiritual. Las instituciones de la Iglesia y el Estado establecidas en las Indias durante la conquista —siendo las más importantes para la literatura las universidades, monasterios y conventos— arraigaron sólidamente durante esta etapa de estancamiento filosófico. Su aparato estaba diseñado para mantener la pureza religiosa de América.

Dentro de estas limitaciones, los historiadores de la segunda mitad del siglo XVI crearon formas narrativas heterogéneas para hablar sobre la historia del final de la conquista y el comienzo de la colonización. A pesar de que los modelos retóricos europeos se habían adaptado para poder narrar la realidad americana desde el primer encuentro de Colón con el Caribe, fue precisamente en este momento cuando emergieron formas totalmente nuevas e inclasificables para las normas del Viejo Mundo. Este es también el periodo en el que el «Siglo de Oro» de la literatura española se inicia con la producción de una gran riqueza de novelas, teatro, y poesía que se despliegan rápidamente hasta las Indias, donde se sintió su gran influencia.

Las leyes y los decretos reales comenzaron a llegar del otro lado del océano en número cada vez mayores desde el momento en que Felipe II asciende al trono. Muchas de estas leyes se dictaron para controlar las actividades de lectura, escritura y publicación. La novela, para ofrecer un ejemplo muy conocido, ya se había prohibido por ser demasiado peligrosa a nivel imaginativo para los recién convertidos. Pese a todo sabemos, gracias a los estudios de Irving Leonard, que algunas novelas españolas como el *Lazarillo de Tormes* (1554) o *Don Quijote de la Mancha* (Parte I, 1605; Parte II, 1615) sí llegaron a algunas bibliotecas privadas de lectores de la colonia (Leonard, *Los libros del conquistador: el barroco en el antiguo México)*. Es un tema que genera mucho debate entre los críticos literarios el de si se habían publicado novelas o no en Hispanoamérica antes del siglo XIX, y ya profundizaremos sobre ello más adelante.

El sello de *crónica, corónica* o *chrónica* englobó, durante la Edad Media todos los escritos sobre sucesos pasados o presentes de forma cronológica, directa y sin adornos. La *historia,* al contrario, implicaba que el autor que la escribía tenía los medios y la sabiduría necesaria para investigar sobre un tema y luego emplazarlo dentro de un contexto universal. La familiaridad con la retórica, las reglas para motivar y persuadir a una determinada audiencia eran, pues, un prerrequisito para un historiador, del que se esperaba que agradase a los lectores a través de una escritura de alta calidad. Las experiencias personales, sin embargo, no tenían nada que ver con la capacidad del historiador para interpretar su objeto de estudio.

Hacia 1550, el término *crónica* comenzó a equipararse con el de *historia* para aquellos que escribían sobre los sucesos del Nuevo Mundo (Mignolo, «Cartas, crónicas y relaciones», 75-78) ya que la experiencia se convirtió en un factor tan decisivo como la sabiduría para los historiadores. Se siguieron escribiendo historias desde la metrópoli en aquellos años, firmadas por historiadores oficiales de la Corte, como Francisco López de Gómara, que no llegaron a poner un pie en América en su vida. Paralelamente, algunas historias escritas por testigos que presenciaron lo ocurrido en el Nuevo Mundo, como Bernal Díaz del Castillo, tomaron un tinte revisionista como respuesta al desconocimiento de los historiadores de la Corte que no habían vivido lo narrado. Privilegiar al participante que puede contar desde su propia experiencia lo que ha visto, a pesar de su posible falta de educación, es un fenómeno que aparece con la expansión del Nuevo Mundo. En efecto, un tema recurrente en las historias escritas durante los setenta años que nos conciernen podría ser descrito como la reinterpretación de las historias de la conquista desde la perspectiva de una sociedad que comenzaba a sentirse involucrada en el proceso de colonización.

La *relación,* o informe legal, escrita por la obligación del narrador de comunicar a la Corona sobre los nuevos desarrollos, había sido una forma común de descripción del Nuevo Mundo desde el momento del descubrimiento. Se institucionalizó en los años setenta del siglo XVI con la creación del título de *cronista mayor de Indias.* El cronista mayor establecía un código, en realidad un cuestionario, que el informador seguiría a la hora de escribir. Algunas de estas obras se escribieron después de 1550 bajo el título de *carta,* como ya había sucedido durante la primera mitad del siglo. La *carta,* al igual que la *relación,* era una forma legal escrita para informar a la Corona de los nuevos desarrollos. Escrita en un tiempo cercano al de la acción narrada, se relaciona, especialmente, con conquistadores tales como Hernán Cortés. Durante la época de Felipe II, las conquistas sólo se llevaban a cabo en las fronteras más remotas. Sin embargo, Pedro de Valdivia, que había llegado a Chile para fundar Santiago en 1541, empezó a escribir cartas unos años antes de morir en 1554.

La escritura de algunas figuras religiosas, y en particular la del clero regular que se dedicaba a la tarea de convertir indígenas al catolicismo, había sido un elemento clave en los grandes debates de la primera mitad del siglo XVI. Podemos clasificar estos textos, escritos por autores como Bartolomé de las Casas y Fray Toribio de Motolinía *(Historia de los Indios de la Nueva España*, c. 1541; publicada en México en 1858), como parte de la literatura de la conquista ya que intentaron dar cuenta de la devastación de los pueblos conquistados por Europa. Además, una gran parte de lo que escribían hacía referencia a un intenso diálogo entre la Iglesia, la Corona y los conquistadores de América sobre la racionalidad de los indígenas y su potencial para la esclavitud. El debate había estallado durante la época de los Reyes Católicos y del emperador Carlos V y había llevado a la promulgación de las Nuevas Leyes en 1542; tales leyes se diseñaron para abolir el sistema de servicios personales representado por la *encomienda*. El furor a raíz de esta polémica, culminó en un gran debate en 1550 entre Las Casas y Juan Ginés de Sepúlveda en Valladolid y la publicación en España, en 1552, de la famosa *Brevísima relación de la destrucción de las Indias* de Las Casas.

Durante el reinado de Felipe II, los escritores religiosos seguían siendo importantes historiadores, pero ahora su tarea consistía en registrar distintos aspectos de la cultura e historia indígenas en peligro de extinción inminente, antes de que desapareciese del todo. Las epidemias de viruela y de otras enfermedades europeas que asolaban a la población nativa desde la época de la conquista habían diezmado a los indígenas hacia mediados del siglo xvi. A la vez que la civilización indígena se convertía en una mera sombra de lo que había sido, el número de inmigrantes europeos se había multiplicado y los cambios demográficos resultantes eran dramáticos a todo lo largo del continente. Los historiadores religiosos de esta época, tales como Fray Bernardino de Sahagún, extraían la información de los indios latinizados (entre otros) y documentaban las reacciones de los nativos hacia la propia conquista. Por ello, se realizó un cambio fundamental cuando la historia comenzó a centrarse en las culturas indígenas como parte del pasado, más que del presente.

La segunda mitad del siglo xvi en España fue testigo del fenómeno del misticismo religioso que alcanzó su punto más álgido en los escritos de Santa Teresa de Ávila, San Juan de la Cruz y Fray Luis de León. Santa Teresa, en particular, tuvo una gran influencia sobre las monjas españolas y criollas de América, que seguirían su ejemplo tanto como mística y como escritora, en la primera parte del siglo siguiente. Su inspiración llevaría a estas mujeres a fundar conventos siguiendo la orden carmelita reformada y a escribir sobre su experiencia en esa empresa.

Algunas de las obras escritas por numerosos historiadores de estos años se examinarán con más detalle en la segunda parte de este ensayo. Resulta apropiado terminar esta breve visión del periodo 1550-1599 mencionando a Fernando Alvarado Tezozomoc y su obra *Crónica mexicana,* escrita en los últimos años del siglo antes de la muerte del autor, aproximadamente en 1598. La obra de Tezozomoc, descendiente de la nobleza azteca, ataca las creencias religiosas y a los dioses aztecas, a la vez que describe los eventos desde una perspectiva profundamente indígena. Este tipo de textos eran los que se escribían hacia el final del siglo xvi en América.

1600-1620: AÑOS DE CRISIS Y CAMBIOS

El siglo xvii fue una época de crisis para España y para el resto de Europa. Las guerras que comenzaban por motivos religiosos o políticos agotaban los tesoros reales, a la vez que las epidemias acababan con muchas vidas y las economías se hundían. Felipe III fue un soberano inepto de una Corte plagada de corruptelas. Las glorias de los años de la Conquista daban paso a la decadencia. En Hispanoamérica, y en especial en la Nueva España, este siglo ha sido llamado el «olvidado» por historiadores tales como Lesley Byrd Simpson. Hasta hace poco tiempo los historiadores prestaban poca atención a estos años de la historia de Hispanoamérica; preferían centrarse en las exploraciones del siglo xvi o en las condiciones que conducían hacia la revolución en el xviii. Es cierto que el siglo xvii en América carecía de las excitantes conquistas nuevas que lo precedieron y el espíritu de reforma ilustrada que siguió. Fue una era de represión, ortodoxia y miedo. Pero en todas las artes y especialmente en la literatura, el siglo xvii representa una riqueza que no se volvió a encontrar en el mundo hispánico en ninguno de los dos lados del océano hasta 300 años después.

Obviamente, esta paradoja de riqueza artística y penuria económica no pasa desapercibida. Los historiadores y los críticos de España y su literatura trataron con frecuencia este tema, y la bibliografía de muchas de las grandes figuras de la literatura española como Miguel de Cervantes, Lope de Vega o Luis de Góngora —todos ellos publicados durante el reinado del monarca Felipe III— es inmensa. Las décadas de transición entre los siglos, que nos ocupan aquí, fueron de una producción particularmente grande en España. Las obras de los grandes escritores mencionados más arriba, más otros como Francisco de Quevedo, fueron llevados a la imprenta durante estos años.

Al comenzar a profundizar en la historia de Hispanoamérica del siglo XVII, los historiadores se han hecho una pregunta crucial: ¿la crisis española cruzó el océano simplemente como un legado más del colonialismo? Hace años se asumió esta premisa, y muchos siguen creyendo que es cierta, pero algunos pensadores importantes de los años setenta y ochenta del siglo XX han mostrado que la economía americana tenía un grado mayor de autosuficiencia de lo que se pensaba anteriormente. Estas afirmaciones se basan en diferentes tipos de pruebas, incluyendo archivos sobre minas o recuentos del tesoro. Por ello se sugiere que, durante el siglo XVII, más que un nivel generalizado de crisis, las colonias americanas experimentaron una serie de periodos fluctuantes de expansión y contracción. Además, estos no eran iguales en todas las zonas del continente.

El debate sobre este tema sigue vehemente en el campo de la historia. En el de la literatura, una polémica similar se está desarrollando enérgicamente en torno al Barroco de Indias. A pesar de que el Barroco en los años que van de 1600 a 1620 está más relacionado con la poesía que con la historia, es útil revisar las ideas que se esconden tras estas discusiones, porque en última instancia también tienen que ver con la definición de la sociedad que rodeaba a los escritos históricos. La cuestión sobre el barroco hispanoamericano es paralela al debate de los historiadores: ¿Se implantó el barroco europeo como un estilo impuesto en América? ¿Se importó a las colonias junto con la crisis económica y la ortodoxia religiosa, un ejemplo más de la dominación colonial? ¿Hay algún rasgo genuinamente americano en el barroco hispanoamericano?

A medida que se acumulan los conocimientos sobre el siglo XVII, las investigaciones que se ocupan de esta controversia son cada vez más sofisticadas. Esto también tiene que ver en parte con el refinamiento en la definición del «Barroco», un concepto que la literatura tomó de la historia del arte. El Barroco se entiende cada vez más como un fenómeno complejo que no sólo se refiere a un estilo determinado; engloba la cultura del absolutismo, la ortodoxia y la crisis que se extendió por Europa durante este periodo. Algunos dicen que esta situación fue la base del *boom* de la literatura barroca en América, evidente desde el comienzo del siglo XVII, hasta mediados del XVIII; que el Barroco de Indias sólo afectó a un reducido grupo de escritores criollos privilegiados, que trabajaban bajo la influencia del Estado español. Otros ven en los mismos excesos y exageraciones del estilo barroco el comienzo de un idioma americano, una liberación de las formas clásicas que reflejaba la heterogeneidad de la vida colonial.

Vamos a hacernos otra pregunta pertinente para las historias escritas entre 1600 y 1620: ¿dónde podemos encontrar la diferencia entre España y América en la escritura del barroco hispanoamericano si no es en los detalles de estilo? Aquí la consciencia del escritor criollo o español nacido en América entra en la ecuación, ya que algunos escritores criollos como Carlos de Sigüenza y Góngora (México, 1645-1700) o Sor Juana Inés de la Cruz (México, 1651-1695) son los nombres que se asocian de inmediato con el Barroco de Indias. Ambos pertenecen al final del siglo XVII más que a las primeras décadas y por lo tanto se encuentran fuera del alcance de este ensayo. Pero la identidad de los criollos, que se situaba en algún punto entre España y América, es crucial para que comprendamos lo que ocurrió en este primer siglo completo de vida colonial, como veremos en la obra de Juan Suárez de Peralta.

Las historias que se escribieron en las primeras décadas del siglo XVII, en su mayor parte, no presentan el detalle estilístico reconocido como barroco, porque fueron escritas por autores educados en la filosofía y la retórica del siglo XVI. La historiografía barroca en las Indias comenzaría a partir de mediados del siglo XVII. Sin embargo es posible discernir en trabajos tales como los de Guaman Poma de Ayala la influencia de la época del absolutismo que comenzó en España en las últimas décadas del siglo XVI (Adorno, *Guaman Poma)*.

La concentración de la escritura histórica dentro y alrededor del Caribe, una característica de los primeros cincuenta años de conquista, había cambiado hacia 1620 para incluir todo el continente. En el trabajo de Ruy Díaz de Guzmán, la historia llega hasta la región de la Argentina, los límites sureños del imperio. En el norte, Fernando Alva Ixtlilxóchitl escribe la historia de la tribu chichimeca de la parte alta de México, que había emigrado al valle Anahuac en el centro de México.

Son nuevas voces que vienen de nuevos sectores de la sociedad, de lugares alejados de un imperio muy extenso: este es el legado histórico del siglo XVII en Hispanoamérica. Con esta introducción podemos proceder a una lectura de los textos en sí mismos.

HISTORIAS E HISTORIADORES DEL SIGLO XVI: 1550-1599

Para observar los textos individuales con más detalle, describiremos círculos temporales que conecten grupos de obras, en vez de proceder de acuerdo con una cronología estrictamente lineal. Para los textos escritos por historiadores oficiales o autorizados —todos ellos españoles durante estos cincuenta años— estos círculos se aproximarán a la forma en la que los mismos textos actuaban recíprocamente entre sí para formar un canon historiográfico de autoridades. Entre estas historias «autorizadas» encontramos otras que nos ofrecen relatos alternativos, narrados por escritores criollos e indígenas. Algunos de estos últimos sólo han llegado a formar parte de la historia literaria tras la independencia en el siglo XIX, y otros en fechas aún más recientes. Mientras examinamos estas obras, teniendo en cuenta su importancia para la literatura hispanoamericana, descubriremos la diferencia entre la antigua tradición y la más nueva.

El punto de partida de esta sección es la forma más clásica de las históricas, la historia escrita por un autor docto. Dos ejemplos muy diferentes, Las Casas y López de Gómara, muestran cómo el linaje de la forma no evitaba que se utilizase el texto como un vehículo de la ideología. Siguiendo la interacción de estos dos textos y la posterior historia decididamente no-clásica de Bernal Díaz, observamos los cambios efectuados en la narrativa histórica por la ascendencia del testigo como narrador fiable.

Estas historias trataban en gran parte o totalmente, de las regiones del Caribe y de la Nueva España, pero también las primeras historias sobre el Perú se comenzaron a publicar durante ese periodo. Resulta de gran interés la extensa obra de Pedro Cieza de León, aunque también nos referiremos a la obra de Agustín de Zárate. Los escritos de los últimos conquistadores de un imperio ahora extensísimo, como por ejemplo las cartas de Pedro de Valdivia, rellenan el panorama de la expansión del poder español a mediados de siglo. La descripción antropológica de la civilización maya que hace Diego de Landa, en los años sesenta del siglo XVI, nos da un epílogo a la historia de la conquista por los márgenes de América.

Estas historias, sin embargo, nos relatan sólo una parte de lo que sucedía. A través de la obra de Bernardino de Sahagún y de otros misioneros, lo que Miguel León-Portilla ha denominado «la visión de los vencidos» comenzó a ser narrada, ya que la historia de Sahagún enmarca los relatos de sus informantes nativos. Con esto volvemos a la Nueva España, ya que la perspectiva de los escritores nativos andinos sólo se comenzaría a escribir en la primera parte del siguiente siglo.

En las últimas décadas del siglo XVI, tres historiadores resumieron el impacto de un siglo de presencia europea en el Nuevo Mundo: José de Acosta, un historiador jesuita que escribía a partir de su experiencia tanto en el centro peruano de colonización como en el mexicano; Hernando Alvarado Tezozomoc, que contó su crónica como miembro colonizado y latinizado de una rama nobiliaria mexicana, y Juan Suárez de Peralta, de la primera generación de autores criollos, que se lamentaba por lo que ya se había convertido en una irreconciliable diferencia entre los españoles peninsulares y los nacidos en América. Estas son las voces de una nueva historia y una nueva cultura en formación.

TRES HISTORIAS DE LA CONQUISTA: LAS CASAS, LÓPEZ DE GÓMARA Y BERNAL DÍAZ DEL CASTILLO

La historia «natural» o «general» era la forma más cercana a la historia clásica y por supuesto bebía de las fuentes de los antiguos autores como Plinio (Mignolo, «Cartas», 75-89). La palabra «historia» en estos títulos indicaba el emplazamiento del texto dentro de una tradición de retórica y erudición; por extensión, el historiador se situaba a sí mismo dentro del grupo de escritores educados y capacitados para continuar la tradición. Ya hemos visto cómo las historias de Hispanoamérica motivaron una ampliación de estas categorías al empezar a apreciarse más el conocimiento de primera mano. Dos de los tres textos que vamos a examinar aquí se inscriben dentro de la forma erudita: *La Historia general de las Indias,* de Las Casas (escrita entre 1527 y 1562, publicada en Madrid en 1875) y la *Historia de las Indias y la conquista de México,* de López de Gómara (Madrid, 1552). La tercera, la *Historia verdadera de la conquista de la Nueva España,* de Bernal Díaz del Castillo (escrita entre 1555? y 1584, publicada en Madrid, 1632), demuestra cómo la historiografía del Nuevo Mundo ensanchó la forma clásica, y existe en un diálogo íntimo con las dos anteriores.

Estos tres historiadores españoles se aproximaron a la tarea de narrar los sucesos del Nuevo Mundo de formas muy diversas y con objetivos muy diferentes. Las Casas, el gran defensor de los derechos de los indios, utilizó su obra en varios volúmenes para para hacer objeciones a la injusticia de la conquista violenta. La *Historia general* cuenta con las mismas creencias expresadas en la *Brevísima relación,* dentro de un esquema de investigación histórica con un tono menos polémico pero igualmente apasionado. Dividida en tres volúmenes, la *Historia* pone énfasis al comienzo en la autoridad de la obra, en un prólogo que continúa la tradición a la vez que intenta corregir los errores anteriores de historiadores con prejuicios que alimentaron la ignorancia respecto a los indígenas.

En su extenso y valioso estudio introductorio a la edición mexicana de 1951 de la *Historia,* el historiador Lewis Hanke examinó la desgana de los críticos de épocas presentes y pasadas para aceptar que el trabajo del fraile fuera el de un historiador. El arma principal que manejan estos críticos es que Las Casas hinchaba los números cuando recontaba los muertos y las pérdidas materiales causadas por la conquista y todo lo que vino después. Hanke, sin embargo, plantea que esto era un punto común también en otros escritores de la época, y sitúa a Las Casas firmemente en el centro de la controversia principal sobre la práctica de la historiografía en el Nuevo Mundo: la de privilegiar al testigo presencial de sucesos revolucionarios.

Las Casas, que había participado en la primera colonización de Cuba y había vivido en otros lugares del Caribe y México, y que, tras el año 1547, mantuvo desde su monasterio en España una voluminosa correspondencia con otros que aún estaban en América, fue un fraile activista que abogaba por los derechos de los indios. Con su *Historia,* eligió un medio erudito para contar la historia de los años 1492-1520, en los cuales había vivido intensamente asociado con las cosas americanas. Como dice Hanke (pág. xxxviii-ix), en 1559 Las Casas prohibió expresamente la publicación de su obra durante cuarenta años más, acaso para permitir que en ese intervalo de tiempo se apagaran los ánimos encendidos por la *Brevísima relación.* De esta forma la *Historia* sobreviviría intacta para así conmover e inspirar a las generaciones venideras. Pese a que el texto al completo no se publicó hasta 1875, la obra fue copiada en numerosos manuscritos y circuló entre los historiadores (un caso notable es el de Antonio de Herrera, que se convirtió en el historiador oficial de la Corte o cronista mayor en 1597 y utilizó el texto de Las Casas como fuente para su propia obra).

La *Historia,* por lo tanto, no intenta ser objetiva ni desapasionada cuando relata lo ocurrido en las tres primeras décadas de presencia europea en América. Las Casas sentía que el ser testigo de los sucesos, incluso más que el ser un hombre de Dios culto, lo autorizaba para escribir la historia definitiva y verdadera de la conquista y la colonización que se llevó a cabo durante esa época. Su obra está condimentada con referencias eruditas relacionadas con las autoridades clásicas y eclesiásticas, pero sus argumentos son claramente tendenciosos e ideológicos en su diseño. Los mensajes básicos de la brutalidad de una conquista violenta y la necesidad de una conversión pacífica, la bondad y racionalidad inherentes a los indios, y la maldad de los españoles sedientos de dinero, emergen en formas retóricas diferentes a lo largo de toda la obra.

Es importante reconocer este andamiaje de argumentación pasional como una parte esencial de la historiografía del Nuevo Mundo tal como Las Casas la definió, y no como un fallo metodológico. El historiador del siglo XVI no se preocupaba por la objetividad en sentido moderno, a pesar de que deseaba contar la verdad; el hecho de que uno pudiera alcanzar esta verdad a través del poder de la experiencia personal fue el reto que los historiadores del Nuevo Mundo presentaron ante el *status quo* por los historiadores que habían estado en el Nuevo Mundo. Gonzalo Fernández de Oviedo fue el primero que publicó, en su *Sumario* (1526), una historia erudita basada en el testimonio de un testigo presencial; Las Casas comenzó a escribir su *Historia* inmediatamente después para contar lo sucedido desde otro punto de vista, que consideraba como la única verdad. Esta verdad, para Las Casas, estaba inspirada religiosamente y relacionada con la labor de salvar el alma de España, un país que él veía inmerso en una conducta terriblemente pecaminosa, así como con la de salvar las almas de los indios inocentes.

Los tres volúmenes de la *Historia* son una lectura difícil. La prosa de Las Casas es densa, con frases largas y numerosas referencias clásicas y bíblicas. No muestra ningún tipo de influencia del humanismo renacentista en su estilo. Sin embargo, la obra sí deja al descubierto las raíces de teología escolástica y latín medieval en las que se formó el fraile. Más aún, a pesar de que se sigue una cronología, se da un énfasis desigual a los diferentes periodos del tiempo. Así, aunque el primer volumen se refiere a los años 1492-1500, el segundo a 1501-1510 y el tercero a 1511-1520, el número de páginas dedicadas al primer periodo de tiempo y a las acciones de Colón es desproporcionado. Las Casas escribió más sobre lo que a él le interesaba, sin preocuparse demasiado por el equilibrio resultante.

El extracto más frecuentemente antologizado de la *Historia* es sin duda el relato sobre el jefe indio Enrique o Enriquillo de la isla de la Española. Se encuentra en el capítulo 125-7 del tercer volumen (págs. 259-70). Aquí Las Casas debate apasionadamente por la abolición del sistema de la encomienda, que condenaba a los trabajadores indígenas a una esclavitud *de facto.* Al mostrar el sufrimiento al que el encomendero Valenzuela somete al indio converso Enrique, lo que se describe a grandes trazos en la *Brevísima,* se convierte en la *Historia* en algo intensamente específico y vivo. Enrique intenta primero conseguir un cambio en su situación a través del gobierno español y sólo se rebela cuando no le queda otro camino. Representa todo lo bueno de la humanidad: es piadoso, inteligente, razonable y carismático. Valenzuela, por el contrario, es avaricioso, cruel e infame, el retrato del mal y del pecado.

Enrique es la voz «buena» de la moderación que controla las otras rebeliones más peligrosas dirigidas por los indios «malos» Ciguayo y Tamayo y que consigue al final la paz entre el conquistador y los conquistados. Representa los valores cristianos reales, mientras que Valenzuela sólo se burla de ellos. Aquí, Las Casas manipula las simpatías del lector a través de la retórica de la hipérbole, tratando de convencer deliberadamente a través de las emociones. Al retratar a Enrique como un ser tan ideal, noble a pesar de su origen pagano, el historiador crea un personaje que los lectores europeos no pueden ignorar.

La calidad dramática y narrativa de estos tres capítulos de la *Historia* sirvió de inspiración para la novela del siglo XIX *Enriquillo* (1878 y 1882) del escritor dominicano Manuel de Jesús Galván, una obra destinada a convertirse en un clásico nacional de la República Dominicana. Ciertamente, esta reencarnación posterior a la independencia explica la frecuente inclusión de la historia de Las Casas sobre Enrique en las antologías modernas, mostrando cómo el gusto romántico en literatura aún hoy determina, hasta cierto punto, la forma que tenemos de leer literatura colonial.

Las Casas describe a Colón como un hombre grande aunque trágico, convencido de que Dios había guiado al Almirante (y a España) hacia el Nuevo Mundo. Francisco López de Gómara sitúa a otro héroe en el centro de su *Historia de las Indias y la conquista de México:* Hernán Cortés. Con este cambio, el énfasis se sitúa en la conquista y no en el descubrimiento, en el conocimiento estratégico y no en el de la navegación, y en el poder personal y no en la visión personal. Es una historia renacentista, construida alrededor de la biografía de un héroe de proporciones legendarias.

Gómara, el confesor de Cortés, vivió en casa de éste en España entre 1540 y 1547. Por ello consiguió el testimonio personal del conquistador y lo usó como base para su trabajo, como también lo hizo con las ya publicadas *Cartas de relación,* escritas durante las campañas de Cortés. Hacia esta época, las obras de Pedro Mártir de Anglería y Fernández de Oviedo, entre otras, estaban también a su disposición. En efecto, podemos ver en el texto de Gómara el comienzo de un sistema constante y explícito de referencias mientras cada historia vuelve a contar a su manera la historia original de la presencia española en el Nuevo Mundo. A pesar de que la *Historia* de Las Casas, escrita durante un periodo de tres décadas que además fueron las centrales del siglo XVI, participa de alguna forma en esta empresa —sobre todo como respuesta crítica a Oviedo y a Gómara—, el fraile aún confía en la documentación original y la observación personal como fuentes primarias. Pero, al comenzar las crónicas del encuentro del Viejo con el Nuevo Mundo a formar lo que podríamos denominar un «canon» histórico de relatos aprobados oficialmente y publicados, ellas mismas se convirtieron en autoridades para citar y consultar. Éste fue el proceso a través del cual López de Gómara escribió la historia de un continente que nunca había visto con sus propios ojos, mirando en su lugar a través de los ojos de otros.

La obra se divide en dos partes, la primera es una historia general de los lugares, las gentes y las cosas que sitúa al Nuevo Mundo dentro de un contexto universal. Aquí encontramos algunos capítulos que comparan a los indígenas con animales y aún peor: «Son grandes sodomitas, buenos para nada, mentirosos, ingratos, impredecibles y despreciables» (cap. 28). Esta es la expresión del punto de vista de la metrópoli contra el que luchó Las Casas, una voz que se puede oír también en los trabajos de Oviedo y Sepúlveda, referencias importantes para Gómara. Al leer este tipo de pasajes, queda claro por qué Las Casas, en 1553, instó a Felipe II a emitir un edicto real prohibiendo la reedición y la venta de la obra de Gómara.

Sin embargo, es la segunda parte de la obra, la *Historia de la conquista,* la que más nos interesa para tratar sobre la historia literaria de esta época. Es aquí donde la versión sobre los hechos que da Gómara, tomada sobre todo de las cartas de Cortés y de su testimonio personal, toma un giro más idiosincrásico, ya que Gómara decide contar la historia de la conquista de México como una biografía de su conquistador. La *Historia de la conquista* comienza con el nacimiento de Cortés y acaba con su muerte; está dedicada a Martín Cortés, el hijo de Hernán y su heredero al título de Marqués del Valle. Esta dedicatoria, que ensalza el sistema de la herencia de títulos y propiedades que los colonizadores del Nuevo Mundo lucharon para establecer contra los designios de la Corona, es una clara declaración política expresada en la más elegante de las prosas. Si el objetivo oculto de la *Historia* de Las Casas era la defensa de los indios, el de López de Gómara fue la perpetuación de una nueva aristocracia, ennoblecida por su servicio a Dios y al Rey.

Así, esta historia engrandece a Cortés, retratándolo como un héroe noble del estilo del Renacimiento, aunque una explicación providencial de sus acciones sitúa a la vez la ideología religiosa de Gómara en un lugar más cercano a la Edad Media. Al rescribir las cartas de Cortés con una erudición y un estilo de historiador, Gómara comienza un nuevo periodo en la historiografía del Nuevo Mundo: una segunda ola que redefine los textos fundacionales, a la vez que los corta a la medida de la realidad política de la época.

Con la *Historia verdadera* de Bernal, esta evolución avanza un paso más, añadiendo otro nivel de reescritura a la revisión de Gómara de la historia de la conquista de la Nueva España. Bernal Díaz, el viejo soldado que acompañó a Cortés en su campaña a través de México y treinta años después comenzó a registrar sus recuerdos en una narración vital y personal llena de detalles, es la materia de la que están hechas las leyendas literarias. Su texto ha sido antologizado con frecuencia y sometido a una especulación muy extensa, mientras tanto los historiadores como los críticos se han preguntado una y otra vez por qué decidió ponerse a escribir. La lúcida introducción de Miguel León-Portilla a la más reciente edición de la obra examina esta cuestión, exponiendo todas las respuestas que se han dado desde el siglo XIX a estas preguntas. Fue entonces cuando la *Historia verdadera* comenzó a leerse realmente como literatura y cuando empezaron así a formarse los mitos. En breve, intentaremos desmontar todos estos mitos en nuestro resumen sobre Bernal y sus memorias.

La *Historia verdadera* se sitúa en algún lugar de los intersticios de la historia, la autobiografía y la fórmula legal característica de la relación. Narrada en más de 200 capítulos cortos, como las historias de Las Casas y Gómara tiene su centro en la vida de un hombre excepcional —pero en este caso el hombre y el autor son la misma persona. Bernal comienza su historia con su viaje al Nuevo Mundo en 1514, y novecientas páginas después llega hasta el año 1550. León-Portilla se vale de sólidos argumentos para convencernos de que Bernal comenzó a escribir su historia poco después de esta fecha («Introducción», 9-10) y la continuó escribiendo hasta su muerte en 1584. De acuerdo con este esquema, la publicación en 1552 de la historia/biografía de Cortés escrita por Gómara, que Bernal leyó pocos años después en Guatemala, lo motivó para continuar con una obra que ya había sido concebida y comenzada, aunque ciertamente no puede decirse lo inspirara para su escritura en sí. Sea como fuere, Gómara es un actor principal en el drama relatado por Bernal, ya que contrasta con el soldado-*cum*-historiador que reclama su autoridad por su experiencia y no por su educación o por su posición. El deseo de Bernal de contar la historia con una voz diferente, la de un testigo presencial, y sus frecuentes críticas hacia la versión de Gómara constituyen un hilo constante de estas páginas.

Por ello no es sorprendente que los lectores modernos lean más frecuentemente a Bernal Díaz como un representante del hombre insignificante, de la voz de un «nosotros» colectivo de soldados, más que de un «yo» general, la voz olvidada del pueblo. Los estudios críticos más recientes tienden hacia la desmitificación de esta lectura. Al contrario, se centran, por ejemplo en la utilización de la retórica legalista como modelo para su crónica (González Echevarría, «Humanismo, retórica y las crónicas de la conquista», 9-25) o en su posición de encomendero que desea justificar la continuidad del sistema (Adorno, «Discourses on colonialism» [Discursos sobre el colonialismo]). Este último artículo también señala el diálogo de Bernal con una voz histórica muy poderosa no tan aparente como la de Gómara: la de Las Casas, obispo de Chiapas, que vivía cerca de las tierras de Bernal en Guatemala. Una vez más, la presencia de historias anteriores en cada nueva narración, las referencias constantes que hace cada historiador al otro, que crecen con los años como si fueran capas de pintura superpuestas en una pared, dan una riqueza al texto que sólo podemos apreciar si ignoramos nuestra moderna inclinación a leer a través de la trama y los personajes, a ver la historia como una novela.

Un lugar común de esta perspectiva moderna ha sido leer la *Historia verdadera* recordando la influencia de las novelas de caballería. Estas aventuras de ficción, los libros de aventuras populares del siglo XV y XVI en España, fueron el objeto del humor paródico de Cervantes en *Don Quijote* por tener tramas fantasiosas llenas de dragones y damiselas, príncipes y tierras exóticas. El más conocido, por supuesto, es *Amadís de Gaula* (1508) que sirvió como modelo para muchas continuaciones e imitadores. El mismo Bernal confesó su gusto por este tipo de literatura e Irving Leonard en su estudio de 1949 sobre él en *Los libros del conquistador* (Casa de las Américas, 1983) se preguntaba si la prosa fantástica de las novelas de caballería ofrecía un modelo inmediato para los españoles que encontraban las maravillas de América por primera vez. Al igual que el Enriquillo de Las Casas, la *Historia verdadera* ha sido admirada por su cualidad «literaria» o imaginativa.

Sin duda, el poder de la imaginación trabaja en el proceso evocador de Bernal, y las fantasías de caballerías sirven como contraparte en una comparación. Pero había otras razones para la escritura de la *Historia verdadera:* el deseo de Bernal de una remuneración justa para los soldados que participaron originalmente en la conquista y su deseo de mostrar su propio papel en el conflicto. Estos temas tienen que ver directamente con el estatus legal y la pérdida o la ganancia material, y estaban también entrelazadas con las historias de otros escritores como Las Casas y Gómara. Está claro que la historiografía colonial empezaba a tomar parte en la formación de la política y la ideología, a la vez que trataba de complacer al lector mientras lo hacía.

Los imperios andinos: las historias españolas del Perú

Los tres relatos de los sucesos en la Nueva España y el Caribe que hemos examinado demuestran cómo la definición de historia se vuelve más flexible al expandirse el mapa del mundo para incluir a los continentes americanos. Esta expansión transatlántica se vio complementada, a partir de 1530, por la marcha al sur sobre el territorio del imperio inca, al que pronto se le daría el nombre de Perú. Para mediados de ese siglo, los historiadores españoles dirigieron sus miradas a estos sucesos dramáticos.

Según se iban desarrollando las campañas militares hacia lo más profundo de Sudamérica, se escribían más informes oficiales, o relaciones, desde el campo de batalla para informar a la Corona sobre los nuevos desarrollos. Durante este periodo Fernández de Oviedo continuó preparando su *Historia general y natural de las Indias*, cuyo primer volumen apareció en 1535 y 1547. Oviedo había sido nombrado Cronista General por la Corona en 1532. Por ello, mientras se recopilaban las relaciones del campo de batalla, le eran enviadas, de modo que algunas fueron incluidas en la *Historia general,* como la *Verdadera relación de la conquista del Perú* de Francisco de Jerez (Sevilla, 1534). Jerez estaba en la tropa de Francisco Pizarro, y su relato da un retrato favorable de su capitán.

Hay otros relatos en la *Historia* de Oviedo, como la *Relación del descubrimiento del nuevo Reino de Granada* de Gonzalo Jiménez de Quesada, que habla de los sucesos que estaban teniendo lugar en el territorio de lo que luego sería Colombia alrededor del año 1540. En otra expedición que partió del norte de los Andes, el fraile Gaspar de Carvajal, en la compañía del español Orellana, navegó toda la longitud del río Amazonas en 1541-42 y escribió sobre sus vivencias en la *Relación del nuevo descubrimiento del famoso río Grande de las Amazonas*. Ambos textos revelan cómo los mitos fantásticos sobre las riquezas y las costumbres de América habían penetrado en las mentes europeas hacia 1530, una prueba importante era el que este gran río recibiera el nombre de las legendarias amazonas.

Volveremos a la relación más adelante, cuando tratemos sobre su versión del siglo XVII. Los primeros relatos de las exploraciones en Sudamérica a los que nos hemos referido antes son los predecesores de dos historias del Perú publicadas en la década de los cincuenta del siglo XVI: *La crónica del Perú* (Sevilla, 1553), obra en muchos volúmenes de Pedro Cieza de León, y la *Historia del descubrimiento y conquista del Perú* (Amberes, 1555), de Agustín de Zárate. De las dos, la de Cieza es la obra más extensa y más conocida y también a la que prestaremos más atención. Es importante observar que Cieza llamó a su obra «crónica», mientras que Zárate se refirió a la suya como «historia», pero ambos autores se sintieron libres para narrar los eventos tal y como ellos los percibieron; en efecto, Cieza utilizó el término «crónica» e «historia» indistintamente. A pesar de las diferencias estilísticas y retóricas aparentes en la escritura, estos dos textos representan posturas historiográficas similares por parte de sus autores, que combinaron la observación personal con la investigación.

La *Crónica* de Cieza de León se considera la primera historia del virreinato del Perú, que abarcaba el territorio comprendido entre Cartagena y Potosí. Cieza sólo llegó a ver publicado el primer volumen de su obra ya que murió cuando tenía aproximadamente treinta y cuatro años en 1554 (aún no se sabe su fecha exacta de nacimiento). Cuando era adolescente, cruzó el Atlántico para explorar el Nuevo Mundo y reunirse con algunos miembros de su familia que habían emigrado antes. Los años de viajes y de vida militar le dieron una visión muy amplia de los sucesos en la región, sobre todo de las luchas internas por el poder entre diferentes facciones españolas. En algún momento, Cieza comenzó a escribir un relato sobre lo que presenciaba, llevando a cabo simultáneamente las tareas de «mis dos trabajos de escribir y servir sin fallos a mi capitán y a mi país» (pág. 59). Después de que la revuelta de Gonzalo Pizarro fuese reprimida y se instaurase un nuevo gobierno en Lima (1548), Cieza fue nombrado Cronista Oficial de Indias. Dedicó los dos últimos años de su estancia en Perú, de 1548 a 1550, a la escritura y la investigación mientras viajaba por el virreinato reuniendo información para redactar su historia.

Cieza admitía abiertamente no tener una buena educación, pero está claro que su deseo de escribir superó las dudas que le inspiraban su falta de enseñanza. De hecho, la crónica es tan prolífica que llena cuatro volúmenes, los tres primeros cada uno del tamaño de un libro y el último que abarca cinco libros adicionales. El primer volumen, conocido hoy como *La crónica del Perú* describe las tierras y los habitantes de la región en términos geográficos y culturales, al igual que otras historias de la época. El volumen II, *El señorío de los incas,* retrocede en el tiempo para examinar el imperio que los españoles habían conquistado. El tercer volumen retoma la narración desde ese punto cronológico para contar el *Descubrimiento y conquista del Perú,* y en el cuarto volumen de *Las guerras del Perú* —por cierto muy amplio— se da un tratamiento separado a cada uno de los cinco conflictos entre facciones de conquistadores. Los volúmenes II, III, y IV no se publicaron hasta el siglo XIX, aunque los manuscritos fueron consultados por otros historiadores coloniales, como Antonio de Herrera al comienzo del siglo XVII.

La *Crónica* es un texto pasional, y en esto se parece a la obra de Las Casas. Cieza, a pesar de no ser miembro del clero, compartía muchos valores religiosos con el fraile; una de las instrucciones que dejó en su testamento (y que nunca se cumplió) fue la de dejarle los tres volúmenes no publicados de su obra a Las Casas. Esta es una historia escrita por un joven lleno de sentimientos profundos hacia su objeto de estudio, que, al igual que Las Casas, no trató de disimular. Cieza reconocía su pobreza retórica, pero creía que ésta se veía compensada por su relación personal y su observación de los hechos. La inspiración para el sorprendente número de páginas que escribió en un plazo de tiempo muy breve provenía de unas convicciones religiosas y nacionalistas muy fuertes; tal vez ésta sea la historia de este periodo en la que vemos retratado con una sinceridad más completa la creencia española en el papel providencial de España en el plan universal de Dios. La fe inalterable de Cieza en el proceso de pacificación, más que en la conquista violenta, es evidente a lo largo de todo el trabajo. Las costumbres y creencias de los indios se tratan con el desdén característico que los observadores españoles solían dar a los rituales no cristianos, pero existe en la *Crónica* un sentimiento similar al de Las Casas sobre la humanidad de los nativos, un respeto por ellos como seres humanos.

La voz narrativa que describe las regiones de Nueva Granada y Perú en el volumen I es fuerte y segura, muchas veces reafirmada por pruebas de las que el autor ha sido testigo directo. Es interesante observar la asunción de autoridad en Cieza —a pesar de haber confesado su pobre preparación— siendo tan joven y años antes de asumir su cargo oficial. Cieza, al contrario que Bernal Díaz, no escribe como un anciano que revive viejas glorias y fracasos, y tampoco se enfrenta a lo dicho por historiadores anteriores. Se siente autorizado, sin embargo, por su estatus de miembro de las fuerzas católicas conquistadoras de la Corona, y por su propia juventud e ideología.

De todos los historiadores que hemos tratado hasta ahora, Cieza es el más joven, pertenece a una generación que alcanzó la adolescencia después de la conquista de México, en un momento en el que el poder de España estaba en su punto álgido. La *Crónica* es un producto de ese momento en el tiempo en el que aún todo era posible. Sobre un paisaje de luchas de aniquilación mutua, Cieza no idolatraba a ningún conquistador en particular, pero utilizaba como guías a Las Casas, Carlos V y Felipe II. Ellos fueron los padres espirituales cuyas creencias subyacen en esta primera crónica del Perú, el documento de una pasión joven consumida en la exploración del Nuevo Mundo. La *Historia del descubrimiento* de Zárate, por el contrario, no podría ser más sobria. Recoge las observaciones de un burócrata español en el Perú desde 1544 a 1545 y es, en esencia, una historia política. Un poco mayor que Cieza, Zárate provenía de una familia castellana de funcionarios de alto nivel con conexiones importantes en la Iglesia y la Corte. Fue enviado al Perú con el cargo de *contador*, o contable, para revisar las cuentas de los funcionarios coloniales del Tesoro Real que allí se encontraban. Educado según la tradición humanista, Zárate estaba preparado para escribir historia en el sentido más clásico, emplazando los sucesos del Nuevo Mundo en el contexto de la tradición europea. En al *Historia* encontramos ecos de otros historiadores anteriores, como Oviedo, cuyo marco de referencia fue siempre España y Europa. Los indios y su cultura, junto con el paisaje americano, se miden constantemente en comparación con ese canon particular de civilización y belleza.

Pero el núcleo de las trescientas páginas de la obra de Zárate es la lucha por el poder entre las facciones de Pizarro y Almagro, y la posterior revuelta de Gonzalo Pizarro. A este respecto, Zárate se sitúa claramente del lado de los Pizarro, pero, aún así, esta historia no se conforma como una biografía al estilo de la de Gómara, aunque tal vez esta obra fuera una referencia para el *contador*. No existe ninguna figura en la conquista peruana que llame la atención lo suficiente como para servir de centro, ningún héroe emblemático del triunfo español. En lugar de eso, el discurso del texto de Zárate recoge en una prosa mesurada y sabia lo que se daba por sentado a mediados de ese siglo: la avaricia y violencia de los conquistadores.

A pesar de que la llegada de los españoles a Tenochtitlán inspiró narraciones heroicas y el engrandecimiento de Cortés, los mitos que se habían contado sobre Sudamérica, como el de El Dorado o el de la Tierra de la Canela, eran de una naturaleza más material. Se inventaron riquezas fabulosas en un Nuevo Mundo del que los españoles se sentían plenos propietarios. Mientras que la *Crónica* de Cieza refleja el idealismo de un joven con una misión por cumplir, la *Historia* de Zárate habla de las políticas de la conquista examinadas por un representante de la Corona sin ilusiones.

La conquista en los márgenes del Imperio: Valdivia y Landa

Las *Cartas de relación de la conquista de Chile* (1545-1552; publicadas en París, 1846) de Pedro de Valdivia y la *Relación de las cosas de Yucatán* (c. 1566; publicada en París, 1864) de Diego de Landa, nos dan un punto de vista diferente e interesante en cuanto al estilo y al contenido para redondear nuestro resumen de la escritura histórica a mediados de siglo. Los acercamientos narrativos tan diferentes que tienen estas dos obras hacia la descripción de las culturas encontradas a límites distantes del imperio hispanoamericano se pueden también leer como el último capítulo en la historia de la conquista desde la perspectiva europea, las últimas notas al margen de una historia que ya estaba escrita. De muchas formas, estas obras se hacen eco de las de la primera parte del siglo, resonando con el orgullo implacable de una nación que ya ha asumido su derecho a la expansión por todos los territorios americanos.

Normalmente se hace referencia a Valdivia, ya sea como ser humano o como escritor, en la compañía de una cohorte selecta de conquistadores que incluía a Cortés y a Pizarro. Esto tiene perfecto sentido desde el punto de vista formal, ya que el grueso de las cartas oficiales de Valdivia, como las de Cortés, estaban dirigidas al emperador Carlos V (una de las últimas, de 1552, estaba ya dirigida a Felipe II). Además, había otras cartas dirigidas a Gonzalo o Hernando Pizarro, a quienes Valdivia fue leal después de la muerte de su hermano Francisco. La relación de Valdivia con éste era la del vasallo con el señor —Pizarro fue nombrado Marqués— y es en el lenguaje de la Corte en el que Valdivia hace referencia a su «Señor».

Por ello la relación de Valdivia con los hombres que lideraron la más grande de las gestas imperiales, las campañas de México y Perú, ha sido enfatizada por los lectores actuales de su correspondencia oficial. Nacido a comienzos de siglo, participó en las conquistas de Venezuela y Perú y de aquí fue a fundar Santiago de Chile en 1541, en el territorio conocido como Nueva Extremadura. Alrededor del año 1554, Valdivia murió dramáticamente a manos de los indios araucanos que él mismo había conquistado, un martirio que Alonso de Ercilla describió para la memoria de los siglos venideros en su poema épico *La Araucana* (1569). Ésta era la imagen de la conquista brutal, pero heroica a pesar de todo, que se dio a conocer a lectores del siglo XIX cuando, por fin, se publicaron las *Cartas,* una imagen romántica de la pasión y la muerte. Junto con el extenso poema épico de Ercilla, las *Cartas* se convirtieron en una obra fundacional de la literatura chilena.

Aparte de sus características formales, sin embargo, estas cartas tienen poco que ver con las escritas por Cortés veinticinco años antes. Cortés escribía como un innovador, un impaciente egoísta que resistía el control del burócrata Diego Velázquez para así conseguir sus propias metas. Fue desde esta figura de semi-renegado desde la que tuvo que convencer al Emperador de su lealtad a la Corona. Sus cartas, redactadas poco después de que la acción descrita tuviera lugar, aportaban un recuento vívido de los hechos que engrandecían principalmente a Cortés en sí mismo. Hay poco rastro aquí del *cortesano:* Cortés trabaja solo.

Valdivia, sin embargo, es el homólogo a la propia figura del hombre renacentista que fue Ercilla, que combina el servicio militar al Rey con un estilo retórico culto. Sus cartas fluyen con facilidad e incluso con gracia, porque sitúa continuamente sus hazañas dentro de la jerarquía cortesana. Además, en múltiples ocasiones se inclina ante la autoridad del «Marqués», Francisco Pizarro, al que se refiere frecuentemente como «patrón»

Valdivia conocía su lugar en el orden establecido y sus escritos reflejan este conocimiento, pero, aún así, este leal soldado escribe a su majestad sin contar con ningún intermediario. Si nos centramos en sus largas cartas de 1545 y 1550, es evidente que Valdivia basa su autoridad como conquistador y como escritor en la excentricidad de su empresa. Recompensado por sus servicios a Pizarro con tierras y riquezas en el Perú, dejó esas comodidades para aventurarse en una expedición por unos territorios por los que otra —la de Diego de Almagro— ya había fracasado. «No había hombre que quisiese venir a esta tierra», dice en la carta del 4 de septiembre de 1545. Este había sido el caso también de la expedición a Chile, en la que Valdivia se embarcó en 1540. Cinco años después sus cartas a Carlos V daban fe de su perseverancia y lealtad, y del valor de la inversión continuada en lo que podría parecer una guerra fútil en un territorio marginal. Valdivia utiliza esa marginalidad en su favor en el contexto de una conquista llevada a cabo sólo por la gloria del Imperio y la Iglesia y nunca por la propia. Su expedición tiene un aspecto profundamente espiritual, ya que Valdivia sabía que se enfrentaría en Chile a una población indígena hostil y a pocas ganancias materiales.

Poco podemos rastrear en las cartas sobre la cultura araucana que encontraron Valdivia y sus hombres, ya que, al ser documentos legales, estaban escritas con otros propósitos. Exponen los detalles de las acciones y decisiones del conquistador, sus victorias y derrotas. Cuando hay una presencia indígena, es sólo para demostrar el poder del enemigo y la necesidad de subvencionar más operaciones militares en Chile.

Cortés y Pizarro eran capitanes de la primera oleada de conquistadores, y consiguieron títulos aristocráticos y grandes riquezas cuando establecieron los centros de la conquista en México y el Perú. Valdivia, que escribía desde los márgenes del Imperio, los extraños Santiago y Concepción, representa el alcance de esta primera ola en cartas escritas unos veinticinco años después que las de Cortés. Su incursión en Chile describe lo ya conocido en vez de lo sorprendente y novedoso. mientras la conquista produjo su segunda generación de cronistas. Las cartas exponen un programa para un Imperio dispuesto a expandirse hasta los confines del hemisferio, convencido de que es un mandato divino el hacerlo a cualquier precio.

La *Relación de las cosas de Yucatán* de Diego Landa nos cuenta una historia similar de la conquista en un territorio marginal, llevada a cabo a un precio más alto para todos los que se vieron involucrados. Landa, que había escalado a través de la jerarquía de la orden franciscana hasta ocupar la posición de provincial de Guatemala y Yucatán en 1561, había llegado casi quince años antes para comenzar su trabajo como misionero. Para los españoles fue una de las áreas más difíciles de conquistar, ya que no existía un poder centralizado susceptible de ser dividido por las guerras tribales, como sí ocurrió en México y Perú. A pesar de que la campaña había comenzado en 1527, fue casi dos décadas después cuando se pudo establecer la autoridad política. Landa formó parte de un grupo de franciscanos traídos por ese gobierno colonial en formación para ayudar a imponer el poder español.

La *Relación* narra la conquista de Yucatán y describe con mucho detalle la cultura de los mayas de la península, incluyendo sus escritos, religión, calendario, agricultura y arquitectura. Su modelo es la historia natural de las Indias escrita en la primera mitad del siglo por Gonzalo Fernández de Oviedo, a quien Landa se refiere al final de su obra. La prosa del propio Landa es más ruda que la de Oviedo, especialmente en los primeros capítulos, que se parecen más a un listado de objetos que al tipo de retórica refinada del autor de la *Natural Historia*. Pero los capítulos siguientes, que describen las prácticas y costumbres indígenas, asumen un carácter más rico; incluyen ilustraciones de pictografías y mapas.

Sin duda, Landa conocía muy bien la cultura que estaba describiendo; entendía su lengua y sabía cuán importantes eran los códices ilustrados; conocía su religión y la posición privilegiada de los objetos rituales. Aún así ordenó que todo ello fuese destruido en la famosa persecución de 1562, cuando se quemó un gran número de textos, ídolos y cerámicas en un delirio de celo religioso. La crueldad del castigo que se dio a los sospechosos de seguir obedeciendo los ritos indígenas fue tan extensa, que Landa fue acusado de dañar, más que de ampliar, la misión cristiana. Dejó uno de sus flancos al descubierto y fue atacado por los colonos, que se opusieron durante muchos años a los esfuerzos de los franciscanos por convertir a la población nativa, ya que creían que tal actividad los dejaría sin trabajadores. Fue entonces cuando los colonos aprovecharon la división dentro de la misma comunidad de frailes —entre los que preferían una conversión pacífica y los que, como Landa, abogaban por unos métodos más drásticos— para presentar su caso ante el Rey. Sin embargo, Landa no sólo fue absuelto a la larga, sino que fue nombrado obispo de Yucatán en 1552, tras haber pasado nueve años en España.

Landa tenía una relación de amor y odio con la civilización que trataba de convertir; ambas emociones se alternan en la *Relación*. Escribe en los márgenes de la conquista la historia complementaria de las cartas de autores como Valdivia, llevando a cabo una conquista de mentes y espíritus más que de cuerpos. Prosigue el programa ideológico de conquista y dominación que las campañas militares sólo comenzaron. Pero también sabe que sus acciones tienen lugar en un área que no es central para el Imperio, un lugar en el que el Rey sólo está periféricamente interesado. Estructura su *Relación* al estilo de un texto «canónico», el de Oviedo, así como Valdivia siguió necesariamente el modelo de Cortés. Éstas son las narraciones de la segunda serie de la conquista, las empresas marginales que se llevaron a cabo con dificultad, dolor y poca gloria.

Sahagún y la «voz nativa»

La *Historia general de las cosas de la Nueva España* (1577; publicada en México en 1830) de Fray Bernardino de Sahagún, es un trabajo de varios volúmenes y en varias lenguas, que reúne muchas décadas de extensa investigación. Sahagún, un franciscano que llegó a México en 1529, ejemplifica los valores de los primeros grupos de misioneros que trabajaron en el recién conquistado imperio azteca, que creían que el conocimiento del idioma indígena, sus costumbres y sus textos, era la mejor vía para convertir a los amerindios al cristianismo. Su superior, Fray Toribio de Benavente (al que se conocía como «Motolinía») había escrito su propia *Historia de los indios de la Nueva España* al comienzo de la década de los cuarenta en el siglo XVI, y fue Motolinía la fuerza inicial que impulsó el trabajo masivo de su protegido.

La intención de la *Historia general* es preservar en el interés de la dominación. Landa había sido formado en esa misma tradición, por supuesto, pero enfrentado a la resistencia constante de los mayas a practicar exclusivamente el cristianismo, decidió destruir, más que conservar, la evidencia material de esta cultura prehispánica, reemplazándola más tarde con su propio texto. En México la conquista fue más fácil y la resistencia menos pronunciada. Aún así, la fundación en 1536 de una academia para los hijos de la nobleza indígena (el Colegio de la Santa Cruz de Tlaltelolco) por Sahagún sería controvertida desde sus comienzos —igual que lo serían este mismo tipo de escuelas años después en Yucatán— entre los colonos españoles. A través de esta institución dedicada a la educación de los colonizados, Sahagún llevó a cabo un programa de investigación que utilizaba a informantes «nativos» para aprender sobre temas tales como las deidades religiosas, las ceremonias, los calendarios y las creencias, la vida diaria antes de la conquista, el conocimiento del mundo natural de las plantas y los animales, y la visión nativa de la conquista en sí misma, a través de la poesía, las canciones y la prosa. Los informantes respondían a una serie de preguntas que Sahagún decidía, y los asistentes indígenas del fraile, estudiantes del Colegio, escribían y archivaban sus respuestas.

Resultado de estas investigaciones fueron dos textos, uno escrito en náhuatl latinizado y el otro su traducción al español. La narración doble se presentó en un manuscrito con dos columnas paralelas en cada hoja; una tercera columna daba un listado de palabras náhuatl. Al faltarle apoyo financiero para realizar toda la traducción al español (tal y como dice en el prólogo) Sahagún decidió no traducir para nada secciones enteras del texto en náhuatl, ya que las veía poco necesarias para el lector europeo o indígena cristianizado. Hoy en día, la única traducción completa del testimonio original azteca está en inglés.

Es la voz indígena, por lo tanto, la que se presenta en la *Historia general* para describir el mundo que fue destruido por los españoles. Esta voz se vuelve especialmente llamativa y estremecedora en el Libro 12, dedicado a la conquista en sí misma. Algunos de los lamentos poéticos que se incluyen aquí se han hecho famosos entre los lectores modernos a través del famoso libro de Miguel León-Portilla *Visión de los vencidos*. Por este testimonio vemos cómo la caída del imperio azteca fue profetizada a través de la interpretación de sucesos tales como la llegada de los europeos a tierra firme o su marcha hacia Tenochtitlán. La forma que tuvieron los indios de leer estos signos ha sido vista como una pieza clave de su derrota más tardía —a pesar de que eran mucho mayores en número— por semióticos de la talla de Tzvetan Todorov en su *La conquista de América* (1982).

Iguales de importantes para comprender la *Historia general* son, sin embargo, los propios comentarios de Sahagún, que enmarcan el testimonio nativo, y aparecen en prólogos y apéndices, unidos a muchos de los doce libros comprendidos en el texto. El apéndice al Libro 1 (que describe a los dioses indígenas) es particularmente importante ya que introduce el tono para la presentación de un sistema de creencias que se consideraba directamente inspirado por el mismo diablo. La propia voz muy española de Sahagún resuena sobre los lectores indígenas al pronunciar que los dioses del Libro 1 son ídolos malditos, que representan a las gentes que viven en la oscuridad. La luz que proviene de la cristiandad y del Papa se muestra en acotaciones de la Biblia latina, interpretada después por el autor franciscano para demostrar que el catolicismo monoteísta es la única religión verdadera. Sahagún traduce el latín a español para su audiencia indígena: *Omnes dii gentium demonia,* «todos los dioses de los gentiles son demonios». La refutación culmina con múltiples exclamaciones: una exhortación al lector para que denuncie cualquier actividad de idolatría dentro de la comunidad nativa y una llamada angustiada a Dios para que continúe iluminando a este grupo hasta la conversión.

El trabajo de trascripción y traducción en la doble narración de la *Historia general* se refleja por lo tanto en la traducción y la interpretación dentro de los propios comentarios de Sahagún. Estas actividades indicaban su investigación académica, un trabajo que él veía como el equivalente del de un médico que nombra y describe un amplio catálogo de enfermedades para tratar mejor a su paciente. Como se dice en el prólogo, los esfuerzos del fraile no sólo proporcionan la mejor medicina posible para el alma, sino también emprenden por primera vez la escritura de una historia oral. De esta forma, se salva la historia indígena, incluso cuando se estaba destruyendo la civilización a la que se refiere por medio de la aculturación. Por supuesto, estas dos acciones son tan inseparables como lo es la narración en español de su original en náhuatl. Debemos agradecerle al texto de

Sahagún gran parte de nuestro conocimiento presente del mundo azteca, pero como demuestran sus propios comentarios, era un mundo que él veía predestinado al olvido.

José de Acosta: la historia natural en su apogeo

En la época en la que el primer siglo de colonización hispanoamericana tocaba a su fin, un cura jesuita que había residido en los virreinatos tanto de la Nueva España como del Perú publicó un libro que se hizo famoso y aclamado por multitudes en un breve espacio de tiempo. Hubo muchas ediciones de la *Historia natural y moral de las Indias* (Sevilla, 1590) de José de Acosta poco después de la primera publicación y se tradujo a la mayoría de las principales lenguas europeas. El texto está dividido en siete libros, tratando los primeros cuatro de la parte natural de la historia en un espectro de tópicos muy amplio, y dedicados los otros tres a temas morales pertenecientes a los indios y su cultura.

De acuerdo con la cronología establecida por Edmundo O'Gorman, un conocido editor moderno de la *Historia natural y moral,* Acosta ingresó en la orden jesuita cuando era muy joven y sus superiores lo mandaron al Perú en 1571, poco después de que hubiese hecho los votos definitivos (O'Gorman, «Prólogo»). Llegó a Lima al año siguiente y se quedó en América quince años más: catorce en diversos lugares dentro del virreinato del Perú y uno en la capital de la Nueva España, antes de embarcarse en el largo viaje de regreso a Europa.

Así, la *Historia natural y moral* se comenzó a escribir en el Perú, se continuó en México y se acabó en España. Su extensión abarca a todo el continente, y, como fue el caso de otras historias cultas de la época, también todo el universo. Al igual que las obras de Oviedo, López de Gómara y Las Casas, esta historia intenta inscribir a América dentro de un orden de las cosas cósmico tanto natural (creado por Dios) como moral (perteneciente a la cultura humana). Lo que hay de diferente en la obra de Acosta es, como ha sugerido O'Gorman, su propio momento histórico, un siglo después del verdadero «descubrimiento» del Nuevo Mundo. La escritura del historiador ya no estaba destinada a mostrar lo nuevo y desconocido; su propósito era ahora el de explicar a una nueva generación cuál era el lugar que se había determinado para las Indias y sus habitantes en el nuevo orden mundial de la última mitad del siglo.

Como también se manifestó en historias anteriores, este lugar para América implicaba un papel providencial para la cristiandad, en general, y para España en particular. Acosta nos muestra primero cómo América encaja geográficamente en un concepto del universo geocéntrico y aristotélico. Reduciendo su alcance a la Tierra, lucha contra las teorías clásicas de que la «zona tórrida» era imposible de habitar para la humanidad, después de establecer que los indios, a pesar de no tener unos orígenes claros, descendían de salvajes anteriores que vinieron a pie a América desde otros continentes (Libros 1 y 2). Acosta procede después a describir con detalle las numerosas partes del mundo natural americano: geografía, metales, plantas y animales (Libros 3 y 4). La religión de los incas y los mexicanos, además de su cultura y su gobierno antes de la conquista, se tratan en los libros 5 y 6. Por fin, el último libro de la *Historia natural y moral,* sitúa toda la historia en un marco providencial, declarando que los españoles consiguieron llegar al Nuevo Mundo sólo porque estaba escrito en un plan divino para cristianizar al último y cuarto continente del planeta. La cultura y la religión indígena llegaron así a su fin como consecuencia de una conquista justificada y llevada a cabo por los portadores de la verdadera fe en Dios.

Compuesta por un cura nacido en España —después de que los conquistadores de México y Perú hubiesen terminado su trabajo— que murió al acabar el siglo (las fechas de Acosta son 1540-1600), esta historia natural representa con más claridad que ninguna otra de las que hemos tratado hasta aquí, el discurso de los historiadores españoles en la segunda mitad del siglo XVI. El trabajo de Acosta estaba profundamente arraigado en una tradición escritural sobre el nuevo mundo que ya habían establecido otros españoles. Por supuesto, tal y como documenta O'Gorman, los escritores mexicanos del siglo XIX discutieron acaloradamente sobre las acusaciones de plagio que habían caído sobre Acosta debido a su confianza en el trabajo de Juan de Tovar, también jesuita además de especialista en la cultura mexicana de la preconquista. A su vez, Tovar había utilizado las obras del dominico fray Diego Durán, cuyo trabajo del siglo XVI *Historia de los indios de la Nueva España* no se publicó hasta 1867. Acosta reconoció su correspondencia con Tovar en el primer capítulo del libro 6 de su *Historia natural y moral,* citando la obra de éste sobre los indígenas como fuente de su propio texto, pero la controversia se encendió entre los académicos del siglo XIX en México después de la independencia. El jesuita español se convirtió en un símbolo de la apropiación europea de la historia indígena, siendo la teoría que el texto original sobre el que estaban basados todos los demás era una historia anónima escrita por un autor indígena.

Tales sentimientos indigenistas eran muy comunes en las décadas que siguieron a la independencia hispanoamericana; reflejan un deseo romántico de establecer unas bases literarias para el recién liberado continente que fueran anteriores a la época colonial. La *Historia* de Acosta constituye un caso especialmente interesante. Los orígenes de la información sobre la cultura indígena que él transmite se pueden buscar en las fuentes indígenas, por supuesto, pero estas fuentes eran orales o pictóricas y habían llegado hasta él a través del filtro de la investigación de otros.

Para un historiador jesuita, como Acosta, educado en la retórica clásica en la que la originalidad tenía menos importancia que la tradición, y los valores religiosos implicaban la supresión de la individualidad a favor del avance de la doctrina, utilizar la obra de otro jesuita como Tovar era natural y sólo requería mencionarlo igual que lo hizo Acosta. Al no estar escrita en su origen, la cultura oral de la cual provenía su material, no era historia para él; era el vestigio de una América precristiana a punto de desaparecer para ser reemplazada por un proyecto más ambicioso. Observando estas limitaciones podemos leer la *Historia natural y moral* como una narración compuesta con elegancia, fluida y llena de detalles, una memoria de los cien años de presencia española en el Nuevo Mundo y de los cambios elaborados por la colonización. Las recónditas voces indígenas permanecerían mudas por un buen tiempo.

Las crónicas de una nueva generación: Alvarado Tezozomoc y Suárez de Peralta

Los dos últimos textos que incluiremos en esta sección de nuestro estudio están muy relacionados con la *Historia natural y moral* de Acosta por cronología y antecedentes históricos. La *Crónica mexicana* de Hernando Alvarado Tezozomoc, escrita alrededor de 1598, se publicó por primera vez en México en 1878, junto con el «Códice Ramírez», un manuscrito que describía la cultura indígena y que fue identificado más tarde como la obra de Juan de Tovar, basada en la de Durán (O'Gorman, «Prólogo» de su edición de la *Historia natural y moral* de Acosta, xix). El *Tratado del descubrimiento de las Indias* de Juan Suárez de Peralta se escribió nueve años antes en 1589, pero tampoco se publicó hasta 1878, cuando apareció una edición del manuscrito en Madrid, que había sido encontrada en Toledo.

Al igual que la *Historia* de Acosta, estos volúmenes intentan insertar el trabajo etnográfico de Durán, Tovar y Sahagún, dentro de un sistema de significaciones relacionadas con el final de un siglo de colonización. Desde los diferentes puntos de vista aparentes en estas dos crónicas, firmadas por miembros de la nobleza indígena y criolla de la Nueva España respectivamente, emergen las voces de un nuevo grupo de historiadores que comenzarían a rescribir las crónicas desde una perspectiva americana.

El *Tratado* de Suárez de Peralta, escrito en un estilo coloquial y personal por un cultivado diletante de la historia más que por un profesional, comienza con un rápido vistazo a las cuestiones filosóficas principales que perturbaron tanto al siglo XVI. De dónde venían los indios, cómo era su religión, por qué Dios eligió a los españoles para conquistar: todos estos temas se mencionan pero se pasan por alto por dos razones. Primera, que el autor del *Tratado* no tiene intención de contradecir a ningún historiador excepto a Las Casas, cuya *Brevísima relación* critica como hiperbólica. Suárez no se sitúa a sí mismo al nivel de los doctos historiadores ni entra en discusión con sus planteamientos. La segunda razón para no demorarse en las narraciones anteriores es que Suárez tiene otro relato en mente: el del descubrimiento real de la Nueva España, que ha escuchado de boca de su padre, el cuñado de Hernán Cortés. Y, más allá del descubrimiento, el *Tratado* extiende su narración a la segunda generación de la nobleza colonial, para relatar el auge y caída de Martín Cortés, el hijo extremadamente ambicioso del conquistador, y de los hermanos Ávila, aristócratas criollos ejecutados públicamente en México por conspirar contra la Corona.

El *Tratado* de Suárez de Peralta ejemplifica un tipo de narrativa criolla que ganaría importancia a lo largo del siglo XVII: una crónica que mezclaba la documentación con el comentario social y el cotilleo, escrita con la historia oral de las vidas de la clase alta nacida en América. El tratado es un texto fundacional para los historiadores criollos ya que habla de los trabajos de los cronistas y misioneros españoles —Colón, Cortés, Las Casas, Sahagún y otros—, los resume, y va más allá para contar una historia que ellos no pueden contar porque está basada sobre todo en el contacto personal con los actores principales. Así como los primeros españoles en América, como Bernal Díaz, Fernández de Oviedo o Las Casas, justificaban su autoridad en parte en la experiencia de primera mano, las nuevas generaciones de historiadores criollos y mestizos reclamarían un lugar privilegiado para su propia escritura.

El *Tratado* se narra con la familiaridad y comodidad de alguien que convive con los indígenas diariamente, en un tono práctico despojado de la cualidad de maravillarse típica de las crónicas anteriores. Las expresiones de emoción se guardan para escenas como la de la muerte innoble de los Ávila, que Suárez consideró un castigo injusto y excesivo. El *Tratado,* por tanto, hace una crónica del mundo de la primera generación criolla y los comienzos de una sociedad de excesos que sería tan bien retratada más tarde por los poetas barrocos como Juan del Valle y Caviedes. Martín Cortés, símbolo de la decadencia causada por unas pocas décadas de riqueza y poder colonial, y los desdichados hermanos Ávila —que se enfrentaron a su destino llenos de miedo pero vistosamente ataviados— subrayan la preocupación de los criollos por los ritos y las apariencias que posteriormente sería representada con más amplitud en el barroco del siglo XVII.

La *Crónica mexicana* de Tezozomoc nos cuenta la historia de la clase gobernante que fue conquistada: la nobleza azteca vencida. El autor es él mismo un descendiente de estos antepasados imperiales; una vez más, su historia está basada en el testimonio de aquellos que tenían un conocimiento personal de lo que sucedía. Parece ser que Tezozomoc, de quien se sabe poco, nació aproximadamente en la época de la conquista (¿1520?) y escribió su crónica cuando ya era viejo (Mariscal, «Prólogo» a Tezozomoc, xxxvii). La *Crónica* nos cuenta la historia de los aztecas, o mexica, desde sus legendarios inicios hasta el momento de la conquista. Tezozomoc se refiere a una segunda parte de la crónica que se referiría a los años posteriores a la llegada de los españoles, pero ese manuscrito se ha perdido. Lo que poseemos hoy en día de este autor son dos narraciones: una de ellas es esta que comentamos, escrita en español, y la *Crónica mexicáyotl*, escrita en náhuatl.

Para el lector en español, la característica más notable de la *Crónica mexicana* debe ser su rareza lingüística. El lenguaje se hace repetitivo, a veces hipnótico, y lleva a pensar al observador que tal vez la crónica publicada en 1878 es en realidad una traducción del náhuatl (Mariscal, xlii). Hasta que no se publique una nueva edición crítica de la *Crónica* este aspecto seguirá sin esclarecerse. Lo que queda claro ante el lector, sin embargo, es que la crónica de Tezozomoc contiene en paralelo dos sistemas de experiencia subjetiva; él es a la vez un descendiente de la aristocracia conquistada y un historiador cristianizado de esa conquista.

Un ejemplo importante de las consecuencias de esta visión dual que se crea desde la perspectiva del autor es la forma como se tratan las creencias indígenas. Las prácticas religiosas de los mexicas están descritas con mucho detalle, la narrativa incluye muchas palabras en náhuatl que no se han traducido. Al mismo tiempo, los arrebatos morales contra el carácter diabólico de los sacrificios humanos y contra la idolatría de los indios, forman importantes apartes de la narración y son un patrón recurrente en la escritura de los historiadores indígenas o mestizos de esta época.

Con este texto mexicano de la colonización y la conquista terminamos nuestro análisis de las historias escritas durante la segunda mitad del siglo XVI en el Nuevo Mundo, que para algunas personas como Alvarado Tezozomoc era a la vez nuevo y antiguo. En un lenguaje que existe entre dos culturas, la voz del historiador indígena emerge en la *Crónica mexicana* para dar una nueva forma a la historia de la conquista que hasta ese momento sólo había sido escrita por los propios conquistadores. Esta voz sería silenciada durante siglos, hasta que los académicos de la época postcolonial la volvieron a «descubrir». En ella encontramos un emblema de la riqueza, y la tristeza, de la cultura colonial al final de siglo.

HISTORIAS E HISTORIADORES DE PRINCIPIOS DEL SIGLO XVII: 1600-1620

Los primeros años del siglo XVII dieron paso a la escritura y publicación continuada de muchas historias muy similares a las características de las décadas anteriores. La importancia de la relación legalista creció, mientras que la historia clásica siguió encontrando adeptos a ambos lados del Atlántico. Las mujeres, en su mayoría monjas de clausura, escribieron historias de vidas espirituales que también narraban frecuentemente sucesos históricos. Los historiadores indígenas y mestizos también escribieron en los dos virreinos más importantes, la Nueva España y el Perú. Y, al extenderse los límites del imperio hasta Paraguay, los territorios argentinos y el Río de la Plata, se escribieron nuevas crónicas que seguían la marcha de los colonizadores.

Ovando y la escuela de cronistas mayores

Juan de Ovando y Godoy, nombrado presidente del Consejo de Indias en 1571, pasó los cinco años siguientes formulando y perfeccionando una lista de preguntas a las que los escritores de relaciones debían responder en sus textos. El cronista mayor, jefe de todos los demás, usaría las respuestas a estos cuestionarios para diseñar un libro descriptivo de todos los territorios coloniales (González Echevarría, *Mito y archivo* (Fondo de Cultura Económica, 2000, Mignolo, «Cartas»). Tras la muerte de Ovando (hacia 1576), Juan López de Velasco, el cronista mayor en esos momentos, redujo aún más las preguntas obligatorias hasta que llegaron a cincuenta.

Estos dos hombres fueron por tanto responsables del carácter oficial y profesionalización de dos tipos de escritura histórica a finales del siglo XVI y comienzos del XVII: la del cronista mayor y la de los relatos más humildes o relaciones. El primero, siguiendo la tradición de Oviedo y López de Gómara, continuaría encerrando la historia de las Indias dentro de un marco universal y cósmico, tomando la información de las relaciones y uniéndola a una docta retórica. Un ejemplo notable de esto en el comienzo del siglo XVII fue Antonio de Herrera y Tordesillas, cronista mayor que publicaría la *Historia general de los hechos de los castellanos en las islas y tierra firme del mar océano* (Madrid, 1601-1615); al no haber viajado nunca a las Indias, basó su historia compendiosa en las observaciones de otros, rescribiendo innumerables documentos tanto publicados como manuscritos.

Las relaciones fueron muy numerosas y, con alguna excepción notable (como la *Brevísima relación* de Las Casas), son informes que hoy se encuentran con más frecuencia en los archivos legales o históricos que en las bibliotecas. Lo que nos interesa aquí es la huella que dejó la lista de preguntas oficial a la que estos informes tenían que responder en los escritos históricos y literarios a lo largo del siglo XVII. Las historias compuestas por la escuela de cronistas mayores demuestran naturalmente esta influencia. Pero la omnipresente relación, con su retórica legal, estaba también entrelazada con el desarrollo de la novela picaresca (González Echevarría, «José Arrom, autor de la *Relación acerca de las antigüedades de los indios*», *Mito y archivo)*. A partir de mediados del siglo XVII, estos hilos de discurso legal y literario se combinarían dentro de las obras de autores tales como Carlos de Sigüenza y Góngora *(Infortunios de Alonso Ramírez,* México, 1690) para crear la prosa narrativa heterogénea que caracterizó al último periodo colonial.

Escritoras en los conventos: las historias de las monjas en las colonias

Las mujeres fueron personajes importantes en el Nuevo Mundo desde el comienzo de la época de la conquista y la colonización; llevaron a cabo diversas tareas tanto en la esfera pública como en la privada (Muriel, *Cultura femenina novohispana;* Martín, *Las hijas de los conquistadores,* Casiopea, 2000). Las mujeres capacitadas para escribir historia eran un grupo extremadamente pequeño, ya que muy pocas recibían educación a un nivel superior al básico de leer y escribir que se suponía suficiente para las mujeres. A finales del siglo XVI y principios del

XVII, los conventos fundados en las ciudades de la Nueva España, Perú y Nueva Granada (Colombia) se convertirían rápidamente en instituciones importantes para las clases superiores profesionales de criollos y mestizos. Estos conventos, algunos de los cuales daban cobijo a cientos de mujeres de todas las razas y edades, eran un lugar central de prestigio en la sociedad ortodoxa y religiosa que se desarrolló tras el Concilio de Trento. Los conventos mismos eran un espejo de la sociedad exterior, con divisiones estrictas de clases y castas que dictaban quién debía aspirar al puesto de monja profesa y quién al de sirvienta o esclava.

Algunas mujeres encontraron en los conventos lugares ideales para la escritura de literatura, especialmente de poesía y teatro. Sor Juana Inés de la Cruz, que no se encuentra al alcance de nuestro ensayo debido a la cronología, es sólo la más conocida de estas poetas. El descubrimiento y publicación de las escritoras coloniales es una labor académica que acaba de comenzar con la publicación de varios libros clave (Muriel, *Cultura femenina;* Arenal y Schlau, *Untold Sisters* [Hermanas desconocidas]). A pesar de que la poesía, normalmente con un tono místico, era el vehículo más común para las escritoras de la época, las historias de vida espirituales (vidas de monjas) se escribían con frecuencia por orden de los confesores. Estas historias, a las que se daba valor por su carácter ejemplar, se leían tal como las vidas de los santos se habían leído desde el comienzo de la era cristiana.

Así, las monjas que escribían historia en las primeras décadas del siglo XVII lo hacían so capa de dos tipos de narrativa que frecuentemente se combinaban: la relación o crónica que narraba la fundación de un convento individual, y la vida de monja. Las dos estaban relacionadas, ya que a menudo la historia de vida de una monja incluía su papel como fundadora de un convento, sobre todo en las décadas del cambio de siglo, cuando surgieron por doquier nuevas instituciones de este tipo, al ritmo del crecimiento de la sociedad colonial. De entre las variadas órdenes religiosas, la de las carmelitas reformadas —seguidoras de Santa Teresa de Ávila—, fue notable por su énfasis en la escritura de historias fundacionales, como había hecho la misma Teresa en el siglo XVI (Arenal y Schlau, *Untold Sisters,* 19-45).

Describiremos brevemente la obra de dos monjas que trabajaron juntas en la fundación del primer convento carmelita de la Ciudad de México, el de San José, en 1616. Inés de la Cruz, nacida en España, llegó a América con su familia cuando aún era una niña. La historia de su vida, escrita durante los años 1625-1629, se conserva en un manuscrito en la biblioteca de este mismo convento, como también dentro del texto de Sigüenza y Góngora *Parayso Occidental* (México, 1684). Mariana de la Encarnación, una criolla, escribió una relación en 1641, que narraba su vida y la fundación del convento; ésta también se encuentra extractada dentro del texto de Sigüenza, y otra monja la copió en un manuscrito en 1823.

Las dos monjas profesaron en el convento de Jesús María (el protagonista de la historia de Sigüenza y uno de los conventos más antiguos de la Nueva España). Descontentas por la laxitud de la práctica religiosa en aquella institución, trabajaron juntas para fundar San José, que seguiría la orden teresiana más estricta. Para hacerlo se aliaron con la corte del virreinato, que por razones tanto políticas como religiosas estaba muy interesada en fundar un convento de la orden carmelita en la capital de la Nueva España. Las historias de Inés y Mariana nos cuentan los sucesos que llevaron a la fundación en 1616 de este convento, a través de relatos en primera persona, que comienzan con sus propias vidas y mezclan gradualmente la narración sobre ellas mismas con la historia de la institución.

Estos escritos basan su relato de eventos en el mundo interno, muy privilegiado, de las creencias religiosas. Los milagros y las visiones revelan un plan divino que daría a cada monja un papel central en el drama de intrigas que se desarrollaba en el contexto de la Corte y la Iglesia. De paso narran muchos detalles de la vida diaria del convento; en el caso del relato de Mariana, estos detalles incluyen una descripción de las tensiones que se desarrollaban entre las monjas nacidas en España y las criollas. Estos detalles son fascinantes por sí mismos, ya que nos muestran el mundo apartado que se desarrollaba dentro del convento. Igualmente importante y necesaria es la consideración de cómo estas historias de mujeres se relacionan con los patrones retóricos dominantes de su época —y, en especial, con los de la relación, el vehículo amorfo que mezclaba el documento legal y la autobiografía. Las historias de vida de las monjas de la colonia deberían ser leídas en el contexto del discurso cambiante de la narrativa histórica del Nuevo Mundo, además del de la tradición femenina que surge sobre todo en las obras de Teresa. Al igual que la vida dentro del convento reflejaba la complejidad del mundo exterior, las narraciones de estas monjas participaron en los desarrollos dramáticos que tendrían lugar en la forma de escribir historia.

Las narraciones de la experiencia nativa andina

El historiador mexicano Enrique Florescano, al describir lo que él llamaba el desarraigo de los cronistas nobles indígenas de la Nueva España (como Tezozomoc) y la interpretación de la historia indígena que desarrollaron en una forma escrita hispanizada, establece una diferencia entre este proceso y el que tuvo lugar en el Perú (Florescano, *Memoria mexicana,* 167-81). De acuerdo con el análisis de Florescano, los historiadores indígenas de la Nueva España colaboraron con los conquistadores españoles, separándose claramente de las masas de indios y asumiendo un punto de vista aculturado y europeizado. Para Florescano esto sugiere una falta de identidad y autenticidad en los cronistas mestizos de la Nueva España cuando desarrollaron la transición desde la historia oral a la escrita. Los primeros escritores andinos, al contrario, mantuvieron un contacto más cercano con su pasado y presente indígenas, y así su escritura nos da un testimonio de una colonización, la de la región andina, con un carácter más autóctono que el de la Nueva España.

Podríamos cuestionar este esquema por su simplismo, ya que todas las historias que se escriben para dejar constancia de una tradición oral de siglos de antigüedad usando las herramientas de la retórica occidental muestran necesariamente los estragos de una pérdida cultural. La traducción a un español estático nunca haría justicia a un sistema indígena de significados que se apoyaba en múltiples interpretaciones. Sin embargo, si consideramos los esfuerzos de los historiadores andinos para narrar los sucesos del primer siglo de dominación colonial en sus tierras, encontraremos evidentes diferencias con las crónicas de la Nueva España.

La obra más conocida en la actualidad de un autor andino es la de Felipe Guaman Poma de Ayala, *El primer nueva corónica y buen gobierno* (1615; publicado en París, 1936). El largo texto de Guaman Poma es uno de los que permite en la actualidad, a un estudioso del Perú colonial, extraer información sobre la cultura indígena tras la llegada de los españoles. El primero es la *Relación* de Titu Cusi Yupanqui, dictado a un cura hacia 1570 (publicada en Lima en 1916). Miembro de la familia real incaica y testigo de la conquista, Titu Cusi escribió su narración antes de ser ejecutado por su protagonismo en el levantamiento indígena de Vilcabamba. Otro relato es el de Juan de Santacruz Pachacuti Yamqui, *Relación de antigüedades deste reino del Perú,* que se acabó de escribir más o menos al tiempo que la *Nueva corónica* de Guaman Poma (1613) y fue publicada en Madrid siglos después como un volumen de la Biblioteca de Autores Españoles.

Ni Pachacuti Yamqui ni Guaman Poma eran miembros de dinastías incas (Adorno, *From Oral to Written Expression* [De la expresión oral a la escrita], 1). Guaman Poma, nacido alrededor de 1535 en la región norteña de Andamarca, desempeñó varios cargos burocráticos en el gobierno colonial de su área y participó en las campañas españolas para extirpar las «herejías» indígenas. La *Nueva corónica* narra en primer lugar el pasado andino hasta los tiempos de la conquista; critica a veces la dominación de la dinastía inca sobre las otras. La segunda parte de su obra cuenta cómo era la vida andina bajo la dominación colonial, y aquí se pone en evidencia la crueldad de los españoles, aunque siempre dentro de los principios de la doctrina católica.

Desde 1980 el estudio de las obras andinas como la de Guaman Poma por parte de la crítica literaria y culturalista va siendo cada vez más sofisticado. Las metodologías semióticas y etnográficas han enriquecido las herramientas de la crítica literaria, esclareciendo estas complejas narraciones que cruzan fronteras culturales no sólo a nivel lingüístico (como en la obra de Tezozomoc), sino también a través de representaciones pictóricas. La *Nueva corónica,* por ejemplo, ilustrada de principio a fin con los dibujos del autor, presenta un doble texto: el que está basado en la palabra, argumentado a través de la retórica del escolasticismo español, y el que está basado en el dibujo, organizado de manera simbólica de acuerdo con el uso andino del espacio (Adorno, *Guaman Poma;* MacCormack, «Atahualpa and the book» [Atahualpa y el libro]).

El tema de la resistencia a la aculturación se menciona a menudo en los estudios de estas narrativas, que sólo eran parte de los medios a través de los cuales los nativos andinos lucharon para mantener la cohesión ante el desorden provocado por la conquista (otras batallas se comenzaron ante jueces o a través de la insurrección directamente). A pesar de estos esfuerzos para combatir la desesperación resultando de lo que Guaman Poma designó como el «mundo del revés», las divisiones de clase como las que cita Florescano en el caso mexicano, al final también llegaron a la sociedad andina (Castro-Klarén, «Dancing and the sacred in the Andes» [La danza y lo sagrado en los Andes, del libro *Dispositio*], 173). Los descendientes hispanizados de las clases nobles pronto perdieron su conexión con las masas de indios analfabetos.

Las décadas del final del siglo XVI y el principio del XVII fueron cruciales para la formación de un cuerpo de historia escrita que expresaría la vertiente catastrófica de la conquista tal como la redactaron los vencidos mismos. Los textos de los historiadores mestizos de México y el Perú se erigen como testimonio de una resistencia al colonialismo que no tuvo para nada un carácter monolítico, y que reflejó las complejidades internas de la sociedad indígena tanto antes como después de su encuentro con Europa. Lo que se perdió en la traducción, cuando la tradición oral cedió a la historia escrita, fue tanto material como simbólico: el poder de cada uno de tener la posibilidad de contar su propia historia. Los historiadores que intentaron atar los cabos y retener este poder perdieron la batalla inevitablemente a medida que se fortaleció la hegemonía de la palabra escrita.

El Inca Garcilaso de la Vega: el comentario de un humanista mestizo

Los *Comentarios reales* (Lisboa, 1609) y la *Historia general del Perú* (Córdoba, 1617) forman una de las más conocidas historias del Perú desde los orígenes de la sociedad inca hasta la conquista española y las décadas siguientes. Su autor y las circunstancias de su vida son igualmente famosos: nacido en Cuzco en 1539 como Gómez Suárez de Figueroa, el hijo ilegítimo de una princesa incaica y un capitán español de familia noble, Garcilaso pasó los primeros veinte años de su vida en el Perú, creciendo dentro de la primera generación de mestizos y criollos privilegiados. En 1560 partió rumbo a España tras la muerte de su padre, y durante los siguientes treinta años luchó en vano por reclamar los bienes de éste. Garcilaso estudió en la biblioteca de la casa de su tío en Andalucía, luchó en campañas militares contra los moriscos, y por fin se retiró al final del siglo a Córdoba, con una herencia que le dejó su tío. Fue allí donde escribió las obras en prosa renacentista que hoy tanto se valoran, que también incluyen una traducción al español de los *Diálogos* (Madrid, 1590) del autor neoplatónico italiano León Hebreo y *La Florida del Inca* (Lisboa, 1606).

Determinar por qué los *Comentarios* han sido el objeto de tanta atención por parte de los historiadores y de los historiadores de la literatura no es difícil: la obra está escrita en una prosa española elegante y fluida de las más bellas del periodo, y es un texto ejemplar de la medida renacentista en la escritura. Además, se menciona a menudo la subjetividad bilingüe y bicultural del autor, dándose un sabor autobiográfico a la narrativa. Una de las preguntas que sugiere casi cualquier lectura —si no todas— de la obra es cómo esta subjetividad se inserta en la dimensión histórica de los *Comentarios,* y es también la razón por la que Garcilaso se ha erigido a veces como un símbolo de la nueva sociedad del Nuevo Mundo.

Los nueve libros de los *Comentarios* empiezan situando a América y al Perú en el universo, como ya hemos visto en otras historias doctas. Garcilaso deja claro desde un primer momento que su «comentario» hará referencia a la obra de Cieza de León, Acosta y otros no para corregirla, sino para enmendarla, y así describir el imperio del Cuzco, al que compara con el de Roma. Era común para los historiadores renacentistas, escribir su obra a partir de otras anteriores de escritores cultos. Así contribuían a la tarea del humanista de explicar el lugar del hombre en el universo. Pero la contribución de Garcilaso como autor mestizo establecía un vínculo diferente a la cadena sencilla de un historiador que sigue al anterior. A pesar de que su herencia lo desacreditaba ante los ojos de algunos, porque se le veía poco capaz de decir la verdad sobre las gentes de la raza de su madre, sorteó este dilema empleando las herramientas historiográficas de la retórica europea (Pupo-Walker, *Historia, creación y profecía, La vocación literaria).*

En particular, su conocimiento del quechua fue el elemento principal de esta pretensión. La forma del comentario era practicada por los retóricos humanistas como una glosa de los textos antiguos o clásicos; el ejercicio de Garcilaso adquiere un carácter diferente porque glosa los «textos» del imperio incaico, hechos a partir de testimonios orales y recuerdos (Zamora, *Language, Authority and Indigenous History* [Lenguaje, autoridad e historia indígena]). Al escribir este comentario basado en las fuentes quechuas, Garcilaso podía exponer su visión particular del papel providencial de los incas en la historia del Perú: éstos llevaron la civilización a las tribus bárbaras de los Chanca y así pavimentaron el camino para la llegada de la cristiandad.

Los libros de los *Comentarios reales* introducen pues a los incas dentro del marco tan familiar de la historia natural, examinando primero la universal, luego la local, dedicando capítulos a las plantas y animales de la tierra nativa del autor y al carácter de sus habitantes. El constante deseo de Garcilaso es el de mostrar la naturaleza racional, monoteísta, justa y civilizada de sus antepasados maternos. De esta forma responde a la campaña ideológica reaccionaria del virrey Francisco de Toledo, quien, en el último cuarto del siglo XVI, fomentó la escritura de una serie de crónicas diseñadas para retratar a los incas como tiranos (Lavalle, «El Inca Garcilaso»). La historia de Garcilaso es por tanto, un lamento por la cultura armónica que podría haber sido un Tahuantinsuyo cristianizado, que combinara ambas culturas sin destrucción, tal como Las Casas ya había imaginado.

Los *comentarios* intentan narrar la historia de un nativoparlante del Imperio Inca, «destruido antes de ser comprendido» y de defender la civilización de su tierra materna, pulverizada por los feroces ejércitos de la nación de su padre. La *Historia general del Perú* cubre el periodo de la conquista y la guerra civil que hubo a consecuencia de la llegada de esos ejércitos. Aquí queda claro que Garcilaso veía la conquista como algo justificado y necesario desde un punto de vista religioso. También saborea la oportunidad de lavar algunos de los trapos sucios de las facciones oponentes, detallando algunas luchas internas por el poder con la autoridad de un testigo.

En la *Historia general,* planeada por el Inca como la segunda parte de los *Comentarios* pero publicada tras su muerte con un título diferente, Garcilaso se embarca en la tarea de describir a su padre como un conquistador fiel a la Corona a pesar de la evidencia de una posible traición y de defender su propia demanda del legado de su padre (González Echevarría, *Mito y archivo).* Así la biografía de su padre se combina con la narrativa autobiográfica del hijo, y la narrativa de la nostalgia y la memoria se une al deseo de reivindicación material y legal.

Contando la historia desde dentro de las fronteras discursivas europeas, el Inca asume la posición de un historiador mestizo de buena cuna que intenta negociar su propio equilibrio armonioso entre dos culturas. Su historia debe ser disociada de la de otros autores andinos como Guaman Poma que escribió narraciones de carácter y perspectiva verdaderamente indígenas, pero comparte con ellos la descripción de la futilidad y la frustración del deseo de justicia entre el colonizador y el colonizado que por último no fue posible.

Alva Ixtlilxóchitl: la siguiente generación de historiadores nativos

A pesar de que los dos volúmenes de los *Comentarios reales* fueron publicados durante el periodo barroco en el siglo XVII, Garcilaso había comenzado a escribir mucho antes. Nacido durante la primera década después de la conquista del Perú, su experiencia personal, su educación y sus preocupaciones legales reflejan la naturaleza cambiante del Imperio Español a mediados del siglo XVI. Aún se estaba redactando un código de ley que estableciese los derechos de los conquistadores y los conquistados; las enseñanzas humanistas de la primera mitad de siglo aún no habían desaparecido de la vida intelectual, y las formas de la sociedad indígena antes de la llegada de los europeos se podían extraer de la memoria o de la tradición oral. Garcilaso había vivido en contacto cercano con su familia incaica, y su pasado era más que una abstracción para él.

Fernando de Alva Ixtlilxóchitl (la Nueva España, 1580?-1650), hijo de madre mestiza y padre español, pertenecía a una nueva generación de historiadores americanos para quienes la época de la conquista y los imperios nativos existía no como un recuerdo querido sino como una fuente de archivo. En su *Historia de la nación chichimeca* (escrita 1608-1625?; publicada en México, 1891), Ixtlilxóchitl sigue un modelo humanista conocido para su práctica historiográfica, aplicándolo a una rama de sus antepasados maternos. Comienza con una narración sobre cómo describe la leyenda mesoamericana los comienzos del mundo, luego Ixtlilxóchitl traza el alzamiento y caída de las civilizaciones olmeca y tolteca, y la posterior migración de las tribus norteñas al valle central de Anahuac. Entre aquellos emigrantes estaban los chichimecas, que se asentaron en la región de Teotihuacán y Texcoco, adoptando la cultura y el lenguaje náhuatl de la región y tomando el nombre de acolhua. Hacia el final del siglo XIII dominaban el valle, pero las guerras civiles con las tribus rivales limitaban su expansión más allá de éste. Durante el siglo XIV los acolhua, tepaneca y mexica se dieron a conocer como los más fuertes de los grupos guerreros y formaron la Triple Alianza; al final del siglo XV los mexica, o aztecas, tomarían el control de la alianza (Vázquez, introducción a Alva Ixtlilxóchitl, 8-15). Todo esto se narra en la *Historia de la nación chichimeca,* que culmina con la llegada de Cortés y su asedio de Tenochtitlán. La obra termina de forma abrupta e incompleta en este punto, ya que al manuscrito le faltan lo que serían los últimos capítulos sobre la creación de la Nueva España.

Ixtlilxóchitl, descendiente directo de los mandatarios de Texcoco, Teotihuacán y Tenochtitlán, a través de su abuela materna, adoptó su nombre indígena —el del señor de Texcoco que era su tatarabuelo— saltándose algunas generaciones de su árbol genealógico. Era común en el siglo XVI que los miembros de una familia usaran diferentes apellidos o que una persona adoptara el nombre de otra que no fuera el de sus padres. En este caso, el gesto de Ixtlilxóchitl establecía una clara vinculación con su herencia indígena, a pesar del hecho de que su sangre era sólo india en un veinticinco por ciento y que por lo tanto era un castizo que, de acuerdo con los documentos de la época, era socialmente aceptado como blanco (Vázquez, 33).

¿Cuál era la relación de Ixtlilxóchitl con su pasado indígena? Como otras muchas figuras del periodo, su identificación personal, o falta de ella, con sus raíces indígenas ha sido controvertida para los intelectuales de las épocas posteriores a la independencia, ellos mismos embarcados pasionalmente en una búsqueda de su identidad hispanoamericana. Los argumentos son demasiado numerosos como para mencionarlos aquí; recordaremos sólo el desprecio de Florescano por los historiadores que se identificaban con la nobleza indígena colaboradora, ya discutido en el caso de Tezozomoc contra Guaman Poma. La cuestión se merece un tratamiento serio hacia el que aventuraremos algunos apuntes.

Ixtlilxóchitl había recibido educación durante algunos años en el Colegio de Santa Cruz de Tlaltelolco. El gran proyecto educativo de Sahagún y otros franciscanos estaba en estos momentos en su etapa final de desaparición, pero aún ofrecía a los descendientes de la nobleza indígena un curso europeo de estudios avanzados. El texcoco se convirtió en un funcionario del gobierno, que luego trabajó como juez y más tarde como intérprete legal en una burocracia que se ocupaba de los asuntos indios. Era por tanto bilingüe, y perito en leer los códices indígenas que sirvieron como fuente material para sus escritos históricos. En efecto, algunos de sus primeros relatos estaban compuestos en náhuatl. Su madre heredó las tierras del cazicazgo de Teotihuacán a finales del siglo xvi; la familia lucharía durante décadas para mantener esta propiedad a través de largas batallas legales.

La *Historia de la nación chichimeca* basa su relato de la historia indígena en los códices, y la de las acciones de Cortés en los cronistas españoles como Gómara, Herrera y Torquemada *(Monarquía indiana,* 1615). Se retrata a los chichimecas como a gentes ya civilizadas antes de su llegada al valle central, a pesar de que todas las pruebas etnográficas los señalan como nómadas desorganizados. Cortés es el enviado providencial de Carlos V y Cristo, que salva a las tribus de Anahuac de la idolatría, el barbarismo y el imperialismo salvaje de los aztecas.

La *Historia de la nación chichimeca* sigue por tanto el modelo de los *Comentarios reales:* una glosa, que realmente es una traducción, de las fuentes indígenas que señalan la importancia y el papel civilizador de los antecesores del autor, seguido de la llegada de los cristianos que completarían el plan divino. A pesar de que Ixtlilxóchitl no cita los *Comentarios* en ningún momento, está claro que conocía la obra al menos a través del compendio de Herrera.

El texcoco, sin embargo, no compartía ni el prodigioso talento retórico de Garcilaso, ni su identidad dividida. Ixtlilxóchitl era miembro de una generación alejada en el tiempo de la conquista, y de una casta que cooperó totalmente con las autoridades coloniales. Su fortuna y su forma de ganarse la vida dependían de su conocimiento del náhuatl y del resultado de su reclamo legal sobre sus tierras ancestrales. *La Historia de la nación chichimeca* analiza esta petición a través de fuentes codificadas más que orales, ya que la memoria había perdido su poder para los caciques del siglo xvii; se interesaban más por la documentación que les pudiera ayudar a retener riquezas. Ixtlilxóchitl tenía la posibilidad de conseguir una ganancia por su pertenencia a una rama genealógica de la nobleza indígena y la celebraba mientras aplaudía la victoria de Cortés. Durante la segunda década del siglo xvii esta posición ya no suponía una contradicción muy fuerte.

«La Argentina» de Ruy Díaz de Guzmán

La Argentina, acabada en 1612 y publicada por primera vez en Buenos Aires en 1835, se tituló originalmente *Anales del descubrimiento, población y conquista de las Provincias del Río de la Plata.* Su autor, Ruy Díaz de Guzmán, nació en Asunción, Paraguay, hacia 1560 y murió allí en 1629; como Ixtlilxóchitl, era hijo de madre mestiza y padre español, y probablemente bilingüe (del guaraní y el español). Aquí acaban sus similitudes, ya que Díaz de Guzmán fue el primer cronista de su provincia, que era la frontera más al sur de la colonización a finales del siglo xvi y principios del xvii. Este producto de una segunda generación de mezclas raciales se convirtió en un agente de la consolidación imperial española así como en el primer historiador de su región y, como tal, nos sirve de final perfecto para nuestro ensayo sobre la época que coincide a grandes rasgos con la de su vida.

La Argentina es la primera crónica escrita por un pacifista, y no un conquistador de las Indias, ya que las acciones como soldado de la Corona de Díaz de Guzmán contribuyeron al asentamiento de la sociedad colonial en las áreas donde el momento inicial del descubrimiento ya había pasado hacía mucho (Gandía, Introducción a *La Argentina*, 32-3). A pesar de no ser un historiador —un letrado, un hombre culto— era muy consciente de la historia, la tradición y la autoría que surgía de su propio sentido del lugar. Ya que, además de ser un tratado sobre la historia del descubrimiento de las provincias del Río de la Plata, *La Argentina* es también una declaración de linaje y de la identificación del autor con «nuestros españoles». El padre de Díaz de Guzmán era miembro de una ilustre familia noble; su abuelo materno era Domingo de Irala, gobernante del Paraguay y uno de los fundadores principales del primer asentamiento en Buenos Aires a mediados del siglo XVI. El hecho de que su madre fuese mestiza, la hija ilegítima de una de las mujeres indias del gobernador, no aparece en el texto. No es pertinente para el proyecto de *La Argentina*, tal es el de establecer una genealogía a través de la narración de las hazañas pasadas y presentes de la familia Guzmán, usando información extraída del testimonio oral y de la propia experiencia como testigo del autor.

Aquí debemos considerar el carácter legal de esta historia, un aspecto poco observado por los historiadores (que ponen el énfasis en el valor narrativo de historia fundacional, aunque ésta pueda contener datos erróneos) y por los estudiosos de la literatura (que han encontrado aspectos novelescos en algunas «historias» independientes incluidas en el libro). Díaz de Guzmán escribió *La Argentina* mientras residía en la ciudad de La Plata, la capital judicial de la región de Charcas en el alto Perú y el lugar donde se encontraba la audiencia colonial que tenía jurisdicción sobre Paraguay y Buenos Aires, entre 1607 y 1612. En esa época había estado librando diversas batallas legales con sucesivos gobernadores, sobre todo con Hernando Arias de Saavedra. Estas dificultades, típicas de la época, tenían que ver con la petición de Díaz de Guzmán de beneficios sobre tierras e indios (una encomienda) como recompensa por sus acciones militares en el nombre de la Monarquía. Los gobernantes, ansiosos por controlar el poder de los colonos, le hostigaban de muchas formas; cada vez que esto ocurría, Díaz de Guzmán escribía una carta a la Corona, pidiendo justicia (Gandía, 35-9).

La necesidad de escribir una historia sobre las provincias del Río de la Plata no era, por tanto, algo inocentemente achacable al orgullo familiar, ni un deseo de salvar a la historia del olvido. Díaz de Guzmán dedicó *La Argentina* al duque de Medina-Sidonia, un familiar del clan Guzmán, y la narración llama continuamente la atención del lector sobre los actos heroicos de los antepasados de Díaz. En otras palabras, establece claramente su petición sobre el territorio y sobre el título de Conquistador, a pesar del hecho de que estaba siguiendo las huellas de otros al final del siglo XVI y no está abriendo ningún camino nuevo a través de la jungla sudamericana. *La Argentina* debería ser vista en este contexto: es un documento de un descendiente de conquistadores que establece su demanda del territorio que cree que le corresponde a pesar de las restricciones de los burócratas coloniales que frustran esa demanda, y una petición hecha también directamente a la Corona a través de sus familiares nobles. Es una declaración de linaje y una petición de privilegios hecha por un mestizo que se siente totalmente identificado con España y con el proyecto imperial.

Así concluimos esta visión de las historias de los años 1550-1620 con tres autores mestizos, todos preocupados con los problemas de linaje, herencia y remuneración, y todos usando la historia como un vehículo para establecer reclamaciones sobre el pasado. Para el Inca Garcilaso, la búsqueda de un balance entre la herencia de una madre indígena noble y un padre conquistador noble lleva a una larga historia que se apoya en la retórica del humanismo renacentista. Alva Ixtlilxóchitl, que escribió algunas décadas más tarde y algunas generaciones más distante de los resultados inmediatos de la conquista, defiende y documenta su noble linaje indígena no por amor ni por identificación personal, sino para conseguir ganancias y la continuidad de un título sobre tierras ancestrales. Por fin, la historia de Díaz de Guzmán sobre los territorios de La Plata, la frontera sureña en los comienzos del siglo XVII, refleja sus acciones como un pacifista de las tribus indígenas que aún se resisten a través de la exaltación de su noble padre y la extirpación de sus raíces maternas indígenas.

Tres historiadores mestizos diferentes en tres lugares diferentes del Imperio Español, todos defendiendo una petición sobre el futuro a través de un examen del pasado: estas son las voces de la historia un siglo después de que los europeos pusieran sus pies en la tierra firme americana por primera vez. La suya fue verdaderamente una época de colonización y cambio, y su obra escrita representa un momento de cambio crucial en la historiografía del Nuevo Mundo.

[5]

LOS HISTORIADORES DEL PERIODO COLONIAL: 1620-1700

David H. Boost

La historiografía del siglo xvii reprodujo muchos de los patrones de escritura histórica que se desarrollaron durante los primeros años del descubrimiento y la conquista. Los historiadores más importantes del siglo xvi trabajaron sobre los modelos fundamentales de expresión histórica que perduraron hasta el siglo xvii e incluso el xviii. En este periodo encontramos una continuación de la *crónica mayor,* historiografía religiosa relacionada con la historia de las órdenes religiosas y de la vida espiritual de la colonia, varias formas de literatura testimonial, obras sobre todo descriptivas de la geografía del Nuevo Mundo y otras modalidades narrativas que se empleaban normalmente en esos tiempos, como la *relación* y los comentarios sabios. Aún así hubo un notable desarrollo dentro de estas normas tan bien definidas —empresas creativas que recientemente han llamado la atención de quienes se dedican a los estudios literarios— para comunicar una interpretación más imaginativa de aquellos eventos y de los procesos que llevaron a la expansión y estabilización de las colonias. A pesar de estar guiada hasta cierto punto por los modelos funcionales escritos en el siglo xvi, la escritura del último periodo colonial se hizo más variada y compleja en cuanto a su estilo y estructura.

LOS CRONISTAS DE INDIAS

El papel del Cronista Mayor durante una gran parte del siglo xvii entraña una ironía muy curiosa. De acuerdo con algunos indicios, estos historiadores eran los más capacitados entre todos los grupos para realizar estudios de conjunto de la historia del Nuevo Mundo. Los que llevaban a cabo esta labor tenían el mayor prestigio y autoridad de todos los historiadores del último periodo colonial. Poseían el encargo legal de la petición, la lectura y la censura de los trabajos de otros historiadores que escribían sobre la conquista americana y los asentamientos. Como representantes de la Corona, los Cronistas de Indias eran responsables de sintetizar e interpretar todos los datos que consideraran apropiados para la misión española en América. Con esta investidura tan impresionante y con el legado de Antonio de Herrera y Tordesilla en mente, sorprende que ningún cronista mayor a lo largo del siglo XVII fuese capaz de llevar a cabo en su totalidad las nobles promesas hechas por Juan de Ovando en 1571: escribir una «historia general... Con la mayor precisión y veracidad posible» (Carbia, *La crónica oficial de las Indias Occidentales*, 100), una historia cuyo amplio espectro incluiría cosas «de la tierra al igual que del mar, naturales y morales, perpetuas y temporales, eclesiásticas y seculares, pasadas y presentes» (págs. 118-19).

El puesto de Cronista Mayor de Indias fue creado y sustentado durante gran parte del periodo colonial, en parte, como una respuesta calculada a la molesta propagación de la «leyenda negra» por toda Europa: el cronista mayor buscaba reglamentar y controlar el flujo de información que llegaba de las colonias. El Cronista de Indias tenía, según las palabras de Herrera, el deber de mostrar lo injusto que era «que las malas acciones de unos cuantos ensombrecieran los buenos trabajos de muchos» (Carbia, *La crónica oficial,* 102). El Cronista Mayor estaba pues en una situación política bastante sensible. Sus obras —y las que llevaban su aprobación— estaban diseñadas para servir al interés nacional, apoyando el derecho moral y legal de España a gobernar la tierra que había pacificado y cristianizado. Escribir estas palabras era pues un acto tanto legal como administrativo. Estos historiadores oficiales tenían la doble responsabilidad de escribir historias completas del Nuevo Mundo y de restaurar la reputación de España ante otros poderes coloniales, sobre todo Francia e Inglaterra, naciones que habían acusado a los conquistadores de actos criminales contra los indígenas americanos. Y aunque nadie después de Herrera fue capaz de llevar a cabo una historia hecha de todas las cosas «que valía la pena saber», como alguna vez deseara Ovando, un número de crónicas oficiales defendieron enérgicamente los logros de España en el Nuevo Mundo. Pedro Fernández del Pulgar (1621-1698) fue probablemente el nacionalista más estridente de todos los Cronistas de las Indias del siglo XVII. Como sugiere el título de esta obra, su autor estaba obsesionado por reclamar las glorias pasadas de España como poder mundial: *Tropheos gloriosos de los cathólicos Reyes de España, conseguidos en la justa conquista de América* (alrededor de 1680). El objetivo de Pulgar era, entre otras cosas, escribir una extensa disculpa que se opusiera a las historias de las atrocidades españolas en el Nuevo Mundo. De todos los cronistas oficiales que siguieron a Herrera, fue Antonio de Solís (1610-1686) quien alegó con más elocuencia que España había conseguido una victoria justa sobre los indios. Su *Historia de la conquista de México* es sobre todo una clara defensa de la conquista española del Imperio Azteca así como un modelo historiográfico del estilo de la crónica mayor. A este respecto, Solís fue el más plausible sucesor de Antonio de Herrera. Como ha sugerido Luis Arocena, su obra es una de las últimas narraciones históricas importantes de la Edad de Oro española en lo referente a la conquista de América (pág. 216).

Tristemente al tanto del declive político y económico de España durante el siglo XVII, Solís fue uno de muchos que quisieron mejorar la imagen de su país ante la comunidad internacional. La *Historia de la conquista de México* funciona así no sólo como un corrector de las narraciones anteriores, sino como réplica enfática a los historiadores extranjeros poco informados o con intenciones aviesas. Solís castiga agriamente a los extranjeros por su «gran audacia y no poca perversidad al inventar lo que les place contra nuestra nación» (pág. 25). Haciéndose eco de las intenciones anteriores de Herrera contra los muchos detractores de España, Solís critica a los historiadores que se centran en las faltas de algunos «para ensombrecer el éxito de muchos» (pág. 25). Si la popularidad es una medida del éxito, entonces Solís logró mucho más que cualquier otro cronista mayor durante el final del siglo XVII: en 1704, ya se habían publicado dieciséis ediciones de su *Historia* en español, francés e italiano; para el final del siglo XVIII, habían aparecido treinta y seis más, incluyendo versiones en inglés, alemán y danés. La *Historia de la conquista de México* se convirtió casi inmediatamente en la referencia típica sobre Cortés y la conquista del Imperio Azteca y durante muchos años se consideró un modelo ejemplar de elegancia narrativa en español. Solís ya era conocido en los círculos literarios cuando lo nombraron cronista mayor en 1661. Ya era un poeta y dramaturgo importante cuya producción literaria llegó a incluir quince obras de teatro (una en colaboración con Calderón de la Barca) y docenas de poemas. Por todo esto aportó a su puesto de cronista oficial de Indias una sensibilidad literaria refinada.

Con esta agudeza literaria, Solís podía ser un crítico mordaz de los historiadores que no alcanzaban sus criterios de excelencia expositiva. Muy pocos escaparon a sus censuras cáusticas. Francisco López de Gómara era, según Solís, un historiador que no podía distinguir la verdad entre sus múltiples fuentes; «dice lo que oyó», escribe Solís, es víctima en última instancia de su «sobrada credulidad» (pág. 4). Solís no veía bien la obra de Bernal Díaz del Castillo: «Aunque le asiste la circunstancia de haber visto lo que escribió, se conoce de su misma obra, que no tuvo la vista libre de pasiones… la envidia y la ambición se dejan ver a través de sus escritos» (pág. 4). Bernal Díaz criticó a Hernán Cortés, algo que Solís consideraba poco razonable a la luz del papel protagónico de Cortés en la derrota de la tiranía en el Valle de México. Ni siquiera Herrera era inmune a afirmaciones como esta de Solís: «No hallamos en sus *Décadas* todo aquel desahogo y claridad de que necesitan para comprenderse» (pág. 3); sólo el «estilo suave y ameno» del Inca Garcilaso de la Vega parecía agradarle.

El repaso que hace Solís a la historiografía de la conquista de México ilustra una importante tendencia de muchos escritores de historia del último periodo colonial. Para la década de los sesenta del siglo XVII —cuando Solís comenzó a trabajar en la *Historia de la conquista de México*— todos los sucesos de importancia de la aventura expedicionaria a Tenochtitlán eran de sobra conocidos. Los textos básicos sobre esta aventura (los mencionados aquí por Solís y otros) habían alcanzado un estatus canónico incipiente. De ahí que Solís se viera obligado a escribir una historia basándose en referencias a lo publicado muchos años atrás. A esto se suma la responsabilidad que tenía como cronista mayor de escribir una «historia justa» de la conquista. Revaluar los relatos históricos anteriores era, por supuesto, un patrón operativo que se había seguido desde el siglo XVI; recordemos las virulentas declaraciones de Bernal Díaz del Castillo contra la versión de la conquista mexicana de López de Gómara.

Dependiente de forma total de estas historias ya escritas para desarrollar su narrativa, Solís hacía referencia en muchas ocasiones a escritores que, en su opinión, habían distorsionado la verdad descaradamente para adecuarla a sus propios prejuicios. En alusiones finamente veladas a Bartolomé de las Casas, por ejemplo, Solís se opone vehementemente al argumento de que los indios eran, como escribió una vez Las Casas, gente «sin disputas, ni quejas, ni odios, ni deseo de venganza». Solís contemplaba a los mexicanos como enemigos dignos de Cortés y sus soldados, totalmente capaces de una oposición vigorosa y de los engaños más maliciosos en el enfrentamiento con los invasores extranjeros. Asimismo se mostraba algo impaciente con la idea de que los indios eran pacíficos e ingenuos y de que los españoles sólo estaban interesados en su propio progreso político y económico: «Desean otorgar la gloria de nuestras armas a la avaricia y la sed de oro, sin recordar que [los españoles] abrieron el camino hacia la religión, contando con la asistencia especial del brazo de Dios en sus acciones» (pág. 150). Esta visión providencial de la historia —la de que los españoles de alguna manera llevaban a cabo el plan de Dios— está presente en todo el texto de Solís y es un instrumento retórico importante en la «justa defensa» de la conquista de México. La Corona había requerido antes al cronista mayor Tomás Tamayo de Vargas (1585-1641) que escribiese una historia eclesiástica completa del Nuevo Mundo. De esta forma la Corona podría afirmar de forma más persuasiva que la conquista de América había sido el resultado de las convicciones y prácticas religiosas, y que España llevaba a cabo su misión prioritaria (ordenada por el Papa), que era cristianizar el Nuevo Mundo. Los comentarios críticos de Solís no se limitaron a la cuestión de la legitimidad de la Conquista de México. Hemos visto que Solís era un lector astuto además de un escritor de la historia; él creía que la mayoría de los historiadores había fallado al intentar discernir entre los diferentes rumbos seguidos por la historia de América desde el descubrimiento. Trabajando dentro de una tradición narrativa de más de un siglo, Solís sentía que sería beneficioso articular claramente en orden jerárquico qué actividades del Nuevo Mundo eran merecedoras de consideración histórica: «Dentro de esta confusión y mezcla de escritos, debe aparecer la verdad simple y pura» (pág. 5). Solís sostenía que la historia de las Indias estaba conformada por tres eventos distintos: el descubrimiento; la conquista de México, y la caída del Imperio Inca. Otros historiadores, con su ambicioso intento de tratar los tres eventos con una sola narrativa, habían fracasado. Les faltaba el enfoque y precisión que Solís creía necesario. La solución que daba Solís a este «laberinto» era la de concentrarse en la primera historia de la Nueva España, una mudanza hacia una mayor especialización que permitían el tiempo y la distancia.

Solís pasó más de veinte años preparando el manuscrito que se convertiría en la *Historia de la conquista de México,* pero aún así fue incapaz de completar el trabajo que pretendió llevar a cabo en un principio. La *Historia* abarca un espacio desde la Conquista hasta la caída de Tenochtitlán en 1521 y heroicamente opone a Cortés y sus legiones cristianas contra los batallones demoniacos de Moctezuma. Sus personajes históricos —tanto españoles como aztecas— hablan y actúan con una altura y una elegancia propia de los héroes clásicos. En uno de sus emotivos discursos a sus soldados, Cortés habló con elocuencia persuasiva a un grupo de hombres inquietos que aún no habían visto el fruto de sus riesgos: «Pocos somos, pero la unión multiplica los ejércitos y en nuestra conformidad está nuestra mayor fortaleza... Vuestro caudillo soy: y seré el primero en aventurar la vida por el menor de los soldados» (pág. 37). Se presenta a Moctezuma como un extraordinario rival para Cortés. Hablando a través de un intérprete, Moctezuma desmantela perceptiblemente muchos de los mitos que rodean al ejército enemigo: «Aquellas bestias que te obedecen sé que son grandes ciervos... Las armas que recuerdan a los relámpagos sé que son tubos de un metal desconocido... Y también sé, debido a la observación que de tus costumbres hacen mis embajadores y confidentes, que sois gente buena y religiosa» (pág. 151). Para Moctezuma los españoles eran hombres y no dioses, diferentes en cuestiones menores pero «de la misma composición y naturaleza que el resto» (pág. 151).

Hay pocas pruebas concretas de que Moctezuma o Cortés realmente llegaran a articular estas palabras. La intención de Solís era, sin embargo, caracterizar las figuras históricas en consonancia con la filosofía política de la crónica mayor. ¿Qué mejor camino para neutralizar la «leyenda negra» que demostrar que el principal enemigo de Cortés tenía la capacidad económica, política e intelectual suficiente para poner al enemigo español de vuelta al mar? Su convincente descripción de estos agentes de la historia y de su lucha por el control de la región toma prestado mucho de los modelos literarios: Arocena *(Antonio de Solís, cronista indiano)* encuentra influencias de escritores como Baltasar Gracián, Luis de Góngora y Garcilaso de la Vega (págs. 164-216). Al respecto, la *Historia de la conquista de México* es una elaboración literaria de sucesos históricos previamente conocidos. También representa uno de los intentos más exitosos del siglo XVII de articular una respuesta coherente a las variadas interpretaciones de la conquista de México.

LOS HISTORIADORES RELIGIOSOS

Los misioneros de los siglos XVII y XVIII recopilaron, por un gran margen, el cuerpo más grande de escritos históricos sobre la colonia. Escribieron de forma extensa sobre sus actividades evangelizadoras entre los indios, historias de sus órdenes respectivas, biografías de misioneros ejemplares, etnografías, sermones, tratados morales y teológicos, historias generales de virreinatos, y estudios geográficos detallados que estaban muchas veces basados en sus viajes. Como sus antecesores del siglo XVI, los misioneros de épocas posteriores estaban muy preocupados por la conversión religiosa de los indios, y sus escritos reflejan casi siempre este objetivo poderoso. Había, sin embargo, diferentes perspectivas sobre cómo lograr su misión evangelizadora.

Los historiadores religiosos representaban, normalmente, una de las cinco órdenes religiosas más importantes: franciscanos, dominicos, agustinos, mercedarios, y jesuitas. Los franciscanos eran la orden más grande de estas cinco, pero fueron los jesuitas los que escribieron más que ningún otro grupo, un fenómeno asombroso si nos fijamos en que su estancia en las Indias fue comparativamente breve (1568-1767). Sin embargo, los jesuitas eran muy flexibles y estaban muy motivados; los relatos históricos de sus acciones especialmente en Paraguay y California reflejan un impulso hacia la utopía muy fuerte.

La historiografía jesuita del siglo XVII se ocupó sobre todo de su trabajo entre los indios y de sus esfuerzos por convertirlos a toda costa en obedientes sujetos cristianos del imperio colonial español. Muchos trabajadores religiosos del siglo XVII concluyeron, después de muchos debates, que la conversión espiritual de los indios sin el uso de la fuerza no tendría mucho éxito. La idea de una conversión pacífica y voluntaria dio paso a la del cumplimiento forzado de las obligaciones impuestas por la Iglesia. Incluso los religiosos que se mostraban benévolos con las peticiones de los indios —los que hablaban sus lenguas y comprendían sus costumbres— criticaban las supersticiones e idolatrías de éstos. Una estrategia misionera nueva y más agresiva que pretendía extirpar de una vez por todas la idolatría indígena emergió, pues, en el siglo XVII. Los predicadores creyeron que mientras subsistiera un solo resto de la antigua religión, los indios se resistirían tanto a la cristianización como a los esfuerzos por integrarlos plenamente en la sociedad colonial. Un interés resurgente entre los indios peruanos por sus ritos y prácticas ancestrales durante el final del siglo XVI hicieron que las autoridades religiosas investigaran y anotaran estos actos heréticos. Sentían que lo más importante para conquistar al enemigo era comprenderle. Algunas de las narraciones más vívidas que de la campaña se llevaron a cabo contra las creencias paganas de los indios en Perú, fueron escritas por los historiadores jesuitas Francisco de Ávila (1573-1647), Pablo José de Arriaga (1564-1622) y Hernando de Avendaño (1577-1647). Ávila era un mestizo que escribió sobre las costumbres, leyendas e historia indias. Había sido testigo directo del renacimiento de los intereses en los cultos peruanos entre los inquietos indios de su parroquia de Huarochiri y luchó por eliminar estos rasgos de sus prácticas religiosas. Ávila estaba sin duda bien preparado para comentar el folclore de sus antepasados; hablaba quechua de forma fluida y había pasado muchos años entre los indios del Perú como misionero. Escribió *Tratado y relación de los errores, falsos dioses y otras supersticiones y ritos diabólicos* (Madrid, 1942), una obra que buscaba exponer las creencias paganas de los indios. Su *Tratado y relación* es único ya que lo escribió primero en quechua. Siguiendo la tradición del Inca Garcilaso de la Vega, el *Tratado y rela-*

ción de Ávila y sus otros escritos contienen muchos de los mitos y leyendas de sus antecesores incaicos como también breves viñetas de conversiones religiosas y manifestaciones de fe.

La recurrente historia de Don Cristóbal Choquecaxa, por ejemplo, es en Ávila un cuento entretenido de un hombre que había renunciado con vehemencia a las prácticas religiosas de sus antepasados indios sólo para conseguir ser constantemente atacado por espíritus del infierno. Don Cristóbal fue capaz de sobreponerse a estas visitas —que muchas veces invadían sus sueños— solamente invocando el nombre de Cristo. Don Cristóbal, no desemejante del Inca Garcilaso y Francisco de Ávila, experimentó personalmente el cambio en la cultura religiosa peruana desde los antiguos cultos paganos al catolicismo, cambio que los clérigos como Ávila y Arriaga estaban decididos a llevar a cabo.

Arriaga y Avendaño escribieron extensamente sobre el trabajo de los jesuitas para intentar destruir las antiguas creencias y supersticiones de los indios. Los *Sermones de los misterios de nuestra santa fe católica en lengua castellana y en la general del Inca* (Lima, 1648) de Avendaño contienen análisis muy gráficos de las idolatrías que persistían entre los indios del Perú al comienzo del siglo XVII, y habla de su trabajo para sustituir estas creencias paganas por una visión del mundo cristiana. Existía un sentimiento general de que la mera presencia de las religiones indias era la que no permitía el paso hacia el cristianismo ni a la cultura española dominante. La conversión al cristianismo, por lo tanto, implicaba la aceptación de un espectro más amplio de prácticas sociales características de la vida española. Los escritos misioneros de Ávila y Avendaño representaron un giro importante en el pensamiento y las prácticas evangélicas al comienzo del siglo XVII. Cuando los oficiales religiosos decidieron que la conversión no podía tener lugar dentro del marco del sistema social y cultural indígena, se pidió a los clérigos que procediesen a la apropiación y destrucción de cualquier vestigio de la religión nativa. A menudo esta actividad terminó con el enfrentamiento directo entre sacerdotes indios y católicos. Tras la eliminación de los ídolos, los religiosos obligaron a los indios a asistir a clases de catecismo en las que intentaban adoctrinarlos en las prácticas del catolicismo español. Estaba en cuestión la lealtad espiritual y probablemente política de los indios, un factor necesario para la supremacía total que deseaban tanto la Iglesia como el Estado.

Los jesuitas no fueron ni mucho menos el único grupo que atacó las costumbres de los indígenas generalmente consideradas por ellos primitivas. Los franciscanos Bernardo de Lizana (?-?) y Antonio Tello (c. 1600-1653), aunque versados en las lenguas y la cultura indígenas se asombraron de lo que percibían como formas de actuar salvajes. La postura de Tello en cuanto a la dinámica de la conquista es especialmente compleja. Por su trabajo evangelizador en Jalisco, desde 1619 hasta su muerte en 1653, adquirió un buen conocimiento de la cultura y las tradiciones de los nativos mexicanos. Aún así sentía que muchos de los excesos de los conquistadores españoles estaban justificados ya que los indios fueron desde el inicio hostiles hacia lo cristiano. Tello admiraba tanto a Cortés como a Las

Casas, pero se refería al último con profusión. La *Crónica miscelánea* de Tello (Guadalajara, 1866), es una historia de la conquista mexicana que pone especial énfasis en el desarrollo espiritual de los indios. Lizana escribió en *Historia de Yucatán* (Valladolid, 1633) sobre las idolatrías indígenas que persistían muchos años después de la conquista y los problemas que causaban a los misioneros. Estas obras, características de las historias religiosas de la colonia más tardía, son también historias generales de una región y estudios sobre los misioneros individuales que habían vivido allí.

Una de las más ambiciosas empresas con los indígenas que han sido registradas por los historiadores religiosos, fue la creación de las «reducciones» jesuitas por toda la Latinoamérica colonial. Los jesuitas fundaron las reducciones, o asentamientos indígenas para organizar, proteger y adoctrinar a los nativos. Una vez que los indios eran reubicados en una reducción, los educaban, los entrenaban en un oficio o vocación y los defendían de los tratantes de esclavos brasileños y españoles. Esta forma de evangelización era muy diferente de los modelos existentes, ya que intentó aislar a los indios de aquellos colonizadores que buscaban mano de obra barata. Una vez aislados del mundo exterior, los jesuitas podían educar a estos indios con mayor efectividad y así mejorar su estatus económico y social. Los objetivos de los jesuitas eran muy ambiciosos —comenzaron más de 180 de estos asentamientos durante el siglo XVII. Encontraron una gran resistencia por parte de los colonizadores, otras facciones dentro de la Iglesia, autoridades civiles y de otros. Los jesuitas del Paraguay (donde fueron reubicados más indígenas que en cualquier otro lugar) elegían conscientemente a sus propios cronistas y por ello tenían un registro continuo de sus actividades en esta parte de la colonia. Sus historias son recuentos de sus luchas en estos asentamientos fronterizos. *Conquista espiritual hecha por los religiosos de la compañía de Jesús en las provincias del Paraguay, Paraná, Uruguay y Tape*, de Antonio Ruiz de Montoya (1585-1682), es la primera narración completa de la vida dentro de las reducciones jesuitas. Montoya habla de los éxitos y fracasos de sus asentamientos y de los muchos éxodos que fueron necesarios para escapar de los tratantes de esclavos, una historia que contó con una cierta calidad trágica.

Montoya estaba profundamente convencido de que reubicando a los indios del Chaco paraguayo en reducciones, los jesuitas no sólo impedían a los tratantes de esclavos brasileños, sino a los encomenderos españoles, hacerse con un vasto grupo de trabajadores fácil de conseguir. Montoya intentó servir como mediador entre los indios y sus muchos enemigos: «Mi pretensión es poner paz entre españoles e indios, cosa tan difícil que en más de cien años que se descubrieron las Indias occidentales hasta hoy no se ha podido alcanzar» (pág. 14). Sin embargo, Montoya añadió sabiamente que no era su intención «referir los agravios que comúnmente reciben los indios», un empeño que requeriría citar a muchos autores y llevaría a la formación de un «gran volumen» (pág. 40). Para soslayar la crítica inevitable, Montoya siguió una estrategia retórica simple en la *Conquista espiritual*. Se centró en las grandes necesidades de las naciones indias —que muy a menudo solventaban los misioneros jesuitas— y subrayó algunos de los muchos sacrificios que sus colegas llevaban a cabo de manera rutinaria en el transcurso de su empresa evangelizadora. Montoya escribió que era común encontrar a religiosos en las reducciones que hubieran cedido sus propias camisas y camas a los enfermos y necesitados, otros que padecían una «casi intolerable pobreza» sacrificando visiblemente sus posesiones terrenas (pág. 202). «Ningún cristiano con juicio», concluía Montoya esperanzado, «juzgará por malo que nosotros instruyamos a los indios a que se den a granjerías para buscar con qué cubrirse» (pág. 202).

Montoya fue incapaz de evadir los problemas sociales y políticos que surgieron a raíz de la reubicación masiva de los indios guaraní. Las reducciones se veían continuamente asediadas y atacadas, sobre todo por los colonos portugueses de la vecina Sao Paolo. Montoya describió con vívidos detalles algunos de los asaltos que tuvieron lugar en 1637 contra la reducción de Santa María, un ataque tan fuerte que tanto los curas como los indios lucharon por la «justa defensa» del asentamiento. Los saqueadores están descritos como salvajes paganos que destrozaban altares, quemaban iglesias, robaban ganado y caballos, violaban a las mujeres y esclavizaban a los hombres. La forma de Montoya de describir los conflictos tenía una fuerte carga política, ya que más tarde ese año viajó a Madrid para pedir al rey que se dejara armar a los indios para que se pudieran defender de aquellos ataques. «Estas ocurrencias», dice Montoya, «fueron la causa de que viniera a la fuente de la justicia» (pág. 288). Por lo tanto, la intención subyacente de la *Conquista espiritual* de Montoya fue conseguir el «remedio necesario» —el derecho a tener armas— para asegurar de manera permanente la libertad de los indios. La narrativa de Montoya es un modelo de retórica clásica que culmina en una *petitio* que intentaba persuadir al Rey de que viera favorablemente su caso. Montoya incluyó en su texto una transcripción de un decreto real que antes había liberado a los indios de la región de prestar «servicios personales» a cualquier encomendero que buscase su explotación y esclavitud. El decreto castigaba a los encomenderos por privar de *libertad* a los indios, palabra que Montoya repetía con frecuencia en la *Conquista espiritual* cuando describía la persecución que sufrían tanto él como sus seguidores.

Finalmente, Montoya consiguió el permiso de la Corona para armar a los indios dentro de las reducciones jesuitas, aprobación que mantuvo hasta 1661 cuando Felipe V ordenó la retirada de todo tipo de armas de fuego de estos establecimientos. El hecho de que las reducciones fueran campos armados, durante mucho tiempo, suscitó una hostilidad creciente hacia los jesuitas. Historiadores como Josep Barnadas han comentado que la extendida antipatía hacia las reducciones fue uno de los factores determinantes que llevaron a la expulsión de los jesuitas del reino hispano en 1767 (Bethell, *The Cambridge History of Latin America*, I, 534).

Los escritores religiosos del último periodo colonial no sólo estaban preocupados por publicar historias de sus órdenes y biografías de misioneros devotos, sino también por otras cuestiones, como se puede apreciar. Éstos enriquecieron sus enfoques y escribieron historias del Nuevo Mundo con elocuentes descripciones de la geografía y la topografía americanas. El jesuita Alonso de Ovalle (1601-1651) escribió la *Histórica relación del reyno de Chile,* con la intención expresa de iluminar a los europeos sobre su tierra de origen. Ovalle había viajado a España e Italia como representante de su orden y quedó asombrado al descubrir que muchos europeos ni siquiera habían oído hablar de Chile. Publicada simultáneamente en español e italiano, la *Histórica relación del reyno de Chile* es un relato ilustrado de la geografía, la primera historia y el establecimiento y desarrollo de la Iglesia en Chile, con particular énfasis en la orden jesuita. Ovalle se encontró en Roma, con pocas fuentes documentales para ayudarle a construir un retrato histórico de Chile. Su obra es, por tanto, un memorial de impresiones de las características geográficas y culturales más sobresalientes de su país. Con vivo deseo de transmitir una imagen indeleble de Chile a su audiencia europea, incluyó Ovalle muchos detalles en su texto para distinguir esta área de otras regiones del Nuevo Mundo, a las que los historiadores como Fernández de Oviedo y Herrera habían dado mucha importancia. Su descripción de los Andes, por ejemplo, refleja una hipérbole protonacionalista que se convertiría en un punto común entre los historiadores jesuitas del final del siglo XVIII. Ovalle escribió que no conocía nada en el mundo que se pudiera comparar con la sierra chilena en su esplendor y riqueza mineral, una afirmación muy parcial si consideramos la legendaria belleza y opulencia de otros virreinatos, como México y Perú.

La mayoría de los historiadores religiosos de esta época atribuían estos extraños fenómenos espectaculares a la manifestación auténtica de la naturaleza benigna del diseño divino del mundo. El texto de Ovalle contiene varias observaciones personales sobre la diversidad de la vida religiosa dentro y alrededor de Santiago, comentarios que a veces culminan con una construcción anecdótica, basada en sus propias experiencias e impresiones de la colonia chilena. La obra de Ovalle, entre otras muchas, revive el legado de la literatura española medieval que se centraba en el interés y la intervención periódica de la divinidad en asuntos mundanos. Ovalle era hábil para volver su narración hacia ejemplos de lo que eran, según él, expresiones de la presencia divina en el Nuevo Mundo. Por ejemplo, su descripción de los árboles y bosques que rodeaban Santiago le lleva a una breve historia de un árbol famoso del valle del Limache que había crecido en forma de cruz. Y no sólo había crecido de esta forma tan poco común sino que además parecía tener una figura humana sobre ella. Este árbol, escribió Ovalle, era una «representación verdadera de la pasión y muerte de nuestro Salvador», y era el testimonio del poder y la omnipresencia de Dios (pág. 80).

Como era de esperar, Ovalle incluyó muchas historias de conversiones y actos religiosos, recuerdos de la literatura mariana de la Edad Media. Estas breves viñetas son pasajes muy expresivos en su narrativa y muestran un giro imaginativo, aparte de la documentación expositiva de nombramientos eclesiásticos y campañas militares. La *Histórica relación del reyno de Chile* contiene muchos episodios en los que se atribuyen los sucesos sobrenaturales a las actividades maliciosas del

Diablo. Un hombre, un noble de Santiago del que no se dice el nombre, fue visitado y atormentado por apariciones fantasmales. De otro se decía que fue arrastrado hasta el tejado por demonios voladores. Estas y otras ocasiones de ataques diabólicos se vencían cuando sus víctimas por fin se confiaban a los curas y aceptaban su sabio catecismo. No era extraño que los historiadores religiosos incorporasen este tipo de sucesos en sus narraciones históricas y geográficas, considerando los fundamentos literarios y la disposición general de su público lector —que había sido educado entre cuentos de milagros, conversiones y apariciones del otro mundo.

El interés por el paisaje es por tanto una característica prominente de la historiografía jesuita del último periodo. Bernabé de Cobo (1581-1657) fue un religioso cuyos extensos viajes le incitaron a escribir un detallado estudio geográfico del Nuevo Mundo. Cobo pasó la mayor parte de su vida agrupando sistemáticamente la información que daría cuerpo a la *Historia del Nuevo Mundo*. Cobo tenía muchos conocimientos debido a su propia observación y experiencia, sobre diversas tribus, depósitos minerales, plantas, animales y formaciones geológicas de México y Perú. Su obra es también una valiosa fuente de conocimiento de la terminología indígena. Cobo hablaba náhuatl, quechua y aymará y, cuando era posible, incluía los nombres nativos de las plantas y los animales. A menudo corroboraba sus etimologías con lecturas del Inca Garcilaso, Juan Polo de Ondegardo y Gonzalo Fernández de Oviedo. Un deseo enunciado de su historia era reconciliar algunos de los variados relatos escritos por los otros naturalistas del Nuevo Mundo. Escribió siguiendo la tradición de José de Acosta: sus notas geográficas estaban complementadas por el estudio de los indígenas y sus instituciones. Pero Cobo no era un discípulo de Las Casas. Desde su punto de vista, los indígenas eran aceptables culturalmente sólo cuando se convertían al Cristianismo.

Además de su interés por la geografía, los escritores religiosos de los siglos XVII y XVIII encontraban generalmente sus temas principales entre los múltiples y variados asuntos eclesiásticos de las colonias: la conversión de los indígenas; las historias de los conventos; las biografías de los evangelistas, y la expansión de las actividades misioneras. Algunos de estos escritores, sin embargo, estaban más preocupados por las descripciones imaginarias y entretenidas de los eventos históricos que por la comunicación utilitaria y prosaica de los sucesos pasados. A veces escribían memorias históricas con intenciones literarias manifiestas. Esta dimensión se reflejaba en su lenguaje, estilo de exposición y, sobre todo, en el carácter imaginativo de las historias que contaban.

Uno de los clérigos-historiadores menos corrientes del periodo colonial fue Juan de Barrenechea y Albis (1669-1707), un misionero mercedario que vivió en Chile durante la prolongada campaña militar contra los indios araucanos. Barrenechea escribió *Restauración de la Imperial y conversión de almas infieles* en 1693 (no publicado), un historia larga y enmarañada sobre la Iglesia Católica en Chile y sobre las largas guerras araucanas. Intercalada en el texto, sin embargo, se halla la historia de amor de dos araucanos, Carilab y Rocamila. Este relato de ficción trata de la devoción absoluta de Carilab hacia Rocamila y de las penalidades que soportaron durante su larga separación. Contada con el telón de fondo de las hostilidades de españoles y araucanos, Carilab tuvo que enfrentarse al mismo tiempo a los enemigos españoles y a los rivales que pedían la mano de Rocamila. Aquél fue hecho prisionero; Rocamila raptada y la guerra se hacía cada vez más dura entre los araucanos rivales y los soldados españoles. Carilab fue falsamente acusado por el gobernador español de incitar a su tribu a la guerra y se le condenó a la horca por su crimen. Sin embargo, un fraile mercedario intervino y convenció a las autoridades para que le concedieran la amnistía.

El manuscrito de Barrenechea termina aquí; el amor de Carilab y Rocamila nunca se consumó. No hay apenas duda de que las intenciones de Barrenechea, en *Restauración de la Imperial,* eran sobre todo literarias. Su historia de la vida en la frontera araucana es una imaginativa elaboración del largo conflicto entre las fuerzas españolas e indígenas. Carilab era un héroe idealizado; a pesar de ser inferior en número a los españoles, luchó de forma valiente y sin miedo. Carilab es descrito como un guerrero fiero y un antagonista plausible al Ejército Español. Como a los araucanos de la épica anterior de Alonso de Ercilla, a los indios aquí se les atribuye a menudo una nobleza que tenía poca relación con los hechos históricos. Los araucanos, y no los españoles, son los personajes desarrollados con más arte. Los personajes españoles son, a menudo, criminales cuyas crueldades contra los araucanos quedan impunes. La *Restauración de la Imperial* contiene notable información histórica pertinente sobre decretos gubernamentales, costumbres indígenas y la restauración de pueblos e iglesias destruidas. Pero es la historia de amor y aventuras la que sustenta la narrativa, no la documentación material (Tomanek, «Barrenechea's *Restauración*» [La *Restauración* de Barrenechea], 265).

Las tendencias literarias se manifiestan también en la *Crónica de la provincia peruana de los ermitaños de San Agustín Nuestro Padre* del fraile agustino Bernardo de Torres (*s. f.*). Torres fue el sucesor de Antonio de la Calancha (1584-1654) como cronista designado de la orden agustina en el Perú y el editor del último volumen de *Crónica moralizada de la orden de San Agustín en el Perú* (Barcelona, 1638) de Calancha. Este era un típico *cronista de convento,* un cronista religioso interesado en registrar los eventos de su orden, comenzando con los primeros días de la conquista espiritual. Torres se apoya en las notas y documentos de Calancha para llevar a cabo su propia historia que estaba destinada a continuar la obra anterior. Pero lo que distingue a Torres de otros *cronistas de convento* de su época es su despierta imaginación literaria.

La obra de Torres comienza con una descripción tradicional de lo que su historia pretende abarcar. Casi toda la información relacionada con el ámbito de la experiencia religiosa humana está incluida en esta crónica: «caídas lamentables... conversiones milagrosas, vidas celestiales, muertes gloriosas» (Prado Pastor (ed.), pág. 5). La tendencia a este tipo de hipérbole es un rasgo estilístico de Torres y de otros *cronistas de convento* que, en pleno fervor evangélico, veían en su narración histórica una oportunidad para hacer un proselitismo que englobara la vastedad del Nuevo Mundo.

Curiosamente, la *Crónica de la provincia peruana* no comienza con un recuento de uno de los logros más notables de su orden. La narración describe, en vez de eso, un crimen de una infamia casi inimaginable para los lectores acostumbrados a las pintorescas historias de la vida de los santos y los milagros religiosos. La historia se refiere a pecados y engaños, y sus protagonistas son un cura apartado del sacerdocio que conspira con su hermano para cometer un crimen que a su vez encubrirá otra transgresión inconfesable: una relación incestuosa con su hermosa pero débil e inocente hermana. La joven, descrita como una víctima confusa e indefensa del deseo de sus hermanos, se queda embarazada y tiene que responder a un interrogatorio de los dos hermanos sobre su condición. A sabiendas de que cada uno desconoce los pecados del otro, ella se ve envuelta en el clásico dilema: «si culpaba a uno, a éste hería con la verdad y al otro con los celos» (pág. 14). Como consecuencia de este callejón sin salida ella simplemente acusa a un tercer hombre inocente de ser el padre ilícito de su hijo, una acusación que llevaría a un enfrentamiento por honor (pág. 14).

El narrador de esta historia se detiene de vez en cuando para recordar al lector que Dios está al tanto de todas estas circunstancias y que una retribución justa está próxima. «Dexolos en manos de sus deseos permitiendo que con la misma luz se cegassen» (pág. 15). Al ser cada uno el autor de su propio destino, los hermanos matan al hombre inocente en un gesto primitivo de desplazamiento de la agresión. Pero, cuando orgullosamente reivindican su acto de honor ante la vengada hermana, ella confiesa la verdad, revelando así a los hermanos ambas relaciones incestuosas. Entonces la matan para mantener su horrible secreto. Los rumores de su relación con los crímenes pronto circulan por todo Perú, y los hermanos abandonan el territorio. Ambos mueren en este exilio auto-impuesto, pero no antes de que uno de ellos escriba una nota, que casualmente deja a su confesor, contando todo lo que ha sucedido.

Es sobre este documento cervantino sobre el que Torres construye supuestamente la historia, un relato muy emblemático de su visión literaria (Arrom, «A contrafuerza de la sangre», 324). Su saga integra características de los escenarios españoles: los hermanos actúan como si estuvieran defendiendo el honor de la familia, cuando eran ellos los que habían pecado contra Dios y la naturaleza. Su fallecimiento sería previsible e incluso deseado dentro del marco moral del momento, ya que sus ofensas eran evidentes: eran adúlteros incestuosos; habían matado a un hombre inocente; y también a su hermana y su hijo nonato. Torres no se ahorra detalles a la hora de describir sus muertes. Uno muere tras caer por la borda de un barco; el otro muere en Panamá víctima de una fiebre, probablemente malaria. El autor dice que Dios es el responsable de cumplir la sentencia: «¿Existe algún lugar al que un pecador pueda ir donde no sea encontrado por la cólera de Dios?» (pág. 13).

Leal a sus votos, Torres tenía la obligación del escritor religioso de subrayar clara y persuasivamente las consecuencias de este tipo de comportamientos desviados. Su visión literaria está en contraste claro con las visiones anteriores, más optimistas, de la conducta humana, como las del Inca Garcilaso. La trama retorcida, el lenguaje complejo, el énfasis en lo grotesco y un sentido rencoroso de la justicia, son una muestra clara de una mentalidad barroca totalmente inmersa en las corrientes literarias de su época (Arrom, «Contrafuerza», 322). La historia de los dos religiosos representa un *exemplum* moral muy poderoso cuyo objetivo es impedir desmanes similares. La *Crónica de la provincia peruana* contiene una variedad de historias cortas que no son sólo recuerdos históricos de la orden agustina en el Perú, sino también piedras de toque potentes y convincentes de los firmes códigos morales de la colonia.

Muchos de los historiadores religiosos de la Latinoamérica del siglo XVII introdujeron estas breves anécdotas en sus escritos como recursos narrativos para propagar enseñanzas y opiniones relacionadas con el carácter ético de la colonia. El obispo agustino Gaspar de Villarroel (1587-1665) popularizó este recurso literario en su análisis histórico de los derechos y privilegios de las autoridades eclesiásticas y seculares; su *Gobierno eclesiástico-pacífico y unión de los dos cuchillos, pontificio y regio* fue diseñado como un estudio de las varias dimensiones de los cuerpos de gobierno de la Iglesia y el Estado. En muchos aspectos, este texto se puede leer como una guía de obispos y otros miembros del clero. Villarroel considera varias casualidades curiosas en lo referente a la elección de la conducta de un obispo: ¿Debería un obispo asistir a una corrida de toros? ¿A quién debe visitar? ¿Qué debe beber y comer un obispo? Villarroel examina con más seriedad y con considerable detalle, el alcance de la autoridad que un obispo tenía sobre los asuntos eclesiásticos y civiles. Estaba interesado sobre todo en explorar la extensión legal del poder del que se investía a la Iglesia y a la Real Audiencia.

Los relatos de Villarroel, como los de Ovalle y Torres, muy a menudo retratan comportamientos detestables con el objetivo de presentar modelos de conducta negativos, una sugerencia de que se pueden derivar lecciones positivas del comportamiento impropio de otros. En una sección titulada «absolución sin jurisdicción», el narrador cuenta una historia de horror y desesperación. Una mujer que parecía estar envuelta en llamas visitó a un cura; en la niebla de su encendida tortura sostenía a un pequeño bebé negro. Le dijo que había sido condenada al Purgatorio hasta el fin del mundo. Su esclavo negro la había preñado, algo que causaba en ella un tormento insufrible. La única solución: matar al padre y abortar, y así «apartaría de mis ojos los dos únicos testigos de aquel suceso tan feo» (pág. 32). Pero este crimen doble creaba en ella tal remordimiento que se sentía obligada a confesar sus pecados, preferiblemente a un extraño. Pronto le llegó esta oportunidad, y a partir de ese momento vivió una vida pura y devota. Pero una vez muerta se encontró ante un tribunal poco común. La acusación estaba representada por un grupo de diablos que la imprecaban por sus dos asesinatos. Quien la defendía era su ángel de la guarda, cuya estrategia legal consistía en insistir sobre el hecho de que ella había confesado su crimen, un proceso por el cual sus pecados podían ser expiados. Uno de los diablos señaló, sin embargo, que su confesión había sido nula y vacía ya que él había sido quien actuaba como confesor. ¿El veredicto del tribunal? A pesar de que había confesado de buena fe, ella no había hecho la suficiente penitencia y, por lo tanto fue enviada al Purgatorio.

Los biógrafos religiosos de Latinoamérica del siglo XVII centraron su atención en misioneros ejemplares de su orden o sobre las acciones heroicas de los primeros exploradores y conquistadores, una herencia de la historiografía de los primeros años de descubrimiento y conquista del Nuevo Mundo. Aún así, Torres y Villarroel se encontraban entre unos cuantos escritores de la última época que comenzaron a alejarse de este modelo y a examinar a los personajes cuyas actividades en la colonia guardaban una relación más oscura e impropia con la compleja dinámica del proceso histórico. Su idea de que la historia podía incluir figuras marginales de la sociedad colonial se enfrentaba a la de los mejores exponentes de la escuela de los cronistas mayores —Herrera y Solís— que veían en la conquista la realización del noble destino político de España. Escritores como Torres y el franciscano Pedro Simón (1581-1630) se encontraban entre aquellos que sentían que algunos sucesos históricos de los siglos XVI y XVII estaban a veces determinados por gente de carácter moral muy cuestionable, individuos que no representaban los ideales políticos o éticos implícitos en la *Historia de la conquista de México* de Solís. En este contexto, la *Noticias historiales de las conquistas de tierra firme en las Indias Occidentales* de Simón contiene, entre otras muchas cosas, un estudio biográfico de una de las personalidades más asombrosas de la Latinoamérica colonial: el legendario tirano, asesino y traidor, Lope de Aguirre (1511-1561).

Las hazañas de Lope de Aguirre en Perú, Nueva Granada y Venezuela habían sido ya documentadas por Juan de Castellanos. Simón invirtió la tradicional historia de misioneros llena de valores y encontró en Lope de Aguirre un fascinante objeto de estudio de la aberración y la maldad humana.

Los historiadores han determinado de forma general cuáles fueron las actividades de Aguirre en las regiones nórdicas de Sudamérica. Aguirre fue miembro de una expedición por el río Marañón en Perú que dirigía Pedro de Ursúa y que se llevó a cabo en 1560. El objetivo del viaje: encontrar El Dorado, el mítico hombre de oro. Aguirre fue uno de los que se amotinaron contra Ursúa, y mataron a su jefe por razones muy confusas. Gradualmente, Aguirre se hizo con el control de la expedición a base de engaños y asesinatos. Llevó a sus hombres a través de un increíble laberinto de ríos, afluentes y caminos de la jungla, para, por fin, llegar a la costa venezolana donde él y sus «marañones» aterrorizaron a la población local. Las tropas reales acabaron con el breve reino de terror en octubre de 1561, un episodio detallado gráficamente en las *Noticias historiales* de Simón.

La narrativa de Simón oscila entre la incredulidad y la ironía al describir la alucinante vida criminal de Aguirre. En la descripción que Simón hace de Aguirre demuestra que éste impuso su liderazgo gracias al miedo y no al respeto ni a la lealtad. Nadie sabía cuándo o por qué Aguirre daba rienda suelta a una de sus diatribas, aluviones verbales que culminaban a menudo en un asesinato sin motivo aparente. Aguirre, que tuvo siempre miedo de la rebelión y la traición, atormentaba constantemente a sus propios hombres. Simón escribe que en un periodo de sólo cinco meses, Aguirre mató a sesenta españoles, incluyendo a un sacerdote, dos frailes, cuatro mujeres y a su propia hija.

La presentación que Simón hace de Aguirre es una historia de irracionalidad y locura colectiva. Simón escribe que uno de los almirantes de Aguirre le advirtió una vez a su líder que las olas del mar lo estaban mojando. Aguirre le cortó un brazo como respuesta y luego ordenó su muerte. La narrativa de Simón añade con ironía que «su delicadeza y educación le costaron la vida» (pág. 131). En el mundo de Aguirre descrito en las *Noticias historiales*, los valores tradicionales españoles de caridad cristiana y justicia en el mando habían sido temporalmente suspendidos. Era un mundo en el que los cristianos eran vejados, el Rey imprecado y todos los códigos de conducta moral aceptable ridiculizados. Aguirre es retratado como un hombre de tan extrema maldad —culminando con el asesinato de su hija— que el lector anticipa y sanciona plenamente el cruel fin del villano. Éste fue decapitado y cortado en pedazos; la cabeza se expuso al público en una jaula de hierro, su cuerpo se esparció por los caminos y se le negó un entierro cristiano.

Esta descripción tan detallada de figuras históricas es típica de la biografía literaria del último periodo colonial. Los autores como Simón estaban interesados en crear una imagen de sus personajes que sería comprensible dentro del contexto de la tradición literaria cristiana. Simón describe la expedición de Aguirre prácticamente día a día y así reproduce con fervor sus discursos, conversaciones y crímenes, realizando un análisis tan preciso que fácilmente se puede cuestionar la autenticidad de su retrato. Los historiadores de esta época sentían, sin embargo, que una re-creación de este tipo de experiencias —estuviera ésta documentada o no— era un recurso aceptable para descubrir las intenciones y motivaciones de sus personajes. Era por ello esencial que la caracterización de Aguirre se adaptase a ciertas expectativas de la Corona y de la Iglesia. Simón escribió una historia trágicamente inevitable en su retrato del pecador máximo al que, al igual que a los curas errantes del cuento,de Bernardino de Torre o el juez asesino de Villarroel, se les castigaba por sus malas acciones.

La historia de Lope de Aguirre escrita por Pedro Simón deslumbró en todas las provincias norteñas de la colonia, y a la larga atrajo la atención de otros historiadores interesados en documentar su excursión aguas arriba del Marañón y su breve e insensato reinado en la costa venezolana. Lucas Fernández de Piedrahita (1624-1688), un obispo jesuita de Bogotá, incluyó a Aguirre en su estudio biográfico de los primeros exploradores y pobladores de Nueva Granada. Su *Historia general de las conquistas del Nuevo Reino de Granada* es una re-elaboración muy extensa de las crónicas anteriores de autores como Antonio de Herrera, Gonzalo Jiménez de Quesada, Pedro de Aguado o Antonio de Calancha, entre otros.

Su estudio sobre Aguirre es, en muchos aspectos, una relectura condensada del retrato detallado del loco que hizo Simón, que retiene el sentimiento de ansiedad y urgencia que la presencia de Aguirre causaba evidentemente entre los habitantes de la meseta costera norteña. Para Piedrahita al igual que para Simón, la caída de Aguirre se atribuía directamente a que «no sólo se había negado a la obediencia al rey, sino que también al temor y al respeto a Dios» (pág. 773). Piedrahita registra un incidente que ejemplifica dramáticamente el poco apego a la vida que tenía Aguirre y su profundo desprecio por la autoridad. Después de haber hecho que descuartizasen a uno de sus oponentes —por crímenes reales o imaginarios—, Aguirre habló a la cabeza sin vida, preguntándole retóricamente: «¿Estás ahí, mi buen amigo Alarcón? ¿Por qué no viene a revivirte el Rey de España?» (pág. 785). Piedrahita apuntó no sin cierta ironía que los soldados leales al Rey por fin se rehicieron para derrotar a la banda de traidores renegados, restaurando así algún orden y estabilidad en esta región que había experimentado una gran inquietud durante sus primeras décadas.

«El Carnero»

El Carnero (Bogotá, 1859) de Juan Rodríguez Freyle (1566-1640) ha dado siempre muchos problemas a los críticos e historiadores de la literatura. Por un lado es una narración cronológica tradicional de los primeros cien años de historia (1538-1638) de su tierra nativa, Nueva Granada, enfocada sobre todo hacia los eventos y personalidades de Santa Fe de Bogotá. Gran parte de su trabajo es una compilación rutinaria de nombres y fechas asociados con los nombramientos de los cargos políticos y eclesiásticos más importantes de la ciudad: presidentes, jueces, procuradores, arzobispos, y otros miembros de las varias cortes y consejos legislativos —a poco que diferencie *El Carnero* de otras historias regionales y parroquiales. Pero, por otro lado, sus historias de brujería, relatos de infidelidades y engaños, leyendas sobre tesoros enterrados, referencias a la historia clásica y a la bíblica y recuentos espeluznantes de crímenes horribles dan a *El Carnero* unos sólidos fundamentos literarios. A este respecto, Rodríguez Freyle fue uno de los escritores más innovadores y simpáticos del periodo colonial en Hispanoamérica. Usando la historia como punto de partida narrativo, Rodríguez Freyle compuso una serie de anécdotas y *exempla* diseñados para revelar las dimensiones de la vida en la colonia que otras historias ignoraron o menoscabaron. *El Carnero* es un buen representante de la tendencia de la historiografía hispanoamericana del siglo XVII hacia una mayor complejidad y un mayor sentido de la ironía hacia los sucesos, las instituciones, las leyes, y las tradiciones que daban forma a la vida en la colonia.

Los motivos que llevaron a Rodríguez Freyle a escribir *El Carnero* eran aparentemente manifiestas. Dice en el prólogo que escribió este texto para preservar la historia de Nueva Granada contra «la oscuridad del olvido», dando a entender que los historiadores no habían prestado atención a su tierra en las historias del Nuevo Mundo; critica especialmente a Pedro Simón y Juan de Castellanos por ignorar a su región en sus historias sobre la conquista (pág. 50). Por lo tanto se centra en Nueva Granada, desde la fundación de Santa Fe de Bogotá y la derrota del reinado indígena de los chibchas. Rodríguez Freyle proporciona a sus lectores una serie de llaves interpretativas para abrir las numerosas digresiones narrativas y alusiones literarias que aparecen a lo largo de su texto. A pesar de que promete en primera instancia una narración «sucinta y verdadera», sin los floreos retóricos frecuentes en las historiografías barrocas, le resulta que tiene que justificar el creciente número de giros y salidas del planteamiento básico de su historia (pág. 50). Tras una de sus muchas referencias a la historia bíblica (la expulsión de Adán y Eva del Paraíso), pregunta retóricamente: ¿Qué tiene que ver la conquista del Nuevo Mundo con la historia antigua? Su respuesta es esclarecedora cuando compara la Nueva Granada con una joven huérfana en el día de su boda, que necesita joyas y ropas elegantes para mostrar su mejor cara. Para adornarla adecuadamente ha de ir a los «mejores jardines» para recoger «las flores más bonitas» y colocarlas en la mesa de sus invitados (pág. 82). La elegante construcción de Rodríguez Freyle es un intento de justificación de sus frecuentes inserciones y referencias a los autores y textos clásicos. La vena literaria que se extiende por *El Carnero* está diseñada aparentemente para realzar la imagen de Nueva Granada en esta presentación de su primer siglo de historia. En este sentido, Rodríguez Freyle construyó una historia amena y atractiva sobre una tierra ignorada de forma inmerecida por la historia.

Dentro de este amplio contexto de la historia de Nueva Granada, Rodríguez Freyle deseaba contar también su propia historia. La dimensión autobiográfica de *El Carnero* se observa en los muchos comentarios sobre su vida y sus experiencias, como también en sus innumerables observaciones y opiniones cáusticas sobre la naturaleza de la sociedad y la humanidad. Refuerza la validez de muchos de sus comentarios diciendo que vio u oyó muchas de las cosas que está narrando. Incluso su relato sobre la rivalidad de los jefes chibchas Bogotá y Guatavita procede de un informante indígena, «Juan», que aparentemente fue testigo de gran parte de lo que después contó. Una de las mayores preocupaciones de Rodríguez Freyle es el presentarse a sí mismo como un narrador verosímil (Foster, «Notas después de haber leído... *El Carnero*», *Revista de Estudios Colombianos,* 7). Como residente de toda la vida de Nueva Granada, sentía que sus experiencias y observaciones le daban autoridad suficiente para hablar fidedignamente sobre las diferentes administraciones políticas y religiosas, como también sobre el comportamiento errático de algunos de los personajes más pintorescos de su región. Descendiente directo de una de las familias fundadoras de Nueva Granada, Rodríguez Freyle a menudo entraba en contacto con los escalones más altos de la sociedad: el conquistador Gonzalo Jiménez de Quesada visitaba la casa de su padre frecuentemente. Rodríguez Freyle fue después secretario de Alonso Pérez de Salazar, un oficial del Consejo de Indias, cargo que lo mantuvo en España durante seis años

(1585-1591). Pero nunca se sintió como en casa en la tierra madre. Tras la muerte de su benefactor, Rodríguez Freyle volvió a Santa Fe de Bogotá, sólo para encontrarse inmerso en una continua adversidad económica y legal. Viejo y algo desilusionado, Rodríguez Freyle escribió *El Carnero* con la perspectiva de alguien que no se había beneficiado lo suficiente de las riquezas prometidas del Nuevo Mundo. El Dorado le había sido esquivo como a muchos otros y cuando recordaba sus inútiles intentos de enriquecerse en otro tiempo, lo hacía con el cinismo irónico que permite la experiencia personal.

La naturaleza híbrida de *El Carnero* —autobiografía, crónica, intercalaciones de ficción— presenta así problemas para los historiadores literarios tradicionales a la hora de clasificar su género. El uso frecuente que hace Rodríguez Freyle del material literario para esclarecer su exposición histórica es lo que distingue a *El Carnero* de las obras de la mayoría de los cronistas de Indias y de tantos *cronistas de convento* menores. El texto de Rodríguez Freyle no es una simple exposición lineal de los incidentes que ocurrieron dentro y alrededor del virreinato de Nueva Granada. *El Carnero* es una de tantas narraciones del último periodo colonial que emplea una amplia variedad de opciones discursivas en su análisis de la experiencia del Nuevo Mundo. Debemos tener siempre en cuenta que las formas historiográficas del siglo XVI y XVII no estaban establecidas de manera absoluta y que la naturaleza de la verdad histórica era muy distinta de las demandas empíricas actuales de lo comprobable y de pruebas textuales. En realidad la verdad histórica para el escritor colonial estaba basada no sólo en las experiencias personales sino también en la autoridad cristiana y de los clásicos (Zamora, «*Historicity and litereriness*» [*La historicidad y la literalidad*], 338). Muchos historiadores de esta época se vieron por lo tanto impulsados a comenzar su análisis de los sucesos del Nuevo Mundo con analogías sacadas de esta herencia literaria. Los críticos de hoy en día están generalmente de acuerdo en que lo que llama la atención al público moderno no es el contenido informativo y factual de obras como *El Carnero* o *La Florida* del Inca Garcilaso de la Vega. Los lectores más bien se sienten atraídos por las características literarias e imaginativas de sus discursos.

Los aspectos literarios internos de *El Carnero* suelen seguir dos pautas distintas. Por un lado, Rodríguez Freyle utiliza referencias a autoridades clásicas y santas para justificar y fortalecer sus frecuentes pasajes sobre la conducta moral. ¿Qué mejor recurso que el de la teología del Viejo Testamento, la literatura clásica griega y romana o los relatos religiosos de la Edad Media española? Utilizando esta literatura de tan alto merecimiento, Rodríguez Freyle era capaz de hacer observaciones y llegar a conclusiones sobre los problemas sociales sin temor a ser desmentido. Oponerse a él habría significado un reto al juicio de los antiguos. El otro estilo de Rodríguez Freyle de las narraciones interpoladas, es más contemporáneo y algo más original. Su catálogo ortodoxo y escueto de nombres y nombramientos oficiales se vigoriza a menudo con sus propias historias picantes de avaricia, lascivia y poder. Aisla a algunos individuos seleccionados en su área y habla de sus hazañas y escapadas inmorales, presumiblemente para que el lector no siga su mal ejemplo. *El Carnero* evoca recuerdos del *Libro de buen amor* del Arcipreste de Hita con su inventario de modelos negativos de conducta social. Estos interludios creadores comunican una imagen de la alta sociedad colonial intrigante aunque algo manchada; sus personajes son a menudo representantes de la elite privilegiada de Nueva Granada. Estos episodios son francamente el aspecto más interesante de *El Carnero*, y son lo que muestra a Rodríguez Freyle como uno de los narradores con más talento de todo el periodo colonial hispanoamericano.

La cultura literaria de Rodríguez Freyle era bastante variada. Algunos estudios exhaustivos sobre sus fuentes e influencias han mostrado que Rodríguez Freyle estaba probablemente familiarizado con un registro sustancioso de los temas y figuras literarios de su época (Martinengo, «La cultura literaria de Juan Rodríguez Freyle»). Hay referencias directas o indirectas a *La Celestina*, el *Libro de Alexandre*, la *General estoria* de Alfonso X y un nutrido grupo de famosas figuras históricas y literarias de la antigüedad, de España y del Nuevo Mundo, como Virgilio o Juan de Castellanos. Parece claro que, a través de estas sabias alusiones y disquisiciones, quería mostrarse a sí mismo como un parangón de erudición. Utiliza estas referencias para contrarrestar sus excesos y también para adornar su prosa. Parece también evidente que pretendía poner la historia de Nueva Granada al nivel de los modelos clásicos que usaba. Por ejemplo, cuando habla de las luchas entre los jefes rivales Bogotá y Guatavita, apunta que los seguidores de Bogotá hicieron una fiesta embriagándose hasta el delirio para celebrar la victoria sobre su enemigo. En vez de continuar su narración de una forma lineal directa, el autor aprovecha la oportunidad para presentar otros ejemplos de debilidad humana extraídos del mundo antiguo: el rey Baltasar de Babilonia perdió su reino por abusar de la bebida, y Alejandro Magno estaba borracho cuando mató a su mejor amigo. El autor apunta con coquetería que tiene otras muchas referencias a mano para apoyar su opción por la sobriedad. Hay pocas razones que nos lleven a creer que estos giros dentro de *El Carnero* sean adendas innecesarias o muestras gratuitas de conocimiento y experiencia escolástica. Visto desde el contexto de la filosofía de la historia de los siglos XVI y XVII, el que Rodríguez Freyle englobe su razonamiento sobre una historia regional dentro de la dimensión global de la providencia cristiana no estaba sólo justificado sino que, probablemente, era un acto obligado. Los sucesos históricos en el Nuevo Mundo eran considerados a menudo como la realización de un plan divino (Zamora, *«Historicity»* [*Historicidad*], 338). Hemos visto ya que esta línea argumental era muy útil para los cronistas de Indias cuya tarea oficial era la de justificar los actos pasados de los conquistadores como el cumplimiento de la divina providencia. El hacer una descripción detallada de las transgresiones morales de los habitantes de Nueva Granada a la luz de la historia clásica y bíblica era una forma de establecer la universalidad del plan de Dios. Nueva Granada, así como Jerusalén, Roma o el Edén formaba parte de un mundo que se abría continuamente a los seguidores de sus sagrados designios.

Una de las intenciones básicas de Rodríguez Freyle en *El Carnero* fue, pues, examinar las diversas dimensiones éticas de su sociedad. Gran parte de sus alusiones están pensadas para ilustrar lo que algunos han criticado como su continua moralización. Estos rodeos narrativos, a menudo extensos, aparecen, por ejemplo, cuando el narrador siente la necesidad de que su historia sea más creíble para el lector ingenuo. El relato de un caso especialmente nefando de fratricidio tiene un suplemento en el que se hace inventario de sucesos similares, que una vez más reflejan la educación clásica de Rodríguez Freyle: Tifón y Orsírides, Mitrídates y Herodes, Rómulo y Remo, Fernando y García. Las referencias secundarias culminan con una nota sobre el relato de envidia y asesinato fraternal más famoso de la historia: el de Caín y Abel. El lector simplemente no puede eludir la horrenda naturaleza de este crimen. El patrón tripartito que se sigue aquí —el comentario sobre la debilidad humana, la exposición primaria de un crimen cometido en la colonia, seguida de referencias a otros casos históricos similares— se repite una y otra vez en *El Carnero;* esta tendencia al encuadre narrativo es una estrategia fundamental en la literatura didáctica desde la Edad Media, que nos recuerda textos tales como el *Libro de buen amor*, *El corbacho* y el *Conde Lucanor*, entre otros.

Los cuentos sobre desviaciones morales de Rodríguez Freyle surgen a menudo como las bases estructurales de su narrativa histórica. Su escrutinio minucioso de la conducta de la sociedad colonial revela con frecuencia un mundo interior oscuro, obsesionado por las apariencias y el estatus social. En casos como el de la venganza de Gaspar de Peralta (capítulo 15) o el de las aventuras de Inés de Hinojosa (capítulo 10), el narrador enmarca sistemáticamente sus relatos dentro de unas barreras temáticas cuidadosamente elaboradas que a la vez intensifican y recalcan las actividades aberrantes de estos individuos en cuestión. Hay una fuerte interdependencia entre los elementos entretejidos temáticamente de estos y otros episodios. La acción de Peralta ilustra especialmente esta convergencia lógica de una serie de fragmentos narrativos en apariencia dispares. Su historia es la culminación de lo que en principio parecen comentarios aislados y divergentes.

La historia de la venganza de Peralta se anticipa inicialmente con el relato de la llegada de su antiguo patrón, Alonso Pérez de Salazar, un juez de la Real Audiencia. Lo que es interesante de este nombramiento que en otro caso sería rutinario es que Salazar era un férreo defensor de la ley y el orden, una cualidad que evoca un grito nostálgico: «¡Oh, si él estuviera ahora aquí, qué buena cosecha haría» (pág. 233). Salazar mostró rápidamente su intolerancia respecto a las actividades criminales; ejecutó a dos hombres que habían raptado a una criada indígena y que se habían resistido violentamente al arresto. El interludio entre este relato y el del incidente de Peralta contiene dos intrusiones del autor muy curiosas. Primero el narrador justifica la inclusión de este crimen declarando que ha encontrado muchas atrocidades similares a lo largo de la historia. Luego presenta un hilo de comentarios misóginos sobre los peligros de casarse con mujeres bellas, comentarios que parecen divagaciones *non sequitur* en las que Rodríguez Freyle se queja por su vejez. El episodio de Peralta, sin embargo, junta todos estos hilos en un tapiz coherente y al final el autor sigue con la historia después de hacer numerosos comentarios sobre los cotilleos indiscretos.

Un joven conocido por el nombre de Ontanera se encuentra una noche entre un grupo de amigos que fanfarronean sobre sus varias conquistas amorosas. Ontanera, que evidentemente no es uno de los que podrían ser eclipsados en cuestiones de actividades nocturnas, cuenta que él y una atractiva señorita rompieron su cama (la de ella) durante su último encuentro pasional. El grupo se dispersa y los hombres se van a casa, incluyendo a Peralta, un procurador de la Audiencia Real. La esposa de Peralta le pide que busque a un carpintero, porque su cama se ha roto de manera extraña. Peralta se da cuenta en ese momento de que su amigo Ontanera acaba de engañarle sin ninguna vergüenza. El desarrollo resultante de esta historia sigue las convenciones de un drama del Siglo de Oro. Al ponerse en juego su honor, Peralta busca vengar la infamia que ambos han cometido contra él. Éste emprende un largo viaje, a sabiendas de que Ontanera y su mujer aprovecharán su ausencia. Pero al regresar a la ciudad sorprende a Ontanera en el dormitorio de su mujer, y allí mismo lo mata. Peralta entonces dirige su rabia contra su mujer infiel y también la mata, dejando los cuerpos uno al lado del otro. Rodríguez Freyle cierra esta macabra exposición con una diatriba tomada de *La Celestina* de Fernando de Rojas, uno de los textos citados con más frecuencia en *El Carnero:* «El amor es un fuego escondido, un escozor placentero, una dulce amargor, un dolor delicioso, un tormento feliz, una herida alegre y diabólica, una muerte blanda» (pág. 241). La cadena de oximorones es una representación poética de un proceso narrativo más complejo que combina de forma similar un grupo de elementos contradictorios en un discurso unificado. La presentación de Salazar, el juez de la horca, los comentarios sobre las mujeres bellas, las admoniciones sobre los peligros del discurso desenfrenado y la defensa del honor, llevan a una exposición de la visión de la justicia del Nuevo Mundo. El primer relato ejemplifica el poder y efectividad de la Real Audiencia cuando es gobernada por personas del calibre de Salazar, e indica así mismo la reacción acusatoria de la sociedad ante un crimen. La historia de Peralta explica un código personal de honor y propiedad. Es significativo señalar que ambos hombres eran oficiales de un tribunal encargados de hacer cumplir los códigos legales de la Real Audiencia. En ambos casos, la justicia fue rápida, certera e inmutable: el castigo tanto para la transgresión moral como para la civil, fue la muerte. Como advierte *La Celestina,* el amor es, como mínimo, una experiencia peligrosa.

Las historias introducidas a lo largo de *El Carnero* a menudo actúan como elaboraciones dramáticas de ideas y preocupaciones sacadas a colación dentro de la presentación de los fenómenos culturales e históricos. Entre tales instancias de aberraciones morales —de los que la infidelidad es uno de sus favoritos— Rodríguez Freyle identifica ocasionalmente experiencias particulares que eran hasta cierto punto únicas en la realidad americana. *El Carnero* retrata un número de situaciones que caracterizan las oportunidades y circunstancias distintivas de la vida colonial. Como muchos cronistas religiosos del final del siglo XVI y del XVII, Rodríguez Freyle estaba fascinado con la cultura y la herencia indígenas del Nuevo Mundo y sobre todo, interesado por las manifestaciones evidentes de su práctica religiosa: el tesoro escondido o enterrado. Había fallado varias veces en sus intentos de encontrar rastros de la legendaria riqueza de los chibchas, algo que confesó con cierto disgusto y pena. Aún así, no todos sus paisanos habían corrido la misma suerte. Su historia de la exitosa búsqueda del tesoro por el padre Francisco Lorenzo es de alguna forma una expiación de sus propias faltas; este episodio permite a Rodríguez Freyle disfrutar indirectamente de una experiencia que lo había frustrado durante mucho tiempo.

El tesoro escondido es, por supuesto, un tema literario muy difundido en el folclore tradicional (Pupo-Walker, *La vocación literaria del pensamiento histórico en América*, 150). Rodríguez Freyle localizó su tema en un contexto americano haciendo una lista de los diversos lugares donde los indios habían escondido supuestamente su oro. Los nombres de muchos lugares de Latinoamérica se deben a una herencia prehispánica: Guataviva, Guasca, Siecha, Teusacá, Ubaque. De este modo la narración establece un fundamento que centraliza el discurso sobre un acontecimiento que es singularmente americano por naturaleza. Los varios componentes históricos de la historia de Lorenzo significan una realidad definida por unas circunstancias típicas de esta región de la colonia, realizando así las intenciones estipuladas en el prólogo: «Dar noticias de este nuevo reino de Granada» (pág. 49).

La historia de Francisco Lorenzo es un cuento entretenido y ligero sobre un cura emprendedor que hizo que un indio poco suspicaz revelase el lugar oculto donde se escondía el tesoro de oro. Freyle es cuidadoso a la hora de describir a Lorenzo de maneras que realzan el desarrollo de la historia, revelando así un gran talento para las caracterizaciones que da cuenta de su genialidad literaria. Al parecer, Francisco Lorenzo fue un clérigo muy popular por su talento para las lenguas en la ciudad de Ubaque. Mantenía estrecho contacto con los indios de la región, factor que resultaría de gran valor para sus planes de establecer contacto con un determinado indio y averiguar donde escondía su oro. Previamente armado con un fiable parte de información, Lorenzo se internó en la selva con un pequeño grupo de hombres en una expedición de cacería en la que descubrió el hogar del indio en cuestión. Teniendo cuidado de no despertar sospecha alguna, Lorenzo ordenó a sus seguidores poner cruces a lo largo de los caminos, colocando la mayor de ellas sobre la entrada de una cueva donde ya había encontrado reliquias indígenas de gran valor. Unos días después, el cura y su cuadrilla regresaron al lugar en una supuesta y ostensible peregrinación entre las cruces instaladas previamente. El padre Lorenzo se distanció del grupo un momento para acercarse directamente a la casa del indio al que ya había señalado como adorador del diablo.

Aprovechándose de las circunstancias y de sus conocimientos de las costumbres indígenas, Lorenzo se escondió tras un árbol y comenzó a llamar al indio (seguramente en su lengua nativa), haciéndose pasar por el diablo, el gran señor del indio. El narrador incluye aquí un diálogo muy intenso entre los dos, a través del cual se nos explica que Lorenzo ordena al indio llevar su tesoro a la cueva elegida, ya que los cristianos conocían su existencia y estaban preparados para llevárselo. No habiendo percibido la naturaleza irónica de esta frase —era, después de todo, verdad—, el indio llevó obedientemente su valioso tesoro al lugar designado. Lorenzo entonces regresó a su grupo y continuó con ellos la procesión, un viaje que culminaría en la cueva, donde se había colocado la cruz más grande. Aquí fueron testigos de un hecho que Lorenzo había manejado secretamente: el descubrimiento de cuatro tinajas con figuritas de oro, cuyo valor fue fijado en 3.000 pesos, aunque se decía que su valor real era mucho mayor.

El giro narrativo al final de la historia —el hecho de que Lorenzo infravalore el valor del tesoro— está en armonía con la ironía y la ambigüedad tan características de las historias interpoladas de Rodríguez Freyle. En muchos aspectos, esta narración en concreto es ejemplo de un amplio registro de intereses y preocupaciones comunes entre el público lector del siglo XVII. Por ejemplo, mientras que un lector moderno puede desatender la autenticidad de los diálogos que el autor de ningún modo pudo oír personalmente, debemos recordar que este recurso era muy frecuente entre los historiadores de la época (Zamora, «*Historicity*», 338). La reconstrucción de conversaciones de estas características era una práctica común en la historiografía colonial como medio para comunicar la *apariencia* de verdad a lectores que tenían unas expectativas morales y teológicas muy definidas. Las acciones de un cura que mintió y engañó para conseguir una riqueza considerable se esperarían y serían dignas de aplauso dentro del contexto histórico y cultural. Este episodio es, como la historia de Ontanera y otros muchos de *El Carnero,* la culminación literaria de una serie de digresiones temáticamente entremezcladas que preceden a su revelación. La historia de Francisco Lorenzo representa el despliegue de una secuencia narrativa en la que el lector se aventura una vez más en la historia clásica, la bíblica y la española.

Aún así, parafraseando a Rodríguez Freyle, ¿qué tiene que ver exactamente la expulsión de Adán y Eva del Paraíso con la historia sobre un cura de pueblo-empresario? El narrador comienza en efecto por recitar la conocida historia de la desgracia de Adán y Eva, resultado de la desafortunada conversación que sostiene Eva con el diablo en el jardín del Edén. Eva, escribe Freyle, fue «conquistada y engañada», otorgándole al diablo su más importante victoria en este mundo (pág. 81). El texto se refiere a casos parecidos de fracasos femeninos: Sansón y Dalila, Helena de Troya, Florinda y Rodrigo. La historia de Francisco Lorenzo, por consiguiente, se puede leer como el reverso dramático de los casos históricos en los que un hombre ha sido engañado de forma insidiosa —en estos ejemplos, por una mujer—. Engañar al indio para que entregue su oro por extensión significa conquistar al diablo. El tema de la decepción, directamente vinculado con el antecedente bíblico, se sitúa en el contexto del Nuevo Mundo. Sin embargo, esta vez las cosas han cambiado ya que el agente de Dios burla al del diablo.

Hay una gran cantidad de fuentes posibles para estas historias de engaños tan logrados; fue un tema muy popular en la literatura medieval. ¿Quién puede olvidar cómo el Cid, uno de los caballeros más ejemplares de la historia, engaña hábilmente a los dos judíos, Raquel y Vidas, para conseguir su riqueza? En el contexto americano, escritores como Cieza de León y el Inca Gracilaso de la Vega escribieron historias similares sobre diablos, tesoros escondidos, e intentos de búsqueda de la legendaria riqueza de las naciones indias por los españoles. Era muy característico de la historiografía colonial el utilizar herramientas narrativas conocidas en la descripción de la nueva realidad. El narrador podía fácilmente contar historias sobre lugares extraños y maravillosos usando un lenguaje que sus lectores podían asimilar con facilidad. La mayoría de las historias de *El Carnero* es el reflejo de una herencia literaria que facilita la comprensión de sucesos situados acaso más allá de las experiencias del público lector que él esperaba. La historia de Juana García es el mejor ejemplo de esta confluencia de corrientes históricas y literarias distintas.

A juzgar por su presencia en antologías y por la recepción que la crítica hizo de ella, la historia de Juana García es, casi con plena seguridad, el relato más conocido de *El Carnero*. Tanto que incluso ha inspirado una novela: *Juana la bruja* (1894) de José Caicedo Rojas. Juana García era un personaje celestinesco que en apariencia tenía relaciones con la brujería y con lo oculto, cuya presencia en *El Carnero* le permitió a Rodríguez Freyle la oportunidad de ampliar la visión creativa que fluye en diferentes niveles a lo largo de su texto.

A muchos lectores de literatura moderna latinoamericana les resultará familiar la utilización de la magia y la fantasía que aquí hace Freyle. Varios críticos ha señalado este caso como un importante antecedente de las tendencias y los motivos literarios que aparecieron mucho después en las obras de escritores tales como el cubano Alejo Carpentier: la presencia de lo que éste llamó una vez «real maravilloso americano» y el que un descendiente africano se convierta en personaje literario principal. Freyle atribuía los sucesos inexplicables de la historia a la presencia del diablo, una costumbre a la que permaneció fiel con más o menos constancia mientras escribía *El Carnero*.

El episodio de Juana García supone un giro imaginativo considerable desde la crónica de nombramientos eclesiásticos que da comienzo a esta secuencia narrativa. Este relato es, de acuerdo con todos los signos, el ejemplo mejor desarrollado de expresión literaria de *El Carnero*. El narrador comienza la narración describiendo a una pareja casada pero separada por los largos viajes de negocios del marido. La atractiva y joven esposa al parecer no quería echar a perder su belleza y se quedó embarazada mientras el marido estaba ausente. Desesperada por deshacerse del problema, contactó con Juana García, una comadrona negra, para que la aconsejara. La joven naturalmente temía que su marido volviera y la encontrara en aquel estado. Pero Juana García, en una demostración modesta de sus poderes, aseguró a la joven que él no estaba en la flotilla que acababa de llegar a Cartagena. Esta afirmación sin pruebas no dio mucha esperanza a la futura madre que, haciendo alarde de un desprecio abierto hacia sus costumbres culturales, pidió a Juana García que llevase a cabo un aborto. Sabiendo que la ausencia de su marido sería bastante duradera, Juana García continuó tratando de convencer a la desesperada mujer de que podía dar a luz al bebé sin riesgos. Para probar su autoridad más allá de toda duda, Juana García enseñó a la mujer un recipiente con agua en el que la imagen de su marido apareció milagrosamente. Irónicamente, la conducta moral de éste no era mejor que la de su mujer; pues lo vieron en una sastrería en La Española con una mujer, su amante, a la que le estaban probando un vestido nuevo. Los poderes de Juana se multiplicaron y hundió la mano en el agua para sacar de ella una manga del vestido nuevo. Liberada de sus preocupaciones porque comprobó que su indiscreción pasaría desapercibida por el momento, la mujer se alivió, tuvo el bebé y se lo dio a otra persona «con el nombre de un huérfano».

Poco después del regreso a casa del marido, la mujer comenzó a comportarse de una manera muy exigente y pronto se enfrentó a él con la prueba que conocía de su infidelidad: la manga. Rabioso porque se había descubierto su aventura y deseoso de saber cómo lo sabía su mujer, el hombre fue directamente al obispo con su caso. El obispo era un experto inquisidor y se dio cuenta de que la intervención de Juana García había precipitado los hechos. Apresó a la hechicera junto con sus dos hijas y, mientras la interrogaba, descubrió que Juana García había tomado parte en un gran número de actividades infames en la colonia en las que también estaban involucradas unas cuantas personas de clase alta. El obispo, presionado por personas como Gonzalo de Quesada para que fuese piadoso, sólo la desterró del territorio. La historia termina con la sorprendente revelación de que Juana García puede volar. En su confesión decía que a menudo despegaba desde una montaña a la que más tarde llamaron con su nombre.

A pesar de sus fantasías, la historia de Juana García mantiene una orientación histórica y geográfica importante (Alstrum, «The real and the marvelous in a tale from *El Carnero*» [Lo real y lo maravilloso en un cuento de *El Carnero*], 118). El narrador conecta la increíble historia de una bruja voladora con nombres y lugares fácilmente reconocibles. Menciona al adelantado Alonso Luis de Lugo, los dos jueces Góngora y Galarza que supuestamente se ahogaron en un naufragio, Gonzalo Jiménez de Quesada, las islas de La Española y Bermudas, Cartagena y otros lugares. Esta historia fluye dentro y fuera de relatos de ficción e históricos con aparente despreocupación por la frontera entre estas dos formas del discurso. Los eruditos modernos han demostrado que esta confluencia entre lo que hoy llamamos historia y ficción fue muy común en aquel periodo. Los historiadores se apoyaban a menudo en recursos de modelos literarios para dar a sus relatos un lenguaje más expresivo. Con frecuencia no había una distinción clara entre las dos formas de escritura en lo que respecta a la verdad o a la fiabilidad; no era raro que los historiadores como Rodríguez Freyle o Pedro Simón crearan retratos o caracterizaciones teniendo pocas o ninguna prueba factual. Los historiadores eran libres de especular sobre las personas y los sucesos; sus narraciones por ello reflejan giros frecuentes hacia un retrato imaginativo e inventivo de la escena americana.

Por ello no nos sorprende que Juana García tenga un modelo literario paralelo en *La Celestina*. Igual que la Celestina, Juana era un personaje indigno que utilizaba su condición de comadrona para ocultar sus actividades ilícitas. Al parecer era conocida en la comunidad como una mujer a la que se recurría en caso de problemas personales que no podían resolverse fácilmente (o legalmente). Como la Celestina, Juana García llevaba a cabo su tarea con la ayuda de sus dos hijas, equivalentes literarios de Areusa y Elicia. Este episodio de *El Carnero* sigue el patrón general del clásico de la literatura española de Fernando de Rojas: una persona joven acude a una mujer mayor y con mucha más experiencia con una solicitud indecorosa: la comadrona resuelve el problema de una forma que parece buena, pero esto conduce a que la capturen en su propia red de engaños y transgresiones —víctima de su propia iniquidad. En ambos casos, la figura de la autoridad decreta fallos severos de finalidad: el obispo ordena que Juana García se destierre; Pleberio se lamenta porque para él el mundo ha perdido todo su significado.

El Carnero está lleno de alusiones y citas de *La Celestina*. En otro apartado, Rodríguez Freyle dice: «la mujer es un brazo del diablo, la cabeza del pecado y la destrucción del paraíso» (pág. 287), un eco del famoso discurso de Sempronio en el que intenta disuadir a su maestro Calisto de su amor por Melibea (Primer Acto). Este tipo de comentarios misóginos de *La Celestina* encontraron un lector comprensivo en Rodríguez Freyle, que criticó y ridiculizó a las mujeres continuamente a lo largo de *El Carnero*. La intersección de estos dos textos da pie para que el autor se interne en algunas de las partes más oscuras y sórdidas de la colonia. La mujer que fue a ver a Juana García era evidentemente alguien importante en la comunidad que deseaba ocultar la señal de impropiedad que mostraría un embarazo ilícito. Como hizo Calisto, cruzó las barreras sociales al entablar relación con la partera. En *El Carnero* se sugiere abiertamente que otros residentes bien nacidos de la colonia también se habían aventurado en el submundo de Nueva Granada debido a su lascivia. Aún así, el deseo común de conservar una imagen social virtuosa dentro de esta región era tal que Quesada y otros de su estatus imploraron al obispo que actuara con precaución. Un desvelamiento total de las acciones de Juana García «mancharía» la tierra que había sido hasta entonces pura y nueva. Juana García era la clásica cabeza de turco a través de la cual los pecados de muchos fueron expiados. Juana García era muy consciente de esta condición de sacrificio y en su juicio gritó: «¡Todos lo hicieron y soy yo la que pago!» (pág. 143). Pero, ¿cuán efectivo sería el exilio para una persona que demostraba tener tales poderes? Este relato termina en una nota de especulación y ambigüedad con referencias a sus habilidades sobrenaturales para volar, un talento que haría que su sentencia dejase de tener significado. El nombre de Juana García pasa de la historia al mito cuando el autor pone énfasis en sus capacidades legendarias para desafiar las leyes naturales y civiles.

El Carnero es, por todos los indicios, un texto de textos. Es un rico depósito de motivos literarios e históricos clásicos, medievales y renacentistas. Tal multitud de diferentes tradiciones narrativas en la historiografía hispanoamericana era normal en el siglo XVII, un periodo de creciente introspección y reflexión sobre la compleja naturaleza de la cambiante realidad americana.

«CAUTIVERIO FELIZ», DE FRANCISCO NÚÑEZ DE PINEDA Y BASCUÑÁN

Las historias sobre el cautiverio y las estancias prolongadas entre los indios eran bastante conocidas en la América Latina del siglo XVII. Bernal Díaz del Castillo había escrito años atrás en la *Historia verdadera de la conquista de la Nueva España* sobre un caso en el que un español, Gonzalo Guerrero, sobrevivió a un naufragio de una de las primeras expediciones fuera de la costa de Nueva España. Herrero había conseguido forjarse una nueva vida entre un grupo de indios que le veían como su cacique. Alvar Núñez Cabeza de Vaca había descrito en *Naufragios* sus propias experiencias entre los indígenas de las mesetas norteamericanas, una aventura que duró ocho años y que él narró con un sentido notable de refinamiento literario. Los naufragios, el aislamiento y la aculturación en las costumbres de los indígenas se convirtieron en motivos típicos de la historiografía del periodo colonial, como vemos en *Cautiverio feliz* (Santiago de Chile, 1863) de Francisco Núñez de Pineda y Bascuñán (1607-1682) e *Infortunios que Alonso Ramírez natural de la ciudad de S. Juan de Puerto Rico padeció* de Carlos de Sigüenza y Góngora (1645-1700), entre otros textos de la última época.

Cautiverio feliz es la historia del cautiverio al que se enfrentó Pineda y Bascuñán entre los indios araucanos de Chile en 1629. Bascuñán fue retenido por los nativos como rehén político para presionar a los españoles para que liberasen a algunos indios que tenían prisioneros. La narración autobiográfica describe con bastante detalle los aprietos de Bascuñán durante su estancia forzosa entre estas gentes cuya ferocidad y resistencia a la dominación habían sido tratadas por poetas anteriores como Alonso de Ercilla o Pedro de Oña. *Cautiverio feliz* es una memoria sorprendentemente optimista de sus experiencias en la tribu y también de su visión sobre algunas de las costumbres y tradiciones araucanas más extrañas. Escrito más de cuarenta años después de que ocurriera, *Cautiverio feliz* es un resumen destilado de sus actividades en la naturaleza que contiene algunas observaciones extraordinariamente ásperas sobre lo que él veía como la mala administración de los asuntos indígenas tanto por las autoridades seculares como por las eclesiásticas.

El relato de Bascuñán sobre el cautiverio es el núcleo de una obra histórica mucho más extensa cuyo título es *Cautiverio feliz y razón individual de las guerras dilatadas del reino de Chile*. La obra de conjunto contiene una gran variedad de tipos de discurso que se encontraban comúnmente en la historiografía colonial:

etnografías descriptivas de los araucanos; poesía religiosa y meditativa; disquisiciones morales y políticas y sabias referencias a autoridades clásicas y bíblicas (Pollard, *Rhetoric, Politics and the King's Justice* [Retórica, Política y la Justicia del Rey]). El propósito global de Bascuñán era examinar las causas de la guerra contra la nación araucana que había durado todo el siglo xvii. Era, por supuesto, un tema de mucho interés para los historiadores de la Corona; en 1625, casi cincuenta años antes de la obra de Bascuñán, el cronista mayor Luis Tribaldos de Toledo (1558-1634) había escrito sobre las dificultades que habían surgido en los territorios araucanos en cuanto a su rendición y conversión religiosa *(Vista general de las continuadas guerras, difícil conquista del gran Reino y provincias de Chile* [Santiago, 1864]). La parte autobiográfica de Bascuñán refleja una preocupación similar sobre la hostilidad y la violencia entre los araucanos. Pero, al contrario que los misioneros o los historiadores de la Corona, Bascuñán no sólo criticó a los araucanos salvajes y sin ley, sino también a religiosos y soldados que a menudo habían abusado de los indios.

Pineda y Bascuñán nos cuenta una excitante historia de aventuras e intrigas. En el invierno de 1629 el joven Francisco Núñez era capitán del Ejército en la ciudad fronteriza de Chillán, al sur de Chile. Se ordenó a Bascuñán y a su compañía de infantería que defendiesen Chillán y sus alrededores de los ataques y hostigamiento de los indios. Fue durante uno de estos ataques cuando Bascuñán y algunos de sus hombres fueron capturados. Su historia describe con detalle su captura, sus experiencias entre los araucanos, y las complejas negociaciones que fueron necesarias para rescatarlo. Cuando por fin regresó con su familia unos siete meses después, su perspectiva sobre los indios había cambiado para siempre. Había visto, quizá por primera vez, que la cultura araucana era compleja y sutil, y que muchos de los miembros de esta nación enemiga eran capaces de mostrar una gran generosidad y benevolencia. Bascuñán escribió sobre la amistad que había nacido entre él y algunos de los indios como Lientur o Maulicán, hombres que defendieron al joven ante otros araucanos que deseaban ejecutarlo. Es su amistad con Maulicán la que más llama la atención como muestra de relación ejemplar entre individuos que, de otra forma, habrían estado destinados a un enfrentamiento bélico continuo. Mientras es transportado a una región interior de su territorio, Francisco rescata a Maulicán de las crecidas aguas del río Bío-Bío. Maulicán se siente en deuda con el español por este valiente acto y promete devolver a Francisco a su padre, promesa que, al final, cumple.

Pero, al contrario de lo que ocurre con la romántica descripción de los araucanos hecha por Juan de Barrenechea y Albis en su *Restauración de la Imperial*, Bascuñán no tiene una visión muy idealizada de la tribu. Tenía presente que los araucanos eran capaces de cometer atrocidades terribles. *Cautiverio feliz* es diferente respecto a mucha de la historiografía del periodo colonial, pues ofrece una imagen de los indios incluyendo sus aspectos positivos y negativos. Por cada Maulicán había otros tantos indios que deseaban llevar a Francisco al mismo final que había sufrido este otro rehén español:

> Golpeó su cabeza con un palo tan grande que esparció sus sesos por el suelo. En ese momento, los acólitos con cuchillos en sus manos abrieron su pecho, le arrancaron su corazón que aún latía, y se lo dieron a su jefe, que chupó su sangre (pág. 11).

Este pasaje nos recuerda a los de otros muchos historiadores que habían comentado los actos salvajes de los indios. ¿Y qué podemos pensar de Maulicán, que se había comprometido participando en la ceremonia? El retrato de Maulicán, en *Cautiverio feliz* es muy complejo. Por un lado alarga la mano de la amistad a través de las culturas para ofrecérsela a Bascuñán. Pero por otro lado, no puede rechazar su tradición y su herencia —era un guerrero araucano cuyo pueblo había sido perseguido por los españoles durante muchas generaciones. Maulicán defiende sus acciones ante el cautivo diciendo que no podía hacer otra cosa que unirse al rito caníbal. Sabía que, al igual que Francisco, se hallaba entre sus propios enemigos, y que necesitaba participar en la ceremonia para ganar tiempo y poder así escapar a la tierra de su padre. Se presenta a Maulicán como un héroe maquiavélico consciente de que ciertos comportamientos comprometedores eran necesarios para conseguir su fin que, a largo plazo, era devolver a Bascuñán a su gente y conseguir una paz duradera con el poder colonial español.

Cautiverio feliz hace un balance de tales retratos negativos de los indios con descripciones de las prácticas más virtuosas de los araucanos. Bascuñán observa que éstos acostumbraban a bañarse a diario, hábito que él también adquirió mientras estaba bajo su guardia. Se le invitó a vestirse con sus ropas, comer de su comida y tomar parte en sus festejos, cosas que él estuvo encantado de hacer salvo cuando iban en contra de sus creencias y códigos morales. Ferviente católico, Bascuñán se negó en rotundo a tomar parte en muchos de los placeres bacanales que aparentemente disfrutaban los indios.

Uno de los problemas más serios de *Cautiverio feliz* es la cuestión religiosa. Bascuñán sabía que los misioneros españoles habían trabajado durante muchos años entre los araucanos pero no habían logrado llevar a esas gentes por los caminos de la Iglesia. Sabiamente, el autor permite que los araucanos mismos expliquen por qué han resistido tanto durante tanto tiempo. A través de una serie de narraciones interpoladas, los indios revelan que su experiencia con los misioneros católicos ha sido muy variada. Hablan de algunos jesuitas cuya moral era tan despreciable que no podían de ningún modo convencer a los indios para que se convirtieran. Sus únicos recuerdos positivos son los de un grupo de franciscanos que encarnaban, al parecer, las virtudes que predicaban. Los indios fueron muy críticos con cualquier religioso que no hiciera un esfuerzo por comunicarse en mapuche, la lengua de los araucanos. No es extraño, pues, que los indios hubieran mantenido sus costumbres religiosas durante tanto tiempo. Pues estos se negaban a ceder, lo que para ellos constituía una victoria tanto política como moral, ante un grupo que no destacase por su conducta ética fundamental.

Por ser católico, Bascuñán se había enfrentado a una tremenda oposición de los curanderos y los brujos indígenas. Escribió sobre un curandero que había llevado a cabo una intrincada serie de bailes y recitaciones sobre un indio moribundo, una descripción que contrasta dramáticamente con una escena anterior en la que Bascuñán rezaba por el alma de uno de sus propios jóvenes conversos que había muerto tras una corta enfermedad. La yuxtaposición de estas dos escenas es una estrategia retórica muy inteligente diseñada para contrastar las prácticas salvajes y sin resultados del chamán con las tranquilas demostraciones de fe cristiana del joven soldado. Bascuñán tuvo un éxito discreto con sus intentos de ganar algunos prosélitos entre sus captores, una pequeña victoria dentro de una larga historia de fracasos institucionales. Al haber crecido en la frontera, Bascuñán había adquirido un conocimiento básico del mapuche y por ello fue capaz de impartir la doctrina católica en un lenguaje inteligible para los araucanos. Como algunos de los primeros misioneros del siglo XVI, Bascuñán añadía a su mensaje partes de creencias religiosas indígenas. Les dijo que su concepto de un espíritu supremo era similar a la visión cristiana de la divinidad. El trabajo como misionero seglar de Bascuñán simbolizó un gesto recíproco de acomodación entre las dos culturas tradicionalmente hostiles. Ambos grupos toleraron características importantes del opuesto en el proceso de comprensión mutua.

Entre los indios, Bascuñán encontró duras críticas no sólo de los líderes religiosos sino también de los políticos y militares. La investigación reciente de Raquel Chang-Rodríguez sugiere que Bascuñán utilizó la crítica de los indios como manera de atacar la política y los procedimientos del gobierno colonial de Chile (*Violencia y subversión,* 63-83). Existen pruebas que apuntan a que Bascuñán no estaba contento con el cargo político de funcionario de bajo nivel en Valdivia para el que habia sido nombrado, y escribió este texto para atacar a aquellos que eran responsables de que él tuviera esta posición secundaria en la sociedad colonial. Deseoso de reclamar lo que consideraba su prestigio perdido, Bascuñán pasó muchos años intentando convencer a las autoridades del virreinato de su valor y sus muchas contribuciones a la estabilidad de la colonia sin conseguir una respuesta satisfactoria. Sentía que un hombre con su experiencia y talento se merecía un nombramiento que le diese el grado de honor y autoridad dignos de su persona. Podemos hacer una aproximación a algunos episodios de *Cautiverio feliz* con la sospecha de que muchas de las quejas de los araucanos pueden responder a una forma de desplazamiento de las propias críticas de Bascuñán hacia el Estado.

Otros historiadores del periodo colonial usaron sus textos de forma similar como exposiciones críticas de los numerosos acontecimientos del proceso histórico. Por ejemplo, Bernal Díaz del Castillo había examinado antes el papel del soldado raso en la conquista de México, estableciendo un contraste deliberado con el enfoque único que López de Gómara, según él, había hecho de Hernán Cortés. Y, por supuesto, Bartolomé de las Casas atacó vehementemente al Ejército de la Corona por su excesiva violencia al tratar con un grupo que él una vez describió como «gente humilde, paciente, tranquila y callada». Estos historiadores permitían que sus convicciones personales más profundas salieran al exterior con bastante frecuencia a lo largo de sus narraciones. Una interpretación posible en lo que se refiere a *Cautiverio feliz* es la que nos permite ver a los indios como una manifestación del deseo fundamental de Bascuñán, tal es el de criticar a un gobierno corrupto que le había obligado a vivir en la pobreza durante los últimos años de su vida. Resulta irónico que Bascuñán muriese mientras viajaba a su nuevo puesto, cuando consiguió por fin un título satisfactorio del gobierno del virreinato de Lima, un trabajo como magistrado en la ciudad peruana de Moquegua.

Cautiverio feliz contiene unos cuantos discursos de los indios que se sentían víctimas inocentes de los españoles sin escrúpulos. Bascuñán se presenta muchas veces como un intermediario entre los dos grupos en lucha, una postura algo extraña para alguien que en realidad era prisionero de guerra a largo plazo. En el siguiente pasaje, Bascuñán hizo de confidente de un viejo cacique que hablaba de los primeros días de la conquista, un tiempo en el que a los indios les iba peor que en el presente:

> ¿No le contaron los viejos —preguntó— su forma de recolectar tributos con sus crueles castigos destinados a cualquiera que no pagase cada mes? ¿No le contaron cómo les dejaban morir como animales, mirándolos como si fueran perros, sin permitirles que oyeran una misa ni se confesaran? ¿No le mostraron cómo sus mujeres eran tan crueles y avariciosas que tenían a nuestras esposas e hijas trabajando todo el día y toda la noche para ellas para su beneficio e indulgencia privados? (pág. 73).

¿A quién admiraban los indios de entre lo españoles —en caso de que admiraran a alguien—, si este comportamiento fue tan común durante la conquista y colonización de Chile? *Cautiverio feliz* alude a muchos ejemplos de malos gobernantes entre los españoles, hombres que o bien abusaban de los indios injustamente, o bien simplemente usaban su influen cia y autoridad para mejorar su posición. Pineda criticó a todos los españoles que permitieron que su naturaleza corrupta menoscabara lo que él veía como el deseo del Rey de que prevaleciera la justicia en sus terrenos trasatlánticos (Pollard, *Rhetoric).* Pero tuvo siempre en mente un dirigente modelo que cumplía con las características necesarias para llevar un gobierno con ecuanimidad y amplia visión. En muchas ocasiones *Cautiverio feliz* hace referencia al padre de Francisco, Álvaro Núñez, un temido pero respetado maestre de campo del Ejército colonial ocupante. Revelar su ascendencia le salvó una vez la vida a Bascuñán. A sabiendas de que los indios le matarían si descubrían que él era el hijo de una figura tan importante en el campo militar, Francisco trató de esconder su verdadera identidad ante sus captores. Pero, para su sorpresa, éste descubrió que los araucanos respetaban a su padre, a quien consideraban un hombre justo y honrado en los asuntos relacionados con los indios. Cuando muchos araucanos pidieron la muerte de Francisco, Lientur intercedió a su favor, diciendo que el padre del cautivo siempre había tratado a los araucanos con dignidad y respeto.

Las últimas páginas de *Cautiverio feliz* sugieren una etapa transitoria para Francisco. Como los héroes de los antiguos ciclos de caballería, Bascuñán siguió una senda circular de aventuras, autoconocimiento y triunfo personal. Hay un momento muy significativo en el texto cuando Bascuñán se deshace de sus ropajes indios para vestirse de nuevo como miembro de la sociedad española. Experimenta un momento de paso simbólico de un mundo al otro. Como Cabeza de Vaca casi un siglo antes, Bascuñán regresa de su aventura con un tesoro de conocimientos y experiencia del que las autoridades coloniales podrían haber hecho buen uso. De hecho, Francisco se encuentra con el gobernador de la provincia de Concepción y le dice que la única razón para que los indios ataquen es la provocación por parte de los españoles. Estas acusaciones al gobierno fueron, quizá, censuras levemente disfrazadas a una administración que había eludido sus peticiones de una justa recompensa por sus servicios. El paso de prisionero a mediador se completa cuando Francisco vuelve a ver a su padre. El joven Bascuñán se entristece mucho al verle muy enfermo en la cama —claramente incapaz de actuar de la forma heroica que se describe anteriormente en el texto—. Lo lógico en este momento es ver a Francisco como el digno sucesor de su padre, como un soldado de integridad y elevada moral en lo que se refiere a los araucanos. La imagen de un joven, vital, compasivo y bien informado contrasta drásticamente con la visión de su padre, que sufre de una parálisis muy grave. Como autobiógrafo, Pineda y Bascuñán adornó este tipo de escenas con la intención de retratarse a sí mismo tan positivamente como fuera posible dentro del espectro de la verosimilitud aceptable.

La autodescripción de Bascuñán se centraba en el tema de la mediación entre dos grupos cuyas enemistades a nivel político eran muy profundas. Aún así, escribía Bascuñán, ambos grupos tenían muchas razones para desconfiar mutuamente. Los araucanos habían sufrido mucho durante la expansión política y económica de la colonia española en Chile. Los españoles, por otro lado, consideraban a los indios como poco más que salvajes sin dios que rechazaban cualquier intento de civilización. Fue difícil para Bascuñán resolver el conflicto entre su cariño hacia algunos miembros de la tribu que lo habían protegido y su lealtad hacia la misión propagadora de la Iglesia y el Estado. Cuando por fin se negoció su liberación, trajo de vuelta a su mundo un mensaje de esperanza y reconciliación, un deseo expreso por parte de los indios de que cesara la hostilidad. Un indio le pidió a Bascuñán que le dijera a su gente «no somos tan malos y perversos como ellos se imaginan» (pág. 94). Bascuñán expuso sus descubrimientos ante la autoridad apropiada, pero parece que no sirvió de mucho.

Cautiverio feliz es una narración autobiográfica que va más allá de las líneas predecibles que siguieron otras historias más doctrinarias escritas por sacerdotes, obispos o historiadores comisionados por la Corona. La voz narrativa usada por Bascuñán refleja sus años de experiencia militar y administrativa; es una voz madura y segura, no la tentativa de un joven de veinte años.

Sin embargo, la defensa que hace Bascuñán de los indios debería ser vista en el contexto del interés propio. Cuando Bascuñán permite a los indios criticar a los jefes militares y religiosos, una crítica que a menudo no es rebatida por el autor, sin duda estaba permitiéndoles a los araucanos expresar las preocupaciones sobre la corrupción de la sociedad española que él compartía. La imagen positiva de los indios a los que conoció durante su cautiverio contrasta con los ejemplos negativos del clero español y los líderes del Gobierno fuera de Chile que se interesaban sobre todo por su propio bienestar. Bascuñán encontró en los araucanos una clase guerrera que ejemplificaba un *ethos* de honor e integridad, virtudes que raramente se encontraban entre los gobernantes del virreinato peruano en sus tiempos.

CARLOS DE SIGÜENZA Y GÓNGORA

Al comienzo de la primavera del año 1690, el Conde de Galve, virrey de Nueva España, comenzó a oír historias admirables sobre un joven que había sido arrastrado a las costas de la remota península de Yucatán por las olas. Este viajante inusual, puertorriqueño de nacimiento, había pasado supuestamente los dos últimos años como prisionero de los piratas británicos. Pero lo que hacía única su historia era el hecho de que en el transcurso de sus viajes, el desventurado marinero había conseguido dar la vuelta al mundo, un logro extraordinario en aquellos tiempos. Ansioso por saber más de este individuo el virrey lo mandó llamar y pagó su pasaje de Mérida a la Ciudad de México. El virrey escuchó atentamente el relato de Alonso Ramírez sobre sus trabajos y viajes en México y las Filipinas, un viaje que terminó con su captura por unos bandoleros ingleses sin escrúpulos. El virrey elogió a Alonso Ramírez por sobrevivir a todo este tortuoso infierno y luego se lo envió a Carlos de Sigüenza y Góngora para que éste tomara nota de toda su aventura. Sigüenza interrogó largamente a Ramírez y luego le aseguró un buen puesto como marinero de la Armada Real en Veracruz. En el verano de 1690, *Infortunios* fue publicado en la Ciudad de México, era una narración autobiográfica que describía las desgracias que había sufrido a lo largo de su vida este hombre y que le habían llevado a unas tierras muy alejadas de su patria. *Infortunios* es uno de los últimos ejemplos del siglo XVII —y tal vez el mejor— de la adaptación literaria de un hecho histórico.

No es extraño que el virrey enviase a Alonso Ramírez a Carlos de Sigüenza y Góngora. Sigüenza fue un erudito reputado del México barroco, probablemente el historiador, matemático y astrónomo más sabio de toda la colonia —sólo Sor Juana Inés de la Cruz podía rivalizar con su capacidad intelectual. Sigüenza ostentaba un gran número de puestos oficiales en la Ciudad de México que eran el testamento de sus logros académicos: catedrático de matemáticas y astronomía en la Universidad de México, cosmógrafo del virrey de Nueva España, corrector de la Inquisición, cartógrafo, capellán del hospital, contable, y otras cosas, títulos que «suenan bien pero no pagan mucho», recalcó una vez Sigüenza para irónico menosprecio de su persona. Sigüenza estaba al tanto de las últimas tendencias eruditas de Europa; su reputación como científico se extendía tanto por aquel continente como por América; renombre que condujo a buena cantidad de debates, resistencias y polémicas eruditas. Su conocida disputa con el jesuita Eusebio Kino (1644-1711) sobre la naturaleza de los cometas, por ejemplo, da fe del conocimiento de Sigüenza sobre el discurso científico de su tiempo. Sigüenza y Góngora fue el erudito por excelencia del último periodo colonial; nada bajo el sol escapaba a su curiosidad y escrutinio: ciencia, religión, historia, geografía y la cultura de los antiguos mexicanos.

Los escritos de Sigüenza reflejan una visión contemporánea y enciclopédica de su mundo. Su literatura científica revela unos sólidos fundamentos en la «nueva ciencia» originada por mentes tan brillantes como Galileo o Copérnico, una epistemología marcada no por la tradición y la autoridad sino por la observación. *Libra astronómica y philosófica* es uno de sus muchos tratados científicos sobre los cometas y sus características. Aquí vemos que Sigüenza era muy escéptico ante cualquier comentario científico que simplemente repitiese la antigua sabiduría o afirmaciónes falsas sobre el cosmos. Sigüenza estaba decidido a separar ciencia y superstición —que no era pequeña tarea para un mexicano del siglo xvii— y para ello discutió los conocimientos tradicionales sobre los cuerpos celestes y sus movimientos a lo largo de *Libra astronómica.* Sigüenza llegó incluso a criticar abiertamente a Aristóteles, el decano de los antiguos, como alguien cuyas enseñanzas deberían ser ignoradas si no tienen una base en la observación y la razón. Sigüenza refutó clara y mordazmente un gran número de creencias populares sobre los cometas, sobre todo la de que son premoniciones de futuras catástrofes enviadas por Dios.

Esto no quiere decir que Sigüenza y Góngora hubiese perdido la fe ni tuviese una crisis de doctrina. Sigüenza era un sacerdote seglar que aceptaba plenamente la Iglesia y su papel central en la sociedad criolla. A pesar de haber sido expulsado de un seminario jesuita (por indiscreciones no reveladas), Sigüenza mantuvo una estrecha relación con esta orden y con los prelados más prominentes de la Ciudad de México durante el final del siglo xvii: el arzobispo Aguiar y Seija fue uno de los más influyentes y generosos mecenas de Sigüenza. El autor adoptó el papel de *cronista de convento* cuando escribió *Parayso Occidental*, una obra realizada para conmemorar el centenario de la fundación del Convento Real de Jesús María en la ciudad de México, un claustro para criollas pobres. Escrita con el telón de fondo del México del siglo xvi posterior a la conquista, el *Parayso Occidental* trata de la fundación del convento y de las monjas más admirables, una historia basada en fuentes tomadas de archivos y entrevistas con algunas de las residentes de más edad del claustro. Kathleen Ross ha demostrado recientemente que *Parayso Occidental* es una obra muy compleja, que en muchos aspectos sobrepasa a la simple *crónica de convento* o de *vida de monja*. Sigüenza estructuró este texto sobre el complicado concepto de que la creación del convento era una representación de la conquista de América y la creación de un paraíso en este hemisferio occidental. Aún así, no era normal que las protagonistas de esta narración —las mujeres— fueran emplazadas en lugares tan prominentes de la historia. Estas excepcionales mujeres, como se ha dicho, fueron de gran valor como instrumentos de creación del paraíso en el Nuevo Mundo al trascender sus papeles tradicionales de esposas y madres para trabajar por la transformación espiritual de esa tierra (Ross, *Carlos de Sigüenza y Góngora,* 31-75).

Parayso Occidental se puede ver como uno de varios textos escritos por Sigüenza que reafirman los hechos y las figuras fundamentales del siglo XVI desde la perspectiva de un criollo interesado en escribir en un idioma especialmente americano. El texto comienza con un capítulo sobre las doncellas aztecas, analogías nativas americanas de las monjas que más tarde habitarían en el Convento Real, que había sido construido en el lugar donde vivió la Malinche. Sigüenza fue un conocedor sin rival de las civilizaciones precolombinas de México y usó esta erudición en una muestra revisionista de la primera historia americana. Al entrelazar la historia y la cultura azteca con la historia del convento, Sigüenza estableció un contexto genuinamente americano por su naturaleza. Éste volvió a tratar el tema de la conquista en *Piedad heroyca de don Fernando Cortés* (Ciudad de México, 1693?), un relectura interpretativa de la obra de Bernal Díaz del Castillo y de otros historiadores del siglo XVI que dejaron de alabar a Cortés por uno de sus logros más importantes: la fundación del Hospital de la Inmaculada Concepción.

El espacio narrativo de Sigüenza y Góngora era América, un tema sobre el cual éste reclamaba cierta autoridad. Sigüenza podía llegar a ser bastante irritable cuando tocaba el tema de lo que los europeos pensaban sobre su patria. En *Libra astronómica,* por ejemplo, castigó vivamente a Kino por lo que él veía como una arrogancia insufrible hacia los americanos: «En algunos lugares de Europa, específicamente en el norte más remoto, piensan que no sólo los indios, habitantes originales de estos países, sino también aquellos de padres españoles que nacieron aquí por casualidad, o bien andan sobre dos piernas por dispensa divina o hay poca racionalidad dentro de nosotros, aunque se nos examine con microscopios ingleses (págs. 312-13). La actitud pendenciera de Sigüenza en *Libra astronómica* nos recuerda la incredulidad anterior de Alonso de Ovalle sobre el hecho de que los europeos no sabían distinguir entre las diferentes provincias y regiones de Sudamérica. Sigüenza estaba muy interesado en explorar todos los aspectos de la experiencia americana, preocupación que pone de manifiesto en todos sus textos históricos y geográficos. *Glorias de Querétaro,* una historia sobre la construcción de la iglesia de la Virgen de Guadalupe en Querétaro, comienza con un estudio de Querétaro antes de la conquista, una estrategia narrativa que volvería a emplear años más tarde en *Parayso Occidental. Glorias de Querétaro* nos muestra con algún detalle las ceremonias que se llevaron a cabo para conmemorar la construcción de esta iglesia. Este acontecimiento festivo estuvo marcado por una serie de procesiones en las que la población local —la mayoría indios— representaron escenas de su propia historia y tradiciones. Sigüenza describe hasta el más mínimo detalle los significados de numerosos disfraces y tocados, subrayando de forma pedante que tal inventario de minucias aztecas probablemente aburrirá a cualquiera que no tenga conocimiento del náhuatl. Esta procesión, conocida en aquel tiempo como mascarada, culminó con la presentación de una imagen de Guadalupe, alrededor de la cual bailaron los indios aún vestidos con sus atavíos ancestrales. Éste era el México de Sigüenza: una tierra habitada por gentes de culturas muy opuestas que habían decidido honrar pacíficamente a su única santa patrona.

Sigüenza y Góngora fue un astuto analista no sólo de la historia americana e indígena, sino también de los sucesos y problemas de los que fue testigo o parte en Nueva España. Sus textos más importantes y estudiados hoy en día son aquellos que se centran en los sucesos acaecidos durante su época dentro de este enorme virreinato colonial. Obras como *Infortunios* o *Alboroto y motín de los indios de México* son retratos narrativos extensos de los incidentes significativos que tuvieron lugar durante su propia vida. *Infortunios* es la narración del viaje oceánico de Ramírez alrededor del mundo, mientras que *Alboroto y motín* relata los disturbios por falta de comida que se dieron en la Ciudad de México en el verano de 1692.

Resulta de gran utilidad comparar *Alboroto y motín* con obras tales como *Glorias de Querétaro* o *Parayso Occidental*, trabajos que expresan admiración por los monumentos culturales de la civilización azteca. En estos estudios históricos resulta evidente que Sigüenza tenía gran respeto por los logros de muchas de las tribus que habían habitado el valle de México en el periodo precolombino. Pero la historia y los libros mantenían distanciado a Sigüenza del rencor y la violencia que había surgido periódicamente entre el régimen español dominante y las masas indígenas. *Alboroto y motín* describe una ocasión en la que se disipa momentáneamente el tenue control político de los españoles sobre los indios. El miedo y la anarquía dominantes en la capital durante los días del motín hicieron que Sigüenza escribiera sobre el «penoso destino» de México, una noche que seguiría siendo «infame durante muchos siglos» (pág. 95).

¿Cuál fue el motivo que llevó a los indios a quemar, saquear y robar la joya de la Corona colonial española? Parece que las lluvias de la primavera de 1692 fueron excesivas, lo cual hizo que se conjugara un número de circunstancias poco afortunadas: las inundaciones del valle fueron mucho más fuertes que de costumbre; la distribución de comestibles fue exacerbada, y los cultivos de maíz y trigo se dañaron severamente. El miedo a la falta de comida se extendió rápido por la capital aunque los oficiales de la ciudad abrieron centros para la distribución equitativa de grano. En un granero de estos comenzó el primer disturbio real, una pelea confusa que aglutinaba a miles de indios y otros grupos que se sentían excluidos de las corrientes económicas y sociales del Estado español y criollo. En el momento culminante del motín, la masa sostuvo casi por completo el control de la plaza central de Ciudad de México y consiguió quemar varios edificios y residencias oficiales.

Alboroto y motín es un texto complejo que excede en mucho las limitaciones discursivas inherentes a una simple narración de un suceso violento. Sigüenza incluyó este informe en una larga carta dirigida al almirante Andrés de Pez, de la Marina Real española; incluye alabanzas para el virrey Juan de Galve, un informe sobre las celebraciones en la ciudad de México en honor de la reciente boda de Carlos II, estudios meteorológicos y astronómicos y relatos sobre proyectos de ingeniería civil que se estaban llevando a cabo dentro y alrededor de la Ciudad de México. Su relato es, a este respecto, un texto estratificado que representa el gusto barroco de Sigüenza por la densidad verbal y la complejidad narrativa. Con esto no pretendo sugerir que los extractos del texto de Sigüenza estuviesen elegidos al azar o arbitrariamente. Vista como una unidad, la carta para el almirante Pez se va desarrollando lenta pero deliberadamente hacia la exposición del motín, un suceso que se presenta como el clímax histórico a la vez que literario de una secuencia de sucesos sin vínculo aparente en el valle de México.

Los trabajos sobre los canales de drenaje y el clima tenían una relación causal directa con el motín, pero ¿y las alabanzas de Sigüenza hacia Galve, la narración de las celebraciones por la boda del Rey o el estudio de un eclipse solar? El breve estudio sobre los mayores logros de Galve era simplemente una vía para evitar cualquier crítica al virrey por el motín. Los comentarios laudatorios de Sigüenza hacia Galve socavan de forma artística y retórica las censuras a su patrón antes incluso de que estuvieran formuladas.

El festival en honor de la boda del Rey era probablemente un recuerdo de la mascarada que se narró unos años antes en *Glorias de Querétaro*. La gente vestía sus ropas de fiesta, veían corridas de toros y fuegos artificiales. «Cuán feliz era la gente común» escribió Sigüenza, un hecho que cambiaría tan abruptamente como el clima (pág. 101). Sigüenza termina esta breve exposición de la feliz ocasión con una nota de expectación inevitable. «Cuán verdaderas son las escrituras cuando dicen que la risa está mezclada con el llanto y que el dolor sigue a las alegrías más grandes» (pág. 101). La celebración era una distracción momentánea para la gente que estaba a punto de vivir una situación de consecuencias muy graves. Sigüenza culpa tanto al dios cristiano como a los paganos por traer esta desdicha. En una ocasión escribió que el destino había tratado a la Ciudad de México con desdén. Luego aludió a Dios como el primer responsable de su precario bienestar: «Oh Dios sagrado y justo, cuán alejados del discurso humano están tus juicios incomprensibles y venerables» (pág. 101). En todo caso, los mexicanos se representan como sujetos del capricho divino o de las fuerzas meteorológicas fuera de su control y comprensión.

Y ¿cómo reaccionaba la gente común cuando se enfrentaba con un fenómeno —un eclipse de sol— que entraba perfectamente dentro de la comprensión humana? Respondían con miedo y se iban volando a la catedral buscando protección y refugio de lo que entendían como una amenaza del cielo. En este y otros puntos de *Alboroto y motín* vemos que la historia que nos cuenta Sigüenza sobre los disturbios se convierte en su propia historia también. Entre el pánico que aquella conjunción de astros había creado, Sigüenza se tomó con calma su trabajo como astrónomo observando que era «uno de los mayores [eclipses] que se han visto en el mundo» (pág. 108). El autosuficiente retrato que Sigüenza hace de sí mismo contrasta dramáticamente con el de los indios asustados dentro de la catedral y con el de la encendida masa que destruyó los monumentos a la supremacía española en el Nuevo Mundo: la residencia del Virrey y el Ayuntamiento de la ciudad. Sigüenza escribió brevemente sobre su trabajo despejando los canales que conducían fuera de la Ciudad de México y de sus esfuerzos heroicos para salvar valiosos documentos de los archivos de los incendios prendidos por la turba. Sigüenza se describe a sí mismo y a las elites criollas como figuras que han creado, preservado y sostenido las figuras y los símbolos instrumentales del mundo civilizado: el virrey se puso a salvo de las hordas; Sigüenza salvó el pasado escrito del México de un olvido seguro. Los indios, por otro lado, se dejaron llevar muy fácilmente por la anarquía más caótica alimentada por el insidioso pulque, la bebida alcohólica de las clases bajas. Sigüenza describe amargamente a estos indios como «la gente más ingrata, desgraciada, gruñona e incómoda que Dios haya creado y los más favorecidos con privilegios» (pág. 115).

Esta no fue la última vez que Sigüenza y Góngora escribió sobre levantamientos indígenas. En 1693 publicó *Mercurio volante con la noticia de la recuperación de las provincias del Nuevo México*, un panfleto corto sobre la exitosa represión de una rebelión indígena en los nuevos territorios mexicanos del remoto norte. Aquí una vez más informa sobre «el odio innato que sienten por los españoles», una animosidad que los llevaría a la resistencia y confrontación colectiva (pág. 146). Es interesante ver en estos dos trabajos la dicotomía que se establece entre los dominantes españoles y las clases indígenas. Aparentemente los indios no se habían asimilado plenamente a la cultura española dominante; durante el levantamiento, hablaron en voz alta y expresiva en contra de la presencia extranjera. En *Alboroto y motín,* Sigüenza habla de haber oído conversaciones entre mujeres indígenas sobre la presencia y la posible erradicación de las gentes españolas que vivían en la tierra de los indios: «¡Vamos con alegría a esta guerra y como quiera Dios que se acaben en ella los españoles no importa que muramos sin confesión! ¿No es nuestra esta tierra?» (pág. 65).

Esta animosidad no era ni trivial ni transitoria; Sigüenza aportó pruebas de que el odio que sentían los indios hacia los españoles era antiguo y profundo. Aparte de invectivas tales como «¡muera el virrey y todos los que lo defienden!» o «¡mueran los españoles y gachupines!» (pág. 65), Sigüenza encontró otras pruebas para sustentar su convicción de que los indios aborrecían a los criollos. Antes, cuando Sigüenza estaba trabajando en el proyecto de la limpieza de canales, habían desenterrado algunas figurillas de barro que representaban a españoles. Estas pequeñas efigies tenían agujeros de cuchillo y habían sido pintadas de rojo.

Sigüenza sostenía que los supersticiosos indios deseaban el mismo destino a los españoles del presente, debido a que se encontraron las estatuillas en el lugar por donde había escapado Cortés durante la «noche triste» hacía muchos años; *Alboroto y motín,* por lo tanto, vuelve a examinar —y a legitimar— algunos de los sucesos de la conquista. A pesar de que en ambas ocasiones los indios inicialmente habían aventajado a los españoles, estos últimos ganaron la lucha a la larga debido a la superioridad de su poder político, social y económico. La investigación incisiva sobre *Alboroto y motín* ha señalado una serie de paralelismos con los textos que tratan sobre la victoria española en Tenochtitlán, sugiriendo que la narración de Sigüenza es, entre otras cosas, una reescritura deliberada de la conquista (Ross, *«Alboroto y motín de México»,* 188). Sigüenza se apropia del texto fundacional de la conquista —la segunda carta de Cortés al monarca— y proyecta su relato sobre un molde de heroicidad similar. Desde la perspectiva de un criollo del final del siglo XVII, Cortés había llegado a ser el héroe más puro del Nuevo Mundo, un importante modelo a seguir durante la continua lucha por el dominio político en el valle de México.

Pero, si observamos el trabajo histórico de Sigüenza en su integridad, es difícil que se sostenga la imagen del indio bárbaro y salvaje. No hay duda de que Sigüenza tenía un serio interés académico por los amplios logros culturales y políticos alcanzados por las culturas azteca y chichimeca. Su *Teatro de virtudes políticas*, por ejemplo, intercala docenas de referencias a los monarcas y dioses aztecas dentro de sus observaciones sobre qué hace justo y capaz a un mandatario. Sigüenza encontró envidiables atributos de liderazgo y valor entre mexicanos como Moctezuma o Cuauhtémoc. ¿Por qué se aleja de esta atenta ecuanimidad en *Alboroto y motín?* Es difícil exagerar la importancia de la participación directa de Sigüenza en este suceso. Fue testigo de primera mano del aterrador poder de una masa hambrienta y enfadada que intentaba destruir todos y cada uno de los vestigios de control que los oponentes habían establecido. Sigüenza vio su capacidad destructiva y oyó sus insultos llenos de odio. Se dio cuenta de que a esta gente no le importaban para nada las instituciones y símbolos de autoridad que habían estado firmemente establecidos desde la década de 1520. Tras experimentar la intensidad de tal tumulto, era difícil volver al sereno estudio de los antepasados de esas hordas desbocadas que habían quemado la ciudad adorada de Sigüenza. En *Alboroto y motín* no existe esa armonía cultural que encontramos en *Glorias de Querétaro*; la voz posterior de Sigüenza está forjada en la dura experiencia y la sobria desilusión del conflicto social.

Infortunios es, como *Alboroto y motín*, la historia de una situación contemporánea que Sigüenza y Góngora construyó basándose en la observación y en entrevistas. De entre todos los trabajos existentes de Sigüenza, *Infortunios* es el que más ha atraído la atención de críticos literarios e historiadores. Es un texto que invita a muchas lecturas e interpretaciones diferentes. A lo largo de los años se ha visto como una crónica novelada, una autobiografía sustitutiva, una protonovela de género picaresco o bizantino, un estudio geográfico de todo el imperio colonial español y más allá, y un comentario político sobre la presencia en declive de España en la cambiante economía mundial de finales del siglo XVII. La falta general de consenso sobre el género literario de este texto sugiere que éste, como otras muchas narraciones históricas del último periodo colonial, es una obra de la que no existe ninguna analogía moderna. *Infortunios* contiene tal confluencia de tendencias retóricas y discursivas que cualquier esfuerzo para llegar a etiquetarla bajo el nombre de algún género en concreto es imposible. Además, como ha observado Aníbal González, comprender *Infortunios* sólo como una ficción o sólo como una historia sería equivalente a no comprender la semejanza retórica entre lenguaje de ficción y el histórico que se daba en esa época *(Los infortunios de Alonso Ramírez,* 190). A pesar de que las categorías de «historia» y «ficción» podrían haber producido formas diferentes de recepción literaria, las modalidades expresivas del discurso histórico y del de ficción eran extraordinariamente similares.

En algunos aspectos, es fácil entender por qué *Infortunios* recuerda la picaresca. La vida de Alonso —tal como la describe Sigüenza— tenía ciertos paralelismos con la del Lazarillo de Tormes o Guzmán de Alfarache. Alonso nació en San Juan de Puerto Rico y su padre era un pobre carpintero. Dejó su hogar muy joven en busca de una vida mejor y llegó a México donde, por mala suerte, «experimentó mayor hambre que en Puerto Rico» (Estelle Irizarri (ed.), 1990, pág. 97), Alonso pasó por varios trabajos, todos ellos con un jefe diferente, hasta que su vida dio un giro fortuito: se casó. Su joven esposa, sin embargo, murió durante el parto menos de un año después de su boda. Desesperado por darle sentido a su vida, Alonso se embarcó para Filipinas, lugar al que se enviaban «desterrados a los que son delincuentes» (pág. 100). Esta decisión le acarreó consecuencias tanto favorables como inoportunas. Alonso tuvo una carrera como marino bastante exitosa, aunque breve, viajando a lo largo y ancho de todo el Pacífico del sur asiático. Comparando su vida en el lejano Oriente con sus años de penurias en Puerto Rico y México, las circunstancias habían mejorado mucho: por fin había encontrado un empleo fijo y aparentemente grato; y pudo «ver diversas ciudades y puertos de la India en sus diferentes viajes» (pág. 102).

Sin embargo, el destino de los pícaros, a menudo cambia rápidamente. En uno de sus viajes marítimos, partiendo de la bahía de Manila, Alonso Ramírez y su pequeña flota cayeron prisioneros de unos piratas ingleses que portaban muchas armas. Aquí comienza la etapa más difícil y dolorosa de su vida. Mientras estaban bajo la custodia de los británicos, Alonso y sus hombres sufrieron abusos, humillaciones y adversidades en repetidas ocasiones. Se retrata a los ingleses como poco más que caníbales descreídos que vivían para saquear los ricos puertos de las Indias Orientales. No se preocupaban en lo más mínimo por sus cautivos, los trataban como esclavos. Los hombres de Alonso perecieron rápidamente bajo la severidad de la opresión inglesa; de los veinticinco miembros que la flota tenía originalmente, sólo ocho sobrevivieron hasta el final del cautiverio. Los piratas por fin liberaron a Alonso y a sus hombres, pero de una forma muy precaria. Les dieron un pequeño bote con unas mínimas provisiones y armas y luego los abandonaron. La compañía de marineros ahora disminuida y debilitada comenzó su viaje de vuelta a casa navegando desde Madagascar hacia el Oeste. Naufragaron en las playas de Yucatán y pronto encontraron el camino de vuelta a la civilización. Fue en este momento cuando Alonso es llamado a la capital virreinal y tienen lugar sus encuentros con Galve y Sigüenza.

Aunque está claro que en *Infortunios* se utiliza una serie de motivos del género picaresco —narración en primera persona, pobreza, búsqueda de fortuna—, se trata de un texto que abarca un amplio espectro de tradiciones narrativas. Podemos descubrir en *Infortunios* unos cuantos comentarios políticos y sociales sobre la presencia de España en la comunidad mundial. Es importante recordar que Alonso viajó a través de las grandes extensiones del enorme Imperio Español y adquirió una perspectiva muy crítica sobre el declive de España como potencia mundial. Alonso muestra claramente su impresión ante el poder de las armas de los navíos ingleses y ante su propia incapacidad para articular una defensa adecuada. Sigüenza narraría algunos años después un caso similar en *Alboroto y motín,* cuando la falta de armamento llevó a una derrota vergonzosa. Los soldados que vigilaban el palacio del virrey no tenían balas para sus pistolas, una falta que los indios notaron rápidamente y que supieron explotar. A pesar de que el imperio colonial de España en 1690 era aún muy extenso, las experiencias de Alonso sugieren que las fisuras del muro se habían ampliado considerablemente. La humillación y derrota de Alonso es, por extensión, la de España.

La intimidación de que fue objeto Alonso por parte de los piratas ingleses le impidió admirar a esa gente a la que consideraba muy inferior. Eran, después de todo, personas que habían rechazado el catolicismo. *Infortunios* contiene varias secuencias narrativas en las que se caracteriza hasta el mínimo detalle a los piratas como bestias salvajes. Alonso cuenta un incidente en el que un inglés le ofreció un pedazo de brazo humano que estaban degustando. El rechazo de Alonso se vio como cobardía. Si él pretendía llegar a rivalizar con ellos en valor, debía «no ser melindroso» (pág. 110), dijeron los ingleses (pág. 106). A pesar de que demostraban tener una tecnología superior y unos conocimientos militares considerables, Alonso veía a los ingleses vacíos cultural y moralmente. Tal vez peor era su opinión sobre un español llamado Miguel que se había alistado con los piratas. Alonso guardó sus críticas más afiladas para él: «No hubo trabajo intolerable en que nos pusiesen, no hubo ocasión alguna en que nos maltratasen, no hubo hambre que padeciésemos, ni riesgo de la vida en que peligrásemos, que no viniese por su mano y su dirección» (pág. 125). Que Alonso y sus hombres sufrieran más a causa de un colega español que de los ingleses, entraña una amarga ironía. Pero Miguel había abandonado hacía mucho su amarradero religioso, una decisión que al fin y al cabo llevaría a su «muerte como hereje» (pág. 125). La disonancia religiosa entre los captores y los prisioneros era tan pronunciada, que Alonso estaba seguro de que Nicpat, uno de los dos navegantes que le mostró una mínima compasión, era católico.

A pesar de que Alonso agradecía haber regresado al lado de aquellos con quienes compartía su fe y sus tradiciones, no todas las personas de este mundo estaban a la altura de sus modelos de conducta. Alonso habló de algunos incidentes que tuvieron lugar en el Yucatán y que le ofendieron y desilusionaron. Entre los supervivientes se encontraba un sirviente negro de Alonso que se llamaba Pedro. Poco después de su llegada a Tixcacal, un hombre se acercó a Alonso y, fingiendo ser un antiguo y querido amigo, trató de estafar a Alonso para quedarse con su sirviente. «Corren voces», dijo el hombre, «de que sois espía de algún corsario», por lo que el gobernador de la provincia lo perseguiría (pág. 145). El hombre —como viejo amigo que era— se ofreció voluntario para interceder a su favor. Se ofreció generosamente a llevar a Pedro al gobernador como regalo, añadiendo esta admonición: «Considerad que el peligro en que os veo es en extremo mucho» (pág. 145). Alonso, por supuesto, se dio cuenta del engaño. Después de todo, había viajado alrededor del mundo, había sido testigo de perversiones sin nombre y había sobrevivido milagrosamente a un naufragio. Astutamente respondió: «No soy tan simple que no reconozca ser Vmd. un grande embustero y que puede dar lecciones de robar hasta a los mayores corsarios» (pág. 145).

A Alonso le gustó este episodio y se refirió a él como «una historia muy brillante» —nada perdido y nada ganado (pág. 145). Aún así Alonso quedó algo perturbado cuando los oficiales de la ciudad de Tixcacal le negaron el permiso para volver a la playa y rescatar alguna de sus pertenencias. Si dejaba la ciudad en dirección a la playa, le advirtió el alcalde, sufriría «graves penas» (pág. 146). Sospechó que, obviamente, los oficiales corruptos confiscarían los restos para ellos. Alonso establece un importante y agudo paralelismo con alguien de su pasado reciente cuando dice «acordándome del sevillano Miguel, encogí los hombros» (pág. 146). Alonso había viajado por todo el mundo para darse cuenta de que estos oficiales del gobierno no eran mejores que los ingleses, ya que la corrupción también era una forma de piratería.

Como hemos visto, la vuelta de Alonso a este mundo fue muy difícil. Llamado para que contara y recontara su historia muchas veces, Alonso decía que, al llegar la hora de comer siempre se le despedía y nunca se le invitaba. Su principal sustento durante este periodo difícil vino de los indios que compartían generosamente su sencilla comida con él, por lo que estaba genuinamente agradecido. Con estas desgracias recientes en su mente, todas ellas acaecidas tras el regreso de Alonso a México, es fácil ver que *Infortunios* funciona como una clásica relación en la que un individuo presenta sus reclamaciones a una autoridad superior. Desposeído de sus pertenencias más básicas, la historia de Alonso es la de un demandante que desea que se haga justicia y se le considere debidamente. Bajo esta luz, *Infortunios* comparte similitudes con muchos escritos de los siglos XVI y XVII en los que un individuo buscaba un enjuiciamiento legal de la más alta autoridad posible —si fuese necesario el Rey— para lo que él veía como una injusticia muy seria. En un contexto estrictamente jurídico, el narrador de una relación intenta construir una historia cuya disposición retórica lleve a una argumentación persuasiva sobre la cuestión de la que se trata. Recordemos la preocupación de Francisco de Pineda y Bascuñán que queda implícita a lo largo de *Cautiverio feliz:* desencantado de su situación financiera y política, Bascuñán criticó una serie de políticas gubernamentales de su época para así adquirir una posición más elevada. De forma similar Alonso, desilusionado pero nunca corrupto, llevaría su historia directamente al virrey y a su sabio secretario. Es tal vez una dolorosa ironía que Alonso simplemente cambiara un tipo de adversidad por otro. ¿El final del periplo legal de Alonso? Se le premió con la custodia del contenido de su barco y, además, fue reclutado por la Marina Real de Veracruz, una última vuelta de la caprichosa rueda de la fortuna.

Como es normal, *Infortunios* ha sido fuente de muchos estudios que tratan de documentar con alguna precisión las numerosas referencias históricas y geográficas que hace Sigüenza (Cummins, *«Infortunios de Alonso Ramírez»).* A pesar de que sería un error juzgar *Infortunios* sólo por su veracidad histórica y geográfica, resulta de cierto interés erudito. En este sentido algunos críticos han considerado *Infortunios* como un texto básicamente fáctico que refleja verazmente un número de situaciones que se dieron en esa época. La referencia histórica más importante en la obra es la mención repetida a la piratería, azote de los intereses del comercio mundial de los españoles durante el siglo XVII. Los piratas británicos y holandeses, que aparecen en *Infortunios,* eran una amenaza constante para los puertos y las avanzadillas españolas en las Indias Orientales. Esta área era una región de intensa competitividad económica para los poderes más importantes de la Europa del momento. Alonso habla de algunos soldados portugueses de Siam a los que les habían contado las manos; relato que puede ser verificado por informes contemporáneos franceses y holandeses. También refiere Alonso las operaciones de los ingleses en Borneo, una presencia que puede ser confirmada por los archivos históricos contemporáneos. Los personajes que menciona Alonso, tales como Antonio Nieto, Leandro Coello o Gabriel de Cuzalaegui son históricos. Pero no existe ningún documento que pruebe la existencia de algunos de las personas retratadas en *Infortunios.* Aparte de esta historia sobre su vida, Alonso Ramírez desapareció de la vista después de su entrevista con Sigüenza. Su nombramiento en la Marina de Veracruz nunca se comprobó. Los piratas ingleses (Donkin, Bel, Nicpat) eran también desconocidos. Sigüenza fue así inventivamente imaginativo en la elección de qué y de quiénes incluía en esta obra que constantemente se hace pasar por una historia de verdad y de lo comprobable. Mientras que muchas de las experiencias de Alonso parecen verdaderas, ha sido imposible documentar con certeza la autenticidad de algunos de los incidentes de su vida. Alonso habló de sus batallas legales con los funcionarios de Tixcacal, situación que debería haber producido un buen número de manuscritos notariales. Pero nadie ha encontrado aún ninguna evidencia de la presencia de Alonso en este pueblo ni de sus reivindicaciones legales para reclamar su propiedad (González, *Los infortunios,* 193-5).

Por muy tentadora que sea una lectura de *Infortunios* de tipo historicista —en la que se acepten sin críticas las bases fácticas de la obra—, es recomendable considerar que a menudo no existía mucha diferencia entre los escritos históricos y los de ficción en aquella época. Es también importante recordar que la voz narrativa de Alonso (por muy realista que sea su retrato) es producto directo o indirecto del proceso creador de Sigüenza. A pesar de que *Infortunios* asume la forma de una autobiografía, Sigüenza fue el responsable de la génesis y la realización final del texto. Tal situación convierte la tarea de disgregar las diferentes voces del coro de narradores en algo extremadamente difícil.

Parece claro que Sigüenza ayudó a Alonso con los nombres y localizaciones de los muchos lugares que visitó a lo largo de su experiencia en alta mar. El proceso creador que condujo a la formación de este libro incluyó, por lo tanto, el informe oral de Alonso de su propia vida así como la orientación interpretativa de Sigüenza en lo referente a las cronologías, las secuencias narrativas, el énfasis sobre ciertos detalles o su omisión, y la información básica sobre el trazado del mundo. Tanto en sentido figurado como en el literal, Sigüenza se escribió a sí mismo en el relato. Gimbernat de González ha subrayado que existe una confluencia de identidades en algunas ocasiones dentro de la voz narrativa singular de *Infortunios* («Mapas y texto», 390). Vemos destellos de la figura histórica de Alonso así como de la de Sigüenza, que organizó y probablemente rellenó la historia con datos recogidos durante sus años de investigación histórica y geográfica. Mientras que Alonso daba la información básica de sus experiencias, Sigüenza tomaba decisiones muy cautas sobre la composición del texto. Después de que Alonso hablara de la decisión de liberarlos que habían tomado los piratas, por ejemplo, el texto retrocede en el tiempo y hace un pequeño estudio de algunos de los personajes que capturaron a Alonso. Esta es una técnica narrativa que añade cierta variedad a la presentación de la historia de su vida.

Gracias a este giro se rompe la linealidad cronológica que se encuentra en todos los demás pasajes de *Infortunios*. Así se representa el momento en el que Alonso juzga a algunos de sus captores. El texto desliza algunas escenas de acción en el capítulo de las reflexiones de Alonso sobre este periodo de su vida. Esta construcción ficticia nos permite ver a Alonso como un personaje histórico intrigante y también como un narrador creíble que podía contar su historia con un grado convincente de perspectiva sobre la naturaleza humana. El último pensamiento de Alonso sobre Miguel es el deseo de que Dios perdone sus pecados. Por lo tanto, Alonso deseaba la redención a su enemigo, un acto de caridad cristiana que lo elevaba dramáticamente sobre los vulgares ingleses.

La presencia de Sigüenza se adivina por tanto en tales ejemplos de elección narrativa y conclusión. Al final del libro encontramos también a Sigüenza retratado humorísticamente como un hombre de muchos títulos que no le daban ninguna ganancia. Hablando a través de Sigüenza, Alonso nos cuenta su encuentro con el autor. El virrey lo manda a «Don Carlos de Sigüenza y Góngora, cosmógrafo y profesor de matemáticas de nuestro señor el Rey en la Academia Mexicana, capellán del hospital real Amor de Dios de la ciudad de México... Apiadándose de mis desventuras... Creó esta relación en la que se contienen...» (pág. 38). Sigüenza es descrito aquí como un autor al estilo de Unamuno que se enfrenta a su propia creación. Alonso tenía una historia que no era capaz de contar solo. Es en los últimos párrafos en los que podemos detectar de modo más significativo la empresa de colaboración que llevó a la génesis de *Infortunios*. Aquí observamos también cómo Sigüenza convierte la narración en su propia historia. Él fue, al final, el personaje más importante que Alonso conoció durante su agitada vida. Sin Sigüenza no habría relación y por lo tanto no habría Alonso Ramírez en lo que concierne a la historia. El papel de Sigüenza en este aspecto es muy semejante a su autorretrato en *Alboroto y motín*. En ambos casos a través de un acto intencional, rescata la historia del olvido: sin su intervención los documentos se habrían quemado; sin el esfuerzo como escritor de Sigüenza, Alonso Ramírez habría desaparecido de la historia. Su encuentro en la ciudad de México a principios de abril de 1690 fue, por tanto, provechoso para ambos. Alonso consiguió una identidad histórica duradera. Sigüenza se situó a sí mismo en un papel fundacional en el texto como creador de esta identidad. Sigüenza se sintió aparentemente justificado al aceptar su papel central, convirtiendo la narración oral de Alonso en un escrito que permanecería en el tiempo.

A pesar de que tanto Alonso Ramírez como Sigüenza y Góngora dejaron una huella histórica, su voz colectiva en *Infortunios* constituye una función narrativa adaptada. En este sentido, el narrador del texto —a pesar de ser el producto de ambas personalidades— es un reflejo de la disposición para la ficción de la narración. El «yo» de Alonso Ramírez tiene más cosas en común probablemente con el narrador picaresco que con el individuo histórico que actúa como modelo para esta composición (González, *Los infortunios,* 199). Desde la primera palabra de Alonso hasta el final del texto, la voz del narrador sigue un tipo de discurso literario en vez del lenguaje histórico «realista». Alonso habla como un narrador irónico (un rasgo picaresco), que desea revelar ciertas cosas sobre sí mismo y esconder otras (González, *Los infortunios,* 200). Lo que en verdad determina el final de la historia está tan relacionado con las exigencias de la forma literaria como con la experiencia en la vida real de un hombre llamado Alonso Ramírez. Las interpretaciones críticas más recientes de *Infortunios* —y de la historiografía colonial en general— han buscado la dinámica literaria del texto antes que los referentes históricos. Como ha sugerido José Arrom, *Infortunios* tal vez se puede entender mejor como una biografía ficticia de aventuras. Lo que importa, escribe Arrom, es que el autor ha dirigido los caóticos sucesos —reales o imaginados— hacia un texto con formas literarias consistentes y coherencia («Carlos de Sigüenza y Góngora», 46). Es «Sigüenza el fabulador el que confiere a *Infortunios* ese nexo orgánico con el género novelesco» (Arrom, «Carlos de Sigüenza y Góngora», 35). Sigüenza y Góngora es una de las muchas figuras de la época colonial cuyas obras históricas se estudian en la actualidad por sus técnicas retóricas y sus formas de discurso.

[6]

LA LÍRICA COLONIAL

ROBERTO GONZÁLEZ ECHEVARRÍA

En el momento en el que España se expandió por el Nuevo Mundo, la lengua española se encontraba en la última etapa significativa de su evolución y la poesía española asistía a su más profundo y duradero cambio. Tal vez esta coincidencia explica la omnipresencia de la poesía durante la Conquista, así como en las sociedades virreinales creadas tras la colonización. En el siglo XVI, la poesía española estaba inmersa en una renovación febril y adoptaba el estilo y el espíritu proveniente de Petrarca y el Renacimiento italiano. Asimismo elevaba y enriquecía sus formas tradicionales, especialmente el Romancero, al nivel de expresión escrita e impresa. Se adoptaba el estilo italianizante y a la vez, la poética heredada del medievo de los cancioneros cortesanos, al igual que los romances, se conservaron, proliferaron, y contaminaron la nueva poesía. Los cambios en la poesía, como en todo lo demás en el siglo XVI español, implicaron con frecuencia una incómoda coexistencia de las ideas y prácticas medievales con las renacentistas. La resistencia de lo medieval es uno de los elementos que llevó, a su debido tiempo, al estilo característico de la lírica colonial: el barroco.

Pero la renovación fue lo suficientemente radical. Tal vez el cambio más profundo, en la medida en que afectó al mismo ritmo del lenguaje poético, y a su distinción del discurso común, fue la adopción del verso de once sílabas. El endecasílabo se convirtió en una medida estándar para la poesía culta, en contraste con los versos más cortos propios de los romances de otros poemas populares, y de la poesía de cancionero, como los escritos por Hernando Colón, el hijo del descubridor (Varela, «La obra poética de Hernando Colón»). El endecasílabo se convirtió en la característica del arte mayor, o poesía culta, mientras que los versos más cortos se dejaron para poesías populares u ocasionales, y se llamaron arte menor. El endecasílabo pronto llegó al Nuevo Mundo, donde se generalizó entre aquellos que aspiraban a ser genuinos poetas. Junto con el endecasílabo se importaron de Italia algunas formas estróficas, sobre todo la *terza rima* (o tercetos encadenados), la *ottava rima* (octava real), la lira y la silva. Tanto la lira como la silva usaban combinaciones de versos de siete y once sílabas. De Italia también llegaron unidades más largas de expresión poética, como el soneto, la égloga pastoral, la elegía y la epístola o poema-carta. Con la forma pastoral como característica generalizada de la poética renacentista, los modelos clásicos, y en especial Virgilio, Horacio y Ovidio que se convirtieron en objeto de admiración e imitación y la vasta reserva de referencias poéticas de la mitología clásica se convirtió en casi un lenguaje propio de los poetas. Junto con estas nuevas formas también llegó un interés creciente por la teoría poética, casi toda influida por el neoplatonismo y por los comentarios sobre Aristóteles (con una buena dosis de Horacio) que proliferaron a partir de la mitad del siglo XVI (Terry, «The continuity of renaissance criticism» [La continuidad del criticismo renacentista], sin traducción al español).

La amplia renovación poética en la Península y la expansión colonial en América se desarrollaron simultáneamente. Las fechas de la primera son muy conocidas, pero deben ser recordadas para poder observar la sincronía de ambos procesos. Los asentamientos en el Caribe se establecieron de 1492 a 1519, en México entre 1519 y 1543, en Perú desde 1532 hasta los años sesenta de ese siglo. O, si queremos establecer los periodos sobre la fundación de las audiencias, la institución jurídica más importante de las Indias, en cada uno de estos territorios: la Audiencia de Santo Domingo se creó en 1511, la de México en 1529, la guatemalteca en 1544, y la de Nueva Galicia en 1549. En el sur, la Audiencia de Panamá se creó en 1538, la de Lima en 1542, Santa Fe en 1549, Charcas en 1559, Quito en 1563, Chile en 1565 y 1609. En este marco podemos situar ahora las fechas más significativas de la expansión de la nueva poesía, y acaso 1525 sea la primera y más importante, pues en ese año el poeta Juan Boscán (¿-1542) sostuvo una conversación decisiva con el diplomático italiano Andrea Navaggiero. Éste último lo animó a probar suerte con el tipo de poesía que escribían los poetas italianos en la tradición de Petrarca. El consejo de Navaggiero, que fue pronto obedecido por Boscán y su amigo Garcilaso de la Vega (1500?-1536), se formuló en gran medida en el clima ideológico que generó la *Prose della volgar lingua,* de Pietro Bembo, publicada en este mismo año de 1525. Boscán también tradujo *El cortesano* (1518) de Baldasare Castiglione, que se publicó póstumamente en 1548. Era un libro que describía no sólo una forma de ser poética, sino un modo de vida, y que tuvo un impacto importante en la conducta de los poetas hispanoparlantes de ambos lados del Atlántico.

¿Se pueden atribuir consecuencias históricas tan trascendentales a una mera conversación, aunque sea sólo en el dominio de la historia literaria? El medio intelectual de la España de Carlos V era propicio para el tipo de programa que Bembo proponía. Este incluía el estudio y emulación de los clásicos griegos y latinos. Pero tampoco se puede descartar la iniciativa de Boscán, ya que supuso una división entre el antes y el después. Así que 1525, apenas cuatro años después de que Hernán Cortés conquistara México, debe seguir siendo una fecha importante. Sin embargo, la fecha crucial en los aspectos más tangibles y documentables es

1543, cuando Ana Girón de Rebolledo, la viuda de Boscán, publicó los poemas de su fallecido esposo y de Garcilaso, también muerto en el sur de Francia en una escaramuza de la armada imperial en 1536. Hacia 1543 el Caribe y México ya habían sido colonizados en su mayoría, y la conquista del Perú estaba en su punto álgido. El impacto de la poesía de Garcilaso tras la publicación del libro en 1543 fue tan rápido y duradero como indiscutible. Hacia 1574 un conocido profesor de Salamanca, Francisco Sánchez, «el Brocense» (1523-1601), publicó una edición comentada de la poesía de Garcilaso, como si ya fuese un texto clásico. Y en 1580, Fernando de Herrera, «el Divino» (1534-1597), un poeta importante, publicó su propia edición de Garcilaso con anotaciones que ejercieron una enorme influencia en la poética y la historia literaria. Sebastián de Córdoba, un poeta menor, publicó, por otro lado, en 1575 el *Garcilaso a lo divino,* en el que el versos del toledano se teñían de una sombra religiosa, una reescritura que tuvo un impacto decisivo en la poesía mística de la segunda mitad del siglo XVI, sobre todo en la de San Juan de la Cruz (1542-1591). La moda de Garcilaso cruzó el océano rápidamente y dio forma a la actividad poética culta en las capitales de los virreinatos.

Pero la poesía italianizante o culta no es la única existente en el periodo. Otras fechas importantes para la historia de la poesía española en el siglo XVI son: 1511, publicación en Valencia del *Cancionero general* de Hernando del Castillo; 1550, publicación del *Cancionero de romances* en Amberes, donde se hace una segunda edición en 1555 y una tercera en 1568, y en Lisboa en 1581; 1550-1551, se publica la *Silva de varios romances* en Zaragoza; 1584, publicación en Sevilla del *Cancionero de romances* de Lorenzo Sepúlveda; 1600-1601, se imprime el *Romancero general;* 1516, fecha del *Cancionero general.* La práctica de recopilar antologías de este tipo, que a menudo incluían la poesía culta, fue común durante el periodo, e influiría también sobre la actividad poética en las colonias. Los romances en particular tomaron vida propia, tanto a través de la transmisión oral más típica, como en pliegos sueltos publicados y distribuidos por todos los rincones del mundo colonial. Los romanceros se mandaban a menudo al Nuevo Mundo, como nos ha mostrado Leonard *(Los libros del conquistador)* y los músicos españoles cantaron estos romances en las cortes de los virreyes, así como también fueron recitados por actores en obras de teatro. Los poetas populares y cultos escribieron romances y estos, como sigue ocurriendo hoy, tuvieron una importante influencia en la música popular, sobre todo en el *corrido* (Merle Simmons, *A Bibliography of the romance and related forms in America* [*Una bibliografía del romance y formas poéticas relacionadas con América*] y *The Mexican Corrido as a source for interpretative Study of Modern Mexico* [*El corrido mexicano como componente de interpretación del México moderno*]). Como sucede en casi toda la poesía popular, si existe algún cambio, este es muy lento, y, más allá de las fechas de publicación de las mayores antologías al comienzo de la colonización española, poca historia queda por contar, excepto la de distinguir las tendencias temáticas como por ejemplo los romances que trataban de la independencia o sobre figuras específicas como Simón Bolívar *(Romancero colombiano)*.

Una pregunta que surge inmediatamente es la de si existe una relación entre los ideales de la poesía renacentista y la empresa colonizadora de los españoles, si el impulso cortesano «tomando ora la pluma, ora la espada» de Garcilaso, era una idea que compartía con los conquistadores. No hay ninguna duda, sobre todo en el carácter de las épicas de estilo renacentista, como *La araucana* (1589-1590), y en las actividades de autores como su propio autor, Alonso de Ercilla (1533-1594), que dan prueba evidente de una convivencia de la poesía y la actividad militar. Lo mismo es cierto, aunque naturalmente de una forma menos desarrollada, en el campo de la poesía lírica, como por ejemplo en líderes como Cortés, que tiene fama de haber escrito algunos poemas. Pero el espíritu que mostró Garcilaso, el del cortesano ideal, al dar su vida en Fréjus, estaba muy vivo en algunos conquistadores en los años veinte del siglo XVI. Aunque el debate sobre el tratamiento que debían recibir los nativos del Nuevo Mundo seguía enfrentando las concepciones renacentista y medieval sobre la naturaleza de la humanidad, y el punto de vista de muchos historiadores aún era académico, en la poesía, las ideas, conceptos, actitudes y formas del Renacimiento prevalecían. Tras la conquista, los poetas aspiraban a ser cortesanos, y lo eran, a su manera, en las tan ceremoniales atmósferas de las cortes de los virreinatos. La práctica del gobierno, desde los puestos más altos a cargo de los virreyes, hasta los más burocráticos, reemplazaron a la espada en la oportuna frase de Garcilaso. Los poetas ahora sólo esgrimían su pluma para dos fines diferentes: el gobierno que incluía al de la Iglesia, y la poesía.

Por tanto la poesía de Garcilaso es la línea divisoria entre la lírica medieval y la moderna en español. Todos los poetas que constituyen el Siglo de Oro español —San Juan de la Cruz, Fray Luis de León, Fernando de Herrera, Lope de Vega, Luis de Góngora, Francisco de Quevedo, Sor Juana Inés de la Cruz, y otros muchos— son sus seguidores, como también lo es todo poeta que escribe en español desde entonces. Los cancioneros y romanceros son la manifestación culta, y preservada en imprenta, de las formas poéticas cortesanas y populares que gozaron de una popularidad importante entre los conquistadores españoles de todos los estratos sociales. Los romances, junto con las formas menores de poesía amorosa ocasional representadas en los cancioneros, han sobrevivido hasta hoy en Hispanoamérica. Su presencia en los siglos XVIII y XIX, por ejemplo, se puede observar en investigaciones sobre la cultura latinoamericana de la magnitud del *Lazarillo de ciegos caminantes* (1773) de Alonso Carrió de Vandera, o *Facundo* (1845) de Domingo Faustino Sarmiento. Las formas poéticas cultas, como el soneto o la décima también sobrevivieron en todos los niveles de la vida social. Desde los tiempos de Gutierre de Cetina (1514?-1557?) y Francisco Terrazas (1525?-1600) en México, hasta los de Nicolás Guillén (1902-1988) y Severo Sarduy (1937-1993) en la Cuba contemporánea, incluyendo a autores de la envergadura del nicaragüense Rubén Darío (1867-1916), que también provocó su propia revolución poética, el soneto, la décima y el romance, continuaron siendo las formas métricas predilectas para la expresión poética. La voz lírica de Garcilaso se sigue oyendo en las canciones de amor del chileno Pablo Neruda (1904-1973) y sus tonos más sombríos resuenan en los más angustiados versos del peruano César Vallejo (1892-1938). La lírica colonial no es un conjunto de formas poéticas olvidadas, conservadas sólo por la historia de la literatura, sino que aún en la actualidad constituye el origen vigente de la poesía moderna latinoamericana.

Toda esta poesía llegó al Nuevo Mundo en los mismos galeones que llevaron las armas de fuego, el cristianismo, y los caballos, y su papel en la construcción de la nueva sociedad fue tan profunda como duradera. Debido a esta continuidad es de alguna forma engañoso hablar de una historia de la lírica española, si por ello entendemos la crónica ininterrumpida de una serie de cambios sustanciales en las formas poéticas, en los que cada una cancela a la previa. Por supuesto ha habido cambios en la poesía escrita en español en los últimos 500 años, pero desde el siglo XVI las formas poéticas han variado muy poco en su lenguaje, excepto por la práctica del verso libre y los arreglos estróficos iconoclastas introducidos por las vanguardias. Si Garcilaso y Góngora estuvieran vivos, encontrarían algo raro un soneto de Nicolás Guillén debido probablemente a su tema, y a algunas de las figuras, pero lo reconocerían como una forma poética familiar, utilizada de una forma ligeramente diferente. Vicente Espinel (1550-1624) tal vez se sorprendería de la popularidad de la décima que gracias a él se difundió entre los poetas populares, sobre todo del Caribe, pero no tendría ninguna queja de la forma de utilización de la rigurosa estrofa de diez versos.

La falta de un cambio abrupto y radical se debe en parte a la ausencia de un movimiento romántico poderoso en español, comparable a los que tuvieron las poesías alemana, inglesa y hasta la francesa (Paz, *Los hijos del limo)*. Las transformaciones que experimentaron esas tradiciones poéticas, que comenzaron al final del siglo XVIII, son comparables a las que tuvo el español en el siglo XVI y XVII. El español alcanzó el periodo romántico cuando ya había convertido las transgresiones de la forma en tradición, y habiendo incorporado una poesía, una lírica y una narrativa populares en su canon. Esta es tal vez la razón por la que el barroco, que es una mera variación de la estética renacentista, se cuenta como la última transgresión verdaderamente importante de la norma poética en español hasta la llegada de las vanguardias, y también por la que los poetas modernos buscan en el Barroco precursores que ya cometieron transgresiones importantes. Por ello la historia de la poesía en español, incluyendo de forma muy particular la poesía producida en el Nuevo Mundo, no encuentra su lugar en los patrones de historia literaria creados por la poesía inglesa, alemana, francesa o incluso italiana. Desde las perspectivas de estas tradiciones, la poesía en español parece anacrónica, a veces adelantada y a veces atrasada a su época. Por ello se debe crear un esquema propio para el desarrollo de la poesía en español propio que responda a su peculiar ritmo de trasgresión y continuidad.

Tal esquema, al menos por lo que aquí se entiende como lírica colonial, enfatizaría la supremacía del Barroco como el primer periodo en el que una especie de originalidad mediatizada aparece en la poesía escrita en el Nuevo Mundo. En los términos más generales, la lírica colonial es parte de la del Siglo de Oro de la poesía española, en la medida en la que comparte con ella no solo el núcleo de temas típicos sino la versión de Garcilaso del petrarquismo y sus secuelas. El nacionalismo que llevó y siguió a la independencia en Latinoamérica provocó una serie de polémicas sobre la «americanidad» de varios poetas, como Gutierre de Cetina, Hernán González de Eslava, Francisco de Terrazas, y sobre todo el dramaturgo Juan Ruiz de Alarcón, que hoy parece improductiva. Consideraré americanos, es decir, productores de lírica colonial, a aquellos poetas que participaron en lo que se podría llamar actividad poética en las colonias. Tal actividad no estaba tan relacionada con publicar en el Nuevo Mundo, algo extraño de hecho para las obras poéticas, como con el intercambio de textos con otros poetas de la región, al escribir sobre ellos o con ellos en mente, y por lo general formaba parte de la vida cultural de las capitales de los virreinatos. Desde la perspectiva de este comercio de obras es poco importante si un determinado autor nació en Salamanca o en Lima; sus actividades se llevaron a cabo en el Nuevo Mundo. Juan de la Cueva, español de nacimiento, pasó un tiempo en Nueva España y escribió poesía allí. Entre sus escritos se cuenta una epístola en la que hace una descripción digna de loa de la ciudad de México que entra en el tipo de intercambio de textos que sugerimos (Capote, «La epístola quinta de Juan de la Cueva»). Se puede decir lo mismo y aún más de la actividad poética de Gutierre de Cetina en México, que tuvo una gran influencia en Terrazas, González de Eslava y otros (Peña, «Poesía de circunstancias»). Uso el adjetivo «colonial» sólo para indicar que toda esta actividad poética se llevó a cabo con un sentimiento de añoranza, a veces vago, a veces agudo, distante de la fuente, que no es necesariamente España, sino Europa, y en especial la Roma (clásica).

Ya para el siglo XVII estas actividades, y la vida cultural de los virreinatos en general, habían adquirido la suficiente autonomía como para generar una temática propia del distanciamiento que coincide y es consubstancial al Barroco. En otras palabras, las sociedades de los virreinatos se sentían distantes de la metrópoli a la que imitaban, pero también autónomas porque las diferencias crecientes estaban generando algo nuevo y distinto. El llamado «Barroco de Indias», que yo llamaré barroco colonial por las mismas razones que he establecido más arriba, emana de este tipo de preocupaciones y los tropos que generan: su pieza clave es la poesía del último poeta del Siglo de Oro, la monja mexicana Juana Ramírez, conocida como Sor Juana Inés de la Cruz (1648-1695). Pero la lírica colonial se extiende más allá de las fronteras cronológicas normales del Barroco, llegando hasta el siglo XVIII para incluir, entre otras, las obras de Pedro de Peralta Barnuevo (1664-1743). La renovación poética no llegó realmente hasta los tiempos modernos cuando la poderosa figura del venezolano Andrés Bello (1781-1865) apareció en el horizonte, y con él llegaron tanto las preocupaciones de la Ilustración como las del Romanticismo.

Antes de la llegada de los europeos existía por supuesto una poesía en el Nuevo Mundo, pero su mayor parte es difícil de estudiar debido a la falta de cultura escrita entre la mayoría de las civilizaciones precolombinas (ver capítulo 1). Sin embargo, lo que los conquistadores, y sobre todo los frailes, recogieron, revela como es natural la importancia de la poesía en la mayoría de estas civilizaciones, en particular, aunque no de manera exclusiva, la vinculada a los rituales religiosos. La poesía no europea continuó floreciendo después de la llegada de los europeos, tanto entre los indígenas del Nuevo Mundo, como entre los africanos que se llevaron para ocupar su lugar como mano de obra. Esta poesía también continuó existiendo entre los europeos y sus descendientes, que la incorporaron a la propia, tanto por motivos estéticos como por motivos misioneros. Alfonso Méndez Plancarte argumenta que existió una tradición de poesía en lenguas indígenas después de la conquista, y que tal poesía

> no enmudeció del todo ante el estruendo conquistador, mas se dilata en obras cristianas, como los *Cánticos* guadalupanos del señor de Azcaptzalco Francisco de Plácido (1535) recibe inesperada afluencia en la ancha producción poético-misional de fray Andrés de Omos, fray Juan Bautista y don fray Luis de Fuensalida —entre tantos otros—, y alcanza ecos mas literarios en los poemas en nahuatl que alternan con los griegos y latinos en el certamen de 1578, en las versiones aztecas de Lope y Calderón y Mira de Amescua, en el XVII, o en los Villancicos —también en nahuatl— que amorosamente rimó la Décima Musa [Sor Juana Inés de la Cruz].
>
> (Méndez Plancarte, *Poetas novohispanos*, vi-vii).

Pronto, la poesía indígena y africana empezó a formar parte de la estética de lo raro y extraño durante el Barroco. Hasta las vanguardias de los años 1920 no resurge esta poesía y se empieza a hacer un verdadero esfuerzo por destilar su propia esencia.

La primera poesía europea que se recitó en el Nuevo Mundo fue probablemente la de los romances, seguramente conocidos y recitados por los marineros de Colón. Queda claro, por un capítulo muy citado de la *Historia verdadera de la conquista de Nueva España* de Bernal Díaz del Castillo (capítulo 36), que Hernán Cortés y sus hombres invocaban romances en los momentos propicios al comienzo de su campaña, y los Pizarro celebraban sus triunfos y las guerras civiles de Perú con poesías populares. El Inca Garcilaso de la Vega recuerda que, tras conseguir una victoria, «Gonzalo Pizarro y sus capitanes organizaban muchas celebraciones solemnes con corridas de toros y juegos de cañas y aro. Algunos escribieron muy buenos poemas en estos, y otros se burlaron de ellos maliciosamente. Estos eran tan satíricos que, a pesar de que el autor recuerda algunos, creyó mejor no incluirlos en su obra»[1]. En el Caribe las formas del romance pronto fueron empleadas por los negros en sus canciones, como es el caso de Teodora Ginés, una negra liberta que vivió en Cuba al final del siglo XVI, y su «Son de la Ma' Teodora». La propagación de estos poemas populares africanizados debió ser importante cuando los encontramos ya parodiados en la poesía de Góngora y el teatro de Lope de Vega. Ejemplos como este revelan que los poemas populares españoles fueron integrados en la cultura a través de los que se hallaban en la base de la pirámide social. La poesía popular de este tipo continuó y continúa existiendo hoy en las zonas rurales y urbanas de Latinoamérica, y también en manifestaciones de cultura popular como el bolero, y sobre todo, en el corrido mexicano (Simmons, *The Mexican Corrido)*. Los poetas cultos, como Sor Juana, siguiendo el ejemplo de los poetas españoles y Góngora, practicaron y siguen practicando el romance.

La nueva poesía, introducida en España por Garcilaso, se cultivó primero en el Nuevo Mundo, sobre todo en Nueva España (hoy en día México), por poetas que en su mayor parte habían nacido en la Península. Entre ellos, el más notable fue Gutierre de Cetina (1520-1557), cuyo lugar en la historia de la poesía española se aseguró a través de su famoso madrigal «Ojos claros, serenos...», que era un famoso cortesano y amigo de influyentes poetas como Diego Hurtado de Mendoza (1503-1575). Cetina fue, en otras palabras, un agente activo del desarrollo y propagación de la poesía italianizante no sólo a través de sus propios escritos, sino a través de sus conexiones literarias. Sus actividades en México fueron sin duda de gran utilidad para la adopción y la práctica de la nueva poesía. Cetina pertenecía a la escuela sevillana de poesía italianizante, si se sigue la división típica de las dos escuelas de poesía española en el siglo XVI: una en el norte cuyo centro real o simbólico se encontraba en Salamanca, y otra al sur, cuya sede estaba en Sevilla. Sería razonable pensar que, dado el contacto permanente entre Sevilla y el Nuevo Mundo, fue la segunda escuela la que más influyó en la transmisión de la nueva poesía a través de los virreinatos. El estilo general de esta escuela, dada a ensalzar el clasicismo, el cultivo del ingenio y un código cabal de conducta que incluía la cortesía y el buen hablar, tiene mucho en común con la atmósfera de las cortes de los virreinatos, primero en Nueva España y más tarde en Nueva Castilla (Perú). Los criollos en estas capitales se vanagloriaban de su elegante discurso, adornado con fórmulas de cortesía y artificio características en su manera de hablar y que ha perdurado entre los españoles de México (Schons, «The influence of Góngora on Mexican literature» [La influencia de Góngora en la literatura mexicana], 23).

La prueba más clara de que existían relaciones literarias entre Sevilla y Nueva España es *Flores de baria poesía,* una antología publicada en la ciudad de México

[1] *Comentarios reales del Inca Garcilaso de la Vega; con resúmenes históricos, biográficos y literarios....* por Ana Gerzenstein, Buenos Aires, Plus Ultra, 1967.

en 1577, cuyo manuscrito fue editado escrupulosamente por Margarita Peña. Esta colección contiene más de 300 poemas escritos por más de 30 poetas, casi todos de la escuela sevillana. Entre ellos se encuentran Fernando de Herrera (1534?-1597), Cetina, Baltazar del Alcázar (1530-1606), Juan de la Cueva (1543-1610), Francisco de Figueroa (1536-1617?), Diego Hurtado de Mendoza, así como varios nativos de Nueva España, como Francisco de Terrazas (*c*. 1525-1600), Carlos de Sámano (sin fechas) y, nada menos que Martín Cortés (1532-1589), hijo del conquistador[2]. La conexión con la escuela sevillana es evidente en la poesía escrita por los primeros poetas nacidos en el Nuevo Mundo, así como por el rápido giro hacia el Barroco que la poesía tomó en los virreinatos. Es un hecho conocido de la historia literaria que Fernando de Herrera y sus seguidores en Sevilla, escribieron en un estilo poético que se puede ver ya como un transición hacia Góngora, que era un andaluz de Córdoba, y otros poetas barrocos, que también eran del sur de España.

El soneto más conocido de Terrazas muestra que no es sólo uno de los muchos discípulos de Garcilaso, sino también un seguidor de la escuela sevillana, debido a la riqueza de su imaginería, la complejidad del concepto y su tendencia colorista:

Dejad las hebras de oro ensortijado
que el ánima me tienen enlazada,
y volved a la nieve no pisada
lo blanco de esas rosas matizado.

Dejad las perlas y el coral preciado
de que esa boca está tan adornada,
y al cielo —de quien sois tan envidiada—
volved los soles que le habéis robado.

La gracia y discreción que muestra ha sido
del gran saber del celestial maestro,
volvédselo a la angélica natura;

y todo aquesto así restituido,
veréis que lo que os queda es propio vuestro:
ser áspera, cruel, ingrata y dura.

El soneto de Terrazas no podría ser más característico de la poesía renacentista española, y del tipo de poemas que se escribían en las colonias durante la segunda mitad del siglo XVI. Por esta razón tal vez sea un poco irregular, aunque no le falta ingenio. El concepto que le da forma, la dolorosa queja de un amante a una mujer bella pero dura que lo desdeña, sale directamente de la tradición cortesana de cancioneros. El verdadero yo de la dama que se describe como duro y desdeñoso, también tiene mucho que ver con la tradición cortesana, en la que las mu-

[2] Este no es el hijo que Cortés tuvo con Doña Mariana, sino uno legítimo que tuvo más tarde y al que imparcialmente le dio el mismo nombre.

jeres son casi siempre frías e inaccesibles. El segundo concepto más importante, el de que la dama ha robado a la naturaleza sus varios atributos, tiene más que ver con las ideas renacentistas. La naturaleza aparece como un reino perfecto ordenado por Dios, una vasta maquinaria a través de la cual Él muestra Su Conocimiento haciendo cosas no sólo bellas, sino en armonía unas con otras. Los elementos más convencionales aparecen en la descripción de la cara de la mujer, en la que los dientes son inevitablemente perlas, los labios coral y los ojos soles. Pero es en esta tendencia hacia lo colorista y luminoso en la que Terrazas muestra su afinidad con la escuela sevillana, particularmente con la poesía de Herrera, como ya hemos señalado. Otra convención es la estructura rítmica del desarrollo del poema, que se basa en la repetición escalonada y conduce a una resolución que es evocadora y también acumulativa.

Un buen ejemplo del ambiente poético de las colonias al final del siglo XVI es la Academia Antártica, un grupo de poetas que vivieron permanentemente o durante algún intervalo de su vida en Lima y que se organizaron al modo de las academias que habían florecido en España durante el periodo. Algunas de las academias más notables tenían su sede en Sevilla, probablemente la fuente del impulso que promovió la Academia Antártica. Como sus hermanas sevillanas, la Academia Antártica «tenía una orientación italianizante muy pronunciada debido a la influencia de poetas de la escuela sevillana, como Ávalos, nacido en Écija, Mexía, Motesdoca, Hojeda, Gálvez, Duarte Fernández y otros. El mismo Antonio Falcón, de acuerdo con la voz anónima del *Discurso,* imitaba a Dante y a Tasso. Algunos poetas, por otro lado, se inspiraron en los griegos, como la «poetisa» (del *Discurso)* revela en su loa a Gaspar de Villarroel, Luis Pérez Ángel y al mismo Cristóbal de Arriaga» (Cheesman, «Un poeta de la Academia Antártica», 344). La «poetisa» a la que se alude aquí es la voz femenina del *Discurso en loor de la poesía,* de autor desconocido, pero uno de los productos más característicos de la Academia.

No importa aquí si la Academia Antártica era en realidad la universidad de San Marcos, como dice Cisneros, lo importante es que un grupo de humanistas y poetas ejercieron su magisterio en Lima, y compartieron intereses y textos (Cisneros, «Sobre literatura virreinal peruana», 227). El conocimiento de la actividad poética en el Nuevo Mundo debió de ser amplio en la metrópoli, al menos para aquellos pendientes de las últimas modas literarias. Pruebas de ello se pueden encontrar nada menos que en la novela pastoril *La Galatea* y en el *Canto a Calíope* de Cervantes, escrito en 1583. La larga lista que hace Cervantes de los poetas del Nuevo Mundo incluye a autores tanto de Nueva España como de Nueva Castilla y habla elocuentemente de la intensidad de la actividad literaria en las colonias, así como de las estrechas relaciones entre los virreinatos y España.

La producción de poetas asociados con la Academia Antártica es considerable. Durante este periodo, Miguel Cabello de Balboa acabó su *Miscelánea antártica* (1586), Diego de Ávalos y Figueroa publicó la *Miscelánea austral* (1602) y Diego de Mexía su *Parnaso antártico* (1608). El programático y anónimo *Discurso en loor de la poesía* (1608) es uno de los productos más celebrados de la Academia Antártica, y el secreto sobre su autoría sigue siendo tan atractivo como el de la identidad de «Amarilis», la poeta peruana que escribió una larga epístola amorosa a Lope de Vega. Debido a que la voz poética del *Discurso* pertenece a una mujer, algunos se han preguntado si no era ella la verdadera «Amarilis», pero no parecen existir pruebas definitivas ni consenso entre los estudiosos del tema. En cualquier caso, tanto el *Discurso* como la «Epístola a Belardo» hacen pensar en los lugares comunes del petrarquismo español y constituyen pruebas de las actividades de la academia antártica, no importa quién las escribiera. El *Discurso* evidencia una gran familiaridad no sólo con la poesía, sino con la teoría poética, como sugiere Antonio Cornejo Polar en la puntual introducción a su excelente edición del poema (Cornejo Polar, *Discurso)*.

Pero tal vez lo más característico de la doctrina poética en la poesía de las colonias del final del siglo XVI es el *Parnaso antártico* de Mexía. Incluso la escueta información bibliográfica de la página inicial del primer volumen es elocuente:

> *Primera parte del Parnaso Antártico, de obras amatorias, con las 21 Epístolas de Ovidio, i el in Ibin, en tercetos*. Dirigidas a do Iuám Villela, Oydor en la Chancillería de los Reyes [i.e. Lima]. Por Diego Mexia, natural de la ciudad de Sevilla; i residente en la de los Reyes, en los riquissimos Reinos del Piru. Año 1608. Con Privilegio; En Sevilla. Por Alfonso Rodríguez Gamarra.

También hay una especie de emblema Antártico en la cubierta, cuyo lema es: «si Marte llevó a ocaso las dos columnas; Apolo llevó al antártico a las musas y al parnaso». El libro no sólo contiene la diligente traducción de Ovidio, sino también una biografía del poeta, además de una historia muy interesante sobre los viajes del traductor a través del floreciente Imperio Español («El autor a sus amigos»). Mexía comenzó su traducción de Ovidio durante sus prolongados viajes de recreo. El clasicismo de Mexía, sus orígenes sevillanos, y sus contactos con poetas de Lima como Pedro de Oña, lo convierten en una figura representativa del la historia literaria colonial. Su elección del difícil Ovidio también hacen de él una figura de transición entre la poesía renacentista y la barroca.

Pero la *Miscelánea austral* de Diego Dávalos de Figueroa es realmente el producto más cabal y revelador de la actividad poética renacentista en el Perú. Alicia de Colombí-Monguió dice, en su magnífico estudio del petrarquismo peruano, que la *Miscelánea* «con las *Flores de Baria Poesía* era éste el más fehaciente documento del petrarquismo americano, único sin duda en el Virreinato del Perú» (pág. 11). Añade:

> La colonia ya había sabido del petrarquismo de Enrique Garcés, pero la *Miscelánea Austral* era cosa muy diferente. No se presenta como traducción, sino como obra original, con sus poesías engastadas en una prosa que corre caudalosamente en lo que debió parecer verdadero prodigio de refinamiento y sabiduría. Para celebrar una obra sin precedentes Lima se volcó de modo también sin precedentes. A los letrados se unen un General, don Francisco de Córdova, y un Almirante, Don Lorenzo Fernández de Heredia, don Diego de Carvajal, Correo Mayor de las In-

dias, Leonardo Ramírez Moreno de Almaraz, el «Religioso grave» que ya celebrara el *Arauco Domado,* y un buen amigo de Dávalos, también vecino de La Paz, don Juan de Salcedo Villandrando, celebrado por Cervantes. En total quince plumas que hacen de los preliminares de la *Miscelánea* un verdadero Parnaso del Perú colonial (compárese con tres para Diego Mexía y ocho para Enrique Garcés (pág. 87).

Dávalos escribió toda su poesía y prosa en el Perú, donde se casó con Francisca de Briviesca y Arellano, que según Colombí-Monguió fue la autora de los poemas atribuidos a «Cilena», es decir, la «poetisa» de la *Defensa* antes mencionada: «De este Parnaso peruano de la *Miscelánea Austral* es, sin duda, una mujer el mejor artífice» (pág. 67). Colombí-Monguió prueba más allá de ninguna posible refutación que la *Miscelánea* se basa en un modelo petrarquista, no sólo en la poesía, sino también en los coloquios, cuya fuente es el neoplatonismo renacentista. Demuestra que Dávalos imitó a Petrarca o al modelo petrarquista derivado de los *Canzonieri* también en su propia vida. En cuanto a la forma dialogada, rechaza la conexión erasmista, diciendo que es una imitación de Ficino y León Hebreo. También mantiene que la obra es un centón confeccionado a base de citas del *Libro de natura d'amore* de Mario Equícola (pág. 103).

Para toda la actividad poética presente en las dos principales colonias (los virreinatos de Nueva España y Nueva Castilla) durante el siglo XVI, la producción poética fue en su mayor parte irregular; la obra de fervorosos imitadores de Garcilaso, e incluso de sus fuentes italianas directamente, así como mucha poesía de ocasión recopilada en cancioneros. Debemos añadir a esto que una buena parte de la producción también consistía en poco inspirada poesía religiosa, con la excepción de los *Coloquios espirituales* y las *Canciones divinas* de González de Eslava, y el famoso soneto «A Cristo crucificado», cuya autoría ha sido una de las cuestiones más debatidas entre los eruditos. La poesía lírica oriunda, e incluso original, comenzó realmente en el Nuevo Mundo al final del siglo XVI y comienzos del XVII, en lo que se ha llamado «Barroco de Indias».

Este barroco colonial difería de su hermano europeo sobre todo en los temas tratados, y en los elementos contextuales que incorporaba al Nuevo Mundo. Pero, al igual que en Europa, fue en esencia una variante de la estética renacentista. El cambio se dio principalmente en la interpretación y la práctica de la teoría de la *imitatio* o imitación. En la pintura, la arquitectura y la literatura renacentistas hubo un esfuerzo concertado para reproducir la simetría, el balance, la armonía y la elegancia de los modelos clásicos, mientras que el Barroco exageró los elementos formales, hasta el punto de que estas características se vieron seriamente amenazadas. Claramente la imitación pasó por una crisis, más aguda en América por la representación de objetos que se encontraban fuera del registro clásico del receptor, y por el sentimiento creciente entre los artistas americanos de que eran algo nuevo y por tanto no tan estrictamente ligado a la doctrina de la imitación de modelos.

Algunos historiadores del arte dicen que las convulsiones de la forma barroca típica son también el resultado de un regreso a los modelos medievales cuya tendencia a la verticalidad, en especial la del gótico, distorsionaba la simetría horizontal del clasicismo. Además, también volvió a aparecer la fiebre iconográfica del gótico, basada en un vasto sistema de correspondencias simbólicas y en la posibilidad de armonizar signos de orígenes diversos y hasta contrarios. En España y sus dominios el Concilio de Trento y sus estrategias para combatir la Reforma no solo despertaron el espíritu religioso que llevó a esta vuelta a lo medieval, sino que contribuyeron a un arte cuyo objetivo era convencer y persuadir. Tal tendencia estaba destinada a tener un fuerte impacto en las colonias, donde la conversión de las poblaciones nativas seguía siendo un problema importante. Como resultado, el Barroco representó con predilección persistente un enfrentamiento entre la sensualidad que heredó del Renacimiento y el rechazo de lo tangible y mundano inspirado en el ascetismo y la religiosidad militante. Si el Barroco reflejó algo, fue la crisis. A través de él la sociedad colonial tuvo su propia crisis de identidad histórica, cultural y artística.

La primera figura importante en este estilo es un poeta también conocido por sus obras en el campo de la épica, Bernardo de Balbuena (1562-1627), cuya *Grandeza mexicana* (México, 1604) sobresale como el primer poema importante en América. Es una obra ambiciosa tanto a nivel formal como temático: una descripción laudatoria de la ciudad de México, para entonces ya reconstruida como una gran metrópoli que rivalizaba con las capitales de Europa. Balbuena está en el umbral del Barroco de Indias, un periodo que ha adquirido mucha importancia en los últimos treinta o cuarenta años debido a que escritores de la talla de Alejo Carpentier (1904-1980), José Lezama Lima (1910-1977), Octavio Paz (1914-1998), o Severo Sarduy (1936-1993) han encontrado en él el origen distante pero vigoroso de sus obras. Esta atención por parte de escritores contemporáneos tan importantes ha revalorizado a figuras como la de Sor Juana Inés de la Cruz, y por extensión a otras como Juan de Espinosa Medrano, el *Lunarejo,* y hasta Balbuena.

El papel crucial del Barroco en la historia cultural y artística de Latinoamérica ha tenido un descubrimiento gradual, cuyo origen más distante es tal vez la reivindicación de Góngora por los poetas de la Generación del 27 en España. La restitución de Góngora al alto lugar en la historia de la poesía española que le corresponde, desvirtuó un tabú que se había cernido sobre el Barroco desde la Ilustración. Antes, el Barroco había sido epítome del mal gusto, la predilección por el exceso y la falta de armonía; la antítesis del verdadero arte. Desde la perspectiva romántica se veía como decorativo, externo y superficial, y estos prejuicios persistieron muchas veces hasta bien entrado el siglo xx con los seguidores de tales ideas románticas y con quienes defendían una perspectiva marxista. Según estos, el Barroco era o parecía ser una apología del Imperio Español. Desde la perspectiva latinoamericana, el Barroco ofrecía otro elemento de mal gusto: se asoció, durante la época de los movimientos independentistas, con el periodo de dominación española. El Barroco se veía como una especie de edad oscura previa a la llegada de la independencia, un mundo dominado por el fanatismo religioso, la Inquisición y un sistema político obsoleto y represivo sobre el que se apoyaba el Imperio Español. El rescatar al Barroco de tal anatema no fue tarea fácil.

El primer paso fue descubrir que, en arquitectura, la proliferante decoración de las iglesias españolas en el Nuevo Mundo contenía un sorprendente conjunto de elementos derivados de la muy rica iconografía nativa. Dado que muchos de los artesanos empleados en construir estas iglesias eran indígenas, su mentalidad y sus manos llenaron los edificios de figuras desconocidas para la imaginación europea. El símbolo más imponente de esta simbiosis, que se fraguó desde lo más bajo de la pirámide social hacia arriba, es la imponente catedral de la ciudad de México, construida sobre las ruinas del mayor templo azteca de Tenochtitlán. Pero la presencia visible de la iconografía religiosa estaba en todas partes, tanto en Nueva España como en Nueva Castilla. La mezcla y la contaminación se convirtieron en el emblema más puro del Barroco, y por ello en una posible expresión de incomodidad, subversión y movimiento hacia el cambio. La posibilidad de una mezcla tal de iconos cristianos y «paganos» abrió un abismo entre las culturas involucradas y sus representaciones en varios códigos, incluido el literario. La unión entre la creencia y la representación tuvo que hacerse más flexible para aceptar los elementos de un código diferente, que había sido desplazado de su propia relación con su mundo de referencia en el proceso. Si el proceso sincrético observable en la esfera religiosa —sin importar lo ligero o dominado que aún estuviera por una visión católica— requería alguna dosis de tolerancia para aceptar creencias e iconos diferentes, esto era todavía más cierto en el mundo artístico. Una vez que se detectó este proceso solapado de contaminación mutua en el tejido de la sociedad colonial, el barroco comenzó a simbolizar la americanización de la cultura en el Nuevo Mundo, incluso en sus manifestaciones más aparentemente europeas, tales como las cortes virreinales. La sociedad barroca era, debido a su muy exagerado «mal gusto», la representación de una sociedad mixta, en la que elementos de lo disparatado y hasta del mundo inanimado coexistían para dar forma a un nuevo concepto de belleza. Esta belleza se veía ahora como constituida precisamente por aquellos elementos por los que antes se había criticado el Barroco: artificiosidad, exceso, superficialidad y falta de armonía.

La artificiosidad del Barroco, es decir, su esencia artística, es el resultado de la difícil relación entre la representación y el objeto representado o expresado. El método más común para expresar este cisma es la acumulación, donde la fusión de varios elementos reemplaza a la propiedad o pertinencia, y donde el juego de la diversidad desplaza al de la armonía. Una figura demoníaca inca con ojos saltones no podría ser parte de la decoración de una iglesia cristiana, si llevásemos hasta el límite la doctrina religiosa y artística. Los conjuntos de creencias desde los que han evolucionado esta figura y las cristianas que la rodean no armonizan fácilmente, como se hizo dolorosamente claro para los indígenas en muchos casos. Aún así, en el reino del arte, sí pueden compartir el mismo espacio cultural. Lo que importa ya no es la concordancia teológica o de creencias, y esto deja un vacío que se llena con la proliferación de figuras. Según transcurría el siglo XVII, esta aglomeración de mitologías, esta supervivencia de dioses paganos en el mismo espacio que el cristiano, pudo muy bien conducir a la Ilustración, en vez de impedirla[3]. Es posible también que la proliferación de dioses haya contribuido a su desaparición colectiva como símbolos de la verdad, incluida, claro, la verdad hegemónica en el campo político. El ritual convertido en teatro pudo ser el comienzo de la duda filosófica y la independencia personal en el ámbito terrenal por parte de los criollos, distantes, a la vez, de Dios y de la metrópoli.

El segundo paso en la reivindicación del Barroco fue el descubrimiento de que al poner en duda la doctrina renacentista central de la *imitatio,* se abría la posibilidad de lo nuevo, no sólo al nivel del arte, sino en los niveles político, social y ontológico. En su nivel más elemental, la teoría de la imitación significaba la imitación de los modelos clásicos, pero en un plano más profundo, también significaba la imitación de los imitadores, sobre todo de Petrarca. ¿Acaso Góngora llevaba la doctrina de la imitación hasta sus límites, transfiriendo incluso la sintaxis del latín a sus poemas en español, o acaso se alejaba totalmente, o al menos en parte, de ella? El Barroco ampliaba el espacio entre el modelo y la nueva creación, entre lo europeo y lo americano. Esto llegaba a su máximo exponente en el caso del barroco colonial, debido a un duplicado sentimiento de distancia. La sensación de exilio, de encontrarse lejos de un espacio y tiempo anhelados, Roma, la época clásica, hacía deseada y necesaria su recuperación o acercamiento mediante el proceso que Thomas M. Greene llamó la hermenéutica humanista, que se manifestaba con mayor intensidad entre los poetas americanos[4]. Roma estaba lejos en el tiempo pero mucho más en el espacio desde el Nuevo Mundo. Este es el punto de partida del Barroco, que hace del necesario puente, de la mediación, su propia esencia. Los escritores del barroco colonial se regodeaban pues con la artificiosidad americana. Era lo que les hacía distintos.

Los defensores del Barroco han visto también, en la proliferación de dioses y en la incorporación de una amplia variedad de productos americanos, una ruptura clara con la estética renacentista, traída por la diferencia inherente en lo que se representa. No era lo mismo pintar o describir un paisaje europeo, con una flora y una fauna predecible en sus dimensiones y color, que uno americano, lleno de animales, plantas y, en especial frutas, extraños. El Barroco se ha visto como una estética de lo extraño, lo raro, que representaba lo que era nuevo del Nuevo Mundo, incluida la gente. Para Lezama Lima el señor barroco era alguien que ya estaba a gusto dentro de su nuevo mundo, poseedor de la seguridad de ser único (Le-

---

[3] Jean Seznec, *The Survival of the Pagan Gods. The mythological tradition and its place in renaissance Humanism and art.* [La supervivencia de los dioses paganos. La tradición mitológica y el lugar que ocupa en el humanismo y el arte renacentistas], (New York, The Bollingen Series, 1953; original en francés, 1940).

[4] Thomas M. Greene, *The Light in Troy. Imitation and discovery in renaissance poetry* [La luz en Troya. Imitación y descubrimiento en la poesía renacentista] (New Haven, Yale University Press), págs. 81-103.

zama Lima, *La expresión americana)*. El artista americano era la criatura más extraña, su práctica de la *imitatio* rayaba en la parodia más que en la copia de modelos anteriores. Paz ve a los criollos —al ser criollo— como la creación personal más barroca y compleja de éstos (Paz, *Sor Juana Inés de la Cruz)*. De aquí que en las batallas que se daban en toda España sobre Góngora, la sociedad criolla se pusiera del lado del autor de las *Soledades* y consumiera sus productos poéticos con avidez. Encontraba en los complicados versos del cordobés un reflejo de su propia complejidad. En este sentido, el Barroco de Indias manifiesta una lucha por el conocimiento, que hoy nos puede parecer desesperada dados los instrumentos filosóficos y literarios de los que se disponía, pero que en todo caso hurgaba en la esencia del ser colonial.

Un elemento importante de la complejidad de los criollos fue el exaltación del sentimiento de autocrítica y parodia, a través de una vena satírica que ofrecía una imagen invertida de la sociedad colonial, tan pretenciosa como artificial. Este tipo de reflexión personal reflejaba el de los espacios dentro de los que se producía la lírica colonial. Las ciudades de los virreinatos, con sus enormes plazas, sus palacios oficiales, sus iglesias y mansiones, se habían diseñado para la representación y no para la vida cotidiana. La pretensión social era una tentación para los criollos, alejados de su lugar de origen, donde se conocían y se podían verificar fácilmente los antecedentes familiares. De pronto hombres y mujeres enriquecidos pero de prosapia dudosa cubrían sus pasados con lujos y se entregaban al frenesí, a la pompa. La vida colonial se convirtió en una sociedad teatral. El esplendor de la liturgia de la Iglesia, los fastuosos rituales del Estado y su inmenso aparato burocrático, creaba el modelo digno de imitar. La sociedad de los virreinatos podía ser más pomposa que la de la propia Corte española, a la que supuestamente representaba. La distancia entre la pretensión y las debilidades humanas, entre las representaciones fastuosas y su objeto a menudo basto, era explotada por satíricos de diverso talento y alcance. La sátira social se convirtió en una constante relevante en la literatura colonial.

Juan del Valle y Caviedes (1651-1697) es el exponente más destacado de esta tendencia. Pero su precursor fue Mateo Rosas de Oquendo (1559?-1621), un viajero y agudo observador nacido en España, que pasó temporadas en Tucumán y en Lima. El descubrimiento y la intensa explotación de las minas de plata en Nueva Castilla, sobre todo en Potosí, habían convertido a Lima en una ciudad floreciente que se podía preciar no sólo de sus academias literarias, sino también de sus amplias posibilidades para el despilfarro y el pecado. La *Sátira hecha por Mateo Rosas de Oquendo a las cosas que pasan en el Pirú año de 1598* de Rosas de Oquendo, editada impecablemente por Pedro Lasarte, constituye el otro platillo de la balanza de la *Grandeza mexicana,* de Balbuena, escrita casi al mismo tiempo. Cuando Balbuena alaba, Rosas de Oquendo censura. Su romance, de más de 2.000 versos, explota la típica ambigüedad de la sátira: critica, pero a la vez se deleita con los aspectos negativos del objeto criticado. Rosas de Oquendo, como era de esperar, se centró principalmente en las costumbres sexuales de las mujeres, aunque también de los hombres, de Lima, un tema que le permitía desplegar su genio y su destreza para jugar con las posibilidades anfibológicas del lenguaje del amor. El poema está lleno de falsas vírgenes, adúlteras prevaricadoras, esposos cornudos, chulos, putas, timadores y pícaros. Sus actividades engañosas son comparables al poema en sí mismo, que en algunos casos puede estar describiendo un juego de cartas mientras alude indirectamente a los actos sexuales más lascivos. O puede incluso convertir lo que a primera vista parece una descripción geográfica en una comparación entre el coito anal y el vaginal usando la resonancia de los nombres de Panamá y Buenos Aires, como ha mostrado Lasarte. En sus mejores momentos, la *Sátira* recuerda obras españolas medievales, como *Celestina* o el *Libro de buen amor,* e incontables poemas como las *Coplas de Mingo Revulgo* o las *Coplas de ¡Ay Panadera!* Este aspecto medieval, acentuado por la métrica del romance, es parte del renovado énfasis barroco sobre la diferencia entre ser y parecer, la fragilidad del mundo material y la imposibilidad de distinguir entre lo transitorio y lo eterno, lo aparente y lo real (Gilman, «An introduction to the ideology of the Baroque in Spain» [Una introducción a la ideología del Barroco en España]). Por supuesto esta tendencia alcanza su insuperable apogeo en la poesía de Quevedo, y sus tonos ascéticos encontrarán ecos en poetas coloniales posteriores como Hernando Domínguez Camargo (1606-1656), y, en plan religioso, Matías de Bocanegra (1612-1668). En prosa, *El Carnero* de Juan Rodríguez Freyle es el ejemplo más conocido. En verso, sin embargo, Caviedes sería el sucesor más directo y el heredero de más éxito de Rosas de Oquendo en América.

Pero el poema de Rosas de Oquendo, a pesar de todo su ingenio, era poesía menor. Este no es el caso de la ambiciosa *Grandeza mexicana* (1604) de Bernardo de Balbuena, el primer poema americano de arte mayor. Nacido en Valdepeñas, España, hacia 1562, Balbuena comenzó una carrera religiosa que lo llevó, tras estancias prolongadas en muchos lugares del Nuevo Mundo, al obispado de Jamaica, y más tarde a Puerto Rico, donde murió, pero su aspiración parece que siempre fue residir en la gran ciudad de México, donde pasó comparativamente poco tiempo. Sí desperdició algunos años en ciudades mexicanas de provincias, como Culiacán, experiencia que no le dejó buen sabor de boca. Las capitales de los virreinatos eran el imán de todas las ambiciones sociales, literarias o religiosas. Balbuena fue un lírico elegante, aunque de poca producción, que escribió algunos buenos sonetos (Entrambasaguas, «Los sonetos de Bernardo de Balbuena»). Pero si sus producciones en el campo de la lírica no fueron copiosas, aunque contemos *Grandeza mexicana,* su *El Bernardo o victoria de Roncesvalles* (1624) fue una obra de gran aliento, y su romance pastoril *Siglo de Oro en las selvas de Irífle* (1608) es uno de los mejores ejemplos del género en español. José Carlos González Boixo ha publicado recientemente sus excelentes ediciones de *Grandeza* y del *Siglo de Oro,* que, junto con el anterior trabajo de Alfredo Roggiano («Instalación del barroco hispánico en América») y de Ángel Rama («Fundación del manierismo hispanoamericano») le asignan a Balbuena el lugar meritorio que le corresponde en la historia de la literatura hispanoamericana.

El concepto central de *Grandeza mexicana* gira en torno a la heterogeneidad del Nuevo Mundo, y por ello es la primera expresión de un tópico que dominaría en la literatura latinoamericana: la equivalencia de todas las culturas y la celebración de su mezcla en América. Este será uno de los temas recurrentes en el Inca Garcilaso de la Vega (1539-1616) y será la base de las teorías de algunos escritores modernos, como Lezama Lima o Carpentier. Balbuena alaba la ciudad de México por estar en el centro del mundo, una posición que ostenta no por tradición ni por ningún tipo de superioridad hereditaria, sino porque en la ciudad de México se dan cita todas las culturas del mundo impulsadas por un deseo de bienestar económico:

> México al mundo por igual divide,
> y como a un sol la tierra se le inclina
> y en toda ella parece que preside.
> […]
> Con todos se contrata y se cartea;
> y a sus tiendas, bodegas y almacenes
> lo mejor destos mundos acarrea.

Los vínculos comerciales, la avaricia convertida en un bienestar, traen a la ciudad de México una abundante variedad de productos cuya acumulación provoca una especie de sublime barroco, que se expresa a través de repetidas enumeraciones:

> La plata del Pirú, de Chile el oro
> viene a parar aquí y de Terrenate
> clavo fino y canela de Tidoro.
>
> De Cambray telas, de Quinsay rescate,
> de Sicilia coral, de Siria nardo,
> de Arabia incienso, y de Ormuz granate;
>
> diamantes de la India, y del gallardo
> Scita balajes y esmeraldas finas,
> de Goa marfil, de Siam ébano pardo;
> [...]
> al fin, del mundo lo mejor, la nata
> de cuanto se conoce y se practica,
> aquí se bulle, vende y se barata.

Estos «catálogos verbales», como los ha llamado Leonard *(La época barroca en el México colonial,* 66), ofrecen, pese a su artificialidad deliberada, una imagen auténtica de la ciudad de México. Leonard escribe en su obra clásica: «Como una estación medianera entre Europa y el Lejano Oriente y un punto de convergencia para el comercio de las provincias periféricas de Nueva España, incluyendo a Guatemala, Yucatán, Tabasco, Nueva Galicia, Nueva Vizcaya y otras, la ciudad de México era un imperio de los bienes más variados, desde los finos encajes y textiles de Europa, hasta las sedas y la porcelana de Asia, y desde las frutas y yerbas exóticas de las provincias a las artesanías de sus propios expertos artesanos» (pág. 76). En la abundancia de atributos está la sustancia de *Grandeza mexicana,* un mundo construido de forma deliberada, precisamente por los productos del artificio. El arte, la industria y la artesanía definían cada lugar y cada cultura, de la misma forma que el propio poema es un producto del arte. *Grandeza mexicana* es un tributo a lo artificial, a lo artístico, y el producto más elaborado de lo artístico es precisamente la ciudad.

Esta comparación entre ciudad y arte, cada uno producto del otro, se refleja en la compleja estructura del poema. *Grandeza mexicana* pretende ser una carta que el bachiller Bernardo de Balbuena escribe a la dama Doña Isabel de Tobar y Guzmán, «describiendo la famosa ciudad de México y sus grandezas». La «carta», es decir, el poema, está precedida por una octava real que cuenta su «argumento». Los ocho endecasílabos de la octava, en su secuencia, se convierten en los títulos de los ocho cantos del poema y determinan su orden. Por tanto *Grandeza mexicana* es un poema construido sobre un poema; de hecho, es técnicamente una glosa, un juego entre la circunscrita octava y la potencialmente infinita *Grandeza*. El texto del poema está hecho de reflejos, de atributos, como los productos de la ciudad y la ciudad en sí misma. Es la representación a la segunda potencia. La curiosa dialéctica entre movimiento e inmovilidad se expresa por el contraste entre los tercetos encadenados en los que está escrito el poema, que son típicos de la poesía narrativa, y su modo descriptivo dominante, que es estático por definición. Esta invención, como todos los elementos de *Grandeza mexicana* se justifica por la descripción de sí mismo como cifra». El último endecasílabo de la octava que abre el poema dice «todo en este discurso está cifrado».

Cifrado significa codificado pero también críptico. Balbuena, como ha comentado Rama («Fundación», 18) crea un modelo a pequeña escala, un emblema, reducido pero paradójicamente diseñado para contenerlo todo, una especie de aleph. Tal proceso también proclama la autonomía y la autocontención de su creación. Pero la palabra «cifrado» sugiere aún mucho más. Como jeroglífico, se refiere a un significado oculto, y proclama que la poesía es un lenguaje enigmático que desafía a la lectura ordinaria. La lectura tiene que llamar la atención sobre el juego de espejos del poema, no sobre un referente externo, y su significado último ha de ser difícil de desentrañar. El misterio aquí tiene tal vez que ver con el significado etimológico de cifra, en el sentido matemático, y en el original arábico, que es «cero» o «nada». Dada la tendencia a la enumeración de Balbuena, cifrado podría muy bien significar aquí «subordinado a un esquema numerológico más allá de nuestro entendimiento». La esencia de la grandeza de la ciudad de México está inscrita en los enigmáticos signos del poema cuya materialidad podemos percibir, como percibimos las calles de una ciudad, pero cuya laberíntica sinuosidad hace que nos extraviemos. Balbuena mezcla lo infinito con lo infinitesimal, lo contingente con lo eterno. Como dice Gilman en «An introduction to the ideology of the Baroque in Spain»: «Lo infinito se aplica continuamente a lo finito para que este último sufra por contraste. Pero el proceso no destruye; distorsiona... La distorsión resultante tiene lugar naturalmente en la percepción dependiente del horizonte del mundo, en la relatividad del tiempo y el espacio. Cuando contrastamos el tiempo con lo absoluto, este sufre una rápida aceleración y el espacio se reduce, convirtiéndose en confuso e ilusorio» (pág. 93). «Grandeza» significa también «inmensidad» e «inconmensurabilidad». La reunión de atributos de varias culturas crea una identidad confusa, hecha de cualidades superficiales cuya suma es verdaderamente bella, más allá de cualquier descripción o comprensión. Esta proyección del Nuevo Mundo sobre un reino estético inconmensurable, y la persistente postergación del conocimiento y autoconocimiento son el emblema del ser barroco. Se trata de un ser distinguible por su extrañeza, su monstruosidad, en el sentido de ser espectacular y estar hecho de elementos dispares y de múltiples contrastes que despiertan admiración (González Echevarría, «El 'Monstruo de una especie y otra'»).

Pero Balbuena fue un estricto contemporáneo de Góngora, y por ello su estilo fue algo más bien paralelo que una imitación. Además, aunque sus descripciones de la ciudad de México son espléndidas y el diseño de *Grandeza mexicana* no carece de complejidad, el poema es tímido si lo comparamos con las complicaciones metafóricas, neolingüísticas y retóricas de los grandes poemas de Góngora, como la *Fábula de Polifemo y Galatea* y las *Soledades*. No será lo mismo con los poetas que sucedieron a Balbuena, ya que el gongorismo con toda su fuerza será el estilo que prevalecerá en la poesía colonial durante más de un siglo, amén de ser objeto de prolongadas polémicas. Además de las razones dadas hasta ahora, los refinamientos lingüísticos de Góngora dieron frutos en suelo fértil. Prueba de ello es la predilección por ese tono en la manera de expresarse que demostraban los criollos. Según Schons («The influence of Góngora») y Leonard *(Los libros del conquistador, La época barroca en el México colonial),* las obras de Góngora se encontraban sin duda entre los envíos de libros desde España al Nuevo Mundo, y es posible que, como sucedía en España, sus poemas circulasen por el Nuevo Mundo en manuscritos antes de su publicación. Lo que está fuera de toda duda es el furor del gongorismo entre los poetas del Nuevo Mundo (Carilla, *El gongorismo en América).* Según Alan S. Trueblood, el gongorismo fue un estilo,

> imbuido en el para entonces común idioma cultural heredado de la Antigüedad y ampliado durante el Renacimiento, cuyos renovados puntos de referencia son: la mitología greco-romana, la historia, la leyenda y el derecho, lugares comunes de la filosofía y la cosmología ptolomeica; rarezas de la historia natural y diversos retazos de otras ramas del saber, todo aplicado a menudo de forma más decorativa que orgánica. El brillo lo añaden imágenes cuyo refinamiento lo suministran las equivalencias metafóricas que realzan los valores que se atribuyen a personas, objetos y sentimientos: metales o piedras preciosas, materiales o telas espléndidas, fragancias exóticas, la omnipresente rosa y aún más raras flores, pavos reales, aves fénix, ruiseñores, muchas veces dotados de significados simbólicos inherentes. Debido precisamente a la familiaridad de este idioma, se da mucho valor a la novedad y al

> ingenio en su manejo. El ingenio expresado en conceptos, acertijos o juegos de palabras que asombran y divierten al lector con inesperados emparejamientos de palabras por tener éstas significados muy dispares o pertenecer a diferentes órdenes de fenómenos. La paradoja, la antítesis, la hipérbole y la perífrasis se usan constantemente. Las formas preferidas para ordenar sintácticamente los conceptos son los patrones de la lógica escolástica, los paralelismos, las inversiones o las repeticiones normales o en incremento. Por encima de todo esto se halla una tendencia retórica que valora altamente la ingeniosidad en el despliegue de expresiones variadas para un mismo concepto invariable.
>
> (*A Sor Juana Anthology,* 11)

Un ejemplo excelente de esto es la obra del jesuita oriundo de Santa Fe de Bogotá Hernando Domínguez Camargo, el autor de un épico *Poema heróico de San Ignacio de Loyola,* que provocó la admiración de Gerardo Diego, uno de los poetas españoles de la Generación del 27 que resucitó el interés por la obra de Góngora (Diego, «La poesía de Hernando Domínguez Camargo»).

En muchos casos la poesía de Domínguez Camargo es un pastiche poco disimulado de la de Góngora, como lo eran muchas de las de sus contemporáneos del Nuevo Mundo. Pero Diego y otros admiradores más recientes han encontrado en él una sensualidad sin tregua, sobre todo en la descripción de platos suculentos, un placer impenitente en crear belleza verbal que ha hecho que los practicantes modernos de la poesía pura lo encuentren interesante.

El *Poema heróico* no se lee mucho en la actualidad, y se suele alabar a Domínguez Camargo por un poema relativamente breve, que muestra todas las características del gongorismo mencionadas en la cita de Trueblood. Se trata del romance «A un salto por donde se despeña el arroyo de Chillo», un poema cuya metáfora sostenida es la del río como caballo desbocado, que se estrella contra las rocas en sus propios saltos de agua. Encontramos en él una amplia variedad de figuras poéticas, desde la aliteración («Corre arrogante un arroyo»), y la sinestesia («da cristalinos relinchos») hasta los enlaces metafóricos más complejos, que hacen del romance un *tour de force* poético, casi un alarde del ingenio del autor.

> Estrellas suda de aljófar
> en que se suda a sí mismo,
> y atropellando sus olas,
> da cristalinos relinchos.
> Bufando cogollos de agua,
> desbocado corre el río,
> tan colérico que arroja
> a los jinetes alisos.

El verso más significativo es «en que se suda a sí mismo», ya que revela el núcleo de la maquinaria de tropos barroca. Si el río es un caballo, cuando suda no tiene más remedio que sudarse a sí mismo, ya que está hecho de agua. Esto significa que, aunque el río se convierte metafóricamente en caballo no cesa de tener los atributos de un río. Se da una permeabilidad entre los dos mundos, una continuidad y una ausencia de fronteras entre las sustancias una vez que han sido transformadas a través de la metáfora. Esta simultaneidad también afecta al significado del poema. Al final, el violento choque de la cabeza del río-caballo contra las rocas, un suceso terrible que esparce los sesos del animal por todas partes, se metamorfosea en belleza, como cuando Polifemo se convierte en río una vez aplastado: «vertiendo sesos de perlas, / por entre adelfas y pinos». Pero, al mismo tiempo, el romance contiene una moraleja que lo hace retrospectivamente alegórico:

> Escarmiento es de arroyuelos
> que se alteran fugitivos,
> porque así amansan las peñas
> a los potros cristalinos.

Durante todo el poema aparecen varios adjetivos que describen el correr del río-caballo en términos morales: es arrogante y colérico. Los últimos versos los juntan en una alegoría moral: el perder el control, y correr ciegamente por la vida, puede tener malas consecuencias. Este significado no tiene ambigüedades, aunque al mismo tiempo el lector sienta que, si el río no hubiese perdido el control no podría haber habido una muestra tan espléndida de belleza, una que, al igual que la exhibición de destreza que se muestra con la escritura del poema, causa admiración, uno de los efectos que perseguía el arte barroco.

En México, otro jesuita, Matías de Bocanegra (1612-1668), escribió un poema que llegó a ser arquetipo del barroco colonial, «Canción a la vista de un desengaño». Esta es una de las piezas más imitadas y recopiladas en antologías de su época, así como de épocas posteriores (Colombí-Monguió, «La 'Canción famosa a un desengaño'»). Escrito básicamente en liras, salvo al final cuando se convierte en romance, la «Canción» surge de una tradición literaria que se remonta hasta la *Canzone delle visioni* de Petrarca, a través de Fray Luis de León, Quevedo, y otros poetas españoles del siglo XVII (Colombí-Monguió, «El poema del padre Matías de Bocanegra»). Bocanegra, autor de una obra teatral derivada de Calderón, la *Comedia de San Francisco de Borja,* escribió lo que es en esencia un poema narrativo. En la «canción» un cura atormentado encuentra un jardín, el tópico del *locus amoenus,* donde trata de aliviar sus ansiedades. Estas, que se manifiestan en un deseo de libertad incontrolable, tienen un origen vagamente erótico. El cura, según parece, sufre por un amor que no puede satisfacer debido a sus votos. En el evocador jardín, el clérigo casi decide dejar los hábitos al ser testigo de una escena horrible. Un jilguero cuya canción lo estaba deleitando, es brutalmente asesinado por un halcón que se lanza en picada desde el cielo. El hecho de que el jilguero tenga un disfrute tan efímero de la libertad y la persecución de la belleza hacen que el religioso se dé cuenta de la transitoriedad de la vida terrena y abandone su plan de huir de su condición. El elemento ascético de la ideología barroca, como vemos en Gilman, supone este tipo de finales sombríos, donde lo real es sólo apariencia o contingencia en un mundo frágil que se superpone sobre la permanencia del infinito.

Bocanegra, como Domínguez Camargo, es un poeta derivado, cuyos préstamos de toda la tradición barroca son obvios, hasta el punto que Colombí-Monguió llama a su poema «casi un compendio de los lugares comunes de la lírica barroca» («El poema», 13). La fuente más obvia es Calderón, no sólo en la parte de la «Canción» que es un pastiche del famoso monólogo de Segismundo en *La vida es sueño,* sino en toda la parte metafórica y alegórica del poema. A la popularidad de Calderón en todas las Indias españolas, sólo le hacía sombra Góngora, y tal vez la de Calderón fuese mayor si tenemos en cuenta que en las representaciones teatrales sus versos se recitaban ante enormes públicos en los que había personas de todas las clases sociales (Hesse, «Calderón's popularity»). Calderón añadió a la riqueza tropológica de Góngora una visión cósmica, un universo metafórico que expresaba, a través de las nociones científicas y teológicas de su tiempo un concepto verdaderamente global de la creación. Esta concepción no sólo abrazaba toda la historia, desde el génesis hasta el presente, sino la propia creación material del universo, desde las estrellas hasta las rocas, desde las flores hasta las nubes, desde las gotas de rocío hasta las perlas. Cada existencia humana estaba conectada a este vasto universo, bien fuese por acciones que se repetían en la historia, bien por la composición material del cuerpo. Edward M. Wilson ha demostrado, en un artículo clásico sobre «Los cuatro elementos en las imágenes de Calderón» («The four elements in the imagery of Calderón»), cómo éstos, representados por sus características (calor = fuego) o por criaturas (pájaro = aire) o por cosas que les pertenecen (flor = tierra), crean un universo ordenado o desordenado. Cuando los pájaros son altivos pueden volar tan alto que se convierten en fuego (rayos) al dejar su entorno común (el aire); las flores en montañas muy altas se convierten en estrellas. La combinación de elementos, subelementos, y criaturas es casi infinita y no tan mecánica como puede parecer a primera vista. Suministran a la poética gongorina un universo, aunque artificial, lleno de significados, de alusiones que hacen que las historias no sólo sean posibles sino también comprensibles. Bocanegra adopta este esquema cosmológico-tropológico para su poema, como ya había hecho aunque en menor grado Domínguez Camargo en su romance. Es el esquema que fundamenta y da forma a la poética de Sor Juana Inés de la Cruz, así como a la de incontables poetas menores (había muchos de éstos, como ha mostrado Leonard en su crucial obra *La época barroca en el México colonial).*

Desde una perspectiva moderna es difícil imaginar cómo esta combinación de ciencia anticuada, mitología y tendencia a lo ampuloso y oscuro podía tener tanto que ver con una búsqueda del conocimiento, ya que bajo todas las convulsiones del barroco colonial se encuentra una necesidad de saber, como han afirmado Paz *(Sor Juana Inés de la Cruz)* y Arrom *(Esquema generacional de las letras hispanoamericanas).* Yo añadiría que esta pasión está más bien orientada hacia un autoconocimiento y definición. La autorreflexión de la poesía gongorista, la mezcla de elementos extraídos de sistemas culturales en competencia, la falta de una esencia central y definitoria, son motivaciones para este deseo de conocer. La rareza del ser barroco es lo que comienza a dar al criollo un sentido de cuán separado está de la naturaleza y de la tradición, y así se comienza a construir una barrera entre él mismo y el Otro. Lezama Lima *(La expresión americana)* da una peculiarísima pero sugestiva definición del señor barroco que hemos mencionado más arriba:

> Ese americano, señor barroco, auténtico primer instalado en lo nuestro, en su granja, canongía o casa de buen regalo, pobreza que dilata los placeres de la inteligencia, aparece cuando ya se han alejado del tumulto de la conquista y la parcelación del paisaje colonizador. Es el hombre que viene al mirador, que separa lentamente la arenisca frente al espejo devorador, que se instala cerca de la cascada lunar que se construye en el sueño de propia pertenencia. El lenguaje al disfrutarlo se trenza y multiplica; el saboreo de su vivir se agolpa y fervoriza. Ese señor americano ha comenzado por disfrutar y saborear, pieza ya bien claveteada, si se la extrae chilla y desentona. Su vivir se ha convertido en una especie de gran oreja sutil, que en la esquina de su muy espaciada sala desenreda los imbroglios y arremolina las hojas sencillas (págs. 32-33).

La «sutil oreja» que puede deshacer embrollos y hacer difícil lo más simple es lo que caracteriza a los mayores escritores del barroco colonial, Juan de Espinosa Medrano, el *Lunarejo,* Juan del Valle y Caviedes, Carlos de Sigüenza y Góngora y Sor Juana Inés de la Cruz, todos ellos motivados por el deseo de saber. También define a Juan del Valle y Caviedes, el mayor escritor satírico del periodo, además de un importante poeta.

Lunarejo, llamado así por causa de un lunar que tenía en la cara, no era poeta. Pero el «Doctor Sublime», nombre por el que también se le conocía, era un teórico de la poética gongorista, al igual que un importante difusor barroco. Una tradición crítica ya felizmente rebasada había forjado una fábula indianista sobre la figura de Espinosa Medrano, por la que se suponía que era un patético mestizo autodidacta. Estudios recientes han probado que no hay ninguna razón para creer que fuese indio. Pero, en cambio, existen razones para creer que era un hombre con holgura económica, al estilo del señor barroco de Lezama Lima (Cisneros y Guibovich Pérez, «Juan de Espinosa Medrano»). La erudición de Espinosa Medrano era prodigiosa; y su genio y capacidad verbal, fenomenales. Los seguidores de *Lunarejo* recogieron sus sermones a título póstumo y los publicaron en un volumen titulado *La Novena Marauilla Nvebamente Hallada en los Panegíricos Sagrados que en varias Festividades dijo el Sor Arcediano Dor D.* IVAN *de Espinosa Medrano* (Valladolid, 1699). Pero a Espinosa Medrano se le conoce primordialmente por su *Apologético en favor de Don Luis de Góngora príncipe de los poetas lyricos de España* (Lima, 1662), polémica contra Manuel de Faria, uno de los muchos detractores de Góngora, que había escrito medio siglo antes. El *Apologético* es un manifiesto de la poética del Barroco de Indias con perspectiva bastante moderna. *Lunarejo* defiende el derecho de Góngora a permitir que su poética sea complicada y vacía de sentido trascendental debido a que, argumenta, la temática de la poesía de Góngora es erótica, no épica ni religiosa. Empleando argumentos sabiamente construidos, Espinosa Medrano niega que la poesía de Góngora esté llena de hipérbatos, y celebra la artificiosidad de su lenguaje poético. Pero *Lunarejo* va aún más allá, proclamando que Góngora es mejor que los clásicos en algunos aspectos, que su *Fábula de Polifemo y Galatea* desarrolla su tema mejor que Ovidio y Homero. Si Góngora puede sobrepasar los modelos de la poética renacentista, entonces existe un espacio para el surgimiento de lo nuevo, lo que para Espinosa Medrano significa que los poetas americanos de su remoto Perú pueden también tener su lugar en la historia. La polémica contra Faria, un oscuro defensor portugués de Camões, es su pretexto para hacer una defensa de la poética americana, pero uno importante porque el propio texto de *Lunarejo* está construido por necesidad sobre el borrado perteneciente a Faria. Esta es una importante característica de su propia poética barroca, de su propia «monstruosidad», como ha sido definida antes. Esta característica es aún más prominente si tenemos en cuenta que existe una especie de código dentro del *Apologético,* una clave oculta a su propia construcción. El primer capítulo del *Apologético* se abre con una alusión a un emblema de Alciato en el que se puede ver a un perro ladrándole a la luna. El significado que podemos deducir de esto es que todos los que critiquen a Góngora son como perros, que ladran a un astro mucho más grande que ellos sin conseguir nada. Pero pronto se descubre que hay un juego autorreferencial de alusiones más complejo, que tiene que ver con el propio sobrenombre de Lunarejo (referido a las palabras luna y lunar) así como a aquello que distingue el Perú: la plata, el color de la luz de la luna. Este juego también incluye la proclama de la poética americana, ya que la luna es el cuerpo celeste conocido por reflejar la luz, de la misma forma que los poetas peruanos reflejarían la poesía europea. Incluso puede haber una alusión a la locura, a la que se asocia la luna, y a la inspiración poética (González Echevarría, «Poética y modernidad en Juan de Espinosa Medrano»). Sea como sea, el *Apologético* no sólo trata de poética barroca, sino que es en sí mismo un ejemplo de esta poética llevada a la práctica.

La modernidad de la fórmula de *Lunarejo* y la verdadera composición del *Apologético* se encuentran en su insistencia en la esencia metafórica de la poesía, su alejamiento de los significados plausibles, y su derecho a una especie de oscuridad y complejidad sin fin aparente que no sea el placer o la belleza. Si los temas y significados plausibles de la tradición europea, los clásicos que imitaba el Renacimiento, no eran sacrosantos, si se podían encontrar otros (como hizo Góngora en sus *Soledades*, cuya historia no está basada en ningún modelo anterior), entonces lo nuevo, lo americano, el ser extraño y raro que es el criollo podría tener una esencia basada en su propia excentricidad. *Lunarejo* hace de su propia deformación física, su lunar, el emblema de tal excentricidad, atribuyéndose a sí mismo un concepto barroco muy común: el cuerpo como símbolo. Esta investigación de la poética, el conocimiento y el autoconocimiento es fundamental en el Barroco de Indias.

Aproximadamente al mismo tiempo y en el mismo virreinato de Nueva Castilla, un tendero nacido en España, Juan del Valle y Caviedes (1645-1697), obsesionado con las disfunciones y deformidades del cuerpo humano, escribió su cáustica obra poética y teatral. Sus obras estuvieron olvidadas en las polvorientas estanterías de los archivos coloniales hasta 1873, cuando Manuel de Odriozola y Ricardo Palma las redescubrieron y publicaron. Estos dos forjadores de mitología nacionalista peruana lo dieron a conocer como el primer criollista, o propulsor de la autonomía criolla, y, debido a que describía realidades americanas, como uno de los primeros poetas americanos. Una lectura demasiado literal de su poesía también llevó a la construcción de una fábula crítica sobre su vida como misántropo sifilítico, empobrecido y resentido. Muchos de los que se consideraban hechos incuestionables de la vida de Caviedes se están poniendo en duda en la actualidad, y una lectura menos literal de su obra nos revela un poeta mucho más versátil, con un registro más amplio de temas y técnicas poéticas.

Pero la fama de Caviedes seguirá estando basada en *Diente del Parnaso,* una colección de cuarenta y siete poemas que Palma y Odriozola publicaron en 1873. Son, en su mayor parte, satíricos y se permiten un lenguaje franco y a menudo vulgar. Se centran en los erores de los médicos, que daban a Caviedes la oportunidad de referirse a su tema predilecto, el cuerpo y sus secreciones. Como seguidor de Quevedo, y heredero de Rosas de Oquendo, Caviedes es el otro platillo de la balanza para los poetas de la tradición petrarquista, que idealizaban el cuerpo humano, particularmente el de la mujer, y que concebían al ser humano en términos de deseos abstractos y aspiraciones trascendentales. La suya es la cara ascética del Barroco, que se empeña en describir la fragilidad de la vida y las vergüenzas de este mundo. Pero, como en Rosas de Oquendo y la tradición medieval que se esconde detrás de esta forma literaria, Caviedes se regodea demasiado en lo vulgar y lo físico como para ser un censor convincente. En su poesía, lo sórdido se idealiza como se haría en una especie de contracultura. Caviedes es un poeta que traspasa todas las fronteras de la repugnancia y el asco en su descripción de lo humano. Como dice Frederick Luciani, el suyo es un «genio pornográfico» (Luciani, «Juan del Valle y Caviedes», 337). Pero es precisamente su faceta sádica e incluso masoquista la que lo hace atractivo y moderno. Como el *Lunarejo,* Caviedes parece haber encontrado la frontera última del significado en su propio cuerpo y haberse dado cuenta de que las expresiones más auténticas del cuerpo son sólo orina, heces y pus.

Los «intérpretes» de aquellas «expresiones» eran los desventurados médicos de la época, descritos por Caviedes, al igual que haría Molière en Francia, como matasanos. Uno de los temas comunes en la crítica de Caviedes ha sido ver su retrato de los médicos como una mera sátira social, incluso, tal vez, como una alegoría de las enfermedades de la sociedad. Pero Caviedes es un poeta mucho más interesante. Su despiadada crítica de los médicos es en realidad una crítica más amplia del conocimiento escolástico como tal, la doctrina filosófica que aún prevalecía en el Imperio Español, y alcanzaba a todas las instituciones educativas, al gobierno, y a la Iglesia. La indefensión de los doctores ante la muerte también se eleva, si se puede emplear ese término en referencia a Caviedes, a la categoría de declaración sobre la indefensión de la acción humana ante la desintegración del mundo físico. Caviedes tiende un puente entre la retórica de la medicina, elaborada para encubrir su propia inutilidad, y la inexorable realidad de la decadencia física y la muerte. El propio discurso de Caviedes es un volver a nombrar el cuerpo y sus funciones, una nueva retórica y poética de lo fisiológico.

Los críticos han subestimado el barroquismo en Caviedes, diciendo que su lenguaje poético no tiende tanto hacia el ocultismo y la abundancia tropológica como el de sus contemporáneos, pero esto es simplemente porque Caviedes no recurre muy a menudo a la mitología clásica, acude raramente a los lugares comunes de la tradición petrarquista, y evita el mundo del lujo y la sensualidad que preferían otros poetas del barroco colonial. El hecho de que Caviedes trate lo más básico y vulgar no implica necesariamente que su discurso esté menos surtido de recursos poéticos. De hecho, sucede todo lo contrario. Fue el propio *Lunarejo,* en uno de los muchos comentarios de su *Apologético,* quien estableció una correlación entre el lenguaje de germanía, es decir, el que usan los criminales y los pícaros, y el lenguaje poético. Se queja de que se critique a los poetas por llamar: «mármol al mar, y tresquiladas a los remos? Más dicha tienen los pícaros, que se les tolera, y aún aplaude en su idioma xacarando, que llamen trena a la cárcel, Xaque al valiente, Coillon al pregonero, gurapas a las galeras, mosca al dinero, trongas a las rameras, y *finibus térrea* a la horca, y otra inmensidad de términos disparatados que merecieron tener quien los quisiera entender» (pág. 108). Caviedes a menudo recurre al lenguaje callejero de su época, ya entonces construido en muchas ocasiones a base de tropos análogos a los de la poesía (metáforas, metonimias, etc.), para crear juegos anfibológicos relacionados con cuestiones sexuales. El discurso de la sexualidad es siempre indirecto, y puede tender al eufemismo igual que incurrir en la más repulsiva vulgaridad. Caviedes enfrenta dos sistemas tropológicos: el de la tradición poética y el de la vida cotidiana y el resultado es a la vez hilarante y despiadado.

Un ejemplo perfecto es su «Pintura de una dama que con su hermosura mataba como los médicos de Lima», Aquí Caviedes parodia la convención poética de retratar al ser amado con palabras, o mejor dicho, con los convencionalismos de la tradición petrarquista. Sigue los lugares comunes de una descripción, comienza por la cara y se va desplazando hacia abajo por el cuerpo, comparando cada parte con una cosa diferente: los labios con una rosa, las cejas con arcos que disparan flechas mortales, etc. Pero Caviedes añade a esta lista, además de todos estos lugares comunes, los nombres de los matasanos más conocidos de Lima en esa época, bajo el estandarte general de que la belleza de la dama mata. El poema, por tanto, tiene la misma superposición de conceptos y figuras típica de los poemas barrocos, pero el concepto es bastante original y su despliegue es un verdadero *tour de force.*

Lisi, mi achaque es amor,
y pues busca en ti remedio,
y cual médico me matas,
hoy te he de pintar con ellos,
pues, según flechan,
tienen sus perfecciones
dos mil recetas.

Lisi es la dama de los poemas de amor de Quevedo y por ello su nombre tiene resonancias literarias inmediatas. La enfermedad convencional del amor se muestra aquí como un achaque, que significa no sólo una enfermedad, sino una típica de la vejez. El amante es pues un viejo verde con enfermedades reales, no un pretendiente apuesto y ardiente. El buscar remedio en la propia dama, error trágico que cometen todos los amantes en la tradición amorosa cortesana, es como tomar veneno en vez de medicinas. Esta paradoja se literaliza al usar a los matasanos para retratar a la dama, porque el «con ellos» puede significar que él desea retratarla junto con ellos, pero también que los usará a ellos para retratarla. Esto es lo que hace Caviedes, jugando con los nombres de los doctores (Bermejo es rojo), el color de su piel (dos de los médicos son negros), o su avaricia (por la plata). El poema de Caviedes está tan «cifrado» como el de Balbuena y los conceptos son a veces tan oscuros como los de Góngora:

Dos Rivillas traes por labios,
que es cirujano sangriento,
y aunque me matan de boca
yo sé que muero por cierto,
si muchas vidas
saben quitar sangrientas
con breve herida.

Rivilla, el nombre de un cirujano, suena como el diminutivo de ribera, y de aquí que se dé una cómica contradicción al usar un diminutivo para describir unos labios como riberas. Este efecto entre lo pequeño y lo grande (la herida es pequeña), el hecho de que con la palabra labios también se puede estar refiriendo a los labios vaginales, las repetidas alusiones a la sangre, es decir, tal vez a la menstruación, sugieren un texto subyacente muy obsceno. Este es el mejor y el peor Caviedes.

La obsesión de Caviedes con el cuerpo, y también con los esfuerzos de los hombres y las mujeres para desfigurarlo coincide con una característica peculiar de la poesía y el teatro barrocos, una muy alejada de la doctrina y práctica poéticas contemporáneas. En el teatro y la poesía barrocos el ser aparece siempre como algo exterior, visible, sin dejar ningún resquicio abierto a la exploración de su interioridad. En otras palabras, la vuelta del revés que hace Caviedes del cuerpo humano es una representación de todo lo que hay que ver en los hombres y en las mujeres. No queda nada más por explorar. Esta es una de las características del teatro de Calderón, en el que las psiques de los protagonistas son siempre visibles y audibles; no poseen un núcleo interno o residuo que las gobierna misteriosamente. De hecho, no hay ningún misterio en la poesía barroca, como enfatiza Espinosa Medrano en su *Apologético,* todo lo que existe está representado en el lenguaje y por ello se puede expresar. Pasa lo mismo con las instituciones y los sistemas de pensamiento, que se pueden representar a través de complicadas alegorías. Si el Barroco es teatral, lo es porque es un arte que trata de las superficies, los colores y las apariencias. La más intrincada de ellas es el yo, el ser, y es también la más teatral.

Esta tendencia culmina con la poesía de Sor Juana Inés de la Cruz (1648-1695), que es el poeta más grande del Barroco de Indias, la última gran figura del Siglo de Oro español y uno de los clásicos de la literatura española. La obra de Sor Juana es variada y rica y abarca desde la poesía hasta la prosa y el teatro. Su famosa «Respuesta a Sor Filotea» destaca como uno de los primeros tratados feministas, y sus obras de teatro se cuentan entre las mejores de la escuela de Calderón. La fascinante vida de Sor Juana, cuya condición de hija ilegítima la lleva a las cortes virreinales y más tarde al convento, ha despertado el interés de muchos críticos, por ejemplo el de Octavio Paz, autor de una brillante biografía literaria de la mujer (Paz, *Sor Juana Inés de la Cruz, o las trampas de la fe).* La crítica feminista contemporánea ha hecho de Sor Juana una de sus figuras favoritas, y ha creado a través de la investigación de la vida en los conventos casi un subcampo completo de estudios (Arenal y Schlau, *Untold Sisters).* En el contexto del barroco colonial, Sor Juana descuella sobre todos los demás poetas como el único escritor verdaderamente importante de la época.

Sor Juana es una poeta lírica, así como filosófica y a veces satírica, y maneja con soltura las formas populares como el romance o el villancico, tanto como las cultivadas como el soneto y la lira. Su largo poema «Primero sueño» es la composición poética más ambiciosa en español desde las *Soledades* de Góngora, y no encontrará parangón hasta cl siglo xx con las obras de Federico García Lorca, Pablo Neruda u Octavio Paz. La poesía amorosa de Sor Juana es ingeniosa, intrincada, juguetona y al mismo tiempo profunda. Ella cierra el capítulo del modelo petrarquista en español abierto por Garcilaso. Uno de sus conceptos centrales, por supuesto, es el de escribir poesía petrarquista desde la tan inusual perspectiva de la mujer, que era generalmente el objeto de amor en la tradición poética. Por ello es capaz de volver al revés muchos de los lugares comunes de la lírica renacentista. Su rareza barroca es, precisamente, la de ser mujer y aún así ser superior intelectual y artísticamente a la mayoría de los hombres (sin duda a todos los que la rodeaban), en una sociedad donde los hombres no sólo representaban el poder social, político y eclesiástico sino también la voz poética. Sor Juana, sin embargo, no sólo se vale de esa perspectiva ventajosa para rescribir la tradición, sino que compite con los mayores poetas que la precedieron en su propio terreno, como podemos apreciar en este extraordinario soneto donde se pueden oír fácilmente los ecos de Garcilaso, Góngora y Calderón:

> Rosa divina que en gentil cultura
> eres, con tu fragante sutileza,
> magisterio purpúreo de belleza,
> enseñanza nevada a la hermosura.
> Amago de la humana arquitectura,
> ejemplo de la vana gentileza,
> en cuyo ser unió naturaleza
> la cuna alegre y triste sepultura.
> ¡Cuán altiva en tu pompa presumida,
> soberbia, el riesgo de morir desdeñas,
> y luego desmayada y encogida
> de tu caduco ser das mustias señas,
> con que con docta muerte y necia vida
> viviendo engañas y muriendo enseñas!

No puede haber la más mínima duda de que este soneto es una estupenda muestra de maestría poética, en la que Sor Juana mezcla los tópicos de la poesía barroca de manera original e ingeniosa. El tema, la fugacidad de la vida, ejemplificada con el breve momento de esplendor de la rosa, y el juego de contrarios (cuna-tumba) se convierte en un acierto retórico, una advertencia elocuente. Pero la afirmación más profunda del poema se encuentra en el primer verso del segundo cuarteto, «Amago de la humana arquitectura». «Amago» significa «apariencia», pero es más el rastro de una apariencia, o la sugerencia o fingimiento de una apariencia. La rosa es una sugerencia del ser, un artilugio que se parecerá al ser y que nos engañará por algunos momentos. «Arquitectura» es una palabra típica de Calderón que expresa la visión barroca de la psique como maquinaria de fuerzas encontradas. Por ello, si la rosa se asemeja al ser, el ser se manifiesta en una forma visible, de la misma forma que el teatro barroco permite que los artefactos teatrales sean visibles. Podemos percibir el maquillaje que crea la ilusión del ser; de hecho, el ser es ese espectro perceptible, esa ilusión momentánea. El yo se manifiesta por tanto con la torpeza geométrica de un aparato ortopédico, pero también con la ligereza e indefinición de los cuerpos celestes. El ser es por lo tanto la apariencia de la hermosura de una forma (o «formosura») que define su perímetro con líneas claras y cuya dinámica es visible y mecánica. Todo esto está implícito en el verso «Amago de la humana arquitectura», que confiere así más sentido a todo el poema. No es sólo la belleza, sino el propio ser es el que es frágil y vulnerable, anuncio de algo que puede o no manifestarse. La visión que expresa Sor Juana en este poema del ser como algo frágil y vulnerable coincide con su propia autorrepresentación tanto en la «Respuesta» como en el «Primero sueño».

Pero es en «Primero sueño» en el que Sor Juana despliega de forma completa su yo y lleva hasta el límite el impulso barroco de conocimiento y autoconocimiento. El largo (975 versos) y ambicioso poema de Sor Juana relata la historia de la lucha del intelecto por alcanzar el conocimiento en el espacio de una noche de sueño. Es una descripción del ser interior, que consta de un cuerpo que se presenta con detalles como de autopsia y un alma que lo abandona momentáneamente durante el sueño intentando llegar a comprender las fuerzas que le dan forma a ella misma y al universo.

> El alma, pues, suspensa
> del exterior gobierno —en que ocupada
> en material empleo,
> o bien o mal da el día por gastado—,
> solamente dispensa
> remota, si del todo deparada
> no, a los de muerte temporal apresos
> lánguidos miembros, sosegados huesos,
> los gajes del calor vegetativo,
> el cuerpo siendo, en sosegada calma,
> un cadáver con alma,
> muerto a la vida y a la muerte vivo,
> de lo segundo dando tardas señas
> el del reloj humano
> vital volante que, si no con mano,
> con arterial concierto, unas pequeñas
> muestras, pulsando manifiesta lento
> de su bien regulado movimiento.

El «Primero sueño» consta de todos los recursos de la poética de Góngora, sobre todo del hipérbaton y de un vocabulario muy rebuscado (Perelmuter Pérez, *Noche intelectual),* pero es en esencia un poema intelectual y no erótico. Por ello se encuentra más cercano a la obra de Fray Luis de León, y a la poesía dramática de Calderón, sobre todo a sus autos sacramentales, que a cualquier otra tradición. De hecho, la construcción del universo y del ser son totalmente calderonianos, ya que fue Calderón el que mejor tradujo al lenguaje poético la teología, sicología y física de la escolástica española. Hay ecos de Calderón en toda la poesía de Sor Juana, pero sobre todo en el «Primero sueño» como demuestran evidentemente versos como «un cadáver con alma». Aún así, y a pesar de las fuentes clásicas y contemporáneas hábilmente descritas por Georgina Sabat de Rivers *(El «Sueño» de Sor Juana Inés de la Cruz),* el poema de Sor Juana es extraño si lo comparamos con el estándar del Siglo de Oro español. A pesar de estar escrito en silvas, no se trata de una poesía pastoril, como eran las *Soledades,* y su argumento no se remite a un mito clásico, como pasaba con la *Fábula de Polifemo y Galatea*. No es un poema con moraleja, como muchos de los de Quevedo, ni épico, como los de Ercilla. A pesar de que a nivel temático está vinculado a una larga tradición de tratados y textos visionarios, su verdadera genealogía parece encontrarse en una tradición de hermetismo que tiene su inicio al comienzo del Renacimiento, como ha propuesto Paz *(Sor Juana Inés de la Cruz)*. En su vuelo, el intelecto (no sólo el alma), que se eleva para conocer el origen de todo, una entidad abstracta a la que nunca se la designa como Dios, y que no hace referencia a la cristiandad, encuentra muchos símbolos enigmáticos y cabalísticos. La imagen principal parece ser la de las pirámides egipcias, una forma ascendente perfecta que sirve como emblema para la lucha del intelecto por conocer. De hecho, el «Primero sueño» se abre con una referencia a la forma de las pirámides:

> Piramidal, funesta, de la tierra
> nacida sombra, al Cielo encaminaba
> de vanos obeliscos punta altiva,
> escalar pretendiendo las estrellas.

El poema mismo es un símbolo hermético, y una referencia a la tradición hermética que Sor Juana conocía muy bien, pero también es un vasto repertorio de todos los conocimientos del siglo XVII en sus diversas manifestaciones. El registro de la erudición de Sor Juana es inagotable, y su incursión hasta los límites del conocimiento es todo lo atrevida que podía ser si tenemos en cuenta los instrumentos que tenía a su alcance. Pero la búsqueda de la anónima voz poética se ve frustrada, y al volver la luz a la tierra el ser se despierta y la mente y el cuerpo se reúnen otra vez.

> mientras nuestro Hemisferio la dorada
> ilustraba del Sol madeja hermosa,
> que con luz judiciosa
> de orden distributivo
> a las cosas visibles sus colores
> iba, restituyendo
> entera a los sentidos exteriores
> su operación, quedando a la luz más cierta
> el Mundo iluminado, y yo despierta.

El final del poema ha llevado a una serie de interpretaciones diferentes, aunque todas tienen que ver con las creencias religiosas e intelectuales de Sor Juana. Para algunos la búsqueda frustrada convierte el poema en una alegoría moral: el conocimiento absoluto es imposible fuera de la religión y por ello el final del poema significa una vuelta resignada al regazo de la fe. Paz, cuya interpretación es la más profunda y original, sostiene que, al contrario, Sor Juana se mantiene firme en su desafío. Para Paz «Primero sueño» confronta la obsoleta concepción ptolomeica de la creación que aún se mantenía implícita en la escolástica, según la cual el cosmos es finito y, aunque inmenso, mensurable, en la visión moderna del universo como infinito. Es el mismo dilema que encontramos en *Grandeza mexicana* y que Gilman ha señalado como una de las características del Barroco. El final de «Primero sueño», según Paz, presenta un problema muy moderno que dará forma a la poesía a partir del Romanticismo: el poeta se enfrenta a una realidad infinita que lo sobrepasa y lo reduce al silencio. El silencio al final es por tanto una especie de desafío y no de sumisión:

> El cosmos ha perdido forma y medida; se ha vuelto enigmático y el intelecto mismo —gran derrota de la tradición platónica— ha sentido vértigo ante sus abismos y sus muchedumbres de luceros. Sor Juana Inés experiementa asombro. Pero esta emoción se transforma pronto en otro sentimiento que no es la exaltación jubilosa de Bruno ni la depresión melancólica de Pascal. Este sentimiento aparece al final de «Primero sueño», cuando todo parece terminar en una nota pascaliana: la rebeldía. Su emblema es Faetón.
>
> (*Sor Juana, o las trampas de la fe,* Seix Barral, 1982, 503)

La interpretación de Paz revela la fuerte presencia de un elemento crítico agudo en el Barroco de Indias. El poema de Sor Juana no sólo abriría un camino hacia la Ilustración sino también hacia el Romanticismo y hacia toda la tradición poética moderna, desde Blake a Mallarmé, desde Valéry a Gorostiza. Sin embargo uno se pregunta hasta dónde ha proyectado Paz su propia poética sobre Sor Juana. Al rechazar acertadamente la comparación mecánica de «Primero sueño» con *La vida es sueño* y el lugar común de contrastar sueños y realidad, Paz tiende a minimizar la importancia de Calderón entre las varias influencias del poema. Pero esto es a la postre un sofisma vano. Sor Juana no se inspiró en la obra maestra de Calderón sino, como ya hemos dicho antes, en sus autos sacramentales, que no sólo conocía bien sino que imitaba en su propio teatro. Estos autos eran una versión poética precisa y minuciosa de la concepción escolástica del universo. Los autos llegaban hasta los límites de este discurso pero siempre terminaban reafirmando su validez. Es decir, afirmaban que el universo tiene límites, y que el método escolástico posee la capacidad para contenerlos y expresarlos. Sor Juana, de acuerdo con Paz, parece haber llevado el discurso un poco más allá, contaminándolo con un neoplatonismo y unas doctrinas herméticas que muestran una concepción mucho más problemática del universo. Pero la estructura y el mundo interno del poema en sí mismo están tan medidos que parecen afirmar los límites, el orden y la seguridad de un cosmos prefabricado con fronteras conocidas de espacio y tiempo. Por ejemplo, el hecho de que la duración ficticia del viaje del intelecto sea una noche, una unidad de tiempo predecible enmarcada por la aparición y la desaparición de los cuerpos celestes, da una impresión de finitud mensurable. En el «Primero sueño» el espacio temporal de una noche es el correlativo y opuesto simétrico al del día en que suelen transcurrir las églogas. El «Primero sueño» es una égloga invertida. Las simetrías de este tipo esbozan el contorno de un universo estructurado. La tendencia a la geometría en Sor Juana soslaya la noción de un universo infinito e imposible de conocer. El método aparece en Sor Juana a la vez como una prisión y como un refugio, como era para ella el convento. Además, no existe ningún indicio al final de «Primero sueño» de que el cosmos «no tenga forma ni medida», al contrario, cuando el sol vuelve a aparecer otorga su luz con «orden distributivo», lo cual invoca una fórmula escolástica.

Además, no existe ningún cambio en la voz poética; ni desesperación ni ninguna señal de haber sido alterada por su experiencia. Falta algo que es lo que realmente haría moderno al poema: un tiempo que no esté medido por mecanismos externos, sean estos construidos por el hombre o cósmicos, sino por el inconmensurable sentimiento humano.

Es en esta minuciosa representación de su ser interno, literalmente desde el funcionamiento de su cuerpo hasta el itinerario que sigue el intelecto en busca de una respuesta, en la que Sor Juana lleva hasta los límites el concepto típico del Barroco de Indias del yo como representación teatral. «Primero sueño» no es tanto una confesión como una especie de exhibicionismo psicológico, en el que la exposición espacial y metodológica que hace Sor Juana del trajín interior de su yo, manifiesta el agudo extrañamiento implícito en la autodefinición criolla. Sor Juana anuncia una concepción más moderna del yo, tal vez, en esta expresión extrema de ese yo no como algo que sólo está aprisionado, sino como algo que está fabricado con los mismos barrotes de su propia prisión, pues en «Primero sueño», al igual que en su famosa obra teatral *Los empeños de una casa,* el yo, su propio yo, se describe como una intersección de las fuerzas y las creencias sociales, y para nada como una creación propia.

La obsesión barroca de Sor Juana con las apariencias del yo se manifiesta en sus múltiples poemas, en la mayoría de sus sonetos, que giran en torno a retratos de mujeres bellas. El punto culminante de todos ellos es el soneto sobre su propio retrato, y en «Ovillejos», una crítica a la tradición petrarquista de los retratos poéticos, poema paralelo al de Caviedes que hemos visto antes. En su autorretrato, que es uno de sus poemas más famosos, Sor Juana se adhiere a la anti-tradición, sobre todo en Góngora y Quevedo, para subrayar cómo miente el arte cuando representa como permanente lo que es pasajero. De alguna forma, su autorretrato es un anti-retrato, una pintura que se deshace, del mismo modo que «Primero sueño» es una revelación negativa de su psique.

> Éste, que ves, engaño colorido,
> que del arte ostentando los primores,
> con falsos silogismos de colores
> es cauteloso engaño del sentido;
> éste, en quien la lisonja ha pretendido
> excusar de los años los horrores,
> y venciendo del tiempo los rigores
> triunfar de la vejez y el olvido,
> es un vano artificio del cuidado,
> es una flor al viento delicada,
> es un resguardo inútil para el hado:
> es una necia diligencia errada,
> es un afán caduco, y bien mirado,
> es cadáver, es polvo, es sombra, es nada.

Aunque la imagen del cuerpo sea un mero artificio, es en todo caso la última clave y sostén de la propia identidad. El pretexto del poema es una réplica al esfuerzo fallido de la pintura por ser real, fallido excepto en negarse a sí mismo. Es un fallo que depende en cierta medida del convencionalismo de las figuras del poema, e incluso de su impulso arrollador hacia ese resonante final que anula todo lo precedente, donde se oyen con más fuerza los ecos de Garcilaso, Góngora y Calderón.

Es en «Ovillejos» donde Sor Juana lleva la crítica de la representación hasta sus últimas consecuencias. El ovillejo es una composición complicada hecha de versos de once y siete sílabas con una estructura rítmica mucho más compleja que el de la silva. El ovillejo es una forma realmente difícil a nivel técnico, que puede servir para hacer alarde de las dotes poéticas del autor. La palabra en sí misma, que tiene sus raíces en el latín *ovum,* huevo, puede hacer referencia a un ovillo de hilo o lana. El «ovillejo» es como deshilvanar la tradición poética, pero de forma tan enredada en ella que le resulta imposible desembarazarse de la misma. Es una especie de *tour de force* crítico-poético típico del barroco por su complejidad inherente. En el poema, Sor Juana pretende estar guiada por un loco deseo de pintar un retrato de Lisarda, un nombre común dentro de la tradición de mujeres objeto de la poesía de la época, pero se enfrenta al agotamiento del lenguaje poético:

> ¡Oh siglo desdichado y desvalido!
> en que todo lo hallamos ya servido,
> pues no hay voz, equívoco ni frase
> que por común no pase
> y digan los censores:
> *¿Eso? ¡Ya lo pensaron los mayores!*

Acto seguido, pasa a condenar la poesía contemporánea por ser sólo una suma de recortes y citas de poetas anteriores, y a componer el retrato de Lisarda haciendo burla de cada una de las convenciones que se ve forzada a usar. El resultado es un poema que es a la vez una descripción y una crítica de su propia composición mientras ésta se está llevando a cabo. Es una técnica mediante la cual Sor Juana se retrata a sí misma en el acto de la composición, restaurando su propia autoridad en el mismo proceso de negarla. Frederick Luciani escribe lo siguiente en uno de los mejores artículos sobre la poesía de Sor Juana:

> A pesar de los cambiantes niveles lingüísticos del «ovillejo», su textura extraña, y su diálogo de voces y perspectivas, lo que da coherencia y unidad al poema es la voz autoritaria de la poetisa. Es en esto en lo que podemos comprender los motivos retóricos de Sor Juana cuando trata de transcribir literalmente el tema de la inefabilidad. Trabajando en la tradición cortesana ya en estado de decadencia, en la que la estilización del retrato femenino en la poética barroca había llegado casi al extremo de la incoherencia, el único camino que le quedaba a Sor Juana para afirmar su propia originalidad era a través de una composición antipoética, heterodoxa y casi subversiva. Fingiendo escribir un poema fallido, un poema que acaba desfi-

gurando lo que intenta expresar, Sor Juana crea, en efecto, una obra que se refiere constantemente a sí misma...

(Luciani, «El amor desfigurado», 47)

Los «Ovillejos» son otro autorretrato, pero esta vez del poeta en el acto de ser poeta, al igual que «Primero sueño» era un retrato del intelecto en acción. Ambos tienen un tema en común: el agotamiento, y el deseo de conseguir algo nuevo cuya naturaleza no queda clara.

El compañero infatigable de las aventuras de Sor Juana, Don Carlos de Sigüenza y Góngora (1645-1700), se distinguió como erudito, promotor cultural y editor de antologías poéticas. Organizó y participó en muchos de los concursos de poesía característicos de la sociedad barroca, se vio involucrado en varias polémicas y escribió historia y ficción. Se le conoce sobre todo por su novela de aventuras que roza en la picaresca y la novela bizantina, *Infortunios de Alonso Ramírez* (1690), y cada vez más por obras como el *Teatro de virtudes políticas* (1683), en el que resume una serie de biografías de monarcas aztecas y da muestras de una concepción sincrética de la historia que los situaría, junto con los europeos, en el puesto de fundadores de México. Pero Sigüenza era también poeta, no sólo por su poesía religioso-histórica *Primavera indiana* (1662), sobre la Virgen de Guadalupe, sino también por ser un notable autor de sonetos y otras composiciones, con las que a menudo consiguió premios. Descendiente de don Luis de Góngora, de lo que alardeaba, la vocación real de Sigüenza y Góngora no era la poesía, sino la ardiente búsqueda del conocimiento histórico, astronómico e incluso cartográfico. Debido a los resonantes títulos de algunos de sus tratados, como la *Libra astronómica,* y a la polimórfica complejidad de sus obras, Irving A. Leonard, su mejor crítico y biógrafo, le ha llamado «un erudito barroco» (Leonard, *La época barroca en el México colonial).*

Los poetas que siguieron a Sor Juana fueron menores. Tuvo imitadores como Sor Francisca Josefa del Castillo y Guevara (Nueva Granada, hoy Colombia, 1671-1742), conocida como Madre Castillo, cuya búsqueda la llevó por un camino más místico y tortuoso. Y luego el polígrafo peruano Pedro de Peralta y Barnuevo (1664-1743), que practicó todos los géneros, incluyendo la poesía. Pero como poeta es conocido sobre todo por su grandilocuente *Lima fundada,* y no como lírico. Peralta y Barnuevo se asemeja a Sigüenza y Góngora por su omnívora búsqueda de conocimiento y sus diversas incursiones en todas las aventuras intelectuales que surgieron a su alrededor. Pero no tuvo la originalidad de éste.

Sor Juana representó el momento cumbre de un movimiento poético que comenzó con la introducción de formas italianizantes en las colonias durante la segunda mitad del siglo XVI, pero que realmente se desarrolló cuando la estética pasó de renacentista a barroca. La estética barroca se adoptó rápida, amplia y profundamente en toda la América virreinal, porque contenía, en su intensa labor formal una puerta abierta para el espíritu crítico que cuestionaba el bastión central de la poética renacentista que era la imitación. Esta hacía que los poetas y la poesía añorasen y tratasen de repetir un pasado que retrocedía paulatinamente hacia un horizonte inalcanzable. Arrastrando la forma, y por lo tanto el lenguaje, hasta el límite, los poetas del barroco colonial cuestionaron las fronteras de su personalidad individual, social y política, y de hecho crearon una nueva personalidad sobre sus construcciones temporales, geográficas y culturales combinadas. El espacio que se abría entre las formas heredadas y su situación después de todo esto, era mayor en las colonias que en Europa. Roma se encontraba más lejana en el espacio, pero también en el tiempo. Era necesario componer utilizando nuevos elementos que no pertenecían a la labor poética según había sido definida por el Renacimiento. La anhelada armonía poética dio lugar al juego de opuestos, que no era tan frívolo en el Nuevo Mundo como lo fue en el Viejo. La existencia para los criollos pertenecía a un presente que no estaba conectado con un pasado definidor y oneroso. Las formas retorcidas del Barroco de Indias conducían de manera implícita a un escape de las reglas de la tradición poética, a una ruptura de los moldes de la lógica escolástica. Para permitir que esto sucediese era imperativo el concebir lo real como algo que repercutía directamente en la consciencia, impregnando el pensamiento y el lenguaje con su propia forma. Esta ruptura no fue posible hasta que se volvió a crear un nuevo lenguaje y la literatura se pudo concebir como la expresión de seres contingentes e históricos que reflejaban las contradicciones del aquí y el ahora. La grandeza de la naturaleza americana, nueva, majestuosa, aterradora y prometedora a la vez, abrió el camino. La tarea la llevaron a cabo el venezolano Andrés Bello (1781-1865), filólogo, pedagogo y poeta; y el primer gran romántico americano, el cubano José María Heredia (1803-1839).

[7]
POESÍA ÉPICA

MARGARITA PEÑA

CONTEXTO HISTÓRICO

Los siglos XVI, XVII y XVIII en Hispanoamérica fueron testigos del florecimiento del género de la poesía épica, que, al igual que la crónica y que el drama misionero fue un producto literario del encuentro entre el Viejo y el Nuevo Mundo. Además de aspiraciones artísticas, el poema épico de los siglos XVI y XVII a menudo también tenía una intención práctica, y en estos casos se convertía en un recuento sin fin de los méritos del autor o de sus amigos. Como la crónica, la épica documentaría la sorpresa del conquistador ante las maravillas de las nuevas tierras. Pero al contrario que ésta, el poema épico organizaría la temática de sus estrofas de ocho líneas endecasílabas en torno a un héroe individual —Hernán Cortés, Garci Hurtado de Mendoza o Francisco Pizarro— o en torno a un héroe colectivo —los indios araucanos y los españoles, en la obra de Alonso de Ercilla y Zúñiga, los españoles, en la de Juan de Castellanos. La épica colonial de los siglos XVI y XVII es un género que pertenece al momento histórico en el que España dominaba el mundo y sus capitanes encarnaban la figura de los caballeros heroicos. La supervivencia de este género hasta el siglo XVIII demuestra que hubo un esfuerzo desesperado para mantener vivo ese ideal.

LA ÉPICA MEDIEVAL Y RENACENTISTA

La poesía épica se cultivó en España desde el siglo V, desde la conquista visigoda. En versos narrativos heroicos, autores anónimos escribieron sobre la «búsqueda del honor a través de la aventura». Los poemas eran seguramente obra de juglares que escribían al mismo tiempo que sucedía la acción narrada. Se desarrollaron dos tipos: la épica heroica, dirigida a una audiencia popular *(Cantar de Mio Cid, Siete infantes de Lara, Poema de Fernán González)* y la épica literaria *(Libro de Alexandre),* dirigida a una elite e inspirada en Virgilio. El género comenzó su declive en el siglo xv (Deyermond, *Historia de la literatura española,* I, 65-100).

La épica italiana, representada por las obras de Ludovico Ariosto *(Orlando furioso,* publicada en 1516), Matteo Boiardo *(Orlando innamorato,* traducida al español en 1555) y Torquato Tasso *(Gerusalemme liberata,* traducida sobre 1585), daría lugar a una nueva épica literaria, más cercana a las tendencias renacentistas y a los preceptos clásicos de Aristóteles, Homero, Horacio y Virgilio que a la tradición medieval. Para ser un hombre culto era preciso leer las diecinueve ediciones del *Orlando furioso,* traducido al español por Jerónimo de Urrea en 1549 tan ávidamente como la versión española de la *Eneida* de Virgilio, por Gregorio Hernández de Velasco (catorce ediciones después de 1555). Se han señalado ecos de Ariosto en las *Églogas* de Garcilaso, entre 1533 y 1536 (Chevalier, *L'Arioste en Espagne,* 61-70). La publicación en 1555 de *La segunda parte de Orlando,* editada por Nicolás Espinosa, confirmaba la popularidad del poema de Ariosto en España. La épica española y por extensión la colonial deben al *Orlando furioso* los elementos caballerescos-milagrosos, los retratos femeninos idealizados y, de vez en cuando, un tema pastoril. La *Farsalia* de Lucano, traducida al español en fecha temprana, en 1520, también dejaría su huella en la épica española.

Parafraseando la definición de Frank Pierce, se puede decir que los poemas épicos son textos narrativos con uno o más héroes, distribuidos en más de un canto, y que desarrollan su temática a la manera de la antigua épica o de la épica italiana contemporánea *(La poesía épica del Siglo de Oro,* 264). Están escritos en *ottava rima* (estrofas de ocho versos endecasílabos u octavas), métrica de Ariosto y Boiardo que Juan Boscán y Garcilaso introdujeron en España. De acuerdo con los preceptos de Aristóteles, el poema épico representa una acción heroica; la trama se debe centrar en un solo individuo; debe permitir un espacio para los elementos fantásticos sin omitir el principio de verosimilitud; es un retrato del final triunfal del héroe, y debe divertir y a la vez instruir (Pierce, *La poesía épica,* 13-14).

La épica sagrada, de tema religioso, se desarrolla paralela a la épica cuyo objeto es un episodio de la conquista de América y cuyo héroe es un personaje histórico. Cristo, la Virgen María o algún santo ocupan el lugar que corresponde al valiente conquistador, o el capitán intrépido en la épica profana. También existe una épica en latín que se desarrolló, tanto en la Península como en América, siguiendo líneas paralelas a la épica en español, y cuya trama versa o bien sobre la vida de un santo famoso o sobre algún evento histórico de importancia.

LA ÉPICA COLONIAL

AUTORES Y OBRAS: SIGLO XVI

Ya sea porque tiene que ver con el tema de la conquista o porque el autor nació o la obra se escribió o se publicó en el Nuevo Mundo, la épica colonial está vinculada a América durante el periodo de la dominación española, en los siglos XVI y XVII.

Alonso de Ercilla y Zúñiga

El primer y más notable representante del género es Alonso de Ercilla y Zúñiga (Madrid, 1533-1594). Hombre de armas y letras, poeta y soldado que sigue el modelo creado por Baldassare Castiglione en *El cortesano,* Ercilla se fue a las Indias en 1556 y, junto al gobernador Garci Hurtado de Mendoza, viajó de Lima a Chile, donde se quedó hasta 1560. Producto de esta estancia en el continente americano fue *La Araucana,* de la que Bartolomé José Gallardo enumera hasta once ediciones entre 1577 y 1776, además de la primera de 1569 (vol. II, cols. 931-4). El poema cuenta el conflicto entre los españoles y los araucanos durante la conquista de Chile. A partir del prólogo del autor sobresalen dos características del poema: la admiración que siente Ercilla por la valentía de los indios araucanos, y la función catártica que cumple el texto. Llevado por los eventos, Ercilla escribió sin oponer resistencia, febrilmente, sobre cualquier material que tuvo a mano —la corteza de los árboles, la piel de sus botas. En el *exordium,* al comienzo del poema (que, de acuerdo con Horacio, se divide en *invocatio, propositio* y *narratio),* hace una declaración de sus intenciones poéticas: «Le daré mi pluma a la furia de Marte». Se presenta ante Felipe II como testigo presencial de los eventos que narra. A lo largo del texto, el poeta expresa con hipérboles su asombro ante el nuevo y desconocido mundo que observa. Se refiere, entre otras cosas, a la geografía y a la organización social y prácticas militares de los araucanos. El entorno renacentista bucólico contiene ecos de la novela pastoril y también de Ariosto y Garcilaso. A veces la hipérbole abre paso a una descripción directa y enérgica. En otros momentos, el poeta hace alusión a la idolatría para condenarla. La segunda parte, en la edición de Madrid de 1597 que hemos consultado, narra la Batalla de Lepanto, que aparece ante el autor en una visión. La tercera parte relata la fundación de Cartago y, volviendo al entorno chileno, la captura de Caupolicán. El héroe del poema está personificado por el conquistador Pedro de Valdivia, lo que relega a un segundo lugar a Garci Hurtado de Mendoza (posiblemente debido a diferencias personales con el autor). Pero en sus treinta y siete cantos, el poema retrata más bien a un héroe colectivo, los indios araucanos, aunque no sin tener cuidado de justificar la política imperialista de Felipe II, al que Ercilla había servido como paje durante su infancia.

Cuando Ercilla se fue a Chile en 1554, tenía veintiún años. Se quedaría en América siete años más, dedicado al servicio militar y a la escritura de su poema. *La Araucana* se publicó en 1569. Durante los siguientes veinticinco años, Ercilla se casó con Doña María de Bazán, recibió la Orden de Santiago, y heredó una buena fortuna de sus hermanos. Desde su infancia, como miembro de la corte española hasta su muerte en 1594 —al igual que Garcilaso de la Vega, Diego Hurtado de Mendoza o Gutierre de Cetina—, encarnó el ideal renacentista de «caballero cortesano».

Durante el siglo XVI *La Araucana* se convertiría en el libro de cabecera de todos los que aspiraban a ser escritores de poesía épica y en el XVII comenzó a considerarse un clásico, al mismo nivel que la *Iliada* o la *Eneida*.

Tal vez con la esperanza de aprovecharse de la fama alcanzada por Ercilla, Diego Santisteban Osorio publicó en 1597 *La Araucana (partes IV y V)* en treinta y un cantos, una obra que no obtuvo la fama de su modelo.

Francisco de Terrazas

En la segunda mitad del siglo XVI, se escribió en México el primero de los poemas que constituirían lo que se dio en llamar el «ciclo de Cortés». Unificados en torno a la carismática figura de Hernán Cortés, las obras del ciclo encontrarían sus mejores ejemplos en los siglos XVI y XVIII. Nacido antes de 1550, Francisco de Terrazas era el hijo del mayordomo de Cortés. Pertenecía a la primera generación de criollos (españoles nacidos en el Nuevo Mundo) y fue un poeta italianizante alabado por Miguel de Cervantes Saavedra en *El canto de Calíope*. Escribió un poema épico llamado *Nuevo Mundo y conquista,* pero al parecer no fue capaz de acabarlo. Los fragmentos que se conservan se encuentran en la obra de otro ilustre criollo, Baltasar Dorantes de Carranza, que los publicó en su *Sumaria relación de las cosas de la Nueva España* (México, 1612). Los cantos, que no tienen una secuencia predeterminada, ni títulos ni números, relatan episodios del comienzo de la conquista de México. Se sitúa en la costa sur del Golfo de México; los personajes son Quetzal, Huitzel, Jerónimo de Aguilar, el cacique Canetabo, el propio Cortés y otros muchos. No existe un *exordio* formal con una invocación a la Virgen o a las musas, como era habitual en otros poemas. Sólo una declaración lacónica: «Contaré de pasada sólo lo que sea necesario». En lugar de la grandilocuencia enfática que suelen tener los poemas épicos, el poema tiene un lirismo tenue, una gentileza expresiva —un estilo característico de Terrazas que fue el autor de sonetos petrarquistas excelentes publicados en el libro de lírica *Flores de baria poesia*. Veintiún cantos retratan la contradictoria imagen del conquistador, a quien Terrazas acusa de haber desairado a sus soldados. Se puede oír la voz del criollo resentido que reprochará también a su tierra natal, México: «Madrastra fría has sido para nosotros, y dulce y piadosa madre para los extranjeros...». El tono de queja se alterna con la nostalgia por los tiempos pasados (que recuerda a las *Coplas* de Jorge Manrique) y con un sentimiento mesiánico de la conquista que vemos en los cantos 8 y 9. En conjunto, el poema da la impresión de una narración desordenada e inconexa, que es lo que nos lleva a pensar que Dorantes de Carranza tal vez sólo publicara aquellos cantos que servían a sus propios propósitos —reparar las quejas de los criollos— y dejara otros cantos que no le convenían en aquel momento y que más tarde se perdieron.

Wogan señala algunas relaciones temáticas y textuales entre Terrazas y Ercilla, de cuya obra era el poeta de Nueva España un asiduo lector («Ercilla y la poesía mexicana», 371). Se desconoce la fecha exacta de la muerte de Terrazas que probablemente tuvo lugar al comienzo del siglo XVII, ya que Dorantes en su *Relación* se refiere a él como si aún viviera.

Gabriel Lobo Lasso de la Vega

Un ejemplo de poema épico del ciclo de Cortés escrito por encargo es el *Cortés valeroso,* compuesto entre 1582 y 1584 por Gabriel Lobo Lasso de la Vega y encargado por Martín Cortés, segundo marqués del Valle de Oaxaca e hijo del conquistador. Lasso de la Vega nació hacia 1558 y murió en 1615. José Amor y Vázquez señala que es probable que usase como fuente de inspiración el manuscrito aún no publicado de Terrazas *Nuevo Mundo y conquista* (Lobo Lasso de la Vega, *Mexicana,* xviii). El poema contiene un total de 1115 octavas en doce cantos que hablan sobre el linaje de Cortés, su llegada a Cozumel y su entrada en Cholula, el episodio de Gualca y Alvarado y la recepción que le hizo Moctezuma a Cortés. Las fuentes históricas del poema son variadas: Francisco López de Gómara, Luis de Zapata (por algunos cantos de su poema épico *Carlo famoso,* 1569), Ercilla, Jerónimo de Zurita, Pero Mexía y Gonzalo Fernández de Oviedo, entre otros.

Con ánimo de exaltar la figura del conquistador, Lasso de la Vega nos presenta un Cortés magnánimo, sereno, intrépido, capaz y persuasivo. Incluso llega a justificar los casos de fraude de los que Cortés fue acusado, en versos que dan testimonio de la lealtad exagerada del autor a su mecenas, Martín Cortés, el hijo del héroe.

Como en otros poemas épicos las largas listas de nombres y hazañas de soldados indican la intención del poeta de asegurarse el reconocimiento de la Corona por los servicios prestados. Por otro lado, los episodios novelescos son importantes; incluyen a la bella doncella indígena Claudina y la apoteosis de Cortés en el Canto X, así como la visita del dios Tezcatlipoca a la Casa de la Envidia en el Canto XII.

Ocho años después, en 1594, Lasso de la Vega publicó la *Mexicana*. Dedicada a Fernando Cortés, hijo de Don Martín y nieto del conquistador, el poema trata sobre los mismos eventos y la misma época que el *Cortés valeroso*. Tiene 1.682 octavas, divididas en veinticinco cantos; un elogio de Ercilla y un soneto de Francisco de Aldana aparecen entre las aprobaciones. Se puede detectar la influencia de Luis de Camões, cuyo poema épico *Os Lusíadas* se había traducido al español en 1580 en dos versiones (una de Benito Caldera, publicada en Alcalá de Henares, y otra de Luis Gómez de Tapia, impresa en Salamanca) y que, al igual que los autores italianos de épica se leía ávidamente en España. El Canto XI, «El sueño de Cortés sobre la batalla del Río Tabasco», parece combinar la influencia de Camões, de pasajes de la *Diana enamorada* de Gaspar Gil Polo y de una fuente anterior, la *Eneida* de Virgilio. El Canto XXIV sobresale por encima de la obra en general; su descripción inspirada y colorista de la retirada de los españoles en la «Noche Triste» revela el talento imaginativo del autor cuando describe la batalla como si hubiese sido testigo presencial. Lasso de la Vega, quien por lo que se sabe nunca viajó a América, también escribió *Primera parte del Romancero y tragedias* (1587) y *Manojuelo de romances nuevos* (1601, 1603).

Juan de Castellanos

Juan de Castellanos, clérigo de la ciudad de Tunja en Nueva Granada (Colombia), publicó en 1589 la *Primera parte de las elegías de varones ilustres de Indias*. Como *La Argentina* de Martín Barco Centenera o *El Arauco domado* de Pedro de Oña, el libro en sí es considerado una empresa heroica. Su publicación fue precedida de los rumores sobre el gran esfuerzo que le costó a Castellanos escribirlo. La licencia de publicación del Rey dice: «que habéis compuesto un libro [...] que os ha costado grandes trabajos...» (Castellanos, 3). La aprobación por el inspector Agustín de Çárate aporta datos importantes sobre el poema: se compuso originariamente en prosa, Castellanos tardó diez años en pasarlo a *ottava rima,* y el propósito principal del autor era rescatar del olvido las hazañas de los españoles. La obra resume una vida dedicada a la conquista de las Indias. La acumulación de conocimiento sobre matemáticas, geografía, astrología, las enmarañadas lenguas indígenas y otras muchas cosas, hacen que el tiempo invertido y los rigores sufridos merezcan la pena.

Las premisas básicas del poema son la veracidad y el realismo: «Pensé en decir toda la verdad, sin usar ficciones ni inventos» (pág. 12). La preocupación básica de Castellanos es narrar cosas importantes recopiladas durante sus andanzas en las Indias de la observación directa y de lo que tomó de otros cronistas. En el Canto I critica los motivos mitológicos del Renacimiento, y en un arranque de exaltación mariana, deja de lado a Clío y a Calíope e invoca la ayuda de la Virgen María para su empresa literaria. El poema que se compone de cincuenta y cinco cantos, es uno de los más largos en el género de la épica histórica, junto al *Carlo famoso* de cincuenta cantos de Zapata. Entre los temas de la obra se cuentan el paraíso terrenal, la imagen del «locus amoenus», y el elogio de la mujer nativa. También describe la heterogeneidad de la humanidad, a la que Castellanos estaba muy acostumbrado; sus personajes, al igual que los de la *Verdadera historia de la conquista de la Nueva España* de Bernal Díaz del Castillo, poseen algunas características de la picaresca: «fulana de Torralba», «Ledesmica», Mosén Pedro, Fray Buil. También encontramos los lamentos, las «elegías», destinadas a aquellos que perecieron durante su estancia en las Indias: Pedro Gorvalán, Pedro Margarit el alcalde, Francisco Bobadilla, Diego Velásquez, Francisco de Garay, Diego de Ordás, Hyerónimo de Ortal y Antonio de Sedeña, entre otros muchos.

Castellanos dedica un amplio espacio a la figura del descubridor, Cristóbal Colón. Se refiere a su vida en Portugal en la isla de Madeira, al «favor real» que le dio la Corona de Castilla y León, y a su postura visionaria. Los Cantos II y IV narran respectivamente el primer viaje de Colón a las Indias y el descubrimiento del Nuevo Mundo. Habla de cómo fue sustituido Colón en el gobierno de los territorios descubiertos por el hombre que le juzgó, Bobadilla, Comendador de Calatrava, que murió poco después. Pinta el retrato físico y moral del navegante, sobre el que afirma que: *«sufrió muchos afanes»,* y cuya memoria restaura en dos líneas definitivas: «quien hizo cosas dignas de memoria / poniendo su vivir en detrimento...» (pág. 87, Rivas Moreno, 1997). La noble figura de Colón abre el poema; y éste se cierra con la imagen del despótico Lope de Aguirre, ejecutado en Tocuyo. Entre medias se extienden las elegías y los cuartetos y quintetos en latín y español, haciendo referencia a la muerte de los valientes soldados, estrofas que se alternan con la narración en octavas reales. También encontramos el desfile de lugares que Castellanos conoció en persona o sobre los que oyó hablar —la Española, Jamaica, Cibao, Borinquen, Nueva Granada— y, por supuesto, los personajes indígenas que se mezclan con los españoles: Coanabo, Guarionex, Uxmatex, los indios ciguayo y los caribe.

Más que un poema épico, la obra de Castellanos es una crónica colosal escrita en verso, comparable en sus efectos con la de Díaz del Castillo y, como texto poético, con la épica histórica de Barco Centenera.

Antonio de Saavedra y Guzmán

En 1599, diez años después de las *Elegías* de Castellanos, apareció en Madrid la cuarta obra del siglo XVI del ciclo de Cortés: *El peregrino indiano*, de Antonio de Saavedra y Guzmán. Sabemos que el autor era biznieto del Conde de Castelar, y que nació en México. Baltasar Dorantes de Carranza lo menciona en varias ocasiones en su *Sumaria relación* junto a Terrazas, y al sevillano Mateo Rosas de Oquendo, y por eso sabemos que seguramente participó en tertulias literarias que se reunían ocasionalmente. El hecho de que eligiera la figura de Cortés como protagonista de su poema sugiere que probablemente era miembro del grupo de criollos resentidos contra la Corona española. Cortés fácilmente llegó a ser el baluarte de apoyo de una generación de criollos que pretendiera «expropiar las tierras», grupo que Martín, el hijo de Cortés, intentó liderar, durante su estancia en Nueva España en la segunda mitad del siglo XVI, en una conspiración fracasada. El bibliógrafo Beristáin y Souza dice de Saavedra y Guzmán:

> Se dedicó al estudio de las Bellas letras, especialmente a la poesía e Historia, y en la de su país añadió el auxilio de la Lengua megicana, que supo con perfección. Estuvo casado con una nieta de Jorge de Alvarado, otro de los capitanes de Cortés y hermano del famoso Pedro, fundador de Guatemala. Pasose a España a fines del siglo 16 y en setenta días de su navegación compuso con los materiales, que había acopiado en siete años la siguiente obra: *El Peregrino Indiano.*
>
> (*Biblioteca hispanoamericana septentrional*, volumen 3, 143)

Además de las habituales aprobaciones y licencias, la obra tiene un prefacio de sonetos laudatorios de Vicente Espinel, Juan de Tarsis y Peralta, el Conde de Villamediana, Lope de Vega y Miguel Iranzo, tal vez un familiar del Iranzo autor de las *Flores de baria poesia*. El poema se desarrolla en veinte cantos. El primero trata de la salida de Cortés de Cuba junto con su armada y de las vicisitudes del viaje que concluye con el asedio de Tenochtitlán y el apresamiento de Cuauhtémoc. El Canto III relata lo que le pasó a Jerónimo de Aguilar, cautivo de los indios desde mucho antes de la llegada de Cortés. El Canto X describe México, la entrada de Cortés en Tenochtitlán y el apresamiento de Moctezuma. El Canto XIII se refiere a varias batallas y se introduce un elemento fantástico a través de un sueño de Cortés. El Canto XV relata lo sucedido en la «Noche Triste», la batalla de Otumba y la llegada de los españoles a Tlaxcala. Wogan ve la influencia de Ercilla en su elogio de los indios, la repetición de personajes arquetípicos (el viejo sabio, el cacique, el joven guerrero), y en el tratamiento del retrato femenino («Ercilla», 372-3). La obra de Saavedra y Guzmán, importante por ser un eslabón más de la cadena de poemas sobre el conquistador de México, no se ha reeditado en tiempos modernos, que sepamos. Hay un ejemplar de este libro raro en la Biblioteca Pública de Nueva York.

Pedro de Oña

Casi al final del siglo XVI, en 1596, se publicó un libro inspirado en gran parte en *La Araucana* de Ercilla. *El Arauco domado* de Pedro de Oña intentaba saldar una deuda con el conquistador Garci Hurtado de Mendoza, a quien Ercilla relegó a una posición secundaria en su poema épico sobre los araucanos. Oña pertenecía al grupo de españoles y criollos cultos que se encontraban alrededor de Lima hacia el cambio de siglo y que sentían que se había cometido una injusticia con Don Garci Hurtado de Mendoza. Además de a Oña, este círculo incluye a Luis de Belmonte Bermúdez, autor de género épico; Rodrigo de Carvajal y Robles, que, en 1627, publicó en Lima la obra épica *Poema del asalto y conquista de Antequera;* y Fray Diego de Hojeda, autor de *La Christiada.*

Pedro de Oña nació hacia 1570 en Ongol, Chile. Estudió en el Colegio de San Felipe y San Marcos de Lima y se licenció en la Universidad de San Marcos. Su *Primera parte del Arauco domado* se publicó en Lima en 1596, y estaba dedicado a Don Hurtado de Mendoza, hijo de Don Garci Hurtado de Mendoza, virrey del Perú, y de Doña Teresa de Castro y de la Cueva, marquesa de Cañete. La edición se retiró debido a que contenía alusiones a la revuelta de los impuestos en Quito (1594). Una segunda edición, publicada por Juan de la Cuesta en Madrid en 1605, y apropiadamente censurada, fue la que circuló. Existen varias ediciones modernas, incluso la de J. M. Gutiérrez en 1849. Cuando José Toribio Medina revisó la edición de la Academia chilena, la auténtica edición de 1605 era una verdadera rareza bibliográfica de la que se sabe que existen sólo seis copias. Oña murió, posiblemente en Cuzco, en 1636.

Pedro de Oña (al que no se debe confundir con Fray Pedro de Oña, autor de prosa sagrada, al que se refiere frecuentemente Medina en el segundo volumen de su *Biblioteca Hispano-Americana)* tenía suficiente conocimiento de las fuentes clásicas. Sus modelos fueron la *Eneida* de Virgilio y la obra de Ercilla, su propio contemporáneo. Esta primera parte del *Arauco domado* (al final no escribió la segunda debido al triste destino que tuvo la primera), poema de unos veinte cantos, contiene varios episodios importantes: la batalla de Biobío, la rebelión de Quito contra los recaudadores de impuestos reales, y la victoria naval del pirata Richarte Aquines (Richard Hawkins) sobre Don Beltrán de Castro y de la Cueva. Además encontramos cantos que se refieren a sueños y a profecías (XIV, XV, XVI, XVIII), otros en los que el elemento pastoril es evidente (XIII), otros que relatan en tono lírico el amor de Tucapel y Gualeva (XII). En el Canto IV, la mitología clásica se presenta bajo la figura de Megera, el poder de lo maligno, aliada con el indio Caupolicán. La identificación del diablo con los «bárbaros» indios araucanos corresponde con una mentalidad cristiana maniquea. La intención reivindicativa de Oña se hace evidente desde el *exordium,* en el que se refiere a Hurtado de Mendoza, el hijo del Virrey, y a las rivalidades entre los contemporáneos del autor.

Pedro de Oña también escribió *Temblor de Lima de 1609* (Lima, 1609), *El Vasauro* (Cuzco, 1635), y una obra épica sagrada, *Ignacio de Cantabria* (Sevilla, 1639).

Autores y obras: siglo xvii

La épica colonial del siglo xvi cautivó a los lectores del Viejo y el Nuevo Mundo con las páginas de *La Araucana* y las obras de grandes talentos que escribieron en América (Oña, Castellanos) o que llegaron al mundo americano desde España (Lasso de la Vega), pero fue en el siglo xvii en el que la épica colonial floreció, enriquecida por un estilo barroco muy poderoso y la incorporación de temas religiosos.

Martín del Barco Centenera

La primera obra de este género en el siglo xvii es *Argentina y conquista del Río de la Plata,* de Martín del Barco Centenera, que se publicó en Lisboa en 1602. Español nacido en Extremadura en 1535, Barco Centenera murió en Portugal, según Ricardo Palma, hacia el final del año 1605. Se conocían como mucho seis copias de la primera edición, que hoy es extremadamente rara. Andrés González Barcia hizo una segunda edición en *Historiadores primitivos de las Indias Occidentales* (Madrid, 1749), y se han hecho cuatro más (Medina, *Biblioteca Hispano-Americana,* IV, 15), entre las que se encuentra la edición facsímil más reciente de Jacobo Preuser.

La vida de Barco Centenera fue larga y llena de aventuras. Después de estudiar teología en Salamanca, se alistó en la expedición de Juan Zárate al Río de la Plata, obteniendo el título de Arcediano de la Iglesia de Paraguay. Tras numerosas vicisitudes, se embarcó en 1572. Ortiz de Zárate fundó la ciudad de Zaratina de San Salvador, en la costa este, donde Barco Centenera asumió el cargo del arcedianato y predicó el evangelio. En 1579 se unió a Juan de Garay en una expedición para pacificar a los indios del interior, los xoxontobyas y los urambiambias, a los que intentó evangelizar. Dedicó más de diez años a viajar entre Santa Fe, Santiago de Estero, Tucumán, Chuquisaca, y el Perú, realizando tareas religiosas y políticas. En 1590 sufrió una tremenda derrota cuando se le enjuició por haber detectado presuntas fechorías en su oficina de comisario. Se le depuso de su cargo y se le multó. Se mudó del Perú a Asunción, donde la Iglesia no tenía mandatario. En 1592, ejerció el puesto de Arcediano de la región y se ocupó de la reconstrucción de la iglesia principal de la ciudad de Trinidad. Logró ganarse la estimación de los habitantes y viajaba por el Río Paraná. Luego partió para España, donde vivió desde 1594. En 1598 solicitó un informe de sus actos de servicio prestados desde que llegó a las Indias con el gobernador Ortiz de Zárate. Trabajó durante más de veinte años en su poema, desde 1572, y éste se publicó en Lisboa en 1602 *(La Argentina,* pág. ix-lii).

El poema contiene veintiocho cantos de temas muy variados, y está plagado de anotaciones al margen, en español y latín que dan parte de la tremenda preocupación del Arcediano por los materiales de su obra. Escrita en octavas reales, constituye un exuberante retrato de la conquista española en las regiones «australes» de América. Cuando el autor se refiere a la flora, la fauna, la geografía, la ferocidad de los indios y los sucesos maravillosos, el tono pasa del típico de un poema épico al de una crónica rimada. Testigo de la conquista, el trovador épico se mezcla con los objetos de su trova, deteniéndose de vez en cuando los temas de la avaricia y la fortuna: «... loco, enfermo, ingrato traicionero, tirano cruel» (pág.

224). A veces habla de lo que ha oído: «me contaron», «descubrí». En sus versos resuena la voz, rota por los duros trabajos, del conquistador anónimo: Juan Gago, torturado por los indios, que le cortaron los pies y las manos y le sacaron los ojos; Chavarría, cosido a flechas por los indios como un nuevo San Sebastián; Juan de Barros, un monje torturado por los nativos, al que recibe una bella doncella en el cielo tras su muerte. El tono emotivo del poema está unido a un realismo llano que lo distancia del tono elevado de Ercilla y lo sitúa más cerca de la narrativa histórica de Castellanos. El mundo en el que la vida del joven teólogo acabaría está hecha de muchas materias: sirenas e indios guaraní irredentos, mariposas que se convierten en gusanos y carbúnculos, indios charrúa, españoles del jaez de Magallanes y la familia Pizarro, el mal gobierno de Diego de Mendieta, y el «hambre voraz» que sufrieron los soldados de Don Pedro de Mendoza. El material poético no parece acabarse nunca. En la última estrofa del último canto, el autor dice: «aquí quiero dexallo prometiendo/En otra parte cosas muy gustosas/Que estoy en mi vejez yo componiendo,/del argentino reyno...» (ed. El Brocense, 1982, pág. 240). La muerte cortó el discurso del Arcediano Barco Centenera; no fue capaz de terminar la segunda parte del poema épico que era un gran fresco de la conquista de Argentina, Brasil y el Perú.

Silvestre de Balboa y Troya de Quesada

El primer texto de literatura cubana se puede fechar alrededor de 1608 y es un poema épico: *Espejo de paciencia. Donde se cuenta la prisión que el capitán Gilberto Girón hizo de la persona del Ilustrísimo Señor Don Fray Juan de las Cabezas Altamirano, Obispo de la Isla de Cuba, en el Puerto de Manzanillo, Santa María de Puerto Príncipe.* Con respecto a la cronología bibliográfica de la obra, Cedomil Goic nos informa:

> El texto se conserva gracias a que el obispo de Santiago de Cuba, P. A. Morell de Santa Cruz lo copió en su *Historia de la isla y catedral de Cuba* (1760) [...] de donde fue copiado [...] por J. A. Echeverría y publicado en la segunda edición de la *Biblioteca Cubana de los siglos XVII y XVIII* (La Habana, 1927; reimpreso en 1965 por Carlos M. Trelles y Govin). Del poema hay ediciones modernas de Felipe Pichardo Moya (La Habana, 1941) una edición facsimilar y crítica de Cintio Vitier (La Habana, 1962) y una edición reciente (Edirca, Las Palmas de Gran Canaria, 1981) (pág. 207).

El autor, Silvestre de Balboa y Troya de Quesada, nació en la isla de Gran Canaria y vivió en Puerto Príncipe, Cuba, desde el final del siglo XVI hasta mediados del XVII. Tal vez participase en una academia literaria temprana semejante a la que se reunía en la capital de la Nueva España en esa época, imitando las costumbres españolas. Sobre el poema Roberto González Echevarría subraya: «en poco más de 1200 versos endecasílabos (de los que no todos tienen una rima perfecta), agrupados naturalmente en octavas reales, Balboa narra el secuestro del obispo de Cuba, Fray Juan de las Cabezas Altamirano, a manos del pirata francés, Gilberto Girón; la liberación del obispo mediante pago del rescate, y la venganza de los habitantes de Bayamo, que tendieron una emboscada al bucanero, lo rindieron y lo decapitaron» («Reflexiones sobre *Espejo de paciencia»,* 573). También se ha hecho mención de los motivos que tienen su origen tanto en la tradición épica (una descripción física de los combatientes) como en la literatura devota (la extremada «paciencia» del obispo, el protagonista). Se ha señalado la influencia del *Orlando furioso* de Ariosto, así como la del poema de Luis de Barahona de Soto, *Las lágrimas de Angélica* (pág. 574). El espejo muestra una curiosa mezcla de mitologías griega y taína, que en algunas descripciones nos recuerda las imágenes de la crónica de Fray Ramón Pané sobre los indios taínos *(Relación acerca de las antigüedades de los indios).* «Bajaron de los árboles en nanguas/Las bellas amadríades hermosas/Con frutas de siguapas y macaguas/Ymuchas pitajayas olorosas» (González Echevarría, «Reflexiones», 573) —estas líneas evocan el pasaje de la crónica de Pané en el que los hermafroditas bajan de los árboles para consolar a los indios taínos que se han quedado sin sus mujeres. El gusto con el que Balboa menciona las frutas tropicales nos recuerda, por ejemplo, el placer con el que Fernández de Oviedo describe la piña en su *Historia,* juzgándola con ayuda de los cinco sentidos. Se ha mencionado también que el *Espejo de paciencia,* descubierto en 1838 por José Antonio Echeverría, puede haber sido usado por los intelectuales cubanos del siglo XIX para establecer las bases de una literatura nacional (González Echevarría, «Reflexiones», 577). El poema ha sido objeto de estudios y debates a los que han contribuido, en varios momentos, José María Chacón y Calvo, Felipe Pichardo Moya, Cintio Vitier, José Lezama Lima y el propio González Echevarría.

Juan de Miramontes Zuázola

A pesar de que no se conoce la fecha ni el lugar exacto de publicación, se supone que el poema *Armas antárticas* puede haberse escrito a comienzos del siglo XVII. La fecha de nacimiento del autor del poema, Juan de Miramontes Zuázola, también es desconocida; murió después de 1614. El título de la portada del manuscrito dice: *Armas antárticas, hechos de los famosos capitanes españoles que se hallaron en la conquista del Perú.* Está dedicado a Don Juan de Mendoza y Luna, Marqués de Montesclaros, Virrey del Perú (Gallardo, III, cols. 810-11). Se ha incluido en el ciclo de Ercilla, al que también pertenecen las obras de Terrazas y Lasso de la Vega, y parece que fue publicado por primera vez por Félix Cipriano Coronel Zegarra, en *Revista Peruana,* 3 (Lima, 1879). Jacinto Gijón y Caamaño y Rodrigo Miró lo han vuelto a publicar (Goic, «Alonso de Ercilla y la poesía épica», 203).

El que esté dedicado al Marqués de Montesclaros evidencia la intención de Miramontes Zuázola al escribir este poema: «Que no quedasen oscurecidos en las tinieblas del olvido los hechos de muchos valientes españoles que, en conquistar, quietar y defender este reino, hicieron, en servicio de su magnanimidad, obras dignas de su nación cuya memoria sepultaba el silencio» *(Armas Antárticas,* 3). La función básica y la intención reivindicativa prevalece en la obra, como en el caso de Castellanos o Barco Centenera. El poema comienza *in medias res,* de acuerdo con los preceptos de la épica renacentista y hasta el Canto III no se invoca a Erato, la musa de la poesía, en una especie de *exordium* retrasado.

La obra está dividida en veinte cantos. El Canto I relata cómo Pizarro captura y decapita al Inca Atavaliva, conquista el Perú y funda la Ciudad de los Reyes (Lima). Las violentas hipérboles e hipérbaton, ahora barrocos, caracterizan los temas de la herejía y los «fantástico-maravillosos». La imaginación desenfrenada del autor se hace grandilocuente, cuando le da al poema un sentido de grandeza demoníaca. Los verbos de movimiento abundan —«tembló», «lanzó», «blandiendo», «pisa», «lucha», «hender», «chocar»— y hacen que la narración sea dinámica. La idea de la predestinación está manifiesta —fue designio de Dios que los bárbaros se convirtieran en cristianos y se les redujera al cautiverio. Estos tonos ya se oían en Ercilla y resonarían en la épica del siglo XVIII, en Ruiz de León y Escoiquiz. Como consecuencia, el Diablo, representado por los nativos y sus dioses, actuará sólo si Dios lo permite, como antagonista necesario dentro de la dialéctica cristiana del bien y del mal.

Este texto es poéticamente depurado; se vale de la enumeración como recurso estilístico para enfatizar y captar el vigor de los elementos enumerados, en versos de gran belleza plástica:

> El zodíaco cinto tachonado/cinco veces pasó el luciente eterno,/cinco veces vistió de flor el prado,/cinco veces nevó la sierras el invierno...
>
> (Canto I, estrofa 144)

De acuerdo con su objetivo básico, Miramontes no centra el poema en un solo protagonista sino en el grupo de españoles que conquistaron el Perú y se convirtieron por ello en el héroe colectivo. Las octavas narran el conflicto entre los capitanes españoles —los Pizarro, los Almagro, el gobernador Vaca de Castro, el virrey Blasco Núñez Bela. Después se cuentan las hazañas de Francis Drake, a quien Miramontes admira, y sus aventuras en los mares del sur. La acción se centra en tres grupos —españoles, indios e ingleses— y al pasar de uno a otro a veces se torna errática. La mitología clásica aparece en los Cantos XI y XIII. El mito de Perseo y Andrómeda se mezcla con la realidad nativa y la domina. Lo mismo ocurre con los motivos renacentistas *(locus amoenus),* los paisajes que recuerdan a las novelas de caballería («arcos de triunfo», flautillos, sacabuches, chirimías...), o los materiales que recuerdan las construcciones del mundo de la literatura peninsular: «alabastro, porfirio, roca cristalina». En las numerosas estrofas que constituyen sus veinte cantos, el poema de comienzos del siglo XVII de Miramontes Zuázola reproduce un mundo que se mueve desde el diáfano Renacimiento hacia un Barroco hecho de luces y sombras. Años más tarde, este último triunfará en Hernando Domínguez Camargo y su «rebelión barroca». Este último, junto con Ercilla —y posiblemente Hojeda—, Miramontes Zuázola llevará la épica a la más alta forma de expresión poética.

Gaspar Pérez de Villagrá

Autor del poema épico *Historia de la Nueva México*, Gaspar Pérez de Villagrá, nació en Puebla de los Ángeles en 1555. Consiguió su título de bachiller en la Universidad de Salamanca. En 1596 fue nombrado Procurador General del Ejército que emprendería la conquista de Nuevo México. Sirvió al rey durante treinta años. José Toribio de Medina resume su biografía así:

> En 1605 rindió información de sus servicios en Guadalajara en Nueva España. De allí se vino a la Península, hallándose cinco años de pretendiente en la corte, y hubo de regresar a México para responder a la acusación de que se le hizo de haber dado muerte al Capitan Pedro de Aguilar... Volvió otra vez a España con su mujer, Catalina de Sotomayor, y cinco hijos... obtuvo en 1619 que se le hiciese merced de la alcaldía de los Suchitepequis, a cuyo efecto se embarcó nuevamente, pero falleció a bordo durante la travesía, el 9 de septiembre de 1620.
>
> (*Biblioteca hispanoamericana*, II,107)

Ernesto Mejía Sánchez descubrió dos cartas en las que Villagrá acusa ante el Tribunal de la Inquisición a Francisco de Porres Farfán, cura de Sombrerete en Zacatecas. Las cartas demuestran que era un hombre culto pero ambicioso y arrogante, litigioso e intrigante, muy preocupado por cuestiones de pureza racial y obsesionado por extirpar la herejía y el judaísmo, que designa como «plaga y cáncer» en un momento del poema. En resumen, era un ejemplo típico de la intolerancia de la época («Gaspar Pérez de Villagrá en la Nueva España», 7-21).

En su poema *Historia de la Nueva México* (Los Ángeles, 1933), presenta una personalidad opuesta a esta tan desagradable que acabamos de describir. Publicada en Alcalá en 1610 y dedicada a Felipe III, da una imagen de poeta de no pocos méritos, familiarizado con las modas y metros italianos y amigo de conocidos literatos: Maestro Espinel, Doctor Cetina (al que no se debe confundir con Gutierre de Cetina, poeta de la línea italianizante), Luis Tribaldos de Toledo y Doña Bernarda Liñán, una dama dedicada a las letras. La mayoría de los poemas laudatorios están dirigidos a Villagrá y a Juan de Oñate, conquistador de Nuevo México y protagonista del poema. El poema se compone de treinta y cuatro cantos. En el primero y dentro del *exordium,* el autor declara cuál será el argumento del poema. El cuerpo de la obra está dedicado al descubrimiento de los territorios que luego se llamarían Nuevo México; la exploración del Río del Norte; escaramuzas con los indios; las vicisitudes que sufrieron Polca, Milco y Mompel, indios bárbaros; las durezas que soportaron los soldados españoles y la pobre recompensa que recibieron como pago por sus servicios; los desacuerdos entre los indios acomeses;

la muerte de los guerreros Zutacapan, Tempal y Cotumbo y la victoria final del gobernador Juan de Oñate. Wogan ha señalado paralelismos con *La Araucana* (retórica altisonante, historias de amantes nativos, idealización de la mujer) así como la presunta consanguinidad de Villagrá con el Villagrán que es uno de los personajes de Ercilla («Ercilla», 374).

A pesar de que existen varias copias de la primera edición de 1610 (nosotros hemos localizado tres), no sabemos de ninguna edición moderna en español. Curiosamente, es el único poema épico en español que se ha traducido a otro idioma (el inglés). El poema merece ser rescatado del olvido, precisamente, por su valor documental, sus considerables méritos literarios y la representativa personalidad de su autor, la de un típico criollo ambicioso.

Fray Diego de Hojeda

El virreinato del Perú fue el escenario donde se creó el primer gran poema épico religioso que se escribió en América, *La Christiada* de Fray Diego de Hojeda que apareció en 1611, dedicado a Don Juan de Mendoza y Luna, Marqués de Montesclaros y virrey del Perú. A pesar de publicarse en Sevilla, el poema fue concebido y escrito en suelo americano. No se dio a conocer en dos siglos hasta que ser Manuel José Quintana publicó algunos fragmentos en un libro que se convirtió en pieza clave para la definición de este género: *Musa épica, o colección de los trozos mejores de nuestros poemas heroicos* (Madrid, 1833). Un siglo después, en 1935, Mary Helen Patricia Corcoran preparó una edición crítica basada en el manuscrito 8312 de la Bibliothèque de l'Arsenal de París. El hecho de que Hojeda fuese un autor desconocido antes de 1833, al parecer, se debe a su humildad y a una falta de interés por el género épico. Sin embargo, encontramos en sus propios contemporáneos referencias suyas. Se le menciona en el *Discurso en loor de la poesía,* una obra anónima semejante al *Canto de Calíope* de Cervantes, y tanto Lope de Vega como Mira de Amescua debieron conocerla, ya que le dedicaron versos laudatorios que se incluyen en la primera edición de *La Christiada*. Su biografía fue reconstruida por Fray Juan Meléndez *(Historia de la gran provincia de San Juan Bautista del Perú...,* Roma, 1681) y se volvió a publicar en la edición chilena del poema en 1848. Por esta biografía sabemos que Fray Diego de Hojeda nació en Sevilla sobre 1571 e ingresó en la orden de los dominicos en Lima. Durante sus años como novicio se distinguió por sus penitencias y mortificaciones. Era un asiduo lector de obras teológicas, escribió versos laudatorios para el *Arauco domado* de Oña, y en 1602 dio una licencia de publicación a la *Miscelánea austral* de Diego Ávalos y Figueroa. En 1609 *La Christiada* fue publicada y él fue elegido Prior del Convento de Santo Domingo en Cuzco. A pesar de su gentileza y devoción por el estudio, no pudo escapar a las intrigas de su orden y en 1612 fue humillado, junto con otros monjes, por el Padre Armería, Inspector Eclesiástico. Las quejas sobre este último se multiplicarían y por ello se rehabilitó a los padres Agüero, Lorenzana y Hojeda. Pero esta rehabilitación llegó demasiado tarde en el caso de Hojeda, que murió en el lejano convento de Huánuco el 24 de octubre de 1615 a la edad de cuarenta y cuatro años (Corcoran [ed.], *La Christiada).*

Cumplió con sus deberes como religioso y también participó en la vida literaria de su época. Junto a Diego Ávalos y Figueroa y otros, perteneció a la Academia Antártica. En *La Christiada* podemos detectar la influencia del Renacimiento (Tasso), de los clásicos (sobre todo de Virgilio) y de los autores contemporáneos (hay ecos de Góngora). Pero la presencia más importante es sin duda la *Biblia* y los *Apócrifos* (Pierce, *La poesía épica,* 271-2). Hojeda consigue su «poetización de la Pasión» de Cristo en doce cantos o «libros», precedidos por una octava real que resume la trama. En la primera estrofa del *exordium* invoca a la Musa y en la tercera invita al Virrey de Montesclaros a escuchar «La breve historia del Dios-Hombre». La historia comienza *in medias res,* cuando Cristo lava los pies de los discípulos en la Última Cena. Describe los diferentes momentos y en sucesivas octavas retrata las actitudes de los futuros apóstoles, en un tono de fervor evangélico-místico que refleja el amor que sentían los discípulos por su maestro. La expresión de las actitudes de los discípulos en su relación con Cristo conecta con la expresión de amor místico en los textos religiosos de los siglos XVI y XVII. Hojeda se deleita, además, en la exaltación de la belleza física de Cristo: «... con aquellas manos blancas, suaves, puras y bellas, con piel delicada y dedos sobrehumanos» (Spencer en Hojeda, *La Christiada,* 37). La descripción está matizada de sensualidad, por ejemplo cuando Jesús le lava los pies a Judas: «Y comenzó a lavarle, acariciando sus pies con agua limpia y tacto suave. La manos bellas y lavadas de Jesús brillaban de blancura como heridas por el sol, y tocadas por aquellos pies inmerecedores, brillaban con una cierta luz vívida: piedras preciosas lanzadas al barro...» (págs. 38-9). El lenguaje metafórico alterna con un tono realista casi prosaico, cuando Cristo reparte la cena. En este contexto épico-místico, Cristo se convierte en un caballero consciente de su magnificencia al estilo de Rolando, Cortés y Pizarro: «Si hubiese un Dios igual a mí en grandeza pero diferente de mi propia esencia, [...] ¿no celebraría yo, Dios, su generosidad y su inmenso y magnífico regalo?» (pág. 49). Las reflexiones de Cristo durante su calvario son una mezcla de fervor místico y duro realismo. Su auto-contemplación y el goce morboso ante su propio sufrimiento, nos recuerdan a los calvarios privados, recogidos en los textos biográficos y autobiográficos, de las monjas y sacerdotes de la época, manifestaciones enraizadas, tal vez, en la experiencia personal de Hojeda.

El poema termina con el descenso de Cristo de la cruz y su entierro. En los niveles teológico y discursivo, la intención básica de la obra se ha conseguido: la magnificación del héroe y su triunfo absoluto sobre su antagonista Lucifer en una batalla épica, presentada a través de una poesía excelente.

Bernardo de Balbuena

En un género como la poesía épica, en el que la vida de un autor y su obra están tan íntimamente ligadas que casi parecen lo mismo (Ercilla, Castellanos, Pérez de Villagrá, Barco Centenera), parecería que un poema fantástico, en el que el héroe es un caballero errante y el escenario es el amplio mundo de las novelas de caballería, no puede guardar mucha relación con su autor —un doctor en teología, un clérigo en la provincia de México, un abad y arzobispo en las islas del Caribe. Sin embargo, la historia que narra *El Bernardo*, poema épico de Bernardo de Balbuena, está más relacionada de lo que uno podría imaginar con la biografía de su autor.

Quintana habla de Balbuena en la introducción de su *Musa épica* y en el prefacio al volumen XVII de la *Colección de Autores Españoles de Rivadeneira*, en la que se volvió a publicar *El Bernardo*. Gallardo, Beristáin y Souza, y Medina también le prestaron atención. Las biografías más completas de Balbuena son las de John van Horne y José Rojas Garcidueñas, de 1940 y 1958 respectivamente, a pesar de que la segunda sólo incluye unos pocos datos sobre el autor en Puerto Rico. Basándonos en lo que dice Rojas Garcidueñas, Bernardo de Balbuena nació en Valdepeñas (España), hacia 1562, fruto de una relación extramatrimonial entre Bernardo de Balbuena y Francisca Sánchez de Velasco. Su padre, miembro del Tribunal Real de Nueva Galicia, le llevó a Nueva España cuando cumplió los dos años. Hacia 1580 entró a cursar estudios en la Universidad de la Ciudad de México, parece que de teología. En 1585, 1586 y 1590 fue premiado en concursos literarios que se celebraron con ocasión de fiestas religiosas o para festejar la llegada de los virreyes a México.

Comenzó siendo capellán del Tribunal Real de Nueva Galicia y en 1592 se trasladó para ocupar la parroquia de San Pedro Lagunillas. Se ha dicho que los diez años que siguieron fueron los más fructíferos en relación con su producción literaria. Posiblemente fue en este periodo en el que revisó y mejoró *Siglos de oro en las selvas de Erífile,* que ya había escrito antes y en el que escribió *El Bernardo*. En 1603 escribió *Grandeza mexicana* a petición de Doña Isabel de Tobar y Guzmán, amiga de juventud, que quería saber cómo era la Ciudad de México. Deseoso de tener una carrera eclesiástica, y dado que no había recibido ninguna respuesta a sus insistentes peticiones de una canonjía en México o Tlaxcala, decidió llevar su petición en mano a la metrópoli. A mediados de 1601 embarcó para España. Allí se doctoró en la Universidad de Sigüenza, publicó su novela pastoril *Siglos de oro...,* y se dedicó a buscar un cargo de importancia. En 1608 fue elegido abad de Jamaica, a donde viajó en 1610. Se quedaría en la isla durante diez años, pidiendo siempre que lo trasladasen a un puesto más importante, a México o Lima. En 1619 consiguió el Obispado de Puerto Rico. En 1622 dejó la Abadía de Jamaica y viajó a Santo Domingo para asistir al consejo provincial; allí se quedó diez meses. En 1623 se trasladó a Puerto Rico, donde residió hasta su muerte el

11 de octubre de 1627. En 1624 se publicó su obra favorita, *El Bernardo,* o *Victoria de Roncesvalles,* y en 1625 sufrió una de las más grandes desgracias de su vida: los piratas flamencos al mando de Bodouyno Enrico devastaron el palacio del Arzobispo y quemaron su biblioteca. Es posible que en la quema se perdieran algunas obras aún no publicadas sin que quedara rastro de ellas.

Además de las evidentes ambiciones de Balbuena, también se debe hacer énfasis en su «gran cristianismo, virtud y letras». Sus comentarios sobre Puerto Rico dan una impresión de magnanimidad. De los caballeros pensaba: «Los ciudadanos del estado de caballeros que en esta ciudad hay, muchos son de calidad conocida aunque pobres, por no ser la tierra de más substancia. Se tratan con superflua pompa, con buen lustre y autoridad en sus personas, acuden bien a sus obligaciones y en las del divino culto se extreman notablemente...» (Cuesta Mendoza, *Historia eclesiástica de Puerto Rico colonial,* I, 116). Se le atribuye una punzante estrofa de diez versos: «Aquí están los blasones de Castilla – en pocas casas muchos caballeros – todos tratantes en gengibre y cueros – los Mendoza, Guzmanes y el Padilla» (pág. 115), pero el juicio que hace del gobernador Juan de Vargas refleja su benevolencia: «El caso de Juan de Vargas es típico. Constantemente preocupado por el destino de los puertorriqueños [...] no dudó en engañar al tesoro real y traer a la isla más esclavos de los que se permitía cuando estos se hicieron realmente necesarios. ¿Deberíamos censurarle?» (Villa Vilar, *Historia de Puerto Rico 1600-1650,* 79).

Con respecto a *El Bernardo,* si Balbuena lo compuso en efecto hacia 1595, se convirtió en una especie de brújula de lo que sería su vida. Al no ser publicada la obra en los dos primeros intentos, en 1608 y 1615, llegó a incorporar sus vivencias en los sucesivos retoques del libro. El poema épico refleja muchos aspectos de su personalidad. La elección que hizo de una figura legendaria, Bernardo del Carpio, fue una proyección de su propia identidad. El nombre del personaje coincidía con el suyo y el de su padre que, como él , era hijo ilegítimo. En las alusiones que se hace al paisaje encontramos rastros de México («El gran volcán de Xala, monstruo horrible [...] sirve como antorcha clara para lo que escribo»). Encontramos un retrato de los marineros de la flota que lo llevó a España en 1606. En el Canto XVI encontramos una transfiguración de Viso del Marqués, el lugar donde nació su padre cerca de Sierra Morena, en el heroico territorio del mago Malgesí. Algunos episodios de la vida de Balbuena parecen corresponderse con un contexto fantástico: los viajes irreales que hizo entre Santo Domingo y Puerto Rico, con cinco hombres que transportaban su biblioteca a cuestas atravesando pantanos insalubres y montañas desconocidas; o su forzada reclusión durante diez años en una isla remota y el presentimiento de que era víctima de un poder mágico al que alude en la dedicatoria de *El Bernardo:* «Ahora su autor, que puede decir que ha nacido de nuevo al mundo desde la soledad de Jamaica, donde estuvo como encantado por un tiempo...». En el poema se podría encontrar más biografía mezclada con literatura si uno estuviera dispuesto a rastrearla. Pareciera que el destino de *El Bernardo* hubiera sido el de hacer del libro guardián de su autor, acompañarlo como manuscrito no publicado durante casi toda su vida, hasta ser por fin impreso en 1624, justo a tiempo para no ser quemado por el vándalo Bodouyno Enrico. Fue un texto errante, como su autor, viajando a través de los paisajes maravillosos de México, España y el Caribe.

Dedicado a Don Francisco Fernández de Castro, Conde de Lemos, el poema contiene veinticuatro libros, cada uno de los cuales acaba con una alegoría. Esta épica fantástica, según palabras de Marcelino Menéndez Pelayo, recrea en una avalancha de personajes el mundo de la épica tradicional (Bernardo del Carpio, Carlomagno, Don Gayferos, el Conde de Saldaña) y el mundo de la novela de caballería (Hada Alcina, Morgana, Malgesí). Introduce el mundo mexicano en el libro diecinueve cuando el sabio Tlascalán relata las hazañas de Hernán Cortés en el Nuevo Mundo. Hay una idealización del campo, una personificación de la naturaleza: «Rojos árboles de estimado coral». También encontramos una serie impresionante de tipos femeninos: bellas doncellas (Angélica y Florinda) y harpías repugnantes (Arleta), así como el normal séquito de hadas y hechiceras: Alcina, Morgana, Iberia. También hay, por supuesto, armas mágicas (la espada Belisarda) y el agua milagrosa de la Fuente de las Maravillas. La imaginería de los mundos de la épica del renacimiento italiano y la novela pastoril peninsular se unen con los recuerdos de Virgilio y las presencias caballerescas para hacer de este poema heroico, según la opinión de Menéndez Pelayo, la épica fantástica más importante que se compuso en territorio americano.

Hernando Domínguez Camargo

Autor del poema heroico titulado *San Ignacio de Loyola, fundador de la Compañía de Jesús,* Hernando Domínguez Camargo vivió, al igual que Balbuena, en lugares remotos, alejado de la compañía de hombres cultos. Como Fray Diego de Hojeda, dio vida a un importante protagonista de la épica sagrada. Como el nativo de Nueva España, el barroco Carlos de Sigüenza y Góngora, su vida estuvo marcada por su expulsión de la orden jesuita. Tal vez siguiendo los pasos del Góngora cordobés, creó el modelo barroco más perfecto y refinado de una épica de tema religioso.

Hijo de comerciantes, Hernando Domínguez Camargo nació en Santa Fe de Bogotá en 1606. Entró en la Compañía de Jesús en 1621 y profesó en 1623. Sufrió una crisis espiritual que lo obligó a renunciar y así, en 1636, comenzó una vida viajera que lo llevó a muchas parroquias: San Miguel de Gahetá, Paipa, Turmequé, y, por fin, Tunja, donde se le otorgó un «beneficio». Para entonces ya manejaba sus negocios, tenía propiedades y prestaba dinero, al igual que Alonso de Ercilla, cobrando intereses. Prestaba atención a sus gustos mundanos: fundó una galería de arte, lucía un vestuario variado, acumuló joyas, disfrutó de una buena mesa, leyó mucho y cultivó su espíritu. En 1657 escribió su último deseo (ser enterrado en la Iglesia de Santo Domingo, en Tunja), y murió en febrero o marzo de 1659 (Torres Quintero en *Obras,* xxxii-liii).

El poema se publicó póstumamente en Madrid en 1666, con adendas y correcciones del editor, Antonio Navarro Navarrete; aunque parezca raro, no se ha vuelto a editar hasta este siglo. En este poema, que es seguramente el mejor del Ciclo de Ignacio, Domínguez Camargo bebe de las fuentes del gongorismo hacia las que se inclinaba su propia sensibilidad. El poema está tejido con los elementos gongoristas típicos: neologismos, alteraciones de sintaxis, metáforas audaces y alusiones mitológicas. Dividido en cinco libros, cada uno de ellos dividido en cantos, en el texto domina un estilo puramente barroco desde la primera línea. Al igual que Jesús, Ignacio es amamantado por la Virgen, cuyos pechos son aljabas que disparan a los labios del niño leche como estrellas que no son de la plata de Potosí sino pura ambrosía. Juega con las ideas de blancura (estrella, chispa, plata), creando metáforas visuales brillantes. Domínguez Camargo rastrea la biografía del santo, desde su nacimiento y bautizo, hasta su fundación de la Compañía de Jesús, mostrando un retrato de una personalidad carismática, admirada a la vez que vilipendiada por los hombres de su época. El contexto renacentista se hace patente en la alusión al tema de las dos profesiones de Ignacio, consagradas por Baldassare Castiglione en *El Cortesano:* la guerra y la poesía («sea suave hierro, o altiva pluma»). En ocasiones el estilo barroco se hace denso y los versos tan herméticos que parecen codificados. Como en *La Christiada,* somos testigos de la exaltación del protagonista y un flujo de amor pasional vibra hacia el héroe. Pero, al contrario que Hojeda, Domínguez Camargo no habla en tono místico sino en uno de intensa exaltación admiradora. Una vez más nos encontramos en el deslumbrante mundo del auto-castigo, milagros esquizoides y masoquismo delirante tan frecuente en las historias de vida de los religiosos de la época. El gusto del poeta hacia el lujo, del que han hablado sus críticos, se encuentra presente en la descripción de la vestimenta de Ignacio: «Con esmeraldas tejidas en la tela, verde lago la capa ondulante...» La narración sigue la amarga penitencia del santo en la Cueva de Manresa, en la que el léxico se tiñe de sangre. Los extremos y contrastes están inscritos finalmente dentro de los parámetros de una mórbida sensualidad.

El contradictorio Ignacio emerge en claroscuro como una figura admirable. Debido a la fascinación del autor por su personaje y su expresión de esta fascinación en términos poéticos, el poema puede ser considerado un monumento de la épica barroca.

Domínguez Camargo también escribió la *Invectiva apologética* (1657) y otras varias composiciones reunidas por Jacinto de Evia en *Ramillete de varias flores poéticas* en 1676, entre ellas el famoso *Romance a la muerte de Adonis.* Domínguez Camargo merece una lectura actual de su obra en conjunto, como la que realizó Gerardo Diego de uno de sus poemas.

Luis Belmonte Bermúdez

A lo largo del siglo XVII aparecieron otros poemas épicos escritos o publicados en América. También dentro del ciclo de Ignacio, encontramos la *Vida del Padre Ignacio de Loyola,* de Luis Belmonte Bermúdez (Sevilla, 1577?-1650?), publicado por Gerónimo Balli en México en 1609. Escrito probablemente entre México y Lima, el poema es un testimonio de los viajes de Belmonte a través de los dos virreinatos más grandes de América. En el Perú conoció a Fray Diego de Hojeda, Pedro de Oña y Rodrigo de Carvajal; en México a Juan Ruiz de Alarcón, probablemente junto al bachiller Arias de Villalobos y a Mateo Alemán. Como autor de poesía épica compuso *La Hispálica* en Sevilla entre 1617 y 1618. Además fue autor de «obras de teatro cómicas» en colaboración con Ruiz de Alarcón y otros siete escritores de teatro; compuso una obra de teatro épica, *Algunas hazañas de Don García Hurtado de Mendoza,* que se escenificó en los salones de los soberanos en 1623.

Fernando Álvarez de Toledo

El *Purén indómito* de Fernando Álvarez de Toledo, apreciado por ser una historia de la conquista de Chile más que por ser un poema épico, narra el levantamiento de los araucanos contra Martín García de Loyola en 1598. Fue citado por Alonso Ovalle, Diego Rosales y González Barcia, aunque se creía que se había perdido. En 1862 Diego Barros Arana publicó una copia del manuscrito original encontrado en la Biblioteca Nacional de Madrid. Probablemente se escribió a comienzos del siglo XVII y su autor es un soldado oscuro cuya historia y fechas de nacimiento y muerte son desconocidas.

Arias de Villalobos

En su *Canto intitulado Mercurio,* Arias de Villalobos se mete con las figuras de Cortés y Moctezuma en sus octavas. Del autor se sabe que nació en España sobre 1568 y luego viajó a México, se graduó en arte en 1585 y en 1607 se ordenó sacerdote. No se sabe cuando murió. El manuscrito original de la obra se ha perdido y solo se conserva una copia publicada en México por Genaro García en 1907. El poema, compuesto para recibir al Virrey Marqués de Guadalcázar, merece un análisis detallado y, ya que se mantiene dentro de ciertos parámetros, tal vez puede ensanchar el ciclo de Cortés.

Rodrigo de Carvajal y Robles; Diego Ávalos y Figueroa

El *Poema del asalto y conquista de Antequera* se ha considerado parte de la épica colonial debido a que fue publicado en la ciudad de Lima en 1627 (Goic,

«Alonso de Ercilla», 207). Refiere las batallas que libraron los moros y los españoles en torno a la ciudad de Antequera. Su autor, Rodrigo de Carvajal y Robles (1580?-?), un español residente en el Perú conocía probablemente a los escritores de la Academia Antártica. Diego Ávalos y Figueroa fue miembro de este grupo, y su composición épica *Defensa de damas,* se incluyó en su *Miscelánea austral* publicada en Lima en 1602. El poema de Carvajal y Robles ha sido editado y estudiado en tiempos modernos por Francisco López Estrada.

Melchor Xufré del Águila; Juan de Mendoza Monteagudo

El *Compendio historial del descubrimiento del reino de Chile,* de Melchor Xufré del Águila, publicado en Lima, está fechado en 1630. Marcelino Menéndez Pelayo hizo una crítica rotunda de la obra:

> Parecía imposible descender más pero todavía hubo en la colonia otro poeta, justamente calificado de macarrónico, que hizo bueno a Hernán Álvarez de Toledo. Fue éste el capitán Melchor Xufré del Águila, natural de la villa de Madrid, el cual en 1630, publicó en Lima uno de los libros más raros del mundo, hasta el punto de no conocerse de él más que un solo ejemplar. Tiene por título: 'Compendio historial del descubrimiento, conquista y guerra del Reyno de Chile, con otros discursos'. Uno de avisos prudenciales en las materias de gobierno y guerra. Y otro de los que católicamente se debe sentir de la astrología judiciaria [...]. Su libro tiene de todo; pero principalmente un memorial de servicios mal galardonados. Los tres tratados que su obra comprende, están en versos sueltos... (págs. 259-60).

Las fechas de nacimiento y muerte del autor son desconocidas. Tanto la malparada obra de Xufré del Águila como el poema titulado *Guerras de Chile* de Juan de Mendoza Monteagudo, publicado más tarde en Chile, en 1888, son parte del ciclo que prosigue con el tema de *La Araucana.*

Pierce menciona la *Relación de la conquista y del descubrimiento que hizo el governador Francisco de Pizarro,* una obra anónima, probablemente del siglo XVI y publicada en México en 1963. El manuscrito fue encontrado en la Biblioteca Nacional de Austria (pág. 360).

Fray Diego Sáenz de Ovecuri

La *Thomasiada al Sol de la Iglesia y su Doctor Santo Tomás de Aquino,* de Fray Diego Sáenz de Ovecuri, publicada en Guatemala en 1667 (Goic, «Alonso de Ercilla», 199), no es un poema épico en el sentido estricto, sino un muestrario de métricas —romances, décimas, glosas, letrillas— que loan la figura del Doctor Angélico.

Fernando de Valverde, Antonio Hurtado de Mendoza

De entre las épicas sagradas dedicadas a la Virgen, Pierce menciona el *Santuario de Nuestra Señora de Copacabana en el Perú, Poema sacro,* de Fernando de Valverde, escrito en silvas (versos de endecasílabos yámbicos y heptasílabos) y publicado en Lima en 1641; y la *Vida de Nuestra Señora...,* de Antonio Hurtado de Mendoza, con una edición mexicana de 1668, además de las de Sevilla, Nápoles y Madrid (pág. 354, 356). Aquí se cerraría el capítulo de la épica colonial en el siglo XVII, pero en cuestiones de investigación no se puede decir nunca la última palabra. Obras desconocidas nos pueden estar aguardando en varios archivos y bibliotecas.

AUTORES Y OBRAS: SIGLO XVIII

Los siglos XVI y XVII contienen sin duda las más grandes manifestaciones de la épica en América. Si tomamos 1569, el año de la aparición de *La Araucana* de Ercilla, como la fecha de inicio del género en América, y 1666, el año de publicación del poema de Domínguez Camargo, *San Ignacio de Loyola,* como la fecha del último gran ejemplo de literatura heroica en suelo americano, nos encontramos con un periodo de cien años. Durante este periodo el género produjo obras de las mejores y en abundancia. Su estilo literario pasó de ser renacentista (Ercilla), a manierista (Balbuena) y barroco (Domínguez Camargo). En el siglo XVIII el impulso épico entró en declive. La saga heroica de la conquista quedaba muy atrás y la Ilustración circulaba en el ambiente, llevando a América nuevas ideas que conducirían a la rebelión y la emancipación de la Corona Española. Sin embargo, las figuras legendarias como las de Cortés y Pizarro persistirían, y la literatura religiosa florecería a su vez, encontrando en el poema épico el vehículo ideal para la glorificación de los santos.

Francisco Ruiz de León

A mediados de siglo, en 1755, Francisco Ruiz de León (1683-1765?) dedicó a Fernando VI su *Hernandía. Triunfos de la fe, y gloria de las armas españolas. Poema heroico,* publicado en Madrid en la imprenta del Consejo Supremo de la Inquisición. De este autor, «hijo de Nueva España» como indica el título, el bibliógrafo Beristáin y Souza dice que nació en Tehuacán, Puebla, que se graduó de Bachiller en Teología, se casó y «se retiró al campo». También escribió la *Tebaida indiana*, una descripción del desierto en el que vivían las carmelitas descalzas de México *(Biblioteca Hispanoamericana,* 266). Beristáin enjuicia a Ruiz de León suavemente: «Estoy lejos de equiparar este *Poema épico* a los que, a imitación de la *Iliada* de Homero y de la *Eneida* de Virgilio han compuesto lo mejores poetas de las naciones cultas europeas. Y si en la *Jerusalén* del Tasso (...) en *La Araucana* de Ercilla (...) se han hallado grandes defectos ¿cómo podía gloriarse la *Hernandía* de un poeta americano de haber llenado todas las leyes de la epopeya y todo el gusto de los literatos?» (U. Nacional Autónoma de México, 1981, págs. 84-85, vol. 3).

Dividido en doce cantos, el poema sigue el itinerario habitual de los poemas de Cortés. Comienza hablando sobre Diego de Velázquez y la llegada de Cortés a Cozumel. Luego sigue lentamente a través de la oscuridad de un estilo barroco cargado de mitología, astrología e historia. El carácter del conquistador se funde con la acción colectiva, a pesar de que el autor cuenta claramente su biografía y hace un retrato moral del personaje. El lenguaje está lleno de anacronismos: los guerreros tlaxcaltecas son «centauros del Tetis»; el campamento de Cortés es o bien la «República» o bien el «Senado». Dos siglos después de la conquista y con un conocimiento completo de lo que eran las causas, el autor toma un punto de vista crítico a veces. La naturaleza y el paisaje mexicano brillan en versos que recuerdan la *Rusticatio Mexicana* de Rafael Landívar, también una obra del siglo XVIII.

Sin embargo el anacronismo principal del poema de Ruiz de León es su sentimiento monárquico adulador e hiperbólico, en un momento en el que el fervor nacionalista se encontraba en las plumas de los jesuitas expulsados: Clavijero, Alegre, Abad, Eguiara y Eguren. El objetivo principal de esta literatura era, sin duda, el intento de fortificar la monarquía española en declive evocando a uno de sus paladines, Cortés, en una colonia que pronto entraría en un estado de turbulencias políticas. La fuente documental de la *Hernandía* es la *Historia de la conquista de México* de Antonio de Solís, de la que había al menos siete ediciones hacia 1755, además de la primera de 1684. Moratín usaría la *Hernandía* como fuente de inspiración para escribir *Las naves de Cortés destruidas* (1777). Se considera a Ruiz de León uno de los últimos poetas gongoristas de Nueva España.

Juan Escoiquiz

Si el poema anterior constituye la apoteosis del sentimiento monárquico en los años del declive del sistema colonial, *México conquistada*, poema épico de Juan Escoiquiz, publicado en Madrid en 1798, es un esfuerzo tardío y vano por borrar la leyenda negra de España, propagada sobre todo en los escritos del siglo XVI y en las polémicas de Fray Bartolomé de las Casas. En el prólogo Escoiquiz toca los puntos clave de la leyenda: la injusticia cometida por España al invadir a gentes inocentes y pacíficas, la superioridad de las armas españolas y las crueldades que acompañaron a la conquista. Como en el poema de Lasso de la Vega, la figura alegórica de la Envidia es aquí la furia infernal que motivó a Diego Velázquez contra Cortés. Sus veintiséis cantos contienen un desfile de personajes que recuerdan a Ercilla (Glauco, Guacolando, Guacolda, Luxario) en una mezcla macarrónica con los del ciclo de Cortés: Guatemocin, Teutile, Pilpatoe. En ausencia de los adornos renacentistas y la hipérbole barroca, abundan las expresiones llanas y prosaicas. El impulso heroico que caracteriza a la épica no se halla en ningún lugar. El ritmo de los versos se hace insípido y cansado, y se echa de menos la elegancia de Ercilla, la fuerza de Oña o la actitud crítica de Terrazas. Por lo demás, el autor no oculta su simpatía (que a menudo se convierte en compasión) por los nativos conquistados, a pesar de que se pone a favor de los españoles. Escoiquiz imita los trucos de *La Araucana,* tales como los gritos, alborotos y vociferaciones en el episodio de la lucha entre Dulmero y Juan Núñez de Mercado, que parafrasea la historia de David y Goliat. Encontramos invocaciones a la Musa no sólo en el *exordio* sino también en el cuerpo del poema. Pero, sofocado por un sentimiento reivindicativo que hasta consigue minar su verosimilitud, el poema no llega más allá de las buenas intenciones. Su actitud es de reafirmación españolista, acrecentada por la inminencia de la independencia en Nueva España, que tendría lugar en 1810. Hombre importante en su época, Escoiquiz nació en 1762 y murió en 1820. Desempeñó el cargo de director de la Biblioteca Nacional de Madrid y tradujo el *Paraíso perdido* de Milton. También fue tutor del Príncipe de Asturias, el futuro Fernando VII.

Pedro Peralta y Barnuevo

De entre los poemas épicos que trataron sobre temas profanos en el periodo de los poemas de Cortés, debemos mencionar uno del peruano Pedro Peralta y Barnuevo: *Lima fundada, o conquista del Perú,* publicado en Lima en 1732, relata la historia del descubrimiento y conquista del Perú por Francisco Pizarro, Marqués de los Atabillos. Mientras cuenta la heroica historia de los españoles, Peralta Barnuevo establece el árbol genealógico de los reyes del Imperio Inca, la historia de los virreyes y arzobispos, y la memoria de santos y hombres ilustres que produjo el virreinato. Publicada en dos volúmenes que contienen diez cantos, el primero proclama: «Canto a las armas y al barón famoso, que al vasto nunca imaginado imperio, que de un nuevo orbe otro orbe es prodigioso, pasó el primero del confín Hesperio» (pág. 1).

Debido a su tono nacionalista peruano y a sus trabajos historiográficos, el poema recuerda los esfuerzos de investigación histórica y de sistematización realizados por los jesuitas mexicanos en el siglo XVIII. Peralta Barnuevo, uno de los más ilustres escritores del Perú colonial, nacido en 1663 y muerto en 1743, es el autor de varios libros que tienen como tema la ciudad de Lima. La primera edición de *Lima fundada*, comentada de manera exhaustiva, atestigua la erudición de Peralta Barnuevo.

Carlos de Sigüenza y Góngora

Es difícil encontrar alguna obra épica particularmente poderosa en la Hispanoamérica del siglo XVIII que emule a las que inundaron las imprentas americanas y españolas en siglos precedentes. Sin embargo, hay un gran número de épicas sagradas, por ejemplo, poemas como *Rasgo épico del tiempo de la Compañía de Jesús,* de Diego José Abad (México, 1750), o *Débora zacatecana* de José Mariano Bezanilla (México, 1797). El tono heroico se une a la retórica barroca que más tarde será barrida por el didacticismo de la Ilustración. Parémonos a contemplar algunos de los poemas épicos religiosos publicados en este siglo.

Carlos de Sigüenza y Góngora (1645-1700), jesuita de Nueva España, se puede preciar de haber escrito el primer poema épico sagrado del siglo XVIII. *Oriental planeta evangélico,* publicado en México en 1700, el año en que murió el autor, es una pieza épica sacro-panegírica dedicada al apóstol de las Indias, San Francisco Javier. Sus octavas están contenidas en tan sólo diecinueve folios que tal vez hacen de este poema el más breve del género. Al contrario que otras épicas del siglo XVIII, no se ha incluido en el tan útil catálogo recopilado por Pierce, que cubre los siglos XVI y XVII y tampoco se menciona en otros catálogos de la materia.

Luis Antonio de Oviedo y Herrera

Luis Antonio de Oviedo y Herrera (1636-1717), caballero de la Orden de Santiago y Conde de La Granja, escribió *Vida de Santa Rosa de Santa María* [...] *de Lima,* poema heroico publicado en Madrid en 1711. Oviedo y Herrera sigue en sus versos el esquema típico de las biografías de monjas coloniales y mujeres santas: nacimiento, genealogía, vocación temprana, sumisión a Dios, repetidas tentaciones del diablo... La progresión se ve interrumpida por la descripción de la ciudad de Quito, las digresiones históricas referidas a Isabel de Inglaterra y los elementos propiamente épicos: la aparición del Inca Yupanqui, Atahualpa, Huáscar, Pizarro y Bilcaoma el nigromante (Cantos VI, VII y VIII); Ana Bolena, el pirata Drake y las escaramuzas en Puerto Rico (Cantos X y XI); episodios del gobierno del Marqués de Cañete. El poema retorna en el Canto XII, que es el último, a su tema inicial con la muerte y canonización de la santa. Un personaje importante en la obra es Luzbel, que se identifica con la herejía luterana. La lucha épica entre el bien y el mal está enmarcada por una mezcla de materiales hagiográficos y épico-histórico-milagrosos.

Miguel de Reyna Zevallos

La elocuencia del silencio, un poema heroico sobre la vida de San Juan Nepomuceno, apareció en Madrid en 1738. Su autor, el mexicano Miguel de Reyna Zevallos, nació en puebla de los Ángeles en 1703 y ocupó sucesivamente los puestos de Canónigo de Valladolid en Michoacán, abogado del Tribunal Real de México, defensor de prisioneros del Santo Oficio y facilitador de actos jurídicos para el Obispado de Michoacán. Murió hacia 1760. A juzgar por el gran número de versos laudatorios que preceden a la obra, su autor fue un hombre conocido y respetado en algunos círculos cultos. El poema en diez cantos describe la vida y martirio del «proto-mártir del secreto de confesión, guardián más fervoroso de la reputación y protector de la Compañía de Jesús, San Juan Nepomuceno». Tenemos la descripción de la heroica batalla entre el bien, representado por el santo, y el mal, representado por Wenceslao, rey de Bohemia. Debido a que se niega a romper el secreto de confesión de la reina, San Juan es torturado hasta la muerte por el déspota. Los puntos de contacto con épicas anteriores son la exaltación del héroe y la narración de los milagros que hace. El autor se regocija en la imagen del hombre virtuoso que se enfrenta a un tirano todopoderoso al estilo de Enrique VIII, y hay algo en San Juan que recuerda vagamente a Sir Thomas More. El poema combina la ingenuidad tenue con los milagros improbables al estilo de las hagiografías medievales *(Leyenda áurea,* de Jacobo de la Vorágine). Reyna Zevallos, junto a Ruiz de León, ha sido considerado el último gongorista de Nueva España.

Antonio de Escobar y Mendoza

El sacerdote jesuita Antonio de Escobar y Mendoza (1589-1669) escribió un poema heroico titulado *Nueva Jerusalén María Señora,* que se publicó en México en 1759, pero de cuya primera edición no queda ningún ejemplar. Dedicado al patriarca San José, la obra pertenece al intenso culto mariano que prosperó en Nueva España durante el siglo XVII y continuó en el siglo XVIII y al que Sigüenza y Góngora contribuyó con su *Primavera indiana* (México, 1662) y su *Triunfo parténico* (México, 1683). El título sugiere que el poema es la segunda parte de una obra más amplia. *Nueva Jerusalén* está escrita en doce secciones, divididas en cantos. Esta segunda parte comienza en la sección VII: «De la época en la que la Virgen estaba embarazada...». Las Secciones XI y XII tratan de la Pasión y entierro de Jesucristo. El emplazamiento innovador que hace Escobar y Mendoza de cada una de sus «secciones» bajo la protección de una piedra semipreciosa cuyas virtudes determinarán el sentido del texto es típico de la retórica barroca. Así, él crea una imaginería teñida de misticismo, basada en la crisolita, el berilo, el topacio, el crisopracio, el jacinto y la amatista. La Virgen se ve como una emisaria de la paz; su carácter como protagonista está presente a lo largo de todo el poema, que también postula —como todo texto mariano— el dogma de la virginidad de María. Poema de gran delicadeza expresiva, *Nueva Jerusalén* recuerda a las tiernas décimas del poeta mexicano del siglo XVIII, Padre Juan José de Arriola, dedicado a Santa Rosalía, patrona de la ciudad de Palermo.

De los poemas mencionados más arriba, por lo que sabemos, ni *La elocuencia del silencio* de Reyna Zeballos, ni *Nueva Jerusalén* de Escobar y Mendoza se han reeditado en tiempos modernos. Son verdaderas rarezas bibliográficas que se pueden encontrar en la Biblioteca de la Universidad de Indiana, Bloomington, y en la Biblioteca John Carter Brown de la Universidad de Brown, respectivamente.

Finalmente se debe señalar que la épica del siglo XVIII, tan importante dentro de su contexto concreto como la épica de los siglos XVI y XVII, se encuentra enterrada en archivos y bibliotecas. Ni la *Hernandía* de Ruiz de León, ni *México conquistada* de Escoiquiz, ni otros muchos poemas heroicos, han merecido la atención de especialistas. Las ediciones críticas, o simplemente comentadas, o los estudios que se aproximaran al texto desde varios ángulos, harían posible que todo el panorama del género épico en la América colonial se reuniese en el futuro.

[8]

TEATRO HISPANOAMERICANO DEL PERIODO COLONIAL

FREDERICK LUCIANI

REPASO HISTÓRICO

Los siglo XVI y XVII fueron testigos de una tradición teatral robusta y diversa en las colonias hispanoamericanas. El principal componente de esta tradición, tanto formal como ideológico, fue el hispánico, ya que la mayor parte del teatro escrito en el Nuevo Mundo español era muy similar al de la madre patria. Esto no quiere decir, sin embargo, que el teatro colonial fuese simplemente una derivación, pues las variaciones del contexto cultural y la disposición creadora le aseguraban un carácter distinto. Más aún, la influencia de los modos indígenas de la representación dramática fue significativa, especialmente en el siglo XVI. El teatro en náhuatl y quechua se continuó componiendo y representando en el siglo XVII, a veces coexistiendo, y a veces mezclándose con los temas, las formas dramáticas y la lengua española en sí misma.

EL LEGADO DEL TEATRO INDÍGENA

Todo parece indicar que el teatro, en su sentido más amplio, estaba profundamente enraizado en la consciencia que tenían los nativos de lo que sería Hispanoamérica. Los cronistas españoles del periodo del descubrimiento y la conquista dan fe de la presencia de teatros y espectáculos dramáticos —*«farsas», «entremeses»*— entre los pueblos conquistados. Y, lo que es más, sus narraciones de numerosos aspectos de la vida y la sociedad indígena indican que la representación dramática estaba íntimamente ligada a un gran número de fenómenos culturales. Más que una distracción de la vida diaria, estas representaciones eran, para las poblaciones indígenas, una parte orgánica de esa vida. El teatro constituía una expresión colectiva de sus ideologías rectoras —las dinásticas, teogónicas, telúricas, etc.— y ayudaba a preservar la historia cultural y la identidad en las sociedades para las que la escritura era o bien desconocida o bien reducida a una elite. El teatro indígena, aunque a menudo de naturaleza ceremonial o comunal no fue ni «primitivo» ni unidimensional. Los relatos contemporáneos dan buena cuenta de su virtuosismo técnico, y la extensión de sus modalidades— desde el rito religioso hasta el espectáculo cortesano o la sátira— es amplia. Los textos quc han llegado hasta nuestros días revelan a menudo un lirismo sutil que rivaliza con los mejores versos dramáticos de la Europa de la época.

Fernando Horcasitas ha encontrado evidencia de formas de actividad teatral en unas treinta y cuatro lenguas nativas de Hispanoamérica, desde el *achí* hasta el *zoque (El teatro náhuatl,* 31-2). Una breve revisión de las formas de representación practicadas por las dos culturas nativas mayores en la época del la conquista española, la azteca y la inca, servirán como resumen representativo.

Los aztecas, que dominaron a otros muchos pueblos desde su capital del altiplano mexicano, desarrollaron un arte teatral muy variado que está bien documentado en las crónicas de los españoles, empezando por el propio Cortés. Las representaciones dramáticas entre los aztecas eran tanto públicas, en forma de espectáculo ritual en el que se involucraba a los espectadores en los amplios espacios abiertos de Tenochtitlán (incluyendo teatros construidos para este propósito), como privadas, encargadas por la nobleza azteca para entretenimiento o cultivo personal. El drama servía a los aztecas como rito comunal, ceremonia propiciatoria, diversión cómica, representación histórica y mitológica e incluso como forma de expresión filosófica, como es evidente en las sombrías meditaciones existenciales de los textos que han llegado hasta hoy. Los cronistas enfatizan el talento mimético que muestra el teatro azteca, que sobresalía por su imitación de la flora natural, las formas zoológicas y las costumbres y el habla de los extranjeros. Finalmente, las representaciones dramáticas entre los aztecas estaban muy ligadas a la música y la danza, ésta última en forma de *mitote* o *tocotín*.

El teatro en el Imperio Inca compartía muchas de estas características. El *taqui* quechua era una especie de danza ritual colectiva que se ejecutaba para celebrar los diversos aspectos del espectro mitológico incaico así como el gran ciclo de naturaleza/religión/agricultura en el calendario incaico. Los incas también cultivaron un amplio abanico de formas teatrales, a menudo compuestas por *amautas*, consejeros y poetas oficiales de la corte, que los primeros cronistas a menudo clasificaban dentro del paradigma europeo de comedia/tragedia. Estas obras de teatro a menudo tenían un objetivo pedagógico y se creaban tanto para el pueblo general como para la Corte.

El destino del teatro indígena fue tan variado como las formas de interacción cultural que tuvieron lugar entre españoles e indígenas tras la conquista. Como forma artística de expresión de la consciencia colectiva de las civilizaciones más importantes, sufrió la disminución común a todas las instituciones de aquellas civilizaciones. Pero esto no significó su desaparición: en aquellas áreas en las que la dominación española tenía más control, el legado teatral de la preconquista consiguió también sobrevivir, al menos a lo largo de la mayor parte del siglo XVI, en la memoria cultural de los creadores de teatro indios y mestizos, e incluso influyó en aquellos españoles del Nuevo Mundo que compusieron teatro en lenguas indígenas para públicos nativos. En el resto de los lugares el teatro de la preconquista a veces sobrevivió en sus formas no escritas, con varias adiciones de la influencia española. Más que colaborar con la tradición dominante, este último tipo de teatro podría servir como un punto de vista crítico hacia ésta; éste es el interesante caso de la obra quechua *Ollantay,* repuesto en los años de declive del período colonial al intensificarse el sentimiento antiespañolista. Incluso hoy, la resurrección del teatro folclórico en algunos lugares de Hispanoamérica responde a menudo a impulsos políticos y toma su mayor sustento de las raíces precolombinas.

El legado del teatro español

El teatro fue una de las aportaciones importantes que los españoles llevaron en su encuentro con las tierras y las gentes del Nuevo Mundo. Los primeros años del descubrimiento y conquista coincidieron con la transición en España desde las formas dramáticas medievales hasta las innovaciones teatrales del Renacimiento. En la Edad Media, el espectáculo teatral había llegado desde lo ridículo hasta lo sublime: desde las bufonadas de los payasos callejeros, hasta las celebraciones del pueblo de las coronaciones y las entradas del Rey en la ciudad; desde los dramas litúrgicos que, dentro de los límites de la iglesia y la catedral, daban solemne expresión a la doctrina religiosa, a sus reflejos burlescos, los infames juegos de escarnio.

Hacia el 1500, el teatro español comenzaba a desarrollarse hasta la forma que adquiriría bajo la influencia de Lope de Vega y otros grandes *comediantes* del Siglo de Oro. Mientras las nociones artísticas del Renacimiento fueron arraigando en la Península Ibérica, su teatro experimentó un proceso de secularización. La antigüedad clásica se convirtió en fuente tanto de inspiración temática como de modelos formales, como ocurrió con la *commedia* italiana, con su énfasis en la intensa intriga dramática. El teatro histórico, la comedia de costumbres, la comedia romántica, las obras pastorales y las mascaradas cortesanas florecieron todos en el renacimiento teatral español. 1517 se puede entender como el año en el que se plantó la simiente: marcó la primera publicación de un tratado sobre teoría dramática en lengua castellana (el prólogo a la colección de obras de Bartolomé de Torres Naharro titulada la *Propalladia).* El encuentro con el Nuevo Mundo ocurrió, pues, cuando el teatro español entraba en una nueva fase de expansión, diversificación y codificación.

Al contrario que el teatro indígena, que sobrevivió solo de forma marginal o como un recuerdo borroso de las glorias pasadas, el teatro en la Península española continuó ejerciendo una influencia dominante en el teatro colonial. El tráfico continuo de textos, compañías de teatro e incluso dramaturgos, aseguraban el dominio de las modas teatrales de la madre patria sobre sus posesiones de ultramar. Si esta influencia era más vigorizante que sofocante sigue siendo un tema de debate. Por un lado, el prestigio y éxito de los grandes dramaturgos españoles del Siglo de Oro pudieron provocar un efecto inhibidor en los autores coloniales. Por otro, la fuerza innovadora de la obra de los maestros españoles acaso aceleró el pulso teatral de las ciudades de México y Lima igual que el de Madrid y Sevilla.

El teatro mestizo

Los primeros exploradores y conquistadores españoles convirtieron las cubiertas de sus carabelas en escenarios para la representación de pequeñas obras cómicas o dramáticas que hacían menos monótono el largo viaje trasatlántico. Pero a medida que se les reveló el espectáculo sin precedentes del nuevo continente, estos españoles debieron de experimentar con gran emoción e inmediatez un drama en su vida real que eclipsó todos los que se pudieran representar sobre un escenario. Los mismos barcos que habían servido como espacio para la diversión teatral se convirtieron ahora en el decorado para el primer encuentro entre razas, cuando tanto españoles como indios, incapaces de comunicarse verbalmente, comenzaron una pantomima improvisada.

Los misioneros que siguieron las huellas de los conquistadores también usaron la pantomima como modo preliminar de comunicación para instruir a las gentes indígenas sobre los rudimentos del Cristianismo. Incluso después de hacerse competentes en las lenguas de su rebaño, siguieron teniendo en gran estima el valor pedagógico de la acción simbólica y el espectáculo público. Sus experimentos de proselitismo a través del teatro pronto evolucionaron hasta alcanzar una forma totalmente desarrollada de teatro religioso, compuesto en su mayoría en lenguas nativas y que llamaba la atención sobre las habilidades nativas histriónicas y escenográficas.

El teatro misionero que floreció a mediados del siglo XVI fue el primer gran producto artístico del encuentro de las razas española e indígena. Mezclando las lenguas nativas y el español, como solía hacerse, así como las formas dramáticas europeas e indígenas, se puede considerar una forma de arte verdaderamente mestiza. A pesar de que relativamente pocos textos de este género hayan sobrevivido hasta hoy, existen otras fuentes de información, que incluyen descripciones escritas por cronistas del clero quienes fueron testigos de las mismas. No debe sorprendernos por ello que el teatro misionero se practicara en su mayor parte en las áreas que correspondían a las sedes de los antiguos imperios inca y azteca. En estas áreas, el género respondía a las exigencias de convertir a poblaciones indígenas grandes y concentradas, así como a las oportunidades ofrecidas por culturas que poseían sus propias tradiciones dramáticas vigorosas.

Casi toda la información actual sobre el teatro misionero pertenece al México colonial. Los franciscanos fueron particularmente activos en la adaptación de obras de teatro de temática religiosa españolas al náhuatl, y, en algunos casos, compusieron piezas dramáticas totalmente nuevas en aquella lengua. Su temática se extraía en gran parte del Antiguo y del Nuevo Testamento y de la hagiografía católica. Tales obras se representaban, normalmente a la vez que la misa, en los días festivos de la Iglesia y para marcar eventos especiales de la iglesia, como la llegada de un dignatario, la presentación de reliquias sagradas, etc.

La escenificación del teatro misionero variaba de acuerdo con el periodo y la circunstancia, pero los investigadores consideran que estos eran los lugares de representación más normales, al menos en el México del siglo XVI: las primeras obras tal vez utilizaron plataformas elevadas ya existentes, que eran un rasgo común de los espacios grandes y abiertos de los centros urbanos indígenas, y que se prestaban para un escenario visible para las grandes multitudes; los imponentes bosques y peñones, tan importantes en la escenificación de la preconquista pudieron ser adaptados para escenas edénicas u otras escenas pastoriles de la *Biblia;* las plataformas de madera al aire libre o cerradas, de tallas variables y diferentes posibilidades de permanencia temporal, colocadas en secuencia o en varios niveles, se usaban para la representación de diferentes escenas dentro de la pieza dramática; se usaron también los interiores de las iglesias, aunque rara vez; por último, las llamadas capillas abiertas, unidas a la nave de la iglesia y frente a los enormes atrios que se abrían delante de la fachada de la iglesia, eran una innovación arquitectónica útil tanto para las misas al aire libre como para los dramas religiosos (Horcasitas, *El Teatro náhuatl,* 101-25).

A pesar de que es difícil determinar la medida en la que lo indígena contribuyó al teatro misionero, sí podemos extraer ciertas probabilidades de un repaso a la información con la que contamos sobre el género. Los frailes españoles eran por lo general los autores de (o los que adaptaban) las obras dramáticas, sus prosélitos indígenas eran activos en todos los demás aspectos de la producción y la puesta en escena, y en dos campos en particular —escenografía y actuación— su contribución parece haber sido decisiva. Los investigadores del género nos recuerdan que en las civilizaciones indígenas más desarrolladas, los aspectos de la representación teatral eran muy especializados y técnicamente sofisticados. Una de las muchas ironías de la conquista fue que los misioneros españoles, dramaturgos improvisados, tenían a su disposición profesionales del teatro del más alto nivel entre el rebaño que conquistaron.

Sea cual sea la combinación de elementos europeos y nativos de América en cualquier caso, el primer teatro misionero debió de contener un espectacular enjambre de culturas: obra de teatro española, diálogos en la lengua nativa, himnos en latín, vestuario europeo e indígena (algunos especulan sobre que los demonios en estas obras cristianas usaron los ropajes de los ídolos precolombinos), la escenografía nativa de técnica extraordinariamente mimética, efectos especiales mecánicos europeos, etc. El elemento de espectáculo debió de intensificarse por la emoción colectiva del momento histórico: si los frailes españoles que compusieron las obras estaban motivados por un impulso evangélico ferviente, las emociones de sus públicos indígenas, que experimentaban en el teatro misionero la esencia dramática del colapso de sus civilizaciones, sólo se puede conjeturar.

La importancia del teatro misionero en náhuatl y quechua entró en declive poco a poco durante las últimas décadas del siglo XVI, cuando las condiciones que habían propiciado su creación desaparecieron. Hacia 1600, la sociedad colonial se había estratificado; el fervor misionero de los primeros frailes que llegaron al Nuevo Mundo, que hizo que muchos de ellos se abriesen a aquellos aspectos de la cultura indígena útiles para la evangelización de las gentes, tales como el teatro, dio paso a la hegemonía de una Iglesia atrincherada, menos tolerante con las formas culturales de la preconquista. En el siglo XVII, cuando el legado del teatro nativo estaba desapareciendo de la memoria popular, el teatro peninsular español experimentó un poderoso resurgimiento y, en forma tanto secular como religiosa, terminó dominando el panorama teatral del Nuevo Mundo aún más. Sobre todo, a forma de espectáculo masivo adoctrinador que proporcionaba el teatro misionero comenzó a ser menos necesario, ya que las masas indígenas estaban en su mayoría convertidas al Cristianismo y su número había disminuido horriblemente debido a las guerras, las persecuciones y las enfermedades.

Sin embargo el teatro mestizo no era para nada desconocida después de 1600. Los jesuitas utilizaron el teatro misionero en guaraní en la región de Misiones del Paraguay a lo largo del siglo XVII (Pla, *El teatro en el Paraguay,* 14-31). Se seguían componiendo algunas obras originales, tanto seculares como religiosas, en quechua y en náhuatl, o, como en el caso de la obra nicaragüense *El güegüence,* en un dialecto mezclado. Además, algunos autos y comedias españolas de los grandes dramaturgos barrocos fueron adaptadas a las lenguas nativas. Tales adaptaciones, como ha mostrado Ángel Garibay, están marcadas por tradiciones poéticas nativas que datan de antes de la conquista *(Historia de la literatura náhuatl,* II, 339-69). Los restos del teatro indígena, tales como el *tocotín,* se incorporaron en algunas ocasiones al teatro criollo, escrito en español para públicos de mayoría blancos; aquí los elementos nativos tenían la función de dar un efecto pintoresco, o incluso, como veremos en el caso de Sor Juana Inés de la Cruz, obedecer a un ánimo de revisionismo histórico. Por fin, en algunas regiones como por ejemplo el Caribe, donde había una gran parte de población negra, se dio un tipo diferente de teatro «mezclado». Los estudiosos del teatro cubano, por ejemplo, afirman la existencia de un teatro mulato durante el periodo colonial, que combinaba los rituales africanos y los elementos del teatro español. Por desgracia, no existe ningún texto original de este género (Leal, *La selva oscura,* 65-97).

EL TEATRO CRIOLLO

El término «criollo» —que designa a una persona de sangre puramente española pero que ha nacido en el Nuevo Mundo— se puede extender al grueso del teatro que se compuso durante los siglos XVI y XVII: teatro en lengua española, que obedece a las convenciones europeas, escrito por dramaturgos criollos para públicos criollos. Tal clasificación, sin embargo, necesita ser matizada inmediatamente: el teatro criollo se vio enriquecido desde el principio por el vocabulario y las formas dramáticas indígenas; algunos autores «criollos» eran en realidad de origen racial mixto o habían nacido en España; los públicos que gozaban de este teatro constituían una mezcla de razas y clases sociales. En el teatro, y en la cultura colonial en general, no existía una línea estricta que separase lo criollo de lo mestizo. De hecho, existía una zona franca con separaciones infinitas entre lo uno y lo otro que daba pie a una fertilización mutua continua.

La sociedad colonial heredó de las dos líneas principales de su patrimonio cultural —la indígena y la hispánica— un gusto por las ceremonias públicas complicadas equivalente al teatro cívico comunal. Lo que se invertía en estas ceremonias, su colosal escala y la profusión de los efectos que se conseguía, resultan asombrosos ante cualquier comparación. Incluso antes de la llegada de la moda barroca con su fuerte tendencia, como ha observado un investigador, «a hacer de la vida un drama, y del drama, la vida» (Leonard, *La época barroca en el México colonial,* 117), las actuaciones dramáticas a gran escala en las colonias eran una costumbre establecida. Todas las pruebas apuntan a que la población tenía gran facilidad para aportar máscaras, asumir papeles, efectuar la acción simbólica y sumergirse en espacios y tiempos ficticios.

La ciudad de México, sede del virreinato de Nueva España y uno de los centros urbanos más grandes y ricos de las colonias, nos puede servir de ejemplo. Menos de veinte años después de la conquista, las festividades públicas a gran escala involucraban a diferentes sectores de la población en el teatro de masas. El cronista Bernal Díaz del Castillo describe las celebraciones públicas que pusieron fin a las hostilidades entre Francia y España. Los actos de uno de los días incluían una interpretación, en la plaza central de la ciudad, del cerco de Rodas. En el escenario se había construido una ciudad fortificada en pequeña escala y barcos que navegaban y disparaban artillería verdadera. Cientos de ciudadanos, desde los indios hasta la nobleza española, representaban a los guerreros turcos y cristianos, con nada menos que Hernán Cortés en el papel del Gran Maestro de Rodas. Curiosamente, el espectáculo representaba un suceso que no había ocurrido aún, pero que se había anticipado como parte de la campaña contra los turcos en el Mediterráneo de los Habsburgo; Trexler se refiere al espectáculo como «un rezo en forma de conjuro». También subraya las implicaciones ideológicas de este «teatro militar» en una nación que acababa de ser conquistada y cuya periferia aún estaba amenazada por pueblos indígenas hostiles.

El gran Auto de Fe de 1649, que también se celebró en la ciudad de México, requirió la construcción de un enorme y complicado teatro al aire libre, con muchos escenarios, decoración suntuosa, asientos para más de 16.000 espectadores (con compartimentos lujosos para la nobleza), y enormes pantallas de tela que protegían a los espectadores del sol (Bocanegra, *Jews and the Inquisition of Mexico* [Los judíos y la Inquisición en México], 40-5). Se gastó dinero y esfuerzo incalculables en esta estructura temporal, sobre la que tuvieron lugar ceremonias que duraron unos pocos días, y que culminaron con la ejecución de trece disidentes religiosos —una prueba más del valor que se daba al espectáculo público como forma de expresión ideológica en el mundo colonial.

En su análisis de la entrada del virrey como rito político con claras implicaciones alegóricas, Octavio Paz hace algunos comentarios que arrojan luces sobre la relación general entre el espectáculo de masas y la ideología oficial del periodo colonial:

> Las festividades constituían una liturgia política. Su función era doble: por una parte, eran una reiteración ritual de los vínculos que unían al rey con sus súbditos de Nueva España; por la otra, en esos actos las dos naciones que, según una ficción jurídica, componían el reino: la nación española y la india se mezclaban en un todo unitario. En el rito se realizaba, simbólicamente, una doble relación, la del señor con sus vasallos y la del pueblo consigo mismo. En este segundo sentido, los festejos eran los agentes de una función capital: la fusión de las clases, los grupos y las jerarquías. La ceremonia política era una verdadera fiesta, quiero decir, un acto colectivo a través del cual los símbolos encarnaban y se volvían palpables (*Sor Juana,* pág. 195).

Es particularmente útil el énfasis que pone Paz en el efecto integrador del espectáculo en los ejes vertical y horizontal de la sociedad colonial; mientras afirmaba simbólicamente la rígida jerarquía vertical de la estructura colonial (católica, ortodoxa, burocratizada, estratificada racialmente), el espectáculo de masas reunió, en el mismo espacio físico y con unanimidad de experiencia e intención, los variados elementos de una sociedad cuya gran diversidad desafiaba el carácter monolítico del régimen colonial.

En todos los terrenos coloniales, las celebraciones públicas y el teatro estuvieron muy relacionados: por un lado, las festividades públicas tuvieron una dimensión teatral importante; por otro, la actuación teatral estaba a menudo relacionada con la celebración de algún evento, como la fiesta del Corpus u otras festividades eclesiásticas, la llegada de un nuevo virrey u otro funcionario público, la canonización de un santo, un hecho significativo de la vida de un miembro de la Familia Real española, etc. Algunas obras de teatro se ajustaban temáticamente al evento público que festejaban (una pieza hagiográfica para la canonización de un santo, por ejemplo), mientras que otras, más entretenidas que edificantes, se incluían simplemente como parte del programa de festejos.

Estas obras se representaban a menudo en teatros temporales erigidos en espacios públicos para la celebración en cuestión. Pero, ya al final del siglo XVI, estructuras más permanentes, diseñadas expresamente para dar cabida a representaciones teatrales regulares, se hacían cada vez más disponibles, sobre todo en las ciudades más grandes. Los virreinatos siguieron la costumbre peninsular española de unir el teatro con las instituciones de caridad; se erigieron teatros en los jardines de algunos hospitales, y sus ganancias proporcionaban ayuda económica.

Hacia 1605, los llamados corrales del Hospital Real de Naturales en la Ciudad de México y el Hospital de San Andrés en Lima se encontraban entre las primeras estructuras teatrales permanentes de las colonias españolas. Otros lugares para la representación teatral fueron los colegios y las universidades, donde los clérigos y sus alumnos componían y representaban obras religiosas en latín y español, y, a lo largo del siglo XVII, los palacios de los virreyes, donde la representación solía ser de carácter secular, a menudo en conexión con una celebración cívica de algún tipo.

Las obras de teatro españolas dominaban los escenarios del Nuevo Mundo, pero también se convirtieron, durante las primeras décadas del siglo XVII, en la lectura amena preferida de los habitantes del Nuevo Mundo. Los registros de los cargamentos de libros muestran que, empezando por el extraordinariamente popular Lope de Vega, grandes cantidades de obras de teatro llegaron a las costas americanas, enviadas en la forma de partes (colecciones de doce obras) o sueltas (obras individuales en forma de panfleto) (Leonard, *La época barroca,* 106). Después de Lope de Vega y sus seguidores, Calderón de la Barca y su escuela llegaron a dominar el teatro colonial al final del siglo XVII y en el XVIII. El prestigio de los comediantes españoles era evidentemente grande; incluso la consumada poeta y dramaturga mexicana, Sor Juana Inés de la Cruz, observaría, en un entreacto de una de sus propias comedias, que «las obras españolas son siempre mejores». El entreacto de Sor Juana es jocoso y autocrítico, pero parece teñido por el resentimiento que los escritores criollos debían sentir al competir con los grandes españoles; esta es sólo una muestra del interesante diálogo que tuvo lugar en el género entre el centro metropolitano y la periferia colonial, entre los españoles y los criollos, entre el Viejo Mundo y el Nuevo.

Este diálogo temático y formal, a veces apenas audible sobre el fondo de la dominación española, nunca fue sofocado. Los entreactos que los escritores criollos componían para que se representasen dentro de las obras españolas podían estar en relación irónica con estas obras. Los panegíricos teatrales que daban la bienvenida a los dignatarios españoles podían presentar, bajo su efusividad barroca, un interés intencionado ya fuera regional o personal. Tampoco los intereses de las colonias encontraron oídos sordos en el teatro peninsular; en una de las primeras obras españolas que mencionaba al Nuevo Mundo *(Las cortes de la muerte,* de Micael de Carvajal y Luis Hurtado de Toledo, publicada en 1557), los indios aparecen como personajes que se rebelan contra las injusticias de la conquista. Más tarde, durante el Siglo de Oro del teatro español, los dramaturgos peninsulares se volvieron hacia las maravillas del continente europeo en busca de inspiración temática. Mientras que los escritores criollos, obedeciendo a las normas de la madre patria, situaron sus obras de «capa y espada» en Toledo o Sevilla, los dramaturgos españoles como Lope de Vega, Tirso de Molina y Calderón de la Barca recrearon los exóticos mundos del Caribe y el Amazonas. Tal vez el último giro irónico que tuvo el diálogo teatral Viejo Mundo/Nuevo Mundo es el que los lectores y los públicos coloniales fuesen testigos, en la página impresa o en los escenarios, de su propio hemisferio, filtrado a través de la imaginación europea, y hecho fantástico y extraño.

AUTORES Y OBRAS: EL SIGLO XVI

La mayor parte de lo que se sabe sobre el teatro hispanoamericano del siglo XVI deriva de fuentes secundarias: crónicas, correspondencia, registros municipales, los documentos de órdenes religiosas, etc. Los pocos textos originales que existen en ediciones modernas ofrecen una muestra algo fortuita de las tendencias teatrales, y, en la mayor parte de los casos, resultan insuficientes para dar un perfil literario de cada uno de los autores. Aún así estos textos confirman lo que ya sabíamos desde las fuentes secundarias y los textos españoles mayormente paralelos provenientes de la Península del mismo periodo. Y lo que es más, su número continúa incrementándose, aunque lentamente, mientras los investigadores examinan material de los archivos y editan nuevos textos para la publicación.

Estos textos muestran que, como en el caso del teatro peninsular, los temas religiosos predominaban en el teatro colonial del siglo XVI. Incluso donde los temas seculares hacían su aparición inicial aunque tentativa (como en las obras del dramaturgo mexicano Hernán González de Eslava), la tendencia hacia la alegorización de los personajes y los temas era clara. Como en España, la mayor parte del «realismo» en teatro —el naturalismo lingüístico, la observación psicológica de los personajes, los comentarios sociales, etc.— se encontraba en el entremés o entreacto. Y al igual que en España, las formas y los motivos renacentistas fueron un revestimiento constante a los elementos teatrales populares, como prueba el dominio del modo pastoril, el recurso a los temas clásicos, la estilización del lenguaje poético y la importancia de las formas métricas italianizantes.

EL TEATRO EN NÁHUATL

En la actualidad, se han traducido y editado sólo un puñado de textos teatrales en náhuatl, y estos sólo comprenden una fracción de los muchos títulos y actuaciones citadas en los relatos del siglo XVI sobre el teatro misionero. Se han preparado usando manuscritos, la mayor parte de los cuales datan de los siglos XVII y XVIII. Dos tipos de prueba sugieren, sin embargo, que son muy anteriores: algunos se nombran o describen en fuentes secundarias del periodo; otros contienen detalles estilísticos o temáticos que parecen situarlos en las primeras décadas del periodo de los misioneros.

El primer ejemplo conocido de teatro misionero en náhuatl, y el único cuyo autor puede ser identificado con cierta certeza, es *El juicio final* del Padre Andrés de Olmos (¿-1571). Se puede encontrar en las crónicas unas cuantas citas que hablan de puestas en escena de una obra sobre este tema —una tan antigua que se remonta a 1531 en Tlaltelolco. El mismo Padre Andrés fue posiblemente el autor de *La adoración de los reyes,* aunque la prueba de tal atribución es débil (Garibay, *Historia*, II, 144-45). Se sabe que una obra sobre este tema de los Reyes Magos se representó en Tlaxomulco, Jalisco, en 1587. *La destrucción de Jerusalén* es un drama anónimo de Tlaxcala, muy vinculado a muchos dramas medievales europeos sobre el tema de la Verónica. También de autor desconocido es *El sacrificio de Isaac,* tal vez la misma dramatización de la historia del Génesis que se sabe se interpretó en Tlaxcala en 1539. Existe un manuscrito del siglo XVI de *La conversión de San Pablo,* que Horcasitas atribuye a un indígena anónimo cristianizado[1].

Tres obras evangélicas en náhuatl que no se derivan de las Escrituras son *El Mercader, Las ánimas y los albaceas* y *La educación de los hijos*[2]. La primera es una historia moral que trata del tema de la salvación y la condenación. La segunda trata del destino de las ánimas en el Purgatorio. La más interesante de todas es la tercera, una serie de diálogos entre seres mortales y divinos que hablan sobre la conducta ética adecuada y de la práctica religiosa. Los investigadores encuentran en esta obra rastros de una práctica precolombina denominada *Huehuetlatolli,* en la que el joven azteca recibía de sus mayores instrucciones orales en asuntos éticos y sobre el comportamiento.

Los investigadores han encontrado rastros de la cultura indígena de la preconquista en todos estos textos. Por lo menos, las historias que narran dan fe de haber sido modificadas para relatar prácticas y creencias indígenas que los frailes querían promover o inhibir. Como máximo, como en *La educación de los hijos,* la mera esencia del drama parece derivar de las costumbres nativas. El rasgo más exacto de influencia indígena y tal vez el más llamativo a nivel estético, se encuentra en los detalles de la expresión lingüística. El náhuatl de estos dramas incorpora las propiedades estilísticas de la poesía azteca, su sintaxis, su imaginería, sus formas de metáfora, etc. ¿Poseían los frailes españoles un conocimiento tan profundo del náhuatl que podían componer con los toques líricos típicos de esa lengua? ¿O son estos toques el resultado de una colaboración entre los frailes y sus ayudantes nativos? Cualquiera de estas dos hipótesis apunta a un momento importante y destacado en la historia del encuentro cultural hispano-indígena.

[1] Los textos de estas obras se pueden encontrar en español en Horcasitas, *Teatro náhuatl. La adoración de los reyes* está también en Cid Pérez y Martí de Cid, *Teatro indoamericano colonial*. En versión inglesa se pueden encontrar todos menos *La conversión de San Pablo* en Ravicz, *Early Colonial Religious Drama in Mexico.*

[2] Los textos en inglés de *El mercader* y *Las ánimas y los albaceas* están en Ravicz, *Early Colonial Religious Drama*. El texto en náhuatl y su traducción al inglés de *La educación de los hijos* están en Cornyn y McAfee, «Tlacahuapahualiztli».

El teatro en latín

Una parte importante del teatro compuesto en las colonias españolas durante las últimas décadas del siglo xvi no estaba ni en español ni en ninguna lengua indígena, sino en latín, la lengua cultivada por la orden jesuita en sus instituciones de enseñanza más avanzadas. Los jesuitas, que llegaron al Perú en 1568 y a México en 1572, fueron tan entusiastas como los misioneros franciscanos que les precedieron en su utilización del teatro como instrumento pedagógico. Un investigador de este género, José Quiñones Melgoza, ha calculado que sólo en la ciudad de México, se compusieron y representaron unas cincuenta y dos piezas teatrales en los colegios jesuitas entre 1575 y 1600 (Llanos, *Diálogo en la visita de los inquisidores,* xxvi). Al contrario que los franciscanos, que usaban teatro en lenguaje nativo para convertir a grandes masas de gente, el teatro de las escuelas jesuitas estaba dirigido a una elite culta. Sus producciones dramáticas, a pesar de tener un contenido religioso, eran sobre todo un ejercicio de retórica y sabiduría humanística; los beneficiarios de estas obras no eran sólo los públicos que asistían a estas producciones, sino también los estudiantes que tomaban parte en ellos. Esto no quiere decir, sin embargo, que el teatro jesuita fuese un ejercicio académico pesado. Los relatos contemporáneos revelan que los jesuitas se sentían inclinados por el espectáculo visual grandioso que estaba muy de acuerdo con el tenor de las sociedades virreinales en las que vivían.

Como en el caso del teatro jesuita en las universidades de España, rara vez se componía el teatro jesuita en el Nuevo Mundo totalmente en latín; las producciones dramáticas mezclaban el latín con la lengua vernácula en diferentes grados, siendo el último el que llegaría a dominar con el paso del tiempo. Esto se supone más en las pruebas secundarias que en las primarias: han sobrevivido pocos textos de este género, a pesar de que las referencias a textos y representaciones abundan en el *Litterae annuae* de la orden jesuita. Los documentos señalan un esfuerzo continuado por parte de las autoridades eclesiásticas por asegurar la propiedad y la sustancia doctrinal en las producciones jesuitas, así como por mantener el dominio del latín sobre la lengua vernácula.

Existen dos textos que se conservan y están totalmente en latín, la [*Ecloga*] *pro patris Antonii de Mendoza adventu* [*facta*] *in collegio Divi Ildephonsi* y el *Dialogus in adventu inquisitorum factus in collegio Divi Ildephonsi,* ambos del jesuita mexicano nacido en España Bernardino de Llanos (1560-1639). Las obras son piezas ocasionales: la primera conmemora la llegada del Provincial de Nueva España, el Padre Antonio de Mendoza, y se representó en el Colegio de San Ildefonso en algún momento entre 1588 y 1590; la segunda se representó en la misma institución para honrar la visita de un grupo de inquisidores de la Iglesia en 1589. Ambas obras son églogas, que imitan las de Virgilio en términos temáticos y formales.

El teatro en español

La primera obra conocida de un dramaturgo criollo, el *Desposorio espiritual entre el pastor Pedro y la Iglesia Mexicana,* fue compuesto por el Padre Juan Pérez Ramírez (1545-?), hijo de uno de los primeros conquistadores de México[3]. Como obra ocasional, se representó en la Ciudad de México en 1574 para celebrar la toma de posesión del arzobispo Pedro Moya de Contreras —anticipándose así Pérez Ramírez a las generaciones de dramaturgos criollos cuyas plumas se ocuparían de elogiar a la clase dominante. Los personajes de la obra, nombrados alegóricamente, disfrazados de pastores y pastoras, celebran la boda de Menga y Pedro, es decir, la unión espiritual de la iglesia mexicana y el nuevo arzobispo. Su marco pastoral y su refinamiento lingüístico sitúan la obra dentro de la tradición de la égloga renacentista. Al mismo tiempo, la presencia del cómico «Bobo» y los elementos de la música y la danza dan a la obra una animada cualidad popular.

Otra obra de ocasión, pero mucho más grande en cuanto a su longitud y a sus ambiciones, es *El triunfo de los santos,* representada por primera vez por los alumnos de las escuelas jesuitas de la ciudad de México el 2 de noviembre de 1578 como parte de las fiestas de ocho días de duración en honor de la llegada a la ciudad de las reliquias de unos santos que el papa Gregorio XIII había regalado[4]. Se han conservado tanto una descripción detallada de los complicados festejos como el texto completo del *Triunfo*. Sin embargo, la autoría del drama es desconocida. Se suele atribuir a los padres jesuitas Juan Sánchez Baquero y Vincencio Lanuchi, profesores distinguidos de latín y retórica que ocupaban altos cargos administrativos.

El triunfo de los santos presenta la historia de la persecución de mártires cristianos por el emperador Diocleciano. Sus cinco actos entretejen personajes alegóricos —la Iglesia, la Idolatría, etc.— con personajes históricos. Todo lo referente a la obra, desde las librescas fuentes empleadas por los autores que se citan, a la inspiración que encuentra en la tragedia de Séneca, hasta su versificación, en la que las formas italianizantes de verso predominan sobre las españolas tradicionales, dan muestras de la erudición de la orden jesuita y la perspectiva humanista de sus preferencias artísticas. También deja entrever una cultura urbana virreinal, ya alejada de la época más austera posterior a la conquista.

Otro ejemplo existente de teatro jesuita es la *Égloga pastoril al nacimiento del niño Jesús,* escrita en los últimos años del siglo XVI por el mexicano nacido en España, Juan de Cigorondo (1560-?)[5]. La égloga, como su propio nombre indica,

---

[3] El texto se puede encontrar en Rojas Garcidueñas, *Autos y coloquios del siglo XVI,* y en Ripoll y Valdespino, *Teatro hispanoamericano: antología crítica.*

[4] Se puede encontrar el texto en la edición de Johnson y en la de Arrom y Rojas Garcidueñas, *Tres piezas teatrales del virreinato.*

[5] Podemos encontrar el texto en Arróniz, *Teatro de evangelización en Nueva España,* 191-238.

pertenece a las formas pastoriles; los pastores en cuestión no son, sin embargo, transformaciones alegóricas, sino pastores reales, que se encontraban alrededor de Belén en la noche en que nació Jesús. La obra se libra extraordinariamente de la pesadez doctrinal de tantos y tantos dramas de la época, y es más bien una celebración del lenguaje y del espíritu. Los pastores hablan en una variedad de formas poéticas, y también en prosa. Su discurso varía desde lo vulgar hasta lo muy amanerado, y este último modo va paralelo a la brillantez verbal del contemporáneo de Cigorondo, Bernardo de Balbuena, y anuncia el preciosismo del Barroco. Si se observa la marca del talento jesuita en esta obra, no está en forma de erudición sino de virtuosismo lírico.

Otro mexicano nacido en España, Fernán González de Eslava (1534-1601?), es considerado como el dramaturgo más importante del siglo XVI en las colonias españolas, debido a la afortunada supervivencia de una buena parte de sus obras, y también al interés intrínseco de ellas y su calidad. Aparentemente el perfil de su vida y sus obras de teatro se parece a los de los autores ya mencionados: González de Eslava fue un clérigo; sus dieciséis *Coloquios espirituales y sacramentales* (publicados en 1610) son principalmente de naturaleza religiosa y simbólica; muchos de ellos son piezas de ocasión; el elemento del panegírico, especialmente en forma de loa (una introducción laudatoria breve), es importante.

Sin embargo, esta investigación superficial, no nos revela la riqueza y variedad de las obras dramáticas de González de Eslava. Para empezar, varios de sus coloquios están basados en temas seculares y sucesos locales (a pesar de que se reconoce que tendían a alegorizar o espiritualizar lo secular). En segundo lugar, los eruditos han notado un rasgo del Nuevo Mundo que distingue las obras de González de Eslava, sobre todo en el uso de las peculiaridades lingüísticas del habla mexicana. Por último y sobre todo, los coloquios se ven avivados por cuatro entremeses (que no son exactamente los entreactos independientes de una época posterior, pero sí escenas de humor intercaladas). Es en este último aspecto del teatro de González de Eslava en el que se ha centrado la mayoría de los críticos y por buenas razones: la tensión dramática de los entremeses, sus personajes tan humanos, su brío lingüístico, sus insinuaciones satíricas, trasladan al teatro de González de Eslava más allá del modo dramático predominante de la representación alegórica. El hecho de que el dramaturgo pasara algunas semanas en la cárcel, debido a su implicación (sin fundamento) en el escándalo causado por la representación de un entremés anónimo que criticaba al virrey del momento, ayuda también a hacer de González de Eslava el prototipo de autor criollo (a pesar de que había nacido en España): un intelecto inquieto y creativo, a menudo enfrentado a la jerarquía sociopolítica que sus obras elogian y sostienen.

Si la sátira en González de Eslava es provisional y precavida, no lo es en lo más mínimo en el caso de Cristóbal de Llerena (?-?), oriundo de Santo Domingo y autor de obras religiosas que ya no se conservan. Sólo un entremés de este autor ha sobrevivido gracias al escándalo que provocó y a las dificultades que acarreó para su autor[6]. La pieza breve en cuestión, representada por estudiantes universitarios como parte de las celebraciones del Corpus de 1588, utiliza el humor para criticar las costumbres de la ciudad y a sus autoridades civiles. Llerena pagó por su insolencia con un año de exilio. Incluso más que González de Eslava, es una prueba de que el teatro hispanoamericano del siglo XVI era a veces más que un mero espectáculo doctrinal o un ejercicio erudito; podía tener una labor social e incluso de rebeldía.

AUTORES Y OBRAS: SIGLO XVII

La extraordinaria movilidad geográfica de los españoles del Viejo y el Nuevo Mundo en el siglo XVII convierte la clasificación de autores por nacionalidades en una labor difícil. Juan Ruiz de Alarcón (1581?-1639), uno de los más grandes dramaturgos del Siglo de Oro, es un buen ejemplo. Nacido en México, Ruiz de Alarcón llegó a la fama como dramaturgo en España, a la que emigró cuando era joven. El debate crítico sobre cuál es su patrimonio cultural verdadero no ha llegado a ninguna conclusión; los criterios de clasificación son subjetivos y variables. En este estudio, el criterio principal que se obedece para emplazar a un autor es el lugar donde éste escribió su obra, y no el lugar de nacimiento, lo cual deja a algunos emigrados desde las colonias hasta España —el más importante de ellos es Ruiz de Alarcón— fuera de nuestro estudio.

El teatro en lenguas indígenas

El declive del drama misionero en el siglo XVII es paralelo a la escasez de fuentes secundarias referidas al teatro en lenguas nativas. La autoría de algunos de los textos más interesantes que han sobrevivido hasta nuestra época es desconocida, así como su fecha de realización. Los investigadores han confiado en los datos que dan los mismos textos —lingüísticos o estilísticos— para situar estas piezas dramáticas en su contexto propio, pero los resultados no han sido definitivos. Este es el caso de *La comedia de los Reyes,* una versión en náhuatl de la historia de los Reyes Magos[7]. La obra está dedicada al fraile franciscano Juan Bautista, y por ello se puede atribuir a su colaborador indígena, Agustín de la Fuente. La borrosa fecha que aparece en la portada del manuscrito parece sugerir 1607, pero algunas referencias y detalles de estilo y lenguaje apuntan, al parecer, a que la obra está mucho más cerca del periodo precolombino. Al margen de que estas pruebas

[6] Podemos encontrar el texto en Icaza, «Cristóbal de Llerena», y Ripoll y Valdespino, *Teatro hispanoamericano*.

[7] Se puede encontrar este texto en Horcasitas, *El teatro náhuatl.*

quieran decir que la composición es anterior en el tiempo o que el autor es indígena, la obra sigue sin duda la tradición del drama misionero del siglo anterior.

Las obras de teatro en quechua *El pobre más rico* y *Usca Paucar* son un reto aun más difícil para una investigación[8]. El manuscrito del primero indica quién es el autor (Gabriel Centeno de Osma, de quien no sabemos casi nada) pero no la fecha en que fue escrito, mientras que el manuscrito del último no indica ni la fecha ni el autor. Es sólo una conjetura el que las obras se escribieran en el siglo XVII, aunque parecen evocar esta época: los nobles incas empobrecidos que protagonizan ambas obras se parecen mucho a una nueva generación marginada, a cierta distancia del trauma de la conquista pero perseguidos por sus efectos. Mientras mantienen un refinamiento personal apropiado para su ascendencia aristocrática, se encuentran en una especie de vacío existencial. Su situación, y el lirismo melancólico que le da expresión, eleva estos dramas por encima del didactismo superficial de sus tramas.

Tanto *El pobre más rico* como *Usca Paucar* cuentan la historia de un inca indigente que vende su alma al diablo a cambio de placeres y riquezas terrenales, pero que le salva de sellar este pacto su devoción a la Virgen María. Ambas obras son una llamada a la fe cristiana y, en particular a la veneración de la Virgen. También subrayan la cualidad ilusoria de la riqueza material, y la permanencia y satisfacción de la riqueza espiritual. A pesar de su intención didáctica, las obras no se parecen mucho a los dramas evangélicos posteriores a la conquista de México: tienen lugar en Cuzco, y no en el mundo bíblico; sus protagonistas son incas, y no personajes de las escrituras; las referencias a la cultura indígena son fundamentales y no accesorias. Las obras sugieren un culto establecido a la Virgen —una Virgen mestiza que recuerda las divinidades de la preconquista. El Cristianismo no se presenta como un sistema foráneo que tiene que ser explicado a las masas indígenas, sino como algo ya sintetizado y cercano, un remedio contra el trastorno cultural y la desesperación individual. Incluso los maravillosos pasajes líricos de las obras parecen una síntesis: algunos investigadores (por ejemplo, Cid Pérez y Martí de Cid) encuentran reminiscencias de la poesía incaica, mientras que otros (por ejemplo, Meneses), perciben la influencia de los grandes líricos del Siglo de Oro español.

Uno de estos grandes, Calderón de la Barca, dejó su impronta en el teatro en lengua indígena en la forma del auto sacramental, un género dramático religioso que, en su forma calderoniana, es de naturaleza alegórica y hace del misterio de la eucaristía el tema central. Bartolomé de Alva (1604?-?), sacerdote secular y descendiente de una importante familia azteca compuso una versión en náhuatl del auto de Calderón *El gran teatro del mundo*. Como sugiere su título, el auto se vale de la alegoría del teatro para presentar el recorrido de un hombre a través de toda su existencia terrena. Su énfasis barroco en la naturaleza ilusoria y transitoria

[8] Ambos textos se pueden encontrar en Meneses, *Teatro quechua colonial,* y en Cid Pérez y Martí de Cid, *Teatro indoamericano colonial.* Ver también la edición en facsímil de *El pobre más rico* con traducción al español (Centeno de Osma, 1938).

de la vida coincide muy bien con temas similares de la lírica azteca previa a la Conquista, que Alva debía de conocer muy bien. En efecto, su versión en náhuatl de Calderón es una traducción tan libre, y evoca tanto la literatura azteca, que tal vez merece ser considerada una obra de teatro original. Una farsa corta y sin título en náhuatl acompaña el texto del auto en uno de los únicos manuscritos que de éste[9] se conservan.

El mestizo peruano Juan de Espinosa Medrano (1629?-1688), llamado a veces *El Lunarejo,* compuso al menos dos autos originales en quechua: *El hijo pródigo,* alegoría de esta historia, y *El rapto de Proserpina y sueño de Endimión,* que es una alegoría de las historias clásicas de Proserpina y Endimión[10]. Estos dos tipos de autos —los que están basados en pasajes del Antiguo Testamento y los que están basados en mitos grecorromanos— tenían precedentes en Calderón. ¿Estaba Espinosa Medrano atento a la noción calderoniana de que las letras paganas contenían, de forma velada, las verdades de la revelación? Al componer estas obras en lengua quechua, con sus referencias culturales concomitantes, Espinosa Medrano daba —consciente o inconscientemente— una tercera dimensión a la amalgama cultural del auto. Más notablemente, *El rapto de Poserpina* une los mundos grecorromano, judeo-cristiano y nativo americano, una síntesis que en la contemporánea de Espinosa Medrano, Sor Juana Inés de la Cruz, se vuelve un sincretismo explícito, como veremos en su auto en español *El divino Narciso*. Este y otros aspectos del, en gran parte ignorado, teatro de Espinosa Medrano merecerían una atención crítica más exhaustiva.

Sólo un puñado de textos han llegado hasta nosotros y dan fe del cultivo de la sátira teatral en lenguas nativas o en nativas mezcladas con el español. Dos breves obras de esta línea son *Loa satírica en una comedia en la fiesta del Corpus hecha en Tlayacapa* (1682), en náhuatl y español, y el *Entremés entre una vieja y un mozuelo su nieto* sin fechar, en náhuatl; no se conocen los autores de ninguna de las dos obras[11]. También anónimo es *El güegüence o macho-ratón,* una breve comedia con danza, en una mezcla de náhuatl y español[12]. De origen nicaragüense, se puede atribuir más o menos al siglo XVII, aunque los manuscritos datan del XIX. La obra se compone de una serie de diálogos entre Güegüence, un indio, y autoridades civiles españolas. El humor proviene de las mentiras, trucos lingüísticos y bromas picantes que el primero usa para engañar y confundir a los segundos. Brinton sitúa la obra dentro de la tradición indígena más que de la española; entre sus ejemplos de elementos propios de la preconquista están la repetición

[9] El texto del auto se encuentra en Hunter, *The Calderonian Auto Sacramental*. El entremés se discute en su «The Seventeenth century Nahuatl *entremés*».

[10] Ambos textos se encuentran en Meneses, *Teatro quechua colonial. El hijo pródigo* está también en Cid Pérez y Martí de Cid, *Teatro indoamericano colonial.*

[11] El texto de la *Loa satírica* está en Ballinger, *Los orígenes del teatro español*. El *Entremés* se puede encontrar en francés en Paso y Troncoso, «Comédies en langue naualt».

[12] La edición de Brinton contiene textos enfrentados en náhuatl / español e inglés. Se puede encontrar el texto en español en Cid Pérez y Martí de Cid, *Teatro indio precolombino*.

constante de frases y el truco cómico de fingir sordera con la consecuente confusión *(The Güegüence,* xliii-xliv). El tono general de la obra, con su pícaro protagonista indígena y los despóticos españoles que son su contraparte, insinúa un sentido popular de resentimiento y resistencia, recubierto de humor y de una muestra de deferencia.

EL TEATRO EN ESPAÑOL

Dos piezas anónimas, probablemente del siglo XVII aunque sin pistas que lo confirmen, son *Relación de un ciego* y el *Auto al nacimiento del Hijo de Dios intitulado La prisión más prolongada con el más feliz suceso*[13]. La *Relación* es un breve diálogo (144 líneas) entre un ciego y su lazarillo, o guía. Parece que fue representado en un convento mexicano como parte de las celebraciones de Navidad, y utiliza el habla de la gente, llena de humor irreverente y mexicanismos coloristas, para referirse a los alrededores del convento, así como a la ocasión celebrada en su interior. El *Auto al nacimiento* es una representación vaga de la Navidad, que combina los personajes pastoriles con los del Nuevo y el Antiguo Testamento y con otro alegórico —la Naturaleza o la naturaleza humana, cuyo «encarcelamiento prolongado» termina cuando nace Cristo. También mezcla el lenguaje lírico refinado de las formas pastoriles con el crudo humor. Rubén Vargas Ugarte, que descubrió la obra en una colección de manuscritos peruanos, admite la posibilidad de que no hubiese sido compuesta por un dramaturgo del Nuevo Mundo *(De nuestro antiguo teatro,* xxii). Suárez Radillo se hace eco de esta duda y sugiere que la obra pudo ser llevada al Perú por un misionero español *(El teatro barroco hispanoamericano,* 314).

Otra obra, que es preferible describir como anónima aunque se ha dicho que su autor puede ser un criollo mexicano llamado Cristóbal Gutiérrez de Luna (?-?) es el *Coloquio de la nueva conversión y bautismo de los cuatro últimos reyes de Tlaxcala en la Nueva España*[14]. La obra cuenta la historia de la legendaria conversión al Cristianismo de cuatro reyes de Tlaxcala, debido a la intercesión de Hernán Cortés y sus compañeros. Con su énfasis final en el Santísimo Sacramento la obra se califica como un auto sacramental, en la línea legendario-histórica más que alegórica. Winston A. Reynolds ha demostrado la considerable deuda que el *Coloquio* tiene con *El Nuevo Mundo descubierto por Cristóbal Colón,* obra de Lope de Vega (publicada en 1614); incluso el ídolo al que los reyes de Tlaxcala adoran antes de su conversión, Hongol, procede al parecer de la obra de Lope y tiene un origen araucano y no mexicano («El demonio y Lope de Vega»). Hay más incongruencias culturales llamativas: los indios, con sus alusiones a Febo, Neptuno y Apeles se parecen más a cortesanos europeos que a nobles aborígenes.

[13] Bryant nos ofrece el texto de la *Relación* junto con una breve introducción y notas. El auto está en Vargas de Ugarte, *De nuestro antiguo teatro*.

[14] Este texto se encuentra en Arrom y Rojas Garcidueñas, *Tres piezas teatrales*.

Otro tributo al Sacramento se puede encontrar en *El Dios Pan,* de Diego Mejía de Fernangil (?-?), que nació en Sevilla pero floreció como poeta y dramaturgo al comienzo del siglo XVII en el Perú[15]. En *El Dios Pan,* los pastores Damón, pagano, y Melibeo, cristiano, describen unas festividades religiosas a las que asisten en una ciudad peruana, probablemente Potosí. Damón se convence, por lo que ve y escucha, que debe renunciar a su adoración al dios pagano Pan y abrazar el Pan de Dios cristiano (el cuerpo de Cristo en la Eucaristía). La descripción que hacen los personajes de los altares, banderines y procesiones que observan son importantes a nivel iconográfico y también antropológico. A pesar del marco pastoril de la obra, con sus personajes y referencias arcádicas, *El Dios Pan* da una visión interesante del Cristianismo popular en el Perú colonial.

El *Auto del Triunfo de la Virgen y gozo mexicano* (1620) del mexicano Francisco Bramón (?-?) es un *auto virginal,* más que sacramental; culmina con la exaltación de la Virgen María que triunfa sobre el Pecado. La obra es en realidad una pieza de teatro dentro de una novela, la novela pastoril a lo divino titulada *Los sirgueros de la Virgen.* Enrique Anderson-Imbert ha sostenido que el pastor Anfriso, que «compone» la obra es una transmutación dramática de Bramón, y que, en efecto, toda la novela tiene una dimensión autobiográfica secundaria *(Crítica interna,* 19-37). Esta forma de reunión barroca de obras dentro de obras y autores dentro de personajes precede en cincuenta años a trucos similares en el teatro de Sor Juana Inés de la Cruz. Bramón es también un precursor de Sor Juana por su incorporación dramática de la danza azteca; su obra concluye con un *tocotín* ejecutado en honor de la Virgen María por un personaje que representa a México y otros vestidos de indios.

La *Comedia de Nuestra Señora de Guadalupe y sus milagros* fue diseñada para propagar el culto a la española Virgen de Guadalupe en las colonias. Compuesta por el sacerdote jerónimo Diego de Ocaña (1570?-1608), que hizo sus votos en el monasterio de Guadalupe en Cáceres, España, antes de embarcarse hacia el Nuevo Mundo, se puso en escena por primera vez en Potosí en 1601. La obra es un ejemplo temprano de una comedia a lo divino, es decir, una obra religiosa que es, en esencia, una comedia con los típicos personajes, situaciones y temas del género. El padre Ocaña entreteje historias de milagros llevados a cabo por la Virgen de Guadalupe con la leyenda de Rodrigo, el último rey visigodo de España, cuya pasión ilícita por Florinda fue, según cuenta la leyenda, el origen de la conquista de España por los moros. La trama de Rodrigo y Florinda permite la incorporación de la intriga amorosa y el tema del honor, elementos característicos de la comedia española, con los que se consiguen momentos de exaltación dramática. Pero las diferentes tramas no terminan de encajar bien y la obra acaba siendo pesada y desarticulada, con su gran número de papeles hablados y sus enormes saltos cronológicos —que abarcan, al final, más de setecientos años de historia—.

[15] Encontramos el texto en Vargas de Ugarte, *De nuestro antiguo teatro.*

Otro ejemplo de la comedia a lo divino es la *Comedia de San Francisco de Borja,* del jesuita mexicano Matías de Bocanegra (1612-1668)[16]. Compuesta y representada en 1640 en honor del recién llegado virrey, el Marqués de Villena y Duque de Escalona, se refiere a otro marqués, duque y virrey (de Cataluña), Francisco de Borja, que un siglo antes había renunciado a sus títulos y riquezas para hacerse sacerdote jesuita. Dentro de la historia de conversión religiosa de Borja encontramos una subtrama amorosa de naturaleza totalmente ficticia: Belisa y Flora son dos damas de la Corte enamoradas del noble protagonista, que se aventuran a conseguir su amor. Como apunta Arrom, el significado alegórico que se da a estos personajes, la primera representando a la Belleza y la segunda a la Vanidad, es superficial; su propósito real parece más dramático que didáctico. Se trata de figuras típicas de la comedia, y el triángulo amoroso que crean es algo muy común *(Tres piezas teatrales,* 229). Es interesante subrayar también la elección de Borja como personaje dramático: como administrador de alto cargo dentro de la orden, Borja había contribuido materialmente a la introducción de los jesuitas en el Nuevo Mundo; uno de los grandes títulos de España que eligió una vida de humildad y devoción, era el parangón de la virtud cívica y también de la religiosa. Así, la obra glorifica la tradición jesuita a la vez que proporciona al nuevo virrey un modelo de conducta pública y privada. También y para terminar, deberíamos subrayar que la *Comedia* de Bocanegra, como el *Auto* de Bramón, se cierra con la ejecución de un *tocotín.*

El género de la comedia a lo divino parece haber gozado de una larga aceptación en las colonias españolas durante el siglo XVII. Hacia mediados de siglo, el ya citado autor peruano Juan de Espinosa Medrano, compuso un drama bíblico titulado *Amar su propia muerte*[17]. La obra es una versión densa y complicada —aunque eficaz a nivel dramático— de una críptica historia de *Jueces* 4. La intriga amorosa y política sirve no como el adorno de un cuento edificante, como en las comedias de Ocaña y Bocanegra, sino como precisamente la fibra dramática de la obra. Se mantiene a lo largo de toda ella un fino nivel de suspense, y, a pesar de las continuas complicaciones de la trama, nunca se pierde el hilo de la historia. El culteranismo de los versos de la obra es digno del autor, que era conocido por su *Apologético en favor de D. Luis de Góngora* (1662). Más adelante en el siglo, el mexicano Francisco de Acevedo (?-?) tuvo menos éxito en el género de la comedia religiosa. Su *El pregonero de Dios y patriarca de los pobres* (1684), una versión de la vida de San Francisco de Asís, disfruta de la exhuberancia barroca de la obra de Espinosa de Medrano pero no comparte con ella su disciplina dramática. Las imprudentes añadiduras ficticias al relato hagiográfico hicieron que la obra se ganara la censura oficial de la Inquisición y, al parecer, una reputación algo empañada para su autor: Francisco Monterde le identifica con el Acevedo que

[16] El texto está en Arrom y Rojas Garcidueñas, *Tres piezas teatrales*.

[17] El texto está en Vargas de Ugarte, *De nuestro antiguo teatro*, y Ripoll y Valdespino, *Teatro hispanoamericano*.

Sor Juana vapulea en el segundo entreacto de la obra *Los empeños de una casa* (*Cultura mexicana: aspectos literarios,* 75).

Algunos elementos de la comedia también aparecen en un coloquio titulado *La competencia en los nobles y discordia concordada,* del residente en Cartagena de Indias, Nueva Granada (hoy Colombia) pero nacido en España, Juan de Cueto y Mena (1604-?). En su obra encontramos personificados en caballeros y damas ocupados en riñas amorosas a los cuatro elementos, la Tierra, el Fuego, el Aire y el Agua; la obra combina la cosmología aristotélica con la retórica del amor. Los cuatro están atendidos por un gracioso y una sirvienta, típicos personajes de una comedia. A pesar del tema religioso que acaba teniendo la obra (todos sus elementos entran en una última disputa por el honor de servir como morada de la Virgen María), ésta es en realidad una ostentosa muestra de erudición y de lenguaje poético tan culterano como denso. Cueto y Mena también fue el autor de *Paráfrasis panegírica en forma de coloquio de la milagrosa vida y muerte del Ilustrísimo Señor Santo Tomás de Villanueva, Arzobispo de Valencia,* en la que la personificación del Tiempo y de cuatro ciudades de España elogian a Santo Tomás de Villanueva. Ambas obras se compusieron y representaron en Cartagena en 1660 como parte de las celebraciones por la canonización del santo.

Existen algunos ejemplos de comedias puramente seculares escritas por dramaturgos del Nuevo Mundo en las últimas décadas del siglo XVII. Con la excepción de Sor Juana Inés de la Cruz, ninguna muestra el genio dramático ni el brío intelectual de Calderón, a cuya escuela pertenecen. Por ejemplo, el anónimo *Sufrir para merecer,* probablemente escrito por un criollo mexicano o español emigrado, es una comedia de enredo amoroso en la que el enredo es tan minucioso que la obra es casi ilegible y probablemente también imposible de representar[18]. La obra reitera temas de celos y sufrimientos amorosos sin llegar a conseguir la novedad dentro de la convención que caracteriza al mejor drama barroco. Schilling también señala defectos en la versificación de la obra e inconsistencias en la caracterización de los personajes (*Teatro profano en la Nueva España,* 184-96).

Igualmente ilegible aunque por diferentes motivos es *También se vengan los dioses,* del peruano Lorenzo de las Llamosas (?-?). La obra —en realidad una zarzuela, que es una obra dramática que alterna el diálogo hablado con la canción— se representó en el palacio del virrey de Lima en 1689 en honor del nacimiento del hijo del virrey. Situada en un mundo arcádico de dioses, ninfas y pastores, la obra es más espectáculo que drama. Como el decadente teatro postcalderoniano en España, sustituye la coherencia de la trama y la sustancia de las ideas por los suntuosos efectos visuales y el preciosismo lingüístico. *También se vengan los dioses* fue parte de un programa teatral completo; estaba precedida por una loa en honor del virrey y seguida de un sainete (una pieza ligera en un acto). Es un ejemplo del tipo de teatro cortesano que se representaba en Lima y México al final del siglo XVII, un teatro que pretendía halagar al patrón y entretener a la elite

[18] Podemos encontrar el texto en la edición de Jiménez Rueda.

cortesana. Llamosas fue autor de otras dos comedias, ambas compuestas y representadas en España, donde el dramaturgo, incitado por ambiciones cortesanas, pasó la mayor parte de su vida adulta. Ninguna de estas dos obras se encuentra en ediciones modernas.

Otro ejemplo interesante del último teatro barroco en el Nuevo Mundo es la comedia titulada *La conquista de Santa Fe de Bogotá* de Fernando de Orbea (?-?). No se sabe nada del autor, ni siquiera su país de origen. Hay algunos indicios que hacen pensar que la obra se compuso en el Perú; sobre todo porque los últimos versos de la obra se refieren a la ciudad de Lima. La época en la que se escribió la obra —finales del siglo XVII o principios del XVIII— se adivina por su lenguaje culterano y por sus espectaculares efectos visuales, tan típicos del teatro de la época, por ejemplo: terremotos, batallas complicadas e incluso un dragón que lanzaba llamas. El tema de la obra es la conquista española de Bogotá, pero encontramos muchos errores: se conquista Bogotá desde el agua, una imposibilidad geográfica, y los indios que aparecen como personajes son transmutaciones de prototipos de la mitología griega. Incluso los fragmentos cantados en su lengua «indígena» parecen una invención del autor. Con su capa externa de mitología clásica, elementos sobrenaturales y geografía americana fantástica, la obra es una tardía repetición barroca de la comedia española ambientada en el Nuevo Mundo, compuesta por dramaturgos como Lope de Vega, Calderón de la Barca o Tirso de Molina. Pero, al contrario que los mejores ejemplos del género, *La conquista de Santa Fe de Bogotá* es todo espectáculo y grandilocuencia, con poca sustancia dramática.

El ascenso de la estética barroca en el lenguaje literario y el gusto teatral del mundo hispánico, que llevó a ejemplos tan extremos de estilización como el teatro de Llamosas y de Orbea, también dejó su huella en la sátira teatral del periodo. En el siglo XVI González de Eslava y Llerena había compuesto un teatro satírico con el fin de criticar los tipos y prácticas sociales. En el siglo siguiente, dramaturgos anónimos escribieron farsas populares de gran vivacidad en lenguas mezcladas o nativas. Pero los ejemplos de textos satíricos del siglo XVII que han llegado hasta nosotros parecen más preocupados por el lenguaje en sí mismo, y sobre todo por el extravagante lenguaje literario que estaba de moda. En 1628 ó 1629 Fernando Fernández de Valenzuela (1616-1685?), un seminarista de Bogotá, compuso *Laurea crítica*[19]. Este número corto se burla de varios tipos sociales, que se presentan ante un mandatario para pedirle decretos oficiales. Se da la mayor atención a la figura del crítico, incapaz de hablar con otro estilo que no sea el hinchado de la escuela gongorista. En los parlamentos de este personaje, la sátira se convierte en parodia lingüística, y la obra se convierte en otro de la larga lista de textos partidistas que formaron parte de la gran polémica sobre el tipo de discurso poético de Góngora.

Algunas décadas después, el peruano Juan del Valle y Caviedes (1645?-1697?), conocido por su amplia producción de versos satíricos, compuso tres pie-

[19] El texto está en Arrom y Rivas Sacconi, «La *Laurea crítica*». También aparece en Camacho Guizado *Estudios sobre literatura colombiana, siglos XVI-XVII*.

zas dramáticas cortas: dos bailes, que son números cortos con baile, titulados *El Amor médico* y *El Amor tahúr*, y un entremés titulado *El Amor alcalde*. En cuanto a la forma se asemejan al número corto de Fernández de Valenzuela: en cada uno varios personajes entran y conversan, o cantan, de forma individual ante una figura de la autoridad. En los números cortos de Valle y Caviedes, la figura central es el Amor, transformado en doctor, jugador o magistrado; sus interlocutores son amantes, cuyas vicisitudes amorosas se expresan, de forma apropiada, en enfermedades, azares y transgresiones. La materia prima para estos números cortos es más literaria que social; de lo que se burlan, sobre todo, es de la retórica del amor en sus formas más estilizadas. El Amor es poesía y delirio, y los amantes y sus mentores se enzarzan en un diálogo que alterna entre la densa genialidad y el más puro sinsentido. En los bailes, los personajes entran en una especie de coreografía alocada, una Danza de Tontos. La brillantez verbal se convierte en locura, el dinamismo se hace trastorno mental y la familiaridad con las formas amaneradas del discurso resulta una llamada de alerta ante su absurdo. El joven Fernández de Valenzuela era un escritor de la parodia convencional del exceso barroco, pero el teatro del más maduro y talentoso Valle y Caviedes se puede ver como su apoteosis dramática.

El teatro de Sor Juana Inés de la Cruz (1651?-1695) es el epítome del drama hispanoamericano del siglo XVII en dos sentidos: resume todas las tendencias teatrales significativas y las sitúa en su estado más perfecto. La monja mexicana compuso teatro secular y religioso: tres autos sacramentales, dos comedias, dieciocho loas (cinco de las cuales preceden a sus autos y comedias), dos sainetes (entreactos de una de sus comedias) y un sarao (una pieza corta con canto y baile que sigue a esta misma comedia). Sus mecenas más importantes fueron la Iglesia y el palacio del virrey, y su teatro refleja esta autopromoción, mal disimulada bajo una capa de modestia, deferencia y halagos, que caracteriza la obra de tantos escritores criollos del periodo colonial. Sus modelos literarios fueron peninsulares —en teatro sobre todo Calderón y su escuela— pero, al igual que los mejores escritores coloniales, Sor Juana no se contentaba con imitar; su teatro adquiere un acento propio a través de sutiles diferencias en su punto de vista, su herencia y su inflexión. También es típica la presencia de un elemento satírico en el teatro de Sor Juana, que ofrece un punto de vista crítico refrescante a un talento empleado al servicio de la ortodoxia y la jerarquía del poder.

Cada uno de los tres autos sacramentales de Sor Juana pertenece a una subcategoría del género distinta, que encuentra claros precedentes en Calderón. *El mártir del Sacramento, San Hermenegildo* es alegórico-histórica: trata de cómo San Hermenegildo, un príncipe visigodo de España, fue martirizado, según la tradición católica, por no querer aceptar la comunión de un obispo arriano, el cual se representa en el auto como Apostasía. *El cetro de José* es bíblico-alegórica: cuenta la historia de José y sus hermanos en términos de prefiguraciones de Cristo y la Eucaristía. *El divino Narciso* es mitológico-alegórica: es una alegoría del mito ovidiano de Eco y Narciso. Esta obra apareció en forma *suelta* en 1690 y en el primer volumen de las *Obras* de Sor Juana en 1691; los tres autos se publicaron en el segundo volumen de las *Obras* en 1692.

El divino Narciso ha recibido mucha más atención de los críticos que los otros dos autos de Sor Juana. La razón principal puede ser el alcance atrevido de su estructura alegórica. No hay mucho en el mito clásico que sugiera paralelismos eucarísticos, pero el auto de Sor Juana encuentra posibilidades alegóricas asombrosas. Narciso es Cristo y contempla la cara de la naturaleza humana —su propia cara— en las aguas de Gracia, se enamora de ella y muere, pero se convierte en una figura permanente para la humanidad al tomar la forma de la flor de narciso, es decir, el Cáliz y la Hostia de la eucaristía. Eco es Satanás, que intenta seducir a Narciso / Naturaleza humana pero es rechazado y reducido a la mímica lingüística. Fiel a sus inclinaciones, Sor Juana deja claras las ideas intelectuales subyacentes en su alegoría: siguiendo el precedente de Calderón, declara, al inicio del auto, la armonía sincrética de las letras paganas con las Escrituras. La Naturaleza Humana pregunta a los personajes Sinagoga y Paganismo si quieren unir sus fuerzas a las suyas en la representación del auto; Paganismo aporta el alegórico «manto», Sinagoga la fundamental verdad.

De las dieciocho loas, breves piezas dramáticas alegóricas y laudatorias y, de Sor Juana, la más interesante es quizás la que precede a *El divino Narciso;* añade otra dimensión al pensamiento sincretista que subyace al auto[20]. Acertadamente, se ha llamado a esta loa un auto sacramental en miniatura: es una alegoría de la conquista, que halla paralelismos entre los ritos indígenas y la Eucaristía católica. La loa comienza con un *tocotín* cantado y bailado en presencia de los personajes Occidente y América, monarcas nativos. La ceremonia se celebra en honor del Dios de las Semillas, un ídolo hecho de trigo y sangre, que se come durante una especie de «comunión». Los personajes Celo y Religión, vestidos de españoles, entran y obligan a rendirse a sus adversarios indígenas; Celo (un hombre) usa la fuerza, Religión (una mujer) usa la persuasión. Religión señala la similitud entre adorar al Dios de las Semillas y a la Eucaristía, y se ofrece a explicar en profundidad los misterios de esta última a través de un auto sacramental *(El divino Narciso),* cuya combinación de paganismo (grecorromano) y cristianismo, puede servir como nexo explicativo entre los sistemas de pensamiento y adoración azteca y cristiana. *El divino Narciso* se encuadra, pues, como una obra de teatro dentro de otra; Sor Juana muestra respeto por la tradición del drama evangélico en el Nuevo Mundo, un respeto que no sólo deriva de su eficacia pedagógica, sino de su integridad filosófica —las resonancias de las diferentes culturas y los paralelismos sincréticos que este tipo de teatro puede descubrir.

Sor Juana fue la autora o coautora de dos comedias: *Los empeños de una casa*, cuya primera representación tuvo lugar seguramente en una casa particular en la ciudad de México en 1683, y *Amor es más laberinto,* probablemente representada por primera vez en el palacio del virrey en 1689. Ambas obras son comedias

---

[20] Una traducción al inglés de la loa se encuentra en Sor Juana Inés de la Cruz, *Poems.*

de enredo amoroso de estilo calderoniano. *Los empeños,* toma su título, sus personajes principales —dos damas y tres pretendientes— y la configuración básica de su trama, de *Los empeños de un acaso* de Calderón. *Amor es más laberinto,* cuyos primer y tercer actos están escritos por Sor Juana y el segundo por Juan de Guevara, está basada en la leyenda de Teseo y el Minotauro. Su contenido mitológico, sin embargo, es sólo un pretexto para una comedia de enredo bastante típica, en la que Teseo se ve involucrado en un cortejo a cinco bandas con dos princesas de Creta y sus respectivos pretendientes.

Ambas comedias desarrollan variaciones sobre el tema del amor a través de una serie de complicaciones de la trama: confusión de identidades, intenciones malentendidas, mensajes que nunca llegan. Por supuesto, ambas obras están diseñadas como espectáculos de enredo y son estéticamente convincentes sobre todo por su ingenuidad y diseño intrincado; en *Amor es más laberinto,* el laberinto cretense parece servir como metáfora tanto para el amor como para la obra en sí misma. Tal meta-teatralidad encuentra otras formas de expresión en ambas comedias. Hay momentos en cada una de las dos en los que la ilusión teatral se rompe de una forma que recuerda a Pirandello. Se invierten a propósito los lugares comunes del género, como por ejemplo el personaje de la dama vestida de hombre (el gracioso de *Los empeños* se viste de mujer). Finalmente, la autora misma se entromete sutilmente en la estructura de ambas obras: el famoso soliloquio autobiográfico de Leonor en *Los empeños* parece una mal velada versión de la juventud de Sor Juana, y el parlamento de entrada de Teseo en el Primer Acto de *Amor es más laberinto,* que desarrolla el tema de la superioridad de la nobleza conseguida por la propia persona sobre la heredada, ha sido visto por algunos como una alusión a sí misma que la autora hace ante su auditorio aristocrático.

El segundo sainete de *Los empeños*, que se representa como interludio entre el Segundo y el Tercer Acto, lleva la meta-teatralidad y auto-referencia de la comedia en general a su extremo conceptual. Dos personajes, representando actores, simulan estar descansando entre actos y comentan sobre la obra que se está representando. Resaltan sus defectos, su novedad facilona, la superioridad de obras ya probadas y exitosas de Calderón y de otros dramaturgos peninsulares, y deciden asumir un nuevo papel: pretenderán ser mosqueteros, espectadores en pie en el patio de butacas, y silbar en señal de protesta. Esto, esperan, llevará a que la producción acabe cuanto antes. Su alboroto causa que el supuesto autor de la comedia, Acevedo (tal vez el Francisco de Acevedo de tan mala fortuna que hemos comentado antes), salga conmocionado, y acepte su merecido abucheo. El tono del sainete es juguetón, su humor vivaz, pero con su nada halagüeña mascarada de autores, su dislocación de los espacios representados, su diálogo de la ilusión y la desilusión y el conocimiento sobre el prestigio ya gastado y agobiante de los grandes españoles, parece anunciar el final de una era. El teatro de Sor Juana se sitúa en el borde del final de la convención, la auto-consumación de la forma, mientras que a su vez mantiene un nivel de genio, lirismo e imaginación comparable a los mejores ejemplos del drama del siglo XVII a ambos lados del Atlántico.

[9]

CULTURA VIRREINAL

Asunción Lavrin

El mayor desafío al concepto del universo que hiciera de la humanidad una pieza clave para la explicación de la historia tuvo lugar en el siglo xvi. La naturaleza de las relaciones entre pueblos de todo el mundo dio un nuevo giro cuando los estados europeos se embarcaron en empresas comerciales y colonizadoras sin precedentes en áreas del mundo habitadas por gentes de razas, creencias y organizaciones sociales diferentes. Estas empresas implicaron un intercambio cultural de valores sociales, políticos y religiosos a través de un proceso que nunca fue pacífico y que implicó o bien la imposición de valores por parte de la sociedad dominante, o bien el desplazamiento del grupo más débil. Mientras que los europeos encontraron una resistencia cultural poderosa en India y China donde fueron incapaces de imponer con éxito su cultura, las sociedades indígenas de las Américas se volvieron muy vulnerables tras su derrota militar. España, el principal beneficiario de la primera asignación del recién descubierto hemisferio al Oeste, tenía un interés explícito a través del Tratado de Tordesillas (1493) en duplicar su sociedad y fomentar su religión en estas tierras.

Este objetivo exigía una empresa cultural masiva a largo plazo. La transferencia cultural conllevaba muchos procesos, algunos de los cuales tuvieron lugar de manera simultánea y comenzaron su desarrollo desde los primeros días en los que Cristóbal Colón pisó por primera vez tierra en 1492. Otros se tomaron su tiempo y se desarrollaron mediante el sistema de ensayo y error. Trescientos años de evolución histórica significan que ninguno de los pueblos que se encontraron en las Indias españolas escaparon al cambio y ninguna institución permaneció estática. Las culturas indígenas, mosaico de expresiones y de diferentes niveles de evolución en todo el continente, unas veces cedieron y otras resistieron a la intrusión de los moldes europeos. La ambición española de auto-duplicación chocó con una oposición formidable. La derrota física de los amerindios no significó la destrucción de sus costumbres tradicionales o su visión del mundo ya que a lo largo de todo el periodo colonial los elementos culturales indígenas y españoles se influyeron mutuamente. Además, los elementos demográficos y culturales africanos se introdujeron a mediados del siglo XVI, cuando el comercio de esclavos comenzó a responder a la necesidad de mano de obra para el cultivo intensivo de productos tropicales. El grado alcanzado por cada uno de estos elementos de la población, en el proceso de retener su propia identidad, dependió de las oportunidades que tenían de mantener una independencia relativa los unos de los otros. En áreas geográficas remotas, el mundo indígena fue capaz de conservar muchas de sus características propias. En medio de las ciudades coloniales, la cultura española dejó una huella indeleble. En las zonas circundantes del Caribe y las tierras bajas de Nueva Granada y el Perú, los rasgos culturales africanos dejaron su propia huella dentro de las ciudades y en las zonas rurales donde trabajaban los negros.

El virreinato de nueva España, que fue creado por Antonio de Mendoza en 1535, constituyó el punto final de un periodo de experimentación, en cuanto a esquemas administrativos y colocó al Estado y su burocracia firmemente al frente del destino colonial. El virreinato del Perú, que se instauró por fin en 1548 tras una sangrienta guerra civil entre conquistadores, señaló la supremacía de la Corona y el comienzo de un periodo virreinal que concluyó en 1825 con la derrota final de las últimas tropas españolas en Sudamérica. Durante este periodo se crearon otros dos virreinatos: el de Nueva Granada, que tras el intento de 1717 se volvió a crear en 1739, y el de Buenos Aires, fundado en 1777[1].

A lo largo del extenso periodo virreinal en España y sus colonias, el paisaje cultural experimentó cambios importantes. El Humanismo del Renacimiento del centro de Europa se transformó tras el cisma religioso protestante en una férrea defensa del Catolicismo durante la Contrarreforma tras el final del Concilio de Trento en 1563. Entre mediados del siglo XVI y mediados del XVII se vive el momento culminante de la cultura española, que evolucionó desde las influencias italianas y moriscas hasta convertirse en la expresión de los conflictos internos de la sociedad española y de los creados por sus imperios europeo y americano. En el continente americano, las colonias españolas desarrollaron su propio modo de vida en el siglo XVII, periodo de conceptualismo erudito, sensualidad en las formas y de una atmósfera religiosa emotiva que florecía dentro de una sociedad mercantilista definida por las profundas divisiones de clase. El cambio de la dinastía Habsburgo por la de los Borbones, con la llegada del siglo XVIII, trajo cambios

[1] C. H. Haring, *El imperio español en América,* México, Consejo Nacional para la Cultura y las Artes, 1990; Mark A. Burkholder y Lyman Johnson, *Colonial Latin America* (New York: Oxford University Press, 1990); James Lockhart y Stuart B. Schwartz, *Early Latin America: History of Colonial Spanish America and Brazil* (Cambridge University Press, 1983); Lyle, N. McAlister, *Spain and Portugal in the New World,* 1492-1700 (Minneapolis: University of Minnesota Press, 1984). Para España, ver Antonio Dominguez Ortiz, *The Golden Age of Spain, 1516-1659* (New York: Basic Books, 1971); Stanley G. Payne, *Historia de España,* Ariel, 1988 (Madison: The University of Winsconsin Press, 1973).

importantes que culminaron con las revisiones administrativas y las reorganizaciones del universo intelectual bajo las «luces» de la Ilustración, último capítulo cultural del periodo virreinal.

Tratar de sintetizar las variadas formas de expresión cultural de la Hispanoamérica virreinal, en un espacio tan limitado, sería un fracaso. Por ello nos pareció apropiado privilegiar algunas expresiones artísticas y de pensamiento, como telón de fondo para el ensayo sobre la «alta» cultura que sería tema de otro capítulo en este mismo volumen. Debido a que los españoles del siglo XVI veían las ciudades como centros de cultura, en este ensayo encontraremos otras expresiones culturales como la planificación urbana, la arquitectura y las artes plásticas. De todas ellas, ninguna es tan importante como el lenguaje, ya que es el medio primordial de comunicación humana, el más importante vehículo de ideas y un instrumento político que fue manejado por la Corona y la Iglesia para imponer la cultura hispánica sobre sus nuevos ciudadanos. La calidad de la vida diaria cambió absolutamente para los europeos que se asentaron en las Indias, pero también para las poblaciones aborígenes. El intercambio de animales y plantas, la introducción de nuevas técnicas para la explotación de recursos naturales, los conceptos de comercio y beneficio, las actividades de ocio, los rituales diarios de la vida social, que estudiaremos aquí, son formas de cultura material que dieron significado a la vida y a la historia de la gente colonial.

La religión, la conversión, y los conceptos firmemente sostenidos de imperio moral y político son temas clave en la historia de los primeros doscientos años de vida colonial. Sin embargo, no hubo consenso entre los españoles sobre cómo resolver los problemas éticos que ofrecía el gobierno y los muchos problemas que se encontraron en el proceso de administración de las colonias. Los debates acerca de estos temas fueron elementos críticos de la cultura colonial. Este ensayo reflejará los puntos más importantes del proceso de transferencia cultural e intercambio entre España y las colonias expresados por las figuras notables y sus tendencias intelectuales más importantes sin que exista la pretensión por nuestra parte de agotar ninguno de los temas.

LAS CIUDADES: CENTROS DE LAS ARTES

La cultura española era sobre todo urbana. En las ciudades, los colonos y su descendencia definieron sus objetivos sociales y personales, reafirmaron sus derechos a través del uso de la legislación española, afirmaron su religión y expresaron de forma arquitectónica su propio concepto del mundo. El siglo XVI fue un siglo de fundación de ciudades sin apenas parangón en cualquier otra parte. Mientras dibujaban los planos para las primeras ciudades, los españoles sustituyeron una forma de entender el lugar donde se habita —la indígena— por otra, la europea. En ninguna de estas dos concepciones encontramos homogeneidad. Las ciudades indígenas reflejaban una variedad de culturas. El modelo español tenía raíces históricas muy profundas. Pocos complejos urbanos amerindios sobrevivieron durante mucho tiempo a la conquista. Tenochtitlán fue asolado durante la batalla final entre el conquistador Hernán Cortés y el jefe azteca Cuauhtémoc. Cuzco se fue desmantelando poco a poco para servir de base a una nueva ciudad española. Algunos de los grandes centros urbanos del Perú y las ciudades mayas de Centroamérica habían sido abandonadas antes de la conquista o *se despoblaron* poco después.

Las nuevas ciudades siguieron los cánones artísticos de moda en España a comienzos del siglo XVI. España adoptaba en esos momentos los estilos provenientes de la Italia y la Francia de finales del siglo XV y los adaptaba a la herencia musulmana y románica de la Península. Estilos tales como el gótico tardío, que llega hasta comienzos del XVI, y el plateresco (una decoración que imitaba la labor de los orfebres, o plateros), el mudéjar (versión cristianizada del arte musulmán) y el herreriano (un estilo renacentista sólido y austero, bautizado así por el nombre del arquitecto Juan de Herrera [1539-1597]), dominaron el siglo XVI, e influyeron en el desarrollo de la arquitectura civil, religiosa y privada de las primeras ciudades de las colonias españolas[2].

Los planos de las ciudades del Nuevo Mundo muestran influencias del castro romano, un tipo de ciudad amurallada con calles rectas y una plaza, utilizado durante la época romana y que los Reyes Católicos volvieron a poner de moda al construir la ciudad española de Santa Fe. Las ciudades debían edificarse siguiendo indicaciones exactas de la Península, ya explicadas muy claramente en las instrucciones de 1513 del plan para Panamá (1519) y las instrucciones que se dio a los conquistadores Francisco de Garay para Tierra Firme (lo que es hoy Venezuela) y Hernán Cortés (1485-1547) en 1523. Las *Ordenanzas de Población* que dio Felipe II en 1573 reiteraban las reglas para la fundación de ciudades que ordenaban la elección de sitios y la situación exacta de los edificios emblemáticos. El plano en cuadrícula que se adaptó para planificar las ciudades tenía un centro cívico y religioso y huían de los diseños laberínticos de las ciudades árabes y cristianas medievales. Encontramos excepciones en ciudades mineras como Potosí o Guanajuato que se adaptaron a los contornos del terreno o en ciudades construidas sobre ciudades indígenas previamente existentes, como Cuzco. La planificación central se usó para las ciudades amerindias que se fundaron después de la conquista. Durante el periodo colonial los municipios controlaron el creci-

[2] Algunos manuales generales de arte en Hispanoamérica son: Leopoldo Castedo, *A History of Latin American Art and Architecture: from pre-Columbian times to the Present* (New York, Praeger, 1969); George Kubler y Martín Soria, *Art and Architecture in Spain and Portugal and the American Dominions: 1500-1800* (Baltimore: The Johns Hopkins University Press, 1959) [en español: *La arquitectura del Siglo XVI en México,* México, 1989]; Mario J. Buschiazzo, *Historia de la arquitectura colonial en Iberoamérica* (Buenos Aires, 1961); José de Meza y Teresa Gisbert, *Arquitectura andina, 1530-1830* (La Paz: Embajada de España en Bolivia, 1985); *Summa Artis: historia general del arte* (Madrid: Espasa-Calpe, 1986), vols. 28 y 29, con ensayos de Santiago Sebastián López, José de Mesa y Teresa Gisbert.

miento de las ciudades, la altura de los edificios, la colocación de los mercados, el aprovisionamiento de agua, el mantenimiento de las calles, la recogida de basuras y la canalización de aguas residuales, el movimiento de animales e incluso la forma de celebración de festividades populares y religiosas[3].

Los primeros edificios que se construyeron, ya se tratara de casas privadas, mercados, sedes de gobierno o iglesias, fueron modestas estructuras de madera o adobe con techos de paja. Fueron sustituidos poco a poco por piedra tan pronto como los fondos municipales lo permitieron y los patronos ricos comenzaron a subvencionar los edificios religiosos. Casi todas las casas e iglesias originales del siglo XVI fueron destruidas por terremotos o por el fuego o reemplazadas por estructuras más suntuosas en el siglo XVII. La destrucción en 1541 de la capital de Guatemala fue el primero de una serie de desastres que afectarían la ubicación de esta capital durante dos siglos. La construcción de catedrales como la de Lima y Cuzco se vio afectada por el tiempo que se tardaba en edificarlas así como por los terremotos. En consecuencia, se rediseñaban los planos originales y se introducían muchos cambios a lo largo del tiempo. Lo que ha llegado hasta nuestros días desde el siglo XVI son las sólidas iglesias de los dominicos a manera de fortalezas en la parte central de México, como la del Convento de San Gabriel, Cholula o San Agustín, Acolman; algunas iglesias de mediados del XVI como la de la parroquia de Ozumba, estado de México; y los más sólidos de los edificios domésticos y religiosos construidos a finales del siglo, como la casa Montejo o la catedral de Mérida o la de Santo Domingo.

La arquitectura colonial civil y religiosa fue el resultado de la combinación de diseño europeo con mano de obra indígena. Los arquitectos y artesanos españoles y europeos dibujaron los planos y dieron a la labor el conocimiento técnico necesario para la construcción de nuevas ciudades. Sin embargo, antes del final del siglo XVI, los jefes de obra nacidos en América ya trabajaban en diversas construcciones. La enorme demanda de albañiles, arquitectos y diseñadores en el siglo XVI explica los extensos viajes de muchos arquitectos europeos de reputación. Angelico Medoro, napolitano, visitó Quito a finales del siglo XVI y viajó a Lima en 1600 donde permaneció durante dos décadas. Francisco Becerra, un notable arquitecto español, fue elegido por el virrey de Nueva España Martín Enríquez (1568-1580) para que construyese la catedral de Puebla en 1575. Posteriormente Becerra viajó a Quito, en los primeros años ochenta del siglo, y allí dibujó los planos de las iglesias de Santo Domingo y San Agustín y del coro de la iglesia de San Francisco. Luego viajó al Perú, donde emprendió la construcción de las catedrales de Cuzco y Lima. Cuando murió en Lima en 1605, había pasado veintitrés años de trabajo en el virreinato del Perú.

---

[3] *El proceso de urbanización en América desde sus orígenes hasta nuestros días,* XXXIX Congreso Internacional de Americanistas, Lima, 1972, 2 vols. (Lima: Instituto de Estudios Peruanos, 1972). Algunos ensayos de Woodrow Borah, Jorge Enrique Hardoy, Edwin W. Palm, Graziano Gasparini y otros son útiles como resúmenes y fuentes para el debate actual. Ramón Gutiérrez, *Arquitectura y urbanismo en Iberoamérica* (Madrid: Cátedra, 1983).

La arquitectura cívica nunca rivalizó con la religiosa ni en cuanto a número de edificios ni en cuanto a cantidad de fondos disponibles para construirlos. En las ciudades pequeñas la iglesia solía ser el edificio más importante, por modesto que fuera. Mientras el palacio virreinal de México sufrió varias remodelaciones y fue un edificio imponente, algunas ciudades más pequeñas, por el contrario, no llegaron a ver terminados sus edificios municipales hasta el siglo XVIII. Tal es el caso de Santiago de Chile, donde el edificio de la Audiencia no se terminó de construir hasta 1714, y donde incluso la catedral, construida en el siglo XVII, era un edificio endeble y mal equipado que ya a mediados del siglo XVIII tenía harta necesidad de muchas reformas.

La arquitectura militar se desarrolló entre finales del siglo XVI y finales del XVIII, debido a los múltiples ataques de piratas y corsarios sobre las costas del mar Caribe, en el Este, y del Océano Pacífico, en el Oeste. Los ingenieros militares españoles y europeos dejaron un magnífico legado como muestra de su calidad artística en la Habana, Veracruz, Cartagena, Panamá y Valparaíso. El estilo español de arquitectura doméstica, muy influido por los modelos musulmanes y clásicos romanos, se repitió en el Nuevo Mundo sin miramientos de lugar. La intimidad y el aislamiento imponían la construcción de edificios de una o dos plantas a ras de la calle, con patios interiores donde tenían lugar tanto los tratos con el exterior como el recreo familiar. Los muros, de adobe, piedra o ladrillo, dependiendo del lugar de construcción, eran normalmente muy gruesos y estaban coronados con techos de tejas. Una característica especial inspirada en los gustos mudéjares eran los balcones abiertos o cubiertos en la fachada de las casas.

La Iglesia como mecenas de las artes

La Iglesia fue el mayor mecenas de las artes durante el periodo colonial. Las órdenes religiosas, más que la Iglesia episcopal, se convirtieron en factores clave para la transmisión de los estilos arquitectónicos. Mientras que en los centros urbanos administrativos sólo se construía una catedral, las órdenes religiosas masculinas y femeninas construyeron cientos de iglesias en las ciudades y en los campos que competían en suntuosidad con las catedrales. La consolidación de las poderosas elites en las capitales virreinales y las ciudades de provincias en el siglo XVII fomentó la creación de una extraordinaria cantidad de edificios religiosos y sus artes concomitantes. Las piadosas donaciones de los mercaderes, mineros y grandes terratenientes para la construcción y decoración de iglesias y capillas constituyó el sustento principal del arte religioso. Los escultores y pintores llevaban un séquito de carpinteros maestros, orfebres y doradores encargados de decorar los interiores de los templos.

En los virreinatos de Nueva España y el Perú, un nuevo desarrollo arquitectónico provocado por las necesidades de la Iglesia evangelizadora eran las iglesias al aire libre construidas para albergar a un gran número de conversos o neófitos.

Plazas amuralladas daban cabida a los feligreses, y, sobre uno de los muros se construían altares techados. Este modelo tuvo variaciones tales como las *posas,* altares descubiertos construidos en las cuatro esquinas del patio para servir como lugares de oración en las procesiones. También se construyeron pequeñas capillas en uno de los lados del patio, lo suficientemente grandes para acomodar a los clérigos y a los colonos españoles, mientras que los indios se quedaban de pie fuera. Se construyeron también varias capillas abiertas en la región andina, por ejemplo, en Cuzco y Huamanga (Ayacucho). En Bolivia encontramos ejemplos de atrios, o plazas abiertas, y de *posas*[4].

Las órdenes religiosas, como las de los Franciscanos o los Jesuitas, a menudo se servían de sus propios frailes como diseñadores y artesanos para construir iglesias. Algunos no eran españoles pero provenían de otros estados católicos europeos. Los franciscanos Fray Pedro de Gante y Fray Juan de Alameda se contaron entre los primeros constructores de Nueva España. En 1564 los Franciscanos de Quito trajeron a dos frailes flamencos, Fray Jodoco Ricke y Fray Pedro Gosseal, y al alemán Jácome Germán para ayudar en la construcción de su iglesia principal y el claustro. Estos hombres trajeron consigo influencias importantes ajenas a la española. Tras un destructor terremoto en 1647, los Jesuitas obtuvieron el permiso para traer a carpinteros holandeses y franceses y reconstruir su iglesia en Santiago de Chile. También introdujeron el Barroco italiano en Sudamérica. El plano de la Chiesa di Gesú en Roma, diseñado por Giacomo Barozzi, sirvió como modelo para su Colegio de San Pablo en Lima. Este edificio peruano sirvió más tarde de inspiración para construcciones jesuitas en Chile y Buenos Aires. Los planos de las iglesias jesuitas, enviados a Roma para que se les diese el visto bueno, recibieron los últimos toques allí de arquitectos italianos.

El tema de la mayoría del arte de la época, generalmente religioso, evidencia la profunda influencia de la Iglesia como principal mecenas del periodo. Mientras que el arte inglés y holandés fue sobre todo civil y se proyectó en la vivienda privada y el retrato, el arte colonial latinoamericano fue devoto, y en él predominaron los temas religiosos sobre otros. La influencia de la Iglesia como punto de encuentro cultural para las artes fue incluso más significativa en las áreas periféricas donde era el mecenas más importante de la alta cultura. En Chile, las contribuciones artísticas de los jesuitas entre 1720 y 1776 fueron inigualables. Johan Bitterich, un maestro escultor tirolés requirió ayuda artística de Baviera y un número de jesuitas alemanes del Sur llegaron a Chile en 1723. Siguiendo la costumbre, los jesuitas construyeron sus propias escuelas y templos, dando empleo a artesanos criollos nacidos en América, indios y mulatos. En 1748, Charles Haymbhausen, Profesor de Teología en Concepción y rector del Colegio de San Miguel llevó libros, herramientas y artistas y artesanos jesuitas desde Europa a Santiago para formar a una generación de artesanos. La influencia de estos jesuitas alema-

[4] José de Mesa y Teresa Gisbert, *Iglesias con atrio y posas en Bolivia* (La Paz, 1961); John McAndrew, *The Open-Air Churches of Sixteenth Century Mexico* (Cambridge, Mass.: Harvard University Press, 1965).

nes en la creación de una tradición en Chile es tan importante que su estilo se designa como el barroco jesuita bávaro[5].

Otro ejemplo de influencia eclesiástica en áreas periféricas son las comunidades jesuitas y franciscanas conocidas como reducciones o misiones donde se reunían a los indios para que trabajasen, viviesen y rezasen bajo la dirección de las respectivas órdenes. A pesar de que este tipo de comunidades existió a lo largo de toda Latinoamérica, sólo algunas áreas mostraron un estilo artístico propio. Las más conocidas son las de Paraguay y México noroccidental[6]. Este estilo llegó a su expresión más pura al final del siglo XVII, cuando los edificios de paredes de adobe o piedra y tejados de madera, construidos por los frailes, se terminaron con puertas de madera decoradas por los indios. Los franciscanos construyeron las misiones más conocidas de las distantes provincias de California, Nuevo México y Texas, áreas a las que llegaron después de la expulsión de los jesuitas en 1767. Este es sólo otro ejemplo de las variadas fuentes de inspiración cultural del arte colonial hispanoamericano, y de la importancia de la Iglesia en la creación de una identidad artística en casi todos los lugares del continente.

Los modelos europeos y la creatividad colonial

El tráfico de modelos artísticos entre Europa y las Indias es la característica del arte colonial[7]. Las copias de pinturas, grabados y altares originales europeos ya se estaban realizando en los primeros años veinte del siglo XVI. Se requería a los artistas y maestros españoles, holandeses e italianos, y éstos se convertían en mediadores entre Europa y las Américas, ayudando a mantener un vibrante intercambio cultural entre varios centros de cultura en Europa y las colonias españolas. Las capitales de los virreinos y las Audiencias servían como centros desde donde los artistas y el arte viajaban hacia ciudades provincianas a todo lo largo de Hispanoamérica. Lima y Cuzco ejercieron como centros de influencia artística para Santiago, Alto Perú (Bolivia) y Buenos Aires desde comienzos del siglo XVII. Hacia mediados del XVII Quito y Cuzco se habían convertido en reconocidos centros de arte, que influían sobre el resto de la Sudamérica andina. En Nueva España, la Ciudad de México, el primer núcleo de producción artística, fue acompañada por Puebla en el siglo XVII, debido al colapso artístico temporal que sufrió la capital durante varias décadas tras la devastadora inundación de 1629.

[5] Eugenio Pereira Salas, *Historia del arte en el reino de Chile* (Buenos Aires: Ediciones de la Universidad de Chile, 1965).

[6] Alberto Armani, *Ciudad de Dios y ciudad del Sol: el «Estado» jesuita de los guaraníes (1609-1768)* (México, Fondo de Cultura Económica, 1988); Kurt Baer, *Architecture of the California Missions* (Berkeley: University of California Press, 1958).

[7] George Kubler y Martín Soria, *Art and Architecture in Spain and Portugal, passim* [en español: *La arquitectura del siglo XVI en México,* México, 1989].

En el siglo XVI, los maestros artesanos fundaron gremios para proteger sus intereses económicos y artísticos. Escultores, pintores, doradores y otros competían para conseguir contratos de mecenas privados o religiosos e intentaban controlar las admisiones dentro de su grupo. Los plateros de la Ciudad de México se organizaron tan pronto como 1537, y los gremios de pintores de retablos, doradores y pintores se formaron en 1557. Se requerían aprendizaje y exámenes para convertirse en maestro artesano, y los oficiales electos regulaban el precio de la mano de obra. A pesar de que muchos gremios se crearon principalmente para acomodar las necesidades del arte religioso (doradores, plateros, carpinteros de altar, herreros), otros atendían con los objetos de uso cotidiano, como prendas de piel o coches de caballos. Las regulaciones de los gremios se cambiaban cada vez que era necesario. Las nuevas Ordenanzas, para pintores y doradores se escribieron para México, en 1686, y para Chile en 1776. Estas regulaciones parecían restrictivas y excluyentes, al permitir el acceso sólo a los blancos, pero nunca pudieron ser realizadas ni aplicadas de forma total.

A pesar de las restricciones, los artesanos indígenas y mestizos obtuvieron exenciones o llevaron a cabo su trabajo sin ser molestados por las autoridades. Las órdenes religiosas fueron las primeras en ofrecer un entrenamiento inicial para los artistas indígenas. A mediados del siglo XVI, los frailes franciscanos habían fundado escuelas de artes y oficios que preparaban a los indios en todos los oficios prácticos necesarios para recrear la cultura española. La población indígena mostró una aptitud especial para las artes europeas. Por ejemplo, sobresalieron en música, arte que fue introducido por los frailes por ser un punto atractivo de la conversión religiosa. El Consejo Provincial de Lima de 1583 recomendó que los servicios religiosos se llevasen a cabo con pompa, incluyendo música y canto. A mediados del siglo XVI, todos los profesores de música de Quito eran indios, y sus servicios se demandaban en casi todas las ceremonias religiosas y civiles.

Durante todo el siglo XVI, los artesanos indios y mestizos copiaron los modelos europeos, pero algunos elementos americanos de importancia como imágenes de frutas, árboles y costumbres locales se fueron introduciendo en el arte durante el siglo XVII. Estos artistas producían sobre todo obras religiosas para iglesias, pero también había muchos artesanos que producían arte religioso «popular» para casas y capillas privadas. En las ciudades mexicanas y andinas algunos de los artistas más preciados eran o bien indios o bien mestizos. Quito fue particularmente prolija en artistas indios[8]. En el Quito del siglo XVII, el maestro pintor Antonio Gualoto y el escultor Gabriel Gaullachamin fueron muy solicitados e igual fama alcanzó el mestizo Miguel de Santiago. Jorge de la Cruz y su hijo Francisco Morocho, que posiblemente habían recibido formación en la escuela del flamenco Fray Jodoco, construyeron el coro de la Iglesia de San Francisco en esta ciudad a finales del siglo XVI. También fueron famosos los arquitectos indios Carlos y An-

---

[8] Fray José María Vargas, *Arte quiteño colonial* (Quito: Litografía e Imprenta Romero, 1944), *passim*.

tonio Chaquiri y Manuel, Juan y Diego Criollo. Cuzco fue otra ciudad en la que los pintores indios abundaron. Los más conocidos fueron Diego Quispe Tito (1611-1681) y Basilio Santa Cruz Pumacallao (1661-1699), que dejaron sendas escuelas de seguidores.

En el siglo XVIII, Bernardo de Legarda (muerto en 1773) destacó como maestro tallador en Quito. Manuel Chili, más conocido por su nombre quechua *Capiscara*, esculpió tanto mármol como madera. Otro importante pintor y escultor indígena de la región fue Gaspar Sangurino, conocido como *Iluqi* (zurdo). Vivió a comienzos del siglo XIX y se le conoce por haber sugerido a Simón Bolívar la fundación de la Escuela de Bellas Artes de Quito en 1822, para que la dirigiera Sangurino. Todos estos maestros se inspiraron en las artes españolas, holandesas e italianas, como prueba del constante intercambio entre Europa y América.

El Barroco como un estilo de arte y de vida

En torno al primer cuarto del siglo XVII —es imposible señalar con precisión el inicio de ningún estilo artístico— una nueva visión del mundo, el Barroco, comenzó a desarrollarse a lo largo de Hispanoamérica. Para algunos estudiosos el Barroco no representa un estilo artístico, sino una mentalidad o una visión que dominó la sensibilidad de la cultura colonial en todas sus manifestaciones. Como tal, y a pesar de que en esta sección me referiré al arte, se debe comprender que gran parte de la perspectiva mental del siglo XVII y parte del XVIII, debe ser considerada de idiosincrasia barroca. Citando a Irving Leonard, el término «ha llegado a designar una época histórica y, por consiguiente, un modo de vida»[9]. El Barroco se puede alargar en los campos del arte y la cultura hasta los años cincuenta del siglo XVIII. Los críticos de arte ven un barroco tardío en la primera mitad del XVIII, mientras que los comienzos de una mentalidad renovadora en las ciencias y la enseñanza se pueden encontrar en la mitad del mismo siglo. Las fronteras son borrosas y no precisas en el tránsito de uno a otro periodo.

El Barroco significó una apoteosis y un declive al mismo tiempo. A comienzos del siglo XVII los problemas más graves generados por el descubrimiento y la explotación de recursos, ocupación territorial, administración y evangelización, parecían estar superados. Las estructuras administrativas de las colonias españolas estaban asentadas, y la Corona y la Iglesia ejercían juntas el control. Pero estos logros iban acompañados de un peligroso declive en la población indígena que comenzó en la primera década del siglo XVI en las islas del Caribe y en la década de los treinta de este mismo siglo en las áreas continentales. Este declive no afectó a todas las regiones con la misma intensidad pero el número de nativos alcanzó

[9] Irving A. Leonard, *La época barroca en el México colonial,* México, Fondo de Cultura Económica, 1974, p. viii. Mariano Picón también hace referencia al Barroco de Indias, en la literatura, la enseñanza y la visión general de la cultura. Ver Mariano Picón Salas, *Tres siglos de historia cultural hispanoamericana,* Fondo de Cultura Económica, México.

su punto más bajo entre 1620 y 1650. Tan temprano como la década de los cincuenta del siglo XVI, comenzaron los ataques implacables de los piratas franceses, holandeses e ingleses sobre las vulnerables costas, mientras que los asaltantes portugueses atacaban los asentamientos jesuitas en el río Uruguay. La fabulosa riqueza de las minas de Potosí y Zacatecas fue decreciendo a partir de los años veinte del mismo siglo, y, en el caso de las minas peruanas, este declive de producción fue difícil de superar. La producción mexicana comenzó a recobrarse en los años ochenta del siglo, pero el Perú se quedaba atrás hasta los años veinte del siglo XVIII.

En Europa, la muerte de Felipe II en 1598 marcó el comienzo del declive de España como poder mundial. El papel que el país representó como número uno del catolicismo romano en la Contrarreforma europea forzó a la centralización de su sistema político y vació una gran parte de sus energías económicas. A comienzos del siglo XVIII la nación que una vez fue poderosa era ya una sombra de sus glorias pasadas, abrumada por los tira y afloja políticos internos, las amenazas inglesas y francesas y la pérdida de las provincias holandesas. España consiguió, sin embargo, mantener sus colonias firmemente en su poder, y el Barroco expresó el estilo de vida de sus diferentes territorios. Las grandes fortunas que se consiguieron con el comercio y la minería en los siglos XVII y XVIII crearon una elite acaudalada que poseía con firmeza la mayor parte de las riquezas de las tierras, con una inclinación notable a subvencionar a la Iglesia y al arte religioso. La población indígena comenzó una mejoria demográfica lenta pero sostenida a mediados del siglo XVII que, aunque no compensaba las grandes pérdidas del siglo XVI aseguraba la presencia de las etnias en las colonias. Al mismo tiempo, la creciente población de sangres mezcladas a lo largo del Imperio proporcionó la mano de obra necesaria para sostener la expansión económica que comenzó en los años treinta del siglo XVIII.

Para la Iglesia no existió una amenaza de reforma protestante en Hispanoamérica. En efecto, la contrarreforma tuvo uno de sus bastiones más importantes en la vida espiritual de las colonias, donde su hegemonía oficial era completa. La expansión de la construcción y reconstrucción religiosa a lo largo del siglo XVII fue extraordinaria. Cientos de iglesias, capillas y santuarios se construyeron al expandirse las órdenes religiosas hacia nuevas áreas y la Iglesia seglar servía en las ciudades y algunas de las doctrinas rurales previamente poseídas por las órdenes.

El Barroco de Indias fue sobre todo religioso, exuberante en cuanto a formas y colores, visualmente rico y emocional. Fue una clara expresión de los ciclos de economías regionales y de riqueza familiar, de rivalidad entre miembros de una sociedad y de tensiones entre las exigencias del mundo material y las del espíritu. Además de sus influencias europeas y algunas del este asiático —desarrolladas a través del comercio con Filipinas— el Barroco tenía muchos matices regionales en Hispanoamérica. Era caprichoso y colorista en Nueva España, un virreinato en el que la expansión económica sostenida durante el final del siglo XVII y el XVIII sostenía un desarrollo artístico magnífico. La arquitectura religiosa sudamericana fue más severa en cuanto a su concepción a pesar de ser igualmente densa e imponente. Los enormes edificios del siglo XVII, casi todos religiosos, fueron el emblema del poder de una Iglesia apoyada por el Estado. Durante la época en la que el obispo Manuel de Mollinedo ocupó la sede episcopal en Cuzco (1673-1699), se construyeron en la diócesis más de cincuenta iglesias. Los templos fueron el símbolo del mundo espiritual; pero, aún así, podían expresar lujuria y sensualidad en su representación de temas religiosos.

La forma arquitectónica se desarrolló en figuras extravagantes como columnas salomónicas, *estípites,* elementos que hacían de basamentos inútiles con forma de columna al revés, decoraciones aplicadas que cubrían la mayor parte de las superficies arquitectónicas y complejas cúpulas. Las piedras características de la región, como la lava *tezontle* roja y porosa de México o la piedra de lava blanca de Arequipa (Perú) daba a aquellas ciudades un carácter especial propio. La amenaza de los terremotos obligó a la construcción de muros gruesos, lo que añadía más masa a los edificios de algunas áreas, como América Central y las tierras altas andinas. La escultura y el relieve llegaron a ser parte intrínseca del diseño arquitectónico, que dejaba pocos espacios vacíos en las superficies. La iglesia jesuita de Arequipa y la catedral de Zacatecas son excelentes ejemplos de este *horror vacui*. Los historiadores del arte ven una clara huella de la imaginación indígena en la arquitectura de algunas ciudades andinas como Potosí, Pomata, Julí y Arequipa, que se ha definido como «mestiza» o el producto de la adaptación de los conceptos arquitectónicos europeos con unos fuertes rasgos indígenas en la decoración y significado iconográfico[10]. Por otro lado, algunas áreas, directamente vinculadas con la Península, como Cuba o Venezuela, desarrollaron un Barroco mucho más sobrio[11].

Dentro de las iglesias, el Barroco se expresaba en los retablos, piezas de altar que sostenían figuras sagradas en nichos que contenían una o varias figuras para la adoración de los fieles. Fueron especialmente importantes en el siglo XVII como medio para enseñar y expresar la intensa religiosidad del periodo. Los murales habían tenido este fin en el siglo XVI, pero al pasar el tiempo, el mayor realismo de las obras de talla en madera policromada, con su expresionismo melodramático, se convirtieron en el medio favorito de transmitir el mensaje religioso. Durante el

[10] Los historiadores del arte, Ángel Guido, Harold Wethey, José de Mesa y Teresa Gisbert y Pál Kelemen han utilizado, una y otra vez, el término «arte mestizo». Hoy en día se usa más «barroco andino». Este estilo se desarrolló entre 1690 y 1780. Ver un breve resumen del debate en: *Arte iberoamericano desde la colonización hasta la independencia,* en *Historia general del arte,* Sené Summa Artis, 29 (Madrid, Espasa-Calpe, 1988).

[11] Pál Kelemen ensalza la originalidad del Barroco en Hispanoamérica, mientras que Graziano Gasparini y Erwin W. Palm no aceptan la validez de un «arte mestizo» ni de la existencia de «escuelas» de pintura, sobre todo en el área andina. Consideran que el arte colonial es el pálido reflejo de los centros artísticos europeos, y que carece de verdadera creatividad. Ver Pál Kelemen, *Baroque and Rococo Art in Latin America,* 2 vols., 2.ª ed. (New York: Dover Publications Inc., 1967); Graziano Gasparini y Erwin W. Palm, «La ciudad colonial como centro de irradiación de las escuelas arquitectónicas y pictóricas», en *Actas y Memorias: XXXIX Congreso Internacional de Americanistas,* Lima, 2 vols. (Lima: Instituto de Estudios Peruanos, 1972), II, 373-86 y 387-92.

primer cuarto del siglo XVII, los altares se convirtieron en las piezas centrales de las iglesias, y en ellos trabajaron más escultores y artesanos asociados que pintores. Fue un arquitecto y diseñador de retablos, José Benito Churriguera (1650-1723), quien introdujo un estilo que más tarde llevaría su nombre, y que representaba los extremos de la luz y la sombra, unos movimientos contorsionados y una decoración excesiva conocidos como churrigueresco. Los mejores ejemplos de este estilo se encuentran en México, donde la economía en expansión de la primera mitad del siglo XVIII permitió la construcción de imponentes iglesias en este estilo. El arquitecto más representativo de la época es el español Lorenzo Rodríguez (1704?-1774), que construyó el Sagrario en la Ciudad de México (1749).

La pintura barroca estuvo representada en Hispanoamérica por la escuela de pintura de Cuzco. Con un carácter propio muy especial, servía a los ricos con un gusto más europeo, así como a los menos cultos, en un tono más folclórico. En general la reinterpretación de fuentes europeas por indios y mestizos, sus vírgenes sencillas y arcángeles de tamaño real vestidos con trajes cortesanos coloristas y realizando diferentes labores, incluyendo el arte marcial de tiro eran expresiones únicas del arte local colonial. Los pintores españoles Bartolomé E. Murillo (1618-1682) y Francisco Zurbarán (1598-1669?) influyeron mucho en la pintura religiosa de los centros urbanos de Nueva España y Sudamérica.

El retrato ganó terreno en el siglo XVIII al dominio agobiador del arte religioso, y era especialmente notable en Nueva España. Así el virreinato pudo jactarse de poseer muchos artistas nacidos en México de reconocido prestigio. La familia mexicana Rodríguez Juárez produjo varias generaciones de pintores entre los siglos XVII y XVIII, maestros del arte religioso y profano. Un camino paralelo siguieron José de Ibarra y Miguel Cabrera, que representaron una línea de continuidad en la tradición pictórica que va desde mediados del siglo XVII hasta mediados del XVIII. Cabrera fue el autor de un conocido retrato de Sor Juana Inés de la Cruz y una colección de pinturas del mestizaje, tema que se hizo muy popular en Nueva España en la segunda mitad del siglo XVIII.

Tras el final de la Guerra de Sucesión española (1700-1713), una rama de la dinastía francesa de los Borbones sucedió a los Habsburgo, que habían reinado en España desde la época de Carlos I. Los Borbones inauguraron una nueva etapa en la historia de España y sus colonias. Mientras que los reinados de Felipe V (1700-1746) y Fernando VI (1746-1759) no estuvieron marcados por ningún cambio radical, Carlos III (1759-1788) comenzó una reorganización administrativa considerable de España y sus colonias (1759-1788). Durante el periodo, una renovación intelectual guió el gusto artístico desde los últimos coletazos del churrigueresco hacia un nuevo estilo, el neoclasicismo, que ya estaba totalmente asentado en los años noventa del siglo XVIII. Imitando los modelos arquitectónicos griegos y romanos, el neoclasicismo respondía al deseo de la Ilustración de claridad y racionalidad. Carlos IV (1788-1808) favoreció una clara separación de la Iglesia y el Estado que permitiría la revitalización de los centros urbanos y el fortalecimiento de la arquitectura civil.

El Neoclasicismo estaba sustentado por la Real Academia de Bellas Artes de San Fernando en Madrid que fomentó la creación de otras academias en las Américas y aprobó planes para construcciones arquitectónicas civiles y religiosas en las colonias. En la Ciudad de México se fundó una Real Academia de Bellas Artes en 1785, y otra en Guatemala en 1795. Las catedrales de Bogotá y Potosí, construidas en los últimos años del periodo colonial, se encuentran entre los mejores ejemplos de arquitectura neoclásica.

Como ya había sucedido en siglos anteriores, los maestros europeos fueron piezas básicas para la llegada del Neoclasicismo a las colonias. Por ejemplo, el arquitecto Joaquín Toesca (1745-1799), nacido de padres italianos en Palencia, y discípulo de Francisco Sabatini, se convirtió en el arquitecto real de la corte española en 1760. Nombrado para llevar a cabo la reconstrucción de la ciudad de Guatemala tras el desastroso terremoto de 1773, Toesca en vez de ello fue a Chile, obedeciendo la petición del obispo de Santiago, para hacerse cargo de la reconstrucción de la catedral. Allí pasó el resto de su vida, diseñando y comenzando la construcción de la catedral y el Palacio de la Moneda, que aún hoy es usado como palacio presidencial. El Neoclasicismo se introdujo en México de mano de Gerónimo Antonio Gil, nombrado grabador jefe para la Real Casa de la Moneda en 1778, y promotor de la Academia de Bellas Artes. El nombramiento, en 1790, para la Academia Mexicana, de Manuel Tolsá (1757-1816), un escultor valenciano, que llegó a ser director de arquitectura en 1810, fue el punto de partida de la total aceptación del Neoclasicismo en México. Ciudades como Buenos Aires lo acogieron rápidamente, ya que no habían tenido una tradición barroca importante. Por ello su catedral, comenzada en 1754 y terminada en 1823 es un ejemplo perfecto del Neoclasicismo de influencia francesa. Las guerras de independencia hicieron que la producción artística se bloquease por un breve periodo de tiempo, pero en los años veinte del siglo XIX, la pintura comenzó a revivir con una nueva temática —una nueva apreciación de la naturaleza, los temas patrióticos y a la larga la naciente burguesía— pero ni ésta ni la arquitectura rompieron totalmente con el Neoclasicismo.

LA CONQUISTA: CUESTIONES TEOLÓGICAS Y FILOSÓFICAS

El siglo XVI fue un siglo de controversias intelectuales en España. El florecimiento esperanzado del Humanismo en las primeras décadas se había enfrentado al conservadurismo religioso resultante de la conquista de los territorios bajo el mando del último de los reinos musulmanes, y el deseo de conseguir la unidad de la fe en la Península. El descubrimiento del Nuevo Mundo traería a debate un nuevo elemento al plantear la duda sobre la racionalidad de los indígenas, su potencial para la conversión y el derecho a establecer la soberanía sobre ellos.

La justificación de un imperio

El problema del derecho de España a dominar las nuevas tierras descubiertas también estaba bajo escrutinio. En la bula *Inter Caetera* (1493), el papa Alejandro VI invocó su autoridad concedida por Dios para dividir el mundo y otorgó la tarea de difundir el Cristianismo a los Reyes Católicos españoles. Algunos años después esta autorización comenzó a ser cuestionada por algunos teólogos que buscaban una mejor definición del término autoridad. El debate creado por la definición de la autoridad física y espiritual sobre las tierras y las gentes recién descubiertas, se convirtió en una de las preocupaciones filosóficas principales del siglo XVI. Las órdenes religiosas se vieron íntimamente involucradas en la definición de líneas directrices políticas y filosóficas. Los dominicos discutieron sobre las bases de la dominación política y los derechos de los nuevos sujetos, mientras que los franciscanos heredaron los visionarios deseos del humanista por excelencia del Renacimiento, Erasmo (1466-1536) y de Tomás Moro (1478-1535). Erasmo que predicaba una vuelta a los principios cristianos dentro del marco del conocimiento clásico y patrístico, tenía numerosos lectores y seguidores en España. Pero la defensa erasmista de la autoridad de la Biblia se convirtió en sospechosa cuando el protestantismo arraigó en Europa y sus escritos se prohibieron sistemáticamente en España y sus posesiones. Sin embargo, antes de que esto sucediera, el núcleo de sus ideas había sido adoptado por hombres como Fray Juan de Zumárraga, primer obispo de México y escritor de un libro de adoctrinamiento *(Doctrina Christiana,* 1543-1544) para los súbditos indios. En 1559 esta obra fue censurada por el arzobispo de México porque contenía afirmaciones teológicas de ortodoxia dudosa.

Tomás Moro influyó de forma más tangible en el Nuevo Mundo. Quien intentó seguir el modelo de la *Utopía* en México fue Vasco de Quiroga (1470?-1565), miembro de la segunda Audiencia y primer obispo de Michoacán. En 1530, Quiroga era un abogado de sesenta años, y la Corona requirió sus servicios en México. Después de haber ayudado a restaurar el orden en la capital mexicana, fundó el pueblo-hospital de Santa Fe, como experimento social. Era un lugar en el que los indios se evangelizaban y recibían formación en diferentes oficios. En 1533 introdujo un sistema similar entre los indios tarascanos, fundando varias ciudades, cada una especializada en una labor diferente o un tipo de cosecha. En 1535 Fray Juan de Zumárraga lo propuso para el obispado de Michoacán, y tras recibir las órdenes sagradas, fue consagrado en 1539. Allí fundó escuelas para niños y niñas y un hospital[12]. Éste fue el más exitoso experimento social planificado en el Nuevo Mundo. La separación de los indios y los españoles en dos repúblicas, un concepto sociopolítico subyacente en muchas de las políticas de la Corona y los de-

---

[12] Fintan B. Warren, *Vasco de Quiroga and his Pueblo-Hospitals of Santa Fe* (Washington: Academy of American Franciscan History, 1963).

seos de la Iglesia nunca se haría realidad excepto en comunidades prediseñadas como los pueblo-hospitales. Hasta cierto punto el éxito de Quiroga sirvió como modelo para el confinamiento de los indios en pueblos especiales, en el último cuarto del siglo xvi, pero por razones demográficas y de mano de obra que no se encontraban en los planes de Quiroga. Los pueblo-hospitales secundaban las razones de aquellos que creían en la perfectibilidad y racionalidad de los indios, pero también demostraban la capacidad del colonizador para rediseñar las características de la vida indígena.

Los debates teológicos que tuvieron lugar en la primera mitad del siglo xvi entre los dominicos y sus oponentes tenían un objetivo político importante: la justificación de la soberanía española sobre los indígenas. Casi ninguno de los hombres que participaron en estas polémicas había vivido en las Indias. Pero el peso de los argumentos que se discutían no tenía nada que ver con la realidad. Eran un ensayo de los principios enraizados en las tradiciones filosóficas europeas contra la necesidad política de justificar el poder. La clave de la discusión era si los indios debían considerarse «hombres naturales», incapaces de asimilar la vida civilizada y por ello aceptar que estaban mejor bajo el dominio de gentes más civilizadas. Este argumento se apoyaba en la presunción aristotélica de que algunas gentes eran «por naturaleza» esclavos[13]. Así, la colonización española se podía justificar por la naturaleza de los propios indios, más que por el dictamen de una autoridad humana. Tomás de Aquino había perfeccionado la teoría del esclavo natural y en 1513 Juan López de Palacios Rubios la usó para hacer una justificación de la conquista basada en la barbarie indígena. Para justificar las guerras que se libraron contra los grupos indígenas resistentes, en 1526 se ordenó a todos los conquistadores que hicieran una llamada a los indígenas para que aceptaran la soberanía española. Esta fórmula, conocida como el *requerimiento,* daba a la ocupación española un barniz de legalidad, pero como un recurso muy abusado durante las primeras décadas de la conquista, despertó la indignación en la consciencia de varios teólogos influyentes.

El primer conjunto de leyes que regularon la relación entre indios y españoles surgió de los teólogos dominicos de Burgos (1512). Asumía que los indios eran perezosos e inmotivados, pero esta presunción se matizaba por el deseo de imponer orden en los nuevos asentamientos y establecer algo de paz y respeto hacia los indígenas que condujera a su conversión. Esta legislación se había promovido por la excomunión en 1511 de los colonos de La Española por el dominico Fray Alonso de Montesinos, que reclamaba para los indios la posición de sujetos libres de la Corona y se oponía a los malos tratos físicos que recibían. El descubrimiento de México y el Perú cambió el debate filosófico y teológico. Las complejidades de las sociedades incaica y azteca destruyeron las bases que llevaban a asumir que los indios eran salvajes dispuestos para la servidumbre.

[13] Ver Antony Pagden, *The Fall of Natural Man* (Cambridge University Press, 1982); Silvio Zavala, *Filosofía de la conquista* (México: Fondo de Cultura Económica, 1984).

Francisco de Vitoria: reto y acomodación

Les tocó a los dominicos de la escuela de Salamanca, Fray Francisco de Vitoria (1486-1546) y Fray Domingo de Soto (1494-1560), sacudir la arrogante autoconfianza intelectual de los conquistadores y los primeros colonizadores, cuestionando no sólo las deformadas premisas del requerimiento, sino también la asunción de autoridad papal y real para determinar el destino de otros pueblos. Entre 1532 y 1539 Vitoria desarrolló un importante cuerpo de pensamiento sobre el derecho de los españoles a gobernar y evangelizar. Vitoria usaba una lógica aplastante para sus argumentos, basando sus presunciones en las reglas tomistas de las leyes naturales y el consenso alcanzado por la comunidad humana sobre lo que es verdadero y ético. Para resolver la controversia ética más importante de su época, destruyó antiguas presunciones para construir sólo aquellas que resultaban aceptables para él como cristiano. Se tenía que establecer un vínculo entre el pasado y el presente de tal forma que, sin negar la existencia de la nueva realidad, la pudiera acomodar dentro de unos patrones de pensamiento ya aceptados. Vitoria puso en prueba el que los indios fuesen salvajes explicando su civilización. Tenían ciudades y leyes, comercio y religión, pero, según él, no habían llegado a un nivel de desarrollo satisfactorio en cuanto a legislación y a vida social. Tomando a los aztecas como ejemplo, aceptó que su religión estaba llena de prácticas tales como el canibalismo que se oponían a las leyes naturales. Su falta de sofisticación en ciertos aspectos de desarrollo técnico, como la metalurgia, el no haber descubierto la rueda, la perceptible imperfección de su escritura —o su total falta de ella— sembraba dudas sobre si habían llegado a un verdadero estado de civilización. Tenían, sin embargo, el potencial para llegar a mayores niveles de desarrollo. Gracias a la vida con los europeos y a la conversión al Cristianismo, los indios, como los campesinos, realizarían su potencial más alto. Los españoles tenían, por lo tanto, el derecho de ejercer el *imperium* sobre los indios por su propio beneficio.

Destruyendo todos los argumentos usados en el momento, Vitoria intentó establecer un principio legal aceptable para todo el mundo. Era el principio de libertad de acceso. Españoles e indios disfrutarían de libertad para viajar, para comerciar y para predicar. Los indios respetarían la libertad de los españoles y los españoles la suya. Sin embargo, los indios no podrían predicar su propia fe. Vitoria era un fraile católico romano en tiempos difíciles, y la palabra de Cristo no admitía enfrentamientos. Los españoles predicarían pacíficamente. Además, Vitoria daba a los españoles el derecho exclusivo de predicar el evangelio, por la autoridad concedida por el Papa, admisible en este caso pero sólo para este fin. Se protegería de cualquier hostilidad a los indios cristianizados, pero su agresión sería respondida.

Vitoria socavó la afirmación de la autoridad universal del Papa y de la donación papal, pero no quitó los fundamentos de la ocupación, aunque la humanizó y la cristianizó. Vitoria ilustra el dilema que se planteaba a los humanistas cristianos de comienzos del siglo XVI cuando encontraban el desarrollo del uso de fuerza contra pueblos que no formaban parte de su universo mental previo y que nunca se habían expuesto al Cristianismo. Esta duda ética se resolvió recurriendo al predicar para convertir. Las implicaciones prácticas del pensamiento de Vitoria eran limitadas. Para el momento en el que le sacó brillo a sus ideas y las publicó, la conquista efectiva de los lugares más importantes del Nuevo Mundo ya se había llevado a cabo. Su influencia fue sólo intelectual. Entre sus seguidores están Alonso de la Vera Cruz (1507-1584), el primer profesor de filosofía de Nueva España, Bartolomé de Ledesma (muerto en 1604), que fue al Perú, y Tomás de Torre, que vivió en Guatemala. Estos hombres ayudaron a limar las asperezas en el encuentro hispano-indígena.

Otras voces: la controversia Sepúlveda-Las Casas

La escuela dominicana tuvo su exponente más versátil y vivaz en Fray Bartolomé de las Casas, que poco a poco desarrolló sus ideas como laico y como miembro de la orden al hacer los votos religiosos en 1522 [14]. De naturaleza intensamente combativa y religiosa, Las Casas practicó lo que predicó e intentó una conquista pacífica en Chiapas (a la que entonces se llegaba a través de Guatemala), a pesar de que pasó la mayor parte de su vida viajando y discutiendo sobre sus ideas como hombre de letras en busca de una sociedad utópica. *De unico vocationis modo* (1537), escrita en la época en la que Vitoria retocaba el final de su obra de entendimiento intelectual de la conquista, pedía una conversión sin violencia, a través de la persuasión y los buenos ejemplos. Como Vitoria, Las Casas nunca se planteó el derecho de los indios a defenderse por sí mismos. El principio de los derechos naturales, que pertenecía a cada individuo como tal y a todas las personas que viviesen en sociedades organizadas, era la espina dorsal de las ideas de Vitoria y Las Casas. El derecho natural otorgaba a los indios la posibilidad de elegir en libertad el convertirse en sujetos de la Corona española o convertirse a la cristiandad. Nunca hubo asomo de duda para Las Casas de que los indios lo harían. Dios había diseñado un plan universal y la historia lo estaba desarrollando. Los que seguían creyendo que la donación papal era un derecho vigente y estaban dispuestos a justificar una guerra como medio para imponer el dominio político y así extender el Cristianismo no cuestionaban el papel de España. Quien expresó mejor esta visión fue Juan Ginés de Sepúlveda (1474-1557) un hombre viajero, versado en Aristóteles y preceptor del príncipe Felipe (más tarde Felipe II). En la década de los treinta del siglo XVI, Sepúlveda desarrolló una teoría que justificaba la guerra para lograr la conversión religiosa en su *Democrates primus,* que más tarde amplió para tratar el caso específico del Nuevo Mundo, en su *Democrates*

[14] Juan Friede y Benjamin Keen, eds., *Bartolomé de las Casas in History: Toward an understanding of the man and his work* (DeKalb: Northern Illinois University Press, 1971).

secundus (1544). Los indios habían cometido crímenes contra la naturaleza, como la esclavitud y el sometimiento, que merecían un castigo. Se consideraba al indio un «esclavo natural» aristotélico, un ser sin libertad para actuar de forma individual. Debido a su distorsionada descripción de las sociedades indígenas con sus innumerables deficiencias sociales y personales, logró que los intelectuales de la escuela de Salamanca se encolerizasen ante él, sobre todo, Fray Bartolomé de las Casas. Hubo una vista oral del enfrentamiento entre Sepúlveda y Las Casas en Valladolid en 1550 ante miembros del Consejo de Indias y varios teólogos que escucharon la discusión de ambos hombres por petición de Carlos I (V) de España. Los argumentos de Las Casas intentaban demostrar que las sociedades indígenas satisfacían la idea aristotélica de civilización. Los gobiernos seguían sus propias leyes y costumbres, pero no se les podía culpar por que fuesen diferentes de las europeas. Los indios estaban simplemente en otro nivel de desarrollo respecto a otros pueblos. Mientras redimía a los indios del estigma de inferioridad, sus argumentos no les eximía de estar en una etapa de «crecimiento», igual que si fueran niños. El pensamiento de Las Casas prevaleció pero en la práctica el suyo fue un triunfo intelectual que cambió poco[15].

La controversia Sepúlveda-Las Casas constituyó el dilema moral y legal del que se ocuparon las mejores mentes del siglo XVI, y los límites de cualquier disputa intelectual del momento. En 1542 la Corona publicó las *Nuevas Leyes* que restringían la posesión de *encomiendas,* y el derecho de los propietarios de aquellos títulos a exigir un tributo a los indios. Pero las *Nuevas Leyes* no se pusieron en práctica de forma inmediata en el Nuevo Mundo. Después de algún tiempo, se aplicó una versión expurgada de esta ley que protegía a los encomenderos durante dos generaciones. A finales del siglo XVI las realidades demográficas y económicas de las áreas colonizadas habían cambiado lo suficiente para que el debate resultara pasado de moda. Durante el último cuarto del siglo muchas ordenanzas reales eliminaron la palabra «guerra» y forzaron al asentamiento y la coexistencia pacífica. Sin embargo, estos fueron los mismos años en los que se vio el desmantelamiento efectivo de la organización social y política incaica en el Perú, el comienzo de la disminución de la influencia de las órdenes regulares en la definición de las políticas sociales y el ascendiente de las fórmulas peninsulares en la administración de las colonias y la ejecución de la ley.

Felipe II no tuvo ninguna de las dudas éticas que habían atormentado a su padre Carlos V, y adoptó una política de centralización real directa que eliminó los restos de cualquier tipo de libertad de interpretación entre los miembros de la Iglesia. En el Perú, el virrey Francisco de Toledo (1515-1582) representó la reacción contra el amplio humanismo de los primeros frailes, el espíritu de la Contra-

[15] Lewis Hanke, *La humanidad es una. Estudio sobre la disputa entre Bartolomé de las Casas y Juan Ginés de Sepúlveda en 1550 sobre la capacidad intelectual y religiosa de los indios americanos,* México, Fondo de Cultura Económica, 1985; y Manuel Jiménez Fernández, *Bartolomé de las Casas, 1474-1566. Bibliografía crítica* (Santiago: Fondo Histórico y Bibliográfico José Toribio Medina, 1953).

rreforma y un nuevo tipo de militancia en la imposición de una nueva forma de ver el mundo. Entre 1570 y 1572, Toledo recogió *Informaciones* entre los indios para probar que los incas habían tiranizado a sus gentes y no habían sido señores naturales para ellos. Mientras la inmediatez de la Conquista se alejaba con el paso del tiempo, los historiadores y abogados fortalecieron la visión del justo título de España sobre el Nuevo Mundo y su deber y misión de elevar a los indios de su condición.

Post scriptum a los debates del siglo xvi

En el siglo xvii España se tuvo que enfrentar a varios países en alta mar y sus esperanzas de restaurar la anterior unidad de la Iglesia Católica Romana se hizo añicos para siempre. Después de perder terreno a favor de los holandeses en los Países Bajos, España perdió también su derecho a la posesión de la Corona portuguesa. Pero la ruptura visible de la escena europea y, por tanto, de la razón de ser de España en Europa no enturbió la consolidación de sus dominios en las Américas. El siglo xvii produjo los estudios forenses más sólidos del periodo colonial, reafirmando la soberanía de España y su justo título sobre la porción de Nuevo Mundo que había conseguido ocupar. Los estudios eruditos sobre contratos, tasaciones y procedimiento jurídicos sugieren una mentalidad concentrada en la definición final de las estructuras políticas, económicas y sociales. Estos rasgos caracterizan a las mejores mentes dedicadas al derecho de este periodo, incluyendo a su primer representante, Juan de Matienzo (1520-1579) autor de *Del Gobierno del Perú* (escrito en la década de los sesenta del siglo xvi), y los eruditos barrocos de mediados del siglo xvii, Antonio de León Pinelo (1590-1660), autor del *Tratado de las confirmaciones reales de encomienda y casos en que se requieran para las Indias Occidentales* (1630) y Juan de Solórzano Pereira (1575-1655) autor de *La Política indiana* (1629, 1639) y colaborador junto a Pinelo en la masiva compilación legal conocida como la *Recopilación de las Leyes de Indias* (1680). La *Recopilación* coronaba el movimiento hacia la consolidación de las leyes y representaba la sistematización de una literatura forense que se había comenzado a desarrollar desde finales del siglo xvi. La discusión sobre los derechos de los indios seguía ocupando un lugar importante, a pesar de que afirmaba rotundamente el derecho español sobre sus posesiones. Matienzo y Solórzano examinaron la cuestión de la libertad individual de los nuevos súbditos de la Corona: Matienzo reafirmó la poca preparación de los indígenas para autogobernarse y Solórzano dijo que sin que importase su nivel cultural, merecían ser gobernados con justicia. Sin embargo, ninguno de los dos sentía mucho respeto por los indígenas, aunque Solórzano podía meditar sobre la materia con la ventaja del tiempo. Por su parte, Antonio de León Pinelo era un defensor abierto de los derechos españoles y rechazó todas las teorías sobre las capacidades de los incas o los aztecas. La autojustificación ganó la batalla final en un debate que tardó más de 150 años en solucionarse.

LA CONVERSIÓN Y LA VIDA RELIGIOSA EN EL ENTORNO COLONIAL

La conversión de los habitantes del Nuevo Mundo al catolicismo apostólico romano fue uno de los fines explícitos de la «conquista espiritual» y uno de los objetivos culturales más ambiciosos y controvertidos de la historia colonial[16]. La yuxtaposición de estos fines espirituales con los objetivos materiales de los colonos creó contradicciones en la teoría y en la práctica que aún se debaten en la actualidad.

La tarea evangelizadora no se llevó a cabo con el mismo fervor y cuidado en todos los puntos del continente. El periodo antillano de la conquista, por ejemplo, se ha caracterizado por la falta de influencia eclesiástica. A pesar de condenas tan fuertes como la de Fray Antonio de Montesinos (muerto en 1515) contra los abusos cometidos por los españoles en La Española, la Iglesia estaba mal preparada para diseñar un esfuerzo de conversión efectivo durante la primera década del siglo XVI, ya que estaba inmersa en una tarea similar con los musulmanes en Granada. La conquista de Tenochtitlán en 1521 dio lugar al primer intento serio de conversión de los habitantes del Nuevo Mundo en expansión.

Nueva España tuvo la fortuna de recibir un contingente importante de frailes franciscanos inteligentes y ejemplares que llevaron a cabo un proceso amedrentador de adoctrinamiento de los indios al Cristianismo. El Perú, inmerso en una guerra civil durante años, vivió una experiencia menos favorable. Allí, la tarea de conversión se llevó a cabo de una forma mucho menos metódica y sin el celo educativo llevado a cabo en México. Incluso en las mejores circunstancias, la conversión fue un proceso doloroso y molesto para las dos partes involucradas. El celo podía conducir a la ofuscación. El juicio por idolatría contra el cacique don Carlos en 1539, bajo la inquisición de Fray Juan de Zumárraga (1468-1548), que terminó con su ejecución, fue muy criticado por la Corona. Zumárraga, pese a su vinculación con el Humanismo renacentista, favoreció como primer inquisidor episcopal de México la inclusión de los indios dentro de la jurisdicción de la Inquisición. La persecución sin piedad que llevó a cabo el obispo Diego de Landa, contra los «infieles» mayas en Yucatán, fue también un incidente deplorable por el que tuvo que rendir cuentas a España[17]. Las campañas personales que llevaron a cabo estos dos personajes contra la idolatría, y que no fueron secundadas por otros hombres que compartían con ellos el hábito, son una evidencia de la natura-

[16] Ver el clásico de Robert Ricard, *La conquista espiritual de México* (México: Editorial Jus, 1947).

[17] Richard E. Greenleaf, *Inquisición y sociedad en el México colonial* (Madrid: José Porrúa Turanzas, 1985); *La Inquisición en Nueva España: siglo XVI*, Fondo de Cultura Económica; Inga Clendinnen, *Ambivalent Conquests: Maya and Spaniard in Yucatan, 1517-1570* (Cambridge University Press, 1987).

leza no negociable de la conversión cristiana que llevaron a cabo los evangelizadores a comienzos del siglo XVI. La aceptación del Cristianismo era una condición *sine qua non* del asentamiento español en el Nuevo Mundo, y la investigación sobre la idolatría se extendió en el siglo XVII.

Inculcar las creencias cristianas ortodoxas entre la población indígena no fue una tarea fácil dados los enormes obstáculos en la comunicación y las dificultades para comprender las visiones cosmológicas de la parte contraria. La destrucción de los símbolos de las religiones existentes se acompañó de conversiones en masa, en un proceso inicial de cristianización cruda llevado a cabo por hombres tales como Fray Toribio Benavente *(Motolinía,* 1499?-1569), que creían en estos métodos. Otros, tales como Fray Bartolomé de las Casas (1474-1566) se opusieron a los bautismos en masa y fueron partidarios de la idea de que la cristianización requería un proceso de adoctrinamiento. Hacia finales de la década de los treinta del siglo XVI las autoridades eclesiásticas regulares y la recién nombrada autoridad episcopal de Nueva España comenzaron a perfeccionar el proceso de conversión a través de la educación de los niños y el adoctrinamiento de los neófitos mediante la enseñanza de los artículos de fe cristiana.

Es casi imposible determinar cómo vivieron los indios este proceso de conversión y asimilación de la cristiandad, ya que la mayoría de los testimonios que han llegado hasta hoy vienen de los conquistadores o de los indios cristianizados. Bajo la dirección de los miembros de varias órdenes regulares importantes, la conversión pareció progresar rápidamente en la segunda mitad del siglo XVI, incorporando de la manera más fácil a los nacidos en ese periodo y a los que se encontraban más cerca de los centros de adoctrinamiento, las *reducciones.* Se trataba de ciudades de nueva construcción o antiguas que se usaban como centros para reunir a varias comunidades en un lugar. Los frailes de varias órdenes se hicieron populares entre las diferentes comunidades rurales que se opusieron a su sustitución por curas seglares, por orden de la Corona, después del Concilio de Trento (1545-1563)[18].

EVANGELIZACIÓN, APRENDIZAJE Y SINCRETISMO RELIGIOSO

La evangelización fue acompañada de un proceso de informarse sobre los indígenas que llevaron a cabo diferentes individuos y por diversas razones. El fraile dominico, Diego Durán (1537-1588) recopiló una historia de los aztecas, pero el franciscano Fray Bernardino de Sahagún (1500?-1590) le ganó en fama por recopilar una gran cantidad de información sobre los aztecas a lo largo de varias décadas que no tuvo rival en ningún otro lugar. Su obra, *Historia general de las cosas*

[18] Los frailes pertenecían a órdenes que vivían bajo una regla *(regula).* Los curas seglares eran miembros de la Iglesia que normalmente administraban los sacramentos del bautismo, matrimonio y extremaunción. En lo más alto de su jerarquía se hallaba el Papa, y ella comprendía cardenales, arzobispos y obispos a cargo de unidades administrativas específicas.

de Nueva España cubría todos los aspectos de la vida diaria y las creencias, la organización política y social, la tecnología y el conocimiento científico. Sahagún y su compañero Fray Andrés de Olmos (c.1491-c.1571), otro temprano estudioso de la cultura azteca, basaron su obra en fuentes orales y las complementaron con ilustraciones que constituyeron una de las primeras fuentes de historia visual, resultado del encuentro entre dos culturas[19]. El obispo de Yucatán, Diego de Landa (1524-1579), escribió la única fuente sobre los mayas que se puede encontrar hoy *(Relación de las cosas de Yucatán),* un pobre sustituto de los innumerables códices que quemó en 1562 para destruir estas fuentes de superstición.

En el Perú, Pedro Cieza de León (1518?-1569) en sus *Crónicas del Perú*, satisfizo su propia curiosidad sobre los incas dando lugar a una de las mejores descripciones de su civilización. Más tarde, en 1559, Polo de Ondegardo, un funcionario real de Cuzco fue el primero en llevar a cabo una encuesta sobre las creencias indígenas. Los resultados se publicaron primero en 1585 en *Instrucción contra las ceremonias y ritos que usan los indios...* y en el *Tratado y averiguación sobre los errores y supersticiones de los indios.* El conocimiento sobre la cultura ajena no contribuyó necesariamente al entendimiento mutuo en estas tempranas fechas. De hecho, obras como la de Polo de Ondegardo tenían el propósito de demostrar la crueldad del dominio indígena. Debido a la resistencia inca al asentamiento español bajo el liderazgo de Titu Cusi Yupanqui y de Tupac Amaru, el virrey Francisco de Toledo (1515-1582) comenzó un profundo programa de «hispanización» que puso punto final al proceso de conocimiento mutuo.

A pesar del monopolio de creencias que disfrutó y puso en práctica el catolicismo romano, la efectividad del proceso de cristianización siguió siendo dudosa. Tras la muerte de la primera generación de misioneros y una vez que la Iglesia seglar echó raíces en el Nuevo Mundo, la fuerza interior de la tarea de evangelización entró en declive, excepto en las áreas fronterizas como el norte de Nueva España y el Paraguay, donde las misiones, bajo la dirección de las órdenes regulares, continuaron su trabajo. En el momento exacto en el que la Iglesia comenzó a confiar en que el catolicismo romano era aceptado por los indios, llegaron noticias de cultos «paganos» en las áreas fronterizas y en diócesis ya establecidas, de modo que esa certeza se derrumbó. En 1608 un cura de Cuzco descubrió el culto de un *waka* (un lugar sagrado o dios andino) durante la fiesta de la Asunción. Las campañas para borrar estas actividades (llamadas *extirpaciones)* se llevaron a cabo en áreas clave del Perú, América Central y Nueva España en el medio siglo siguiente[20]. Incluso dentro de la ortodoxia algunas formas de adoración católica se

[19] Munro S. Edmonson (ed.), *Sixteenth century Mexico: The work of Sahagún* (Albuquerque: University of New Mexico Press, 1974).

[20] Fray Pablo José de Arriaga, *Extirpación de la idolatría en el Perú,* Lima, 1621; Francisco de Ávila, «Tratado y relación de los errores, falsos dioses y otras supersticiones y ritos diabólicos en que vivían los indios de las provincias de Huarochirí en tiempos antiguos...», en *Dioses y hombres de Huarochirí* (tradución de José M.ª Arguedas), México, Siglo XXI, 1975; Hernando Ruiz de Alarcón, *Tratado de las supersticiones y costumbres gentilicias que hoy viven entre los indios naturales de es-*

mantuvieron cerca de fuentes indígenas. Por ejemplo, el Señor de Huanca en Calca (Cuzco) y la virgen de Guadalupe en México, «habían aparecido» a los creyentes indios, en lugares de culto pre-hispánicos.

Los mismos españoles llegaron al Nuevo Mundo cargados de hagiografías y tradiciones religiosas que les permitieron ver símbolos misteriosos y milagrosos a todo lo largo de la conquista. Las crónicas de la conquista y las historias sobre la colonización, contadas por participantes e historiadores, repiten historias de apariciones divinas de Santiago, la Virgen María y los Santos, milagros en los que se aprendía una lengua de forma instantánea, conversiones repentinas de los paganos, y experiencias similares. España tenía su propia tradición de artes oscuras y ocultas que se importaron al Nuevo Mundo y uniéndose a las creencias africanas e indígenas crearon una capa clandestina de cultura popular que se conservó en los registros eclesiásticos durante el periodo colonial. Una parte de la tarea de la Inquisición fue examinar cualquier tipo de creencia que pudiera amenazar a la ortodoxia cristiana por enfrentarse a los sacramentos. Los que practicaron, o fueron acusados de practicar, tales artes eran miembros de todos los grupos étnicos[21].

El catolicismo de la Contrarreforma acabó siendo intolerante con las prácticas sincréticas, pero fue incapaz de deshacerse de ellas. Los informes eclesiásticos del siglo XVII sobre prácticas ocultas no ortodoxas expresan disgusto ante el obstinado rechazo a ver la verdad del Cristianismo. Los deseos que tuvieron los primeros evangelizadores de ver la bondad y la nobleza de la población indígena se vio reemplazada por una mentalidad más dura en el siglo XVII que no aceptaba ninguna desviación del dogma. Incluso los estudiosos de la cultura indígena del siglo XVIII, como Francisco Javier Clavijero (1731-1787) mostraron ambivalencia al juzgar las prácticas religiosas de las culturas precolombinas y aunque su análisis alcanzó un nivel aceptable de entendimiento, no excluyó la condena[22]. El problema residía en el limitado número de clérigos disponible para las áreas más alejadas, en el descuido de su rebaño y en el hecho de que la traducción de la doctrina permitía muchos errores que perpetuaban los problemas de entendimiento entre los indígenas.

Los problemas del sincretismo religioso y la debilidad de la ortodoxia deben ser contestados con la mención de los mecanismos culturales y sociales que hicieron más fácil la transición hacia un nuevo conjunto de creencias. Las hermandades involucraron a los legos en la adoración religiosa en términos familiares, reuniendo a gentes de la misma etnia, o que tuvieran el mismo empleo, que vivie-

---

ta Nueva España (comentarios de F. Paso Troncoso), México, Fuente Cultural de la Librería Navarro, 1953.

[21] Solange Alberro, *Inquisición y sociedad en México, 1571-1700* (México: Fondo de Cultura Económica, 1988); José Toribio Medina, *Historia de la Inquisición de Lima 1569-1820,* 2 vols. (Santiago, 1887); Ruth Behar, «Brujería sexual, colonialismo y poderes femeninos: visiones de la Inquisición mexicana», en Asunción Lavrin (ed*.), Sexualidad y matrimonio en la América hispánica: siglos XVI y XVII*, Colección Los Noventa, Núm. 67, CONACULTA/Grijalbo, México, 1990.

[22] Francisco Javier Clavijero, *Historia Antigua de México* (México: Porrúa, 1968).

ran en la misma comunidad o en la misma ciudad en torno a la adoración de un santo o una santa especiales. Ya fueran urbanas o rurales, ricas o pobres, mono- o multiétnicas, estas instituciones mediaron entre la Iglesia y los feligreses y reforzaron las bases del catolicismo romano, a pesar de que también sirvieron para esconder cultos sincretistas. En todo caso, fueron útiles para incorporar a los indios dentro del cuerpo de la Iglesia Católica Romana. Al atraer a los creyentes de todas las etnias, estos santos y vírgenes ayudaban a reunir, al menos bajo el manto de la Iglesia, al variado mosaico social del periodo colonial. La experiencia suprema de la Iglesia del Nuevo Mundo fue la canonización de varias mujeres y hombres en el siglo XVII, como parte del proceso de consolidación religiosa al que no le faltaban connotaciones políticas. Santa Rosa de Lima fue canonizada en 1671, mientras que Francisco Solano y Toribio de Mogrovejo fueron beatificados en 1675 y 1679 respectivamente. Martín de Porres (1579-1639), Juan Macías y Teresita de Jesús eran a la larga candidatos afortunados para conseguir la santidad, entre otros beatos cuyas causas no tuvieron un final semejante.

LA LENGUA COMO MEDIO DE EXPRESIÓN CULTURAL

La lengua, como medio de expresión y comunicación entre las gentes, cumple un papel fundamental en la transmisión de cultura. Los conquistadores y los misioneros fueron los primeros que experimentaron los problemas de comunicación que suponía el que los grupos indígenas del Nuevo Mundo hablasen innumerables idiomas diferentes. Esta multiplicidad se convirtió en un problema para la Corona, la Iglesia y sus respectivas burocracias una vez hubo comenzado seriamente la tarea de conversión y administración. Sólo unas pocas regiones de América poseían una lengua común entendida por un número importante de habitantes. Los aztecas y los incas, a través de la conquista de territorios, habían establecido una cierta uniformidad en la comunicación al imponer el náhuatl y el quechua como lenguas oficiales en el corazón de México y en una gran parte de la zona andina respectivamente. Una raíz lingüística común hacía que la comunicación en el área maya fuese menos complicada que en otros lugares, y una situación similar se daba en las tierras altas de Nueva Granada.

La preponderancia del castellano en España y su adopción como la lengua oficial de la Península unificada antes del descubrimiento, había resuelto el problema para los conquistadores, que fueron capaces de utilizar la lengua como su herramienta más efectiva a la hora de la dominación cultural y política de los nuevos territorios. El latín, la lengua franca de la alta cultura renacentista, se usó en el Nuevo Mundo hasta finales del siglo XVII para la difusión de conocimientos científicos y teológicos y después de la independencia, para ceremonias religiosas y oraciones.

La política lingüística para los indios

El reto de la comunicación con la población indígena siguió siendo un problema cultural clave. Las políticas lingüísticas fueron cambiando a lo largo de todo el periodo colonial, como resultado de las modificaciones sobre la percepción de cómo se debía afrontar la integración de las culturas indígenas dentro del marco español. La comunicación con los esclavos africanos nunca supuso los mismos problemas debido a que ellos no eran sujetos de la Corona y tampoco eran libres. Los esclavos debían aprender el idioma de sus señores.

La Iglesia tenía el monopolio virtual de los medios de comunicación con los indios, y contaba con el respaldo de la Corona para apoyar sus decisiones. El problema inicial era cómo transmitir los Evangelios a los indios con acierto, evitando el peligro de las malas interpretaciones de los neófitos. Los frailes habían enumerado muchas formas de resolver el problema. Podían aprender las lenguas amerindias y traducir los conceptos cristianos o podían imponer el aprendizaje del castellano a los nativos. Otra opción, diseñada para una elite potencial, era enseñar a los indios latín, la lengua de la alta cultura en el siglo XVI.

Los primeros evangelizadores experimentaron con estas tres opciones; la tarea de aprender las lenguas indígenas se resolvió con medios pragmáticos, o bien mezclándose con los indios o aprendiendo de los niños. Sin embargo, el problema de las traducciones fue más espinosa, y dio mucho que pensar a los teólogos del siglo XVI, ansiosos de encontrar el tono acertado para la traducción del castellano a las lenguas indígenas, a las que a menudo les faltaban palabras que designasen los conceptos teológicos cristianos.

Mientras aprendían las lenguas indígenas, los primeros misioneros comenzaron a enseñar latín a los neófitos indígenas en el Colegio de Santa Cruz de Tlaltelolco en Nueva España. El experimento mostró el deseo de los franciscanos de atraer a los amerindios hacia su redil humanista, y la aptitud de estos últimos para asimilar y destacar en el conocimiento de la cultura europea. El ejemplo de México se siguió en otras áreas. A mediados del siglo XVI, Juan del Valle, obispo de Popayán, también había abierto escuelas de cultura latina y europea para indios. Ejemplos similares de escuelas para indios, y mixtas para indios y españoles, se fundaron en Nueva Andalucía (Venezuela), Quito y el Perú.

Enfrentadas a los inmensos retos teológicos en Europa, y recelosas de la experimentación con pueblos no probados, las autoridades eclesiásticas prohibieron el uso del latín con los indios. Esta decisión lingüística vino acompañada de la prohibición de que se ordenasen personas no españolas, emitida por el Primer Concilio Mexicano, en 1555, un encuentro de cargos eclesiásticos encargados de definir los medios y objetivos para la conversión de los indios. Este rechazo étnico y cultural fue una rémora en el proceso de asimilación, y determinó la exclusión de la mayoría de los nativos del mundo de la alta cultura. En el cambio de siglo, sólo un puñado de indios cultos podían aún leer y escribir en latín, a pesar de que hasta el siglo xviii algunas escuelas conventuales enseñaron los elementos de esta lengua a los neófitos.

En los años cuarenta del siglo xvi la Corona decidió que hasta que los indios aprendieran el castellano, su conversión se llevaría a cabo en sus propias lenguas. El razonamiento tras esta decisión era que enseñar a los indios un nuevo idioma y una nueva fe, a la vez, imponía una obligación intelectual demasiado pesada sobre ellos. La mayoría de los misioneros tenía serias dudas sobre la capacidad del indio común para aprender ambas cosas al mismo tiempo y aceptaron la nueva política real, pero algunos expresaron recelos y aun oposición. La conservación de sus lenguas podía, tanto a nivel teórico como práctico, crear una barrera entre los indios y el resto de la población, propiciando el control de la Iglesia sobre los indígenas y su aislamiento de otros elementos sociales. Los Consejos Provinciales y los Sínodos Diocesanos celebrados en los siglos xvi y xvii continuaron prestando su apoyo al adoctrinamiento en lengua indígena. La política real revalidó la política eclesiástica. En 1577 Felipe II ordenó la creación de cátedras universitarias para enseñar las lenguas nativas.

No todo el mundo favoreció la adopción del uso de las lenguas nativas. En 1596, el Consejo de Indias propuso la abolición de esta práctica. Pero Felipe II, que no deseaba apartarse de su aprobación anterior, optó por conciliar opiniones y decidió que aquellos indios que desearan aprender castellano serían enseñados en aquel idioma mientras que la legislación previa seguiría vigente para los demás. Los jefes indios más astutos se dieron cuenta del valor que tenía el castellano para conseguir favores y para aprender las aptitudes tecnológicas de los conquistadores. Siempre había algún traductor oficial disponible y además, los jefes de las comunidades o aquellos que vivían cerca de los centros urbanos empleaban al menos dos idiomas con facilidad.

Para asegurar el aprendizaje de lenguas y para facilitar la llegada de la nueva religión, aparecieron dos formas de libro en el siglo xvi: las gramáticas de lengua indígena y los catecismos y devocionarios que sirvieron de herramientas pedagógicas para enseñar la fe. Las gramáticas fueron uno de los logros intelectuales más importantes del periodo colonial, un testimonio vivo de la tenacidad de la Iglesia en su búsqueda del conocimiento del mundo indígena como medio de conquista espiritual. Estas obras seguían el patrón gramatical establecido para el castellano por el *Arte de la Lengua Castellana* de Antonio Nebrija, publicado en 1492. Nebrija usó el latín para definir los patrones lingüísticos del castellano, y los misioneros usaron la misma metodología como modelo para construir —o reconstruir— la estructura básica de todas las lenguas indígenas. La primera gramática náhuatl la escribió el franciscano Fray Andrés de Olmos (en aproximadamente los años cuarenta del siglo xvi), pero no se publicó hasta el siglo xix. La gramática náhuatl de Fray Andrés de Molina se publicó en México en 1571, y fue la primera de una larga serie de gramáticas y vocabularios de lenguas nativas que aparecieron a lo largo del periodo colonial. Destacan de entre todos ellos la gramática y vocabulario quechua de Diego González Holguín (1607, 1608), una *Doctrina*

Cristiana de 1607 en aymara de Luis Jerónimo Ore, y el compendio del siglo XVIII de lenguas mayas de Fray Ildefonso Joseph de Flores (1753). En efecto, no quedó ningún idioma indígena sin su respectiva gramática y en esta tarea participaron miembros de todas las órdenes religiosas.

El efecto cultural de esta decisión fue muy importante. A pesar de que las políticas reales comenzaron otra vez a dar aliento al aprendizaje del castellano (en los decretos reales de 1636 y 1769, por ejemplo), ninguna cantidad de legislación pudo dar la vuelta al *status quo*. A finales del siglo XVIII muchos curas de parroquia, sobre todo en las áreas rurales, se quejaron de la reticencia indígena a adoptar el español como idioma propio. Cuanto más lejos vivían los indios de un centro urbano, más común era que sólo hablasen su propio idioma. Así, los idiomas indígenas se conservaron para la posteridad pero muy pocas veces produjeron la expresión literaria escrita.

Felipe Guaman Poma de Ayala expresó mejor la mezcla de lengua y cultura en su *Primer corónica y buen gobierno,* escrita en parte en español y en parte en quechua, representando así la mezcla de dos culturas diferentes. Una reinterpretación de la historia andina y mundial y una descripción cercana de la vida en el virreinato del Perú a finales del siglo XVI hace que esta obra sea el emblema de la conquista y la experiencia colonizadora. Por otro lado, Garcilaso de la Vega el Inca (1539-1616) representa la asimilación de la cultura europea con una nostalgia de la tradición ancestral que ya no era parte de su vida.

Todos los intelectuales indígenas cultos de finales del siglo XVI y del siglo XVII vivieron, más como Garcilaso que como Guaman Poma de Ayala, en la penumbra creada por el uso de la lengua española y la práctica del catolicismo romano, como para reconstruir un pasado ya muy lejano para ellos. Este fue el caso de Hernando Alvarado Tezozomoc (1525?-1610?), autor de una crónica azteca que decía ser descendiente de Moctezuma y del rey de Ecatepec. Domingo de San Antón Muñón Chimalpáin (1579-1660), nacido en Amecameca, Nueva España, escribió una crónica de Chalco, y Fernando de Alva Ixtlilxóchitl (1578-1650), de las familias reales tezcocana y mexicana, y educado por los franciscanos, escribió también una crónica de su gente y una historia de los chichimecas. En el Perú, Juan de Santa Cruz Pachacuti cumplió el mismo papel de mediador entre dos mundos y dos religiones. Estos hombres recurrieron a las fuentes indígenas orales y visuales, y expresaron mejor que cualquier otra persona la superposición de culturas que se dio en el siglo XVI.

A pesar de los problemas debidos a la incompleta asimilación del español por parte de las poblaciones indígenas, esta lengua siguió siendo la oficial del Imperio y se vio enriquecida por muchas palabras de origen indígena. El traslado físico del castellano al Nuevo Mundo trajo cambios para su pronunciación y la adopción de muchas corrupciones lingüísticas locales. En muchas áreas rurales algunos restos del castellano del siglo XVI se usaron a lo largo de todo el periodo colonial. El resultado fue el desarrollo de un idioma que mientras se mantuvo fiel a sus orígenes, se convirtió en un instrumento de expresión más rico y flexible que obedecía a las necesidades de los habitantes del Nuevo Mundo.

EL INTERCAMBIO TECNOLÓGICO

CULTURA MATERIAL Y VIDA DIARIA

Junto al lenguaje, otro cambio cultural profundo fue la introducción de las diferentes tecnologías europeas en las sociedades indígenas. Algunos de estos grupos se encontraban en etapas avanzadas del neolítico; otros habían logrado hazañas de ingeniería asombrosas usando herramientas realmente rudimentarias, y habían logrado un entendimiento muy profundo de la naturaleza a través de la observación perseverante. La difusión de la rueda, que las sociedades indígenas aún no habían usado, fue la contribución más importante de la tecnología a la vida diaria en el Nuevo Mundo. Ésta, junto a las bestias de carga, permitió que los seres humanos dejaran poco a poco de ser medios de transporte, como había sido la costumbre en épocas anteriores a 1492. La explotación a gran escala de minas, y, en especial, el uso del mercurio para refinar la plata, crearon una base económica totalmente novedosa, en la que se apoyó el Imperio Español. El conocimiento europeo de la física permitió la construcción de grandes edificios, instalaciones militares y acueductos que se basaban en principios desconocidos para las culturas indígenas. La escritura y los números romanos que se introdujeron en el Nuevo Mundo sustituyeron los medios indígenas de computación y de escritura jeroglífica.

Las armas de fuego, de uso restringido sólo a los españoles, tuvieron un gran impacto en el proceso de colonización y asentamiento como herramientas de conquista y control. Las armas inspiraban terror y servilismo, pero, por otro lado, las nuevas plantas y los animales domésticos ayudaron a desarrollar una base alimenticia más amplia para los indígenas. Hacia finales del siglo XVI las nuevas técnicas agrarias y textiles, de producción de cerámica y metales habían hecho que se construyese una red mercantil regional nunca imaginada antes de 1492. Por otro lado, ciertas técnicas de tejidos y de preparación de comestibles, como el uso de *metates* para machacar el maíz, la técnica de congelar patatas de la región andina, la manufactura de bebidas alcohólicas basadas en el maíz o en el maguey y el telar de cintura usado por las mujeres en todo el continente permanecieron sin alterar.

Entre los cambios intelectuales más importantes a los que se tuvieron que adaptar las comunidades indígenas se encontraron los conceptos de salario, propiedad privada, herencias individuales, beneficio de compra venta y litigaciones a través de nociones legales totalmente nuevas, utilizados en la rutina diaria. No tardaron mucho en aprender los tejemanejes de la vida europea, que con el tiempo formó parte de un sistema mixto junto con algunas instituciones de gobierno comunal que consiguieron conservar. Sin embargo, no hay duda de que el proceso de adaptación creó un trastorno importante. La distorsión de sistemas tributarios que demandaban trabajo y a cambio no prestaban ninguna compensación social ni a la comunidad ni al individuo creó enormes tensiones dentro de las comunidades indígenas, forzando a la movilidad social y física y cambió para siempre muchos de los valores con los que se había vivido hasta entonces. Por su parte, los españoles peninsulares también experimentaron un cambio importante en su rutina diaria, ya que accedieron a una fuerza de trabajo de disponibilidad continua y ganaron mucha seguridad en cuanto a su posición social privilegiada.

Los libros y la imprenta

Para fines de la difusión cultural, la introducción de la imprenta tuvo una importancia vital para iniciar el intercambio de ideas entre Europa y las Américas. La imprenta trajo consigo la serie impresionante de tradiciones y creencias europeas que se sobrepondrían a las de las sociedades nativas, a pesar de que ésta también sirvió finalmente para preservar su cultura y su memoria. La producción de libros en español en las colonias no fue tan copiosa como en Europa y se centró en un espectro muy estrecho de temas. El primer libro que se publicó en tierras de dominación española fue *Doctrina Cristiana en lengua mexicana* de Fray Juan de Zumárraga (1468-1548), producido por el editor italiano Juan Pablos en 1547. Este libro fue un ejemplo de la interacción de muchos hilos culturales en el Nuevo Mundo. Se usó la más moderna tecnología europea de circulación cultural para imponer una nueva religión empleando la lengua de los conquistados. En el Perú, donde la introducción de la imprenta se había prohibido, a raíz de las guerras civiles entre las diferentes facciones de conquistadores, la impresión de los primeros libros se llevó a cabo en 1584. El italiano Antonio Ricardo, con el apoyo de la Iglesia, imprimió en Lima una Doctrina Cristiana trilingüe, un catecismo para los indios, un manual de confesionario para curas y la adopción oficial del calendario gregoriano. Las primeros impresores fueron alemanes, franceses e italianos, y el negocio y el arte de la imprenta continuó en manos de los europeos y sus descendientes a lo largo de todo el periodo colonial.

Los temas de los libros que se publicaron durante el siglo XVI fueron sobre todo religiosos, y los libros se imprimieron en su mayoría en Nueva España, y en segundo lugar en Lima. Los instrumentos de adoctrinamiento, como los catecismos, devocionarios, gramáticas y vocabularios indígenas y los libros de los rituales católicos romanos, fueron los títulos más numerosos. Las compilaciones de leyes aplicables a las colonias y los manuales de medicina comenzaron a publicarse hacia finales de siglo, cuando el espectro temático ensanchó sus angostas fronteras.

Las imprentas y los editores trabajaron mano a mano con las órdenes religiosas, dentro de cuyos recintos se instalaban a menudo. De entre todas las órdenes, los jesuitas destacaron como los mejores clientes. La demanda de imprentas creció cuando varias órdenes religiosas fundaron colegios para el aprendizaje y universidades en los centros urbanos más importantes (Santo Domingo, en 1538; México, en 1551; Lima, en 1553). Poco a poco, las imprentas llegaron a Puebla de los Ángeles (1643), Guatemala (1660), Asunción (*c.* 1700-1705), La Habana (1723), Santa Fé de Bogotá (1738), Santiago de Chile (*c.* 1754), Quito (*c.* 1754), Córdoba (1765), Buenos Aires (1780) y Guadalajara (1793), reflejando el crecimiento de estos centros urbanos.

LA CULTURA POPULAR

El ocio y los juegos en la vida diaria

La cultura popular, como expresión legítima de valores, tradiciones, símbolos sociales y rituales es un tema tan amplio que requeriría un ensayo aparte. Algunas de sus expresiones más obvias en el mundo indígena, como los rituales asociados con los ciclos vitales o las celebraciones de eventos importantes para la comunidad, se siguieron practicando a lo largo de todo el periodo colonial. La plantación o la cosecha, dar nombre a los recién nacidos, la bienvenida del nuevo ciclo anual y acontecimientos semejantes se celebran con procesiones, ofrendas y ceremonias. La Iglesia Católica Romana se valió astutamente de estas celebraciones para introducir o reforzar los ritos cristianos tales como el bautismo, el matrimonio y los ritos de entierro, que, en las áreas andinas y en la Mesoamérica indígena, por ejemplo, se llevaron a cabo con elementos de las tradiciones nativas y elementos de las europeas. En los centros urbanos, las celebraciones cívicas y laicas así como de recreo o para destacar acontecimientos como el matrimonio de los reyes, el nacimiento de princesas y la llegada de virreyes y arzobispos fueron ceremonias importantes, observadas desde los primeros días de la colonización para reforzar la autoridad de la Corona y los vínculos políticos con los ciudadanos de ultramar.

La población española recreó las formas de ocio practicadas en la Península introduciendo la caza, las corridas de toros, los juegos de pelota o los torneos en los que la habilidad para montar a caballo era esencial. La cacería de hombres con perros, por desgracia, fue un «deporte» practicado contra la población indígena durante el periodo de la conquista de las Antillas y de América Central (1495-1530). La cetrería, las cartas y el ajedrez se unieron a algunas formas de entretenimiento del Nuevo Mundo —como el *totoloque* o el *patolli* aztecas[24]. A pesar de que algunos tipos de juegos de cartas estaban prohibidos, esta actividad de ocio estuvo muy extendida ya que el beneficio que obtenía la Corona por el impuesto sobre las cartas era muy provechoso. Las peleas de gallos se convirtieron en un pasatiempo popular entre la población rural, y se practicaron de forma profesional en las ciudades. Que al juego lo acompañaran las apuestas contribuyó a su difusión. Las corridas de toros, el entretenimiento de las elites en el siglo XVI, perdieron ese carácter en el siglo XVII y ya en el XVIII se habían convertido en una forma de «entretenimiento masivo». Las entradas para este espectáculo dieron a la Corona un importante beneficio que se destinó a la construcción de carreteras y edificios.

Otras formas de diversión popular incluyeron el ajedrez, el billar y los dados, siempre acompañados de las apuestas. El «hockey» indio *(chueca* en español y *huino* entre los indios) fue muy popular en Sudamérica, sobre todo entre los indios chilenos [los *mapuches*], y también fue adoptado por los colonizadores españoles. Los indios, sobre todo los de las misiones del Río Orinoco y los del área guaraní en el Río de la Plata y el Paraguay, continuaron jugando a unos cuantos juegos de pelota anteriores a la conquista, y de naturaleza similar al fútbol. Estos juegos de equipo podían incluir a ambos sexos y se jugaban entre ciudades rivales. El juego del volador, de raíces prehispánicas, fue otro juego que continuó siendo popular a lo largo de todo el periodo colonial. A comienzos del siglo XVII, los populares enfrentamientos simulados entre moros y cristianos, adaptaron una experiencia peninsular a la de la conquista, mientras que las representaciones simbólicas de la conquista en ciudades indígenas sirvieron probablemente para hacer una crítica satírica de las autoridades coloniales. Las procesiones religiosas en honor de santos importantes contaron con la participación de toda la comunidad. Las hermandades que existían en casi todas las iglesias tuvieron una gran importancia en las festividades religiosas. Gastaban mucho dinero en la contratación de músicos, fuegos artificiales y misas para celebrar el día de su santo patrón. Las celebraciones de especial importancia, como el Corpus, se diferenciaron por una procesión en la que una rígida jerarquía ordenaba a los participantes, con los funcionarios reales, los clérigos de más alta jerarquía y las asociaciones elitistas siempre delante. El Paseo del Pendón, una celebración civil municipal en la que el emblema real se paseaba en una procesión y era llevado por los funcionarios reales, constituía una ocasión ceremonial importante en casi todas las ciudades, ya que servía para rendir homenaje a la Corona.

Las representaciones teatrales comenzaron tan pronto como se organizó la vida urbana. Sirvieron como medios para la conversión de los indios y llegaron a

---

[24] El *totoloque* era un juego en el que se lanzaban perdigones de oro sobre azulejos y en el que se apostaba por el ganador. El *patolli* era un juego de dados que se jugaba sobre una mesa con forma de cruz y dividida en cuadrados, y al que se jugaba con judías. Jacques Soustelle, *Daily Life of the Aztecs on the Eve of the Spanish Conquest* (Standford University Press, 1961). Luis Weckmann, *La herencia medieval de México*, 2 vols. (México: El Colegio de México, 1984).

ser una parte esencial de las celebraciones religiosas de algunas fechas importantes del calendario cristiano tales como la Epifanía, la Cuaresma y el Corpus. La adaptación de las tradiciones judeocristianas y de las sagas europeas al teatro colonial, que hicieron los autores indígenas o mestizos, constituyeron el momento culminante de la difusión y adaptación cultural, ya estuvieran las piezas escritas en español o en alguna lengua indígena. Esta tradición cultural persistió en ciudades pequeñas después del periodo colonial. En Nueva España, los españoles fundaron una tradición de representación teatral entre los nativos que se utilizó para la conversión y que, por su parte, tuvo cierta influencia en la tradición europea. La gran variedad de danzas del Perú que describió el obispo Baltasar Jaime Martínez Compañón (1735-1797) en el tercer cuarto del siglo xviii da fe de la mezcla cultural y del uso de la danza como expresión teatral de fuerte tono popular[25].

El teatro profano constituyó un fuerte componente cultural de la vida colonial. Dentro y fuera de los palacios virreinales, tenía un papel más que artístico. En Nueva España, por ejemplo, el Hospital Real de los Naturales dependía casi en exclusiva de las ganancias de su teatro. Durante los finales del siglo xvi y en el xvii, las obras tenían que sufrir la censura eclesiástica de la Inquisición antes de ser representadas. Como amenaza potencial de las «buenas costumbres públicas» el teatro estuvo muy vigilado por la Iglesia hasta después de mediados del siglo xviii. En ese momento la censura pasó a ser jurisdicción estatal pero la vigilancia siguió siendo labor de un clérigo designado por el Virrey. Hacia finales del siglo xviii, ya no se sospechaba que el teatro profano indujese a la corrupción de las buenas costumbres de los habitantes y, de hecho, se comenzó a ver como un medio educativo. En 1786, un conjunto de reglas, diseñado con gran detalle para mantener las buenas formas y el orden entre los actores del mundo del espectáculo, entró en vigor en Nueva España.

LA ENSEÑANZA SUPERIOR EN LAS COLONIAS

Un aspecto importante de la transferencia cultural fue la fundación de centros de enseñanza superior, que reflejaban la preocupación de los colonizadores por la educación de sus hijos. Los decretos imperiales ordenaron la fundación de universidades en la Ciudad de México y en Lima. En 1538 el Papa decidió que la escuela teológica de un convento dominicano de La Española fuese elevada a la categoría de universidad. Las universidades funcionaban mediante dotaciones económicas y no por decretos fundacionales, y en su comienzo la Universidad de México tuvo más suerte que la de Lima o la de La Española. Comenzó a funcionar en 1553, mientras que la de Lima tuvo que esperar hasta 1577.

[25] Arzobispo Baltasar Jaime Martínez Compañón, *Trujillo del Perú a fines del siglo XVIII* (Madrid: s. p., 1936).

Las universidades enseñaban filosofía, leyes y teología. Las Cátedras de Teología, estudio de las Escrituras, Retórica y Lógica, Filosofía, Derecho Civil y Canónico y, en algunos casos, Lenguas Indígenas, formaban el núcleo del programa de estudios. Se ofrecían diversos grados (licenciado, bachiller, doctor) que daban al titular el derecho a ejercer como sacerdote o como abogado. A finales del siglo XVI, la Universidad de San Marcos en Lima tenía quince cátedras, de las cuales nueve tenían relación directa con temas religiosos. El dominio de la teología sobre las ciencias experimentales dentro del mundo académico era total, pero empezó a declinar cuando comenzaron a abrirse cátedras de Medicina. En Lima, el estudio de la Medicina se estableció por Real Decreto en 1638.

Las tendencias teológicas

En los niveles teológico y espiritual, no se produjo un enfrentamiento con los cánones establecidos por Aristóteles y Santo Tomás. La escolástica prevaleció en el Nuevo Mundo a lo largo del siglo XVII y parte del XVIII, a pesar de que la popularidad de Santo Tomás se vio amenazada por los seguidores de Juan Duns Escoto, sobre todo franciscanos, y los de Francisco Suárez, éstos en su mayoría jesuitas. Dado que estas disidencias se encontraban dentro de los límites de la ortodoxia, fueron simples disputas familiares.

Sin embargo las universidades no eran los únicos lugares de aprendizaje superior. Las órdenes religiosas establecieron su propios «colegios» que eran en realidad una competencia fuerte. Los jesuitas destacaron como educadores de elites, y fundaron cátedras dentro de sus propias instituciones, de modo que rivalizaban con las de las universidades reales. Los colegios financiados con fondos privados, como el colegio de San Martín en Lima, fundado por el virrey peruano Marín de Esquilache en 1582, rivalizaban con la Universidad de San Marcos como primer centro de enseñanza. Los jesuitas enseñaban teología, jurisprudencia y filosofía en San Martín, a la vez que subvencionaban su propio Colegio de San Pablo. Otras órdenes regulares también se infiltraron en los centros universitarios fundando cátedras. Además de estas instituciones, la iglesia secular, siguiendo las recomendaciones del Concilio de Trento, apoyó la creación de seminarios tridentinos (colegios privados) para educar a jóvenes para ser clérigos.

Aristóteles, San Agustín, San Buenaventura, San Gregorio, Duns Escoto y otros teólogos de comienzos y final de la Edad Media, fueron los autores cuyos textos se comentaban y aprobaban oficialmente en todas las instituciones educativas. La *ratio studiorum* jesuita fue muy popular, y se usó en todos los centros de enseñanza superior durante el siglo XVII. Esta educación tenía el doble objetivo de instruir a los hombres en el respeto a la ley de Dios y a la ley de la tierra. Tan tarde como 1774, el Real Decreto que pedía información para la fundación de la universidad de Guadalajara describía su propósito como la «formación del espíritu así como el conocimiento de las reglas necesarias para el autogobierno, conducta de la gente, educación de la juventud, instrucción en la fe mediante la propagación de la ley de Dios, y la obediencia, reconocimiento y el amor al soberano»[26]. La renovación de las materias de enseñanza no tendría lugar hasta el siglo XVIII.

Dentro de los parámetros establecidos por la escolástica, en los colegios y universidades se formó una pequeña elite intelectual de teólogos excelsos, como los peruanos Juan Pérez de Menacho, Alonso de Peñafiel (1594-1657), Diego de Avendaño (1594-1688) y Martín de Jáuregui, todos jesuitas. Avendaño fue también un reconocido jurista que escribió un ensayo proclamando el derecho natural de todos los pueblos a la libertad, aunque permitía la evangelización forzosa de los indios en su *Thesaurus Indicus* (1668-1686). En México, Tomás Mercado (1523-1575) y Bartolomé de Ledesma (1525-1604), ambos nacidos en España, fueron defensores sin tregua del tomismo en el siglo XVI. Más influyentes fueron los jesuitas Pedro de Ortigosa (1547-1626), cuya carrera académica en México duró cuarenta años, y Antonio Rubio (1561-1615), que enseñó en México y acabó sus días en la Universidad de Alcalá, y cuyas exposiciones sobre Aristóteles sirvieron como libros de texto en México y España. Estos hombres contribuyeron a crear una base intelectual común verdadera entre España y sus colonias, fortaleciendo el nuevo escolasticismo característico del pensamiento español tras el Concilio de Trento.

La escolástica fue la medida filosófica del conocimiento intelectual, pero el giro intelectual en el siglo XVII se dio más hacia lo místico y lo ascético. La experiencia religiosa del recogimiento, una dependencia de la oración interna y la meditación, a la que se prestó atención por el énfasis que los místicos españoles del siglo XVI pusieron en el conocimiento directo de Dios, ganó aceptación como práctica ortodoxa. Sin embargo, tenía el peligro de estar a veces demasiado cerca de la experiencia de los alumbrados, y del quietismo, posición ésta casi herética. Estas dos tendencias negaban la posibilidad de manifestar algún tipo de acción para recibir la gracia divina, que sólo se podía recibir directamente de Dios. La posición tridentina, que veía bien el que la gracia se pudiera conseguir a través de actos, creaba una tensión entre el catolicismo español y el hispanoamericano que se reflejaba en las vidas de muchos de sus santos. Muchos santos masculinos eran activistas que se ganaron su santidad predicando si no martirizándose más allá de las fronteras de la madre patria. Aparte de Santa Teresa, que tuvo el privilegio de la movilidad, la religiosidad femenina llegó a su objetivo a base de negaciones y prácticas diarias de devoción y autocastigo.

Una forma teológica muy aceptada de conseguir los frutos del misticismo y del ascetismo se delineó en las tres vías que se recomendaban para la práctica ortodoxa: la purgativa, la iluminativa y la unitiva. La purgativa ponía su énfasis en la disciplina y el sacrificio; la iluminativa permitía que el alma tuviese una visión de Cristo y la unitiva conseguía la experiencia final de Dios. Los escritos religiosos hispano-

[26] Carmen Castañeda, *La educación en Guadalajara durante la época colonial, 1555-1821* (Guadalajara: El Colegio de Jalisco y El Colegio de México, 1984), 340.

americanos contienen la huella de estas pautas. Se pueden encontrar en la literatura devocional escrita para la elite religiosa así como en la escrita para los confesionarios usados por los sacerdotes para guiar a los penitentes comunes. La religión se hizo accesible para las masas a través de representaciones de actos de penitencia y caridad, y del culto a los santos, un plan fijado por el Concilio de Trento, con un papel especial para la Virgen María como intercesora de la humanidad.

El importante apoyo que otorgaron las comunidades rurales y urbanas a la construcción de iglesias, la fundación de conventos de frailes y de monjas y la organización de hermandades, se puede atribuir a una sensibilidad religiosa predominante que consideraba a estas instituciones como vehículos necesarios para apoyar la lucha diaria de cada individuo entre la tentación y la virtud. La imaginería barroca, ya fuese artística o verbal, subrayaba los conflictos del alma y una dependencia de su expresión formal como evidencia de fe y ortodoxia. Los mediadores entre Dios y la gente, los curas y los miembros de las órdenes regulares, ganaron un peso considerable dentro de una Iglesia en la que el alma de cada individuo necesitaba ser guiada para no perderse en las trampas de la herejía. En Hispanoamérica, el influyente papel de las órdenes regulares en la evangelización de los indios empezó a ser cuestionada cuando la Iglesia secular comenzó a fortalecerse, por estar políticamente más cerca de las directivas de la Corona después de Trento. Los conflictos internos entre frailes y curas no afectaron a la observancia de los fieles, pero, al final del periodo colonial, la Iglesia secular tenía más peso en las decisiones de principio que las órdenes. Las circunstancias políticas y económicas influyeron en la relación entre Iglesia y Estado, como demuestra el destino de una de las fuerzas intelectuales más importantes de las colonias, la poderosa Compañía de Jesús (los Jesuitas) que fue expulsada de Hispanoamérica en 1767.

LA NATURALEZA COMO FUENTE DE CONOCIMIENTO

Los muros de los conventos y las aulas de las universidades y seminarios no contenían la suma de todo el conocimiento de la época. La importancia que conservaba la escolástica en los centros de educación superior y de una religión que se apoyaba en la obediencia y la autoridad, no obstaculizó el estudio de la naturaleza o la sociedad ni el desarrollo de la curiosidad científica e histórica. Bacon, Descartes y Newton no se estudiarían de forma oficial en Hispanoamérica hasta mediados del siglo XVIII, pero en el entorno cultural de mediados del periodo colonial estos innovadores europeos fueron estudiados por un selecto grupo.

Existía también una amplia acumulación de conocimientos basados en la observación de la Naturaleza que no suponía ninguna amenaza para la teología. Este conocimiento hubiera podido fomentar un florecimiento de las ciencias si no hubiese sido por la constante censura de la Corona y la Iglesia y el énfasis sobre la descripción y la catalogación por encima de la explicación. El escrutinio cercano al que la Corona sometía a todas las obras sobre leyes, ciencias o historia que se publicaban en su territorio, y el similar escrutinio meticuloso que daba la Iglesia a todas las obras de naturaleza espiritual y filosófica, contrastan con un seguimiento del conocimiento geográfico detallado, con el examen de las pruebas en los escritos históricos y la fascinación en la observación de flora y fauna, así como con las observaciones astronómicas que compartía toda la comunidad intelectual desde los primeros años del periodo colonial.

El conocimiento de la geografía se fomentó desde comienzos del siglo XVI, debido a la enorme tarea de reconocer todo el territorio desconocido. El desafío de la naturaleza sostuvo expediciones geográficas hasta el final del periodo colonial. La atracción telúrica de la tierra sobre los seres humanos lanzó a cientos de hombres valerosos a los desiertos, junglas y montañas remotas. Sus informes fueron desvelando lentamente la configuración de la tierra y subrayaron la riqueza de flora y fauna.

Las primeras grandes descripciones del mundo natural, provocadas por un deseo semejante de reunir información para fines políticos y económicos, fueron las de Gonzalo Fernández de Oviedo (1478-1557), que, tras seis viajes a las Indias entre 1514 y 1530, escribió el *Sumario de historia natural*, en 1526, y la *Historia general y natural de las Indias,* en 1535. Fernández de Oviedo comenzó la formidable tarea de describir el continente. Su búsqueda de lo completo fue reanudada más tarde en el siglo por Francisco López de Gómara (1510-1560), con su *Historia general de las Indias,* por el jesuita José de Acosta (1540-1600) con su *Historia natural y moral de las Indias* (1590) y por otro jesuita, Bernabé Cobo (1580-1657), con sus *Anales de ciencias naturales,* no publicados. Esta última obra, que se escribió entre finales de los años noventa del siglo XVI y 1636, contenía una descripción completa de las posesiones españolas con un énfasis en Nueva España y el Perú.

Estas obras expresaban el intenso interés de los hombres del siglo XVI por la apertura de un mundo que desafiaba a las definiciones de la Antigüedad y generaba muchas más preguntas que respuestas. En su obra, Acosta comenzó a exponer algunas inferencias que contradecían el conocimiento clásico. El mundo era un maravilloso rompecabezas científico que estos hombres sabían revelaría a la larga algunos de sus misterios para las mentes curiosas. Estas mentes curiosas encontraron en tales descubrimientos una alternativa a las ciencias experimentales.

Durante los siguientes doscientos años se prosiguió con el «descubrimiento» del mundo natural. Por desgracia, los esfuerzos de muchos hombres para ampliar el espectro de conocimientos quedarían atrapados en el atolladero burocrático de una Corte que retrasaba la publicación de unas obras que habrían tenido un impaciente y disponible público potencial en Europa. Obras que sufrieron este retraso son, por ejemplo, las «Relaciones» no fechadas de Fray Juan de Rivadeneira, que describían la región del Río de la Plata, y la descripción de Pedro Sotelo de Narváez del área de Tucumán (Argentina), ambas escritas hacia finales del siglo XVI, y la «Descripción breve de toda la tierra del Perú, Tucumán, Río de la Plata y Chile», escrita a comienzos del siglo xvii por Monseñor Reginaldo de Lizárraga y que no se publicó hasta 1908 en Lima.

Desde comienzos del siglo xvi España tuvo una escuela de cosmografía y cartografía, herramienta esencial para su expansión. Los primeros mapas utilizados por capitanes del periodo del descubrimiento, se perdieron o destruyeron y muchos otros quedaron en forma de manuscrito dentro de los archivos reales. A España no le interesaba compartir conocimientos geográficos sobre sus territorios con otras naciones que pudieran significar una competencia. El progreso de la cartografía y el trazado de mapas siguió a la exploración del mundo natural. A lo largo del siglo xvi la tarea de medir longitudes se llevó a cabo bajo las órdenes del Consejo de Indias y el cumplimiento de numerosos aficionados y técnicos. Curiosamente, el sistema geocéntrico no fue puesta en duda por esta ni otras incursiones en el estudio del mundo natural. El conocimiento geográfico fue bien patrocinado por Felipe II, quien fomentó un vasto estudio de la tierra y sus gentes a través de requerimientos de informes geográficos y demográficos y la creación del puesto de cosmógrafo y cronista de las posesiones españolas en 1571.

La unión de historia y geografía que caracterizó muchas de las obras publicadas a finales del siglo xvi y después no fue solamente el resultado de la política real sino que también fue una respuesta a la naturaleza de la tarea que los investigadores del periodo veían abierta ante ellos. Entre los geógrafos más sobresalientes del siglo xvi estuvo Alonso de Santa Cruz, autor de un tratado geográfico sobre las islas del mundo, y el primer cosmógrafo nombrado por la Corona. Juan López de Velasco le sucedió en 1571, e intentó hacer una síntesis de todos los conocimientos geográficos basada en muchas de sus propias publicaciones y las obras de otros que aún no se habían publicado. Esta misma motivación impulsó otra obra de características enciclopédicas cuyo autor fue el fraile carmelita Antonio Vázquez de Espinosa (muerto en 1630), el *Compendio y descripción de las Indias Occidentales,* que no fue publicada hasta 1942. Esta obra es el resultado de un viaje de México a Sudamérica entre 1612 y1621. Ambos autores describían un escenario grandioso en el que el clima, los sistemas fluviales, las minas, la flora y la fauna se entrelazaban con los sistemas sociales y políticos desarrollados por los actores humanos. Este tipo de análisis erudito era el único que resultaba apropiado para comunicar el asombro y la admiración que el Nuevo Mundo aún despertaba en las mentes europeas. Vázquez de Espinosa, como los historiadores del periodo, se sentía orgulloso del hecho de que su conocimiento derivara de su propia experiencia personal en las Américas.

Las descripciones y narraciones de viajes, exploraciones, empresas evangelizadoras y expediciones militares, junto con los informes burocráticos, forman un cuerpo muy amplio de escritos difíciles de explicar, no sólo por su número, sino también por la diversidad de sus propósitos y estilos. El padre jesuita Eusebio Kino (1645-1711), cuya interpretación de los cometas tenía un tinte teológico, fue a la vez un cosmógrafo de la Corona que delineó el mapa de los territorios de la frontera norte de Nueva España y, tras docenas de expediciones exploratorias, se convenció de que California era una península. Kino es una prueba viviente de que ni la curiosidad científica ni el espíritu inquisitivo se vieron atascados por la naturaleza escolástica del discurso teológico y filosófico. Los informes geográficos de las colonias son ricos en información etnográfica y responden a la necesidad de información de la Iglesia y la Corona. Esta necesidad no decreció con los años y, de hecho, tuvo un renacimiento vigoroso en la segunda mitad del siglo xviii con obras como *El Orinoco ilustrado* (1741) de José Gumilla y la *Historia coro-gráphica natural y evangélica de la Nueva Andalucía* (1779) de Fray Antonio Caulín.

Uno de los incentivos, ocultos detrás del descubrimiento de plantas, fue el interés de incorporar la farmacopea indígena a la medicina europea. La medicina, a ambos lados del Atlántico, se preocupaba mucho por las curaciones, y la necesidad de remedios y tratamientos creció debido a las consecuencias catastróficas a raíz de los intercambios de enfermedades tras el descubrimiento en 1492. El conocimiento náhuatl de las hierbas y sus aplicaciones médicas se reunió en un códice conocido como el *Códice Badiano* (1552), que compilaron dos nativos mexicanos pero que nunca se publicó. Un destino similar esperaba a los quince volúmenes que describían los animales y plantas de Nueva España escritos por el médico Francisco Hernández (1517-1587). El autor fue a las Indias por encargo de Felipe II y logró escribir su obra sobresaliente con la ayuda de un equipo de indios y españoles. Tras su muerte en 1578, su obra se hundió en un desorden burocrático. A lo largo del siglo xvii fue resumida en parte por algunos autores de Europa y México pero una parte importante del original se perdió en un incendio en 1671.

A finales del siglo xvii, el mundo intelectual de la Hispanoamérica colonial luchaba para conseguir una síntesis de todo el conocimiento reunido a través de la observación directa y de las convenciones escolásticas. La noción de un nuevo concepto del universo era conocida sólo por un selecto grupo, pero no se aceptaba oficialmente. La tensión causada por los resultados de las inferencias científicas y las fronteras que imponía la fe condujo a algunas conclusiones contradictorias. El debate entre el padre Eusebio Kino y el erudito mexicano Carlos de Sigüenza y Góngora (1645-1700) sobre la naturaleza de los cometas, que tuvo lugar entre 1681 y 1690, es un diálogo entre lo que la gente debía pensar y lo que no. Al mismo tiempo este diálogo reflejaba la política oficial de ocultar ciertos aspectos del conocimiento y de dejar otros abiertos y siguiendo su fluir natural, política que se ilustra en las obras geográficas citadas. El racionalismo cartesiano sólo tenía una generación de antigüedad cuando Kino y Sigüenza intercambiaron sus pareceres opuestos sobre los cuerpos celestes. Como cartógrafo, matemático, estudiante de historia, explorador de las costas del Golfo y partícipe del espíritu de descubrimiento del mundo natural de sus contemporáneos, Sigüenza se sentía obligado a oponerse a la anacrónica visión de Kino. Lo irónico en Kino es que era capaz de hacer observaciones muy agudas sobre gentes y lugares, a pesar de sus creencias, mientras que en la mente de Sigüenza aún se afianzaban una serie de restricciones impuestas por su fe religiosa y respetaba sus dogmas como la voluntad de Dios. Historiador del Convento Real de Jesús María, en la Ciudad de México, escribió una obra hagiográfica ejemplar siguiendo el espíritu más puro del siglo XVII *(Paraíso occidental,* 1684).

Durante los primeros doscientos años de dominio colonial, la Corona española apenas explotó la prodigiosa sabiduría sobre el mundo físico que fueron acumulando muchas de sus mentes más dotadas. El cambio dinástico que tardaría quince años en consolidarse permitiría por fin una relajación gradual del control sobre la vida intelectual de las mentes a ambos lados del Atlántico.

LA ILUSTRACIÓN

La transición hacia el cambio intelectual en el siglo XVIII

A pesar de que es difícil describir la evolución de una actitud mental a la otra, la transición desde el Barroco a la Ilustración se entiende con más facilidad teniendo en cuenta el cambio de dinastías —los Habsburgo por los Borbones franceses— tras la Guerra de Sucesión española (1700-1713)[27]. El advenimiento de la dinastía de los Borbones al trono español, marcado por el fin oficial de la guerra, trajo también un cambio en los ejes culturales españoles. Más cerca de Francia que nunca antes, España emprende un visible cambio en cuanto a su punto de vista administrativo, político y cultural para los años treinta del siglo XVIII. Los Borbones adoptaron una política de independencia creciente del Papado en el nombramiento de mandatarios eclesiásticos que luego maduró en la limitación de los privilegios (o fueros) de que disfrutaban la Iglesia y sus miembros. El objetivo era una delimitación de jurisdicciones que fortalecería al Estado y permitiría que la Corona accediese a estos privilegios. Esta política se conoce con el nombre de regalismo o jansenismo, un término que tiene su origen en el siglo XVII francés. Alcanzó su cenit en la segunda mitad del siglo XVIII respaldado por los eminentes consejeros de Carlos III así como por algunos prelados de la Iglesia. La ortodoxia espiritual se mantuvo, pero se expresó con reformas dentro de la Iglesia que buscaban revivir los modelos del Cristianismo más temprano, mejorando la disciplina religiosa bajo la dirección pastoral. La Inquisición, más lejos que nunca de su papel originario de autoridad para el control religioso y social, se encontró a sí misma supervisando la ortodoxia en los libros en vez de en los comportamientos humanos.

Junto a estos nuevos conceptos de las relaciones Estado-Iglesia, y la revitalización del poder del monarca— llegó una refundición de la estructura de gobierno

[27] Para encontrar más sobre este acontecimiento, ver Henry Kamen, *La Guerra de sucesión en España, 1700-1715*, Grijalbo, Barcelona, 1974, traducción de Enrique de Obregón. Dos libros básicos de historia española en la Ilustración son: Richard Herr, *España y la Revolución del siglo XVIII*, Madrid, Aguilar, 1964, y Jean Sarrailh, *La España ilustrada de la segunda mitad del siglo XVIII*, trad. de Antonio Alatorre (México: Fondo de Cultura Económica, 1957).

en España y las colonias, la relajación del control escolástico de la enseñanza superior y el desarrollo final de nuevos estilos artísticos. Más que un cambio revolucionario en las formas de pensar, los efectos de la Ilustración en Hispanoamérica eran una expansión de la curiosidad de las elites por las ciencias naturales, y las posibilidades de nuevas formas de cambio político y económico. Las raíces de estos cambios se encontraban en el siglo XVII pero el alcance del interés fue mayor y abarcó a mayores números de personas en el siglo XVIII. Además, el reto intelectual vino de la propia Corona.

La huella de la dinastía de los Borbones en la vida española tardó al menos tres décadas en desarrollarse en la Península y las colonias. Los conflictos políticos con Inglaterra en los que Francia era un aliado de España abrieron el camino de la creciente influencia francesa que fue el catalizador del cambio. La crítica más importante al dogmatismo y al conservadurismo en España fue la publicación del *Teatro crítico universal* (1726-1739) por el fraile benedictino Benito Jerónimo Feijoo (1676-1764). Sus ataques contra el tradicionalismo, los prejuicios y la intolerancia fueron bien recibidos por España y secundados por la Corte. Feijoo expresaba la necesidad de unirse a la línea central de la ciencia contemporánea y la crítica filosófica, de deshacerse de Aristóteles y Descartes y estudiar a Locke. Sus escritos comenzaron a llegar al Nuevo Mundo hacia 1735. Otra influencia importante fue la del educador portugués Luis Antonio Verney, defensor de Locke y Condillac, que se hizo muy conocido en las Américas durante la segunda mitad del siglo.

La ruptura con la interpretación tradicional aristotélica del mundo físico y el mundo intelectual y la difusión de los principios filosóficos y teológicos europeos de finales del XVII y principios del XVIII fue lenta en Hispanoamérica. La filosofía tradicional persistió en muchos centros de educación superior y en muchas mentes a lo largo del siglo XVIII. Muy pocos centros de educación rehicieron sus programas antes de los años cincuenta de este siglo, aunque sí realizaron algunas concesiones antes; por ejemplo, la Universidad de San Marcos en el Perú aceptó la explicación científica de la circulación de la sangre en 1723. A pesar de que al principio fue lenta, la recepción de las nuevas «luces» de conocimiento e interpretación que dio brillo al siglo XVIII fue cálida y positiva. El proceso lo comenzaron en parte, los jesuitas. Muy alejados de las intrigas de la Corte española, los jesuitas hispanoamericanos de México, Quito, Nueva Granada, Chile y Buenos Aires siguieron las pautas adoptadas por el Seminario de Nobles de Madrid en los años veinte del siglo XVIII. Los jesuitas comenzaron a explicar las teorías de Descartes, Leibnitz y Newton en Quito ya en la tercera década del siglo. En Nueva España, los colegios jesuitas también dieron aliento a un cambio en la enseñanza de la filosofía. Notables entre los reformadores eran Rafael Campoy y Francisco Javier Clavijero (1731-1787), que emprendieron el ataque contra el escolasticismo[28].

[28] Pablo González Casanova, *El misoneísmo y la modernidad cristiana en el siglo XVIII* (México: El Colegio de México, 1948).

Ellos fueron los que iniciaron a sus alumnos en Descartes, Leibnitz, Malebranche, Newton y Franklin.

Desafortunadamente, el regalismo tuvo consecuencias directas sobre los jesuitas como portadores oficiales de la autoridad papal. Se les expulsó de España y sus colonias en 1767, suceso que desplazó a uno de los ingredientes principales de la vida intelectual del último cuarto del siglo xviii, precisamente en el periodo en el que la Ilustración alcanzó su nivel más alto. Sin embargo, como los jesuitas nunca tuvieron el monopolio de la educación, su ausencia no retrasó la aceptación de las nuevas filosofías. En Lima, tanto la Universidad de San Marcos como el Convictorio de San Carlos (fundado en 1770) introdujeron a Newton y a Descartes, después de que la orden fuese expulsada. En Nueva España, Benito Díaz de Gamarra fue el defensor principal de la filosofía «moderna», que despreciaba los principios anticuados de la escolástica y adoptaba las ciencias naturales como base para el conocimiento humano. Otros dos hombres, José Antonio Alzate y José Ignacio Bartolache (1739-1790) abonaron el terreno para el cultivo de la ciencia. Alzate propuso numerosas aplicaciones prácticas de la ciencia mientras que Bartolache se interesó más por las ciencias teóricas.

En los años setenta del siglo xviii quedaban pocos intelectuales respetables que no estuvieran familiarizados con la ciencia nueva. Eran conocidos Newton y Condillac y eran explicados como emblemas del conocimiento derivado de la observación y la experimentación y del rechazo de las ideas innatas y el conocimiento deductivo. Los aires de cambio afectaron a la propia Iglesia. Algunos de los reformadores intelectuales más importantes de finales del siglo vinieron de sus filas. El canónigo Juan Baltazar Maciel (1727-1788) se distinguió en el virreinato de La Plata por apoyar la adopción de las ciencias y la filosofía moderna como regente del Real Colegio de San Carlos, que tomó el relevo de la enseñanza de teología y filosofía tras la expulsión de los jesuitas. Los virreyes Caballero y Góngora en Nueva Granada (1782-1789), Revillagigedo en Nueva España (1789-1794), Manuel Amat y Junient en Lima (1761-1776) y Juan José Vértiz (1770-1777) en Buenos Aires favorecieron la reforma de los estudios universitarios para introducir la enseñanza de las ciencias exactas útiles.

La renovación intelectual del siglo xviii tenía una inclinación pragmática que el Estado tradujo como una adopción de políticas que buscaban la eficiencia en la administración de los recursos. El poder de cualquier Estado venía calculado por la productividad de sus súbditos, y, para ese fin, las personas debían ser educadas en disciplinas que ayudasen a crear riqueza. Un deseo de regularización, eficiencia y productividad se escondía detrás de los esquemas para renovar el comercio, las políticas fiscales, la industria y la producción agrícola. Los Borbones comprendían claramente las necesidades del Estado como separadas de los objetivos espirituales de la Iglesia, y se apoyaron en hombres de gran fuerza intelectual para definir las políticas que consideraron correctas para alcanzar estos objetivos.

Los economistas políticos españoles como José del Campillo (1693-1743), Bernardo Ward, Gaspar de Jovellanos (1774-1811) o Pedro Rodríguez de Campomanes (1723-1803), que desarrollaron las teorías para rehacer la economía de la Península, tenían un concepto claro del papel de las colonias en sus esquemas: éstas debían ser fuente de riqueza, útiles para la madre patria. Los primeros cambios adoptados en el siglo XVIII no estuvieron, sin embargo, en sintonía con las economías políticas más avanzadas del periodo. Las muy controladas compañías comerciales que reemplazaron a las flotas del siglo XVI y XVII en áreas tales como Venezuela y Cuba (fundadas en 1728 y 1740 respectivamente) expresaban el concepto mercantilista que se oponía a la creciente aceptación de la libertad comercial. Una versión revisada del comercio libre con naciones amigas no se puso en práctica en las colonias hasta el último cuarto de siglo, siendo precedida del comercio a través de barcos registrados. La apertura gradual del comercio y las comunicaciones apoyaron el intercambio de ideas y el cambio cultural.

Las expediciones científicas: la continuación del redescubrimiento de la naturaleza

El estudio de la naturaleza se vio de forma muy positiva debido a su utilidad social. Descubrir sus misterios los pondría al servicio de la humanidad. La medicina, la física, la botánica, la química y otras ciencias ayudarían a desarrollar técnicas para curar enfermedades, desarrollar industrias, aumentar la producción y crear una sociedad en la que la gente viviese con más armonía con los demás y viera la utilidad como un objetivo deseable. El final del siglo XVIII alimentó un creciente sentimiento utópico de que la sociedad y la humanidad podían llegar a la perfección. El Estado comenzó a jugar un papel creciente en encaminar a sus súbditos hacia metas deseadas y a tener una responsabilidad más grande en la forma en la que éstas se realizaban. Muchos burócratas reales desarrollaron sus propios investigaciones e informes sobre la flora, la fauna, la sociedad y la administración de sus jurisdicciones. Estos trabajos son extremadamente detallados y precisos en su información, revelando un agudo espíritu de observación y un interés sostenido por la reforma emblemáticos de este periodo. La *Relación* y la *Descripción* del virreinato de Santa Fe de Bogotá, escritas por el gobernador Francisco Silvestre (1734-1806) en 1785 y 1789 respectivamente, son buenos ejemplos de estos textos.

Las expediciones y los escritos científicos se distinguían de las anteriores curiosidades en el Nuevo Mundo en que mostraban un verdadero interés por la aplicación práctica de sus descubrimientos. También fueron más cosmopolitas en lo referente a las personas involucradas y a sus propósitos. La expedición francesa que midió el grado de latitud geográfica y que comenzó en 1735, resultó ser una profunda descripción del Perú y aportó numerosas observaciones físicas y astronómicas. Los dos científicos españoles que acompañaron a la expedición, Jorge Juan y Antonio Ulloa, también realizaron un extenso informe de las condiciones sociales y administrativas del virreinato. Sus observaciones no se publicaron hasta 1748, pero esta expedición no sólo abrió una senda para las investigaciones futuras, sino que propició que dos investigadores franceses (Godin y La Condamine) se quedaran en el Perú y la cuenca del Amazonas, respectivamente.

No se realizó ninguna expedición más hasta dos décadas después. La expedición hispano-francesa de Hipólito Ruiz, José Pavón y J. Dombey que comenzó en 1777 y se centró en el Perú, resultó en un tratado sobre la quinina y varios volúmenes sobre las plantas y los animales peruanos y chilenos. Nueva Granada fue objeto de una expedición llevada a cabo por el doctor José Celestino Mutis (1732-1808), el médico del nuevo virrey, quien la comenzó en 1782. Mutis prestó servicios oficiales durante veinticinco años antes de poder dedicarse totalmente al estudio de la flora de Nueva Granada. También enseñó matemáticas y astronomía en Bogotá. La Inquisición lo condenó por herejía por enseñar el sistema copernicano, un incidente que representó los últimos intentos de esa institución por controlar la ortodoxia intelectual.

Irónicamente, las investigaciones eclesiásticas y las visitas episcopales, llevadas a cabo por los obispos en sus diócesis, reunieron mucha información sobre la naturaleza socio-económica y antropológica en el final del siglo XVIII. El mejor ejemplo de estas visitas es la que llevó a cabo el obispo de Trujillo, Baltasar Jaime Martínez Compañón (1735-1797), que, en seis años de visitas diocesanas que comenzaron en 1782, reunió una completa colección de pinturas que retrataban la vida diaria de sus propios feligreses.

Otras expediciones importantes siguieron el imperativo de Linneo de clasificar el reino natural y el reto de conocer los rincones más remotos del continente. Notablemente, las órdenes religiosas llevaron a cabo parte de este trabajo en sus renovados esfuerzos por alcanzar a los pueblos aún no convertidas al catolicismo que habitaban cerca de las grandes arterias fluviales de Sudamérica. Uno de estos hombres fue fray Antonio Caulín (nacido en 1719), autor de la *Historia corográphica... de la Nueva Andalucía* (1779) que describía la cuenca del Orinoco. Vemos aquí que la corriente de conocimiento sobre culturas aborígenes iniciada en el siglo XVI por los primeros misioneros fue retomada en el XVIII.

Martín de Sessé (muerto en 1809) lideró una expedición a México, donde reunió especímenes animales y vegetales durante 1788 y 1789 ayudado por el mexicano José Mariano Mociño (1757-1822). Esta aventura se prolongó con más visitas a América Central y Cuba. Otros viajes de importancia fueron los llevados a cabo por el italiano Alejandro Malaspina, acompañado de dos científicos, uno francés y otro bohemio, en los que se catalogaron especimenes en la parte sur de Sudamérica y del Pacífico. Otra fuente de conocimiento importante vino de las expediciones que se ordenaron para determinar cuáles eran las fronteras verdaderas entre las colonias españolas y las portuguesas a mediados del siglo XVIII. Félix de Azara (1746-1821), un científico autodidacta y soldado profesional, pasó años estudiando la naturaleza en las zonas ribereñas de Paraguay y el Río de la Plata entre 1781 y 1800, en parte para fijar las fronteras hispano-portuguesas. La culminación de estas expediciones fue un viaje realizado por Alexander Von Humboldt (1769-1859), quien, entre 1799 y 1804, bajo los auspicios de la Corona española, visitó el interior de Venezuela, La Habana, Nueva Granada, Quito, la cordillera andina y el Perú. Por último, viajó a Nueva España, y allí escribió su investigación más conocida. Los treinta volúmenes de descripción y análisis natural publicados en París a partir de 1809 podrían ser suficientes para otorgar a Humboldt el título de verdadero descubridor de las Américas.

El revuelo causado por estas expediciones internacionales fue sólo una faceta de las muchas actividades de naturaleza científica que tuvieron lugar en las últimas décadas del siglo. Patrocinadas por la Corona, en su labor de desarrollo y perfeccionamiento de toda tecnología aplicable a la extracción de riquezas naturales, la investigación y las instituciones científicas se incorporaron por fin al escenario educativo de Hispanoamérica. Las ciencias experimentales se fueron introduciendo muy poco a poco en las universidades durante la segunda mitad del siglo. La mejora técnica de la minería, una de las fuentes de riqueza más productivas del Nuevo Mundo, fue uno de los objetivos del monarca Carlos III y sus consejeros. El Real Cuerpo de Minería se creó formalmente en Nueva España en 1777 para regular la industria e instruir sobre las mejoras técnicas, por recomendación del visitador real José de Gálvez (1729-1786) y del científico mexicano Joaquín Velázquez de León (1732-1786). Fausto de Elhuyar, formado en Sajonia y Suecia, fue nombrado en 1786 como su principal mandatario. La institución mexicana, que comenzó a funcionar el 1792, sirvió como modelo para otras en el Perú, Chile, el norte de Sudamérica y América Central. Muchos otros científicos europeos interesados por la minería y la botánica llegaron junto a Elhuyar y fueron responsables de la fundación de la Escuela Real de Minas y el Jardín Botánico.

La educación: la posibilidad del cambio y la reforma

El interés por la educación creció a todos los niveles, sin que se dejara de prestar una atención especial a la educación «popular», que anticipaba el concepto de escuela pública. La circulación de libros, en especial científicos, se incrementó de manera significativa. El deseo de los hispanoamericanos de participar en el proceso de aprendizaje que se estaba desarrollando en el antiguo continente, se expresaba en la fundación de sociedades de personas interesadas en la ciencia y sus aplicaciones prácticas, llamadas *Sociedades Económicas de Amigos* o *Amantes del País*[29]. Las sociedades españolas aceptaban miembros hispanoamericanos. De entre 1268 miembros de la *Real Sociedad Vascongada de los Amigos del País,* 522 residían en el continente americano. De ellos, 469 vivían en Nueva España,

[29] Robert J. Shafer, *Economic Societies in the Spanish World* (Syracuse University Press, 1958).

Perú y Cuba. La sociedad publicaba las actas de sus reuniones para mantener a sus miembros no residentes informados de sus actividades. En Hispanoamérica se fundaron sociedades en Buenos Aires, La Habana, Quito, Guatemala, Bogotá y Caracas. Se debería subrayar el hecho de que estas ciudades se encontraban en la periferia del imperio colonial hasta el siglo XVIII y que su apertura a la Ilustración se debió en parte a su falta de centros de conocimiento tradicionales extremadamente arraigados.

La renovación de los programas de estudio de las instituciones de enseñanza superior se llevó a cabo sólo en las últimas décadas del siglo XVIII. La enseñanza de la ciencia encontró muchos obstáculos; uno de los más importantes fue la falta de presupuesto para comprar instrumentos científicos. La ortodoxia religiosa dio pruebas de ser un obstáculo para el cambio en la enseñanza de la ciencia en algunas universidades, pero fue la falta de facilidades lo que pesó más en la balanza al final del siglo XVIII. La reforma de los programas tenía como objetivo hacer de la instrucción universitaria un medio práctico para resolver los problemas sociales y económicos. Una típica reforma fue la llevada a cabo por José Pérez Calama, un deán de la iglesia de Michoacán que fue nombrado obispo en Quito en 1788. En Nueva España, Pérez Calama había intentado fundar una sociedad erudita para el desarrollo de la provincia y había escrito un ensayo sobre cómo plantar maíz y prevenir la falta de grano. Como obispo de Quito de 1790 a 1792, escribió numerosos ensayos sobre temas que variaban desde el diseño de hornos de pan hasta un plan para la reforma de los programas de estudio universitarios que añadiría la política, la economía y la historia a las bases teológicas de la Universidad de Santo Tomás. Pérez Calama subrayó el objetivo utilitario de todo tipo de aprendizaje y expresó su deseo de que la universidad abriera sus aulas a todo el mundo. Otros miembros del clero compartieron con él la esperanza de que el aprendizaje sirviera para construir los sólidos cimientos de una sociedad mejor. El canónigo Juan Baltazar Maciel sobresalió en el virreinato de Buenos Aires por apoyar la adopción de las ciencias y la filosofía modernas como regente del Real Colegio de San Carlos, que tomó las riendas de la enseñanza de la teología y la filosofía cuando los jesuitas fueron expulsados.

No todos los deseos de cambio cultural y tecnológico tuvieron unos sólidos fundamentos o un papel innovador, y muchos de los logros de la época se deshicieron durante el periodo de independencia. La Universidad Chilena de San Felipe, fundada en 1738, añadió las matemáticas a su programa clásico en 1758, pero con una base informal. Ni ésta ni las Universidades de Córdoba y Tucumán, fundadas en 1784, tuvieron ningún protagonismo en el desarrollo de la Ilustración. Quito no tuvo profesores de matemáticas y física hasta 1789, cuando se comenzaron a enseñar las teorías de Copérnico. En la Academia Chilena de San Luis, la cátedra de matemáticas la ocupó en 1799 el ingeniero Agustín Cavallero, que se centró en la enseñanza de maquinaria para la minería, cálculo y agrimensura. La Academia tuvo que cerrar en 1813 debido a las tensiones causadas por la dificultad política que vivía la Capitanía.

La oposición intelectual a la renovación científica y filosófica de ningún modo faltó en las colonias. Añadida a las dificultades de promover la investigación científica e implementar los planes de programas de estudio, constituyó una enorme dificultad para el cambio. En Nueva España, el erudito jesuita José María Vallarta se opuso a cualquier innovación mientras que el teólogo dominico Cristóbal Mariano Coriche estudió los textos de Jean Jacques Rousseau para exaltar al hombre natural, desoyendo las voces del Cristianismo y la civilización. Lima fue un bastión del conservadurismo, y fue allí donde hombres como José Baquíjano o Toribio Rodríguez de Mendoza fueron objeto de investigaciones por parte de la Inquisición, que, en esos momentos, tenía como principal ocupación, vigilar las ideas no ortodoxas en la ciencia y la filosofía. El *Mercurio Peruano* fue investigado por el obispo Juan Domingo González de la Reguera por publicar materiales «no ortodoxos». En Nueva Granada José Celestino Mutis consiguió enseñar matemáticas, astronomía y las teorías copernicanas entre 1762 y 1767 contra los deseos de la orden de los dominicos. Pero éstos consiguieron anular estas materias entre 1778 y 1786, fecha en la que se retomó su enseñanza.

La prensa y la difusión de conocimientos

Para el lector interesado, las noticias tecnológicas y científicas europeas se convirtieron en información accesible a través de las publicaciones periódicas que comenzaron a aparecer en algunas capitales ya en 1722. En ese año la *Gaceta de México* y las *Noticias de Nueva España* aparecieron en seis tiradas cortas y fueron seguidas de otra *Gazeta de México* entre 1728 y 1742. La segunda mitad de siglo fue un verdadero periodo de florecimiento para vehículos de información similares. México, la sede de la primera imprenta de América, publicó más periódicos que cualquier otra capital. Antonio de Alzate dirigió el *Teatro Literario de México* en 1768. También publicó otros dos diarios científicos efímeros en 1772 y 1787, y consiguió publicar la *Gazeta de Literatura de México* entre 1788 y 1794. Tradujo las obras de Benjamín Franklin y estuvo en comunicación con los centros de investigación norteamericanos y europeos. Otra breve pero importante publicación fue *Mercurio Volante,* que apareció en México en 1772 con artículos en su mayoría sobre cuestiones físicas y médicas. En Guatemala, la *Gazeta de Guatemala* publicó información científica de fuentes europeas y norteamericanas. De las últimas, la influencia del College of Philadelphia y la American Philosophical Society se dejaron sentir en más de una ciudad hispanoamericana.

La *Sociedad Económica de Amantes del País* de Lima publicó el *Mercurio Peruano* entre 1791 y 1793. El propósito que el *Mercurio Peruano* decía tener era muy similar al de las publicaciones citadas anteriormente. El *Mercurio* pretendía ser un vehículo de conocimientos útiles, por ejemplo, un mejor conocimiento del virreinato o una popularización de conocimientos médicos, de ingeniería y mercantiles. Sus colaboradores escribían sobre Feijoo y Newton así como sobre el comercio «libre» y las técnicas mineras. Otra publicación notable fue el *Semanario del Nuevo Reino de Granada,* que se publicó entre 1808 y 1881. Tras estos periódicos se encontraban los más astutos de entre los notables criollos, figuras como Francisco José de Caldas en Nueva Granada, Francisco Javier Eugenio de Santa Cruz y Espejo (1747-1795), José Baquíjano e Hipólito Unanúe (1755-1833) en el Perú y Manuel de Salas (1755-1841), miembro del Consulado de Santiago de Chile. Este último fue el promotor de numerosos edificios cívicos y también dio empuje a la fundación de la Academia de San Luis, centro de estudio de diseño, geometría y matemáticas en 1796. Se debe subrayar la existencia de un número mayor de intelectuales nacidos en América cuyos intereses estaban orientados hacia la mejora de lo que vagamente sentían como «su» tierra, en oposición a una Corona y una burocracia real, cada vez más reguladora y egocéntrica.

La Ilustración, a pesar de su importancia como herramienta para abrir las puertas mentales de Hispanoamérica hacia la modernidad de la ciencia, la economía y la administración, quedó como un proceso evolutivo que sólo influyó directamente sobre la elite social de las colonias. Sólo un minúsculo porcentaje de la población urbana podía o quería leer las revistas de la época. Las reformas en cuanto a los los programas de estudio universitarios ampliaron el espectro de conocimientos de los estudiantes, pero el incluir las teorías filosóficas creadas en Europa en el siglo XVII significaba sólo que las colonias se estaban actualizando. A pesar de que el cambio y la apertura llegaron sin mucha oposición, los detractores de las revisiones y la «modernización» alcanzaron grandes victorias en sus esfuerzos por abortar la adopción de las nuevas metodologías.

El entorno colonial se derrumbó bajo la égida de la Ilustración. Los hombres que se aprovecharon de la oportunidad creada por la invasión napoleónica de España en 1808, para comenzar a decidir su propio futuro, habían alcanzado la madurez en las últimas dos décadas del siglo XVIII y habían apreciado la influencia potencial de las «luces» en el pensamiento moderno. Sentían que la posibilidad de progreso y mejora estaba abierta a todas aquellas personas con educación y voluntad. Los vientos filosóficos de las revoluciones en Francia y América habían traído semillas de igualdad que podían y debieran ser utilizadas, al menos entre los que se encontraban arriba. También habían notado un sentimiento distintivo, alimentado por los escritores jesuitas en el exilio, que exaltaba la cara positiva y buena de sus propias patrias chicas. Las Américas se podían convertir en algo tan grande como Europa bajo la égida de la libertad, apoyadas por los logros intelectuales y la inteligencia natural de sus gentes. Hombres como Juan José de Eguiara y Eguren (1696-1763), autor de *Biblioteca mexicana,* un catálogo de autores mexicanos, alababa los logros de los criollos. La grandeza del pasado indígena, remoto y mítico, fue útil para asentar raíces que se despegaron cómodamente de su propio presente, pero que se podían usar para avergonzar a España y reclamar la legitimidad a través de una historia diferente y separada de la madre patria. Además, el disgusto claro que le daban los criollos a ciertos burócratas ilustrados españoles, y el beneficio obvio que España conseguía a través de las reformas administrativas y comerciales, sustentaban una base material para la separación. Esta ruptura tendría diferentes niveles de resolución y matices de participación, pero esta historia no la vamos a contar aquí.

CONCLUSIÓN

El panorama de la cultura virreinal hispanoamericana en sus trescientos años de desarrollo dibuja un esquema de movimiento y debate que va más allá del simple reflejo o imitación de los modelos europeos. A pesar de que una de sus fuentes fue y siguió siendo de origen europeo, específicamente ibérico, la realidad del continente americano impuso su presencia en el desarrollo de una cultura de las colonias españolas. Sus habitantes originales y su ecología afirmaron su personalidad desde 1492 en adelante, forzando a la fuente ibérica a adaptarse a una nueva realidad que no pudo ser totalmente asimilada. Esto se hizo obvio en el desarrollo de un sistema legislativo y administrativo que tuvo que responder a las circunstancias coloniales. El proceso de adaptación de los modelos fue lento y artificial, pero cuando maduró a finales del siglo XVII, había desarrollado sus propias características distintivas.

La sociedad americana dio a Europa nuevos elementos para que repensara los valores humanos universales y enfocara de forma diferente su vida material. La solución a los retos que presentaba el nuevo escenario geográfico y la variedad de actores humanos, empeñados en constante y obligado intercambio con la cultura filosófica y teológica ibérica, forzó a España a un autoanálisis que acarreó repercusiones importantes. Aunque no produjo resultados beneficiosos o constructivos en todos los casos, y fue objeto de protestas fuertes, las respuestas que España se dio a sí misma, llevaron a un debate sobre la racionalidad humana, el sentido de la justicia en el trato a los no europeos y las leyes que deberían gobernar a todos los pueblos.

Los intercambios culturales nunca son simples. Bajo el dominio español, el peso de la visión del mundo cristiana y europea y el conocimiento técnico reformaron las estructuras básicas de la vida de los aborígenes. Sin embargo, la imagen de un súbdito pasivo colonial cuyo papel principal era el de reiterar y adaptar un modelo ibero, es inoperante en el contexto hispanoamericano. La dinámica de la cultura virreinal descansaba sobre el reto constante con el que España tropezó en sus colonias y produjo una sociedad nueva y distinta.

[10]

EL SIGLO XVIII: FORMAS NARRATIVAS, ERUDICIÓN Y SABER

KAREN STOLLEY

INTRODUCCIÓN

En el año 1737 una epidemia arrasó la Ciudad de México y sus alrededores, y sus habitantes dieron muestras desesperadas de su devoción ante varias imágenes sagradas, en una serie de intentos fallidos por detener el avance mortal de la enfermedad. Finalmente, la epidemia fue superada después de que la ciudad declarara formalmente a la Virgen de Guadalupe como patrona oficial. Al narrar este giro milagroso de los eventos en los cuatro volúmenes de la *Historia de la Provincia de la Compañía de Jesús de Nueva España* (1767; México, 1841-1842), Francisco Javier Alegre (1729-1788), miembro de la orden jesuita además de su aclamado historiador, comentó que era como si el ángel exterminador estuviese a la espera de la declaración de la Virgen como patrona para envainar su espada (Lafaye, *Quetzalcóatl y Guadalupe: La formación de la conciencia nacional en México*, Fondo de Cultura Económica, 1985, pág. 86 [1977, pág. 141]; ver también Deck, *Francisco Javier Alegre)*. Para Jacques Lafaye, en aquel momento comienza «el tardío florecimiento del culto a la Virgen de Guadalupe», dos siglos después de su aparición, un florecimiento que asocia con la incipiente conciencia nacional mexicana y, en general, con un periodo de triunfalismo criollo al entrar en el siglo XVIII. Incluso si descontamos estos desarrollos posteriores, el relato de Alegre conserva para nosotros un impactante ejemplo de hagiolatría colonial.

Casi medio siglo después, en 1779, se declaró una epidemia de viruela en la ciudad de México. El Doctor José Ignacio Bartolache (1739-1790), que había sido el editor del *Mercurio Volante* (considerado por algunos como la primera revista médica periódica en América) durante su breve aparición entre 1772 y 1773, presentó al virrey un plan para combatir la enfermedad. A pesar de que, desafortunadamente, el texto de Bartolache se ha perdido, sus recomendaciones se conservaron en la aprobación oficial del plan por parte del Cabildo. Bartolache pedía que las calles de la ciudad se iluminaran y perfumaran y que se ventilase bien toda iglesia que albergara cadáveres; también sugería que se tocara música, siempre que se suministrase comida o medicinas a los enfermos y que las bandas de músicos salieran a la calle por las noches para aliviar el miedo y la preocupación de los ciudadanos mexicanos *(Mercurio Volante*, xxxvi-xxxvii). A pesar de que las sugerencias de Bartolache puedan sonar al lector actual como algo desencaminadas o curiosas, reflejan claramente una comprensión rudimentaria de los problemas que conlleva el control de la enfermedad, una apreciación intuitiva de los efectos psicológicos de una epidemia catastrófica y una preocupación ilustrada por las cuestiones de salud pública.

Esta breve incursión en la patografía del siglo xviii sugiere las dificultades inherentes a cualquier intento de dividir en categorías la prosa del siglo xviii en Latinoamérica. ¿Sería posible articular una caracterización coherente del siglo xviii basándose en los escritores antes mencionados? ¿Dónde encajarían las obras de Alegre y Bartolache —una historia de los jesuitas en México y una proposición de reformas en la salud pública— dentro de la tradición literaria latinoamericana? ¿Cómo podemos medir la importancia de las formas narrativas, la erudición y el saber del siglo xviii si las comparamos con los maravillosos relatos de los cronistas del siglo xvi o con la renovación modernista del lenguaje poético?

Estas preguntas se hacen con la intención de mostrar la razón por la que tradicionalmente la prosa del siglo xviii se ha visto como una tierra literaria de nadie. Para muchos lectores de literatura latinoamericana, el siglo xviii representa un abismo más que un puente entre el Barroco colonial y el Romanticismo del siglo xix. No son sólo los historiadores literarios los que se retraen ante el reto que supone el siglo xviii: hasta José Lezama Lima, en *La expresión americana* (1957), salta desde el señor barroco al romántico perseguido (pág. 89-97). Y, mientras que el verso neoclásico disfruta de un espacio respetable en la mayoría de las historias y antologías literarias, la prosa del siglo xviii ha acabado siendo un «peje entre dos aguas» (para usar la frase de Concolorcorvo en el *Lazarillo de ciegos caminantes* de Carrió de la Vandera) es decir, un pez fuera del agua... Poco estudiada y menos aún leída.

Esta incomodidad de la crítica se puede explicar hasta cierto punto por factores históricos. Los últimos años del siglo xvii fueron testigos de la muerte de tres figuras importantes del periodo del barroco colonial: Sor Juana Inés de la Cruz (1648-1695), Juan del Valle y Caviedes (1652-1697) y Carlos de Sigüenza y Góngora (1645-1700). La muerte de Sigüenza y Góngora llegó el mismo año en el que los Borbones ascendieron al trono español. Pero la historia literaria pocas veces se desarrolla en periodos de cien años exactos. Lafaye va demasiado lejos, tal vez, cuando habla de la trágica «ambigüedad histórica» de la primera parte del siglo *(Quetzalcóatl*, 97 [1977, pág 195]); sin embargo, es difícil discutir sus conclusiones cuando se refiere a que las primeras décadas del siglo xviii «apenas se diferenciaron de las últimas del siglo xvii, excepto porque se desarrollaron y acentuaron tendencias que habían comenzado en estas últimas» (Lafaye, «Literature and intellectual life in colonial Spanish America», 695). La persistencia de las tendencias barrocas significaron que el Neoclasicismo y luego el Romanticismo aparecieran más tarde que en España y, por supuesto, rasgos vigorosos del Romanticismo aparecen en la ficción producida en la primera parte del siglo xx. Existe un largo debate sobre cuándo llegó la Ilustración —si es que llegó— a Latinoamérica; las preguntas sobre la importancia del pensamiento ilustrado católico, el nivel de influencia que tuvo la Inquisición en la difusión de las nuevas ideas al otro lado del Atlántico, y cómo caracterizar la relación entre la Ilustración y los movimientos independentistas latinoamericanos, han tendido a situar al mundo iberoamericano en un lugar subordinado de la erudición ilustrada, incluso en estudios más recientes. Aún así, Arthur Whitaker ha sostenido que el enfoque revisionista sobre la diversidad y pragmatismo de la Ilustración es particularmente pertinente al mundo iberoamericano (a pesar de que también modera las opiniones más tempranas de unidad e idealismo) (Aldridge, *The Ibero-American Enlightenment*, 42-3).

La definición de la Ilustración hispánica representa un nudo gordiano que requiere golpes mucho más drásticos de los que nos podemos suministrar dentro de los confines del presente estudio. Sin embargo, la colección clásica de ensayos editados por A. Owen Aldridge sobre la Ilustración iberoamericana toma como su punto de partida una comprensión tradicional de los elementos clave de la Ilustración europea: el compromiso con los descubrimientos científicos y el rechazo de la superstición; un espíritu crítico inquisitivo; y la dedicación a las reformas sociales y económicas (Aldridge, *Ibero-American Enlightenment*, 8). Casi todos los escritores del volumen subrayan la importancia dual de la razón y la experiencia en el entendimiento y la apropiación del mundo y señalan a la «revolución intelectual» (usando la frase de John Tate Lanning) que transformó completamente la cultura académica hispánica para finales de siglo.

Charles Griffen reconoce que los latinoamericanos del siglo xviii a menudo adoptaban posiciones hostiles a ideas ilustradas tales como la soberanía del pueblo o el anticlericalismo. Al mismo tiempo abogaban por la difusión del conocimiento científico útil y la liberación del pensamiento filosófico de la escolástica. A este respecto, su posición no era muy diferente al concepto de Fray Benito Jerónimo Feijoo (1676-1764) de la «modernidad clásica» y varios escritores latinoamericanos llevaron a cabo un intercambio trasatlántico muy fluido con las ideas del erudito benedictino (Griffen, citado en Aldridge, *Ibero-American Enlightenment*, 27).

¿Cuándo empezaron a ser acogidas las ideas ilustradas en Latinoamérica? La cronología también es objeto de algunos debates, pero hay fechas que no ofrecen lugar a dudas: 1759, cuando se inicia el reinado ilustrado y reformista de Carlos III; 1767, año de la expulsión de los jesuitas; 1778, cuando el sistema de la flota es abolido y reemplazado por el nuevo sistema del libre comercio (Lerdo de Tejada). Los programas de reformas iniciados por el rey Borbón y sus ministros durante la segunda mitad del siglo, aunque ante todo iban dirigidos a las estructuras económica y administrativa, tenían repercusiones de largo alcance en la vida intelectual de los virreinatos. Y, a pesar de que su importancia no quedaría clara hasta bien entrado el periodo de la independencia, las reformas sirvieron como catalizador de la formación de una identidad criolla, la consolidación de las «comunidades imaginadas», que Benedict Anderson ve como anticipo de la conciencia nacionalista («Creole pioneers», 6-7). Sin lugar a dudas, en algún momento después de la mitad del siglo se produjo un cambio muy importante que se refleja en el relato de las respuestas muy diferentes que tienen Alegre y Bartolache ante el riesgo de epidemia en la Ciudad de México con que comenzábamos este capítulo.

Uno de los factores que hacen este cambio tan difícil de evaluar, en términos literarios convencionales, es que a menudo se evidenció en la producción cultural (opuesta a la producción de textos) concentrada en los centros urbanos de rápido crecimiento —Lima, Ciudad de México, La Plata, Caracas, La Habana. El último periodo colonial fue testigo del nacimiento de nuevos centros de población y prestigio, al cambiar el balance de poder desde la Ciudad de México y Lima hasta los nuevos virreinos de Nueva Granada (1739) y La Plata (1776). En todo el territorio de las colonias, la proliferación de imprentas y la publicación de gacetas y periódicos, la formación de Sociedades de Amigos, la organización de expediciones científicas, la fundación de bibliotecas, universidades y academias, el patrocinio de proyectos de reforma y una serie que parecía no acabar nunca de debates y polémicas sobre un gran número de temas son tan buenas manifestaciones de la forma de pensar del siglo XVIII como cualquier volumen o autor. Tal vez esto explica por qué hasta hoy, las obras más interesantes sobre la Latinoamérica del siglo XVIII, han sido escritas por historiadores sociales, económicos o culturales, como Antonello Gerbi, David Brading o Lafaye.

La prosa del siglo XVIII en Latinoamérica comprende obras que son hoy en día inaccesibles o que están fuera de moda en el sentido literario. El lector se encuentra a menudo con géneros marginales —el ensayo científico o filosófico, el diario de viaje— cuya literaridad es de alguna manera problemática, o con textos híbridos que se resisten a la fácil categorización genérica. La erudición ilustrada se ha descrito hasta hoy con lo que Lester Cocker llama «compulsión para definir» («The Enlightenment», 336). Pero hay cierta ironía en el hecho de que, a pesar de la fascinación del siglo XVIII con las clasificaciones linneanas, los autores y obras que aquí se tratan desafían una organización sistemática. En su lugar, intentaré sugerir el amplio espectro de actividad erudita, literaria y cívica que el siglo XVIII produjo en Latinoamérica.

Debo añadir un comentario entre paréntesis sobre las mujeres escritoras en el siglo XVIII. Los estudios sobre este siglo en Europa han producido importantes adiciones al canon literario por mujeres escritoras, pero no se puede decir lo mismo de esta época en Latinoamérica. Las razones son varias. Una de ellas es que la tradición historiográfica de los siglos XVI y XVII, básica para la primera historia literaria latinoamericana, estuvo en su mayor parte cerrada a la experiencia de las mujeres. Otra es que las mujeres, tradicionalmente marginadas en la cultura literaria europea, lo estuvieron aún más en la cultura literaria colonial en desarrollo, donde las posibilidades de urbanización, comercio y viajes fueron muy limitadas hasta el final del periodo colonial. Una excepción es, sin duda, la rica tradición de la escritura conventual hispana; debemos referirnos a los estudios históricos o antologías (Lavrin, Schlau y Arenal, Muriel, Myers) donde encontraremos información sobre estas «hermanas nunca contadas». La autobiografía espiritual de Francisca Josefa de la Concepción del Castillo y Guevara es una importante contribución del siglo XVIII a esta tradición.

Por las razones antes mencionadas, un acercamiento temático a la prosa del siglo XVIII parece más útil que uno basado en los géneros, la cronología o el territorio. Las secciones que enumero a continuación servirán para organizar mi acercamiento a la erudición y el saber en el siglo XVIII:

De la escolástica al nuevo pensamiento
Tendencias historiográficas
Observaciones científicas y viajes
La organización del conocimiento.

Una advertencia final: muchos escritores del siglo XVIII, considerados pequeñas figuras dentro del contexto de las letras latinoamericanas, son intensamente defendidos dentro de sus propios países de origen como los padres fundadores de la cultura nacional. Omitirlos podría parecer a algunos lectores una falta grave; incluirlos parecería sin duda a otros algo excesivamente generoso. Muchos viajeros europeos escribieron copiosamente sobre el continente, y algunos se quedaron una década o dos y se convirtieron en íntimos conocedores del territorio que describían. Otros criollos, como los jesuitas exiliados en 1767, dejaron Latinoamérica para irse a vivir a Europa y retomaron sus escritos en latín o italiano. Los medios convencionales que nos sirven para medir la historia literaria —el origen nacional, la lengua, la difusión de una determinada obra— no permiten captar la complejidad del siglo XVIII. He intentado crear un camino intermedio que dé al lector ciertos criterios que le permitan llegar a apreciar el periodo con sus más destacadas figuras sin recurrir a una mera enumeración de autores y obras.

DE LA ESCOLÁSTICA AL NUEVO PENSAMIENTO

El cambio gradual en el pensamiento que tuvo lugar durante el siglo XVIII se manifestó de formas tal vez más dramáticas en las áreas de la religión y la filosofía. Estas dos disciplinas estuvieron muy unidas durante la primera parte del siglo pero después tomaron caminos cada vez más divergentes. En 1700, la cultura académica estaba firmemente anclada en el pensamiento tomista y la producción cultural dominada por los escritos de carácter espiritual y contemplativo. A pesar de que la segunda parte del siglo trajo un agudo aumento del número de imprentas en las colonias españolas (ver las obras de Toribio Medina), en 1700 sólo había cinco (en México, Lima, Puebla y Guatemala) y su producción estaba limitada en su mayor parte a obras de naturaleza religiosa —sermones, novenas, oraciones fúnebres y tratados devotos. La mera abundancia de tales publicaciones nos da una visión de cuán dominada estaba por la Iglesia la vida pública de las colonias españolas (Lafaye, *Quetzalcóatl*, 84-5 [1977, pág 170]). Una de las primeras obras que fueron publicadas por la imprenta bogotana después de su instalación en 1739 fue el elogio funerario de la Madre Castillo, que señalaba el final de una era en la producción de textos religiosos y el comienzo de otra de publicaciones seglares que se comentará más adelante en este capítulo.

La Madre Castillo sobresale como la figura más importante de las letras religiosas a comienzos del siglo XVIII. Tanto sus escritos poéticos como su prosa reflejan la persistencia de las tendencias barrocas bastante más allá del final del siglo XVII y marcan la continuación de la tradición mística española casi un siglo después de las muertes de San Juan de la Cruz y Santa Teresa. Hija de una familia eminente en Tunja, en el virreinato de Nueva Granada, fue educada en su hogar y entró en el Convento de Santa Clara con dieciocho años. Hizo los votos en 1694 y a partir de entonces y hasta su muerte jugó un papel activo en la vida del convento, donde en tres ocasiones ocupó el cargo de madre superiora. Dejó un conjunto de poesías líricas y dos obras en prosa: los *Afectos espirituales* y la *Vida* (ninguna publicada antes de su muerte).

Dado el escaso número de mujeres escritoras durante el periodo colonial, es inevitable que se dé la comparación con Sor Juana Inés de la Cruz, aunque esta sea tal vez injusta. Como en el caso de Sor Juana, la atención crítica se ha centrado hasta hace poco en lo biográfico, y le ha prestado demasiada atención a lo narrado por la misma Madre Castillo sobre sus enfermedades histéricas y su desconfianza de sí misma. Las circunstancias de ambas monjas son muy diferentes: Sor Juana vivió en el centro de la vida virreinal en la Ciudad de México; la Madre Castillo pasó sus días en un convento olvidado en una ciudad melancólica de una región marginal de las colonias. Su ambiente fue austero y su vida diaria monótona (Achury Valenzuela, *Análisis crítico de los «Afectos espirituales»*, clxxxvii). Y, mientras que los escritos de Sor Juana reflejan una amplia variedad de temas seculares y religiosos, un sorprendente abanico de géneros y una maestría reconocida en el dominio de la imaginería barroca, el proyecto literario de la Madre Castillo debe ser definido, en una escala mucho menor, como literatura devota. El grado en que la sombra de Sor Juana se proyecta sobre la obra de la monja más joven se comprueba por el hecho de que la autoría de tres de los poemas de Sor Juana que Madre Castillo había copiado en uno de sus cuadernos por un tiempo se le atribuyeron a ésta (Achury Valenzuela, *Análisis crítico*, cxcii-cxciii).

La Madre Castillo comenzó a escribir los *Afectos espirituales* tras ingresar en el convento, tal vez en 1694, y al morir había completado 196 ejercicios espirituales. En los *Afectos* se vale de la imaginería bíblica y del lenguaje barroco para describir un viaje místico del alma. Los manuscritos muestran que fueron revisados y corregidos en varias ocasiones, a veces por ella y a veces, parece ser, por la serie de padres confesores que la animaron a escribir. Despreocupada por documentar sus fuentes bíblicas, la Madre Castillo vincula frecuentemente frases bíblicas con ideas originales de una manera constante que Achury Valenzuela llama «el arte del enlace» *(Análisis crítico*, clxii). En otras ocasiones el estilo de los *Afectos* es tan depurado que raya en el aforismo.

La Madre Castillo emprendió la composición de su autobiografía espiritual a petición de su confesor, el padre Francisco de Herrera, que la animó a usar las guías espirituales de Santa Teresa como modelo. La *Vida* pretende narrar, de una manera llana, la evolución desde la niñez hasta la edad adulta y en toda la obra pone el énfasis en la dicotomía entre lo espiritual y lo mundano (Antoni, «Women of the early modern period», 156). Aun así debemos resistir la tentación de ver los *Afectos* y la *Vida* como opuestos tanto a nivel estilístico como temático; las dos obras están íntimamente ligadas y se tienen que leer una al lado de la otra para lograr una comprensión total.

La propia Madre Castillo las veía como un texto continuo. Al final de la *Vida* se traslada rápidamente desde lo autobiográfico hasta lo espiritual, describiendo su aversión al matrimonio y la intensa fuerza de atracción que tienen para ella la contemplación y la oración *(Vida* [1968], 4). En una de sus revelaciones más sorprendentes, asegura al lector que aprendió el latín de forma milagrosa sin ni siquiera estudiarlo (pág. 3), pero la mayoría de los capítulos de la *Vida* sólo contienen vagas referencias al mundo exterior. Se experimentan y se consiguen dominar sucesivas crisis espirituales una y otra vez en lo que se podría llamar una narrativa de la monotonía: «A este modo, he pasado lo más de mi vida. Escribo sólo una u otra cosa, porque fuera nunca acabar decirlas todas, que casi han sido unas mismas» (pág. 144). Otra estrategia narrativa que la Madre Castillo emplea frecuentemente es la profecía: prevé cosas que se confirman más tarde en su vida (a menudo que uno de sus confesores vaya a ser trasladado o se vaya: ver pág. 135-36); de esta forma la estructura de la narración se reafirma constantemente, incluso cuando la narradora entra en etapas de protesta o desconfianza en sí misma.

Los pasajes más sorprendentes son aquellos en los que la Madre Castillo inscribe sus propios *Afectos* dentro del marco narrativo de la *Vida*, reforzando a la vez tanto su vocación de escritora como su vocación espiritual. El Capítulo 34 de la *Vida* explica cómo en una ocasión fue consolada por una luz interior:

> Pero mejor lo explicarán algunas palabras que entendí entonces, o digo, que escribí (no porque fueran palabras expresas, sino una luz que se imprimía en el alma, y la convencía, habiendo recibido a Nuestro Señor Sacramentado), eran como si dijera: 'Mira, si todo el mundo fuera de oro purísimo, perlas y piedras preciosas, de inestimable valor, y pudieras con desearlo, y suspirar por él, adquirirlo y traerlo a ti, no te pudieras transformar en él; mas en mí, que soy verdadera riqueza inefable, puede transformarte el amor [...]' (págs. 130-1).

Las imágenes ricas y vibrantes de la visión mística vienen del *Afecto 39* y le imprimen a este texto de la *Vida* una autoridad innegable.

La Madre Castillo es claramente la representante más destacada de las escritoras de convento del siglo XVIII, pero otras muchas monjas también escribieron autobiografías espirituales o ejercicios devotos. *Letras de la Audiencia de Quito* (editado por Hernán Rodríguez Casteló), por ejemplo, incluye muchas obras que no habían sido publicadas con anterioridad, transcritas desde sus manuscritos originales. Una de las piezas más sorprendente de la colección es un breve fragmento titulado «Secretos entre el alma y Dios» de la autobiografía espiritual de la monja ecuatoriana Catalina de Jesús Herrera (1717-1796). A diferencia de la *Vida* de Madre Castillo, el breve fragmento hace referencia a varios eventos asombrosos que ocurrieron durante la vida de Catalina de Herrera. Pero lo más sorprendente del fragmento es su insistencia en una conciencia femenina, aun feminista. En tres ocasiones distintas la escritora describe la conducta abusiva de su padre, cuidando de abrir y cerrar cada anécdota con afirmaciones piadosas sobre su carácter cristiano y su bondad esencial: «La primera vez fue siendo yo recién nacida, envueltos los brazos. Porque mi madre no acudió tan presto a mi llanto, me cogió en sus manos y me iba a botar por una ventana, que si mi madre no apresura el paso, ya me arrojaba por la ventana con amago violento» (pág. 118). La descripción del abuso infantil, la violencia física que despierta el lloro de un bebé y la intervención materna fortuita asombran al lector contemporáneo.

Más tarde, Catalina de Jesús Herrera confiesa que sus primeras meditaciones sobre lo divino se produjeron a raíz de la visión del nacimiento de una hermana menor. La escena la lleva a imaginarse una regresión casi infinita de mujeres nacidas de otras mujeres, hasta que decide preguntarle a su madre sobre el origen de la primera mujer. A pesar de que Catalina de Herrera se muestra cautelosa a la hora de decir que Dios fue quien iluminó a su madre para que respondiera a todas las preguntas de su hija, lo que se describe realmente en el texto es una discusión teológica profunda y extensa entre madre e hija, que es aún más sorprendente ya que el escenario es el cuarto donde reposa la madre, tras el propio parto (págs. 119-20). La autobiografía de Catalina de Herrera, aún enraizada en la tradición mística hispana, es única por la forma realista de tratar cuestiones de la sexualidad femenina y de la experiencia de las mujeres.

Concluiré esta sección sobre las escritoras de convento con una breve mención a María Ana Águeda de San Ignacio (1695-1756). A pesar de que desde hace tiempo han sido mayormente inaccesibles sus obras, es considerada una importante escritora mística y una de las pocas mujeres que se ocupó de asuntos teológicos. Se ha incluido una selección de sus obras en *Untold Sisters*, de Arenal y Schlau (353-5, 387-96).

Si bien los escritos de las monjas por lo general eran de carácter privado, o bien para ellas mismas o para sus confesores, los hombres escribían para un público mayor. Las primeras bibliografías contienen muchas menciones a sermones y elegías funerarias escritas por tantos (y tan secundarios) clérigos que sería imposible dar cuenta de todos ellos. Forman parte de un paisaje cultural de la primera parte del siglo XVIII, pero a los más no se les lee mucho y sólo rara vez se reeditan sus obras.

Francisco Javier Conde y Oquendo (1733-1799) era conocido como el mejor orador de su época, a pesar del hecho de que sólo tres de sus sermones fueron publicados antes de su muerte. Nacido en Cuba, pasó varios años en España antes de volver a México; como muchas otras figuras de las letras del siglo XVIII, se trasladó desde un área geográfica o virreinato a otro, y tanto Cuba como México lo reclaman como parte de su historia literaria. Durante sus años en España escribió su «Elogio a Felipe V», que se publicó en Madrid en 1779 (donde recibió el premio de la Real Academia Española) y se reeditó en México en 1785.

Conde y Oquendo dejó tres volúmenes de *Piezas oratorias* sin publicar, precedidas de un *Discurso sobre la elocuencia*, un tratado que refleja la aversión dieciochista por los excesos de la oratoria barroca. Como el epónimo protagonista de la satírica novela *Fray Gerundio de Campazas, alias Zotes, Historia del famoso Predicador* (1757-1768) del Padre José Francisco de Isla de la Torre (1703-1781), Conde y Oquendo ataca en su tratado los sermones pretenciosos e intenta explicar su predominio en los virreinatos españoles. Al igual que los rayos del sol saliente primero iluminan Europa y luego avanzan hacia América, el nuevo espíritu ilustrado de las artes y las letras ha llegado lentamente a Nueva España, de tal forma que según él: «parece que el gerundismo, encontrándose ya destronado en la metrópoli, había decidido trasladarse a estas vastas colonias para regir por más tiempo y extender su cetro de hierro con más dominio y autoridad» (pág. 380).

Conde y Oquendo también escribió su *Disertación histórica sobre la aparición de la portentosa imagen de María santísima de Guadalupe de México* (1794), refutación en dos volúmenes del ensayo de Bartolache sobre el tema («Manifesto satisfactorio anunciado en la *Gazeta de México*. Opúsculo Guadalupano...», 1790). Bartolache comienza con una crítica sobre los méritos artísticos de la imagen que supuestamente se apareció milagrosamente sobre la manta del indio Juan Diego en diciembre de 1531, para luego cuestionar la autenticidad de muchos detalles de la leyenda guadalupana en sí misma. En su prólogo, Conde y Oquendo promete a sus lectores «una historia completa de Nuestra Señora de Guadalupe, como requerida en nuestros tiempos; es decir, una historia que es al mismo tiempo crítica y apologética y que satisfará al devoto, al curioso y al incrédulo (pág. xxvii). Sus largas disquisiciones sobre las historias indígenas, españolas y criollas de lo ocurrido se alternan con agudas refutaciones de los razonamientos de Bartolache, y concluye con un análisis de la imagen basado en su propio aprendizaje de pintor.

Este intercambio es, como mucho, una curiosidad bibliográfica que refleja la tendencia intelectual y religiosa de los tiempos, así como el papel central que tuvo el guadalupismo en la vida cultural de Nueva España. A pesar de sus diferencias, Conde y Oquendo y Bartolache comparten una dedicación genuina a su fe católica; la investigación sobre los fundamentos históricos de la leyenda guadalupana no se enfrentaba necesariamente a la devoción. Incluso Fray Servando Teresa de Mier (1763-1827), cuyo sermón de 1794 vinculando a Santo Tomás con Quetzalcóatl y la Virgen de Guadalupe con Tonantzin condujo a su condena por herejía, intentaba básicamente enraizar la teología del Nuevo Mundo en el politeísmo indígena, (ver Lafaye, *Quetzalcóatl*, 262-71 [1977, págs. 272-279]). Los debates guadalupanos dan una visión sobre el carácter particular de la ilustración latinoamericana, en la que la observación científica no se encuentra necesariamente enfrentada a las creencias. (Un caso similar es el de la Virgen del Cobre de Cuba, cuya aparición milagrosa fue relatada por Onofre de Fonseca [sin fechas conocidas] en un manuscrito de 1703 que se perdió y más tarde se reconstruyó en 1782 y más recientemente por el crítico cubano José Juan Arrom [*Certidumbre de América*, 184-214].

Ahora me referiré a dos pensadores que constituyen una ruptura entre la escolástica tradicional y lo que a menudo se designa como nueva corriente de pensamiento o filosofía moderna: Juan Bautista Díaz de Gamarra y Dávalos (1745-1783) y José Agustín Caballero (1762-1835). En su obra seminal, *Cultura mexicana moderna en el siglo XVIII*, Bernabé Navarro habla de la influencia que tuvo un pequeño grupo de jesuitas a mediados de siglo cuando desafiaron la supremacía del pensamiento escolástico en Nueva España. Gamarra fue una de las figuras más importantes de este grupo. Profesor de filosofía en un colegio franciscano de Michoacán, publicó tres obras: *Elementa recentioris philosophiae* (1774), un plan para la reforma de la educación filosófica y una crítica del pensamiento peripatético; *Errores del entendimiento humano* (1781), crítica a la filosofía escolástica escrita en español para un público lector popular; y *Memorial ajustado*, narración satírica de un fallo judicial contra los que proponían la nueva filosofía, que se publicó primero en 1790 en las *Gazetas de Literatura de México* de José Antonio Alzate y Ramírez. *Elementa* es un *cursus philosophicus* de calidad desigual (ver Navarro, *Cultura mexicana moderna en el siglo XVIII*, 135-67, para una descripción detallada de la obra); para poder apreciar plenamente el papel que tuvo Gamarra en la difusión de la filosofía moderna, debemos volver a *Errores del entendimiento humano*.

La decisión de Gamarra de escribir sus *Errores* en español se debe a su objetivo didáctico y utilitario. La obra fue publicada al principio bajo el seudónimo «Juan Bendiaga» y consistía en una serie de respuestas, basadas en la lógica y el experimentalismo, a una amplia gama de errores muy comunes. La discusión sobre la salud y la higiene es de sentido común y es ilustrada; Gamarra recomienda a sus lectores tomar baños de agua fría, vestir ropas holgadas y beber mucha agua. También incluye muchos comentarios dirigidos específicamente a las mujeres y en un punto critica la costumbre actual de las fajas: « Los entendidos en anatomía saben muy bien cómo muchas enfermedades pueden ser causadas por estas ligas antinaturales... Se nos podría perdonar, si no se hubiera descubierto ya la circulación de la sangre» (México, UNAM, 1947, pág. 15). También intenta persuadir a las mujeres de que den el pecho a los hijos apelando a sus instintos maternales:

«¡Qué vergonzoso espectáculo es el ver a una madre negar a su hijo la propia sustancia, y esforzarse con peligro suyo a derramarla indignamente en otra parte!» (pág. 24).

Pero el núcleo central de la obra son las cuestiones de juicio humano, los pilares del pensamiento moderno, expresados de forma simple y enfocados a un público popular. Gamarra elogia el pensamiento moderado informado por la experiencia y razón, critica el habla oscura y anuncia: «¡Felices aquellos filósofos eclécticos, que imitando a las abejas, buscan de flor en flor el suave néctar de la ciencia!» (pág. 45).

José Agustín Caballero es la figura equivalente cubana de Gamarra; fue uno de los primeros pensadores de la isla que se distanció de la escolástica y abogó activamente por la reforma de la educación pública. También fue uno de los fundadores, junto con Luis de las Casas, del *Papel Periódico* y ejerció una enorme influencia sobre sus contemporáneos (Henríquez Ureña, *Panorama histórico de la literatura cubana*, 121). Caballero fue un latinista que escribió sus *Lecciones de filosofía electiva* en latín, pero su acercamiento a la filosofía se puede describir con toda evidencia como moderno, como demuestra la siguiente afirmación: «Es más conveniente al filósofo, incluso al cristiano, seguir varias escuelas a voluntad, que elegir una sola a que adscribirse» (citado en Henríquez Ureña, *Panorama histórico*, 122).

Otro pensador clave del siglo XVIII es el peruano Pablo de Olavide y Jáuregui (1725-1803). Tras el terremoto de Lima de 1746, Olavide desempeñó un papel tan importante en la asistencia a los sobrevivientes y en la reunión de fondos para reconstruir la ciudad que el virrey lo puso al frente de todos los proyectos de restauración. Pero pronto comenzaron a circular rumores sobre una propuesta para construir un teatro público y una nueva catedral y Olavide , se vio forzado a huir a Madrid para evitar ser acusado de corrupción y no pagar sus deudas.

Una vez en Europa se casó con una dama de buena posición y se adaptó tan completamente a los gustos ilustrados franceses que un crítico se refirió a él como «el afrancesado». Carlos III eligió a Olavide para supervisar el ambicioso plan para poblar y desarrollar la región de Sierra Morena, en Andalucía, pero, a pesar de sus esfuerzos entre 1767 y 1775, el proyecto se vino abajo. Cuando la fortuna política cambió en Madrid, la Inquisición acusó a Olavide y lo condenó a ocho años de reclusión en un convento, tiempo en el que sus actividades fueron muy limitadas (sin duda un precio muy alto para un pensador ilustrado; ver Menéndez Pelayo, *Historia de la poesía hispanoamericana*, 228). En 1780, Olavide escapó y cruzó los Pirineos hasta Francia, donde pronto se convirtió en el hijo predilecto de la sociedad parisina de salón. Allí era famoso tanto por ser perseguido a manos de los españoles como por su genio e inteligencia. Encarcelado una vez más en 1794, comenzó a escribir su *Evangelio en triunfo o Historia de un filósofo desengañado*. De nuevo regresó a España donde pasó su últimos años en un retiro rural escribiendo *Poemas cristianos* (1799) y trabajando en una traducción de los Salmos, *Salterio español, o versión parafrástica de los Salmos de David, de los cánticos de Moisés...* (1800).

Como ocurre con muchos escritores del siglo XVIII, es más lo que se discute sobre Olavide que lo que se le lee, y los infortunios y triunfos de su vida en el Nuevo Mundo y en Europa no es igualado por ninguna otra figura, excepto Fray Servando Teresa de Mier. Incluso Diderot quedó fascinado por su historia y escribió una breve biografía de Olavide (Defourneaux, *Pablo de Olavide*, 471-2). La poesía de Olavide puede pasar desapercibida; Menéndez y Pelayo, con su característica franqueza, describe la poesía de Olavide como «una prosa mal rimada, sin nervio ni calor, ni la vivacidad de la fantasía» (pág. 224). La obra más conocida de Olavide es la novela epistolar *El evangelio en triunfo, o historia de un filósofo desengañado* (1797-1798), a pesar de la publicación por Estuardo Núñez de las *Obras narrativas desconocidas* y las *Obras dramáticas desconocidas*.

El *Evangelio en Triunfo* es una obra monumental que comprende cuatro volúmenes de 400 páginas cada uno de apología del Cristianismo enmarcada dentro de un marco narrativo suelto. El argumento se resume en el subtítulo de la obra: un filósofo, que escapa de un duelo que salió mal y de las vicisitudes de su vida disoluta se refugia en un monasterio donde comienza una serie de discusiones largas con uno de los monjes sobre religión, filosofía y moral. Con el tiempo renuncia a sus creencias anteriores y acepta el Cristianismo. La historia está contada en forma de epístola, en una serie de cuarenta y una cartas que el hijo pródigo (o el desengañado filósofo) escribe a su amigo Teodoro, con una introducción donde el autor expone sus razones para escribir: los trágicos acontecimientos de «la terrible revolución de Francia» *(El evangelio en triunfo* [1808], iii) y el subsiguiente abandono y abolición de la religión, y culpa a los «sofistas modernos» por ambas cosas (pág. v).

La obra tuvo tanto éxito que se tradujo al francés y fue reeditada varias veces (diez ediciones antes de finales de siglo, catorce de la traducción al francés y seis de una versión —por suerte— abreviada), a pesar de que cuatro cartas que hacen mención a la Revolución Francesa fueron omitidas al principio por el censor de la edición francesa (Goic, «La novela hispanoamericana colonial», 394-5).

Los críticos discuten si la profesión de fe del protagonista se puede tomar como símbolo de la conversión del propio autor. Sin embargo, el resultado de la conversación entre el filósofo y su mentor cristiano no está nunca en duda, ya que el autor recurre a la ficción de un manuscrito que ha caído en sus manos para introducir la serie de cartas (que él mismo ha ordenado) y anticipa la conversión del filósofo. Al presentar el manuscrito, se refiere a su naturaleza ejemplar, a su utilidad y a su estilo accesible.

Como sugiere Enid Valle *(La obra narrativa de Pablo de Olavide),* el filósofo tiene dos voces en las cartas, la de su yo libertino y la de su yo recién convertido; en este sentido el *Evangelio* se puede leer como una autobiografía espiritual (en la que el autor ha experimentado una conversión que le separa de su antiguo yo y le da la perspectiva de autor necesaria para escribir) y también como un intento de persuadir (el filósofo desea convertir no sólo a Teodoro, sino también al lector). Las últimas cartas hablan de la educación y las obras públicas («la gente se convence con los hechos y no con los discursos», pág. 147) y concluye con la discusión del estudio de la religión y el importante papel de mentor que tiene el padre en la educación de sus hijos. Estas cartas sirven no sólo para dar fe de la profundidad de la conversión del filósofo sino para exponer el plan de reformas de la comunidad —basado en la ilustración cristiana y la evocación de la vida rural característica de Virgilio. Valle sugiere que las cartas son, además de una proposición, un proyecto ya realizado: es en estas reformas sociales, comerciales, agrícolas y educativas en las que por fin aparece el evangelio triunfante.

El *Evangelio* de Olavide, a la vez novela epistolar y meditación filosófica o religiosa, es una obra típica del siglo XVIII porque cruza fronteras genéricas y disciplinares. Otra obra de este tipo es *Sueño de sueños* (publicada en México por primera vez en 1945) de José Mariano de Acosta Enriques (?-1816). Debido a su reflexión sobre la condición humana y su énfasis en la oposición de apariencia y realidad, parece razonable hablar del *Sueño* en este contexto cómo obra filosófica.

La obra, que se refiere a sí misma como una «fantasía satírica», está informada por las lecturas que Acosta hace de Cervantes, Quevedo y Diego de Torres Villarroel (1693-1770), autor de *Sueños morales*. En el prólogo, titulado con imaginación «Levadura del sueño de sueños», Acosta establece un marco narrativo intertextual: inspirado por una reciente edición de los *Sueños* de Quevedo, el narrador se duerme y sueña «el sueño de sueños», que le permite conocer a Cervantes, Quevedo y Torres de Villarroel en el Nuevo Mundo (Goic, «La novela», 399). Juntos los cuatro atraviesan un paisaje imaginario poblado de «figurachos» fantásticos, o visiones. En consecuencia, se ve el Nuevo Mundo como un *locus* de posibilidades sin límite para el intercambio intelectual y literario, en el que el somnoliento narrador puede incluir su obra junto a la de sus distinguidos acompañantes. Una preocupación implícita por la comercialización de la literatura recorre sus discusiones, cuando Cervantes, Quevedo y Torres de Villarroel interrogan impacientemente al narrador sobre cómo se valoran sus obras en el siglo XVIII (págs. 139-40) y le hacen explicar lo que significa una suscripción a periódico (pág. 142). La conclusión reitera las intenciones utilitarias del autor: el narrador se despierta, se viste y se va a su despacho a escribir su sueño, «fantasías que, si para algunos sirven de diversión, quizás para otros tengan alguna utilidad» (pág. 211).

TENDENCIAS HISTORIOGRÁFICAS

La historiografía, en sus muchas formas —crónicas, relaciones, historias— es el tema de la vasta mayoría de las obras coloniales en prosa antes de 1700 y no es extraño que muchos de los escritos del siglo XVIII se puedan categorizar bajo este título también. Pero existen varias tendencias que merece la pena anotar para diferenciar la historiografía del siglo XVIII de la anterior: el nacimiento de las historias urbanas o regionales; un creciente número de historias indígenas; y la publicación de obras de carácter enciclopédico que borran las fronteras entre la historiografía, las narraciones de viajes y los escritos científicos.

Hay un distanciamiento de las «historias de Indias» compendiosas, como la escrita por Gonzalo Fernández de Oviedo (1479-1557), y un acercamiento a las historias locales que relatan el descubrimiento, exploración y colonización de una región o incluso de una ciudad específica. Las historias urbanas se hicieron más y más comunes al establecerse con mayor claridad los nuevos centros demográficos en América. Incluso sin aceptar la noción de ningún tipo de conciencia nacionalista real durante el siglo XVIII —una noción anacrónica, seguramente—, uno se da cuenta de que muchos autores parecen identificarse de forma más cercana con una región en particular. Esta identificación viene expresada por los títulos de sus obras (más restringidos a una región geográfica que los de sus equivalentes de los siglos XVI y XVII), su retrato de los hijos ilustres de la región y su interés por las reformas económicas y administrativas.

Una excepción a esta tendencia general es Juan Bautista Muñoz (1745-1799), aunque es importante anotar que Muñoz fue un español que, en 1770, fue nombrado cosmógrafo de Indias por Carlos III. Su proyecto inacabado (y probablemente imposible de acabar) era ordenar los archivos españoles. Muñoz sólo publicó el primer volumen de lo que iba a ser a todas luces una empresa monumental, la *Historia del Nuevo Mundo* (Madrid, 1793). Sin embargo, en el curso de su exhaustiva investigación se las arregló para poner algún orden en los archivos, lo que facilitó el trabajo de los historiadores del siglo XIX y probó ser de gran ayuda para promover las expediciones arqueológicas al Nuevo Mundo subvencionadas con fondos españoles. De manera interesante, la investigación de Muñoz también sirvió como base para una conferencia, «Discurso histórico-crítico sobre las apariciones y el culto de Nuestra Señora de Guadalupe de México», que presentó a la Real Academia de la Historia en 1794. A pesar de que fue capaz de citar numerosos ejemplos de errores historiográficos, el historiador se abstiene de establecer un juicio final sobre la leyenda, que describió como «un culto muy razonable y justo, con el cual nada tiene que ver la opinión individual que quiera abrazarse acerca de las apariciones» (citado en Lafaye, *Quetzalcóatl*, 270 [1977, pág. 368]).

El propio Muñoz nunca salió de España y su temeridad, al intentar escribir una historia completa de América, fue mirada con asombro por algunos historiadores criollos. Él defendió su empresa recordándole a los críticos su sólida base de pruebas documentales, y escribió en el primer volumen: «Púseme en estado de una duda universal sobre cuanto se había publicado en la materia, con la firme resolución de apurar la verdad de los hechos y sus circunstancias hasta donde fuese posible en fuerza de documentos ciertos e incontrastables» (citado en Lafaye, *Quetzalcóatl*, 267 [1977, pág. 364]). La cuestión de la legitimidad de Muñoz como historiador del Nuevo Mundo subraya de qué manera continúa la tensión anterior entre el cronista testigo presencial de los hechos y el historiador nombrado por la Corte lejano a estos hechos (estoy pensando, por supuesto, en Bernal Díaz del Castillo [1492-1581] y Francisco López de Gómara [1512-1572]) y al resentimiento creciente por parte de los criollos ante la representación injusta que de ellos hacían los escritores europeos.

La segunda tendencia, enfocada sobre la historia indígena o prehispánica, se puede ver así como un intento por definir la historia del Nuevo Mundo en términos que la diferencien de la europea, anticipando (aunque sería una locura sugerir cualquier tipo de relación causal) los movimientos independentistas de comienzos del siglo XIX. Este impulso es en parte una respuesta a lo que Gerbi ha llamado (en un libro del mismo nombre) «la disputa del Nuevo Mundo», un debate sobre la supuesta inferioridad del clima, la flora y la fauna del Nuevo Mundo (A. Gerbi, *La disputa del Nuevo Mundo. Historia de una polémica, 1750-1900*, Fondo de Cultura Económica, México, 1982). Los escritos de George Buffon y Guillaume-Thomas Raynal avivaron este debate a mediados del siglo XVIII; las *Recherches philosophiques sur les Américains*, publicadas en 1768 por Cornelius de Pauw, cambiaron su enfoque a los habitantes indígenas de América, y la *Historia de América* de William Robertson (1777, trad. al español, Burdeos, 1827) sirvió más tarde para popularizar sus ideas (ver bibliografía). Lo dicho por Buffon, Raynal, de Pauw y Robertson ofendió a los criollos, que intentaron no sólo oponerse a sus argumentos, sino rebatir sus alegatos sobre la inferioridad del Nuevo Mundo, con pruebas de su superioridad. Estas respuestas a menudo adoptaron la forma de descripciones de las culturas precolombinas que implícita o explícitamente se enfrentaban a las nociones europeas de civilización y barbarie.

Estas historias indígenas aparecieron sobre todo en México, donde el sabio del siglo XVII, Sigüenza y Góngora, había actuado como un «nexo vital e indispensable» entre Fernando de Alva Ixtlilxóchitl (1578-1650) y los historiadores del siglo XVIII al conservar los escritos de Ixtlilxóchitl (Brading, *Orbe indiano, de la monarquía católica a la república criolla (1492-1867)*, Fondo de Cultura Económica, México, 1998, pág. 371). La escasez relativa de historias indígenas en el Perú del siglo XVIII sugiere que el factor central no era tanto una amplia población indígena o mestiza, sino más bien una tradición de intereses académicos en el campo de la cultura prehispánica. También podría darse el caso de que en la región andina, donde una revuelta liderada por José Gabriel Condorcanqui Tupac Amaru (1738-1781) contra un plan para subir los impuestos levantó el espectro de un vínculo incendiario entre el pasado indígena y el presente, los criollos se sintieron menos ansiosos por revivir el pasado en sus obras (Brading, *Orbe indiano*, págs. 525-526]).

El impulso enciclopédico, que es la tercera tendencia que he mencionado, está relacionado, por supuesto, con las influencias de la ilustración francesa, pero también con la necesidad de obtener datos sobre las colonias españolas para llevar a cabo las reformas borbónicas. El marco cronológico de los escritos anteriores sobre Latinoamérica que en general tenían como objetivo una narración providencial de la conquista española, resultó ser insuficiente o difícil de manejar a la hora de intentar describir la realidad colonial americana. Sobre estos escritos descriptivos trataremos más tarde. Sin embargo, un área en la que la progresión lineal siguió siendo útil fue la de las historias de fundación y evolución de una determinada institución colonial. Las historias institucionales florecieron durante el siglo XVIII mientras los conventos, las universidades y las órdenes religiosas adquirían un sentido de seguridad y legitimidad cada vez mayor. Por supuesto que la expulsión de los jesuitas en 1767 alteró radicalmente el paisaje cultural; por ello la obra de Alegre sobre la historia de los orden jesuita en Nueva España se convierte a la vez en una crónica y en un panegírico de una realidad ya superada incluso en el momento en el que se escribió sobre ella.

Juan Luis Maneiro y Manuel Fabri, en *Vidas de mexicanos ilustres del siglo XVIII* ofrecen el relato más detallado sobre el grupo de jesuitas al que a veces se hace referencia como la Generación de 1750. El grupo, compuesto enteramente por eruditos de mérito, se caracterizaba por aceptar las nuevas teorías científicas (siempre dentro de los límites de su fe), rechazar el pensamiento escolástico y aceptar el eclecticismo y el experimentalismo. Algunos eran escritores, como Alegre, Francisco Javier Clavijero (1731-1787) o el poeta latinizado Rafael Landívar (1713-1793). Otros, como José Rafael Campoy (1723-1777), dejaron pocas obras escritas pero tuvieron un papel importante como mentores y creadores de reformas educativas, sobre todo en el campo de la física y las matemáticas. Gamarra, como ya hemos visto, es otro representante clave. La orden de expulsión de 1767 dividió al grupo y mandó a sus miembros a vivir y trabajar en el exilio en varias ciudades europeas; también dejó a México sin sus estudiantes y profesores más brillantes y comprometidos.

Es curioso que Navarro, que estudió ampliamente a los jesuitas del siglo XVIII, casi no mencione los escritos históricos de Alegre y se centre sin embargo en sus obras «humanistas» y teológicas llamándolo «el más grande conocedor de las lenguas clásicas y el más alto versificador latino de la generación» *(Cultura mexicana*, 83). Sin embargo son las historias, con su carga de información, las que tienen más interés para el lector actual.

La *Historia de la Provincia de la Compañía de Jesús de Nueva España* (editada más tarde por Carlos María Bustamante y publicada en 1841-43) termina con los acontecimientos de 1763. Más larga y detallada que las *Memorias*, y sin duda dirigida a los colegas jesuitas de Alegre, refleja el enorme trabajo de archivo que el autor había realizado para preparar su escrito. Las *Memorias para la historia de la provincia que tuvo la Compañía de Jesús en Nueva España* son un compendio extraordinario escrito casi de memoria después de que Alegre se exiliase a Italia. Maneiro y Fabri relatan que, para asombro de sus colegas, con la ayuda de su «estupenda memoria», Alegre era capaz de recordar «no sólo los acontecimientos y todo lo que sucedió, sino también las fechas y las mínimas circunstancias» (pág. 231).

Uno de los episodios más poderosos de las *Memorias*, extractado por Gabriel Méndez Plancarte en su obra *Humanistas del siglo XVIII* (77-81), se refiere a las circunstancias que rodearon la expulsión de los jesuitas. Así, cuenta cómo el visitador José de Gálvez (que había ido a entregar la orden de expulsión) se maravilló de la simplicidad y pobreza de sus alojamientos. Uno de los frailes, que encontró una pequeña moneda de plata y un cilicio, se los mostró al visitador y dijo, «Estas son las riquezas y los tesoros de los Padres Jesuitas» ([México, UNAM, 1991], pág. 79). Alegre también recoge la petición de los jesuitas de comulgar antes de partir y concluye describiendo el estado general de conmoción y consternación que reinaba por doquier: «Entre tanto toda la ciudad estaba en la mayor consternación, las calles ocupadas de soldados y rondadas de patrullas, las iglesias cerradas, las campanas en silencio, las gentes por las calles solitarias y aturdidas, sin permitirse formar juntas ni hablar unos con otros» ([ed. 1991], pág. 81).

Alegre no fue el único jesuita que se vio obligado a continuar su obra en el exilio. Clavijero escribió su magistral historia de la cultura y civilización aztecas, la *Storia antica di Messico* (1780-81) en italiano en Bologna; pronto se tradujo al español y esta versión llegó a Nueva España en 1778. La pasión de Clavijero por el perdido pasado indígena de su país no era solamente muestra de su indignación frente a las teorías sobre la degeneración, expuestas por europeos tales como Buffon, de Pauw, Raynal y Robertson (ver Gerbi, *The Dispute of the New World).* Clavijero también tenía un contacto amplio con la población indígena de su época y había aprendido náhuatl para poder oír confesiones en una prisión de indios mexicanos.

La *Storia* está dividida en diez libros. En el prólogo, Clavijero declara que su objetivo al escribir ha sido el servir a su país y preservar la verdad sobre la antigua civilización mexicana. Los siete primeros libros tratan sobre la historia natural de México, la religión y la política aztecas con apéndices sobre los sistemas de calendario y numeración aztecas. Los dos últimos libros están divididos en nueve disertaciones que Clavijero considera como el corazón de la obra y que representan una refutación sistemática de las afirmaciones de de Pauw sobre los indios americanos (Ronan, *Francisco Javier Clavijero*, 130).

Las fuentes de Clavijero incluían muchas historias españolas sobre el Nuevo Mundo (que enumera al principio de la obra), así como antiguos códices mexicanos y colecciones de dibujos. Al escribir desde el exilio, aprovecha la oportunidad para pedir que se preserven los documentos relativos a la historia indígena, y en la carta que escribió en 1780 a los directores de la Universidad Real Pontificia de México (que está incluida en la traducción al español de la *Storia),* propone la creación de un museo de antigüedades mexicanas. Al igual que hizo el Inca Garcilaso (1539-1616), usa su experiencia y su destreza lingüística para consolidar su legitimidad como autor. Aún así, se ha sugerido que la importancia del uso que hace Clavijero de fuentes primarias se ha exagerado. De hecho, Ronan dice que la *Historia antigua* no es importante por su originalidad sino porque Clavijero reunió y sintetizó un amplio corpus de información para el público del siglo XVIII, mientras que Gerbi habla de la fuerza de la respuesta de Clavijero a las críticas de Pauw y a la «rica colección de argumentos» que une para apoyar su causa *(La disputa*, 208).

La defensa que hace Clavijero de los indios mexicanos representa un paso importante en el proyecto de diferenciación cultural que finalmente proporcionaría los fundamentos y una lógica para la independencia política. Como observa John Leddy Phelan, «la característica sobresaliente del texto de Clavijero es su contribución al desarrollo del neo-aztequismo. Por primera vez sacó sus implicaciones antihispánicas y unió el culto de la antigüedad azteca a los problemas sociales de los indios contemporáneos» («Neo-Aztecism in the eighteenth century», 763). Más tarde, Fray Servando Teresa de Mier y Carlos María Bustamante harían explícita esta conexión.

Otro pensador del siglo XVIII que mostró un agudo interés por las antigüedades mexicanas fue Antonio de León y Gama (1735/6-1802), al igual que Sigüenza y Góngora, un estudioso de astronomía y matemáticas. En 1790, cuando la plaza principal de la Ciudad de México se despejó para la preparación de obras de reconstrucción, los obreros descubrieron dos monolitos prehispánicos: uno representaba a la diosa Coatlicue, decorada laboriosamente con relieves de calaveras y serpientes que causaron terror entre los observadores; el otro era la Piedra del Sol, un enorme disco con relieves en forma de marcas de calendario.

La historia de lo que les pasó a estos monolitos después de ser descubiertos nos ayuda a entender la ambivalencia del siglo XVIII en cuanto a la visión del pasado indígena. El virrey ordenó que las piedras se preservasen tal y como se habían encontrado, por ser parte del patrimonio cultural de México. Sin embargo, debido a que inspiraban mucho miedo en el pueblo, sobre todo entre los jóvenes de México, se enterraron en un jardín de la Universidad de México pero sólo después de que se hubieran dibujado y medido bien para facilitar su estudio. Cuando Alexander Von Humboldt visitó la Ciudad de México en 1803, pidió que desenterraran los monolitos. Por fin se volvieron a sacar de la tierra pero sólo para ser vueltos a enterrar después de que el visitante prusiano las observara hasta quedar satisfecho (Bernal, *Historia de la arqueología en México,* Ed. Porrúa, S.A., México, 1979).

León y Gama escribió su *Descripción histórica y cronológica de las dos piedras* (1792) basándose en los dibujos que se hicieron de la Piedra del Sol antes de que fuese enterrada. Comenzó su investigación aprendiendo náhuatl clásico y revisando de manera sistemática los escritos de autores indígenas del siglo XVI para encontrar pistas sobre los jeroglíficos de las piedras. Su interpretación, que probó ser admirablemente correcta, fue la «primera interpretación sistemática del calendario mexicano» y abrió las puertas para la reconstrucción de la cronología azteca (Brading, *Orbe indiano*, 462). E Ignacio Bernal, en su historia de la arqueología mexicana, viene a concluir que su trabajo sobre los métodos indígenas de medir el tiempo y también sobre su cronología, es sin duda superior a cualquier otro que se hiciera previamente, y corrige muchos de los malentendidos no sólo por parte de sus predecesores inmediatos del siglo XVII y de la primera mitad del XVIII, sino entre los cronistas del XVI, que no entendían cómo funcionaba el calendario de verdad *(Historia*, 80). La *Descripción histórica* fue traducida al italiano por Pedro José Márquez (1741-1820), otro miembro de la generación jesuita de 1750, y leída extensamente en Europa.

Con los *Tres siglos de México*, escrito por el jesuita Andrés Cavo (1739-1803), nos trasladamos del pasado indígena al presente virreinal. Cavo planeó llamar a su manuscrito *Anales de la ciudad de México desde la conquista española hasta el año de 1766*; la modificación del título refleja un cambio en el enfoque desde lo urbano hasta lo regional o nacional que pudo ser resultado de la expulsión de los jesuitas. En el prólogo, Cavo explica que escribe por amor a su país y por el deseo de servir a su nación. El gobierno municipal de México colaboró en el proyecto mandándole los documentos pertinentes a Italia. De acuerdo con Cavo, otros habían escrito sobre el México antiguo, pero nadie había escrito una historia de la Ciudad de México desde que llegaron los españoles hasta el presente. Por ello la razón por la que escribe es no «dejar enterrado en el olvido eterno los monumentos de la primera ciudad del Nuevo 'Mundo'» (pág. iii); la metáfora nos recuerda los fundamentos arqueológicos del estudio de la antigüedad indígena en el siglo XVIII. Lo más notable de la tardía publicación de la obra de Cavo en 1836 es el suplemento que añadió Carlos María Bustamante (que más que doblaba el número de páginas de la obra) y las extensas notas explicativas.

Por desgracia, eran escasos los méritos literarios de la obra de Cavo, quien se permite en muy pocas ocasiones digresiones o reflexiones sobre la marcha sin pausa de los asuntos municipales. Incluso los eventos potencialmente impactantes como la quema en la hoguera de varios sodomitas o las numerosas plagas que cayeron sobre la ciudad, se narran sin comentarios, en claro contraste con las historias urbanas a las que me referiré dentro de poco. Lo que sí hace Cavo es incluir una serie de secciones en las que refleja su profunda preocupación por el tratamiento injusto que se da a los indios en el México virreinal, y aporta en un momento esta observación sobre el mestizaje: «En efecto, si desde la conquista los matrimonios entre ambas naciones [es decir, indios y españoles], hubiera sido promiscuos, con gran gusto de los mexicanos en el discurso de algunos años, de ambas se hubiera formado una sola nación» (citado en Méndez Plancarte, *Humanistas del siglo XVIII*, 105 [ed. 1991]).

La *Historia del reino de Quito en la América Meridional* fue escrita también por un jesuita en el exilio, Juan de Velasco (1727-1792). La obra dividida en tres partes («Historia natural», «Historia antigua», «Historia moderna»), se escribió entre 1789 y 1791 pero el autor no consiguió que se publicase en España. Las sucesivas ediciones en francés o español estaban incompletas o eran defectuosas, y la edición definitiva de la obra no apareció hasta 1960. Para escribir la *Historia*, Velasco se apoyó mucho en otras ya escritas como la del Inca Garcilaso, Pedro Cieza de León (1518-1554) y José de Acosta (1539-1600); la defensa que hacía de la cultura prehispánica andina estaba dirigida a los escritores europeos, sobre todo a Raynal. A pesar de los numerosos errores que aparecen en la obra, se considera a Velasco «el creador de la prosa histórica ecuatoriana» *(Historia* [1981], xlv; ver también Brading, *Orbe indiano*, 447-8 [1991, pág. 484]). La *Historia geográfica, natural y civil del reino de Chile* de Juan Ignacio Molina (1740-1829) es aún otra salva disparada en la batalla entre los pensadores europeos y los apologistas del Nuevo Mundo: Molina dedica varios capítulos al indio araucano además de describir la situación económica y política del momento en Chile.

Historia de la conquista y población de Venezuela (1723), de José de Oviedo y Baños (1671-1728) es otro ejemplo de la tendencia hacia las historias urbanas y regionales, a pesar de estar escrita en una fecha relativamente temprana del siglo xviii. Por supuesto, la obra ha sido considerada durante mucho tiempo como el texto fundador de la historia venezolana (a pesar de las virulentas acusaciones de plagio por algunos historiadores y de las alusiones que hace el propio Oviedo y Baños a una misteriosa segunda parte que nunca se ha encontrado). La vida de Oviedo y Baños se interpreta muchas veces como un símbolo de unidad virreinal: nacido en Bogotá y educado en Lima, se trasladó a Caracas a los quince años, donde fue educado por su tío, el obispo Diego de Baños y Sotomayor, y luego Oviedo y Baños llegó a ser «parte activa en asuntos municipales» (Parra León, «Oviedo y Baños» xlvi; Morón, «José de Oviedo y Baños»).

El prólogo de la historia revela que Oviedo y Baños está totalmente al tanto de los retos que impone la tradición historiográfica, y a menudo lamenta el hecho de que existan tan pocas historias de la provincia de Venezuela. Tales lamentos sobre la ausencia de fuentes, que son un tema muy tratado en la historiografía colonial, se convierten en un sorprendente *leitmotif* en la obra de Oviedo y Baños, dadas las acusaciones posteriores de plagio. Sus fuentes, como explica el autor en el prólogo, incluyen documentos escritos (aunque no especifica en su texto cuáles), tradiciones orales y sus propias observaciones. Las leyendas y anécdotas que incluye, ostensiblemente para aligerar el tono de la historia, reflejan su intención de representar la totalidad de la realidad venezolana, no sólo las hazañas de los conquistadores o la fundación de las ciudades. Esta observación la hace sobre un tipo particular de pajarillo del que dicen que desprende una luz fantasmal:

> No ha habido en estos tiempos persona alguna que los haya visto: cumplo con la obligación de historiador en referirlo, dejando libre el juicio del lector para el asenso, aunque a mí no me hace dificultad alguna el creerlo, pues vemos la misma propiedad en las lucernas, o cucuyes (como llamamos en las Indias) y habrá veinte años vi en esta ciudad un madero, que con una creciente arrojó el río Guairé a sus orillas, que de noche, ó puesto de día en parte obscura, como si estubiera ardiendo en llamas, despedía de sí los resplandores; y poniendo la providencia esta virtud en lo vejetable, por qué no la podrá haber puesto en lo sensitivo?
>
> *(Historia*, Caracas, 1967, pág. 470-1)

Oviedo y Baños se sitúa en una posición complicada en este momento: la del historiador responsable, a la vez escéptico y apologético, el observador científico que trabaja en un proceso de razonamiento deductivo, el testigo cautivo de los fenómenos naturales venezolanos. La explicación que da sobre el significado de la palabra *cucuyes* nos recuerda el imperativo léxico de todos los autores coloniales. A pesar de que están escribiendo evidentemente para sus compatriotas criollos (como dice Arrom, el término comenzó a ganar más y más importancia en el periodo anterior a la independencia, ver *Certidumbre*, 11-26), como sus antecesores de los siglos XVI y XVII, también están escribiendo para los europeos (y no sólo para los españoles). Por ello deben traducir, explicar y definir los términos continuamente. Es posible comprender el impulso enciclopedista (una constante en la narrativa latinoamericana incluso antes de la Ilustración —sólo hay que recordar a Fernández de Oviedo) como parte de un esfuerzo continuado de dar a conocer el Nuevo Mundo al Viejo. Ángel Rama ha sugerido que la tendencia a traducir palabras indígenas es un reflejo claro de la postulación de un lector europeo. Con Oviedo y Baños la traducción es un proyecto ocasional; pero, como veremos, se convierte en una empresa monumental en los cinco volúmenes del *Diccionario geográfico-histórico de las Indias Occidentales de América*, de Antonio de Alcedo.

El título de la obra de Oviedo y Baños revela su doble intención: narrar la conquista y la colonización de la provincia de Venezuela. El historiador narra el largo forcejeo que se dio para completar lo que llama «el desgraciado descubrimiento y la conquista maldita» de Venezuela (pág. 210). Le molestan claramente las rivalidades que surgieron entre los conquistadores e incluye frecuentemente advertencias moralizantes sobre sus descuidos e impetuosidad. Brading se pregunta por qué se habría arriesgado Oviedo y Baños a citar el texto íntegro de la carta de Lope de Aguirre a Felipe II, si esta carta tenía el potencial de recordar a los lectores «un desafiante reto a la autoridad real» en el pasado *(Orbe indiano*, 311 [1991, pág 342]). Sin embargo, yo diría que el tratamiento de Lope de Aguirre es muy importante para la obra, tanto a nivel temático como estructural, y por último está en consonancia con los objetivos del historiador. Oviedo y Baños presenta a Aguirre como el terrible pero inevitable resultado del proceso de conquista (un Facundo *avant la lettre)* —opuesto al proceso de institucionalización de la colonización y el asentamiento pero en última instancia vencido por él.

En la *Historia,* este proceso culmina con la fundación de Caracas, y los críticos están de acuerdo con que los capítulos dedicados a esta fundación es la parte más original de la obra. Uno nota la preciosa descripción del campo que rodea a la ciudad (pág. 420-2), la detallada lista de iglesias, conventos y hospitales (pág. 422-30) y la orgullosa descripción de los ciudadanos de Caracas. El elogio a la ciudad forma parte de una larga tradición en Latinoamérica que incluye obras como *Grandeza mexicana* (1604), de Bernardo de Balbuena (1562?-1627) y la *Historia de la villa imperial de Potosí* (escrita entre 1705 y 1736), de Bartolomé Arzáns de Orsúa y Vela (1676-1736).

Arzáns nació en el momento en el que la fortuna de Potosí empezaba su declive. Mientras investigaba sobre la historia de la «ciudad imperial», se halló claramente dividido entre la admiración por su grandeza pasada (la ciudad había florecido entre 1572 y 1650) y el claro reconocimiento de que su momento de mayor gloria ya había terminado. De hecho hay pruebas de que Arzáns pretendió en un primer momento llamar a su obra «Tres destrucciones de Potosí», haciendo referencia a las guerras civiles de 1622-1625, el colapso de la presa Caricari en 1626 que inundó la ciudad, destruyendo vidas y terrenos, y la devaluación de la moneda de Potosí en los años cincuenta del siglo XVII. La perspectiva de Arzáns —retrospectiva e innegablemente elegíaca— nos señala que la historiografía en América ha entrado en una nueva fase.

Existen notables similitudes entre la obra de Oviedo y Baños y la narración de Arzáns sobre Potosí. Ambos comparten una organización cronológica aparentemente rígida (que se rige, sin embargo, por una fuerza de atracción hacia el momento presente y que refleja claramente las preocupaciones de comienzos del siglo XVIII). Las fuentes de Arzáns, como las de Oviedo y Baños, son variadas: ambos autores se refieren a una historia anterior escrita en verso, así como a otros materiales escritos y orales (edición de 1965, xc), a pesar de que el lector nota un cambio en el texto de Arzáns a partir del año 1715 hacia una escritura más periodística basada en las propias observaciones del autor más que en fuentes publicadas o manuscritas. Está claro que no podemos hablar de crónicas del descubrimiento en estas fechas tan tardías; más bien, tanto Oviedo y Baños como Arzáns escriben sobre el prolongado forcejeo para crear las instituciones coloniales, sobre la creación de ciudades y la consolidación del poder administrativo colonial.

La historia de Arzáns abarca un enorme espectro temático: información sobre las minas (pág. 31), interés piadoso y entusiasta por la Iglesia (pág. 34), énfasis en la riqueza y en los precios que le dan a la obra un tono marcadamente materialista (pág. 36), comentarios sobre la injusticia que representa el forzar a los indios a trabajar en las minas de plata y —como anteriormente en *El Carnero* (1636), de Juan Rodríguez Freyle (1566-1640)— un gusto de cotilleo y sensacionalismo por los escándalos y desafueros del día a día. Estas «historias interpoladas», como las ha llamado Enrique Pupo-Walker, han servido como una verdadera mina de oro del Potosí para cronistas posteriores de la sociedad peruana como Ricardo Palma (Pupo-Walker, *La vocación literaria del pensamiento histórico en América).*

El Capítulo 4 del Libro I, «en el que se refiere la monarquía de los incas del Perú con la misma brevedad que en los capítulos antecedentes, con la descripción de la laguna de Tarapaya», nos ofrece un ejemplo instructivo de los diferentes elementos que trabajan dentro de la historia de Arzáns. El capítulo comienza con un comentario familiar sobre la historiografía indígena: «Sabida cosa es que los indios en todo este Nuevo Mundo carecían de las letras», pero a continuación Arzáns añade que los indios peruanos son muy buenos artistas gráficos y sus *quipocamayos* usaban *caytos* para preservar la historia dinástica (pág. 20; nótese la función de la traducción en la frase). Arzáns comienza una enumeración de los reyes incas que corta para ofrecer una descripción detallada de la laguna Tarapaya, una fuente natural de agua caliente descubierta por un monarca inca.

De forma sorprendente lo contemporáneo pronto desplaza a lo histórico en el texto de Arzáns cuando observa, «es tanta su profundidad que muchos por falta de experiencia aún hasta hoy conforman en que no se le ha hallado pie» (pág. 22). Arzáns describe los muchos experimentos científicos que han sido llevados a cabo para medir la profundidad de la laguna e informa al lector —en un aparte moralista— de la presencia de otra fuente de agua caliente cerca, «a donde se pudiera fabricar otra laguna si la curiosidad española no estuviese tan metida en la codicia de querer más recoger dineros para su bolsa que gastarlos en cerrar las aguas» (pág. 23-4). Este tipo de apartes son típicos de la capacidad de Arzáns para distinguir entre su yo español y su yo potosino.

La propia experiencia del autor en las fuentes calientes incluye su presencia cuando un joven visitante casi se ahogó, hecho que se cuenta con detalle aterrador para advertir a los lectores: «Yo me hallaba tan cerca de él que no distaba más de cinco varas, viendo a mis ojos aquel caso que sobre el horror que concebido tenía de esta laguna se me acrecentó con el suceso» (pág. 24). Una vez que se salva al chico (se sugiere que gracias a una intervención milagrosa de San José) Arzáns vuelve de mala gana a su tarea previamente anunciada de enumerar a los monarcas incas; se nota un cambio en su tono, una vuelta al historiador contenido y distante del antiguo pasado de Potosí.

Igual que su equivalente venezolana, la *Historia de la villa imperial de Potosí*, como indica claramente el título, se puede leer como una historia urbana, un subgénero que es una consecuencia de la explosión del asentamiento y construcción que tuvo lugar en el último siglo del periodo colonial. Pedro de Peralta Barnuevo (1664-1743) intentó una versión poética de una historia urbana con su *Lima fundada o la Conquista del Perú. Poema heróico en que se decanta toda la historia del descubrimiento y sujeción de sus provincias por Don Francisco Pizarro* (1732) —sin mucho éxito, para la mayoría de las opiniones. Sin embargo, las extensas notas que acompañan al poema funcionan casi como un comentario y revelan las dotes de Peralta y Barnuevo para la historia aunque oscurecen sus modestas habilidades como poeta.

Como dice Lewis Hanke, en su volumen introductorio a la publicación del manuscrito de Arzáns de la Universidad de Brown, la obra representa un «nuevo tipo de historia inclusiva... que ejemplifica una 'conciencia de sí', un sentimiento de independencia y de unicidad por parte del Nuevo Mundo que crece por todas las Indias» (pág. 12). Tanto Oviedo y Baños como Arzáns de Orsúa y Vela demuestran un interés entusiasta por la historia que están viviendo, mientras escriben, y una mezcla de orgullo criollo y lealtad hacia España que es típica de mediados del siglo XVIII. La historia de Oviedo y Baños se puede ver como un cuento aleccionador para los administradores del último periodo colonial, pero la de Arzáns transciende su importancia histórica y sociológica para ofrecernos un enternecedor relato de nostalgia del último periodo colonial, escrito en un momento de crisis histórica extrema (ed. Mendoza, cxxxiv).

Cuba floreció durante el siglo XVIII, a pesar (o tal vez a causa) de la invasión británica de la isla en 1762-1763 y la preocupación más general que inspiraba la presencia de piratas en el Caribe. Las historias de la literatura cubana mencionan fielmente a una serie de primeros historiadores, aunque está claro que sólo la *Llave del Nuevo Mundo* (1761), de José Martín Félix de Arrate y Acosta (1701-1765), puede considerarse de una importancia duradera. Poco después de que Arrate escribiera su historia, Nicolás José Ribera (1724-?) escribió una *Descripción de la isla de Cuba*, que se perdió y olvidó hasta 1883. Sin atender al lugar que ocupa en la evolución de la historiografía cubana, la obra de Ribera se centra en temas geográficos y económicos; el autor recomienda un control de la economía, la defensa y la administración más severo, un aumento de la población blanca así como de la esclava y más actividad comercial. La obra incluye también una defensa de la esclavitud, que ha llevado a que un estudioso la llamase «una fiel expresión de la clase criolla asentada en el momento en el que se está preparando para dar un paso adelante en la creciente industria azucarera» (Saínz, *La literatura cubana de 1700 a 1790*, 196).

Ignacio José de Urrutia y Montoya (1735-1795) es otra figura que se menciona con frecuencia dentro del conjunto de primeros historiadores de Cuba, debido a su *Compendio de Memorias: teatro histórico jurídico y político militar de la isla Fernandina de Cuba*, escrito entre 1785 y 1787, pero que no se publicó hasta 1876. Raimundo Lazo sugiere de forma algo severa que el único valor literario de Urrutia es haber servido de diana para la primera pieza de crítica literaria cubana: una crítica a su estilo excesivamente barroco, escrita por José Agustín Caballero y publicada en el *Papel Periódico*. Pero otros, acaso más amables con un compatriota, elogian el intento de escribir una historia completa de la isla y la exhaustiva investigación de archivo que representa la obra.

Pedro Agustín Morell de Santa Cruz (1694-1768) tuvo aún menos éxito con su *Historia de la Isla y Catedral de Cuba*, escrita alrededor de 1760 (aunque no se publicó hasta 1929 y sólo se conserva en parte). Se sospecha que Morell fue incapaz de mantener el equilibrio prometido en el título entre una descripción de la isla y una de su principal catedral. Sin duda, la mayor contribución del autor a la historia literaria fue incluir en la *Historia* el texto completo del poema épico de Silvestre de Balboa y Troya de Quesada (1563-1647?), *Espejo de paciencia:* «Éste es en suma el trágico final de caso tan digno de memoria; y para que el lector se divierta más, le insertaré el papel, que por aquel tiempo, un insulano poeta, vecino de Puerto-del-Príncipe, sacó á luz en octavas» (I, pág. 143).

José Martín Félix de Arrate y Acostas estudió derecho en México, porque la Universidad de la Habana aún no había abierto sus puertas. Como Oviedo y Baños en Caracas, Arrate participó en el gobierno municipal como miembro de la aristocracia de la Habana. También él lamenta en el prólogo que se preste tan poca atención a la historia cubana, cuestión que espera enmendar con su obra. Observa, sin embargo, que la tarea se presenta difícil porque muchos de los archivos más antiguos de la isla se destruyeron en un incendio en 1538.

La *Llave del Nuevo Mundo, antemural de las Indias Occidentales*, toma su nombre de una proclama real de 1634 que da nombre a la ciudad. Sólo los seis primeros capítulos de los cuarenta y nueve que tiene la obra, hablan del descubrimiento y primera colonización de la isla; el resto tienen que ver con la creciente importancia de la Habana y sus habitantes. La «cubanidad» de Arrate —Lazo usa la palabra «cubanía» *(La literatura cubana*, 408)— es evidente en la repetición del comentario de Cristóbal Colón sobre la belleza del paisaje cubano y la descripción detallada de las costumbres de los diferentes grupos raciales de la isla.

¿Es posible llegar a alguna conclusión sobre la situación de la historiografía a finales del siglo xviii? Los cien años anteriores se caracterizaron por un crecimiento y consolidación de la disciplina, hecho que se refleja en la creación en 1738 de la Real Academia de la Historia que reemplazaría al puesto real administrativo de «cronista oficial». Las obras que hemos visto reflejan la cambiante realidad del último periodo colonial, dando un vínculo entre los cronistas del descubrimiento (omnipresentes en la mente del historiador del siglo xviii) y los ensayistas del periodo de la independencia. Estas historias reflejan la conciencia criolla creciente en los autores, su apreciación realzada del contexto inmediato (tanto geográfico como histórico) en el que están escribiendo y una preocupación por la institucionalización de la conquista en sí misma. Su proyecto es escribir la historia del las estructuras de la cultura colonial. Pero el lector para el que escriben ya no es un distante y orgulloso monarca, una autoridad peninsular, sino un público de compatriotas criollos.

VIAJES Y OBSERVACIÓN CIENTÍFICOS

Al igual que la mayoría de las crónicas y relaciones del siglo xvi y xvii eran una respuesta a las necesidades jurisdiccionales del descubrimiento y la conquista imperiales, la narrativa del siglo xviii se guió a menudo por la burocracia reformista borbónica. En la última parte del siglo, los ministros de Carlos III pusieron en marcha un plan para reformar el sistema postal del Nuevo Mundo. Se nombraron varios visitadores y se les encargó supervisar las rutas postales establecidas. Alonso Carrió de la Vandera (1715?-1783), un funcionario itinerante de la Corona española una de cuyas primeras misiones había sido acompañar a un grupo de jesuitas exiliados en su viaje a Europa, viajó desde Montevideo hasta Lima en mula y escribió una amplia narración de su viaje. La obra se tituló *El lazarillo de ciegos caminantes*, en referencia tanto a la celebrada novela picaresca *Lazarillo de Tormes* (1554), como a las *Descripciones de provincias* (también conocido en su época como *Lazarillo de los ciegos)* de Cosme Bueno. Carrió de la Vandera publicó su obra bajo un seudónimo indio, Concolorcorvo, y con una fecha y lugar de publicación falsos (Gijón, 1773, que en realidad fue Lima, 1775 ó 1776).

Se ha descrito *El lazarillo de ciegos caminantes* como un diario de viaje, una novela, una sátira o un diario. Lo más importante es que es un diálogo entre un burócrata español y su compañero indígena sobre la Latinoamérica colonial. La ficción narrativa que estructura la obra radica en el hecho de que Concolorcorvo escriba una narración del viaje basada en las notas de su amo, el visitador, que revisa periódicamente el manuscrito de Concolorcorvo, contestando y corrigiendo lo que lee. Durante sus discusiones exaltadas y argumentativas se representa dramáticamente el encuentro entre el Viejo y el Nuevo Mundo.

Algunos de sus lectores han sugerido que Carrió de la Vandera decidió publicar la obra con un seudónimo debido quizás a unas malas relaciones con sus superiores de la administración postal. Pero el mismo Concolorcorvo (es decir, «del color de un cuervo») también se hace referencia al «Cuento del Cuervo» de las *Metamorfosis* de Ovidio y proporciona un contexto para entender el seudónimo como un símbolo que representa la preocupación de la obra por la naturaleza ambivalente y violenta del lenguaje. El seudónimo es también una referencia explícita a los antecedentes raciales del personaje que lleva consigo el reconocimiento implícito de la relación entre raza y poder en Latinoamérica en el siglo XVIII. La decisión del autor español de enmascarar su identidad bajo un seudónimo indígena apunta, de hecho, a la creciente complejidad del medio social, político y cultural que intenta describir. Así que se puede decir que a pesar de la intención declarada del autor de defender las instituciones coloniales, *El lazarillo de ciegos caminantes* refleja la ambivalencia inevitable del discurso colonial y la desintegración progresiva de la autoridad imperial española en las últimas décadas del siglo XVIII.

El texto de Carrió de la Vandera comparte su peculiar ironía con una buena parte de la narrativa de finales del siglo XVIII, escrita en el contexto de una estructura colonial que empezaba a fragmentarse y deshacerse, a pesar de muchos esfuerzos, bien intencionados, de reformas y modernización. Este impulso irónico aparece en el prólogo de la obra, en el que Concolorcorvo se burla de los insistentes reclamos de legitimidad y autoridad que caracterizan a las crónicas del siglo XVI y XVII: «Soy un indio puro, salvo por los juegos de mi madre, de los que no puedo dar fe» (edición de Carilla, 116). Informa la reescritura reduccionista del descubrimiento español de las islas del Caribe y las conquistas de México y el Perú, tema de largas conversaciones entre Concolorcorvo y el Visitador. También es posible una lectura de la obra desde la apropiación del tono picaresco que sugiere el título, como comentario sobre la relación entre historiadores y viajeros, a la hora de representar la realidad americana. De acuerdo con esta lectura, los historiadores son «ciegos caminantes», que deben depender para lograr sus fuentes primarias del «viajero», un guía astuto y a veces poco fiable.

Sin embargo no todos los guías pretenden engañar. Antes me referí a las *Descripciones de provincias* (también conocido como *Descripciones geográficas del Virreinato del Perú),* publicado por Cosme Bueno (1711-1798) en una serie de almanaques de Lima desde 1763 hasta 1772 y después desde 1774 hasta 1778.

Bueno nació en Aragón y estudió latín en España antes de viajar al Perú en 1730. Fue también un médico conocido tanto en Lima como en Europa, a pesar de que su obra escrita existente es escasa. Se le recuerda más por las *Descripciones*, escrita por orden del virrey del Perú, Antonio José de Mendoza Camaño y Sotomayor. Para reunir su material, Bueno llevó a cabo un proceso lento y extenso de investigación, escribiendo a colegas y conocidos para pedirles información sobre todo el territorio que en el presente conforman el Perú, Chile, Argentina, Uruguay, Paraguay y Bolivia. Es normal que, a la vista de su funcionalidad, las *Descripciones* muestren una unidad argumental escasa y que su tono sea a menudo algo árido (pese a que sorprende al lector el patriotismo vehemente que emerge cuando el autor toca el tema de las incursiones portuguesas o británicas en el territorio virreinal (Buesa Oliver, «Sobre Cosme Bueno y algunos de sus coetáneos», 339). Aún así, nos dan una gran cantidad de información; las secciones más entretenidas para el lector actual son las que tienen que ver con la vida, las costumbres y las supersticiones indígenas.

Carrió de la Vandera, Bueno, y los demás escritores citados en esta sección, nos demuestran que los escritos científicos en la Latinoamérica del siglo XVIII tendían hacia lo técnico y lo práctico más que hacia lo teórico, tal vez porque con los temas técnicos los autores corrían menos riesgos de incurrir en la ira de la Inquisición, o tal vez porque se percibía la urgencia con que la cambiante situación necesitaba la aplicación práctica de la ciencia. De hecho, Latinoamérica fue el lugar donde se experimentaron muchas teorías científicas generadas en Europa, un lugar de observación y experimentación constantes, un foro de observación newtoniana más que de intuición cartesiana. La visión de estos científicos ilustrados era una apropiación activa e investigadora de la realidad latinoamericana. La expedición botánica de José Celestino Mutis en 1783 reunió más de 20.000 especies. El resultado fueron más de 5.000 láminas cuidadosamente dibujadas de casi 3.000 especies vegetales. Estas láminas son la contribución más duradera de Mutis a la historia cultural de Latinoamérica (me refiero a aquellas que aún existen en la colección de los Jardines Botánicos de Madrid: la expedición de Mutis da un nuevo significado a la observación de Sartre de que «Ver es desflorar»).

Otro apasionado observador de la flora y la fauna latinoamericanas fue Félix de Azara (1742?-1821). Un naturalista autodidacta que Buesa Oliver llama «el Humboldt de América» («Sobre Cosme Bueno», 339), Azara se educó como soldado y luchó en Argelia antes de viajar a Paraguay en 1781 como parte de una misión diplomática para esclarecer la frontera entre los territorios españoles y portugueses allí. Confiesa que «decide comenzar algunos trabajos geográficos para llenar un tiempo que no deseaba perder» («Sobre Cosme Bueno», 340). Se describe a sí mismo como «un soldado que jamás ha mirado un animal con atención hasta ahora. Carezco de libros y de todos los medios de adquirir noticias e instrucción. Soy un naturalista original, que ignora hasta los términos y gran parte de mis apuntaciones se han tomado sin silla, mesa ni banco...» (citado en Buesa Oliver, «Sobre Cosme Bueno», 341). Las responsabilidades de Azara incluían el hacer visitas periódicas a regiones diferentes, viajando a caballo o en canoa y de esta forma familiarizarse en todo lo posible con el área (Buesa Oliver, «Sobre Cosme Bueno», 345). Durante su estancia en América, que duró veinte años, hizo observaciones zoológicas, cartográficas, etnográficas, geográficas y botánicas. Fundó varias colonias españolas e identificó a varias especies de animales que fueron llamados con su nombre; por ejemplo, el *Canis azare*, zorro o *aguarachay*. Azara escribió de forma constante, revisando y editando con frecuencia su obra; sus libros más conocidos son *Apuntamientos para la historia natural de los quadrúpedos del Paraguay y Río de la Plata* y *Apuntamientos para la historia natural de los Páxaros del Paraguay y del Río de la Plata*.

Al dedicar sus *Apuntamientos para la historia natural de los quadrúpedos del Paraguay y Río de la Plata* a su hermano, Azara expresa un lamento que recuerda a Colón o a Bernal Díaz: «He pasado los veinte mejores años de mi vida (...) en el último rincón de la tierra, olvidado aún de mis amigos, sin libros ni trato racional y viajando continuamente por desiertos y bosques inmensos y espantosos, comunicando únicamente con las aves y las fieras» (citado en Buesa Oliver, «Sobre Cosme Bueno», 342). Esta evocación de los sentimientos de soledad provocados por las vastas extensiones de la geografía sudamericana anticipa la premisa determinista geográfica de Domingo Faustino Sarmiento (1811-1888) en *Civilización y barbarie* (1845).

Otro jesuita que visitó América y escribió sobre ella fue José Gumilla (1687-1750), que llegó a Santa Fe de Bogotá en 1705, pasó diez años estudiando allí y luego otros treinta y cinco como misionero en la cuenca del Orinoco (con breves treguas para ocupar cargos administrativos en el Colegio de Tunja y una visita a España desde 1741 a 1743). *El Orinoco ilustrado y defendido. Historia natural, civil y geográfica de este gran río y de sus caudalosas vertientes: gobierno, usos y costumbres de los indios, sus habitantes: con nuevas y útiles noticias de animales, árboles, frutos, aceytes, resinas, yerbas y raíces medicinales: y sobre todo se hallarán conversiones muy singulares a N. Santa Fe, y casos de mucha edificación* (1741) es notable por sus ricos detalles y descripciones gráficas, llevadas a cabo debido a —como el propio autor admite— una «insaciable curiosidad natural». Gumilla no quería escribir una historia natural, sino transmitir las «curiosidades» que habían sido omitidas en relatos anteriores sobre la región; su mirada es penetrante, pero no necesariamente científica.

Gumilla no es para nada un defensor de la cultura indígena, pero está claramente fascinado por ella. Cuando transcribe sus conversaciones con los indios, intenta por todos los medios reproducir el vocabulario indígena en su texto. Incluye una descripción larga y detallada de cómo los indios hacen el *curare*, un veneno con la propiedad de causar embolias sanguíneas que Gumilla considera obra del demonio. También se indigna cuando se entera de que los efluvios del *curare* son tan tóxicos que por esa razón las ancianas se encargan de elaborar la poción: pues apenas se echará de menos su trabajo, si ellas mueren por respirar tales efluvios (lo que tendrá que suceder inevitablemente). Gumilla también describe los ritos matrimoniales entre los *Guayquirí*. Se vale del diálogo directo, lo cual da mucha viveza a la ceremonia para el lector e incluye ligeros toques de humor: de acuerdo con la tradición la novia debe ayunar antes de la boda y por ello parecer «más moribunda que radiante» (págs. 141-43). Los lectores a los que se dirige Gumilla parecen ser sus compañeros jesuitas y, como español, defiende a su país de forma vehemente contra la leyenda negra.

La expedición a Quito en 1737 de Charles-Marie de la Condamine tipifica la investigación científica del siglo XVIII. Un matrimonio perfecto entre lo científico y lo político, lo teórico y lo práctico, su delegación internacional estuvo subvencionada por la Academia de las Ciencias francesa a las órdenes del rey Borbón español, Felipe V, «para efectuar allí observaciones astronómicas y físicas con objeto de medir los límites precisos de los grados de latitud en el arco meridiano de la Tierra» (Brading, *Orbe indiano*, [456, ed. 1991]) Los miembros de la expedición esperaban por fin poder resolver la controversia sobre la afirmación newtoniana de que la tierra era ligeramente achatada en los polos. Seis años después, tras numerosas desgracias y dolores, consiguieron demostrar que era correcta.

La expedición de La Condamine llevó fortuitamente a una serie de obras escritas por dos jóvenes lugartenientes navales españoles que fueron enviados para representar a su país y oponerse a los prejuicios franceses que pregonaban un agotamiento de la ciencia española. Jorge Juan (1713-1773) y Antonio de Ulloa (1716-1795) colaboraron en la escritura de la *Relación histórica del viaje a la América meridional* y las *Noticias secretas de América* (1749), un informe confidencial sobre el estado de las colonias realizado a petición del Marqués de la Ensenada (publicado por primera vez en Inglaterra y traducido al inglés como el *Discourse and Political Reflections on the Kingdoms of Peru)*. Ulloa fue el autor principal de la *Relación histórica* y las *Noticias secretas*, y luego escribió una historia natural, *Noticias americanas*.

Como autores peninsulares, Juan y Ulloa se encuentran fuera del alcance de este ensayo. En todo caso, es importante observar que la publicación en 1826 de *Noticias secretas*, con su informe sobre la corrupción colonial y la mala administración, dio lugar a una violenta controversia que recuerda a la que rodeó a la *Brevísima relación de la destrucción de las Indias* (1552) de Bartolomé de las Casas (1474?-1566). Los autores tocan temas que van desde el contrabando hasta los abusos del clero y de los corregidores tiránicos; sus observaciones y sugerencias para la reforma se presentan dentro del marco ilustrado de lo razonable y natural *(Noticias*, 31). Conscientes del material explosivo que contenía el informe, avisan que «los asuntos reservados en este tratado son informaciones secretas para los ministros y otros facultados para saber y deben permanecer confidenciales», e insisten en que su objetivo ha sido «restaurar la religión y la justicia a su lugar apropiado; hacer conscientes a todos los súbditos, aun los distantes, de la influencia benévola y el vivo afecto del reinado sabio de sus soberanos; y finalmente, dar forma al mejor gobierno y la administración más justa para estos súbditos» (pág. 40).

Para terminar, Alexander von Humboldt (1769-1859) merece una breve mención por ser el viajero científico más destacado de la región, a pesar de que llega a finales de siglo y a pesar de no ser ni criollo ni español. Sin embargo, fue enorme el impacto de su *Personal Narrative of Travels to the Equinoccial Regions of the New Continent during the Years 1799-1804* (en francés, *Voyages aux régions equinoxiales du nouveau continent*) y su *Ensayo político sobre el reino de la Nueva España (1807-1811)*. Como ha observado Brading, «de un solo plumazo, quedaba colmada la fisura que se había abierto entre la Ilustración europea y la realidad americana, gracias a la intervención de un solo observador crítico calificado» *(Orbe indiano*, [554, ed. de 1991]). Las observaciones de Humboldt a menudo tocaban la vida política en América, por ejemplo cuando advertía sobre el potencial del descontento criollo tras las reformas económicas de 1728 (Minguet, «Alejandro de Humboldt», 72). Se debería subrayar que Humboldt, como muchos otros viajeros del siglo XVIII, fue un observador de los hechos y de la realidad concreta que no sucumbió a la tentación de teorizar sobre la base de sus observaciones.

Estos experimentos y expediciones del siglo XVIII no se llevaron a cabo en el nombre de la expansión imperialista, que será de lo que se acuse a los viajeros europeos del siglo XIX. Más bien se trató de un *modus operandi* científico para la creación de una conciencia cultural independiente. Rama ha dicho que los primeros cartógrafos y planificadores urbanos coloniales esperaban fijar y ordenar la realidad a través de sus escritos. Los autores del siglo XVIII, por su parte, aspiraban a crear una nueva realidad ilustrada a través de la escritura y el conocimiento; en este aspecto, el proyecto es tal vez el género *par excellence* de la segunda mitad del siglo.

LA ORGANIZACIÓN DEL CONOCIMIENTO

Ya he dicho que el siglo XVIII se caracterizó en cada una de las diversas manifestaciones de la actividad cultural, así como en cualquier forma literaria. De hecho, se puede decir que la organización y difusión del conocimiento en todas sus dimensiones en rápida expansión, realizada a través de la apertura de academias, sociedades de amigos, planes de reforma, literatura periódica y otros proyectos de publicaciones, constituye un plan maestro totalmente consecuente con el impulso enciclopédico de la Ilustración. Al mismo tiempo, estas actividades reflejan las circunstancias particulares de las colonias españolas: una creciente comprensión de la relación del conocimiento con el patriotismo o nacionalismo incipiente y la postulación de un nuevo tipo de lector criollo.

Tal vez ninguna obra refleja estos elementos tan bien como lo hace la *Biblioteca mexicana*, iniciada sobre 1735 por Juan José de Eguiara y Eguren (1696-1763). La *Biblioteca* se concibió como un proyecto bibliográfico y biográfico extremadamente ambicioso: un extenso catálogo de autores mexicanos (no sólo aquellos nacidos en México sino también los considerados mexicanos por haber residido en la región). El primer volumen apareció en 1755. Comienza con una larga serie de prólogos o *Anteloquia* que hablan del desarrollo de la cultura mexicana y continúa con partidas, instituciones principales e individuos cuyos nombres empiezan por las letras A, B y C. Como era de esperar, cuando Eguiara murió el proyecto estaba a medio realizar, aunque los volúmenes correspondientes a las letras que van de la D a la J, se han conservado en forma de manuscrito.

Eguiara fue un jesuita de ascendencia vasca que durante un tiempo trabajó como profesor y rector de la Real y Pontificia Universidad de la Ciudad de México. A pesar de su brillante carrera como estudiante y como administrador, declinó aceptar el obispado de Mérida cuando se le ofreció en 1752, alegando que no tenía buena salud y expresando su deseo de dedicar los años que le quedaban a su empresa bibliográfica. Fue conocido en su época como teólogo y orador sagrado, aunque se le recuerda principalmente como el autor de la *Biblioteca*.

El proyecto comenzó como respuesta a las doce *Epístolas* (1756) escritas por Manuel Martí, decano de Alicante, en las que el español en un momento desanima a su joven lector de visitar México, alegando que se trata de un yermo cultural habitado sólo por indios bárbaros (Brading, *Orbe indiano*, 388 [1991, págs. 343 y 423]). Era una acusación muy común: de hecho, el ensayo de Feijoo, «Españoles americanos», rebate la creencia de que las capacidades intelectuales de los hispanoamericanos disminuyen con la edad. La indignación de Eguiara ante esta evaluación difamatoria de su tierra se aprecia claramente en los prólogos polémicos y apologéticos que defienden la cultura indígena contra las críticas europeas; parece como si no pudiera comenzar la bibliografía antes de rebatir de una vez por la muy debatida cuestión de la inteligencia de sus compatriotas. La contribución de Eguiara a la disputas sobre el Nuevo Mundo es la de reiterar (siguiendo la tradición de Sigüenza y Góngora) que la cultura mexicana se caracteriza precisamente por la fusión de las tradiciones prehispánica e hispánica (*Biblioteca*, II: ccxxxviii).

Apasionado defensor del sistema educativo mexicano, el autor dedica los primeros dieciséis capítulos de su obra a un panegírico sobre la Universidad de México, con una mención específica de «algunas cosas de entre las muchas que dan lustre a nuestra universidad y que no pueden seguir contenidas en estas páginas nuestras igual que el océano no se puede contener en una pequeña concha» (II, 203). En otros momentos admite la existencia de serios obstáculos materiales para el éxito intelectual criollo. Una de estas dificultades era la existencia de muy pocas imprentas de calidad, por lo que Eguiara importó a la larga una imprenta que llamó la «Biblioteca Mexicana» y que comenzó a funcionar en 1753 (II, xciv).

Eguiara escribió a sus compatriotas (como ya había hecho Bueno) pidiéndoles ayuda para recopilar la biblioteca y, de acuerdo con sus propios cálculos, recopiló información para más de tres mil partidas. Por desgracia, y a pesar de la intención declarada del autor de difundir ampliamente los resultados de su investigación, la obra (escrita enteramente en latín —incluso los títulos de los libros— y organizada por orden alfabético de acuerdo con el nombre de pila de los autores) era muy difícil de leer y no tuvo mucha circulación. Aún así, la *Biblioteca mexicana* representa la iniciativa fundacional de la bibliografía mexicana. Su importancia se pone de manifiesto por la reciente reedición de la *Biblioteca* por la Universidad Nacional Autónoma de México, traducida al español y con un largo estudio introductorio, copiosas notas y apéndices de documentos que tienen que ver con la vida de Eguiara y la cultura del siglo XVIII (1986-1990).

Como punto de referencia para la bibliografía de Eguiara se debe mencionar la *Biblioteca hispanoamericana septentrional*, publicada en 1816 por José Mariano Beristáin de Souza (1755-1817). A pesar de que Beristáin se hace eco de la indignada lucha de Eguiara contra la crítica de Martí a la cultura mexicana, es un defensor mucho menos ferviente y comprometido de las tradiciones indígenas y su objetivo principal parece ser el de defender a España de los ataques de los escritores europeos. Pese a proponerse que su obra sea una continuación de la de Eguiara, critica su estilo, sus métodos investigativos y su decisión de escribir en latín: «Es imprudente el negar a miles de españoles la oportunidad de leer a sus figuras literarias en español sólo para que media docena de extranjeros los puedan leer en latín; estos, si el trabajo lo merece, sabrán cómo encontrarlo y leerlo aunque esté escrito en la lengua de los chichimecas» (pág. 3). Aún así, durante muchos años, todo lo que se sabía del texto de Eguiara llegó hasta nosotros a través de la *Biblioteca hispanoamericana septentrional,* y las dos obras juntas son un hito importante en la conciencia cultural criolla.

Otro proyecto de proporciones enciclopédicas es el *Diccionario geográfico-histórico de las Indias Occidentales o América* (1786-1789) de Antonio de Alcedo (1735-1812). Cuando era joven, Alcedo, nacido en Ecuador, ayudaba con frecuencia a su padre, Dionisio de Alcedo y Herrera, presidente de la Real Audiencia de Quito, en su investigación sobre el gobierno y el comercio en las colonias españolas. Más tarde, Alcedo continuó el trabajo de su padre mientras hacía la carrera militar; su *Diccionario* «fue considerado por sus contemporáneos como la obra de referencia más importante en lo relativo a América y... aún continúa siendo la compilación más acertada de documentación histórica y geográfica del siglo XVIII español» (Lerner, «El *Diccionario* de Antonio de Alcedo», 72). Tanto la edición española como la primera traducción al inglés (Londres, 1812-1815) fueron prohibidas por el gobierno español debido a la cantidad de información estratégica que contenían.

En su prólogo, Alcedo demuestra que está al tanto de la tradición enciclopédica de la primera narrativa latinoamericana así como de las letras ilustradas, explicando que a pesar de que la gran cantidad de material que ha recopilado exigiría una historia universal de América, «ya hemos visto cuán difícil y complicada es esa tarea; me pareció menos arduo reducirla a un Diccionario...» (pág. 6). A pesar de que su tono es contenido y sus intenciones declaradas son modestas, el alcance del proyecto de Alcedo es impresionante. No sólo da información referencial; al igual que los *philosophes* franceses, usa el formato enciclopédico para presentar temas muy controvertidos de la época como la esclavitud, las diferencias entre el carácter europeo y el americano y el trato a los indios... estableciendo claramente su propia postura en el curso de su exposición (Lerner, *Diccionario,* 72).

Al final de su obra, Alcedo incluyó lo que puede ser considerado el primer diccionario conocido de americanismos, el *Vocabulario de las voces provinciales de la América* (Lerner, «Sobre dialectología en las letras coloniales», pág. 118). Casi la mitad de las 634 palabras incluidas son indígenas; el resto son o bien palabras españolas cuyos significados han evolucionado, o bien palabras extranjeras. Las explicaciones de Alcedo son fluidas y vivaces, y reflejan su conocimiento extensivo de la flora, la fauna y las costumbres americanas.

Además de estas bibliografías y diccionarios, el siglo XVIII fue testigo de una verdadera explosión de literatura periódica. Hacia comienzos de siglo, las gacetas coloniales se publicaban siempre que sucedían eventos que merecieran ser contados —terremotos, muertes, visitas de las autoridades virreinales o llegada de navíos comerciales— pero durante la última parte del siglo comenzó a surgir una nueva forma de periodismo científico. Las nuevas gacetas estaban editadas por criollos y expresaban un claro compromiso con los servicios públicos y el reformismo (ver obras de Tavera Alfaro).

José Antonio Alzate y Ramírez (1737-1799), al que ya hemos hecho referencia, es tal vez el representante mexicano más conocido de este nuevo tipo de periodistas. Sus intereses iban desde la filosofía y la medicina, hasta la química, la geografía, la agricultura, la minería y la educación, lo que ha llevado a que algunos críticos lo consideren sólo un diletante intelectual. Nadie se cuestiona, sin embargo, su papel central como divulgador y como polemista del conocimiento científico. Durante su vida, Alzate publicó cuatro revistas diferentes: *Diario literario de México* (del 12 de marzo al 10 de mayo de 1768; ocho números); *Asuntos varios sobre ciencias y artes* (del 2 de noviembre de 1772 al 4 de enero de 1773; 13 números); *Observaciones sobre física, historia natural y artes útiles* (del 21 de mayo de 1787 al 30 de octubre de 1787; 14 números); y la *Gazeta de literatura de México* (del 15 de enero de 1788 al 22 de octubre de 1795; tres volúmenes de 48, 47 y 44 números respectivamente). En las observaciones que hay a continuación me centraré en la *Gazeta de literatura*, que, por razones obvias de longevidad y continuidad es de la mayor importancia histórica y literaria.

Alzate expone las razones que lo han llevado a fundar la *Gazeta* en un prólogo al primer número, en el que invita a una comprensión lo más abierta posible del término «literatura» (que se entiende como conocimiento de cualquier tipo), expresa un fuerte interés por las culturas prehispánicas y reitera su deseo de ser útil a su país. El prólogo refleja claramente el deseo de establecer una «comunidad imaginada» de intereses entre los lectores y el editor; esta afinidad intelectual pronto se desarrollaría hasta llegar a ser un patriotismo criollo intenso en el periodo de la independencia (Anderson, «Creole pioneers», 62-5). Al mismo tiempo se aprecia la adhesión a los principios intelectuales del didactismo, el utilitarismo y el experimentalismo. La *Gazeta* publicó planos para un proyecto de control de inundaciones, una recopilación de las observaciones de Alzate (junto a José Ignacio Bartolache) sobre el tránsito de Venus sobre la estela solar, una descripción detallada de un instrumento usado en la industria minera y un tratado muy informativo sobre la industria de teñido de la cochinilla.

Muchos de los artículos reflejan el gran interés de Alzate por el comercio, la minería y la agricultura. Otros (a menudo incluidos como suplementos de la *Gazeta)* surgieron de sus estudios sobre la antigüedad mexicana; por ejemplo, la «Descripción de las antigüedades de Xochicalco dedicada a los señores de la actual expedición marítima alrededor del orbe» (1777), en la que rebate las teorías europeas sobre la degeneración americana en términos que para su agrado eran muy semejantes a los argumentos expuestos previamente por Clavijero. La publicación de la *Descripción histórica* de León y Gama despertó una larga polémica en las páginas de la *Gazeta* sobre cómo se podían descifrar los grabados de la piedra del sol; sin embargo, el intento de Alzate de enfrentarse a la interpretación de León y Gama demostró ser poco convincente.

Incluso en el curso de un debate sobre los méritos del sistema de Linneo para clasificar las plantas, sin embargo, Alzate sigue utilizando sus conocimientos sobre la antigua cultura mexicana. Sostiene que, siguiendo las costumbres mexicanas, los nombres de las plantas deberían incluir alguna referencia a sus posibles usos: «Con el sistema de Linneo, sabe que la planta pertenece a tal clase o género. ¿Qué saca Vmd. de todo esto?... Las plantas en tanto nos son útiles en cuanto nos sirven para alimento, para resistir las enfermedades o para el uso de ellas en varias Artes como la tintorería, carpintería. Luego, si la botánica no nos instruye de esto, ¿de qué sirve pues?» (citado en Luque Alcaide, *La educación en Nueva España en el siglo XVIII*, 352).

Ya hemos visto ejemplos del compromiso con la salud pública y la epidemiología del Doctor José Ignacio Bartolache y de su ferviente interés por la leyenda de la Virgen de Guadalupe. Colega y a menudo contrincante de Alzate en las numerosas polémicas que aparecían en las páginas de las revistas mexicanas, Bartolache es conocido por popularizar el conocimiento científico y por ser socio fundador de *El Mercurio volante con noticias importantes y curiosas sobre varios asuntos de física y medicina* (desde el 17 de octubre de 1772 hasta el 10 de febrero de 1773; 16 números).

La importancia de la revista trasciende su limitado alcance debido a la amplia selección de temas. Los números 3 y 4 contienen instrucciones detalladas para construir un termómetro y un barómetro, ya que estos instrumentos eran poco comunes en México. Otro número habla del «mal histérico», que tendía a afectar a las mujeres cuando se hallaban en situaciones de vida comunal. Bartolache habla de tres causas posibles: el consumo excesivo de dulces y chocolatinas, ropa restrictiva y el hábito de irse a la cama y levantarse tarde. El ensayo responde de manera implícita a las reformas que se propusieron en la vida conventual que había causado furor en esos tiempos al hacer un llamamiento a unas formas más espartanas de vida comunal. Bartolache evita tocar el tema político de manera directa, y en vez de ello prefiere referirse a él desde el punto de vista médico y psicológico *(Mercurio volante*, xlvi-xlvii).

Bartolache también incluye una amplia disertación sobre el valor médico del pulque (una bebida alcohólica indígena) en tres números sucesivos de la revista. En referencia al debate primario del siglo XVIII sobre si el licor de la región representaba un vicio o una virtud, anuncia que ha llevado a cabo personalmente una serie de once experimentos sobre el tema. Avisa también a los lectores de que había planeado llevar a cabo otra serie de experimentos sobre la «cantidad y calidad de la orina que produce el pulque» pero que, lamentablemente, le ha sido imposible hacerlos debido a un mal de estómago recurrente (pág. 108).

Para terminar, en otro número se usa como pretexto una carta de un cacique indio ficticio que escribe para criticar tanto la revista de Alzate como la de Bartolache. El tono de la carta es inteligente e imaginativo; en referencia al tema ya mencionado aquí de los termómetros, el cacique escribe: «Ya le dixe á mi muger y a mi Nuera, que no se bañen en el temazcalli, hasta que yo mire, cuando tenga mi Termómetro, cuantos grados de calor tiene allá dentro del agua, i se componga para regular bien el temazcallixtli; no sea que se les vaia a calentar mucho la sangre» (pág. 53[1]).

A pesar de que México era un importante centro de producción periodística, también se fundaron gacetas en otros centros urbanos. La *Gazeta de Lima*, probablemente el periódico más antiguo de Sudamérica, comenzó a aparecer de forma regular a partir del 18 de enero de 1744 (pág. xiii). Durante los años noventa de ese siglo, Hipólito Unanúe (1755-?), a quien Lockhart y Schwartz llaman el «equivalente peruano de Alzate») *(Early Latin America*, 345), editó el *Mercurio Peruano* que fue fundado por la Sociedad de Amantes del País en Lima. La sociedad también llevó a cabo un estudio de las ruinas arqueológicas de la región; este proyecto, a pesar de no contar con la misma profundidad de otras empresas similares mexicanas, refleja hasta cierto grado el interés por la historia indígena de los peruanos cultos del siglo XVIII (Macera Dall'Orso, «Imágenes del indio», 315). *Las Observaciones sobre el clima de Lima* de Unanúe son una esmerada recopilación de las condiciones climáticas de la ciudad con la que el autor esperaba rebatir las nociones europeas sobre los malos efectos del clima americano (ver Brading, *Orbe indiano*, 448-450 [1991, págs. 485-486]).

Otra asociación patriótica, en este caso cubana, también fue decisiva en la fundación del *Papel Periódico de la Habana* en 1790. La revista se caracterizó por su enfoque hacia el comercio y la actividad económica, a pesar de las piezas de tipo costumbrista que se incluían a menudo y que describían los usos y costumbres coloniales. En Nueva Granada, Francisco José de Caldas (1770-1816), el distinguido naturalista que había tomado parte en la expedición botánica de Mutis, sirvió de fuerza motriz para el *Semanario del Nuevo Reyno de Granada*, que apa-

[1] En *Mercurio volante,* México, F. de Zúñiga, 1772-73.

reció de forma intermitente entre 1808 y 1809. Todas estas tempranas publicaciones periodísticas reflejan el vínculo estrecho entre el desarrollo económico y el cultural en las colonias españolas durante la última mitad del siglo XVIII. Tanto las sociedades económicas como las gacetas sirvieron para dar a los lectores un sentimiento de identidad local y alentar su compromiso por la mejora de sus comunidades.

El satírico peruano Francisco Javier Eugenio de Santa Cruz y Espejo (1747-1795) produjo un cuerpo de obras que abarca muchas áreas que ya hemos mencionado. Espejo fue un mestizo que estudió medicina y escribió un importante tratado sobre las enfermedades contagiosas en las colonias españolas, *Reflexiones acerca de las viruelas* (1785). Era una pieza clave de la organización de la sociedad patriótica de Quito, director de su biblioteca pública y, en 1792 fue el editor fundador del primer periódico de la ciudad, *Las Primicias de la Cultura de Quito* (Greer Johnson, «*El Nuevo Luciano* and the satiric art of Eugenio Espejo», 67-71).

Los títulos de las obras de Espejo apuntan claramente hacia los diálogos satíricos de Luciano como modelo: *El Nuevo Luciano de Quito o despertador de los ingenios quiteños en nueve conversaciones eruditas para el estímulo de la literatura* (1779); *Marco Porcio Catón o memorias para la impugnación del Nuevo Luciano de Quito* (1780); y *La ciencia blancardina* (1780). *El Nuevo Luciano* comenzó a circular en forma de manuscrito con un seudónimo, «don Javier de Cía, Apéstegui y Perochena». En esta obra, Espejo usa un diálogo sobre los méritos de los diferentes estilos oratorios como punto de partida para sugerir una reforma del sistema educativo peruano. Los interlocutores son Mera, un pensador ilustrado, y Murillo, un médico pomposo y pedante. Sus discusiones van desde el tema del «buen gusto» (entendido en el sentido más amplio como una sensibilidad científica, ilustrada y a la moda) hasta las cuestiones éticas y la retórica escolástica (Astuto, «Espejo: Crítico dieciochesco y pedagogo quiteño», 516). El autor elige una crítica de la retórica religiosa como instrumento para estructurar la narración debido a su convicción de que el sermón, como género, encarna la naturaleza inamovible y estática de las instituciones coloniales.

Espejo se vale de su obra siguiente, *Marco Porcio Catón*, para articular las críticas que ha recibido por *El Nuevo Luciano*, y luego responde a estas en *La ciencia blancardina*. Desafortunadamente le faltan gracia y elegancia a su estilo de escritura, lo que mueve a un crítico a observar que, pese a ser un maestro de la ironía y el sarcasmo, «Espejo no fue un gigante literario» *(Obra educativa*, xxii). Sus obras no se adaptaban bien a las demandas del humor satírico debido a que eran demasiado amplias y tendían a repetir los mismos temas y floreos estilísticos (Greer Johnson, «*El Nuevo Luciano*», 81). Aún así Greer Johnson nos recuerda que la sátira de Espejo, al igual que otros escritos filosóficos de los que ya hemos hablado, está siempre muy ligada a un impulso utilitarista muy sincero; sus diálogos explican planes concretos para la reforma de la educación peruana (pág. 67). Va mucho más allá que la generación jesuita de 1750, sin embargo, tanto por el tono agresivo de su obra como por el nivel de compromiso político que demuestra.

Espejo no pudo mantener finalmente el delicado equilibrio entre reformismo y revolución y empezó a ser perseguido por sus creencias políticas. De esta forma nos sirve como vínculo entre los pensadores eruditos del siglo XVIII y los ensayistas del periodo de la Independencia que lo seguirían —Fray Servando, Juan Pablo Viscardo y Guzmán (1748-1798) e incluso José Joaquín Fernández de Lizardi (1776-1827). Las palabras de Espejo en el último número de *Primicias de la Cultura de Quito* fueron reveladoras: «Ya somos consocios, ya somos quiteños (esto es, no españoles), entramos ya en la Escuela de la Concordia, de nosotros renace la patria, nosotros somos los árbitros de su felicidad» (citado en Velasco, *Historia del reino de Quito*, 1981, ix-x). Su afirmación refleja que el grado de fracaso al que habían llegado los esfuerzos reformistas borbónicos en las colonias tenía su precio en la lealtad de los eruditos criollos que llegaron a la madurez intelectual y política al final del siglo XVIII.

Concluyo este ensayo retomando la pregunta que sugerí al comienzo: ¿cómo debemos abordar las formas narrativas, la erudición y el saber del siglo XVIII? Debemos comenzar por volver a evaluar nuestro propio enfoque crítico cuestionándonos nuestro punto de partida crítico. ¿Quiénes son los autores que hemos señalado como más representativos? ¿En qué tipo de textos nos hemos centrado y en qué términos hemos aceptado definir (o defender) su «literaridad»?

Debemos abandonar los criterios genéricos y nacionalistas que han dominado la crítica del siglo XVIII; el debate sobre cuándo apareció la primera novela en Latinoamérica, la insistencia sobre las formas literarias tradicionales o la búsqueda de un punto de origen para las literaturas nacionales sólo sirve para distraernos de una lectura atenta de las voluminosas obras producidas durante las últimas décadas del periodo colonial. Debemos renunciar a los preciados estereotipos de la narrativa dieciochesca —racional, lógica, clara, medida... aburrida— porque son distorsiones producto en su mayor parte del romanticismo del siglo XIX. Esto nos dejará libres para entrar en una discusión más viva con los textos del siglo XVIII, para que aceptemos como nuestro proyecto lo que Laura Brown y Felicity Nussbaum han llamado «la problematización de un periodo, un canon, una tradición y un género en los estudios literarios del siglo XVIII («Revising critical practices», 14). El siglo XVIII, en cuanto a su historiografía y sus primeros intentos de antropología, en sus periódicos en formación y sus ensayos científicos, revela su impulso ilustrado mejor (como ha dicho Cassirer) «donde se encuentra aún en proceso, donde está dudando y buscando, destruyendo y construyendo» *(La filosofía de la Ilustración*, la primera ed. en 1943, y la última en 1972, Fondo de Cultura Económica, México, pág. ix). Lo mismo podemos decir de nuestro proyecto crítico como lectores del siglo XVIII.

[11]

POESÍA LÍRICA EN LOS SIGLOS XVIII Y XIX

ANDREW BUSH

Desde la primera ficción de José Luis Borges, en la cual Cervantes, por supuesto, figura de modo importante pero aparece también Quevedo —como se aprecia en la letra menuda de la obra de Pierre Menard—, hasta el compromiso de toda la vida de José Lezama Lima con una estética gongorista en la lírica, pasando por el ensayo más reciente de Octavio Paz sobre Sor Juana *(Sor Juana Inés de la Cruz),* las figuras más importantes de las letras hispanoamericanas del siglo XX han situado su obra en relación directa con el Barroco. Lo han hecho teniendo como antecedente a sus colegas peninsulares, que, en particular en el área de la lírica, identificaron los procedimientos de la vanguardia con los de la obra de Góngora. Pero, al igual que los actos conmemorativos que rodearon el tricentenario de la muerte de Góngora en 1927 se pueden interpretar como una desviación o defensa, una redefinición nacionalista deliberada de las influencias de la vanguardia que llega a España desde Francia y de otras partes también, la proximidad de la herencia barroca en la Hispanoamérica del siglo XX invita a una investigación crítica. Seguir la estela de Borges, Lezama y Paz, entre otros representantes del Neobarroco, ha aportado importantes beneficios a la crítica contemporánea, sin duda, sobre todo la recuperación, si no la reinvención, de las letras coloniales en nuestra época, a través de la valorización del Barroco de Indias, un periodo cubierto de sombras por casi 200 años de ideología de la independencia. Aún así, el énfasis en la ascendencia barroca, ya sea en el estilo lírico o en la erudición literaria, ha tenido, como lo tuvo el apego de T. S. Eliot a los poetas metafísicos ingleses y la correspondiente orientación de la historia literaria de los Nuevos Críticos norteamericanos, el efecto nocivo de oscurecer a su vez este mismo periodo —el final del siglo XVIII y el siglo XIX—, en el que adquirieron forma tanto la independencia política como la literaria.

La elaboración más significativa de esta posición, en su articulación más influyente, es la de Paz en *Los hijos del limo*, ensayo en el que afirma que España no tuvo un verdadero Romanticismo debido a la falta de una verdadera Ilustración contra la que se pudiera reaccionar y que la situación en Hispanoamérica fue aún más grave, pues a este respecto fue un mero simulacro —un «reflejo de un reflejo» (Paz, *Los hijos*, 122)—. En resumen, para Paz y para un siglo de crítica literaria, Latinoamérica, como España, no tuvieron modernidad (pág. 119), al menos no hasta que Rubén Darío la inventó con retraso bajo la bandera del Modernismo. La revalorización de las letras del siglo XVIII y del XIX en los estudios angloamericanos y continentales, en la generación actual, da lugar a preguntas sobre este rechazo general. En su comentario sobre el ensayo de Schiller «Sobre la poesía ingenua y sentimental» (Icaria, Barcelona, 1985), por ejemplo, Herbert Lindenberger ha subrayado que este texto así como muchas otras teorías del Romanticismo que son contemporáneas de él, deberían designarse «teoría de la modernidad» *(The History in Literature*, 66). Sugiero que se inviertan los términos para declarar tan sólo teorías del Romanticismo a *Los hijos del limo* y a muchos otros esfuerzos por definir la modernidad, contemporáneos o subsecuentes a esta obra que, como el trabajo de Schiller, anterior a estos, se sitúan mejor dentro que más allá del movimiento que, en las letras hispánicas, Paz y otros borrarían. La relación de la literatura hispanoamericana del siglo XX con el Romanticismo puede asumirse como una continuación de sus preocupaciones fundamentales, tal como se descubre en la *novela de la tierra;* o se puede encontrar en la reacción de la poesía modernista o vanguardista, el proceso al que Ortega y Gasset considera como «una influencia negativa» *(La deshumanización del arte*, 43-47) en la literatura hispánica, mucho antes de que Harold Bloom planteara su teoría del revisionismo sobre las bases de la lectura del romanticismo inglés (ver *La ansiedad de la influencia, una teoría de la poesía*, 1973). Pero, sin el más mínimo respeto por las polaridades de las relaciones entre la literatura del siglo XX y su pasado de los siglos XVIII y XIX, se puede afirmar que la historia literaria en sí misma, practicada diversamente por Paz en *Los hijos del limo* y por los colaboradores de esta *Historia*, participan de la empresa romántica (ver González Echevarría, «Álbums, ramilletes, parnasos, liras y guirnaldas», 875-6). En una palabra, el siglo XX es incomprensible en una yuxtaposición no mediada al Barroco. Y si este no es el contexto apropiado para exponer una amplia teoría de la modernidad que englobaría al Romanticismo hispánico en su relación compleja a la Ilustración que la precedió, tal vez sí sea la ocasión de recuperar algunos de los textos desde los que pueda emerger esa declaración.

El orden por siglos que tiene este volumen es un obstáculo para este proyecto de reclamo que necesita una serie de meditaciones preliminares. Perdida entre las designaciones tradicionales por periodos de la historia literaria y las realidades del cambio social, la abstracción cronológica llamada siglo XVIII se ha convertido en cien años de verdadera soledad literaria, sobre la que se ha hecho de todo menos observarla de verdad, incluso en el mapa de la muerte trazado por García Márquez. Los nuevos estudios literarios coloniales pocas veces llegan hasta las Guerras de Independencia a comienzos del siglo XIX: un evidente descuido de la realidad política. Además, las fronteras temporales asociadas con el Barroco en las letras peninsulares —barreras que demarcan un Siglo de Oro que se cierra, en Hispanoamérica, con la muerte de Sor Juana en 1695— normalmente dejan de tratar al siglo xviii. Por otro lado, las fechas implicadas por un Siglo de las Luces fueron falsificadas por la práctica literaria en un periodo en el que el Barroco mantuvo su predominio; la Edad de la Razón deja también fuera de cuenta la parte más grande de la Hispanoamérica del siglo xviii. Y si bien ha habido algún progreso respecto a la prosa en obras tan recientes como la discusión de Julie Greer Johnson («El Nuevo Luciano and the satiric art of Eugenio Espejo») de la escritura satírica de Francisco Javier Eugenio de Santa Cruz y Espejo (Ecuador, 1747-1795) (ver Santa Cruz y Espejo, *Obra educativa)* o del extraño documental sobre un viaje de Alonso Carrió de la Vandera, alias Concolorcorvo (España, 1715-Perú, 1783) (ver Stolley, *El Lazarillo de ciegos caminantes*, así como su contribución a este volumen), y si es cierto que ha aumentado la atención a los reportajes de las expediciones científicas en las Américas (ver el número especial de la *Revista de Indias* coordinado por Del Pino Díaz; para una explicación más amplia, ver el monumental estudio de Stafford, *Voyage into Substance),* no es menos cierto que el estado actual del conocimiento sobre la poesía del periodo es abismal (ver la nota bibliográfica al comienzo de la bibliografía de este capítulo).

Casi la única poesía lírica que se ha salvado de la negligencia total ha sido la de Juan Bautista Aguirre (Ecuador, 1725-1786) (ver Zaldumbide, «Estudio preliminar» y Rodríguez Castelo, *Letras de la Audiencia de Quito (Período jesuita)*, en donde se puede encontrar la poesía completa de Aguirre, y Cevallos Candau, *Juan Bautista Aguirre)*. La excepción se puede explicar por referencia a los estrechos intereses de la formación de cánones; las medidas evaluadoras que se aplican a la poesía barroca de los siglos precedentes de literatura colonial no hallarán deficiente a Aguirre. Sin embargo, mis propósitos son totalmente diferentes. La canonización equivale al reduccionismo, y el estudio de la literatura hispanoamericana del siglo xviii e incluso del xix necesita, por el contrario, una expansión, que empiece por el nivel de las funciones editoriales más básicas. Más aún, las necesidades de este estudio no se colmarán eximiendo a los mejores poetas de sus propios periodos —a menudo vistos como fríos o prosaicos con respecto al siglo xviii o acalorados y rimbombantes para el xix— y por consiguiente situándolos más atrás al campo más limitado de los estudios coloniales o más adelante en calidad de precursores del modernismo. Así, yo dejaría de lado la cuestión de un juicio valorativo sobre Aguirre —sin duda inferior a Sor Juana pero superior, por ejemplo, a Hernando Domínguez Camargo (Colombia, 1606-1656?)— en favor del desarrollo de sus coordinadas históricas.

Para empezar, Aguirre perteneció a la generación de jesuitas expulsados de tierras españolas por orden de Carlos III en 1767. Aunque sería falso utilizar esta fecha como punto final de la lírica gongorista en América, al igual que lo es utilizar la fecha de la muerte de Sor Juana, el predominio de los jesuitas en el sistema educativo colonial fue un factor significativo debido al cual se prolongó la vida del Barroco. El sustrato latino del estilo barroco, que Elías Rivers («Góngora y el Nuevo Mundo») ha designado recientemente en términos bajtinianos como la diglosia fundamental de la lírica gongorista, fue perjudicado tras la marcha de los exponentes más importantes de las lenguas clásicas en las colonias. En ese momento se inició un proceso de cambio lingüístico. Pero es necesario subrayar que el proceso fue lento, para que no se ponga un límite demasiado temprano al periodo que lo sucedió, el de la Ilustración y su característica expresión neoclásica. De aquí que la reforma de los programas de estudio en Cuba en las primeras décadas del siglo XIX, inaugurada por José Agustín Caballero (Cuba, 1762-1835) y continuada por Félix Varela (Cuba, 1788-1853) que condujo al cambio hacia la enseñanza de la filosofía en lengua española, pueda representar una línea de demarcación de la frontera potencial entre el Neoclasicismo y el Romanticismo; de hecho, sus contemporáneos reconocieron que lo sucedido en aquel momento representaba un momento decisivo (ver, por ejemplo, el elogio del filósofo José de la Luz y Caballero [Cuba, 1800-1862] con ocasión de la muerte de su tío, J. A. Caballero en 1835). Aún así medio siglo después el propio José Martí (Cuba, 1853-1895) que proclamó en su crucial ensayo «Nuestra América» (Nueva York, 1891) que «los gobernadores, en las repúblicas de los indios, aprendan [a hablar] indio» *(Obras completas,* II, pág. 525), fue moldeado él mismo por el latín más que por el arahuaco o quechua.

Volviendo a los jesuitas, entonces, se debe recordar que también fueron los principales de entre los colonizadores en aprender las lenguas nativas a través de su trabajo en las misiones. Así de un solo tiro, su expulsión socavó los cimientos de la poesía barroca que se había preservado por la combinación jesuita de religiosidad conservadora y una fuerte influencia del latín. Al mismo tiempo, la expulsión puso un punto final prematuro a las investigaciones filológicas y antropológicas más importantes del siglo XVIII sobre las culturas indígenas americanas. El exilio de los jesuitas no los alejó por completo de las colonias, por supuesto. Francisco de Miranda (Venezuela, 1750-1816) los buscó en Italia, por ejemplo, cuando se preparaba ideológicamente para iniciar una revolución contra España. Pero la historia de la publicación de la obra más importante de Francisco Javier Clavijero (México, 1731-1787) indica el retraso de toda una generación a la hora de integrar las culturas indígenas en una identidad americana independiente: la investigación que se llevó a cabo en México, antes de la expulsión, se publicó primero en italiano como la *Storia antica del Messico* en Cesena, 1780-1781, y sólo se tradujo al castellano un cuarto de siglo después por el hombre de letras español, José Joaquín de Mora (España, 1783-1864), cuyas intervenciones en la historia literaria hispanoamericana se recuerdan sobre todo por sus conflictos con Andrés Bello (Venezuela, 1781-1865).

Como jesuita exiliado, entonces, Aguirre es sólo uno entre muchos, incluyendo a un distinguido grupo de poetas neolatinos tales como Rafael Landívar (Guatemala, 1731-1793) o Diego José Abad (México, 1727-1779) (sobre la poesía latina de los jesuitas mexicanos, ver Menéndez Pelayo, *Antología de poetas his-*

pano-americanos, I, lxxviii-lxxxiv, así como Jiménez Rueda, *Letras mexicanas en el siglo XIX*, y sobre el exilio jesuita en general, ver Batllori, *La cultura hispano-italiana de los jesuitas expulsos)*. Pero la póstuma fortuna literaria de Aguirre dio un giro singular que lo convierte en un caso ejemplar de la interrelación entre los siglos XVIII y XIX. Debemos la lectura de la obra de Aguirre a la investigación de Juan María Gutiérrez (Argentina, 1836-1896), el crítico literario latinoamericano más importante de la época, cuyas investigaciones sacaron a la luz la mayor parte de la poesía actualmente existente de Aguirre (ver Gutiérrez, *Estudios biográficos y críticos sobre algunos poetas sud-americanos anteriores al siglo XIX*, 237-267). El propio Gutiérrez entendió su extenso proyecto literario como un «acto de patriotismo», como dejó claro en sus breves y anónimas notas al prefacio a *América poética / colección escojida / de composiciones en verso, / por americanos en el presente siglo* (pág. iii), la primera antología del verso de todo el continente hispanoaméricano, que él editó. Y hay una profundidad especial en su recuperación de Aguirre, ya que incluirlo como uno de los primeros ejemplos de una identidad americana reconocible requirió una amplia visión capaz de superar la aversión tras la Independencia hacia la larga época colonial. También se podría añadir que la mezcla de literatura y patriotismo de Gutiérrez lo vincula tanto al ideal panamericano de Bolívar, previo a él, como al ejemplo más duradero y sobresaliente del Romanticismo en la historia de la literatura hispanoamericana: la misma noción de una identidad literaria independiente y original.

La obra de Gutiérrez, quien descubre las páginas manuscritas de Aguirre y salva del olvido los últimos grandes retoños de la lírica barroca, a través de los esfuerzos conjuntos de crítico literario y redactor, muestra aún otra faceta de importancia aquí. La persistencia del Barroco a lo largo del siglo XVIII es fácil de documentar —desde los delicados versos religiosos de la Madre Castillo (Francisca Josefa del Castillo, Colombia, 1671-1742) que fueron adjuntados a su tratado espiritual, *Afectos espirituales* (no publicados hasta 1896, en Bogotá; ver Castillo, *Afectos espirituales)* hasta la pesada sátira de Esteban Teralla Landa (nacido en España y fallecido en Perú a finales del siglo XVIII), que es su *Lima por dentro y por fuera* (Lima, 1797; ver también Meehan y Cull, «El poeta de las adivinanzas»), reaccionario en sus opiniones políticas, su racismo y misoginia y en su devoción resuelta hacia las formas barrocas en un momento tan tardío como es en efecto la última década del siglo XVIII —pero este fenómeno requiere una explicación. Y estudios recientes de la sociología de la literatura (ver en especial Kernan, *The Imaginary Library* y *Printing, Technology, Letters and Samuel Johnson*, y, para Latinoamérica, el luminoso y claro estudio de Rama, *La ciudad letrada)* subrayan la presencia de figuras tales como Gutiérrez, es decir, profesionales de las letras ajenos al sistema tradicional de mecenazgo, como prueba de un cambio en la institución social de la literatura y como promotores de esa transformación. Gutiérrez tiene algunos precedentes. De distinta manera, tanto Bello como José María Heredia (Cuba, 1803-1839), las dos figuras más importantes de la lírica del siglo XIX, fueron productos representativos de un cambio sociológico dentro de la institución de la literatura. Pero la evolución de una cultura impresa que Alvin Kernan vincula al caso ejemplar del Doctor Johnson (Inglaterra, 1709-1784) en la Inglaterra de mediados del siglo XVIII, es literalmente imposible en la Hispanoamérica de la época. La imprenta no apareció más allá de los centros virreinales hasta finales de siglo, o incluso después: por ejemplo, en Quito, 1760; en Buenos Aires, 1780; en Veracruz, 1794; en Puerto Rico y Caracas, 1808 (ver Martínez Baeza, «La introducción de la imprenta en el Nuevo Mundo»). Y en la medida en que Kernan es capaz de defender que los cambios institucionales son la causa de los cambios estilísticos, la larga preponderancia de una cultura oral en Hispanoamérica, en comparación con Europa y Norteamérica, se puede entender como un factor significativo, tal vez el más importante, en la lenta llegada del Romanticismo.

La amplitud y vitalidad de la cultura oral hispanoamericana, o más bien de sus culturas, marcan otra diferencia en relación más generalmente con el Occidente, diferencia que ninguna historia de la literatura de la región ha considerado aún de forma adecuada, tal es la presencia de lenguas y literaturas indígenas, al margen de la cultura impresa, desde el tiempo de la conquista hasta nuestra época. Incluso dentro de los estrechos confines de la literatura escrita, Jesús Lara se quejó hace casi medio siglo con respecto al que de otra forma sería el estimable trabajo de Marcelino Menéndez Pelayo y Luis Alberto Sánchez: «Organizan una nutrida galería de historiadores y de poetas que se valieron de la lengua de Castilla para la expresión de su obra. Pero en ninguno de ellos se manifiesta un formal propósito de averiguar si los idiomas autóctonos fueron o no utilizados por algún escritor de aquellos tiempos. En tal sentido constituyen una historia castellana de América, no una historia americana» (Lara, *La poesía quechua*, 126). Una perspectiva institucional nos será una vez más reveladora. Cuando Gutiérrez volvió a la poesía del periodo colonial en español, desde la Sor Juana del siglo XVII hasta Manuel de Lavardén (Argentina, 1754-1809) en los albores de la independencia, los recuperó para la literatura. En contraste, la investigación sobre el estado de la copla maya, que incluye afirmaciones tan amplias como la conclusión de Munro S. Edmonson y Victoria R. Bricker de que «tal vez la cualidad más distintiva de la literatura maya es que es toda poesía» («Yucatecan Mayan literature», 59, a pesar de que hay que tener en cuenta las reservas de Gossen [«Tzotzil literature»] para un texto tan importante como el *Popol Vuh)* se lleva a cabo desde el punto de vista de una disciplina como la Antropología.

No es necesario decir que la división disciplinaria del trabajo, de la literatura enfrentada a la antropología, corresponde a una división nuestra contra la suya, y por tanto que imita, autoriza y difunde los prejuicios de la hegemonía cultural. Para encontrar un ejemplo podemos contrastar el destino literario de Mariano Melgar (Perú, 1791-1815) y Juan Wallparrimachi Maita (Bolivia, 1793-1814). Melgar se aproximó a la frontera racial desde el lado de la lengua hegemónica, trasladando una forma popular indígena, el *yaraví*, al español. Los resultados, muy superiores a sus versos en las formas tradicionales castellanas, han tenido un gran impacto, especialmente en su Perú nativo e, impulsados por el lugar que ocupó en la historia política —los españoles lo ejecutaron en el curso de la Guerra de la Independencia—han dado a Melgar un cierto renombre que ha perdurado por todo el continente (por ejemplo, su inclusión en tales antologías como la de Menéndez Pelayo [*Antología*]; Flores, *The literature of Spanish America,* y Carilla, *Poesía de la Independencia*; para la poesía completa, ver Melgar, *Poesías completas).* No ocurrió lo mismo con su contemporáneo, Wallparrimachi, un poeta quechua, que, además de desarrollar los recursos de su propia tradición literaria, también experimentó en la frontera cultural del otro lado; es decir, de acuerdo con Lara (*La poesía quechua*, 141) Wallparrimachi también se apropió de la décima castellana para su elaboración de los versos en quechua. Aún así, a pesar de toda su inclinación ideológica, muy bien explicada por Julio E. Noriega («Wallparrimachi»), las numerosas versiones de sus heroicas acciones en las Guerras de la Independencia no han sido suficientes para situar a Wallparrimachi en el panteón de la literatura hispanoamericana —las notas enciclopédicas de Pedro Henríquez Ureña *(Las corrientes literarias en la América hispánica* [México, F. C. E., 1964]), por ejemplo, ni siquiera lo mencionan.

Los investigadores literarios de los países andinos desde hace mucho tiempo han concentrando su atención en el estudio de las lenguas nativas para recuperar la poesía indígena, más para la literatura que para la antropología (en Bolivia, por ejemplo, además de Lara, ver Cáceres Romero [*Nueva historia de la literatura boliviana*]) y hay pruebas de que esta preocupación ha comenzado a extenderse: Antonio R. de la Campa y Raquel Chang-Rodríguez incluyen una sección sobre la literatura precolombina en su antología [*Poesía hispanoamericana colonial*]; y la Biblioteca Ayacucho ha dedicado varios volúmenes a los textos indígenas (por ejemplo, Barreiro Saguier, *Literatura guaraní del Paraguay).* Pero este esfuerzo requiere una considerable ampliación y, como ocurre con la poesía en español, los siglos XVIII y XIX están muy poco estudiados. La extraordinaria colección de poesía recopilada durante el siglo XVIII y conocida como *Canciones de Dzita-baeche*, un texto maya, que también se puede encontrar en versión española *(El libro de los cantares de Dzitbalché),* de Alfredo Barrera Vásquez y en inglés en la edición de Edmonson («The songs of Dzitbalché»), sigue siendo un tema que sólo refieren las revistas de antropología.

A pesar de la marginalización de las culturas indígenas, hemos de observar que el paso de la cultura oral a la impresa comienza a ocurrir a finales del siglo XVIII, a través de la fundación de los primeros periódicos. Además de las publicaciones duraderas de los órganos de gobierno (por ejemplo, la *Gaceta de México* en sus diversas versiones [ver Urbina *et al.*, *Antología del centenario*, para una breve historia]), los periódicos comenzaron a surgir en respuesta al impulso fundamental de la Ilustración, es decir, dedicados a la difusión del conocimiento para el progreso social (el periódico preeminente de la época, el *Mercurio Peruano*, se puede conseguir en edición facsimilar [1965]). Centrados particularmente en los intereses del comercio local, estas revistas publicaban artículos sobre los nuevos descubrimientos en las ciencias de la metalurgia y la meteorología, la botánica y la zoología y otras muchas, además de discusiones sobre cuestiones económicas y noticias que se referían sólo al comercio. Pero la fe ilustrada en la infinita perfectibilidad del ser humano, a través del ejercicio de la razón, se extendió también a la esfera moral. En este contexto, la poesía, escarmentada por los principios racionalistas de los grandes codificadores de la estética del Continente —Nicholas Boileau-Despréaux (1636-1711) sobre todo (traducido por el mexicano Javier Alegre [1729-1788], entre otros; la versión hispanizada de Alegre, que es muy interesante, está incluida en sus *Opúsculos* [1889]) pero también Hugh Blair (Inglaterra, 1718-1800) e Ignacio Luzán (España, 1702-1754)— mantuvo su posición en el proyecto general de la Ilustración y encontró su lugar en los nuevos periódicos de las colonias americanas.

Las dimensiones de los periódicos impedían que las medidas de los versos fueran muy largas; el contexto moralizante favorecía la sátira; las costumbres sociales tendían a esconder al autor bajo un velo de anonimato o un seudónimo que, por lo general, lograba que su identidad acabara siendo impenetrable con el paso del tiempo. La historia literaria, guiada por las presunciones románticas que se juntaron para su nacimiento, es decir, la concentración en las identidades individuales y los cuerpos de trabajo unificados, no ha tenido ni el interés, ni la capacidad teórica para aplicarse a todo este copioso material. Una vez más, nos encontramos con que aún quedan por realizar las tareas básicas de redacción (aunque hay excepciones como la de Miranda y González Casanova, *Sátira anónima del siglo XVIII)*. Pero si incluso el carácter local de los temas del verso satírico en las publicaciones efímeras de las colonias hacen que su lectura parezca bastante complicada hoy en día, el propósito de desprestigiar y el medio popular se prestaban a la experimentación con la dicción cotidiana que convierte estos textos en un tesoro léxico descubierto. Los versos de algunos de los autores identificados y más accesibles, como Francisco del Castillo Andraca y Tamayo (Perú, 1714-1770), en sus poemas (ver la edición de 1948) que recuentan las experiencias de los negros y los indios, o el ya mencionado Teralla Landa, cuando cultiva su fuerte invectiva, pueden servir también para ejemplificar el papel de la sátira en la ampliación de la esfera social de la poesía. A este respecto, a los satíricos del siglo XVIII, tanto los conocidos como los anónimos, se les puede poner al lado de las «Coplas del jíbaro» de Miguel Cabrera (Puerto Rico, sin fechas; Rivera de Álvarez y Álvarez Nazario [*Antología general de la literatura puertorriqueña*] incluyen el texto y subrayan que éste circuló en forma de manuscrito hasta que fue publicado por primera vez en el periódico *El Investigador* [1820] en un artículo que atacaba al poema) o al lado de la temprana y más conocida poesía del género gauchesco de Bartolomé Hidalgo (Uruguay, 1788-1823) (para la tradición gauchesca ver Ludmer en estos volúmenes y para una selección de textos, incluyendo la poesía de Hidalgo, ver J. B. Rivera, *Poesía gauchesca)*. El vivo deseo de permitir la entrada de nuevas voces en la poesía latinoamericana se ampliaría a lo largo del siglo XIX y más allá. Y la sátira misma seguiría viva, desde luego, con cultivadores tan notables en el siglo xix como Felipe Pardo y Aliaga (Perú, 1806-1868; ver la excelente edición crítica de Luis Monguió [Pardo y Aliaga, *Poesías*]).

Sin embargo, las limitaciones de la sátira comenzaron a sentirse de forma aguda cuando sus modestos acicates en favor del cambio social se vieron arrastrados por la llamada a la revolución. «Querer salvar los estados / Con remedios paliativos / Con versos y reglamentos», escribe Camilo Henríquez (Chile, 1769-1845), «Cosa es que el diablo no ha visto» (Ghiraldo, *Antología americana,* III, 212). El advenimiento de las Guerras de Independencia colocó a la poesía en la dirección de la política, es decir, la oda patriótica empezó a destacar. Afirmar esto es también identificar una nueva figura tutelar del verso hispanoamericano al llegar la revolución y con ella el imperativo poético de exaltar a los héroes locales y sus hazañas militares: su nombre es Manuel José Quintana (España, 1772-1857). Quintana se habría recomendado por sus propias simpatías americanas (para ver esta idea expresada en sus versos, «A la expedición para propagar la vacuna en América», incluida en la edición de 1813 de sus *Poesías completas*, 301-6); ver también Carilla, *Poesía de la Independencia*, xxiv y n. 7), y sus versos, que iban desde un Neoclasicismo estricto hasta un sugerente Prerromanticismo —para emplear un término al que Marshall Brown *(Preromanticism)* ha dado un nuevo vigor crítico— encontraron seguidores de esta poética desde Juan de la Cruz Varela (Argentina, 1794-1839; ver Varela, *Poesías)* en el Cono Sur, para el primer estilo comentado [Neoclasicismo], hasta Heredia en el Caribe, para el último [Prerromanticismo]. Pero fueron el par de poemas que Quintana publicó bajo el título de *España libre. Odas* (Madrid, 1808) (ver *Poesías completas*, 318-33) que llegó a ser el modelo inevitable de la poesía patriótica en el momento en el que acababa el largo periodo de dominación colonial.

Sin embargo, el surgimiento de Quintana, debería medirse no tanto en comparación con el modo satírico, sino más bien en comparación con la influencia de su mentor, Juan Meléndez Valdés (España, 1754-1817). Como reconoció el propio Quintana, Meléndez fue la figura más prominente de la poesía del siglo xviii en España y este elogio se puede extender señalando que tenía muchos imitadores pero que ninguno alcanzaba su arte, en Hispanoamérica tampoco. En todo caso, ni el apoyo constante de Quintana en el prólogo de la edición póstuma de la poesía de Meléndez, ni la excelente atención editorial y crítica que John H. R. Polt y Georges Demerson (ver la biografía de Demerson, *Don Juan Meléndez y Valdés y su tiempo* [1981-1983] y el estudio *Batilo*, que acompaña a su texto de Meléndez Valdés editado en conjunto [1981=1983]) han dedicado a su obra en nuestros tiempos, han sido suficientes para redimir su reputación literaria a partir de sus errores políticos —al contrario que Quintana o Nicasio Álvarez de Cienfuegos (España, 1764-1809), Meléndez capituló ante Napoleón. Simplifico la cuestión aquí. Pues, de hecho, la enorme popularidad alcanzada por Meléndez tras la primera edición de sus poemas reunidos en 1785, disminuyó de forma significativa con la segunda edición aumentada de 1797, tal como dice Quintana *(Obras com-*

pletas, 114). Al evolucionar su poesía, planteó un desafío que sus lectores contemporáneos no podían aceptar. Este no es el lugar para reevaluar los logros de Meléndez, pero yo tampoco puedo dejar pasar la oportunidad de afirmar que una correcta historia literaria del Romanticismo hispánico depende de una buena lectura de su obra.

Sería justo decir que, en gran medida, los poetas hispanoamericanos del periodo no la realizaron. Más bien, al igual que sus contemporáneos peninsulares, eligieron un acceso más fácil a la obra de Meléndez a través de las odas anacreónticas, formando tras él Arcadias poéticas que fomentaron la propagación de un erotismo artificial, errando dos veces seguidas; primero, por ser menos adeptos al artificio que su ilustre modelo y, segundo, por ser mucho menos explícitos en su erotismo. Los resultados típicos son especialmente evidentes en México, donde las actividades de la Arcadia están bien documentadas por Luis G. Urbina, Pedro Henríquez y Nicolás Rangel en su soberbia *Antología del centenario* (México, 1910 y 1985).

El caso mexicano es también digno de subrayar porque ofrece algunos éxitos bastante atípicos, poetas que, aunque infravalorados, son en todo caso autores identificables de obras reconocidas: Manuel de Navarrete (México, 1768-1809) y Anastasio de Ochoa (México, 1783-1833). Navarrete fue el seguidor de Meléndez más capacitado y tal vez, incluso el mejor poeta de finales del siglo XVIII en Hispanoamérica, ya que combinaba una delicada musicalidad en sus versos amatorios con una disposición a enfrentarse al reto de lo que Meléndez llamó su propia poesía filosófica, y exploraba el tema de la melancolía en el corazón de la literatura occidental a partir de Rousseau, pasando por los románticos, y en especial en los poemas que Navarrete reunió bajo la rúbrica de «Ratos tristes» (ver *Poesías profanas*, 145-62). Ochoa merece una cierta atención por sus logros en una amplia gama de modos que abarcan la variedad de la poesía de la época, desde la anacreóntica hasta la sátira, incluyendo la llamativa yuxtaposición de los temas eróticos tradicionales y los himnos patrióticos en la serie de sonetos, en el primer volumen de sus *Poesías de un mexicano* (Nueva York, 1828). El epígrafe a ese mismo volumen se toma de la poesía de Sor Juana y es un inesperado testamento de la continuidad de su influjo incluso cuando el Barroco cedía ya su lugar al Neoclasicismo. Y mientras mira hacia atrás a los pilares de la tradición nacional literaria —este epígrafe se atribuye a «La *mexicana* Sor Juana Inés» (cursiva añadida)— Ochoa también toma el pulso al cambio en un poema tal como «El paseo de las cabras en S. Ángel». En él, los atavíos de la idealización pastoril, embebidos dentro de la veneración neoclásica hacia los autores de la Antigüedad, ceden a la presión, también muy típica de la época, de la observación directa, al llegar a concentrarse inicialmente la típica perspectiva de «la dócil comitiva / Animada del júbilo inocente / Que lejos de la corte se respira» *(Poesías*, 180) en la experiencia individual de «mis ojos» y «mis oídos» (pág. 183) cuyas percepciones tienen características más singulares:

El alto *tejocote* entre mil hojas
De oscurísimo verde allí convida
A contemplar sus frutos, que agrupados
Muy más que el oro a centenares brillan.
(pág. 182)

La nueva ciencia se enlaza tímidamente con los viejos modelos literarios en estos versos. Ochoa prueba un equilibrio difícil: el «almo jugo / Del maguey mexicano» de su oda anacreóntica, «Mis delicias», se encuentra pareado con «trémulas alabanzas / A Lieo soberano» (págs. 26-7), al igual que la exaltación de la fruta nativa en la «Oda a la piña» (compuesta antes de 1821) de Manuel de Zequeira y Arango (Cuba, 1764-1846) está llena de alusiones clásicas (Zequeira y Arango, *Poesías* [*de*] *Zequeira y Rubalcava*, 191-4). Esta balanza pronto se inclinaría, sin embargo, a favor de la apreciación ilustrada de las minucias de las circunstancias locales que surge cuando Bello formula un nuevo paradigma para una identidad literaria estrictamente americana, eclipsando así la influencia de Meléndez y Quintana.

La trayectoria de Meléndez a Quintana hasta Bello está bien ilustrada en la carrera de uno de los pocos nombres canónicos de la época: José Joaquín de Olmedo (Ecuador, 1780-1847). A Olmedo se le recuerda de forma casi exclusiva por su oda patriótica, «Victoria de Junín, Canto a Bolívar» (Guayaquil, 1825), pero está bien recordar que, antes de comenzar a llevar ese peso mayor, era más bien el escritor de versos anacreónticos que eran una débil imitación de los de Meléndez. El propio Olmedo presenta el giro en el estilo poético bajo la égida de Píndaro (ver Olmedo, *Poesías completas,* 125, y su propia n. 3), pero esto es engañoso. En lo que respecta al mundo clásico, es el precedente de Virgilio y, en particular, del Libro VI de la *Eneida,* la que presta a la «Victoria de Junín» de Olmedo su estrategia narrativa principal. Virgilio insertó un breve compendio de historia romana en su épica —una narración retrospectiva desde el punto de vista del poeta que se convierte en una profecía en boca de la sombra de Anquises en el más allá, ya que los eventos sólo ocurrirían después de muerto su héroe Eneas. Olmedo soluciona de una manera similar el dilema cronológico que surge de los eventos históricos —Bolívar estuvo presente en Junín pero no en la decisiva batalla de Ayacucho— sacando de las sombras al inca Huayna Capac en una escena, para que revise la historia americana y augure lo que va a suceder a continuación. Este escamoteo narrativo se ha subrayado a menudo, pero es necesario más énfasis en lo que respecta a la fuente de Virgilio, que se proyecta adelante en la historia literaria hispanoamericana con una pertinencia continuada hasta *Cien años de soledad.* Pedro de Peralta Barnuevo (Perú, 1663-1743) no sólo aprovecha de forma consciente el mismo episodio de la *Eneida* para resolver su problema temporal, al narrar la historia colonial como una visión profética presentada ante Pizarro, en los cien versos de su *Lima fundada o Conquista del Perú* (Lima, 1732; ver Peralta Barnuevo, *Lima fundada*, [1863], 85-273, y Leonard, «A great savant of colonial Peru»); sino que también nos ofrece una disquisición ejemplar sobre los usos de lo maravilloso, derivados de Virgilio, en una introducción fascinante para un poema tan aburrido (ver especialmente Peralta Barnuevo, *Lima fundada*, xii).

La «Victoria de Junín» de Olmedo debe también ser vista en su contexto contemporáneo como el ejemplo más conocido de esfuerzo poético para celebrar los triunfos de la revolución independentista. Este amplio impulso va desde Andrés Quintana Roo (México, 1787-1851) en el norte, para recordar otra figura bastante conocida, hasta los nombres en gran parte olvidados del sur que se reunieron en una inestimable antología publicada al comienzo de la independencia, la *Lira Argentina, o colección de las piezas poéticas dadas a luz en Buenos Aires durante la guerra de su independencia* (París, 1824; se puede conseguir en una edición académica muy buena, Barcia, 1982). En este caso, como en la mayoría de los demás, la presencia de Quintana como el modelo más próximo es palpable. He de añadir que la preeminencia de Olmedo en esta vena poética debe mucho al triunfo de su héroe cuando consigue la posición de Liberador en la historiografía dedicada a las guerras de la Independencia. Las odas patrióticas del mencionado Juan Cruz Varela o de Esteban de Luca (Argentina, 1786-1824), por ejemplo, se pueden haber subordinado a Olmedo en la formación de un canon hispanoamericano por casi las mismas razones extraliterarias que llevaron a San Martín a someterse a Bolívar. O, si dirigimos nuestra atención hacia el testimonio de la antología *América poética*, comparada, por ejemplo, con la relación clásica de Emilio Carilla *(La literatura de la independencia hispanoamericana* y *Poesía de la Independencia),* quien dice que el canon del periodo de la independencia fue limitado esencialmente a tres autores —Olmedo, junto a Bello y a Heredia—, J. M. Gutiérrez dedicó más páginas a José Fernández Madrid (Colombia, 1789-1830) que a Olmedo.

Sea cual sea el lugar que se asigne a Olmedo en una jerarquía valorativa, su «Victoria de Junín» es sobre todo notable por sus ambiciones de desplegar todos los recursos clásicos de Virgilio y del estilo neoclásico de Quintana en el contexto de un tema histórico de marcado carácter americano. En este sentido pasa desde el ambiente de sus precursores de la escuela de Salamanca, hasta el compás de Andrés Bello. De hecho, y de forma muy literal: el poema fue comenzado en el Perú, pero fue completado en el seno del círculo literario de Bello en Londres (ver Berruezo León, *La lucha de Hispanoamérica por su independencia en Inglaterra*, para una narración completa de las muy importantes interrelaciones entre los hispanoamericanos en Inglaterra). Las actividades de Bello fueron múltiples —crítico literario, propagandista político, gramático, educador, entre otras áreas en las que triunfó en su larga y fructífera carrera. Concentrándonos aquí en su papel de poeta, dos producciones de importancia crucial destacan como marco temporal alrededor de la oda de Olmedo. En 1823, Bello publicó su «Alocución a la poesía» en el primer número de *Biblioteca Americana* que editó en Londres junto a Juan García del Río (Colombia, 1794-1856). El estatus programático del poema fue obvio de forma inmediata y se le dio más fuerza cuando Gutiérrez lo publicó encabezando la antología *América poética*. Muchas generaciones de lectores han reducido la larga silva a sus primeros versos, con su famosa invitación a la poesía para que abandone sus viejos lugares predilectos europeos, se quite su barniz insólito de civilización y se establezca en la América inculta:

> Divina Poesía
> tú de la soledad habitadora,
> a consultar tus cantos enseñada,
> con el silencio de la selva umbría;
> tú á quien la verde gruta fué morada,
> y el eco de los montes compañía;
> tiempo es que dejes ya la culta Europa,
> que tu nativa rustiquez desama,
> y dirijas el vuelo a donde te abre
> el mundo de Colón su grande escena.
> (Bello, *Obra literaria,* 20)

La afirmación crítica de Pedro Heríquez Ureña de que esta invocación constituía una «declaración de independencia literaria» *(Corrientes literarias*, 99) ha dado a esta lectura del poema una afirmación concisa de enorme fuerza e influencia. Será útil recordar, sin embargo, que este pronunciamiento ha tenido el efecto desafortunado de parecer obviar la lectura de varias generaciones de poetas y prosistas autoconscientemente americanos que precedieron a Bello. Reduce, como es característico del espíritu romántico, un movimiento amplio a una sola personalidad. Además, los reclamos de originalidad para Bello serían exagerados si no se hiciera alguna referencia a la moda de las «piezas de progreso», tales como «El progreso de la poesía» (1757) de Gray, a las que aún le quedaba algo de vida en Inglaterra durante el largo tiempo que Bello estuvo allí (ver Griffin, «The progress pieces of the eighteenth century»).

Dicho esto, sólo me queda reforzar la posición establecida, entre muchos otros, por Gutiérrez y Henríquez Ureña. El impacto de la voz de una autoridad que habla desde el influyente escenario londinense, en favor de los temas americanos, fue sin duda muy fuerte. Y la «Victoria de Junín» de Olmedo, fuese una respuesta directa a la invitación de Bello, o una expresión espontánea y casual con el mismo impulso, se puede ver como un ejemplo muy visible del entusiasmo en el momento de asumir el deber que Bello llama de «algún Marón americano» (Bello, *Obra literaria*, 24). Pero el propio Bello pronto cambiaría los términos de esta misión. ¿Tal vez para lograr una respuesta competitiva a los logros con los que Olmedo le había sacado ventaja de algún modo? ¿O decide Bello excluir una mala interpretación de su llamada original? La especulación es tentadora, pero un acercamiento más neutro reconocería que en la larga porción de la «Alocución» que ha pasado desapercibida en gran parte por la crítica, Bello apunta a la historia americana como el tema apropiado para la Musa, a su llegada a su nuevo hogar; y la oda de Olmedo comparte claramente esa concepción. Cuando Bello renueva su proclama de que la verdadera tarea de la poesía americana es la silva «La agricultura de la zona tórrida» en su posterior revista londinense *El repertorio americano*, en 1826, se entiende que el nuevo Virgilio es el autor de unas *Geórgicas* americanas más que de una *Eneida* americana. A pesar de la fecha tardía, relativa a la poesía inglesa que lo rodeaba mientras escribía —las *Baladas líricas* llevaban editándose desde 1799 y del más joven triunvirato de Byron, Shelley y Keats no quedaba ninguno vivo en 1826— «La agricultura de la zona tórrida» es la cima de la Ilustración en el verso latinoamericano y el baluarte de la estética del mimetismo. O, para referirnos a los razonamientos de Oscar Rivera-Rodas *(La poesía hispanoamericana del siglo XX)* que ha analizado este momento crucial en la historia de la lírica hispanoamericana con más agudeza que ningún otro antes, es precisamente a la luz de la tardía fecha de la segunda de las *silvas americanas* de Bello en la que debe leerse el poema como una defensa deliberada del espejo contra la lámpara, en términos de M. H. Abrams *(El espejo y la lámpara: teoría romántica y tradición crítica,* Buenos Aires, Nova, 1962) y que sirve de base para aquella discusión. El antagonista, entonces, no es Olmedo, que pertenece al grupo neoclásico, sino, como dice Rivers-Rodas, José María Heredia, cuya primera edición de las *Poesías completas* se publicó en Nueva York el año anterior (ver la reseña de Bello, *Obra literaria*, 270-7).

Desde la perspectiva de Bello en este debate, se puede leer en «La agricultura de la zona tórrida» que es la naturaleza y no la cultura, es decir la tierra en sí misma y no su historia, la que determina el carácter distintivo de Hispanoamérica, y con ese reconocimiento, una convicción de que el papel del poeta es el de un nuevo Adán en un nuevo Edén: el poeta debe nombrar los objetos americanos por sus nombres americanos. La duración de esta afirmación francamente antirromántica en la historia de la literatura latinoamericana es muy conocida, pero su importancia para el desarrollo del propio Romanticismo, es decir, una vez más, de la modernidad, aún requiere investigación. Los atractivos del mito de una relación con la naturaleza no mediada, no en un pasado remoto, sino como parte y parcela de la experiencia hispanoamericana en cualquier momento dado, mitigan contra el mito romántico central de la caída. Y el procedimiento que sitúa al poeta como un recopilador en medio del desierto, alejado de sus observaciones por una cierta objetividad científica, se apoya en la visión romántica que percibe el mundo sólo en relación con y como expresión del yo aislado. La estética de Bello no resistirá muchas veces a alguna mezcla durante el siguiente siglo y medio —aunque Gregorio Gutiérrez González (Colombia, 1826-1872) escribió uno de los mejores poemas del siglo XIX, «Memoria sobre el cultivo de maíz en Antioquia» (1866), intentando seguir las reglas neoclásicas de Bello lo mejor posible (respecto a esto, es importante la cita de la «Alocución» de Bello como un epígrafe al anterior poema de 1845 de Gutiérrez González, «Al salto del Tequendama»; ver Gutiérrez González, *Poesías)*. Podría ser más útil, sin embargo, acercarnos al problema desde una perspectiva opuesta, y subrayar no tanto que un Neoclasicismo puro se erosiona rápido, sino más bien que las líneas descriptivas casi solipsistas del ser romántico se encuentran rara vez en los versos hispanoamericanos, debido en cierta medida, sugiero, a la herencia de la percepción objetiva de un mundo que no ha caído y por esa misma razón, es más extraño y maravilloso que el mismo ego. Esta es una herencia cuyo poeta ejemplar es Bello.

Bajo este enfoque se puede regresar al siglo que precedió al de Bello con un interés renovado y un plan de investigación que supere los obstáculos puestos por la gran división de Henríquez Ureña. Sin embargo, más que mirar hacia esfuerzos en verso tales como el de la «Oda al Paraná» de Lavarden (Buenos Aires [en el *Telégrafo Mercantil*], 1801), a menudo citado como poema pionero por sus descripciones objetivas del paisaje americano —aunque esto es falso: Peralta Barnuevo, en sus pasajes descriptivos de su *Lima fundada*, además de sus propias notas en prosa, puede servir de nuevo como precedente de muchos años para el ejemplo más canónico— podríamos aprovechar la indicación de las notas del autor en el texto. En resumen, la prosa es superior al verso. Los antepasados verdaderos de Bello no son los poetas neoclásicos hispanoamericanos, sean en el modo anacreóntico o patriótico, sino los prosistas escritores de muchos informes sobre las expediciones científicas del siglo XVIII —su propio contacto temprano con Alexander von Humboldt (Alemania, 1769-1835) se subraya a menudo, aunque sus consecuencias más amplias requieren un estudio más profundo.

Esta propuesta corre el riesgo de fracasar en los planos teórico y práctico. Primero se puede recordar el razonamiento de Clifford Siskin *(The Historicity of Romantic Discourse)* especificando que la difuminación de las diferencias de tipo, tales como la distinción genérica entre poesía y prosa, a favor de las diferencias de grado es una estrategia en sí misma típicamente romántica. Fue Shelley, por ejemplo, quien dijo en su *Defensa de la poesía* que «la verdadera poesía de Roma vivía en sus instituciones» y no en sus versos *(Selected Poetry and Prose*, 508). En la medida en la que la afirmación teórica de Siskin mantiene su validez, engendra prudencia. Sería mejor recuperar el siglo XVIII de alguna forma que no recuperarlo nunca, pero el rehacerlo a la manera en que se puso de moda en el siglo XIX no supondría más que un mínimo avance crítico. El obstáculo más pragmático radica simplemente en que la disponibilidad de textos en prosa es tan limitada como la de textos poéticos. La expedición más grande que navegó bajo bandera española, el viaje de Alessandro Malaspina desde 1789 a 1794, es un ejemplo importante. Malaspina chocó con la Corte a su retorno. Fue encarcelado y se confiscaron sus manuscritos, que aún no se han editado y publicado en su totalidad. Por otro lado, las investigaciones recientes sobre las expediciones científicas bajo las órdenes del Real Jardín Botánico de Madrid (por ejemplo, *La botánica en la expedición Malaspina* [1989] van muy por delante del estudio de la poesía de la época, con publicaciones sobre viajes que se extendieron hasta bien entrado el siglo XIX *Crónica de una expedición romántica al Nuevo Mundo* de Puig-Samper). El encuentro de ambas disciplinas también produjo ya algunos resultados inesperados: Guillermo Hernández de Alba y Guillermo Hernández Peñalosa *(Poemas en alabanza de los defensores de Cartagena de Indias en 1741)* han descubierto importantes muestras de poesía entre los papeles recopilados por

José Celestino Mutis en su expedición a Nueva Granada que duró desde 1783 hasta 1810. Pero, además de este trabajo de redacción tan valioso, la petición de análisis de los textos en prosa en sí mismos sigue siendo una empresa mayor. Por ejemplo, es necesario abrir un debate sobre los tropos predominantes a través de los cuales los objetos observados se habilitaban para la transmisión textual. La obra *Ojos imperiales: literatura de viajes y transculturización (*Buenos Aires, ed. Universidad Nacional de Quelmes, 1997), de Mary Louise Pratt es de gran importancia en lo que a esto se refiere.

Al igual que se ha determinado que la historia literaria del siglo xviii termine a mediados de los años veinte del siglo siguiente, fecha de las silvas de Bello, la fecha de inicio del Romanticismo del xix en Latinoamérica se debe retrotraer más allá de su momento inicial reconocido: hasta la fecha del regreso de Esteban Echeverría (Argentina, 1805-1851) de su estancia en el París de Víctor Hugo (1802-1885). Para la crítica francesa ha sido muy conveniente que la fecha del estreno de *Hernani*, 25 de febrero de 1830, inaugurase el Romanticismo, particularmente desde el momento en que Théophile Gautier (Francia, 1811-1872) lo cuenta como testigo directo (publicado por primera vez en 1872, ver Gautier, *Oeuvres complètes*, 109-21); y es aún más conveniente para los críticos latinoamericanos subrayar que Echeverría trajo el testimonio de su propia experiencia de aquella atmósfera a Buenos Aires a su retorno en junio del mismo año. Pero la influencia personal de Echeverría en el área del Río de la Plata es más importante, en lo que respecta a las cuestiones sociológicas, en la historia de las instituciones de la literatura de la región que como punto de partida literario para la escritura de la poesía. No es que se deba descartar la sociología. Al contrario, la organización de una identidad institucional, primero a través del Salón Literario de Buenos Aires y luego a través de la Asociación de Mayo para un grupo de escritores que compartían el mismo programa político y algunos presupuestos literarios, es un hecho de enorme magnitud (para textos pertinentes, ver Echeverría, *Dogma socialista)*. En todo caso, es significativo que la actual reputación literaria de Echeverría se ve más asegurada por su cuento corto, «El matadero» (escrito hacia 1838, publicado por primera vez en Buenos Aires en 1871); lo mismo que a otro gran poeta del grupo, José Mármol (Argentina, 1817-1871), se le recuerda sobre todo por su novela *Amalia* (Montevideo, 1851). Echeverría y su círculo hicieron su aportación más importante en el campo de la prosa y la política —lo atestiguan las carreras de sus compatriotas J. M. Gutiérrez, Juan Bautista Alberdi (1810-1884), Bartolomé Mitre (1821-1906) y su gran contemporáneo, Domingo Faustino Sarmiento (1811-1888). Aunque éstos necesitan ser estudiados en relación con la historia de la lírica, esa relación no es ni más ni menos directa que la que he descrito cuando hablaba de las interconexiones entre la prosa de los exploradores científicos y el verso neoclásico. Me limitaré aquí a anotar que se ha enfatizado demasiado la cualidad prosaica de la poesía cuando lo que se necesita es una investigación de los procedimientos poéticos de la prosa.

Entonces, el periodo de formación de la nueva sensibilidad poética que se enfrentaría a Bello y al Neoclasicismo en general precede a Echeverría, y se debe fechar en vez de en el breve lapso temporal de 1820 a 1832, desde la fecha supuesta de la composición de Heredia, «Fragmentos descriptivos de un poema mexicano», hasta la publicación de la segunda y última colección de su poesía editada durante su vida, la edición mexicana de las *Poesías completas* (Toluca, 1832), en la que el mismo poema volvía a aparecer, aumentado y de ese modo considerablemente alterado, bajo el título de «En el teocalli de Cholula». Seré más preciso: existe un cambio de época desde el Neoclasicismo hasta el Romanticismo entre la introducción neoclásica de una descripción de un paisaje atemporal en el texto y la inserción de un yo poético aislado, que se identifica por su historia y se define por su pérdida. Cuando Heredia rescribe el poema para la colección Toluca añadiendo la historia de una pesadilla (Heredia, *Poesías completas*, incluye el texto completo de ambas versiones), ya está metido completamente en el mundo romántico que no sólo anticipó, sino que produjo, a Freud y a nuestra modernidad.

Al igual que Olmedo, la poesía de Heredia evolucionó hasta la madurez siguiendo el camino que ya habían trazado Meléndez y Quintana, absorbiendo al igual que ellos toda la influencia de Cienfuegos; éste último a menudo ha sido desprestigiado por socavar el decoro neoclásico del joven poeta —una actitud que perjudica a la vez a Cienfuegos y a Heredia. En todo caso, Heredia se distingue del resto de sus contemporáneos hispanoamericanos por haber revisado minuciosamente la obra de Quintana más allá de los temas patrióticos y por sobreponerse a la reticencia de este último hacia lo sublime. Heredia, incitado por la expresión extrema de angustia de Cienfuegos, supera a Quintana como lector de la melancolía de Meléndez, quien fue, ya a finales del siglo XVIII, el autor de textos que corresponden a la definición de la «gran lírica romántica», en términos de Abrams *(El espejo y la lámpara)* o incluso a la de los «poemas de crisis» de Bloom. Insisto en estas relaciones intertextuales para recordar, primero, que si bien la invasión napoleónica de España frenó el desarrollo de la lírica en el país, la escuela de Salamanca continuó, como si dijéramos, su curso por correspondencia: su heredero efectivo fue Heredia. Además es importante situar a Heredia dentro de ese contexto pan-hispánico tan amplio precisamente porque será el último poeta latinoamericano para el que esto será necesario, al menos hasta los cercanos contactos internacionales a comienzos del siglo XX. El propio Heredia, junto a Bello —para limitar la cuestión a los autores cuyo alcance es todo el continente— reemplazará a antecesores tales como Meléndez y Quintana como la lectura obligatoria en la formación de los poetas hispanoamericanos del siglo XIX.

La contribución particular de Heredia fue el desarrollo de una melancolía poética: no sólo la caracterizada por el lugar común de la sensiblería a la luz de la luna sólo finiquitado en la lírica hispanoamericana por el modernista Leopoldo Lugones (Argentina, 1874-1938), sino más bien una resistencia específica a la terapia de la elegía. En la poesía de Heredia, Hispanoamérica no se desprende del fantasma de su propia historia. El efecto queda más claro, aunque no necesariamente más profunda, en su transformación de la realidad política del exilio en un tropo importante para la poesía. Una perspectiva comparativa puede ser reveladora. Wordsworth descubrió, o más bien se convirtió en el *genius loci* de la poesía inglesa atravesando a pie la extensión de la identidad nacional. Si el escenario que eligió en el Distrito de Lagos fue un intencionado anacronismo debido a su rechazo a la Inglaterra industrializada, Whitman probó que es posible introducirse en la modernidad dentro de los anchos límites de su tierra nativa. El itinerario de Heredia lo llevó lejos de Cuba y el autor concibió su identidad nacional —se convirtió en poeta nacional— desde lejos, reconociendo la ruptura sin aceptar la pérdida. La tan citada fantasmagoría en las cataratas del Niágara puede servir como un buen ejemplo:

> Mas, ¿qué en ti busca mi anhelante vista
> Con inútil afán?¿Por qué no miro
> Alrededor de tu caverna inmensa
> Las palmas ¡ay! las palmas deliciosas,
> Que en las llanuras de mi ardiente patria
> Nacen del sol a la sonrisa, y crecen,
> Y al soplo de las brisas del Océano
> Bajo un cielo purísimo se mecen?
>
> (cito la versión de 1832, Heredia, *Poesías completas*, 227)

El exilio fue por supuesto un destino muy corriente en la larga etapa de inestabilidad política que comenzó con las guerras de independencia y terminó a finales del siglo XX, tanto debido a la continuidad de la dominación colonial en el Caribe, para los casos del cubano Juan Clemente Zenea (1832-1871) o Lola Rodríguez de Tío (Puerto Rico, 1843-1924), como a lo largo de todo el resto del continente, por ejemplo, todo el círculo de Echeverría en la región del Río de la Plata. El precedente local de Heredia como poeta en el exilio se reforzó, particularmente en el contexto de la afinidad mucho más fuerte del siglo XIX hispanoamericano hacia la cultura francesa que hacia la anglo-americana, ejemplificada por el hecho de que Hugo era aún el poeta contemporáneo más leído hasta e incluso los tiempos de Darío. Y la popularidad de las dos figuras, extranjera y nacional, se puede entender mejor si la enfocamos desde el punto de vista de una cultura impresa tardía en Hispanoamérica que nunca aisló una institución social de la literatura de otras esferas del discurso público. De ahí que, cuando una delegación panamericana hizo una excursión a la región del «Niágara» (cuyo texto fue compuesto en 1824 e incluido, con variaciones, en las dos colecciones de poesía que Heredia redactó durante su vida) y allí se formó un coro espontáneo, como relata Martí en su discurso de Hardman Hall (Nueva York, 1889) —«y oyendo las maravillosas cataratas resonar, '¡Heredia!' dijo el hijo de Montevideo, poniéndose de pie; '¡Heredia!' dijo el de Nicaragua, descubriendo su cabeza [...] '¡Heredia!' dijo toda América» (el texto se encuentra incluido en su integridad en Heredia,

Poesías completas, II, pág, 457)—, no se aislaran ni los logros poéticos ni la resistencia política, sino que se reafirma el tropo del poeta como exiliado, cuya perspectiva distante, puede alcanzar a entrever una unidad americana visionaria.

Podría yo añadir una especulación más. Sin contar con las condiciones políticas, en el mundo literario el dominio de los principios neoclásicos alentado por las silvas de Bello vinculó la identidad nacional al paisaje nacional, pero únicamente a través de un mimetismo estricto que excluía la intervención activa del yo poético. Por ello es muy posible que incluso en los lugares en los que reinaba la tranquilidad interna, el yo poético no podía hacer otra cosa que huir. Estoy sugiriendo que el exilio tal vez fuera la ficción necesaria del siglo XIX para Hispanoamérica — del mismo modo que era, y continuaba siendo, una realidad política. La expatriación de Darío, así como la importancia de los viajes, fuesen estos imaginarios o reales, para la sucesiva generación de vanguardia (ver Grünfeld, «Cosmopolitismo modernista y vanguardista») puede que fuesen sólo avatares de la poética disyuntiva que cedió la tierra nativa a la reflexión mimética a la vez que obligaba a la imaginación a buscar su fortuna lejos del hogar. Esta división puede constituir por sí misma la versión hispanoamericana de la caída literaria que a su vez produjo el Romanticismo.

Y por fin el Romanticismo llegó a Latinoamérica. Cuando lo hizo, y en especial en aquellos casos en los que se utilizó como una pieza de moda extranjera, la melancolía que Heredia estableció como fundamento de la tradición lírica nativa a menudo se convirtió en mera nostalgia por un lado, o en un triunfo torpe del positivismo por otro. Sería bueno señalar, sin embargo, que incluso un tema tan aparentemente gastado como el de la rosa marchita de Fernando Calderón (México, 1809-1845), que escribió bajo la influencia directa de Heredia, adquiere un nuevo vigor si se lee no tanto como una cansada metáfora sino más bien como una desmetaforización melancólica, una debilitación deliberada de las flores de la retórica.

Descubrimos una poeta tan refinada como Gertrudis Gómez de Avellaneda atrapada en el dilema del legado de Heredia en los poemas en los que se enfrenta más abiertamente a él, sólo para tener éxito cuando traslada su escenario hasta el problema del rechazo de la mujer a aceptar la pérdida, su exclusión, de la palabra poética. Comparamos, por ejemplo, el halago inesperado de la ingenuidad yanqui —«oh aéreo, indescriptible puente» (Gómez de Avellaneda, *Obras literarias*, 374)— al final de su «A vista del Niágara», un intento infructuoso de asegurar la frescura de su visión dentro de una tradición ya muy cargada, con la sutileza con la que analiza la complicidad de todo discurso poético con el punto de vista masculino. La estrategia de silencio y las ansiedades de autoría de Gómez de Avellaneda, bien documentadas para las escritoras del siglo XIX en otras tradiciones literarias (por ejemplo, Gilbert y Gubar, *The Madwoman in the Attic)*, encuentran una amplia corroboración entre las poetas tan poco leídas de la antología editada por José Domingo Cortés, *Poetisas americanas / Ramillete poético / del / Bello sexo hispano-americano*, la mejor colección de poesía femenina hispánica del siglo XIX. *Las Románticas*, de Susan Kirkpatrick, es una contribución mayor a este respecto.

La sospecha permanente de que el lenguaje poético no puede curar las heridas ideológicas, de que el lenguaje poético es en sí mismo un síntoma de estas heridas, no es en ningún caso la postura lírica universal del siglo XIX. Y, aún así, esta melancolía creadora aparecerá con frecuencia en algunos de los poetas y los poemas más interesantes del periodo, lo suficiente como para discernir de entre todas las expresiones comunes de nostalgia una corriente crítica en el romanticismo latinoamericano que se enfrentará al reto de una conciencia propiamente moderna, en la forma que ha sido propuesta al menos desde Kant hasta Paz. De ahí que encontremos a José Eusebio Caro (Colombia, 1817-1853; ver Caro, *Antología. Verso y prosa)* regresando al cruce entre lo erótico y lo funerario en el que Garcilaso introdujo en el lenguaje la elegía clásica. Haciendo esto, socava el efecto curativo del amor, demostrando que lo que luego Freud llamaría «reinversión libidinosa» (The Standard Edition, XIV, 243-58) puede ser un proceso para enterrar cuerpos vivos, más que llorar su pérdida (ver Abraham y Torok, *L'écorce et le noyau*, esp. 259-75; disponible en español como «El duelo y la melancolía»). Para centrarnos en un ejemplo más limitado, la intensa elegía de José Antonio Maitín (Venezuela, 1804-1874), «Canto fúnebre» (en Menéndez Pelayo, *Antología,* II, 523-32), que se cuenta como uno de los mejores poemas latinoamericanos del periodo, tiene que leerse no a pesar, sino más bien debido a la tensión que desarrolla sobre el género. El poema se acaba, como muchos de los de Heredia o Gómez de Avellaneda, prefiriendo el suicidio textual a la resignación y renovación, al modo —aunque menos espectacularmente— del «Adonais» de Shelley (1821), en las mismas fronteras del género elegiaco, como dice Peter Sacks *(The English Elegy),* o incluso más allá de éstas. Es representativo de la poesía que es fúnebre sin ser llorosa, para modificar la adecuada caracterización por Mariano Picón Salas de la sentimentalidad empalagosa de los primeros versos de José Antonio Calcaño (Venezuela, 1827-1894), típicos de un cierto romanticismo estilizado («comenzó funerario *y* lloroso como todos los románticos de los años cuarenta...» (Picón Salas, *Formación y proceso de la literatura venezolana*, pág. 121).

Se podría expresar la idea de una forma tal vez más simple, diciendo que los poemas más excitantes del periodo cuentan historias de fantasmas. A este respecto podemos recordar la valiosa discusión de Albert Dérozier *(Manuel Josef Quintana et la naissance du libéralisme en Espagne)* sobre el papel que tuvo Quintana a la hora de importar el cuento gótico a la literatura española desde la inglesa en el teatro. Pero en Hispanoamérica, alejada de la Edad Media europea y de su restablecimiento en el gusto continental de finales del XVIII y principios del XIX, la literatura se ve perseguida de forma primordial por las víctimas de su historia colonial. Ya lo señaló Bolívar en una carta a Olmedo, la resurrección de un inca como la pieza clave de las ambiciones criollas era un truco ideológico, «no parece propio», escribió, «que alabe [Huaina-Capac] indirectamente a la religión que lo destruyó; y parece menos propio aún que no quiera el restablecimiento de su trono por dar preferencia a los extranjeros intrusos, que, aunque vengadores de su sangre, siempre son descendientes de los que aniquilaron su imperio» (Bolívar, *Cartas del Libertador*, 38). Pero aunque un poeta de la generación siguiente, como Carlos Augusto Salaverry (Perú, 1830-1891), preserva el tema de una supuesta «venganza... de Atahualpa», en su «El sol de Junín» *(Poesía*, 91), podía no obstante plantear una cuestión crítica en el mismo texto que desmorona la fácil identificación de Olmedo de la independencia criolla con aspiraciones indígenas. Los soldados indígenas de Salaverry en Junín descendían de forma incomprensible desde su libertad en las montañas a una guerra que en realidad no les concernía. El misterio no se resuelve a base de historia revolucionaria. El autor también podría haber descrito a su compatriota indígena contemporáneo como «oculto en sus selvas de verdura» (Salaverry, *Poesía*, 97) —oculto pero también quizás enterrado en la jungla: como una presencia fantasmagórica en la conciencia nacional. Una gran parte de los versos del siglo XIX se ocupa de exorcizar o enterrar el fantasma a través de un distanciamiento elegiaco adecuado. Es decir, la elegía se toma su propia venganza sobre el intranquilo espíritu de la melancolía, al igual que cuando las simpatías reales de Rafael María Baralt (Venezuela, 1810-1860) lo llevaron a obstaculizar la imagen de una caída satánica de la España imperial, a favor de una definitiva nostalgia por la grandeza perdida en «Oda a España» (publicada por primera vez en *El Tiempo* [Madrid], 1846; ver Baralt, *Obras literarias*, especialmente las últimas dos estrofas, pág. 46).

Los experimentos en esta área fueron múltiples y variados. Encontramos una exploración de los temas indígenas en la poesía de Salvador Sanfuentes (Chile, 1817-1860), directamente bajo el dominio de Bello, por ejemplo (ver su poema cuento *Inani*, publicado originalmente en Santiago de Chile, 1850; incluido en Sanfuentes, *Obras escogidas)*. Otros ejemplos surgen más por la influencia de Heredia, como es el caso de la «Profecía de Gautimoc» de Ignacio Rodríguez Galván (México, 1816-1845) (para encontrar textos seleccionados de su poesía, la de F. Calderón, mencionado anteriormente, y la de otros autores mexicanos del periodo, ver Pacheco, *La poesía mexicana del siglo XIX)*. Y Echeverría encontró también su camino desde el estilo de Hugo hasta el tema indigenista, aunque sin sentir simpatía ni admiración por los indígenas, en «La cautiva» (publicado originalmente en Echeverría, *Rimas* [Buenos Aires, 1837], para el texto, ver Echeverría, *«El matadero» y «La cautiva»*. En México José Joaquín Pesado (1801-1861) publicó una colección de canciones en náhuatl en versión castellana en *Los aztecas* (México, 1854), mientras que en Cuba, José Fornaris (1827-1890) fundó un movimiento *siboneísta,* resuelto a reproducir la cultura indígena perdida en tema y espíritu.

Por todas las diferencias que se pueden notar entre las producciones de estos y de otros individuos o grupos, los motivos fundamentales son relativamente estables y familiares de la poesía del movimiento afro-antillano del siglo XX, mucho mejor estudiado. Las preocupaciones forman una mezcla que a veces se contradice a sí misma. Se dio un gusto por lo exótico como reacción a la cultura emergente de la burguesía según un modelo europeo y a este gusto se unió la necesidad de recuperación de la caída en la civilización a través de un regreso a lo primitivo. Pero con todo, transfiriendo el argumento poético de Bello desde el mundo de la naturaleza al de la cultura, hubo también una promoción de la identidad latinoamericana como en sí misma exótica —una vez más en comparación con la norma europea— que permitió la separación de las naciones recién establecidas y sus correspondientes tradiciones literarias de la antigua metrópoli. Sarmiento alegará razones por la civilización y contra tal barbarie en el mismo periodo, claro, en el que el gaucho adquiere la posición cultural marginal de los pueblos indígenas en otros lugares de Hispanoamérica, pero la evidencia interna de la obra, sin mencionar el éxito de la poesía gauchesca de José Hernández (Argentina, 1834-1886) y otros (ver, una vez más, a Ludmer en este volumen), son suficientes para sugerir que éste es el momento en el que una ideología triunfadora se separa de la visión literaria predominante. Se puede citar otro factor más al explicar la ola diversa y poderosa de poesía indigenista. Mientras que los que serían recuerdos del perdido *areito* favorecían las formas cortas en Cuba, y un poema como el «Jicotencal» de Plácido (Gabriel de la Concepción Valdés, Cuba, 1809-1844; ver *Los poemas más representativos de Plácido)* se tuvo en gran estima, los temas indígenas retratados en «Anacaona» de Camila Ureña Henríquez (República Dominicana, 1850-1897; el poema se incluyó en la primera edición de sus *Poesías* [Santo Domingo, 1880]; ver *Poesías completas*, 241-328, junto con Paravisini-Gebert, «Salomé Ureña de Henríquez»), además de varios poemas ya citados, proporcionaron el material para formas poéticas muy extensas. Walter Scott es un modelo de igual valía aquí que en el desarrollo de la prosa, y la mezcla de historia y ficción que inspiró llevó a la lírica del siglo XIX al borde de la épica al intentar fundar deliberadamente una mitología nacional alejada de la evidencia de las crónicas de la conquista y del largo periodo de administración colonial. El propio Romanticismo, como señala Alejandro Losada, en su comentario centrado en el periodo post-independentista temprano en el Perú, «es un aspecto del proceso de construcción nacional» *(La literatura en la sociedad de América Latina*, 36).

Doris Sommer («El otro Enriquillo») ha examinado las concomitancias ideológicas de este intento en el contexto dominicano en lo que se refiere al *Enriquillo* (Santo Domingo, 1882), la novela sentimental histórica en prosa de Jesús Galván (República Dominicana, 1834-1910), ofreciendo un modelo para los estudios tan necesarios sobre las novelas sentimentales en verso del periodo. En este caso también, la investigación sobre la poesía contemporánea de indígenas y en lenguas indígenas será muy valiosa para utilizarla como contrapunto a la tendenciosidad ideológica de la literatura de la clase hegemónica, al igual que la lectura de los versos del ex esclavo Juan Francisco Manzano (Cuba, 1797-1844), y más aún de su *Autobiografía* (escrita en 1839, publicada por primera vez en la Habana, 1937; ver la reedición de 1970), nos dan una serie de referencias cruciales para la interpretación de poemas de autores blancos tales como «La madre africana, oda», de Francisco Acuña de Figueroa (Uruguay, 1790-1862) (ver Falcao Espalter, *Anto-*

logía de poetas uruguayos, 1, 63-5, para el texto, así como Soler Cañas [*Negros, gauchos y compadres*] y, más recientemente, Carullo [«Una aproximación a la poesía afro-argentina de la época de Juan Manuel de Rosas»], para una introducción a la poesía de los negros del Río de la Plata).

La perspectiva actual, es decir, puede descubrir que la asimilación de temas indígenas, con ayuda de las nacientes disciplinas de la filología y la historiografía, fue básicamente elegiaca, para usar los términos de la argumentación precedente, cerrando las culturas indígenas como algo que pasó y se perdió en un origen paradisíaco, permitiendo así que la cultura criolla enmendase su propio sentimiento de desarraigo o usurpación en Hispanoamérica. Podría yo añadir que este tipo de sospechas críticas no se limitan al siglo XX. Miguel Luis y Gregorio Víctor Amunátegui, en su *Juicio crítico de algunos poetas hispano-americanos* (Santiago de Chile, 1861), uno de los esfuerzos más significativos de crítica en el siglo XIX hispanoamericano, denuncian que la poesía indigenista de Juan León Mera (Ecuador, 1832-1894) como una explotación superficial: «es una originalidad pobre que sólo consiste en palabras. El hecho de que el poeta ecuatoriano haya pretendido ser un poeta indio mientras entonaba las canciones en las que aparecen esas palabras exóticas no justifica su uso; porque, si ha tomado alguna de las expresiones de las gentes indígenas de América, no ha sabido cómo asimilar con la perfección requerida ni las ideas ni los sentimientos, costumbres o creencias que por sí mismas habrían autorizado este lenguaje» (Amunátegui, *Juicio crítico de algunos poetas hispano-americanos*, 101-2).

La respuesta lírica a tal crítica no fue engrandecer la sociología, sino más bien, como es más característico de la época, mejorar la filología. Juan Zorrilla de San Martín (Uruguay, 1857-1931) es explícito sobre su labor con la lengua tupi en sus notas a *Tabaré* (Buenos Aires, 1886, es citada a menudo como la primera edición, yo no he podido examinarla; otros dicen que es la de Montevideo, 1888. Para una edición reciente, ver Zorrilla de San Martín, *Tabaré),* por ejemplo. Y su poema es particularmente importante por intentar, a la manera de Heredia, negar a sus muertos el consuelo del terreno consagrado, preservando una presencia fantasmagórica a través del curioso lenguaje híbrido del poema, así como de la caracterización y tendencia suicida del protagonista.

Reitero que esta nota melancólica está dentro del alcance de sólo las voces más fuertes, y que, por otro lado, las otras tendencias de las que hemos hablado se encuentran por doquier. En efecto, podemos elegir casi al azar un poeta como Ricardo Gutiérrez (Argentina, 1836-1896) y descubrir un compendio completo: desde la poesía religiosa, que es una constante en la literatura hispanoamericana, hasta el gauchesco de «Lázaro» que es a la vez un Caín digno de Byron y una identidad inconfundiblemente americana —«soy el hombre americano / sin más Dios ni soberano / que su propio corazón!» (R. Gutiérrez, O. V. Andrade, *Selección de poemas*, 47), incluyendo en este amplio espectro una identificación amable con los indios en el mismo poema «Lázaro», una abierta dependencia de las piezas clave de la literatura peninsular contemporánea (la clara presencia del acto final de *Don Álvaro o la fuerza del sino* [puesta en escena por primera vez en Madrid, 1835] de Ángel Saavedra, Duque de Rivas [España, 1791-1865] en «La fibra salvaje» de Gutiérrez), e incluso un modesto compromiso con el tropo del alma en pena en «El cuerpo y el alma». Pero el Gutiérrez tardío coincide con el primer Darío, y las posiciones características de la lírica del siglo XIX son muestras de un cambio incluso en un producto tan típico del Romanticismo, por ejemplo, cuando Gutiérrez afirma con cosmopolitismo modernista —a pesar del estilo declamatorio romántico—: «Patria es palabra de ambición y guerra: / si te oyes preguntar —¿cuál es tu patria? / ¡Dirige al cielo tu inocente mano / y la infinita bóveda señala!» *(Selección*, 8).

Sería igual de difícil documentar un amasijo de tales anticipos al Modernismo, en la poesía de los supuestos románticos que señalar los primeros pasos románticos de los poetas que se convirtieron en modernistas. Pero esta distinción, por muy arraigada que esté en la historiografía literaria hispanoamericana, es tan poco sostenible como la suposición de una barrera impermeable entre los parnasianos franceses tan unidos y sus propias fuentes románticas. La opinión aceptada sobre la originalidad de Darío, aunque sea sin duda un gran poeta, no es solo una barrera innecesaria para la realización de una evaluación justa de los siglos XVIII y XIX, sino también y por sí misma un pronunciamiento romántico que confirma la persistencia del estado de ánimo literario que pretende reemplazar. Con pena arrojo mi guante sobre este campo cuyo espacio preasignado y cuyas limitaciones metodológicas concomitantes prohíben que sea audaz en mi propia defensa. Tal vez por esta razón me permitiré una última observación imprudente. Un corpus creciente de discusión teórica define nuestra literatura contemporánea en términos de dispersión del yo, del cruce sin estorbo de las fronteras nacionales y eliminación de historias nacionales, del triunfo del pastiche, las citas sobreabundantes y otros tipos de intertextualidad explícita por encima de la originalidad y la integridad de la imaginación individual, en resumen, de la postmodernidad. Puede que esto sólo signifique que, por fin, estamos dando un primer paso para salir del Romanticismo —pero el jurado aún no ha pronunciado su sentencia.

[12]
TEATRO HISPANOAMERICANO DEL SIGLO XVIII

FREDERICK LUCIANI

El teatro de la Hispanoamérica del siglo XVIII reflejó las contradicciones de lo que fue, para la mayoría de los reinos hispanos del Nuevo Mundo, el último siglo de dominación colonial. Al igual que otros aspectos de la cultura colonial, el teatro seguía al pie de la letra los dictados de la Península. Por ello, su tendencia generalmente fue apoyar y defender el régimen colonial, mientras se adhería al repertorio del Barroco tardío, ya totalmente anacrónico, que siguió siendo popular en España durante la mayor parte del periodo. Aún así, el mismo conservadurismo del teatro colonial aseguraba su participación en los cambios que sufrió el teatro en la Península, cambios que correspondían al espíritu reformista del neoclasicismo y a la perspectiva crítica de la Ilustración. Inevitablemente, estos cambios adquirirían su peso específico en las colonias, dada la diversidad y energía de los reinos hispanos, bajo el estandarte oficial de uniformidad burocrática e ideológica. El conformismo en el teatro colonial garantizaba el cambio, y éste se dirigía irrevocablemente a la individualización y la falta de compromiso.

Los registros de obras que se representaron por todo el mundo hispano durante el siglo XVIII muestra una notable consistencia de repertorios. El dramaturgo más popular, hasta el mismo final del siglo, siguió siendo Calderón de la Barca (1600-1681), seguido por otros autores menores de la escuela calderoniana. Pero, gracias a sus contactos con el teatro francés, el hispano experimentó una aceptación gradual y desigual de la estética neoclásica: muchas obras tradicionales del Siglo de Oro se rehicieron de acuerdo con las «nuevas reglas», que insistían en un seguimiento más estricto de las unidades clásicas; las tragedias y comedias de costumbres de Racine, Voltaire, Corneille y Molière se tradujeron o adaptaron para los escenarios españoles, y se escribieron y representaron obras originales usando los moldes neoclásicos de las francesas. El decreto real de 1765, muy influido por la sensibilidad neoclásica, prohibía la representación de autos sacramentales y «obras de santos» en los reinos hispánicos.

La popularidad de los sainetes del gran dramaturgo español Ramón de la Cruz (1731-1794) fue coetánea a ambos lados del Atlántico. El sainete, una pieza teatral corta y de humor que representaba costumbres y tipos sociales, se convirtió en un género favorito entre los escritores coloniales, y en él mostraron una mayor capacidad para competir con sus homólogos españoles. Las obras de estos sainetistas del Nuevo Mundo reflejaban, por supuesto, las realidades de su entorno: el charro mexicano y el gaucho argentino aparecieron pronto en el escenario colonial. Dada la creciente inquietud de la sociedad colonial, tal «colorido local» tuvo bastantes implicaciones políticas. Reflejó —y probablemente fue causa de— un sentido creciente de diferenciación cultural e identidad nacional, factores importantes en el movimiento por la independencia.

El tono oficial del teatro colonial vino dado por los repertorios tradicionales peninsulares, loas que adulaban a virreyes y prelados y suntuosos festivales dramáticos que celebraban coronaciones y nacimientos reales. Pero hubo otro tipo de teatro, que respondió al espíritu crítico de la época y coexistió —aunque precariamente— con la tradición dominante. El drama satírico, por ejemplo, que no era para nada desconocido en las colonias, fue un instrumento muy efectivo para ridiculizar las disputas entre las diferentes facciones que a menudo tenían lugar en los regímenes virreinales. Los temas y formas dramáticas indígenas, marginadas durante mucho tiempo por los modos teatrales europeos, revivieron al tiempo que los indios comenzaban a levantarse contra el dominio español. Los dramas seudohistóricos, basados en los temas del descubrimiento y la conquista —descendientes de las obras de Lope, Tirso y Calderón—, despertaron los impulsos nacionalistas entre los públicos criollos; Olavarría y Ferrari subraya que *México rebelado*, una obra sobre la conquista representada en la Ciudad de México en 1790, fue suspendida por las autoridades civiles por esta razón *(Reseña histórica del teatro en México*, 1538-1911, 83-7). Puede que existiera una especie de teatro sumergido, correspondiente a los comienzos de la agitación por la independencia, entre las clases criollas en los centros urbanos más grandes; Trenti Rocamora habla del manuscrito de una pieza teatral anti-española que se supone data de 1776 y está vinculada a la clandestina Sociedad Anti-Hispana, fundada en Buenos Aires en 1775 («El teatro porteño», 419-20).

Al igual que sucedió en España, la utilidad del teatro para la vida pública se convirtió en parte del debate cultural en las colonias hispanoamericanas. La suerte de las piezas dependió mucho de la propensión de las autoridades civiles y eclesiásticas en cada región y periodo, pero la tendencia predominante fue hacia la consolidación y regularización de la actividad teatral. Los documentos del periodo sugieren que el impulso para la construcción de los primeros coliseos —teatros grandes, sólidos y atractivos— de Hispanoamérica llegaba con frecuencia de las altas esferas de la jerarquía colonial; algunos administradores virreinales vieron estos teatros como una oportunidad para expresar el orgullo cívico y crear un entretenimiento honesto y moralmente instructivo. A finales del siglo, comenzaron a destacar las consideraciones pragmáticas a nivel político: la rehabilitación del

Coliseo de la ciudad de México en los años noventa del siglo xviii fue parte de un programa de obras públicas llevado a cabo por el virrey Revillagigedo con el propósito expreso de evitar que la población fuese presa de impulsos sediciosos (Leonard, «The 1790 theatre season of the Mexico City Coliseo», 104-7). El gobernador de Montevideo se vio igualmente motivado para establecer el primer coliseo de la ciudad en 1793 (Rela, *Breve historia del teatro uruguayo*, 5-6)

A pesar de que en Hispanoamérica se siguieron usando los lugares de representación de los siglos anteriores —los atrios de las iglesias, los corrales al aire libre, los palacios virreinales, los conventos y los colegios— durante el siglo xviii, los coliseos se convirtieron en el centro de la actividad dramática en las ciudades más grandes: la Ciudad de México (1753), Lima (1771), La Habana (1776), Caracas (1784), Montevideo y Bogotá (1793), Guatemala (1794) y La Paz (1790) (Suárez Radillo, *El teatro barroco hispanoamericano*, III, 655). Los coliseos, estructuras permanentes techadas con iluminación interior, significaron un gran paso hacia el teatro como se representa hoy en día. Las representaciones se llevaban a cabo con un horario determinado durante todo el año —y no sólo en ocasiones festivas— y las representaciones nocturnas se hicieron más y más comunes. La actividad teatral disfrutó de una mayor profesionalización: cada teatro importante poseía una compañía dramática formada por actores y actrices profesionales que tenían una relación contractual con éste, además de estar bajo la vigilancia de las autoridades eclesiásticas y estatales. El éxito comercial de los coliseos también garantizó la liberación gradual del teatro colonial del sistema de mecenazgo.

Acaso por esta razón el siglo xviii, que vio cómo el teatro hispanoamericano llegaba casi hasta la modernidad, haya sido considerado un hito muy importante en la historia del teatro colonial. Aún así, los críticos modernos sólo aprueban un puñado de obras en lenguas nativas, símbolos de una conciencia indígena amenazada por la extinción, y al sainete, con su promesa de nuevas identidades nacionales; al resto del teatro colonial del siglo xviii, en su mayoría, a menudo se le juzga como un derivado, con una estética confusa o servil. Tales juicios reflejan inevitablemente perspectivas críticas modernas: un secularismo contrario al teatro religioso; un eurocentrismo que tiende a ver la cultura colonial como imitativa e inferior; su contrario, un americanismo hostil a la hegemonía política y cultural de España; restos del desdén neoclásico por los excesos del arte barroco, así como restos de la impaciencia romántica ante el academicismo y la época neoclásica; y también, claro, una fe positivista en la mera validez de estas tradicionales compartimentaciones por periodos de la historia literaria.

La reevaluación de tales perspectivas críticas —que no son ni absolutas ni inmutables en el tiempo— puede ofrecernos nuevas e importantes percepciones del campo. Por ejemplo el teatro del Barroco tardío en las colonias, a menudo despachado como extravagante e imposible de leer, muy pocas veces ha sido estudiado dentro de sus propios contextos: la etiqueta de la corte virreinal, la representación de las jerarquías de poder en el imperio hispano, la hibridización de los géneros, la diversificación de la experiencia sensorial en el teatro, etc. De forma similar los experimentos coloniales neoclásicos han sido juzgados casi de forma exclusiva por comparación con los modelos españoles y, sobre todo, con los franceses, sin observar los ecos históricos y culturales tan variados del movimiento en el Nuevo Mundo.

La dificultad de realizar esta reevaluación crítica viene dada por la falta de fuentes primarias: mientras que los datos sobre las representaciones que se llevaron a cabo en los teatros coloniales mayores son claros y muy útiles, el número de títulos de autores coloniales entre ellos es pequeño y muchos de los textos en sí no han sobrevivido. La información biográfica sobre los dramaturgos es a menudo mínima, o incluso no existe. La dispersión geográfica de los archivos —y la perenne dificultad del trabajo de archivo en muchos países de Hispanoamérica— significa que el cuerpo de datos crecerá seguramente de forma lenta. Los retos a los que se enfrenta la nueva generación de investigadores del teatro colonial del siglo XVIII son importantes. Si se enfrentan a ellos y los superan, puede que se llegue a una revitalización similar a la que ha tenido lugar en los campos de la narrativa y la poesía colonial.

EL TEATRO EN LENGUAS INDÍGENAS

En el siglo XVIII, el teatro religioso en quechua y náhuatl se había independizado de las órdenes mendicantes que lo habían introducido en las primeras décadas de fervor evangélico. Perduró, en muchos lugares como una forma de arte esencialmente folclórica, a menudo enfrentada a una iglesia ansiosa por preservar la pureza doctrinal y descontenta con los elementos poco ortodoxos y hasta atávicos que estos dramas a menudo mostraban. Los ciclos de las obras de pasión náhuatl en México central, estudiados por Horcasitas son un ejemplo. Existen manuscritos del siglo XVIII de *La pasión del Domingo de Ramos*, compuesta en Tepalcingo, Morelos, y de la muy similar *La pasión de Axochiapan*, compuesta en Axochiapan, Morelos[1]. A pesar de que el origen preciso de estos dramas es desconocido, Horcasitas observó un alto grado de «mestización» en los personajes, así como otros detalles que sugieren la aparición de un teatro popular bastante alejado ya del primer teatro misionero *(El teatro náhuatl*, 340-2). Horcasitas también cita una fuente del siglo XVIII que habla de la traducción de estas obras náhuatl al español y su consiguiente representación por criollos y mestizos. Este importante retazo de información apoya la teoría de que algunas formas actuales de teatro popular en México —moros y cristianos, pastorelas, obras de pasión, etc.— tienen sus fuentes en el primer teatro misionero, y por ello, al final, en las formas dramáticas tanto europeas como indígenas *(El teatro náhuatl*, 428-30).

[1] El texto en español de *La pasión del Domingo de Ramos* y la descripción de *La pasión de Axochiapan* se encuentran en Horcasitas, *El teatro náhuatl, épocas novohispana y moderna.*

La invención de la Santa Cruz por Santa Elena, una obra náhuatl fue «puesta en orden», como indica su manuscrito, por el padre Manuel de los Santos y Salazar (?-1715) en una pequeña parroquia de Tlaxcala, México, y completada el 31 de mayo de 1714[2]. Hay opiniones variadas sobre si Santos y Salazar fue o no el autor de este drama, su adaptador, o solamente un copista del manuscrito que ya existía. Entre los personajes de la obra hay dos graciosos, que dan una salida cómica al drama de Constantino, su conversión, y el posterior hallazgo de la cruz por su madre, Santa Elena. Ravicz, que cree que el manuscrito es meramente una copia, señala que los graciosos «enseñan, a través de la sátira dramática, el valor negativo del sacrificio humano, las guerras rituales (con propósitos no cristianos) y el canibalismo» *(Early Colonial Religious Drama in México*, 179). Su interpretación de las intervenciones de los graciosos, si es correcta, puede ser un factor a favor de una fecha temprana de composición, ya que muchos de los primeros dramas misioneros estaban diseñados para combatir ciertas prácticas específicas de la cultura indígena. Sin embargo, Horcasitas encuentra pruebas de que la obra es un escrito original del siglo XVIII. La presencia de los graciosos, de los interludios musicales en náhuatl y de un tocotín de celebración, responde a un sentido barroco del teatro, interesado en divertir al público pero también en adoctrinarlo. Las referencias a deidades precolombinas y a comidas y costumbres indígenas, sugieren para Horcasitas un «incipiente nacionalismo» muy normal en el siglo XVIII *(El teatro náhuatl*, 516).

El tipo de teatro misionero verdaderamente colaborativo que existió en el Perú y en el México del siglo XVI perduró en el siglo XVIII en la región de Misiones del Paraguay, donde las misiones jesuitas entre los indios guaraníes conservaron un espíritu evangélico de frontera. Los jesuitas empleaban este tipo de teatro como una especie de instrumento de catecismo hasta su expulsión de las misiones y de todos los territorios hispanos en el año 1767. A pesar de la falta de muestras de este tipo de teatro, un amplio espectro de información sobrevive en forma de narraciones de testigos y en la *carta annuae* de la orden jesuita. Esta información sugiere que, al igual que en México y el Perú siglos atrás, los frailes españoles adaptaron obras europeas ya existentes u obras originales ya compuestas a las lenguas nativas. Estas obras fueron representadas luego por los propios indios, que se inspiraron en sus tradiciones musicales, coreográficas e histriónicas propias. Las amplias plazas de las ciudades misioneras, así como los pórticos de las iglesias, eran los lugares de representación de estas producciones dramáticas que iban desde simples canciones y danzas devotas, hasta autos sacramentales totalmente desarrollados. También encontramos un rastro de la mundanería jesuita en el historial del teatro en la región de Misiones: las comedias y entremeses profanos en guaraní eran también, por lo que parece, parte del repertorio (Pla, *El teatro en el Paraguay*, 14-31).

---

[2] El texto en español se puede encontrar en Horcasitas, *El teatro náhuatl*, y en inglés en Ravicz, *Early Colonial Religious Drama.*

En la región andina parece que sobrevivieron algunas formas de drama indígena de la preconquista hasta el siglo XVIII en un estado más puro y vigoroso que en otras regiones de Hispanoamérica, como resultado de un nivel menor de mezcla racial y de una subsiguiente concienciación indígena mayor. Esta conciencia se concretó en una acción política: la rebelión de Tupac Amaru, liderada por el cacique indígena peruano José Gabriel Condorcanqui en 1780, que representó un verdadero reto para el control español. Su ejecución y la eliminación de la rebelión a manos de las autoridades españolas vino acompañada de una prohibición del teatro secular en quechua —prueba de la poderosa influencia que ejercía este tipo de teatro en el sentimiento de identificación indígena.

En ningún lugar se expresa mejor este sentimiento de identidad que en *La tragedia del fin de Atahualpa*, obra en quechua que cuenta la historia de Atahualpa, el último inca, su derrota a manos de Pizarro, y el subsiguiente castigo a éste por el rey de España, representado simplemente como España. La obra sólo se conoce a través de versiones manuscritas que datan de los siglos XIX y XX, así como por variantes que se siguen representando en el teatro folclórico de la región andina. Algunos investigadores (por ejemplo, Arrom y Gisbert) han encontrado pruebas de que se realizó una reestructuración de la obra en el siglo XVIII, al menos en el llamado manuscrito chayanta que fue la base de la conocida traducción al español y edición de Jesús Lara[3]. En todo caso, una gran parte de la obra delata un origen del XVI, especialmente la presencia de modos dramáticos no españoles y presumiblemente anteriores a la conquista: el uso de un coro que anuncia y comenta lo que sucede, las fórmulas complicadas de tratamiento entre los diferentes personajes, la repetición continua de palabras y frases y los rápidos cambios de escena dentro de la misma secuencia dramática. Así mismo, la perspectiva moral y epistemológica ofrecida por la obra es totalmente indígena. Pizarro y sus colegas españoles se encuentran representados como crueles, avariciosos e hipócritas. Sus instrumentos de guerra, su escritura y su lengua —que articulan en silencio los personajes españoles mientras un intérprete indígena la traduce— se ven como siniestros e incomprensibles. Sólo la escena final, en la que hay un diálogo hablado entre Pizarro y una «España» desconcertada y colérica, ofrece algún tipo de vindicación de la autoridad española; sugiere, de forma interesante, una lealtad a la Corona y no al régimen colonial.

El drama escrito en quechua *Ollántay* expresa una dinámica de lealtad y rebelión diferente. El manuscrito existente más antiguo de la obra data del siglo XVIII, y se sabe que fue representada para el cacique Condorcanqui en 1780[4]. Cuenta la

[3] José Cid Pérez y Dolores Martí de Cid (eds.) *Teatro indoamericano colonial*, reproduce el texto de Lara, mientras que José Meneses *(Teatro quechua colonial)* ofrece una traducción original.

[4] Las numerosas versiones de la obra en español y otras lenguas usan unas cuantas variantes ortográficas en el título y los nombres de los personajes. La ortografía del título corresponde a la traducción española de Pacheco Zegarra, muy citada y recogida en muchas antologías (Madrid, 1886, y Buenos Aires, 1942). Cid Pérez y Martí de Cid *(Teatro indio precolombino)* basan su traducción en la versión francesa de Pacheco Zegarra (París, 1878). Ripoll y Valdespino utilizan la versión de Ba-

historia de Ollántay, un guerrero muy importante del Imperio Inca, su amor ilícito por una princesa incaica, el castigo que le inflige el Inca y su consiguiente rebelión, junto con las gentes de su tierra ancestral, contra el imperio. Tras unos diez años de lucha es derrotado por el ejército del hijo y sucesor del Inca; Ollántay se vuelve a reunir con su amada y su hija, fruto de la unión entre ambos; perdonado por el Inca recobra su posición en el reino.

El vínculo que une a *Ollántay* con la rebelión de Condorcanqui ofrece pistas importantes sobre su origen y significado. A pesar de basarse en un material legendario con raíces en la historia anterior a la conquista, la obra parece responder a las circunstancias del momento. Su propia reposición como artefacto cultural sugiere un despertar y una reafirmación de la conciencia indígena, y el énfasis de la trama en lo diabólico de la tiranía y la legitimidad de la insurrección tienen un significado muy obvio para un pueblo en rebelión. Al mismo tiempo, la resolución de la obra subraya las virtudes de la clemencia y la conciliación —virtudes que, para una rebelión a punto de ser reprimida de forma brutal por el régimen colonial, debieron de tener un atractivo inmediato.

A pesar de estos vínculos con una época determinada, el origen exacto del drama de *Ollántay* sigue siendo desconocido. Los críticos han debatido por mucho tiempo el grado en el que la obra conserva elementos dramáticos y léxicos que datan de antes de la conquista. Algunas preguntas ya parecen tener respuesta: se acepta que la división de la obra en actos y escenas, por ejemplo, es una modificación introducida en el periodo colonial. Otras preguntas fundamentales, como la época a la que pertenece el quechua en que está escrita, dan pie a las opiniones más variopintas. Otros elementos que parecerían apoyar la teoría del origen prehispánico o bien la del origen colonial, como la presencia de un gracioso, han probado ser poco concluyentes en los debates críticos. Arrom, por ejemplo, cree que los *yaravíes* cantados por el coro están llenos de imágenes y metáforas comunes en la poesía lírica del Siglo de Oro español *(Historia del teatro hispanoamericano (época colonial)*, 124-5). Cid Pérez y Martí de Cid dicen que el gracioso es un tipo de personaje universal y la cultura inca no excluía el entretenimiento cómico *(Teatro indio precolombino*, 297). Muchos otros ejemplos de pruebas ambiguas se podrían citar. Esta ambigüedad, que es problemática para el historiador literario, tiene implicaciones estéticas y culturales positivas. De todos los textos teatrales de la época colonial existentes, *Ollántay* muestra la más perfecta integración de elementos dramáticos hispanos e indígenas.

---

rranca, mientras que Meneses utiliza una traducción original en su antología. Entre las traducciones de la obra al inglés se cuentan las de Markham y de Halty y Richardson.

EL TEATRO EN ESPAÑOL

El teatro religioso en español en la Hispanoamérica del siglo XVIII tomó una amplia variedad de formas, desde un vital teatro folclórico, hasta los complejos dramas teológicos de las escuelas jesuitas. Un ejemplo de estos últimos es el *Coloquio de la Concepción*, que se representó en algún momento del siglo en un colegio de Santiago, Chile, dentro de la celebración de la Fiesta de la Inmaculada Concepción[5]. El autor probable del *Coloquio* es Juan Antonio Tristán y Doyague (?-?). La obra representa una disputa entre los personajes, Devoción y Escuela, sobre cual de los dos tiene más derecho a alabar a la Inmaculada Concepción, una disputa en la que se traen a colación argumentos escolásticos muy complicados, y que termina, como es predecible con un llamamiento por la reconciliación de la fe y el saber. Los personajes alegóricos se complementan por los «tipos ideales», tales como el Estudiante, el Poeta y la Beata, todos los cuales reciben un tratamiento satírico; se les satiriza, respectivamente, por su pedantería, carácter grandilocuente y falsa piedad. El humor cáustico del *Coloquio* apenas proporciona una vía de escape cómica a su densa dialéctica teológica.

La *decuria* fue un género de teatro religioso que se concibió como un ejercicio retórico e histriónico para los estudiantes de las escuelas jesuitas. A diferencia del tipo de teatro jesuita con ambición teológica representado por el *Coloquio de la Concepción*, la *decuria* presenta una historia breve y ejemplar. Dos ejemplos existentes del género de Lima, Perú, son la *Decuria de Santa María Egipcíaca*, cuyo autor fue probablemente el padre Vicente Palomino (?-1741) y la *Decuria muy curiosa que trata de los diferentes efectos que causa en el alma el que recibe el Santísimo Sacramento*, compuesta en 1723 por el padre Salvador de la Vega (1682-?)[6]. Ambas obras incluyen un gracioso entre su reducido número de personajes.

La monja capuchina Sor Juana María (Josefa de Azaña y Llano, 1696-1748) fue autora de cinco coloquios religiosos, escritos para sus hermanas en Lima. Sólo una de estas obras, el *Coloquio de la Natividad del Señor*, ha sido publicada[7]. El *Coloquio* cuenta la historia de la Natividad con una lírica tan simple —aderezada con el hablar rústico de los pastores, con peruanismos— que contrasta con la forma de expresión predominante en el último Barroco. El redactor del *Coloquio,* el padre Vargas Ugarte, atribuye este contraste a una cierta inocencia de espíritu de la autora, que encontró la expresión en un estilo espontáneo e indocto *(De nuestro antiguo teatro*, xxiv). Arrom, con una perspectiva histórica mayor,

[5] El texto está en Vargas Ugarte, «Un coloquio representado en Santiago en el siglo XVIII».

[6] Ambos textos están en Vargas Ugarte, *De nuestro antiguo teatro: colección de piezas dramáticas de los siglos XVI, XVII y XVIII.*

[7] El texto está en Vargas Ugarte, *ibid.*

subraya la afinidad del coloquio con el teatro religioso del siglo xvi de Encina y Gil Vicente; por ello ve la obra de Sor Juana María como un feliz anacronismo (*Historia del teatro*, 105).

La *Historia de la Combercion de San Pablo* es un drama anónimo guatemalteco compuesto en 1772[8]. Se basa en la historia de la conversión de Pablo tal y como está contada en los *Hechos de los Apóstoles,* con una interesante mezcla de cultismo barroco y lenguaje rudo y coloquial, el primero en el discurso de los personajes Saulo y Ananías y el último en el discurso de los graciosos Hormiga y Zompopo. La intriga del drama, con sus bandos enfrentados de judíos y cristianos, ofrece una oportunidad para incorporar la popular danza de moros y cristianos: los personajes de la obra se organizan en grupos simétricos cuyas acciones siguen una coreografía muy cuidada. De hecho, casi cada movimiento en el escenario se hace en forma de danza.

La *loa* fue un género teatral que abarcó tanto temas religiosos como temas seculares en la Hispanoamérica colonial. La mayor parte de las *loas* precedían a obras de mayor amplitud de autores coloniales o, con más frecuencia, peninsulares, pero ya en el siglo xviii raramente servían como piezas meramente introductorias. Más bien eran obras independientes de carácter panegírico: el objeto de alabanza era normalmente la Virgen, un santo, el monarca español o personas de alto rango en la jerarquía colonial. En lo referente al estilo, la loa fue el último reducto de formas barrocas elevadas en el teatro colonial. Sus personajes fueron casi siempre mitológicos o alegóricos, su lenguaje altamente eufemista y sus metáforas e imaginería fueron de un preciosismo extremo. En las loas coloniales fue frecuente una gran variedad de trucos métricos: acrósticos que deletreaban el nombre del personaje al que se alababa, mecanismos de eco, glosas (secuencias de versos que desarrollaban cada línea de la estrofa inicial), laberintos (bloques de versos que seguían teniendo sentido si se dividían internamente), etc. El coro de cantantes que proveía breves interposiciones musicales fue otra característica típica.

Entre las loas que se ajustan a este molde convencional están las del peruano Pedro de Peralta Barnuevo (1664-1743) escritas para acompañar sus comedias *Triunfos de amor y poder* (1711), *Afectos vencen finezas* (1720) y *La Rodoguna*. Las tres loas alaban a los monarcas españoles o a los virreyes del Perú. La *Introducción al sarao de los planetas*, de Jerónimo Fernández de Castro y Bocángel (1689-?) fue escrita y representada en Lima en 1725, también en honor del rey español[9]. Otro autor de loas peruano fue Félix de Alarcón (?-?) que compuso una *Loa al cumplimiento de años de la señora Princesa de Asturias doña Luisa de Borbón* (1744) y una *Loa... para la coronación de... Fernando el VI* (1748), cuyos ocho personajes son cada uno una letra del nombre del monarca, y que unen versos y voces para formar un espectacular acróstico cuádruple cerca del punto

[8] El texto está en Johnson, «La *Historia de la Combercion de San Pablo,* drama guatemalteco del siglo xviii».

[9] El texto está en Lohmann Villena, *El arte dramático en Lima durante el Virreinato*.

culminante de la loa[10]. Otros ejemplos convencionales del género incluyen una loa de Jacinto de Buenaventura (?-?) en honor de Fernando VI, representada en Ibagué, Colombia, en 1752 y las loas religiosas del padre Diego Molina (?-?) de Quito, Ecuador, representadas entre 1732 y 1740[11].

Algunas loas existentes de este periodo se desvían lo suficiente de la forma típica como para sugerir que este género se vio también afectado por los cambios en los gustos dramáticos ocurridos durante el siglo. Una *loa* compuesta por el argentino Antonio Fuentes del Arco (?-1733) celebra el decreto de Felipe V de 1717 que exime a Santa Fe de pagar impuestos por las mercancías entrantes[12]. El estilo de la *loa* está libre de la artificialidad extrema común al género: los personajes son tres caballeros, y no figuras mitológicas; sus parlamentos contienen referencias a la geografía y los productos argentinos. Otra *loa* argentina, la anónima *Loa para cualquier función* (o *El año 1775 en Buenos Aires),* comienza de modo convencional, con cuatro figuras mitológicas que representan a los cuatro elementos y que alaban al monarca español[13]. Pero un quinto personaje, un gracioso, interviene hacia el final de la *loa* y ridiculiza la premisa alegórica de la obra. La autoparodia de la obra sugiere que el género ha entrado en declive. Por fin, dos loas marianas anónimas de México, la *Loa en obsequio de la Purísima* y la *Loa en obsequio de Nuestra Señora de Guadalupe*, representan un distanciamiento importante de las convenciones[14]. Los personajes primarios en cada una de ellas son indios, retratados de una forma que seguramente pretendía divertir a los públicos criollos: todos son tontos o granujas, y tienden a caer en una especie de español quebrado. Estas dos *loas,* escritas a finales de siglo, reflejan la preferencia creciente por obras que representaban tipos y costumbres locales, preferencia que se ve con más claridad en el *sainete*.

Las obras largas de la Hispanoamérica del siglo XVIII que han sobrevivido hasta nuestros días, pertenecen a subgéneros temáticos que florecieron en el repertorio peninsular en el siglo XVII: las comedias de intriga amorosa, los dramas históricos, las «obras de santos», etc. En cuanto a lo estilístico, estas obras también se asemejan a los dramas peninsulares del siglo precedente, especialmente en las últimas décadas, cuando los seguidores menores de Calderón llevaron el drama hasta su máximo —los críticos tradicionalmente dicen su nadir— de lucimiento y extravagancia. Aún así la comedia colonial no se puede calificar de forma categórica como poco original y retrógrada. Algunas obras, en número suficiente

[10] La *Loa al cumplimiento de años* está en Vargas Ugarte, *De nuestro antiguo teatro*, y la *Loa para la coronación* está en Lohmann Villena, *El arte dramático en Lima.*

[11] La *loa* de Buenaventura está en Johnson, «Loa representada en Ibagué para la jura del rey Fernando VI». Las *loas* de Molina están resumidas en Descalzi, *Historia crítica del teatro ecuatoriano,* VI.

[12] El texto está en Trenti Rocamora, «La primera pieza teatral argentina».

[13] El texto está en Bosch, *Historia del teatro en Buenos Aires.*

[14] Los textos están en Olavarría y Ferrari, *Reseña histórica.*

para sugerir el relativo vigor y contemporaneidad del teatro colonial, están vinculadas a las polémicas políticas o estilísticas propias de su época. Otras, de forma más convencional, tienen aún así un mérito intrínseco: sin contar con el espectáculo musical y visual (que el lector moderno no puede ver) que sirvió una vez como su vehículo, estas pocas obras aún conservan buenas caracterizaciones, desarrollos de la trama y expresiones líricas.

Las comedias de Pedro de Peralta Barnuevo (Perú, 1664-1743), sugieren una estética teatral esotérica e irrecuperable. Para los públicos de elite que las veía representadas, debieron parecer llenas de ricas alusiones y muy gratas para los sentidos. Reducidas a textos y apartadas del mundo cortesano virreinal, con sus complicados sistemas de mecenazgos y cortesías, las obras parecen hinchadas y sin objeto. *Triunfos de amor y poder* (1711) fue encargada por el virrey del Perú, y representada en el palacio virreinal como parte de las celebraciones que marcaron la victoria de Felipe V en la batalla de Villaviciosa en 1710. *Triunfos* es una obra de intriga amorosa; sus personajes son dioses y mortales de la mitología clásica. Otra obra del mismo género, *Afectos vencen finezas*, se representó en el palacio del virrey peruano y en su honor en 1720; sus personajes son príncipes y princesas de la antigua Grecia, pastores y pastoras y un solo gracioso.

La Rodoguna, de Peralta Barnuevo, cuyas fechas de composición y estreno son desconocidas, es una adaptación de *Rodogune* de Corneille. Por ello ha llamado la atención de los historiadores de la literatura, que la consideran un temprano ejemplo de la influencia de los modos dramáticos franceses del Neoclasicismo en el teatro hispánico. Sin embargo, como observa Leonard, la adaptación de Peralta Barnuevo es una total hispanización del original. El verso alejandrino de Corneille se ve reemplazado por una amplia variedad de formas métricas españolas, y el tono trágico del original se ve comprometido por elementos tradicionales de la comedia española: un gracioso, una subtrama amorosa, interludios musicales y efectos especiales rebuscados («An early Peruvian adaptation of Corneille's *Rodogune*», 175). Austera tragedia neoclásica reconvertida al modo florido del Barroco, *La Rodoguna* de Peralta Barnuevo es un hito literario de orientación algo insegura.

Otro dramaturgo peruano, el padre Francisco del Castillo (1716-1770) compuso sobre todo dramas del estilo convencional de finales del Siglo de Oro. Aún así, al igual que Peralta Barnuevo, las incursiones de Castillo en la tragedia neoclásica apuntan a una nueva era en el teatro colonial. *Todo el ingenio lo allana* es una comedia de intriga amorosa, muy en la veta calderoniana. *El redentor no nacido, mártir, confesor y virgen San Ramón* es una comedia de santos con todos los sellos del género, incluyendo una fuerte dependencia de efectos especiales mecánicos. *Guerra es la vida del hombre* es un *auto sacramental* cuya premisa alegórica recuerda a los autos de Calderón. *La conquista del Perú* (1748) es un drama histórico del Nuevo Mundo en la tradición de Lope, Tirso y Calderón; a pesar de haber sido compuesto por un dramaturgo colonial durante una época en la que el sentimiento de rebelión era creciente, su visión de la conquista es decididamente pro española.

Mitrídates, rey del Ponto, es una tragedia que se desarrolla en la antigua Roma, y difiere mucho de los otros dramas de larga duración de Castillo. Concepción Reverte Bernal sostiene de forma convincente que *Mitrídates* constituye un intento de tragedia al estilo más puramente neoclásico. Observa que la obra se adhiere a las «nuevas reglas» del drama, especialmente las tres unidades clásicas y el empleo de formas métricas, como el verso endecasílabo, preferido en el drama neoclásico. Cita la tragedia de Racine, *Mithridate*, como un importante antecedente de la versión de Castillo, a la vez que subraya las considerables diferencias entre las dos obras *(Aproximación crítica a un dramaturgo virreinal peruano*, 186-95). La sucinta explicación de Reverte Bernal sobre los fallos de *Mitrídates* como drama puede servir tal vez como una ilustración del fracaso general hispánico para sobresalir en el género de la tragedia: no tiene ni la acción de la comedia tradicional española ni la caracterización profunda y conflictiva que da a la tragedia francesa su ímpetu dramático (pág. 191). Al igual que *La Rodoguna* de Peralta y Barnuevo, el *Mitrídates* de Castillo sobresale como un hito histórico importante —aunque poco impresionante.

El mexicano nacido en España, Eusebio Vela (1688-1737), actor, director, empresario y dramaturgo, dominó la escena teatral en la Ciudad de México, en las primeras décadas del siglo XVIII. Sólo se han recuperado tres de sus obras. *Apostolado en las Indias y martirio de un cacique* es un drama histórico basado en las conquistas de Cortés y las actividades como misioneros de los primeros franciscanos en México. *Si el amor excede al arte, ni amor ni arte a la prudencia*, es una *comedia* mitológica de intriga amorosa, en la que participan mortales, dioses y diosas, y que se desarrolla en la isla de Calipso. *La pérdida de España* es un drama histórico basado en la leyenda de Rodrigo, el último rey visigodo de España. Las tres obras, a pesar de estar bastante alejadas de los excesos lingüísticos exagerados del teatro del Barroco tardío, pertenecen claramente a la escuela calderoniana; su recurso a lo sobrenatural y a los efectos escénicos espectaculares es especialmente evidente.

Apostolado en las Indias representa una interesante combinación de géneros. Recuerda tanto a los dramas históricos del Nuevo Mundo del Siglo de Oro, como a la *comedia de santos*. La trama histórica básica, verificable por las primeras crónicas de la conquista, se narra dentro de un marco hagiográfico, repleto de milagros y martirios. El resultado es una obra de conservadurismo religioso y político extremo. Cortés y sus colegas conquistadores se ven retratados como hombres virtuosos, a pesar de su propensión marcial; motivados por el celo evangélico, solo usan la violencia física cuando se ven forzados a ello. Los frailes franciscanos son de una santidad irreprochable. La virtud de los indios sólo llega hasta la aceptación de la dominación cristiana y española; por supuesto, el retrato del cacique rebelde Axotencalt incluye su asociación con el diablo. Tal reduccionismo moral y encubrimiento de faltas históricas probablemente resultaría poco aceptable para las posteriores generaciones de criollos. A pesar de la temática del Nuevo Mundo, que sugeriría, a primera vista, un anticipo de la independencia cultural y política, *Apostolado en las Indias* mira hacia atrás, no sólo a los géneros dramáticos tradicionales de la Península, sino a la complacencia y la ortodoxia coloniales cuyo proceso de erosión ya había comenzado.

Si las obras de Vela parecen prolongar las tendencias dramáticas e ideológicas menos atractivas de otra época, la obra del contemporáneo cubano, Santiago de Pita (?-1755), recuerda al mejor teatro del Siglo de Oro. *El príncipe jardinero y fingido Cloridano* (1730-1733), una *comedia* suya de intriga amorosa situada en la antigua Grecia, pertenece claramente a la escuela calderoniana. *El príncipe* está basado en una obra del italiano Giacinto Andrea Cicognini, y muestra la influencia de Lope de Vega, Moreto y Sor Juana Inés de la Cruz, así como de Calderón. La convencionalidad de la obra tanto temática como estilística no le resta méritos: un lirismo sostenido, una buena caracterización y una trama agradablemente complicada —pero no enredada. El humor de los graciosos, salpicado de cubanismos, tiene una cualidad atractiva que contrasta con la rígida sagacidad de otros personajes cómicos en obras del periodo. Merece respeto el juicio de Arrom, cuya investigación dio como fruto toda la información básica sobre la obra, el nombre del autor, sus fechas, sus fuentes: considera que *El príncipe jardinero* es el mejor ejemplo existente de la *comedia* colonial del siglo XVIII *(Historia del teatro*, 103).

El *Drama de dos palanganas Veterano y Bisoño* (1776) que se ha atribuido a menudo a Francisco Antonio Ruiz Cano y Sáenz Galiano (1732-1792), un noble peruano, es ejemplo de un tipo de drama que floreció en el mismo centro de la intriga política de los virreinatos, aunque en la periferia del verdadero teatro[15]. El *Drama* se compuso como parte de una campaña de censura contra el virrey peruano saliente, Don Manuel de Amat, cuya agenda administrativa y vida personal le valieron una desaprobación general de la clase alta criolla. La acción dramática y la trama están casi totalmente ausentes de la obra, que se puede considerar teatro sólo por su forma dialogada: dos «palanganas», o pedantes, inician una serie de conversaciones en las que detallan las faltas y crímenes del virrey. El *Drama* recuerda al anónimo *Entremés famoso de Juancho y Chepe*, compuesto algunas décadas antes, también como invectiva contra el virrey de entonces. La opinión de Lohmann Villena sobre estos diálogos satíricos señala su buen criterio: es probable que se hicieran con la intención de que circulasen y fuesen leídos por las partes interesadas, más que representadas en público *(Un tríptico*, 371). Sea cual fuese su verdadero género y su forma de difusión, estas obras son otro ejemplo más de la existencia de formas dramáticas fuera de los ortodoxos confines del palacio, las instituciones religiosas y los coliseos.

Las piezas teatrales cortas de Peralta Barnuevo disfrutan de una crítica mucho más positiva que los dramas de larga duración a los que acompañan. A diferencia

[15] El texto se encuentra en Lohmann Villena (ed.), *Un tríptico del Perú virreinal: el Virrey Amat, el Marqués de Soto Florido y La Perricholi,* y en la edición de Luis Alberto Sánchez.

de sus comedias convencionales y grandilocuentes, los bailes, entremeses y fines de fiesta de Peralta Barnuevo poseen una energía concentrada y una ironía corrosiva. Son tal vez tan barrocos como las comedias, pero en un sentido diferente: son conceptualmente densas, más que infladas y declamatorias y más que una trama siguen un patrón. Incluso cuando se apunta satíricamente a la pedantería y ampulosidad verbal, parecen celebrar una estética de la complicación. Aun así, algo más se deja entrever —un sentido del humor indulgente con las debilidades humanas, un ojo observador de los tipos sociales— que emerge de la intrincada maquinaria de estas obras y apunta hacia el teatro costumbrista de la segunda mitad del siglo en todo su esplendor.

Los personajes y coreografía de los bailes de Peralta Barnuevo recuerdan los de su compatriota Valle y Caviedes, compuestos algunas décadas antes. En el baile de *Triunfos de amor y poder*, el personaje Amor conversa, a veces cantando, con personajes que representan varios tipos sociales, y que se sujetan de varias formas a la evaluación crítica de Amor. De forma similar, en el baile *El Mercurio galante*, que acompaña a *Afectos vencen finezas*, el personaje de Mercurio sostiene un diálogo hablado y cantado con cinco galanes y cinco señoras, que representan cada uno un tipo social diferente y que se emparejan al final de la obra de acuerdo con sus peculiaridades complementarias. El fin de fiesta de los *Triunfos*, basado en gran medida en un *intermède* de Molière es un retrato satírico de los exámenes finales de un bachiller en Medicina. El fin de fiesta de los *Afectos*, que se inspira en *Les femmes savantes* de Molière, ridiculiza la sofistería y falsa erudición de los personajes, tanto hombres como mujeres, cuyo debate intelectual es la substancia de la obra; de forma interesante, parte de la burla más severa se reserva para la figura del poeta, cuyo estilo barroco hinchado se distingue a duras penas del mismo Peralta Barnuevo en sus comedias. El entremés de *La Rodoguna* retrata el cortejo furtivo de cuatro hermanas y sus correspondientes pretendientes, que representan profesiones diferentes. Las réplicas chistosas ligeramente racistas de las parejas, así como los irónicos comentarios del padre de las chicas, quien se cuela en la escena, dan a la pieza un humor vital que diferencia este entremés de las otras obras cortas de Peralta Barnuevo, y parece más cercano al teatro costumbrista de las siguientes décadas.

Como en el caso de Peralta Barnuevo las obras teatrales cortas del padre Francisco del Castillo conservan una accesibilidad que perdieron sus dramas largos. Entre el puñado de piezas que se han publicado, el *Entremés del justicia y litigantes* de Castillo, el más exitoso. En esta obra, el magistrado y su amanuense deben redactar y enviar rápidamente un indulto para un hombre al que saben injustamente acusado de asesinato y cuya ejecución es inminente. Los dos se ven interrumpidos por una serie de ciudadanos locales, cada uno de los cuales presenta alguna queja intrascendente, alargada en insoportable y cómico detalle, al cada vez más nervioso magistrado. La tensión dramática va creciendo hasta que el mismo condenado, huyendo de un oficial de la ley, aparece repentinamente en escena y recibe su indulto en persona. El efectivo uso del suspense que hace Castillo, su rápida delineación de los personajes y la explotación de las muchas posibilidades satíricas de la situación, sugieren un gran dominio del género.

Otras piezas cortas de comienzos de siglo incluyen *El amor duende* (1725) de Jerónimo de Monforte y Vera (?-?), de Lima, y el *Bayle o Sainete del mercachifle*, del mismo Diego Molina, de Quito, que era autor de loas religiosas[16]. La estructura de la primera obra recuerda a los bailes de Valle y Caviedes o Peralta Barnuevo: el personaje central es el Amor, los secundarios son mortales. Pero más que servir como juez o profesor, el Amor actúa como un espíritu travieso (un duende). Hace que dos caballeros sientan una pasión amorosa por dos tapadas, o mujeres con velo, sólo para sustituir a estas últimas, al final de la obra, por una anciana y una mujer negra, para sorpresa y horror de los dos caballeros y, presumiblemente, para divertimento del público. El diálogo de los personajes en *El amor duende* varía de acuerdo con la clase y la raza. El personaje central de la obra de Molina es un mercachifle, que fue en un momento de su vida un mujeriego, pero que satisface una apuesta con tres caballeros resistiendo la dulzura de tres mujeres que intentan seducirle para quitarle algunas mercancías. Al igual que la obra de Monforte y Vera, el baile ofrece una visión cínica del amor y el cortejo, expresada en un lenguaje coloquial y con humor racista.

Ejemplos de entremeses y sainetes satíricos más tardíos en el siglo incluyen: *El baile del tapicero* (1765), compuesto en Buenos Aires por un tal Lucena, sobre el que no se sabe nada más allá de la autoría de la obra[17]; el anónimo *Entremés de la vieja y el viejo* (1790), que fue compuesto y representado en Arequipa, Perú, como parte de las celebraciones que marcaron el ascenso de Carlos IV al trono español[18]; el *Entremés gracioso de Juanillo y de Antonio Desaciertos* y el *Coloquio de las comparaciones de doña Elena y el casamentero*, dos obras anónimas compuestas en Quito, probablemente a finales del siglo[19]; el anónimo *El valiente y la fantasma*, representado por primera vez en Buenos Aires en los años noventa del XVIII[20].

Varias piezas cortas del México de finales del siglo XVIII son particularmente notables como ejemplos del modo teatral costumbrista. *El pleyto y querella de los guajolotes*, un sainete anónimo de Puebla, México, presenta una disputa legal entre una mujer negra y una india, debido a la muerte del preciado pavo de esta última. Con la brevedad característica del género, la obra logra un retrato satírico muy vivo de los litigantes de clase baja, así como de los clérigos y jueces egoístas de la clase media a los que las mujeres acuden en busca de justicia. Otras dos

---

[16] La obra de Monforte y Vera está en Lohmann Villena, *El arte dramático en Lima*, y la obra de Molina está tanto en Barrera, *Historia de la literatura ecuatoriana*, como en Descalzi, *Historia crítica*, vol. VI.

[17] El texto está en Bosch, *Historia del teatro en Buenos Aires*.

[18] El texto está en Trenti Rocamora, «El teatro y la jura de Carlos IV en Arequipa».

[19] Fragmentos del entremés y el texto completo del coloquio se pueden encontrar en Barrera, *Historia*.

[20] El texto está en Bosch, *Teatro antiguo de Buenos Aires*.

obras que también sobresalen por el retrato que hacen de las clases bajas mexicanas son el monólogo dramático *El charro* y la pieza corta satírica *Los remendones*, ambas compuestas por José Agustín de Castro (1730-1814) y publicadas en 1797.

El sainete argentino *El amor de la estanciera*, compuesto posiblemente por Juan Bautista Maciel (?-?) en algún momento de las últimas décadas del siglo, capta la esencia del costumbrismo dieciochesco a la vez que ayuda a inaugurar el importante movimiento literario «gauchesco» del siglo XIX[21]. El héroe de la obra, Juancho Perucho, que gana la competición por la mano de Chepa, una doncella del campo, es un prototipo de los innumerables gauchos, rudos pero amigables, de las letras argentinas. El villano de la obra es un pomposo y cobarde portugués, cuya rivalidad con Juancho configura el diálogo entre «la civilización» y la «barbarie», encarnado en la cultura europea y la criolla respectivamente, que sería la piedra angular temática de la literatura argentina del siglo XIX. El énfasis de la obra en el habla, la psicología y las costumbres argentinas parecen reflejar tanto el orgullo criollo como una alienación de Europa y los europeos. *El amor de la estanciera*, tal vez más que cualquier otra obra existente del periodo, es un claro ejemplo de la confluencia del modo costumbrista en el teatro colonial y los sentimientos regionalistas de la clase criolla. Anuncia la defunción del sistema colonial y la emergencia de las culturas nacionales y las entidades políticas de Hispanoamérica.

[21] La antología de Ripoll y Valdespino, *Teatro hispanoamericano*, moderniza la ortografía del texto, tomada de la edición de 1925 publicada por la Universidad de Buenos Aires.

[13]

LA NOVELA HISPANOAMERICANA DEL SIGLO XIX

Antonio Benítez-Rojo

ANDRÉS BELLO: NACIONALISMO Y NARRATIVIDAD

En su artículo «Modo de escribir la historia» (1848), Andrés Bello (1781-1865) daba el siguiente consejo: «Cuando la historia de un país existe sólo en documentos dispersos e incompletos, en vagas tradiciones que deben ser comparadas y evaluadas, el método narrativo es obligatorio». Con esta afirmación Bello descalificaba cualquier intento de escribir obras de filosofía de la historia porque lo consideraba, en el caso de Hispanoamérica, prematuro. Pensaba que la historia de una joven nación debía estar lo más alejada posible de las generalizaciones teóricas, que debía ser una narración concreta basada en el examen y el estudio comparativo de aquellas fuentes que se referían a los eventos americanos desde la era precolombina. Podemos suponer que la intención de Bello era dar a las nuevas naciones una gran capacidad de movimiento para desarrollar su discurso historiográfico, una empresa que entonces acababa de nacer, antes de que tuviera que ser juzgada por unas normas de la historiografía más severas. De todas formas, creo que había otro motivo detrás de su estrategia, una preocupación relacionada con el tema del nacionalismo. Podemos ver este objetivo adicional en su alabanza de la obra de Bernal Díaz del Castillo: «Ninguna síntesis, ninguna colección de aforismos históricos, nos permitirán nunca concebir tan vivamente la conquista de América» («Modo de estudiar la historia», 246). En otras palabras, Bello favorecía la escritura de la historia en forma narrativa porque tal formación, con la vitalidad de sus narraciones, facilitaba la identificación del lector con los protagonistas de la exploración y conquista de los territorios americanos. Las crónicas españolas no fueron las únicas que se contaron entre sus preferidas. En su nota a la publicación en México del *Manuscrito de Chimalpain*, celebraba el lenguaje narrativo del cronista azteca y recomendaba que los viejos códices y las crónicas indígenas se estudiasen, ya que contenían incidentes relativos a la conquista «de un modo favorable a las preocupaciones e intereses de la madre patria» («Colección de los viajes y descubrimientos que hicieron por mar los españoles desde fines del siglo xv»). No deberíamos olvidar que, de acuerdo con las ideas de Johann Gottfried von Herder (1774-1803), Bello subrayó la importancia de estas obras «como productos del periodo más temprano de la literatura americana».

No es accidental que Bello llamase a su periódico chileno *El Araucano*. Como los promotores ilustrados de la Independencia en su juventud, Bello era muy consciente de su participación en la inmensa tarea de crear naciones. También sabía que una de las vías más prácticas de consolidar las sociedades divididas y poco estables que emergían de las guerras de liberación era conectarlas, por medio de la palabra escrita, a una naturaleza común, una tierra común, la tierra precolombina que siempre había estado allí. De esta forma el Territorio Nacional, recientemente reconocido y descrito con orgullo por la cartografía republicana, alcanzaría legitimidad a través de una historia que remontaba hacia un pasado inmemorial; una historia *utilitaria* que, siguiendo el diseño bifurcado de un árbol genealógico, hablaba de la Ilustración, del Renacimiento, de Europa, de España, del descubrimiento y de la conquista, de Roma y de la cristiandad; pero también de Tenochtitlán y de Cuzco, de Moctezuma y Atahualpa, de Cuauhtémoc y Caupolicán, y por fin de Quetzalcóatl o Gugumatz, de Manco Cápac y Mama Ocllo, los fundadores míticos de *Terra Nostra*.

Cuando puso en duda la objetividad de la filosofía de la historia, Bello no especificó que sus propuestas iban dirigidas a un objeto predeterminado; la propagación del nacionalismo. Es verdad que el término «nacionalismo» no era aún corriente en su época, pero el autor entendía su significado como una práctica encaminada a manipular las diferencias en juego dentro de un determinado campo sociocultural, ya sea para incluirlas o juntarlas como elementos nativos de la tierra, o para excluirlas o aislarlas como elementos extranjeros. No hay duda de que los juicios de Bello sobre este tema debe mucho a la literatura romántica, dentro de cuyos objetivos principales se había incluido la búsqueda de los orígenes y las identidades nacionales con propósitos proféticos. Exiliado en Londres entre 1810 y 1823, Bello había visto el nacimiento del ciclo de novelas históricas de Walter Scott (1771-1832). Sus notas y comentarios sobre la obra de Agustin Thierry (1795-1856) y otros historiadores que escribieron con un estilo narrativo, indican que sus ideas sobre la relación entre la historia, la narrativa, la búsqueda de los orígenes y el nacionalismo fueron el producto de largas reflexiones.

En todo caso debemos concluir que ninguno de los promotores culturales de la primera mitad del siglo xix —Domingo Delmonte (1804-1854), Esteban Echeverría (1805-1851)— apreciaron tal como hizo Bello la formidable capacidad del emergente conjunto de escritos, tanto históricos como de ficción, para esparcir formas de la identidad nacional. En 1841, en su muy notable estudio sobre la obra de Alonso de Ercilla (1533-1594) ya había mencionado el papel fundacional de la literatura: «Debemos suponer que *La Araucana*, la *Eneida* de Chile, compuesta en Chile, es familiar a los chilenos, único hasta ahora de los pueblos modernos cuya fundación ha sido inmortalizada por un poema épico» («*La Araucana* por Don Alonso de Ercilla y Zúñiga», 530[1]). Aún así, Bello no escribió este artículo para proponer la poesía como el género más adecuado de promoción de la identidad hispanoamericana. A pesar de la importancia de su propia obra al respecto —*Alocución a la poesía* (1823), *A la agricultura de la zona tórrida* (1826)— Bello entiende que su época pertenece a la novela: «Estas descripciones de la vida social [...] constituyen la epopeya favorita de los tiempos modernos, i es lo que en el estado presente de las sociedades representa las *rapsodias* del siglo de Homero i los *romances rimados* de la media edad. A cada época social, a cada modificación de la cultura, a cada nuevo desarrollo de la intelijencia corresponde una forma peculiar de historias ficticias. La de nuestro tiempo es la novela» («*La Araucana*», 525).

En efecto, muy unida al auge de la clase media europea, la novela se había convertido en el género literario preeminente de los tiempos modernos, como Bello señaló. Las revoluciones que habían tenido lugar en los campos del conocimiento, la tecnología y las ideas políticas y económicas, así como la reorganización de la sociedad en sí misma, habían abierto enormes espacios en blanco que requerían un comentario no sólo enciclopédico o periodístico, sino también de ficción. En la época en la que Bello escribió estas palabras, la novela ya se había convertido en un elemento cultural, una mercancía de exportación leída con creciente interés por un público internacional y de clase media que se veía representado en los personajes. A pesar de que su importación había estado sujeta a restricciones en las colonias americanas su propagación no había sido completamente obstaculizada. Después de lograr la independencia, las nuevas repúblicas comenzaron un largo y difícil proceso de reorganización que requería transformaciones estructurales de todo tipo. Había llegado la hora de construir naciones, de encaminar a la gente hacia el «progreso», una palabra que se volvió inevitable. Cada persona culta había formulado en su mente un proyecto nacional lleno de pasión, y la palabra impresa, como símbolo esencialmente urbano de orden y poder, se emplearía durante muchos años para exponer tales esquemas. A pesar de que en América se leía como una novedad, la novela se convirtió en el vehículo literario más capacitado para realizar estas estrategias. Su discurso era una especie de inventario de lenguas que comentaba sobre todos los temas y se prestaba a todo. La novela contenía versiones popularizadas de las nuevas teorías científicas, sociales y políticas junto con descripciones de las virtudes, las pasiones, los vicios y las esperanzas de los seres humanos; podía hablar de un castillo medieval así como de una ciudad industrial y describir tanto la vida diaria como los paisajes exóticos. En manos de su seductor poder narrativo, el lector imaginaba, como si fueran propios, tiempos pasados que nunca vería, aventuras y experiencias que nunca tendría. Pero es también necesario subrayar que en Hispanoamérica la no-

[1] En *Obras completas de Don Andrés Bello*, Tomo IX, Opúsculos literarios y críticos, Universidad de Chile, ed. Nascimento, 1872.

vela sirvió como ningún otro género literario para reforzar en el lector la idea de que vivía inmerso en un espacio físico y sociocultural, que acababa de alcanzar su independencia, que se llamaba Chile, México o Argentina. Este espacio (su complejidad geográfica y etnológica) ya había sido descrito más o menos por las viejas crónicas y documentos, en la poesía y el teatro del periodo barroco, en los diarios científicos y en los libros de viajes, y en los artículos informativos y las piezas costumbristas de la prosa periodística reciente. Aún así, fue sólo entonces, al sentirse identificado con los personajes de las novelas locales, cuando el lector común tuvo por primera vez la ilusión de que vivía en el Territorio Nacional, con sus ríos, montañas, valles, flora, fauna, caminos, pueblos y ciudades —una especie de matriz telúrica donde la memoria colectiva conservaba tanto la antigua toponimia como las tradiciones de la tierra. Y no sólo eso, mientras acompañaba a los protagonistas a través de los nudos de la trama novelística, el lector entraba en contacto imaginario con las voces de un conglomerado humano cuyas razas, clases sociales y costumbres podían ser muy diferentes de las suyas. Más aún, la novela también contribuyó en gran medida a la participación del público lector en los primeros debates en lo que debía ser incluido o excluido de la idea de la identidad argentina, chilena o mexicana, e incluso lo que era y lo que debía ser la identidad hispanoamericana. Pero sobre todo, la novela sirvió como una plataforma pública para el debate sobre un tema principal en la historia del pensamiento hispanoamericano: la relación entre el sentimiento de Nación y el sentimiento de Modernidad.

EL SENTIMIENTO DE NACIÓN Y DE MODERNIDAD EN LA NOVELA HISPANOAMERICANA

Ningún ser humano culmina el proceso completo de llegar a ser ciudadano de una nación. Siempre existe algún déficit, entre otras razones porque el concepto de nacionalidad se ve manipulado constantemente por las facciones ideológicas del país y está, por ello, en un continuo desequilibrio. Como señala Benedict Anderson, es probablemente la naturaleza imaginaria de palabras tales como «nación», «nacional» y «nacionalidad», la que ha evitado que los teóricos de primera clase se preocupen por el análisis de la cuestión del nacionalismo. Pero aquí la dificultad está no sólo en conseguir una definición básica del término en países multiculturales, sino también en la tendencia que tienen las prácticas nacionalistas a conectar un suceso en el presente con un pasado con el que no tiene ninguna conexión racional. Se debería observar que en un texto que habla del sentimiento de Nación, los referentes contemporáneos y pasados están mezclados. De esta forma el mensaje nacionalista lleva la imaginación del lector o receptor a un pasado prestigioso y perfecto —pero totalmente imposible. Y esto sin mencionar el carácter abiertamente heteróclito del discurso nacionalista, especialmente en Hispanoamérica. Como sabemos, tal discurso en Europa está por lo general dominado por formas doctrinarias y didácticas de tipo monológico, tales como mitos y leyendas fundacionales, himnos y oraciones civiles, biografías de héroes, libros escolares de historia y educación cívica, piezas de oratoria y literatura épica que construyen una especie de panoplia o heráldica legitimadora que se refiere a la tradición grecorromana y a la cristiandad. Sin embargo en las Américas, dada la obvia fragmentación de la superficie sociocultural, el discurso nacionalista tiende a dispersarse, expresándose en formas monológicas y dialógicas. Tales formas, además de las mencionadas más arriba, incluyen importantes estratos de lírica, teatro y ensayo, así como los géneros narrativos (la crónica, el esbozo de colorido local, el cuento corto, la novela) y el folklore (proverbios, bromas, teatrillos y poesías populares, cantos, tradiciones). Estas expresiones se refieren en último término a un espacio sociocultural cargado de ideas modernas (que surgen a partir de la Ilustración, *grosso modo)* así como de tradiciones orales antiguas cuyo origen está en la América indígena, el África negra y la Europa medieval. No es de extrañar que Miguel Hidalgo proclamase la independencia mexicana bajo la égida de las ideas revolucionarias de la Ilustración y el apoyo de la Virgen de Guadalupe, y tampoco que la Asociación de Veteranos de la Guerra de Independencia en Cuba fuese la institución que nombró a la Virgen de la Caridad del Cobre como patrona nacional de Cuba. Los cultos hacia estas vírgenes surgen de los mitos sincréticos que desde los primeros tiempos coloniales expresaron un deseo, una esperanza, de igualdad racial y sociocultural. Este deseo de que los varios componentes etnológicos de un país (indoamericano, europeo, africano) se dirigiesen hacia un destino común, fue un antecedente necesario al más complejo deseo de desarrollar una nacionalidad. Más aún, el hecho de que las prácticas nacionalistas hispanoamericanas —incluyendo las estrategias del arte, la danza, la música y la literatura— preserven estos deseos de integración tan antiguos, corrobora la opinión de Anderson de que el llamado «sentimiento nacional» está unido más al discurso cultural que al ideológico o político. Si a esto añadimos la penetrante observación de Fernand Braudel de que los sistemas culturales duran mucho más que los sociales, económicos y políticos, podremos apreciar mucho mejor la tremenda importancia del fenómeno nacionalista en general. Esta importancia, siempre más visible en el mundo contemporáneo, no sólo requiere que se estudie el nacionalismo dentro de la esfera cultural, sino también la manipulación de su discurso a través de otros discursos. Nos preocupamos aquí, por supuesto, sólo por el estudio de las relaciones entre el nacionalismo, la modernidad y la literatura hispanoamericana, un área que ha sido brillantemente analizada en los últimos años por Doris Sommer (1991), Roberto González Echevarría (1990), Carlos J. Alonso (1990), Gustavo Pérez-Firmat (1989), Julio Ramos (1989), Antonio Cornejo Polar (1989), Josefina Ludmer (1988) y Benedict Anderson (1983). Queda claro que mis opiniones se deben en gran medida a las de estos investigadores.

Ahora bien, una vez que el desplazamiento mimético típico de todo tipo de deseo —como ha observado René Girard— ha creado en las mentes de una parte influyente del grupo social estos lazos imaginarios de nacionalidad, ya no es posible evitar hablar de ello. Entre otras razones porque simplemente nadie nace con un sentimiento nacional determinado, al igual que nadie nace con una cultura determinada. Por ello, es necesario saturar a cada nueva generación con el discurso histórico-cultural del sentimiento de Nación; su constante propagación garantiza la continuidad de la madre patria. Más aún, considerando que el sentimiento de Nación siempre se debate, sus distintas versiones crean la necesidad de referirnos a las historias pasadas que pueden servir como centros de legitimación, una práctica que tiende a diversificar la historia de la nación en un sentido utilitario. Este conjunto de historias recurrentes se transmite de forma fragmentada a través de una red institucional que, manipulada por los grupos de poder, se extiende desde la familia hasta el gobierno, desde la escuela hasta las fuerzas armadas, desde la prensa hasta los partidos políticos y los sindicatos. Muchas de estas historias, como los mitos de las vírgenes mexicanas y cubanas, tienen mucho en común con las que cuentan los *griotes* africanos para transmitir sus tradiciones locales y son por ello parte del paradigma del conocimiento pre-científico, o, como Jean-François Lyotard ha denominado acertadamente, el conocimiento «narrativo». Por ello no debe asombrarnos que la inteligencia moderna haya visto el variado popurrí que habla de la identidad hispanoamericana como una anomalía (un «misterio», un «enigma») que debía corregirse —Domingo Faustino Sarmiento (1811-1888) en *Facundo* (1845)— o convertirse en poesía —José Martí (1853-1895) en *Nuestra América* (1890)— dada su falta de voluntad de atenerse al rigor científico. Es necesario observar que, al contrario que las obras disciplinarias, las historias nacionalistas no necesitan cumplir con los requisitos para comprobar su validez; estas pruebas se las proporcionan a sí mismas cuando hablan de la naturaleza autóctona, de la tierra, de la madre patria, de sus héroes míticos o reales —en otras palabras, cuando reconstruyen el pasado.

Todo lo dicho puede que ayude a explicar por qué se habla tanto en los países hispanoamericanos de la responsabilidad del escritor para con el pueblo. De hecho, creo que lo que se pide al intelectual es lo mismo que Bello estaba pidiendo: una obra nacionalista, o al menos una obra que contribuya a perpetuar del debate sobre la identidad nacional. Es una petición inevitable ya que sin la cooperación de las prácticas patrióticas (su institucionalización, su autoridad, su poder), habría sido difícil para las sociedades inestables y fragmentadas de Latinoamérica, hundidas en la desesperación del subdesarrollo crónico y forzadas a permanecer en la periferia del sistema económico mundial, haber mantenido la cohesión, por muy precaria que ésta fuera, que ha podido sostener desde los tiempos coloniales hasta el presente.

Ahora bien, si alguien sugiere que las demostraciones de nacionalismo son absurdas porque necesitan conjugar simultáneamente versiones del pasado y del presente, debe concluir que la relación entre los sentimientos de Nación y de Modernidad es igualmente paradójica, ya que el primer concepto se refiere a los orígenes del grupo sociocultural en un territorio dado y el segundo concepto se dirige hacia el futuro del mundo. En ese sentido, se puede decir que cualquier intento de conectar la Nacionalidad y la Modernidad en el mismo nivel jerárquico, como ocurre en Hispanoamérica, pone en duda la continuidad de las relaciones entre el pasado, el presente, y el futuro —en otras palabras, a Hispanoamérica como entidad histórico-cultural y como utopía socioeconómica viable. Tal paradoja parecería irreducible, ya que existe desde el momento de la fundación de los estados hispanoamericanos. Debemos recordar que las razones que llevaron a los Padres Fundadores de la Independencia a rebelarse contra el Imperio Español fueron, por un lado, el injusto papel secundario que los criollos tenían dentro del sistema colonial español y, por otro, el anacronismo de las instituciones políticas, económicas y educativas de la Madre Patria con respecto a las de la Ilustración. Por ello, en el caso de las sociedades hispanoamericanas, se puede decir que los deseos de identidad nacional y los de modernidad se expresaron dentro de la misma propuesta. Probablemente esta paradoja nació cuando las ideas ilustradas comenzaron a influir en el proceso de formación del sentimiento nacional. En todo caso, la confluencia de ambos deseos dentro de un discurso, que se podría llamar el del «sentimiento de Nación / sentimiento de Modernidad» para subrayar tanto su carácter *excesivo* como su *tensión* interna, parecería haber sido inevitable. Más tarde, a lo largo del siglo, la paradoja del sentimiento de Nación sería debatida y supuestamente resuelta a lo largo de un voluminoso y variado número de proyectos. De entre los cientos de autores que más contribuyeron entonces a llevar a cabo y diversificar este discurso —que se ha convertido en el discurso hispanoamericano— debemos citar nombres tales como Andrés Bello, José de la Luz y Caballero (1800-1862), Esteban Echeverría, Juan Bautista Alberdi (1810-1884), Domingo Faustino Sarmiento, José Victorino Lastarria (1817-1888), Francisco Bilbao (1823-1865), Juan Montalvo (1832-1889), Eugenio María de Hostos (1839-1903), Manuel González Prada (1848-1918), Justo Sierra Méndez (1848-1912) o José Martí. Aún así, «el enigma hispanoamericano» —como dijo Martí en 1890— no podía ser resuelto por «el libro europeo» o el «libro yanqui»; ni siquiera podía ser resuelto por los propios hispanoamericanos, tal vez porque nunca estuvo a su alcance la posibilidad de modernizarse de forma autónoma, es decir, de construir el sentimiento de Modernidad sobre el sentimiento de Nación (la Europa del Mercado Común, los Estados Unidos, Japón). Por esta razón, *ser* un mexicano, un argentino o un peruano es renacer una y otra vez dentro de la tensión del sentimiento de Nación / de Modernidad, una condición que los pueblos hispanoamericanos comparten con los de otros países económicamente dependientes que desean modernizarse.

No obstante creo que podemos estar de acuerdo en que tras esta afirmación pesimista se percibe la silueta de un deseo común que es productivo en más de un sentido. Ya que conserva la percepción de un momento épico que nunca existió en el pasado (el paraíso perdido de la «primera» fundación) y que no existirá nunca en un futuro predecible (la victoria final del progreso como utopía positivista), este deseo o sueño no sólo da a la Madre Patria y a su historia la posibilidad de renacer a través del perpetuo discurso de la reconstrucción, sino que también ayuda a la regulación institucional de la conducta política y social del individuo por medio de los mecanismos de exclusión e inclusión que contiene cada deseo, cada proyecto. En consecuencia, detrás de la aparición contradictoria de las expresiones de sentimiento de Nación y de Modernidad latinoamericanas, existe un mandato oculto: una comunidad de intereses institucionalizados que acepta de forma tácita las contingencias de lo imaginario y lo impredecible por el bien de la lucha contra el peligro de la disolución social. Desde el fondo de esta comunidad de intereses institucionalizados, que siempre se despliegan cuando está a punto de ocurrir la catástrofe, emergen las literaturas nacionales de Hispanoamérica, especialmente la novela del siglo XIX.

Ahora bien, el espacio para la legitimación de las literaturas nacionales de las Américas no está limitado a sus territorios nacionales respectivos. No se podrían reducir a estos últimos porque, al contrario que las literaturas europeas, ni su lengua ni sus géneros son autóctonos; más aún, ni siquiera sus peticiones de autoctonía son genealógicamente autóctonas. Como dijo Juan Marinello, también existe una manera de legitimación extraterritorial que no se puede evitar ni siquiera dentro de las formas de nacionalismo literario o cultural más radicales. El referente americano (digamos, un indio aymara, su vida social, su cultura), antes de ser investido con el sentimiento de Nación, es *pre-lingüístico,* ya que para enrolarse en el sentimiento de Nación debe tomar significado de la lengua europea (y no de la lengua aymara) dentro de los criterios epistemológico, cultural y literario de Europa. De esta forma se podría decir que cuanto más autóctona se propone ser una novela *(Enriquillo*, *Cumandá*, *Aves sin nido),* más exótica terminará siendo, ya que estará narrando cuestiones autóctonas en un lenguaje que habla desde fuera, no sólo sobre la naturaleza y los indios (el lenguaje eurocéntrico de la antropología) sino también sobre el autor de la novela en sí mismo. Pero esto es sólo una parte del problema, porque si nuestro autor decidiese escribir una propuesta de reforma social o política *(El periquillo sarniento*, *Francisco*, *Facundo*, *Amalia),* el lenguaje del Otro, por muy «liberal» que fuese, excluiría al propio autor como único autor de la propuesta. Todo esto ocurre, repito, no sólo porque el escritor hispanoamericano, para conseguir ser *hispanoamericano*, necesite la lengua europea —y no me refiero a la lengua española en sí misma— sino sobre todo porque tal lengua ha construido la *episteme* apropiada para Occidente (sus materias, sus sistemas, sus estrategias, sus paradojas, sus puntos ciegos) y pretende que sea legítima sólo dentro de las instituciones europeas, entre las que se cuenta la novela. En conclusión, todos los referentes propuestos como autóctonos en cualquier novela (la jungla, el volcán, la música indígena, etc.) sufren la mediación del discurso antropológico del Otro, a pesar de que el escritor haya nacido dentro de esta tradición en particular. Pero no todo se refiere al Otro en la literatura hispanoamericana, ya que de forma análoga, los referentes de procedencia europea (el Cristianismo, el Progreso, la República, la Ciencia, la Novela e incluso el Lenguaje en sí mismo) sufren la mediación del deseo del escritor de participar en ese territorio. Creo que Marinello se refería a esta doble mediación o *ruido* cuando afirmaba que, en última instancia, de lo que se trataba es de que la lengua es «nuestra» a pesar de ser extranjera.

Ciertamente, creo que existe una novela hispanoamericana distinta de todas las demás en el mundo. Pero también creo que tal novela existe no debido a que constituya un conjunto coherente de textos producidos a lo largo del territorio hispanoamericano en un momento determinado, unidos mediante un eje axial, ontológico, estructural, estilístico, referencial o intertextual. En cambio, la novela hispanoamericana como tal existe porque ha sido y está siendo construida por una *interacción* de novelas nacionales que, a pesar de ser muy diferentes las unas de las otras, muestran asimetrías, interferencias y discontinuidades paralelas, en particular en cómo se inscriben a sí mismas dentro del sentimiento de Nación de formas no lineales y conflictivas. Es decir, estas novelas intentan alcanzar simultáneamente dos fuentes mutuamente excluyentes para legitimar su lenguaje, ambas inalcanzables. Por un lado, América (la autóctona, la Madre), y, por otro, Europa (el moderno, el Padre). Estas novelas también reflejan un ser prelingüístico que se identifica con la Naturaleza pero que ha sido velado por el lenguaje del Otro (Europa) y presenta un diálogo con el Otro sobre la modernidad que se oscurece a su vez por el deseo prelingüístico de sentirse identificado con la Naturaleza.

LOS CONTEXTOS EN LAS NOVELAS HISPANOAMERICANAS

Para enfatizar la influencia de las ideas francesas sobre los criollos cultos es habitual decir que Francisco de Miranda, después de leer la *Histoire philosophique et politique des établissements et du commerce des européens dans les deux Indes* (1770), del Abbé Raynal (1713-1796), y *Les Incas* (1777), de Jean-François Marmontel (1723-1799), decidió llamar a su utopía sobre los estados americanos independientes «Incanato». La anécdota es verdadera, pero se debe situar en un contexto en el que las ideas europeas coexistían con el pensamiento autónomo que ya participaba en un diálogo crítico con los rígidos criterios de la administración española. Debemos recordar que las contradicciones culturales entre los criollos y los españoles ya se hacían evidentes a comienzos del siglo XVII, incluso en el seno de la Iglesia, como señala Thomas Gage en el caso de México. Una rivalidad de esta índole fue creciendo con el tiempo hasta que en el siglo XVIII alcanzó momentos de confrontación abierta. Los campesinos y los artesanos no se rebelaron porque hubieran leído a Voltaire (1694-1778) o a Jean-Jacques Rousseau (1712-1778) o para emular a los milicianos de la Revolución Norteamericana —como se ha sugerido en ciertas ocasiones—, sino porque fueron objeto de abusos concretos por parte de las autoridades españolas: la represión de las instituciones comunales, el monopolio comercial del cacao y el tabaco, los impuestos crecientes, el reclutamiento militar, el favoritismo en asuntos legales. También debemos considerar las repercusiones de los levantamientos africanos e indígenas, ejemplificados por la prolongada resistencia de los Negros de Palmares en el siglo XVII o la rebelión de Túpac Amaru (1780-1781), cuyo propósito era restablecer en lo posible el antiguo Tahuantinsuyo. La guerra de liberación haitiana (1791-1804) fue también una gran influencia. Las victorias de Toussaint Louverture sobre las tropas francesas e inglesas y, en especial, la fácil toma de la parte española de Santo Domingo, dieron pruebas tangibles a los criollos hispanoamericanos de que la independencia era posible.

De forma similar, en este siglo de crisis coloniales, el humanismo jesuita se infiltró dentro del sistema pedagógico con una comprensión de los indígenas y de su cultura que tendría un impacto muy importante sobre el pensamiento nacionalista de los criollos cultos. Además, como se sabe, antes de su expulsión del territorio español (1767), los jesuitas dibujaron mapas, fundaron misiones, crearon redes de comunicación, estudiaron las lenguas nativas y publicaron importantes obras históricas y tratados con información sobre geografía, etnografía y sobre la flora y la fauna de las regiones más remotas del continente. Debemos recordar, entre otros, el bello libro *El Orinoco ilustrado*, de José Gumilla, con ediciones de 1741, 1745 y 1791. Una vez en el exilio, los jesuitas escribieron libros tan notables como la *Storia antica del Messico*, de Francisco Javier Clavijero (1731-1787). O, en lo que se refiere a la literatura, la *Rusticatio Mexicana* de Rafael Landívar (1731-1793), cuya visión bucólica de la vida rural constituye un precedente de las *Silvas americanas* de Bello.

Coincidiendo con la aparición de estos ejemplos más o menos locales, que preludiaron el surgimiento del sentimiento nacional, los criollos con ideas más radicales (como es el caso de Miranda) leyeron las críticas a la empresa colonial española con la voracidad de fieles discípulos: Voltaire, Rousseau, Denis Diderot (1713-1784), Étienne Bonnot de Condillac (1715-1780), Jean Le Rond d'Alembert (1717-1783). Este periodo también fue testigo de la aparición de las obras históricas del Abbé Raynal y de William Robertson (1721-1793), que, pese a estar prohibidas por la Inquisición, despertaron un gran interés en la generación de finales de siglo. En este clima casi subversivo, se recuperó a Bartolomé de las Casas (1474-1566) como autor de moda. Su *Brevísima relación de la destrucción de las Indias* fue reeditada en París, Londres y Filadelfia, e incluso en Bogotá y en Puebla. Además los periódicos y gacetas ya habían comenzado a aparecer en las ciudades más importantes. En ellos, como observa Mariano Picón Salas, se puede reconstruir día a día, capital a capital, cómo todas las utopías fascinantes elaboradas en el siglo XVIII surgieron en las conciencias criollas. Y no sólo eso, los medios escritos sobre todo ayudaron a la expansión del sentimiento de Nación y el deseo de progreso. Noticias del interior y del extranjero, información financiera y mercantil, estadísticas sobre el tráfico en los puertos, artículos científicos y literarios, notas sobre actividades culturales, anuncios del gobierno y estadísticas de todo tipo aparecían en sus páginas. Dentro de esta atmósfera creada por libros extranjeros y periódicos locales, el discurso del sentimiento de Nación, como construcción del pensamiento, emergió como precursor de la Independencia. Francisco Eugenio de Santa Cruz y Espejo (1747-1795), Francisco de Miranda, Manuel de Salas (1735-1841), Miguel José Sanz (1754-1814), Antonio Nariño (1765-1823), Fray Servando Teresa de Mier (1765-1827), Mariano Moreno (1778-1811) y otros muchos.

A lo largo del siglo, desde los viajes en barco de Amédée-François Frezier (1712-1714) hasta los de Alexander von Humboldt (1799-1804), una constelación de sabios visitó las Américas. Como señala Mario Hernández Sánchez-Barba, en su motivación más profunda los viajes de la Ilustración no sólo representaban el impulso de una época, sino que, además, daban forma a proyectos de unir empresas científicas y literarias. El resultado de estas expediciones toma forma dentro de una colección esencial de libros bellamente ilustrados que, en prosa serena y neoclásica, combinan las curiosidades científicas con las narraciones del explorador. Pero estos viajeros dejaron algo más: contribuyeron a la transición de la conciencia criolla, antes limitada por un modo parroquiano de ver el mundo, a una conciencia que podríamos llamar hoy nacionalista y moderna. Debemos concluir que, sin la presencia en América del astrónomo y botánico español José Celestino Mutis, por ejemplo, es dudoso que el genio de Francisco José de Caldas (1770?-1816) hubiese llegado a la distinción necesaria para redactar su obra de geografía moderna o a publicar en 1807 su muy notable *Semanario de la Nueva Granada*. Ciertamente, la emergencia de los discursos nacionales dentro de cada disciplina en las diferentes colonias debe mucho a las visitas de los científicos europeos. Estos viajes de estudio despertaron en las ciudades una curiosidad por los paisajes del interior, por las ruinas de los monumentos indígenas y por las costumbres pintorescas de los pueblos. De hecho, cuando vieron que el interior de las tierras de su propio virreinato despertaba el interés de los científicos más famosos del mundo —Charles La Condamine, Alexander von Humboldt, etc.— los criollos de las capitales comenzaron a querer eso para sí mismos. Debido al carácter mimético del deseo, se apropiaron del deseo del Otro de conocer el paisaje natural americano, «su propia» naturaleza, que habían menospreciado hasta entonces, de la misma forma que habían menospreciado a «sus propios» indios. Cuando dieron este paso, estableciendo una conexión imaginaria entre el espacio amurallado de sus ciudades y las escenas indígenas del interior, estos criollos comenzaron a construir el sentimiento de Nación.

En resumen, condicionados ya por un deseo nacionalista de representar a su tierra con una complejidad siempre creciente —un fenómeno que se puede observar en la trayectoria de la poesía barroca, digamos que desde Bernardo de Balbuena (1568-1627) a Rafael Landívar— los escritores criollos experimentaron una motivación para escribir por razones tanto internas como externas. O, para ser más concretos: por un lado el deseo de legitimarse a sí mismos dentro de la naturaleza autóctona y con el colorido local y, por otro, el deseo de imitar, desde las posturas utilitarias, a las instituciones de la Europa moderna. Es precisamente este deseo bifurcado, imposible de resumir dialécticamente a través de una síntesis, el que define el sentimiento de Nación en Hispanoamérica y caracteriza su discurso *paradójico* y *excesivo*. De aquí la ambigüedad y la densidad de las novelas hispanoamericanas en lo que respecta a la cuestión de la legitimidad.

Las primeras manifestaciones literarias que se refieren a la nación fueron los poemas que idealizaban la naturaleza y el americano nativo, los ensayos histórico-culturales, los relatos de viajes, los versos y diálogos satíricos, y las piezas teatrales y descriptivas que exaltaban el colorido local. Auxiliadas por la entonces reciente práctica de ofrecer al lector imágenes gráficas que intentaban representar las cualidades *pintorescas* de determinados paisajes y tipos humanos, tales textos contribuyeron en gran medida a la formación de un deseo de pertenencia a un Territorio Nacional. Este denso protocolo, gran parte del cual apareció en publicaciones periódicas, produjo la variada masa de textos necesarios, como referentes, para lograr el discurso totalizador y dialógico de la novela. Como veremos, los primeros novelistas de México, Cuba, Argentina, etc., no introdujeron en sus obras nuevas ideas sobre el sentimiento de Nación, sino ideas que ya habían aparecido en la prensa, incluyendo a veces ideas de obras que ellos mismos habían escrito. La novedad de estas primeras novelas no residía en sus propuestas ideológicas, políticas, económicas, sociales o culturales. Todas estas propuestas se encuentran dispersas en las páginas que precedieron a las novelas. La novedad, y la cosa verdaderamente característica es que, debido a que el desarrollo del género en Europa coincidió con el surgimiento del sentimiento de Nación en Hispanoamérica, la novela constituyó la primera máquina literaria capaz de narrativizar tales proposiciones *simultáneamente*, por muy heterogéneas que fuesen y ofrecerlas al lector formando una sola historia. La efectividad del género, su productividad, su flexibilidad y sobre todo su habilidad para alegorizar las situaciones más variadas y para recoger voces y materiales de diferentes disciplinas y sistemas de conocimiento, fueron las cualidades que permitieron que el género se convirtiera en el vehículo literario ideal para representar y debatir la tensión debida al deseo del sentimiento de Nación y de Modernidad.

En lo que respecta a los innumerables modelos novelísticos ofrecidos por las literaturas europeas —la forma más visible de legitimación extraterritorial— es necesario decir que no fueron imitados indiscriminadamente por los hispanoamericanos. Generalmente tomaron de esos modelos lo más apropiado para los proyectos nacionales que se estaban discutiendo en cada país. Una novela como *Atala* (1801), de François René de Chateaubriand (1768-1848), que hablaba sobre los paisajes americanos y las sociedades indígenas cautivó la imaginación de los lectores criollos. Para ellos, las páginas del libro no sólo contenían un mero conflicto sentimental, sino una cuestión real de importancia primaria dentro de sus problemáticas socio-culturales. Por razones paralelas, como se verá después, algunas novelas de Alain-René Lesage (1668-1747), Oliver Goldsmith (1728-1774), Jacques-Henri Bernardin de Saint-Pierre (1737-1814), Scott, Stendhal (1783-1842), Alessandro Manzoni (1785-1873), James Fenimore Cooper (1789-1851), Alphonse de Lamartine (1790-1869), Honoré de Balzac (1799-1850), Victor Hugo

(1802-1885), Alexandre Dumas (1802-1870), Eugène Sue (1804-1857), George Sand (1804-1876), Charles Dickens (1812-1870), Emile Zola (1840-1902), José María de Pereda (1833-1906), Benito Pérez-Galdós (1843-1920), y otros despertaron intereses similares y fueron imitadas con el fin de aumentar el sentimiento de Nación. En realidad se puede decir que fueron *nacionalizadas*, si entendemos que la «nacionalización» es la expropiación de un discurso foráneo realizada por sujetos (escritores) de una nación con el propósito de transformarlo para que pueda servir a la nación (a la tradición literaria). Como resultado, las referencias a la novela europea que encontramos en las narrativas hispanoamericanas no deben verse como relaciones intertextuales desinteresadas, accidentales, pasivas o meramente imitativas, sino que, por el contrario, han de ser vistas como el producto de las relaciones utilitarias (expropiación) que dan beneficios (prestigio, autoridad, poder) a la economía de la novela nacional.

Ahora bien, la práctica de nacionalizar textos extranjeros no se aplicó de manera global a los distintos movimientos artísticos que estaban diseminados por Europa durante el siglo XIX, sino que se aplicó a ciertos estratos de obras específicas que, escritas de acuerdo con estas estéticas, podían servir para articular los mecanismos nacionalistas en Hispanoamérica, dependiendo de las diferentes situaciones en las que cada país se encontrase. En efecto, los escritores hispanoamericanos tomaron fragmentos de aquí y de allí, de novelas antiguas y nuevas, guiados a menudo por un utilitarismo en el que la cuestión nacional era más importante que el éxito artístico, y por ello no se ajustaron completamente a los sucesivos cánones que ordenaron la historia artística europea: Neoclasicismo, Romanticismo, Realismo, etc. Por ello, Fernando Alegría habla de la presencia de un «realismo romántico» y de un «realismo naturalista» en la novela hispanoamericana. Esta particularidad —el anacronismo artístico mostrado por los varios materiales de una sola obra— constituye el obstáculo más importante que se debe superar para realizar cualquier tipo de organización cronológica que tome en consideración la secuencia en la que se expresaron los movimientos estéticos en Europa. De forma similar, la tendencia a ignorar las diferencias literarias nacionales a favor de una unidad de la literatura hispanoamericana ha contribuido a la construcción de organizaciones cronológicas globales basadas en una sucesión supuestamente orgánica de las «generaciones literarias». De hecho, tales esfuerzos, a pesar de su posible utilidad para el desarrollo del discurso crítico, no explican, por ejemplo, por qué ciertas estrategias neoclásicas sobrevivieron en las novelas «románticas» y «realistas», o por qué el romanticismo hispanoamericano llegó en algunos países hasta los últimos años del siglo XIX, ni por qué las novelas «naturalistas» de los años 90 del siglo XIX exhibieron características similares a las de estéticas anteriores, ni por qué la «Generación de 1880» en Argentina escribió sobre temas urbanos mientras que el tema literario más actual de la época en el Perú eran los indios.

La observación de la relación entre el sentimiento de Nación, el Modernismo y la novela, sin embargo, nos ayuda a definir la problemática del estudio de la literatura hispanoamericana y, al mismo tiempo, nos ofrece respuestas parciales a preguntas tales como las que he formulado arriba. Por ejemplo, la larga duración de los estratos románticos en la novela se podría explicar por el hecho de que, hasta los años 70 del siglo XIX —cuando comienzan los intentos más obsesivos de modernización institucional y económica en algunos países—, ciertas tendencias del Romanticismo (la idealización de la naturaleza y del colorido local, por ejemplo) sirvieron mejor para fines nacionalistas que las procedentes del Realismo. Por supuesto, no todos los modelos románticos ofrecían las mismas posibilidades de actuar como mecanismos de consolidación de la nación. La modalidad gótica, por ejemplo, fue muy poco cultivada en Hispanoamérica debido a sus obvias limitaciones para comunicar el nacionalismo. Dada su inclinación a la construcción de romances fundacionales y a ofrecer interpretaciones de los sucesos pasados (las raíces de la nación) desde una perspectiva moderna, la novela histórica del estilo Scott, por otro lado —como ha observado Sommer— fue el género favorito de los escritores americanos *(Guatimozín*, *Yngermina*, *La novia del hereje*, *El Inquisidor Mayor*, *Enriquillo)*. El romanticismo alemán no influyó de forma directa en Hispanoamérica, al contrario que el romanticismo francés, cuyas dos corrientes —la conservadora (Chateaubriand) y la liberal (Hugo, Sue)— despertaron gran interés, en particular la última, ya que su tardía irrupción trajo consigo las ideas sociales del siglo XIX más cercanas a los gustos de los jóvenes radicales. Como ha observado Cedomil Goic, los modelos románticos imitados fueron por lo general *constructivos* política y socialmente, ya que debían servir para consolidar y perfeccionar la nación. Así que no fue la estética romántica en sí misma sino algunas de sus tendencias y temas las que generaron en los escritores el deseo de imitar al producto europeo por el bien del sentimiento de Nación.

En realidad, los años 70 del siglo XIX dan un panorama importante de cambios y discontinuidades útiles para el estudio de la novela hispanoamericana. En este periodo el discurso nacionalista se transformó debido a una nueva forma de desear la Modernidad que en la práctica se convirtió en el llamado «proceso de modernización». Por supuesto, tal proceso no ocurrió de forma simultánea en todos los países, pero sí que constituyó una tendencia general e irreversible, a pesar de la resistencia que encontró entre los poderes conservadores (la Iglesia, el *gamonal*, el hacendado propietario de esclavos). Comenzó cuando el ritmo de la industrialización se aceleró en los centros del capitalismo mundial, con un consiguiente incremento en la demanda de cereales, carne, azúcar, café, cacao, tabaco, piel, lana, goma, madera, minerales y otros bienes. Tales demandas requerían que las economías periféricas (entre ellas las hispanoamericanas) asumieran una posición más visible en el sistema global bajo un nuevo régimen comercial y financiero —de tipo deficitario obligatoriamente, ya que la producción local no contaba con una base tecnológica— que se ha estudiado de forma extensa bajo el nombre de «capitalismo dependiente», «imperialismo económico» y «neocolonialismo».

En lo que respecta a la novela, el deseo del sentimiento de Modernidad se había canalizado hasta entonces a través de los códigos de la Ilustración, el capitalismo comercial, el socialismo utópico y el Romanticismo; a partir de entonces se canalizaría a través de los códigos del capitalismo industrial, del nuevo discurso científico-social —Auguste Comte (1798-1857), Alexis de Tocqueville (1805-1859), Herbert Spencer (1820-1903)— y el del Realismo y el Naturalismo. Los intereses de esta segunda época, sin embargo, no conseguirían sustituir totalmente a los de la primera, ya que el crecimiento de la producción industrial en el mundo capitalista no previó (o más bien negó) la posibilidad de que Latinoamérica modernizara sus estructuras tradicionales en profundidad. Por ello no podemos hablar aquí de una verdadera sustitución de lo antiguo por lo nuevo, sino más bien de la coexistencia crítica de dos formas diferentes de desear la modernidad. Esta tensión contribuyó a la fragmentación y la dispersión aún mayor del discurso nacionalista, hasta tal extremo que en las novelas de finales de siglo —digamos *La charca* (1895) de Manuel Zeno Gandía (1855-1930)— podemos ver a menudo la combinación de estratos del Romanticismo (la lírica), el Realismo (la ironía) y el Naturalismo (el pesimismo). Podemos apreciar el paso desde la primera fase hasta la segunda en la producción novelística del siglo XIX. Para demostrarlo seguiré la versión que habla de la naturaleza y del ser «autóctono».

Es fácil ver que las ideas de la escuela fisiócrata de la economía política, que atribuían el origen exclusivo de la riqueza a la naturaleza y conferían a la agricultura la supremacía sobre la industria, no sólo ayudaron a la formación de los discursos de la economía, la geografía, la agronomía y las ciencias naturales en las Américas, sino que también prolongaron las repercusiones profético-literarias, comenzando por las propias *Silvas* de Bello. Dado el retraso económico, científico y tecnológico de las repúblicas que emergieron del colonialismo español, la relación entre la naturaleza y la riqueza observada por François Quesnay (1697-1774) aún parecía explotable para muchos hispanoamericanos en la segunda mitad del siglo XIX. Es más, las ideas de los *philosophes* sobre el Buen Salvaje (el indio, el esclavo, y el campesino investidos de naturaleza) y el sueño de llegar a la civilización universal, contribuyó tanto a los propósitos liberadores, como a los primeros debates constitucionales que tuvieron lugar en las Américas.

En efecto, el Romanticismo, lejos de desmantelar el mito de la naturaleza y de la inocencia del «ser natural», le dio un ser narrativo de carácter sexual en las novelas de Chateaubriand (el indio) y en el *Bug-Jargal* de Hugo (el esclavo africano). Como resultado, en lo que respecta a la naturaleza y a sus Buenos Salvajes, muchos hispanoamericanos «románticos» conectaron, a través de *Paul et Virginie* (1788), las ideas de la Ilustración con las del Romanticismo, dejando ver esta construcción en sus obras. Para confirmarlo sólo se necesita observar la frecuencia con la que los indios, los esclavos, los campesinos, los terratenientes, las casas de campo, los paisajes, los ríos, los valles, los bosques, los campos, las pampas, las montañas, la flora y la fauna aparecen en la literatura antes del proceso de modernización. Más aún, es necesario darse cuenta de la abundancia de referencias sobre agricultura y ganadería (plantaciones, haciendas de ganado, cosechas, huertos, bosques, árboles frutales, jardines, flores, plantas medicinales) asociadas con la riqueza, el conocimiento, la felicidad, el idilio y las cualidades físicas y morales de los personajes.

No debe sorprendernos que Echeverría, en su programa literario, haya idealizado al gaucho, o que Avellaneda, en *Sab* viera los atributos de la nacionalidad cubana en un mulato nacido esclavo, o que *Yngermina* (1844), la primera novela nacional de Colombia, tomase el idilio de un conquistador y una mujer indígena como origen para la madre patria. En aquellos años los indios, los gauchos y los negros formaban un grupo exaltado tanto por la Ilustración como por el Romanticismo. Además, estos primeros proyectos deseaban en abstracto un futuro de unidad nacional; es decir, una utopía donde los factores de la nacionalidad se reconciliaran armoniosamente sobre la fundación de palabras tales como «libertad», «igualdad», «fraternidad», «civilización» y, por supuesto, «naturaleza». Años después, sin embargo, Sarmiento en su *Facundo* y Antonio José Morillas (1803-1881) en *El ranchador* (una historia cubana publicada en 1856) incluyeron al indio, el gaucho, el esclavo y el *ranchador* (cazador de esclavos huidos) en el territorio de la *barbarie*. ¿Por qué? A pesar de que ambos autores se hallaban bastante desconcertados por sus propias afirmaciones —como dice González Echevarría, el «bárbaro» era también *El Otro Interior*—, ambos autores simplemente habían reunido en sus respectivos países las señales incipientes del segundo momento moderno del que ya he hablado, un momento positivista en el que el Buen Salvaje ya no tendría un lugar real. En efecto, en los años 80 del siglo XIX, la pampa indómita sería «pacificada» y la hacienda esclavista «liberada»; la sociedad comenzaría a ser reconstruida por el capitalismo industrial, y el indio, el campamento indio, el fuerte fronterizo, el cacique, las revueltas indígenas, el cimarrón, el cuartel de esclavos, el *palenque*, el cazador de esclavos y sus mastines, se convertirían de repente en iconos nacionales y pronto comenzarían a ilustrar las páginas de historias urbanas y «blancas» de Argentina y Cuba como si perteneciesen a un distante pasado. En otros países como Perú, México y Guatemala, donde prevalecía una masa indígena imposible de aniquilar o asimilar y muchas de las antiguas estructuras coloniales se mantenían, las ideas positivistas se expresaron en proyectos que hacían hincapié en la educación como solución para el «problema indio». Aquí, contrariamente a lo que sucedía en Argentina, los indios se convirtieron en un factor omnipresente en la novela, aunque como un factor que tenía que ser transformado para poder ser integrado dentro de la nación moderna. Debería dejar claro, sin embargo, que aunque tome los años 70 como el punto de inicio más o menos general del nuevo deseo de modernización, hubo antes y después de este momento abundantes ejemplos literarios que mediaron entre las dos épocas. Son obras que sirven como epílogo a las ideas de la Ilustración y el Romanticismo y como prólogo para el impacto del capitalismo industrial y las ideas del Positivismo.

En todo caso, mientras un importante crecimiento tuvo lugar en las inversiones extranjeras, y especialmente en las exportaciones hacia los poderes industriales, las estructuras económicas y sociales de los países hispanoamericanos experimentaron cambios que repercutieron en el discurso nacionalista. Fue entonces cuando los escritores comenzaron a prestar más atención a los modelos realistas que Europa ofrecía desde los tiempos de Balzac. En Chile, con Alberto Blest Gana (1830-1920), emergió una narrativa que describía el proceso de sustituciones de viejos valores por otros nuevos: tener dinero, disfrutar de la vida, triunfar en la sociedad. Seguramente la presencia de la naturaleza continuó en la novela hasta bien entrado el siglo xx, pero no de forma consistente. De hecho ya no se tratará de una escena idílica *(La vorágine, Doña Bárbara, Canaima)* sino, como mucho, de una nostálgica *(Don Segundo Sombra, Los ríos profundos, La casa verde)*. La verdad es que la naturaleza dejó de estar de moda; en el clima literario del momento, la ciudad modernizada, así como sus instituciones, aparece con una insistencia aún mayor: la prensa, la política, la bolsa, los negocios, la industria, el teatro, el café. Los temas rurales, a pesar de coexistir con los urbanos, se refieren a situaciones diferentes. El proceso de modernización cambia la región remota y pintoresca por un centro económico ligado a la ciudad a través del ferrocarril, el correo, el periódico diario y el telégrafo en cuestión de un día. Así es como aparece la novela regional, dominada al principio por la pequeña épica local y más tarde por formas de realismo que describen nuevos personajes y conflictos. Por supuesto este proceso de modernización, como ya he dicho, es limitado tanto en anchura como en profundidad. La transformación de las antiguas estructuras económicas y sociales en absoluto fue total y uniforme, hasta el punto de que existían países en los que las consecuencias del proceso de cambio comenzaron a verse sólo a finales del siglo. Además, alrededor de las nuevas zonas de producción, existen masas de campesinos que viven en una economía de subsistencia agrícola, o que trabajan los campos del terrateniente en condiciones similares a las de la época de la independencia. Ni son generales, además, los beneficios de la modernización: la llegada de inmigrantes y de campesinos a las ciudades abarata la mano de obra; las clases sociales se vuelven más desiguales y, para muchos, la vida se hace más dura de lo que era antes; la pobreza, el desempleo, la mendicidad, el crimen, la prostitución, el juego, el alcoholismo, se multiplican. Más aún, al convertirse las economías locales en parte integrante del sistema atlántico, se ven afectadas por la caída de los precios en un mercado mucho más competitivo, además de por caídas en el mercado de valores y recesiones y crisis generadas en los centros del capitalismo industrial. En realidad muchos de los antiguos problemas no logran resolverse, cuando más se transforman y coexisten con nuevas dificultades. La novela hispanoamericana a finales de siglo narra este paradójico proceso de cambio, especialmente en Argentina y México. En la misma época la literatura francesa ofrece la novela naturalista de Zola (con sus series *Rougon-Macquart*, 1871-1893) y más importante aún, su nuevo método narrativo basado en la observación «científica» *(Le Roman experimental*, 1880). Así es como, hacia finales de siglo, la obra de Zola será nacionalizada por los narradores más cultos.

En resumen, la ficción preceptiva propuesta por Bello, para hablar de la nación, se cultivó durante años. Pero el sentimiento de Nación, ese elemento que hablaba con un interés personal de la naturaleza, la tradición y el progreso en la lengua y el conocimiento del Otro, rara vez se representaría con la calidad estética que acaso hubiera exigido Bello. Atrapadas en los mecanismos narrativos del serial periodístico, la oratoria, el costumbrismo, la alegoría y el melodrama, las novelas escritas en Hispanoamérica gastaron en unas pocas décadas las simples pautas programáticas a las que se subscribían, sin mostrar, por lo demás, una gran preocupación artística. Debemos estar de acuerdo en que sus autores —al contrario que Machado de Assis (1839-1908) en Brasil— no llegaron a tener un profundo conocimiento del género y, en consecuencia, no contribuyeron a su desarrollo. Aún así, es bueno recordar en su favor, que una gran parte de la obra literaria hispanoamericana estaba sujeta a la censura política, religiosa y social, situación que afectó, entre otras cosas, a su propio impacto nacionalista. En todo caso, a partir de los años 80 del siglo XIX, en los que varios países de substancia demográfica y económica estaban metidos en el entusiasmo ilusorio de modernizarse al estilo europeo, la ficción tendió a pintar las realidades nacionales con pesimismo. Sus personajes más frecuentes fueron el bandido, el gaucho malo, la prostituta, el marginado. Esto se debió quizás al fracaso de los ideales positivistas que, sostenían a los grupos hegemónicos en su tarea de conducir a sus respectivas naciones hacia el camino de la utopía.

En las páginas que siguen, comentaré una serie de novelas que, con pocas excepciones, son bastante conocidas. En lo que respecta al tan manido tema de qué materias deben o no deben ser incluidos en el género, tomaré como base las opiniones críticas que me parecen más prudentes. En este punto tan discutido, he preferido hacerme eco del empirismo de las corrientes dominantes, en vez de tratar de ser original y terminar siendo arbitrario. Ciertamente, al trabajar de esta forma, sin adoptar esquemas precisos de tipo taxonómico o normativo, he seguido criterios con los que no siempre he estado de acuerdo, sobre todo porque no consideraban que ciertos textos fuesen novelas. Pero por otro lado, creo, como mucha gente, que el género aún está en proceso de desarrollo y por ello no se presta fácilmente a sistematizaciones dóciles. Además, dado que la novela hispanoamericana parece resistirse a cualquier intento global de organización cronológica que tenga en cuenta sus premisas estéticas —debemos recordar que *María* (1867), que toma una gran medida de la melancolía de Chateaubriand, fue precedida por *Martín Rivas* (1862), que «chileniza» el realismo de Stendhal y Balzac—, he decidido dividir mi comentario en dos secciones que aluden desde un punto de vista vagamente cronológico al papel de la novela nacional en los dos grandes momentos socioeconómicos en el siglo XIX hispanoamericano. En realidad, esta división, que toma como punto de demarcación los años 70 del siglo XIX demuestra ser bastante problemática —¿qué esfuerzo de sistematización no lo es?—, ya que una lectura cuidadosa de las novelas permitiría reconocer inconsistencias con respecto a los periodos que he indicado, además de especificidades apropiadas para diferentes modos y momentos en los que se debatió el tema del sentimiento de Nación en cada país. Estas limitaciones, aunque menores, desde mi punto de vista, que las ofrecidas por otros esquemas, hacen que este breve estudio sea más útil para temas comparativistas que para temas globales.

MÉXICO: LA OBRA DE JOSÉ JOAQUÍN FERNÁNDEZ DE LIZARDI

Se han hecho repetidos esfuerzos para incluir dentro del grupo de la novela hispanoamericana textos escritos antes de *El periquillo sarniento*, de José Joaquín Fernández de Lizardi. Estos esfuerzos nunca han contado con el consenso general de la crítica, no sólo por las diferencias en los criterios actuales para definir el género novelístico, sino debido a la gran variedad de puntos de vista posibles para juzgar la «hispanoamericanidad» de un texto o de un autor en particular. Teniendo en cuenta esta falta de consenso, he decidido seguir la opinión mayoritaria que considera como la primera novela hispanoamericana, propiamente dicha, *El periquillo sarniento*. Sin embargo creo que, a pesar de que las obras anteriores muestran una gran disparidad en cuanto a su hispanoamericanidad y a su narratividad, que podría hacerlas inadecuadas como novelas, un mero inventario de tales obras es suficiente para sugerir la existencia de un significativo espectro de textos más o menos narrativizados que no deberían ignorarse en estudios más extensos. La aparente orientación anticanónica y dialógica de algunas de estas obras merece algo más que una mirada superficial. Tal vez lo interesante no es intentar demostrar, por ejemplo, que *El Carnero* o *El lazarillo de ciegos caminantes* son novelas, sino observar —como han hecho José Juan Arrom y Enrique Pupo-Walker— que la dinámica organizadora de la ficción se infiltró, aún durante el periodo de la conquista, en los varios géneros que empezaban a hablar de América.

En cualquier caso, la publicación de *El periquillo* ayuda a probar que, en lo que a América respecta, las condiciones que precedieron al nacimiento de la novela incluyeron la existencia de una tradición narrativa que respondía al deseo de escribir sobre las singularidades del Nuevo Mundo, la puesta en marcha de imprentas, y de instituciones educativas y culturales, el ejercicio de las letras, la formación del hábito de la lectura dentro de las clases medias y altas en la sociedad colonial, el impacto de las ideas de la Ilustración, el desarrollo de una conciencia criolla y la práctica de un periodismo de carácter nacionalista. En 1812, cuando Lizardi fundó su periódico *El Pensador Mexicano* (nombre que adoptaría como seudónimo) la Ciudad de México tenía alrededor de 170.000 habitantes y se diferenciaba de otras capitales coloniales no sólo por sus riquezas, sino también por su larga experiencia educativa, literaria y periodística.

Sin embargo, estas razones no explican por sí mismas la publicación de *El periquillo* en 1816. Debemos recordar la crítica situación de México en esos momentos así como la postura de Lizardi en el debate nacionalista del momento. Como es sabido, la capitulación de los monarcas españoles, debida a la invasión de Napoleón Bonaparte, tuvo consecuencias diferentes en México que en la mayoría del resto de las colonias sudamericanas. Allí el suceso hizo que los criollos organizasen juntas de gobierno provisionales; y a pesar de que al principio éstas juraron fidelidad al cautivo Fernando VII, pronto miraron hacia la independencia. Sin embargo, en el caso de México, los esfuerzos por crear un gobierno autónomo que expresara los intereses criollos terminaron en un espectacular fracaso. El virreinato cayó en manos de los conservadores, liderados por el poderoso sector de los mercaderes españoles. Los criollos mexicanos, carentes así de una forma transicional de gobierno que los uniera, se encontraron divididos entre el separatismo y el reformismo. Este último era apoyado por el grupo urbano, el más influyente, que formó el partido dominante hasta la promulgación del Plan de Iguala (1821). Por ello, la mayoría de los criollos no apoyaron la insurrección de Hidalgo en 1810. Se ha sugerido a veces que Lizardi defendía la causa independentista, pero no hay nada en sus acciones o estrategias como periodista o escritor que lo demuestre. Sin embargo, está claro que favoreció de manera entusiasta una reforma nacionalista que, basada en los preceptos liberales de la Constitución de Cádiz (1812), llevara a los criollos a las alturas del poder político, económico y social dentro del marco de España y las Américas.

La primera aparición de la obra narrativa de Lizardi coincide con el comienzo de sus esfuerzos políticos como periodista. Si decidió escribir *El periquillo* fue probablemente porque entendió que la ficción en prosa tenía una influencia potencial sobre la mentalidad criolla mucho mayor que las sátiras anónimas que publicaba en los periódicos. Además, probablemente también pensó que la novedad de la obra, además de su extensión y su carácter de ficción, ayudaría a evadir al aparato de la censura del que ya había sido víctima. (En 1814 sus artículos sobre las injusticias sufridas por los criollos bajo el sistema colonial, publicadas en *El Pensador Mexicano*, dieron con él en la cárcel). Es también obvio que la trama de *El periquillo* debe mucho a la novela picaresca *Aventuras de Gil Blas de Santillana* (1787), una traducción de la obra de Alain-René Lesage hecha por José Francisco de Isla. La razón por la que Lizardi se sintió atraído por esta novela neoclásica, y no por las obras románticas disponibles en versión española, es obvia: los códigos neoclásicos —los únicos que tocaban el tema de mejorar las condiciones de la vida a través de la rectitud moral— eran los más útiles para los criollos liberales para representar de manera optimista su propia inestabilidad económica y marginalidad social, con respecto a los españoles. Es interesante prestar atención a la observación de Felipe Reyes Palacios que Gil Blas expresa en su trama los deseos hegemónicos de la burguesía francesa, que, en las condiciones de México, podían ser comparados con los de los criollos. Debemos recordar que, arrepentido de su mala vida, Gil Blas recibe un castillo de manos de un benefactor. Algo parecido le ocurre a Periquillo: como premio por haberse reformado, hereda de su señor una taberna y una tienda. Es aquí, en este desenlace improbable, que Lizardi revela con la máxima claridad las aspiraciones de los criollos. Las ideas ilustradas de Lizardi se expresan también en la alta estima en la que tiene Periquillo a los viajes, la ciencia y los idiomas extranjeros, así como en los capítulos en los que lucha contra la esclavitud y se mofa de los títulos nobiliarios. Estos fueron los capítulos que provocaron la censura del cuarto volumen de la novela, que no se publicó de forma completa hasta los años 1830-1831.

Dada su naturaleza seminal, *El periquillo* fue el punto de referencia obligatorio para las novelas mexicanas que lo siguieron, novelas cuya tendencia fue continuar el tema de la marginación social así como su estilo periodístico, su costumbrismo, su didactismo y su melodrama. Pero la importancia de *El periquillo* no se limita a lo dicho. Debemos tener en mente, como señala Benedict Anderson, que los lectores experimentaron la ilusión de acompañar a Periquillo a lo largo de los caminos y a través de los pueblos y ciudades del virreinato, lo cual ayudó a que en ellos se despertase el deseo del sentimiento de Nación. Además, debido a la variada vida de Periquillo —fue estudiante, monje, médico, barbero, amanuense, farmacéutico, juez, soldado, pordiosero, ladrón, sacristán y mercader—, los lectores podían asociar las profesiones universales que practicó con las particularidades nativas del país, en el sentido de ser capaces de imaginar lo que era ser un soldado o un ladrón en México, o estar en un hospital o en la cárcel en México y en ningún otro lugar. Si añadimos a esto el catálogo de costumbres y personajes típicos que Lizardi incluyó en su narrativa, podemos apreciar claramente el importante papel nacionalista de la obra desde entonces.

En lo referente a las otras tres novelas de Lizardi, la que tiene más en común con *El periquillo* se titula *Vida y hechos del famoso caballero don Catrín de la Fachenda*. La diferencia más notable entre los personajes principales de las dos novelas es que, al contrario que Periquillo, Catrín no se reforma; continúa con su mala vida hasta el mismo día de su muerte. La orientación didáctica de la obra viene expresada en el hecho de que Catrín, hijo de una familia criolla, aspira a ser noble y trata de parecer un señor, imitando a los petimetres de la corte virreinal: es decir, no trabaja, viste elegantemente, juega, bebe, seduce a las mujeres y se comporta de manera altiva. Pero esta imitación lo lleva a la pobreza, al crimen, a la cárcel y al hospital, donde muere a los treinta y un años debido a enfermedades cogidas a causa de sus vicios. La fuente europea más influyente siguió por tanto siendo la picaresca pero dada su negativa a cambiar su vida, el viejo género picaresco del *Lazarillo* y el *Buscón*. Debemos observar que el mensaje de *El periquillo* y el de *Don Catrín* representan las opciones que el autor consideraba disponibles para los criollos: o bien podían subir en la escala social a través de un aprendizaje cívico y profesional, o bien podían caer, arrastrados por el peso de la inercia moral, hasta que pecaran más allá de los límites de la identidad mexicana.

En términos cronológicos, la segunda novela de Lizardi fue *Noches tristes*, vuelta a publicar en 1819 con el título definitivo de *Noches tristes y día alegre*, debido a la adenda de un nuevo capítulo. El tono filosófico al que aspiraba Lizardi en su obra lo llevó a adoptar una retórica en la que no tenían cabida su costumbrismo, su ironía ni su humor popular. Además, dada la estructura estrecha de la obra y su paralizante falta de acción —cinco escenas en diálogo—, la obra apenas ofrece el nivel de narratividad que normalmente se exige a una novela. *Noches tristes* toma como modelo la prosa prerromántica del español José Cadalso (1741-1782), en especial sus *Noches lúgubres* (1798). Lizardi debió referirse a esta obra porque trataba del tema de la exhumación del cuerpo de la mujer amada, un tema que le permitió dar al lector una lección moral en un decorado terrorífico: un cementerio en la oscuridad de la noche. Pero en la versión nacionalista de Lizardi, el protagonista no se enfrenta a la carroña pestilente en la que se ha convertido el cuerpo adorado, sino al cuerpo de una desconocida que ha confundido con su mujer en medio del terror nocturno. Cuando el protagonista deja el cementerio, tiene la fortuna de encontrar a su amada en la casa del enterrador, una situación que lleva a la reunión de la pareja con sus hijos en el «feliz día» del último capítulo. Este tratamiento del macabro tema de Cadalso permite a Lizardi escribir una reflexión edificante sobre la naturaleza del matrimonio cuando el comportamiento de la pareja se guía por sentimientos puros. Al final, la mujer del protagonista encuentra por azar a un cura rico que termina siendo tío suyo. Al igual que en *El periquillo*, el buen cura da a su sobrina toda su fortuna y ella comienza a utilizarla inmediatamente en obras piadosas. Es importante subrayar que los beneficiarios de sus obras no son nunca indios ni indigentes degradados; son criollos que soportan su pobreza con estoicismo y decencia, como Lizardi, que no se cansaba de repetir esto cuando hablaba sobre sí mismo. En resumen, Lizardi nacionalizó las *Noches* porque el tema podía manipularse de forma que expresara su deseo de construir para los criollos un hogar sólido y burgués.

Esta obra fue seguida de *La Quijotita y su prima* (edición incompleta 1818-1819; edición completa 1831-1832), una novela exageradamente moralizante y tediosa. Aquí Lizardi compara la vida de dos mujeres, las primas Pudenciana y Pomposa. La primera recibe de sus padres una educación basada en los principios de rectitud y prudencia, y por ello consigue tener un matrimonio solvente y una prole feliz. Pomposa, por el contrario, es víctima de la negligencia e indulgencia que la rodearon en su niñez; pronto desarrolla ilusiones de grandeza —por lo que la llaman «la Quijotita»— y se acostumbra a hacer lo que sus caprichos y deseos le dictan. Como adulta, sus comportamientos desviados la arrastran a la base de la pirámide social, ya que, tras ser deshonrada por un impostor que además le roba su dote, se ve forzada a ejercer la prostitución a la muerte de su padre. Las páginas en las que Lizardi da información sobre los gustos literarios normales en los hogares criollos son también interesantes. La biblioteca de la familia de la Quijotita contenía, además del *Quijote* y el *Gil Blas*, las *Obras jocosas,* de Francisco de Quevedo, y las *Novelas amorosas y ejemplares,* de María de Zayas y Sotomayor; *Pamela, o La virtud recompensada* y *Clarisa o La historia de una señorita*, de Samuel Richardson; *Diana enamorada,* de Gaspar Gil Polo; *Atala*, de François René de Chateaubriand; las *Soledades de la vida y desengaños del mundo*, de Cristóbal Lozano, etc. Este muestrario de obras diferentes y anacrónicas da una idea de los estilos, temas, personajes y tramas de ficción europeos que influyeron en Lizardi y sus seguidores.

CUBA: LA ÉPOCA DE DOMINGO DELMONTE

El nacionalismo literario, que expresó los deseos independentistas, surgió en la Cuba del los años 20 del siglo XIX de la manos del filósofo antiescolástico Félix Varela (1787-1853) y del poeta José María Heredia. Sin embargo, la idea del separatismo no obtuvo el respaldo de la gran mayoría de los criollos, como sucedió en México. En las circunstancias de Cuba, en las que el azúcar dominaba la economía, la lucha por la independencia no podía comenzar realmente hasta que se garantizara la libertad de los esclavos. Dado el alto número de estos (sobre 287.000 en 1827, un 41% de la población), los criollos blancos creyeron que una revolución de este calibre se podría convertir rápidamente en una guerra de razas. Temían que Cuba, como Haití, se convirtiera en una república negra sin un lugar para ellos. Por esta razón, en los años 30, cuando la población negra de la isla se aproximaba al medio millón, los ideólogos criollos adoptaron una vía fuertemente reformista. Su proyecto nacional incluyó, en primer lugar, una supresión absoluta de la trata de esclavos, medidas para controlar el crecimiento de la población negra y para la abolición gradual de la esclavitud. A pesar de que este proyecto toleraba a los negros como cubanos de segunda clase, no deseaba su presencia en la escena nacional en números masivos. Se proponía más bien que Cuba se «blanquease» a través de la inmigración constante de mano de obra barata de origen europeo. El proyecto también aspiraba a conseguir de manos de la Corona una revocación del estatus de colonia y una concesión del régimen autónomo, reorganizar y modernizar el cultivo de la caña de azúcar, renovar los transportes y comunicaciones, erradicar la mendicidad y los vicios, promover los estudios científicos y reformar el sistema educativo. Para conseguir extender su programa, los criollos reformistas promovieron un uso cabal de las imprentas del país. Pronto comenzaron a aparecer textos que hablaban de la cubanidad en la geografía, las ciencias naturales, la economía, las ciencias sociales, la educación, la literatura y la crítica literaria. Las figuras principales de este movimiento fueron el científico social José Antonio Saco (1797-1879), el naturalista Felipe Poey (1799-1891), el geógrafo y lexicógrafo Esteban Pichardo (1799-1879), el educador José de la Luz y Caballero, y el campeón de la cultura y crítico literario Domingo Delmonte.

La intensa y variada actividad periodística que había tenido lugar en La Habana desde la época de *Papel Periódico* (1790) preparó el contexto ideal para la aparición de la novela nacional. En 1834 el grupo reformista creó la Academia Cubana de Literatura, la primera institución literaria autónoma, que se vino abajo a causa de las quejas de los plantadores y de los mercaderes españoles. Las medidas tomadas contra el grupo incluyeron el cierre de la *Revista Bimestre Cubana*, la publicación de la Academia, y el exilio de Saco. Sin embargo, la actividad literaria no cesó. Delmonte organizó una tertulia privada en la que reunió a los jóvenes más prometedores. Durante el periodo de 1837-1844, los miembros del círculo publicaron un conjunto significativo de textos que incluían leyendas, narraciones históricas, crónicas de viajes, historias, novelas breves y novelas, así como la autobiografía del esclavo Juan Francisco Manzano (1797-1853). Al contrario de México, donde la obra de Lizardi aparece solitaria, Cuba produjo seis novelistas: Ramón de Palma y Romay (1812-1860), Cirilo Villaverde (1812-1894), José Antonio Echeverría (1815-1885), Anselmo Suárez y Romero (1818-1878), Gertrudis Gómez de Avellaneda y José Ramón de Betancourt (1823-1890). Exceptuando los dos últimos, todos provenían del círculo de Delmonte.

Algunas de las obras que mencionaré aquí fueron muy controvertidas en su día. Cuando Palma publicó su novela corta *Una pascua en San Marcos*, que criticaba la vida disipada y ociosa de las clases altas, provocó furiosas protestas en La Habana. La acción tiene lugar en las plantaciones de café en la zona de San Marcos, cerca de la capital. Es la época de Navidad y se celebra una fiesta tras otra en las mansiones de los terratenientes. Los invitados, bailan, comen, beben y flirtean en ambientes lujosos; durante el día cazan y montan a caballo y por las noches el oro fluye sobre las mesas de juego. Hay cuatro personajes principales: Claudio, un señorito de la época sin preocupaciones; Aurora, la única heredera de un rico plantador; Irum, un torpe capitán de la armada española, y Rosa, su bella y apasionada esposa. La trama es simple, construida con los materiales apropiados de las tres corrientes literarias que coincidían en esos años en Cuba: un Neoclasicismo en declive, un Romanticismo dominante y un emergente Realismo al estilo de Balzac. Los elementos románticos se expresan en la exaltación de la naturaleza y la violencia pasional del triángulo amoroso entre Claudio, Aurora y Rosa, que articula la parte central del relato. El elemento neoclásico se encuentra en el fin moralizante de Claudio; se le obliga a desposar a Aurora, destruye el matrimonio, malgasta toda su fortuna en el juego y muere en un hospital, pobre, alcoholizado y solo, muy del estilo del Catrín de Lizardi. Y los componentes realistas están en las descripciones y los diálogos. La fuente cubana a la que el texto se refiere es *Memoria sobre la vagancia en la isla de Cuba* (1832), el brillante ensayo de Saco que ataca, desde el punto de vista de la sociología moderna, las consecuencias destructivas del juego, la falta de ocupación y el alcoholismo. Esta obra de Palma dio a José Ramón Betancourt un modelo para su novela *Una feria de la caridad en 183...*, que aunque es hoy poco conocida, tuvo gran popularidad en su día.

Antonelli, de José Antonio Echeverría, es una de las novelas breves más interesantes del periodo. Lo que distingue a Echeverría del resto de los escritores de su grupo es su interés por la investigación histórica y literaria. Fue él quien, buscando en los archivos, encontró y copió en 1837 el texto del poema *Espejo de paciencia*, el talismán fundacional de la literatura cubana. Influido por la poética romántica de ficción y por la historiografía, a Echeverría le gustaba desentrañar sucesos del pasado ocultos en las viejas ermitas, en las calles y plazas de La Habana, en los muros y las fortalezas que defendían la ciudad. Ello lo hacía con un claro fin fundacional, pero esto en modo alguno desmejoró la calidad su prosa. La fuente europea más inmediata de *Antonelli* fue *Notre dame de Paris*, de Victor Hugo (1831). Los antecedentes locales son dos ensayos sobre la novela histórica publicados por Delmonte y Heredia respectivamente en 1832. Son dos excelentes piezas de la crítica hispanoamericana del siglo XIX y se trata de un reflejo de la actividad literaria que se realizaba en Cuba en aquellos tiempos.

En todo caso, el título de *Antonelli* se refiere a un personaje histórico: Juan Bautista Antonelli, un arquitecto militar de origen italiano que fortificó el área del Caribe en el siglo XVI. Antonelli trabajó en La Habana (1587-1593) en la construcción del Castillo del Morro. A pesar de que en Europa y en las ciudades virreinales hispanoamericanas la construcción que daba más prestigio era la de catedrales, en el Caribe fueron siempre los fuertes. Notre Dame ilustra ampliamente la historia de París; en La Habana, el libro de piedra es El Morro. Es significativo que en las primeras páginas de la novela vemos a Antonelli construyendo un molino hidráulico de azúcar en las orillas del río Almendares. Aquí se subraya el doble papel que tiene como constructor: por un lado, la fortaleza, por otro, la producción de azúcar para exportar. Se puede leer a Antonelli como un personaje que representa la presencia europea en su papel económico y militar en Cuba. Otros personajes son Casilda (la bella criolla, hija de una mujer indígena), el Capitán Gelabert, y el indio Pablo. La trama se rige por el consagrado triángulo amoroso: Antonelli ama a Casilda, pero ella ama a Gelabert. El indio Pablo, que fue atropellado por el caballo de Gelabert es la inexorable mano del destino. Azuzado por Antonelli, el indio decide vengarse del elegante Capitán. La historia termina trágicamente cuando, en presencia de Antonelli, Pablo, empuja a Gelabert desde las alturas de El Morro. Casilda, que se encontraba al lado de su amante, cae también al abismo, pese a los esfuerzos de Antonelli por salvarla. De manera que todo termina cuando Casilda resbala entre los dedos de Antonelli, por el muro que él mismo construyó, con lo que Antonelli no podrá valerse del amorío para consolidar su posición como continuador de la empresa española en América. Desde este abismo, que abre su boca entre las torres de Notre Dame y El Morro, emerge la cubanidad.

El más prolijo e importante narrador del grupo de Delmonte fue Cirilo Villaverde, que publicó varias novelas y novelas cortas, entre ellas: *Teresa* (1839), *La joven de la flecha de oro*, *El guajiro*, *La peineta calada* (1843), *Dos amores* (1843), *El penitente* y *Cecilia Valdés o La loma del Ángel*. La escritura penosa y prolongada de esta última obra, a pesar de que se empezase a escribir en 1839, la sitúa en otro periodo —como ha observado William Luis. Debe ser vista más bien como un ejemplo de la literatura cubana escrita tras la abolición de la esclavitud (1880).

En su totalidad, la obra de Villaverde recuerda numerosas fuentes literarias, hecho que prueba que el autor fue un lector constante. Se puede observar en su ficción, además del fuerte impacto que significaron para ella los escritores costumbristas españoles, la influencia de Chateaubriand, Scott, Hoffmann, Manzoni, Cooper, Balzac, Hugo, Dickens y Poe. Pero para el crítico, el interés que despierta la obra de Villaverde va más allá de la identificación de sus fuentes estilísticas y temáticas. Se debería señalar que fue éste el primer autor en Hispanoamérica que, influido por Balzac, intenta novelar de forma sistemática una ciudad entera: es decir, La Habana con su puerto, su marina, sus muros, sus vecindarios, calles, plazas, iglesias y casas, así como su diferentes grupos sociales, raciales y profesionales. En sus novelas sobre La Habana, los protagonistas son mujeres trágicas y denigradas. Sus amores suelen terminar mal. En su novela histórica, *El penitente*, la protagonista es sacrificada para perpetuar la alianza entre dos familias patricias en La Habana. De igual manera, la protagonista de *La joven de la flecha,* hija de un rico criollo, se ve obligada a casarse con un mercader español. Pero sus personajes más naturales son las mulatas, como Anacleta en *Dos amores*, Rosario en *La peineta calada* y su genial Cecilia Valdés. Sin embargo, no todas las novelas de Villaverde, toman La Habana y sus mujeres como referentes. La acción de *El guajiro* tiene lugar en el pueblo de San Diego de Núñez, su propio lugar de nacimiento. El protagonista, Tatao, se inspira en la vida real y se puede ver como un antecesor del «forajido bueno», tan popular en la literatura latinoamericana. A pesar de que la trama de *El guajiro* es irrelevante, debemos tener en cuenta que la obra inaugura el tema del campesino en la novela hispanoamericana, que recogería el uruguayo Alejandro Magariños Cervantes (1825-1893) en *Caramurú* (1848), la primera novela gauchesca, Pedro F. Bono (1828-1906) en *El montero* (la primera novela dominicana), el colombiano Eugenio Díaz (1804-1865) en *Manuela*, el mexicano Luis G. Inclán (1816-1875) en *Astucia*, el argentino Santiago Estrada (1841-1891) en *El hogar en la Pampa*, y otros. Es importante subrayar que Villaverde introdujo en Hispanoamérica varios temas importantes de la escuela romántica, entre ellos el tema del amor incestuoso *(El ave muerta*, 1837) tomado del *René* de Chateaubriand (1802) y la desafiante vida de Lord Byron, y el tema criminológico *(Sucesos notables del siglo XVIII en La Habana*, 1846), tomado de *Los asesinatos de la Calle Morgue*, de Poe (1841).

Las más importantes novelas cubanas de este periodo para los críticos son: *Sab* (escrita en 1838-1839 y publicada en Madrid en 1841), de Gertrudis Gómez de Avellaneda, y *Francisco* (escrita en 1838-1839 y publicada en Nueva York en 1880), de Anselmo Suárez y Romero. Fueron las primeras novelas que se opusieron a la esclavitud, ya que precedieron a la *Cabaña del tío Tom* (1852). Sus fuentes europeas son numerosas y están muy mezcladas con el tema del Buen Salvaje, a pesar que los temas románticos de la libertad, la marginación social y el exotismo racial también sirven como antecedentes. Entre las fuentes cubanas encontramos textos como *Memoria sobre la esclavitud* (1822), de Varela, y, en particular, el ejemplar artículo de Saco titulado *Análisis de una obra sobre el Brasil...*, publicada en 1832 en la *Revista Bimestre Cubana,* y en el que se criticaba la esclavitud de acuerdo con los dictados del programa reformista.

La novela de Suárez y Romero, encargada por Delmonte, trata del triste romance de dos esclavos domésticos, Francisco y Dorotea. La pareja pide a su ama, Doña Dolores, que les permita casarse, pero ella se lo niega y les prohíbe continuar su relación. Al desobedecer a su dueña, Francisco es enviado a una plantación de azúcar de la familia, para que lo castiguen y encadenen durante dos años, y a Dorotea la hacen trabajar como lavandera. Mientras, el hijo de Doña Dolores, Ricardo, que está desesperadamente enamorado de Dorotea, ordena al capataz del molino de azúcar que Francisco muera lentamente, asignándole las tareas más difíciles y azotándolo sin piedad. Tras algún tiempo, Doña Dolores se apiada de los esclavos y accede a la boda. Se va al molino de azúcar, acompañada de Dorotea, para arreglar el asunto. Pero Francisco es víctima de las falsas acusaciones de Ricardo y Doña Dolores una vez más niega el permiso de casamiento a los esclavos. Por fin, Dorotea resuelve entregarse a Ricardo para salvar a Francisco del castigo. Sin embargo su decisión pone en marcha un trágico final. Francisco se suicida y ella muere poco tiempo después.

Sab responde menos a un interés sociológico y más a uno literario. Su fuente de inspiración más inmediata es la novela de Hugo *Bug-Jargal* (1819), a la que se parece en gran medida. Sin embargo, el pensar que *Sab* es un plagio mecánico de *Bug-Jargal* sería un error. Avellaneda usó el prestigio de Hugo para legitimar la primera novela cubana —e hispanoamericana— de carácter alegórico. Sab como personaje es una entidad imaginaria e imposible, al contrario que Bug-Jargal; se refiere a la totalidad de la cubanidad. Su madre era una princesa del Congo; su padre, don Luis, desciende de una familia patricia y su madre adoptiva, la vieja Martina, dice ser descendiente de un cacique indígena. Sus rasgos físicos confirman estos tres orígenes, además, y su sexualidad es evidentemente híbrida —como ha observado Doris Sommer— incluyendo elementos masculinos y femeninos. Su ilegitimidad y sus maneras cultas y su posición privilegiada como capataz de un molino de azúcar, lo convierten en amo y esclavo al mismo tiempo. Al recibir su libertad la acepta con indiferencia y no experimenta ningún cambio en su vida. Su presencia, siempre asociada a plantas autóctonas, confiere al territorio de Cuba una historia, representada en el antiguo emplazamiento aborigen de las cuevas de Cubitas, las hacienda criolla de Bellavista y la ciudad mercantil de Puerto Príncipe (hoy Camagüey). Su incestuoso amor por Carlota, su prima paterna, es obviamente simbólico. La imposibilidad de la unión de los dos primos simboliza la relación conflictiva entre la aristocracia azucarera, autodefinida como «blanca», y el inestable color de la cubanidad. Enrique Otway, el triunfante prometido de Carlota y el ladrón de su propiedad, es también un personaje alegórico. Su padre nació en Inglaterra, fue vendedor ambulante en los Estados Unidos y abrió un almacén textil en Puerto Príncipe. Por ello Enrique representa el capital comercial extranjero, el indeseable aliado de la plantocracia criolla que aspiraba a desplazar a ésta de la esfera de poder. El proyecto nacional de Avellaneda se sostiene como testimonio más democrático y expansivo que el proyecto de la obra de Suárez. Esto es así no sólo porque se consigue que *Sab* represente la cubanidad, sino también porque el texto muestra ideas patrióticas que se pueden definir como críticas en el terreno político, descolonizadoras en el económico y antipatriarcales en el sexual, ya que el texto compara la situación de la mujer con la de los esclavos. No es sorprendente que Avellaneda, que vivió en España desde 1836, decidiera excluir esta obra de sus *Obras completas* (1869-1871), publicada cuando Cuba luchaba por su independencia.

En 1846, Avellaneda publicó *Guatimozín, último emperador de México*. Para esa fecha el tema indígena tenía numerosos antecedentes en Hispanoamérica, especialmente en la poesía y el teatro. En lo que respecta a la ficción, José María Lafragua había publicado su cuento «Netzula» (1832) y, en Cuba, Palma había iniciado la ficción nacional con su cuento «Matanzas y Yumurí» (1837). También existía ya el texto de la novela *Jicotencal* (Filadelfia, 1826), de autor anónimo. Pero ninguna de estas obras influyeron en Avellaneda. *Jicotencal*, a pesar de estar basada en la historia de la conquista de México, es una novela racionalista cuyo autor —tal vez Félix Varela, según la opinión de Luis Leal— utiliza el hecho histórico como pretexto para exponer su ideología republicana en un lenguaje árido y cerebral. Jicotencal emerge del texto como el héroe emblemático de la República y la Razón, mientras que Cortés y Moctezuma emergen como déspotas guiados por bajas pasiones. *Guatimozín*, por el contrario, es una novela de ritmo romántico donde sólo aparece la retórica neoclásica en los diálogos. Sus páginas están llenas de anotaciones referidas a textos de Díaz del Castillo, Cortés, Solís y Clavijero. Hay excelentes descripciones del paisaje y la naturaleza mexicanos, la corte de Moctezuma, las costumbres aztecas y las batallas entre nativos y españoles. En lo que respecta al tratamiento de las figuras de Cortés y Cuauhtémoc (Guatimozín), Avellaneda subraya las características positivas de ambos jefes. Sin embargo, tiende de manera evidente a idealizar la integridad y valentía de Cuauhtémoc, cuya dramática ejecución pone fin a la novela. Además de ficcionalizar el episodio histórico, Avellaneda dramatiza tres tipos diferentes de amor. De estas tres variaciones, la que domina al final es la relación entre Malinche y Cortés. Pero Avellaneda deja claro que tal relación no es en modo alguno armoniosa, revelando así las contradicciones etnológicas que yacen bajo el momento fundacional de la identidad hispanoamericana. Además la pareja interracial llega a su inestable unión a través de la ejecución de Cuauhtémoc (en la historia real ordenado por Cortés) y del asesinato de Gualcazintla, perpetrado en la novela por Malinche. Por ello, para el autor, la conquista constituye menos una celebración que un asalto al poder legítimo.

Los autores del grupo de Delmonte sólo mantuvieron su reformismo literario activo hasta 1844. Este fue el año de la llamada Conspiración de la Escalera, cuyos organizadores, de acuerdo con las autoridades coloniales, planeaban una rebelión general de esclavos centrada en la región de Matanzas. Los historiadores no han encontrado pruebas concluyentes de que existiera tal conspiración. Muy posiblemente se trató, más que de un hecho real, de un pretexto para aterrorizar a los esclavos y reprimir el discurso antiesclavista, cuya extensión ya empezaba a amenazar el *status quo* de las plantaciones. En todo caso, pretexto o realidad, la represión fue extrema. Como consecuencia, se fusiló al poeta Gabriel de la Concepción Valdés (Plácido), Manzano fue torturado, Luz y Caballero procesado y Delmonte tuvo que exiliarse. Durante las tres décadas siguientes la novela apenas se cultivó en Cuba. En los años cincuenta, la estabilidad política se vino abajo debido a un clima intensamente conspiratorio, y entre 1868 y 1878 tuvo lugar la sangrienta Guerra de los Diez Años, en la que los criollos y los esclavos de las regiones central y oriental lucharon en vano por la independencia.

ARGENTINA: ESTEBAN ECHEVERRÍA Y EL PROGRAMA NACIONAL DE LA ASOCIACIÓN DE MAYO

Se puede decir con toda propiedad que la novela argentina nació fuera de Argentina y que lo hizo como consecuencia del exilio político impuesto por el tirano Juan Manuel de Rosas (1835-1852) sobre la joven generación culta. En efecto, a comienzos de los años cuarenta, Vicente Fidel López escribió su novela histórica *La novia del hereje o La Inquisición de Lima* mientras se encontraba en el exilio en Santiago de Chile; en 1843, Juan María Gutiérrez acabó su novela breve *El Capitán de Patricios* en Turín; en 1844, exiliado en Montevideo, José Mármol comenzó a escribir *Amalia;* en 1845, Juana Manuela Gorriti (1819-1892) publicó *La quena* en Lima; en 1847, durante su estancia en La Paz, Bartolomé Mitre publicó *Soledad*; en Mayo de 1851, Miguel Cané firmó en Florencia la última página de *Esther*. Los criterios del programa nacionalista, en los que se basaba la mayoría de estas obras, fueron planteados por Esteban Echeverría en sus *Palabras simbólicas* de 1837. La importancia de este texto es crucial ya que constituye el credo de la Asociación de Mayo, fundada en Buenos Aires por el propio Echeverría en un momento en el que empezaba a sentirse el despotismo de Rosas. La Asociación se organizó siguiendo el modelo de las sociedades secretas europeas y contó con la participación de Alberdi, López, Cané, Gutiérrez y unos treinta jóvenes más que pronto tendrían que exiliarse. Una vez fuera del país, extendieron el programa de la Asociación entre los intelectuales y políticos en el exilio.

La principal contradicción que dividía a la Argentina de los años cuarenta había empezado a tomar forma en el periodo de la Independencia, como producto de las opiniones de los que deseaban un gobierno centralista ubicado en Buenos Aires (los unitarios) y los que defendían un gobierno descentralizado que distribuyera el poder entre las provincias (los federalistas). Tras un largo periodo de agitación política y guerra civil, el Congreso cedió el gobierno a Rosas (1835) que representaba los intereses federalistas. Mientras tanto no se había desarrollado un sentimiento de pertenencia a la Nación de forma uniforme entre los habitantes de Argentina. Por otro lado, en Buenos Aires, existía una serie de grupos influyentes para los que la pertenencia a la Nación y a la Modernidad eran sentimientos paralelos; es decir, grupos que creían en el progreso y deseaban imitar las instituciones de Francia, Inglaterra y los Estados Unidos. Así, en 1830, cuando Echeverría llegó a Buenos Aires tras una estancia de cuatro años en Europa, encontró dos «argentinidades» modernas diferentes en su tierra, que correspondían a los dos grupos políticos enfrentados: el modelo federalista conservador y el modelo liberal unitario. El genio de Echeverría no se reveló tanto en su obra literaria como en su visión nacionalista, ya que, aunque sus simpatías estaban del lado de los unitarios, vio que la forma más práctica para guiar al país fuera de la anarquía era proponer una reconciliación nacional basada en el derrocamiento de Rosas y la adopción de unas formas modernas y europeas en lo político, lo económico, lo social y lo cultural. Durante su estancia en París tuvo la oportunidad de estar presente en el despertar de la escuela romántica francesa, cuyo Manifiesto publicaría Hugo en el prefacio de *Cromwell* (1827) y de respirar el clima revolucionario de 1830. Esta rica atmósfera intelectual y política fue en efecto de gran importancia en su vida. En 1832 fundó el Romanticismo argentino con el poema *Elvira o La novia del Plata*. Influido por Hugo y el socialismo utópico, vio en el Romanticismo un espacio en el que la expresión libre de sentimientos iba de la mano de la política liberal, la educación antiescolástica y el progreso social y económico. Aún así, cuando construyó su programa nacional, no adoptó el modelo europeo al pie de la letra. Pensando en reconciliar las diferencias que dividían a los federalistas y los unitarios, propuso retrotraerse a la épica del periodo de la independencia, especialmente a las ideas antiespañolas en las que se apoyaron los hombres de la Revolución de Mayo. Por supuesto era necesario echar a Rosas del poder, pero dentro de la nueva estrategia Rosas era indeseable no porque fuese federalista, sino porque estaba imponiendo sobre la nación principios semifeudales que habían reinado en la época colonial.

El programa de reconciliación patriótica y modernización nacional de Echeverría constituyó la matriz a partir de la cual nacerían otras variantes de pensamiento nacionalista, entre ellas las propuestas que se encuentran en el *Facundo* de Sarmiento y en las *Bases y puntos de partida para la reorganización política de la República Argentina* (1852) de Alberdi. El arte era para Echeverría una forma de educar, un agente civilizador cuya tarea debía llevarse a cabo dentro de la nación. Su proyecto cultural, además de rechazar a España y defender el Romanticismo como la estética que mejor servía para los fines de la nación, era una invitación a cultivar el estudio de la historia y de una literatura que buscara su fuente de inspiración en el gaucho, el indio, la naturaleza y las costumbres y maneras locales. Su cuento «El matadero» *(c.* 1840), en la que relata la barbarie de las turbas de seguidores de Rosas, ha despertado un gran interés. A pesar de que termina de manera romántica, la pieza comienza con una serie de descripciones notables por su naturalismo. «El matadero» es el punto de partida de la denuncia política en la ficción en las letras hispanoamericanas y, al mismo tiempo, sugiere el tema del dictador.

Si excluimos *Amalia*, debemos acordar que *La novia del hereje*, de Vicente Fidel López, es el esfuerzo más notable del periodo anti-Rosas. A pesar de que su venturosa trama histórica tiene lugar en Lima y en alta mar principalmente, su texto se refiere al programa de la Asociación de Mayo, de la que López era uno de los miembros principales. La acción tiene lugar en el marco de la circunnavegación de Sir Francis Drake alrededor del mundo (1577-1580), y del desastre naval de la armada española (1588). Los primeros capítulos se refieren a los eventos de 1578, en los que Drake captura el galeón anual que lleva oro y plata desde el Perú. Es precisamente este barco lleno de tesoros el que le proporciona a López el escenario inicial para reunir a sus personajes. En el barco viajan una pareja de españoles ricos y su bella hija, María, nacida en Lima; en él también se encuentra la sirvienta de María, una mestiza llamada Juanita, y Don Antonio, un español que desea desposar a María. Cuando el barco es secuestrado por Drake, un personaje ficticio llamado Lord Henderson se une al grupo, y se enamora a primera vista de María. Tras cientos de páginas llenas de intrigas, historias de piratas, descripciones de costumbres peruanas y maquinaciones siniestras de la Inquisición en Lima, la novela termina en Inglaterra con una escena doméstica repleta de felicidad conyugal. Al esperado casamiento de Lord Henderson con María se añade el de Sir Francis Drake y Juanita, que resulta ser descendiente de la casa real de los incas. Así todos ennoblecidos, enriquecidos y bendecidos con una descendencia saludable, celebran la victoria inglesa sobre la armada enviada por España.

La novia del hereje es la primera novela histórica hispanoamericana con un escenario cosmopolita. Sus antecedentes más inmediatos son los artículos que el propio López publicó en Valparaíso a lo largo de 1842, en los que inició —y desarrolló junto a Sarmiento— la conocida polémica sobre el Romanticismo. Sus fuentes históricas principales son varias crónicas españolas e inglesas de la época, entre ellas los versos épicos de *Argentina*, de Martín del Barco Centenera (1544-1605?). De *La novia del hereje* también se puede decir que es la primera novela que, a través de la novela sentimental, trata de reconstruir la historia del mundo con profundidad. Se debe observar que la Hispanidad está representada por la institución medieval de la Inquisición, mientras que las fértiles y felices uniones de María y Lord Henderson y Juanita y Drake alegorizan la deseada alianza del argentino moderno con el capitalismo anglosajón. El deseo de anglosajonidad está también patente en el texto de *Esther*, la novela corta autobiográfica de Cané, ya que la trama gira en torno a los amores de un exiliado argentino en Florencia con una dama inglesa. Es una pieza curiosa ya que la novela sentimental se desarrolla entre obras de arte que anticipan el Modernismo al tiempo que subrayan el ideal «civilizador» de la Asociación de Mayo.

La aspiración de conseguir una reconciliación nacional da forma a la trama de *Soledad*. Mitre, que sigue la estrategia de las *Palabras* de Echeverría, organiza la escena amorosa de su novela en el periodo de la Independencia. La acción tiene lugar en el interior de Bolivia, un país que recibió bien a Mitre. El amor de la inconstante Soledad, casada con un viejo rico, oscila entre su extraño primo Enrique y el seductor Eduardo. Enrique vuelve victorioso de la batalla de Ayacucho (1824) con el rango de capitán; éste representa los principios patrióticos y morales de la Asociación de Mayo. Eduardo es un hombre de vida disoluta a imagen y semejanza del Don Juan español; es una alegoría de la depravación, el egoísmo y la naturaleza violenta de la que los unitarios acusaban a los federalistas. Eduardo seduce a su prima Cecilia y la deja embarazada y enseguida se prepara para seducir a Soledad. Tras una escena en la que los tres personajes intercambian insultos, Cecilia se desmaya y sufre un aborto, y así consigue la compasión de Eduardo. Por fin, Soledad se da cuenta de que Eduardo ha sido su único amor. Cuando su viejo marido muere, ella se hace rica y libre. El último capítulo, que tiene lugar un año después, representa a los cuatro primos felizmente casados. Enrique y Soledad son los padrinos del nuevo hijo de Eduardo y Cecilia, y así la novela sentimental, que había empezado bajo el símbolo de la adversidad y las pasiones turbulentas, concluye de forma patriótica bajo la armonía más cristalina.

En su novela corta *El Capitán de Patricios*, Gutiérrez también desarrolla la acción en el heroico periodo de la Independencia, pero aquí la escena amorosa entre María y el Capitán termina cuando éste muere en una batalla. La historia termina cuando María se hace monja y se retira a un convento de acuerdo con el voto que ha hecho, «o Dios o él», borrando así la diferencia entre Dios y el hombre que ha muerto por su patria. A pesar de su trama simple, *El Capitán de Patricios* muestra un lenguaje pulido y unas descripciones muy bien logradas del paisaje y las costumbres argentinas, entre ellas la del ritual de beber mate. En *Una noche de boda* (1858), Cané siguió el tema de la Independencia: un patriota y un español luchan por el amor de una mujer criolla. Mucho después, cuando se había disuelto la alianza del Romanticismo y el Nacionalismo, propuesta por Echeverría, aparece *La loca de la Guardia* (1886) de López. Su exagerada intriga romántica es inferior a la de *La novia del hereje*, y los únicos pasajes de interés son aquellos en los que se describe la batalla de Chacabuco (1817). Es significativo que el tema de la Independencia haya sido tratado de forma casi exclusiva por los miembros de la Asociación de Mayo, los más interesados en tomar como el punto de partida de la argentinidad la guerra contra España, una zona sagrada hacia la que era necesario volver una y otra vez para reconciliar los elementos de la Nacionalidad.

La vida intelectual de José Mármol transcurrió paralela a la de los miembros de la Asociación de Mayo. A pesar de no ser miembro del grupo organizado por Echeverría, su obra poética y narrativa refleja fuertemente el espectro de ideas políticas y literarias que se expusieron en las *Palabras simbólicas* de 1837. Tras ser arrestado por difundir propaganda anti-Rosas, huyó a Montevideo en 1840, donde se hizo conocido como poeta y activista político.

Amalia se comenzó a publicar por entregas en Montevideo en 1851 en *La Semana*. Se suspendió su publicación cuando el régimen de Rosas cayó en 1852, circunstancia que provocó el regreso de Mármol a su patria. Tres años después apareció la edición definitiva en Buenos Aires. La novela, además de justificar el derrocamiento de Rosas, propone una reconciliación de federalistas y unitarios basada en una Argentina institucionalizada, civilizada y progresiva. Sus antecedentes más cercanos son las abundantes piezas periodísticas contrarias a Rosas escritas en el exilio, con *Facundo* en primer plano. En lo que respecta a la prosa de ficción, el antecedente más inmediato es «El matadero», cuya sórdida visión del Buenos Aires de 1840 se expande y profundiza en *Amalia*. Siguiendo los criterios nacionalistas, se podría decir que *Amalia* es para la narrativa argentina lo que *El periquillo* es para la mexicana. Esta analogía es también válida si comparamos los grandes defectos de las dos obras: situaciones repetitivas, intromisiones del autor, longitud excesiva y tendencia a la hipérbole. No obstante, al igual que sucede en la obra de Lizardi, estos fallos vienen acompañados de éxitos visibles y, sobre todo de logros importantes de naturaleza fundacional: el punto de vista costumbrista, la descripción de Buenos Aires y del Río de la Plata y la inclusión de personajes tomados de la realidad, como el propio Rosas. El resultado fue tan exitoso que *Amalia* disfrutó de gran popularidad por un siglo.

Curiosamente, la pareja que formaban Amalia y Eduardo Belgrano, así como los incidentes de su truncado amorío, no son excesivamente interesantes. Los personajes más logrados son Rosas y Daniel Bello, cuyas respectivas contradicciones les dan un aire de densidad humana. Bello, el héroe de la novela, nos recuerda a los aventureros de capa y espada de los seriales europeos. Aunque los federalistas creían que era un sólido defensor de Rosas, él conspira contra el dictador y ayuda a los unitarios perseguidos por el régimen a escapar de Montevideo. Es Bello quien salva la vida a Belgrano, herido por los hombres de Rosas cuando trataba de unirse a la armada unitaria de Lavalle, y es también Bello quien lo esconde en una casa de campo de su prima Amalia, una viuda joven y bella. Al final de la variada trama, Amalia y Belgrano, que se enamoraron a primera vista, se casan en la granja. Bello, que ha preparado la boda, consigue que Belgrano huya a Montevideo esa misma noche. Poco antes de la hora de partida, los hombres de Rosas llegan y comienza una pelea sin piedad. A pesar del hecho de que muchos críticos literarios han dado por sentado que los tres jóvenes protagonistas de la novela son ejecutados por los lacayos de Rosas, la verdad es que tal fin no está muy claro en el caso de Amalia y de Bello. Si Amalia sobrevive, se puede leer como un icono de la Argentina deseada por la Asociación de Mayo. Es importante observar que —como ha dicho Doris Sommer— ella pertenece a las tierras interiores, de un Tucumán totalmente indígena, y vive en Buenos Aires, donde lee a Lamartine y vive rodeada de los más sofisticados ejemplos de cultura europea. Se debe subrayar también que su vida transcurre entre su salón cosmopolita —como observa David Viñas— y la daga de Rosas, es decir, entre la «civilización» y la «barbarie». Si observamos que ninguno de sus maridos ha conseguido un heredero con ella, Amalia/Argentina, estaría en el filo entre la vida y la muerte, como la bella durmiente, esperando el beso liberador y fértil de un pretendiente futuro prestigioso.

La publicación de *Amalia* dio lugar al inicio de una nueva línea temática en la narrativa argentina: la novela anti-Rosas. Una vez que el gobierno de Rosas fue derrocado, se hizo necesario reorganizar la sociedad alrededor del proyecto «civilizador» que defendían los victoriosos. Este proyecto requería algo más, sin embargo, para ser legítimo: se necesitaban garantías de que el modelo del hombre fuerte, o caudillo, nunca se repetiría en la historia de la nación. Por esa razón, la dictadura de Rosas debía ser repudiada repetidamente a través del procedimiento que se ha dado en llamar un exorcismo del pasado. En todo caso, muchas novelas anti-Rosas que siguieron los pasos de *Amalia* —*La huérfana de Pago Largo* (1856), *El prisionero de Santos Lugares* (1857), *Santa y mártir de veinte años* (1857), *Aurora y Enrique, o sea la Guerra Civil* (1858)— no tienen ningún valor literario. Las únicas excepciones son las novelas cortas *El guante negro* y *El lucero de Manantial* de Juana Manuela Gorriti, publicados en sus *Sueños y realidades* (1865), una colección de cuentos muy leídos en su día.

Los temas «autóctonos» de la naturaleza, la tradición, las costumbres, así como los personajes del indio y el gaucho, se manejaron básicamente de acuerdo con los códigos de la Ilustración y el Romanticismo. Sin embargo, en las obras que siguieron a *Amalia*, el estereotipo del Buen Salvaje se transforma, y así en estos textos aparecen indios «buenos» y «malos», a la vez que el gaucho adquiere un cariz contradictorio. Por ejemplo, la leyenda de Lucía de Miranda, introducida por Ruy Díaz de Guzmán (1554-1629) en *La Argentina manuscrita* (1612), sirve como trama en las novelas *Lucía de Miranda*, de Rosa Guerra (?-1894) y *Lucía Miranda*, de Eduarda Mansilla de García (1838-1892), ambas publicadas en 1860. La coincidencia de dos mujeres que escribieron al mismo tiempo sobre el mismo personaje no es fortuita: la leyenda de Lucía de Miranda fue la única tradición local que tocó en profundidad el tema del deseo sexual de los indios por la mujer europea, un deseo muy real en aquellos años hacia las mujeres criollas que vivían en la frontera, constantemente expuestas a ser secuestradas por los indios. En resumen, al tratar el tema de la legendaria Lucía de Miranda, deseada por el «noble» Mangore y el «malvado» Siripo, las novelistas Guerra y Mansilla de García reflejaron los confusos sentimientos que tenían acerca de los indios, y empiezan a destruir así el mito del «hombre primitivo» tan aparente en las obras escritas por Avellaneda dos décadas antes.

Mansilla de Díaz, una mujer de excelente formación intelectual, tomó *El vicario de Wakefield* (1766) como modelo para otra de sus obras, *El médico de San Luis* (1860). Sin embargo, cuando nacionalizó la conocida obra de Oliver Goldsmith, tanto el equilibrio como el didactismo moralizador de la prosa neoclásica dieron paso aquí y allí a la violencia común a la vida de las provincias argentinas. Cerca del sereno orden del hogar neoclásico con sus tareas útiles e imparciales (el ejercicio de la medicina, el cultivo de los árboles frutales), aparece el desorden de la corrupción judicial y la ineficacia burocrática y la violencia de los bandidos, los raptos y los asesinatos. Merece la pena señalar que aquí los principios altruistas se mantienen gracias a que los ingleses se unen a las mujeres criollas, ya sea en matrimonio o noviazgo, revelando el deseo de anglosajonidad característico del proyecto de la Asociación de Mayo. Algo similar ocurre en *La familia de Sconner*, de Cané, una novela jurídico-económica donde el dinero es el personaje principal —como ha dicho Myron I. Lichtblau—, concretamente el dinero de una herencia que un pillo ha robado a sus herederos legítimos. Por supuesto, la justicia triunfa al final, pero lo interesante es el origen de la fortuna, que se mitifica de acuerdo con la ideología de la Asociación de Mayo. En efecto, la novela no sólo describe al fallecido Sconner como un terrateniente y empresario recto que transformó la naturaleza salvaje en una ganadería productiva sino que lo retrata como nada menos que el fundador de la industria lanera de Argentina, ya que fue él quien comprendió antes que nadie la utilidad de importar ovejas británicas para aclimatarlas al país y exportar su lana. Así Sconner, al nacionalizar a las ovejas británicas, se convierte en un héroe de la nueva épica: el capitalismo comercial.

A pesar de que el gaucho aparece en *Amalia*, *La familia Sconner* y *El médico de San Luis*, se puede decir que éste no surge de forma total en la novela argentina hasta la publicación de *El hogar en la pampa*, de Santiago Estrada. Además de describir con detalle las costumbres del campo y de exaltar la vida rural por encima de la urbana, esta obra idealiza la economía agrícola hasta el extremo de proponerla como la única fuente verdadera de riqueza, de acuerdo con las antiguas ideas de Quesnay. *Aventuras de un centauro de la América meridional* (1868), de José Joaquín de Vedia, introduce el personaje del gaucho como un fugitivo de la justicia, al tiempo que plantea que éste entenderá sus derechos y deberes como argentino.

PERÚ: NARCISO ARÉSTEGUI Y LUIS BENJAMÍN CISNEROS

A pesar de tener nacionalidad argentina, Juana Manuela Gorriti no puede ser excluida de las letras peruanas. Emigró a Bolivia en 1831 y se casó con el militar Manuel Isidoro Belzú, futuro presidente del país (1848-1855), para luego separarse. Por fin se asentó en Lima, donde se dedicó a la enseñanza durante tres décadas. Allí escribió sus obras, fundó revistas y organizó tertulias famosas que recordó en su libro *Veladas literarias de Lima*, 1876-1877. Sus novelas cortas *La quena*, basada en las tradiciones coloniales del Perú y *El tesoro de los incas*, que ofrece una visión compasiva del indio, pertenecen a la ficción argentina y peruana a la vez. Sin embargo, el origen de la novela nacional está en Narciso Aréstegui (1826-1869) con *El Padre Horán*, publicada como suplemento de *El Comercio* en 1848. Su trama está basada en un incidente real: el asesinato de una chica a manos de su confesor, un cura de Cuzco, en 1836. Aréstegui buscó autoridad en las obras de los narradores franceses de tendencia liberal y anticlerical, particularmente en *Le Juiff errant* (1844-1845). El antiguo llamamiento solidario de la Libertad y la Igualdad al que se suscribe el padre del protagonista, un veterano de la Batalla de Junín (1824), es el centro ideológico sobre el que la novela desea establecer su legitimidad. Pero el proyecto de Aréstegui incluye en sus peticiones no sólo a los criollos de clase media —el grupo al que pertenece la familia del protagonista— sino también a los mestizos y los indios de clases inferiores. Así es como las rebeliones indígenas de Túpac Amaru (1780) y de Pumaccahua (1814) se consideraron preludios de la Independencia. De hecho, a pesar de su mediocridad artística, *El Padre Horán* es una obra de interés nacional. Además de ser una de las primeras novelas de denuncia política, económica y social escrita en Hispanoamérica, manifiesta el deseo de una nueva nación en la que no prevalezcan las estructuras coloniales que sobrevivieron a la independencia.

Luis Benjamín Cisneros (1837-1904), poeta lírico y autor de ficción, escribió dos novelas breves en París: *Julia, o Escenas de la vida en Lima* y *Edgardo, o Un joven de mi generación*. En la primera, una joven mal aconsejada se casa con un hombre que deslumbra a la sociedad limeña, pero el juego lo arruina y termina abandonándola. Más tarde, siendo ya viuda, se casa con su primer pretendiente. *Edgardo* cuenta la historia de un joven oficial que observa, en sus viajes por el Perú, la vida miserable de los indios y va conociendo su nación a la vez que perfecciona su educación autodidacta. Sus aspiraciones de regenerar la sociedad se truncan cuando cae en un encuentro armado. Como en la mayoría de los escritores de ficción hispanoamericanos de este periodo, la correcta prosa de Cisneros contiene una combinación anacrónica de elementos de la novela europea de los siglos XVIII y XIX. El punto de vista neoclásico se ve en el excesivo didactismo de su obra, la exaltación de la vida simple y la paz doméstica y su visible deseo de «regenerar» la sociedad; la perspectiva romántica queda clara en los temas sentimentales, la intención pintoresca y la temprana muerte del héroe; la tendencia realista, que tiene un peso menor en Cisneros, se percibe en el celo de ciertos personajes por alcanzar una posición social alta y por la naturalidad esporádica del diálogo.

CHILE: JOSÉ VICTORINO LASTARRIA Y ALBERTO BLEST GANA

La conjunción entre Andrés Bello y la inmigración argentina a Chile ayudó a inaugurar la narrativa nacional en este país. En 1842 José Victorino Lastarria fundó la Sociedad Literaria, y en su discurso inaugural resumió la forma que a su juicio debía tener la literatura chilena. De Bello, su viejo maestro y crítico, adquirió el respeto por el lenguaje; de Sarmiento, una admiración por los románticos franceses y la idea de que la literatura debe tener una orientación social; de ambos, la necesidad de referirse a la nación, a su naturaleza y a sus costumbres, su historia y su tradición. Al año siguiente, la narrativa chilena de ficción comenzó con «El mendigo», un cuento de Lastarria que trata de la vida de un joven de provincias y recuerda la Batalla de Rancagua (1814). Lastarria emigró al Perú por razones políticas, y, junto a otros exiliados chilenos, contribuyó a formar un movimiento literario allí. Entre los exiliados estaba Manuel Bilbao (1827-1895), autor de la novela histórica *El inquisidor mayor*, en la que combina conceptos ilustrados nacionalistas con ideas del socialismo utópico y el panfleto romántico. A pesar de estos ejemplos, no existe ninguna novela chilena verdadera hasta comienzos de los años sesenta del siglo XIX, cuando Alberto Blest Gana (1830-1920) publicó *La aritmética en el amor, El pago de las deudas, Martín Rivas* y *El ideal de un calavera*. Cualquier estudio de más amplitud que este no debe descuidar la producción narrativa de Blest Gana entre 1853 y 1859, sin embargo, ya que son obras que, a pesar de su melodrama, se elevan por encima de la literatura popular barata de aquellos años.

Blest Gana fue el primer autor hispanoamericano que se propuso escribir una obra totalmente realista. Por las razones que ya hemos explicado, lo consiguió sólo en parte; al tratar el tema de la nación no pudo evitar la novela sentimental y por ello Alegría sitúa sus novelas en un «realismo romántico». Vale la pena señalar que Blest Gana no sintió ninguna atracción por el tema de la naturaleza; su romanticismo es esencialmente urbano, con un toque de color local ocasional. Su interés por la novela realista surgió en Francia donde, además de cursar sus estudios de ingeniería militar (1847-1851) y ser testigo de la revolución de 1848, leyó a los autores franceses con devoción. A su vuelta propuso nacionalizar algunas de las estrategias de Balzac, especialmente las desarrolladas en sus *Études de moeurs*, que incluye escenas de la vida privada, metropolitana, política, militar, provinciana y campestre. Sobre esta sólida base, Blest Gana escribió un ciclo de novelas en las que expresó su proyecto nacional. En el ciclo se pueden estudiar las diferencias entre modales rurales y urbanos, las relaciones entre clases sociales, y detalles sobre los mundos del comercio, los negocios y la política. Sin embargo, la obra de Blest Gana refleja sobre todo la formación y el ascenso de la clase media chilena bajo la influencia del capital inglés, en cuyo proceso el viejo código moral (honor, integridad, honestidad, deber, familia, seres queridos y amor verdadero) comenzó a ser desplazado por el deseo de adquirir riqueza a cualquier precio. Blest Gana es el primero en advertirnos que no se trata sólo de una cuestión de riqueza abstracta; se desea el dinero para vestir de manera elegante y brillar en las reuniones sociales, para poseer mansiones y muebles lujosos, para comer y beber bien, para flirtear y tener amantes y para establecer alianzas con familias ricas y conseguir el poder político. Emulando a Balzac, registra el aumento de la necesidad adquisitiva en la población así como la obsesión por el dinero y el placer, como observa Jaime Concha. Si hay algún mensaje en su novela es éste: si tienes dinero, disfruta de la buena vida; si eres pobre, enriquécete a través de un buen matrimonio.

La novela francesa ofreció tres personajes diferentes cuyo curso dramático estaba determinado por las conexiones entre el dinero y el amor: Sorel *(Le Rouge et le Noir*, 1830), Rastignac *(Le Père Goriot*, 1835) y Odiot *(Le Roman d'un jeune homme pauvre*, 1858). En su obra Blest Gana no sólo tomó elementos de estos personajes, sino también escenarios, conflictos y resoluciones de las novelas en los que aparecían. En *La aritmética en el amor* el protagonista tiene mucho en común con el tipo de Rastignac —tan frecuente en la *Comédie humaine*— es decir, el pobre joven provinciano que triunfa en la capital sin preocuparse mucho por los medios que utiliza para conseguir sus fines. El final de la novela, sin embargo, recuerda al de *Le Roman d'un jeune homme pauvre*, de Feuillet, donde el dinero de una herencia posibilita el matrimonio del héroe con su amada. El final de *El pago de las deudas*, por otro lado, es similar al de *Le Rouge et le Noir*, ya que el protagonista, con su futuro destruido y su conciencia afligida, marcha inexorablemente hacia la muerte. En *Martín Rivas*, también se reconoce la presencia de Julián Sorel.

En los años 50, en Chile, existieron tres proyectos nacionales: el conservador, defendido por una oligarquía de terratenientes aliados con la Iglesia, y que tuvo el poder político a partir de 1829; los liberales, que representaban los intereses mineros y comerciales y cuyos ideales de modernidad se oponían a la hegemonía de la Iglesia; y los radicales, apoyados por los artesanos, los granjeros y los intelectuales influidos por el socialismo utópico. El autor habló de todos ellos en su obra y, en *Martín Rivas,* incluso hizo que el protagonista participara en la revolución fallida organizada en 1851, por los grupos liberal y radical. Pero la participación de Martín en estos sucesos no tiene importancia ideológica; es simplemente un gesto romántico ante la frustración amorosa, como el de Marius en *Les Misérables* de Hugo, cuando va a las barricadas parisinas de 1848 a morir. En realidad Blest Gana no apoyó específicamente ninguno de estos tres proyectos. Como indican los amoríos de sus obras, deseó para su país una alianza burguesa de las facciones conservadora y liberal. *Durante la reconquista*, una de sus mejores obras, no pertenece a este periodo.

COLOMBIA: JUAN JOSÉ NIETO, EUGENIO DÍAZ Y JORGE ISAACS

A pesar de que en 1841 José Joaquín Ortiz (1814-1892) ya había publicado *María Dolores o la historia de mi casamiento*, la novela nacional colombiana comienza con la publicación de *Yngermina o la hija de Calamar*, de Juan José Nieto (1804-1866). Como en el caso de *El Padre Horán*, se trata de una novela cuya importancia, como ha dicho Raymond L. Williams, va más allá de su modesto valor artístico. La obra debería ser vista no sólo como otra novela histórica del periodo, sino también como un texto fundacional que habla de su relación con los orígenes de la Colombianidad. Para Nieto, autor mestizo, estos orígenes se encontraban en la costa caribeña del país, específicamente en el área de Cartagena, su lugar de nacimiento. Por ello Nieto escribió *Yngermina* para legitimar su propia genealogía y presentarse a sí mismo como un intérprete autorizado de la Colombianidad. Sus «progenitores» son Yngermina, una princesa indígena y el conquistador Alonso de Heredia, hermano de Pedro de Heredia, fundador de Cartagena; la feliz unión de Alonso e Yngermina cierra el discurso de ficción.

Tras *Yngermina* y a lo largo de ese siglo se publicaron docenas de novelas históricas. A pesar de que se trata de una producción irrelevante que en general estaba dedicada a reescribir las crónicas de las Indias siguiendo los códigos ilustrado o romántico, se puede mencionar a Juan Francisco Ortiz (1801-1875), José Antonio Plaza (1809-1854), Soledad Acosta de Samper (1833-1913) y Felipe Pérez (1836-1891). Creo que la abundancia de novelas históricas en Colombia se puede explicar por la lentitud con la que se llevó a cabo el proceso de integración nacional —uno de los más irregulares de Hispanoamérica. Esa lentitud fue la causa de que los escritores buscaran en el pasado razones para explicar o mitificar la fragmentación de la identidad nacional que veían en el presente. La práctica del Costumbrismo, que comenzó con un éxito notable en los años 50, contribuyó a que la población aceptara gradualmente una «realidad nacional» que iba más allá de las fronteras geográfica, etnográfica, económica, social y cultural que definían el país. De toda esta ficción costumbrista, *Manuela*, de Eugenio Díaz, es sin duda el mejor ejemplo. Más aún, como ha comentado Seymour Menton, el Costumbrismo de Díaz es único por ser más realista que romántico.

La acción de *Manuela* transcurre en un pequeño pueblo al norte de Bogotá en 1856. Desde la década anterior, Colombia (entonces Nueva Granada) había sido dividida por la confrontación entre los conservadores y los liberales, y ya había empezado el largo periodo de revoluciones y guerras civiles que caracterizó el proceso colombiano de consolidación nacional. Demóstenes, el protagonista, es un joven intelectual de Bogotá que ha estudiado en los Estados Unidos. Ideológicamente, se identifica con la facción radical de los liberales, influidos por el socialismo utópico, y que ha sido expulsada hasta los márgenes del poder tras la alianza de los conservadores y los antiguos liberales. Desilusionado por la política, empaca en un baúl sus libros y alguna ropa y sale de la capital, jurando que jamás ocupará un cargo público. Cuando llega al pueblo, sin embargo, Demóstenes intenta un apostolado ideológico, pero fracasa ya que la mayoría de la gente no sabe leer ni entiende las arengas apasionadas que él les dirige. El tema principal de la novela, sin embargo —como indica Williams— es el conflicto entre el conocimiento tradicional (la narrativa) y el conocimiento moderno (el científico). Manuela, una mujer local, representa las fuerzas telúricas del campo; a pesar de su analfabetismo, su juicio natural suele triunfar sobre la palabra letrada de Demóstenes.

A pesar de que Eugenio Díaz introduce numerosas escenas costumbristas en la novela, su propósito va más allá del de otros autores en el sentido de que estas escenas sirven para establecer una jerarquía de valores tradicionales de la tierra, en contraste con las ideas de Demóstenes, extraídas mecánicamente de libros extranjeros. Como se puede ver fácilmente, los personajes de Manuela y Demóstenes simbolizan dos formas extremas de concebir la madre patria. En la novela ninguna de las dos prevalece: Manuela muere, dentro del marco sociocultural apropiado para el entorno rural, y Demóstenes (la voz de la modernidad) vuelve a la capital cuando ya no tiene interlocutores. De esta manera, más que ofrecer una solución inmediata, el mensaje de Díaz alude a la complejidad de las estructuras colombianas y a las diferencias que separan a la gente del país.

María, de Jorge Isaacs (1837-1895), es la novela hispanoamericana del siglo XIX más leída y sobre la que más se ha escrito. La razón de su éxito se explica no sólo por su nivel artístico, sino también por la complejidad de su estructura, su densidad polifónica y, sobre todo, la universalidad de su tema: el mundo del pasado (el viejo orden) recordado desde el punto de vista de un mundo emergente (el nuevo orden). En efecto, por muy importante que sea el idilio entre María y Efraín en el texto, la obra no se puede reducir —como han observado Menton, Jaime Mejía Duque y otros— a la simple historia de amor entre dos jóvenes. *María* no es sólo el tierno recuerdo de María a través de la historia de Efraín, sino algo más. ¿Qué es este más? Yo veo en el texto dos discursos diferentes que coexisten de manera problemática sin ninguna perspectiva de síntesis: un discurso mitológico-adámico y otro histórico-crítico. El primero intenta legitimarse en la naturaleza y en la tradición patriarcal a través de formas neoclásicas y románticas. El segundo mira hacia el futuro y se expresa en términos realistas y evolucionistas. Ambos discursos están bien constituidos y enriquecidos por campos de referencias interconectados, por ejemplo —y aquí sigo el criterio de Gustavo Mejía— los mundos de María y Efraín (la aristocracia de los latifundistas terratenientes) de Nay y Sinar (trabajo de esclavos), de Tránsito y Braulio (trabajadores remunerados), de la naturaleza, etc. Aquí hablaré sólo de los primeros.

¿Quién es María? Durante varios años los investigadores se empeñaron en encontrar a la persona real oculta tras la máscara de María. Los resultados fueron poco concluyentes, y nadie trata ya de desenmarañar el enigma. Aún así, Anderson Imbert relata que en 1880, cuando el pintor Alejandro Dorronsoro mandó a Isaacs un boceto del retrato de María, Isaacs respondió que le había pintado una «nariz española» y no una «judía» y añadió: «¿Has visto mi retrato? Esa es la forma de la nariz de nuestra familia». En otras palabras, Isaacs había imaginado a María con su nariz. María no sólo era una realidad exterior para Isaacs; era una representación de una parte suya, o, podríamos decir *El Otro-Interior*, el Otro Isaacs, el hijo del judío terrateniente, poseedor de esclavos y conservador que evolucionaría dentro del nuevo orden (el capitalismo industrial) para convertirse en un nuevo Isaacs (el criollo moderno, el liberal político, el masón, el darwinista), representado en potencia por el personaje de Efraín. María era una judía histérica y aristocrática portadora de genes deteriorados —como ha observado Sommer— y racialmente inadecuada para simbolizar el tipo de heroína que pedía el nuevo orden. Debía morir en el texto para que la boda de Efraín con el «progreso» tuviera lugar. Si hubiera habido un encuentro sexual entre Efraín y María, el resultado habría sido poco deseable: una fundación defectuosa destinada a languidecer dentro del nuevo orden socioeconómico. En efecto, el enfermizo idilio de María y Efraín, envuelto en pesados aromas de flores y llorosas lecturas de *Atala*, se refiere a un pasado del autor y de la nación que no debe volver a suceder. Pero por supuesto, existe aquí una paradoja: cuando Efraín no muere, tampoco muere su deseo de María (el deseo prelingüístico de Isaacs). Así que la lenta muerte de María (la novela *María)* tiene una función doble: por un lado desear un pasado con desesperada nostalgia —como observa Sylvia Molloy— para que no desaparezca (un monumento funerario); por otro lado, exorcizar al pasado para que su fantasma no persiga a la utopía del progreso.

En 1866, un año antes de publicar *María,* Isaacs comenzó a representar al Partido Conservador en el Congreso; en 1869, se cambió de repente al ala radical del Partido Liberal. De esta forma, *María* se convierte en el texto que conecta y separa al Isaacs conservador del Isaacs radical; es decir, el texto que sitúa a Isaacs en un punto problemático y en un espacio histórico ambiguo. Pero por supuesto los referentes de *María* van más allá de la paradójica biografía de Isaacs; el pathos irresoluble de la novela es el mismo que el de la madre patria, atrapada asimismo entre el pasado y el futuro, entre la naturaleza y el progreso, entre las interpretaciones románticas y positivistas. En este sentido podemos concluir que *María*, más que cualquier otra obra del periodo, requiere una institucionalización de la paradoja Nacionalidad / Modernidad. Más aún, creo que el texto se propone a sí mismo como punto de partida para tal construcción de poder. Podemos decir que si *María* es la novela nacional por excelencia —Donald McGrady ha registrado más de 140 ediciones hasta el año 1967, la fecha de su centenario— es debido a que su autoridad institucionalizada ha superado a la imposibilidad del proyecto que propone.

ECUADOR: MIGUEL RIOFRÍO Y JUAN LEÓN MERA

La primera novela de Ecuador es *La emancipada*, de Miguel Riofrío (1822-1879), publicada por entregas en *La Unión*. La obra fue escrita durante la dictadura ultraconservadora de Gabriel García Moreno (1860-1875) y se puede leer como una alternativa liberal para el país. Su tema principal es la igualdad de la mujer dentro de la nación. La protagonista, obligada por su padre a casarse con un viejo al que detesta, consigue su libertad a punta de pistola a la salida de la iglesia donde se celebra la boda. Se va a vivir a la ciudad de Loja, donde lleva una vida independiente y feliz, enfrentándose a las autoridades civil y religiosa. Al final, descorazonada por las cartas del hombre que amó antes de casarse, ahora sacerdote y que la recrimina por su comportamiento, decide suicidarse. El texto busca legitimidad en la persona y la obra de George Sand —la protagonista a veces se viste como un hombre— y en el programa liberal de los contrarios a García Moreno.

Cumandá o Un drama entre salvajes de Juan León Mera (1832-1894) recibió muy buenas críticas en España pero hoy apenas se lee. Sin embargo, desde el punto de vista de la relación entre el sentimiento de Nación y la novela, el texto de *Cumandá* despierta el interés debido a su carácter anómalo. Por supuesto, su proyecto deseaba que la nación ecuatoriana de los años 70 «evolucionara» hacia el pasado o, para ser más exactos, buscaba la modernidad en la primera mitad del siglo XVIII, el periodo de las misiones jesuitas y los viajeros ilustrados. Esta peculiaridad se entiende mejor si observamos que Mera fue un defensor extremo del régimen de García Moreno, cuyos fundamentos ideológicos recuerdan bastante al modelo borbónico español del siglo XVIII (el despotismo ilustrado), ya que combinaba el fanatismo religioso y el absolutismo político con el capitalismo comercial y el pensamiento científico de la Ilustración. En la conducta de su administración, caracterizada por la persecución política y la falta de libre expresión, designó a numerosos curas para cargos públicos, entregó el campo de la educación a las órdenes religiosas y se propuso unificar la fragmentada nación bajo los códigos del Catolicismo Romano. La Constitución de 1869, escrita bajo su mandato, determinaba que la adhesión a la Iglesia Católica era una condición indispensable de la ciudadanía ecuatoriana.

A pesar de que la acción de *Cumandá* está ambientada en 1808, el *locus* principal de su legitimidad es el poder teocrático ejercido por los jesuitas a través de sus Reducciones (centros reeducativos para indios conversos) en la región oriental de Ecuador. Aun más, el destino trágico de la obra se puede leer como una consecuencia de la expulsión de los jesuitas de los territorios españoles (1767). Como sugiere Hernán Vidal, para Mera este poder teocrático tenía su reflejo especular en el régimen de García Moreno en el que los jesuitas, además de ser llamados para hacerse cargo de la educación secundaria, universitaria y politécnica, disfrutaron de una gran influencia política. De esta forma el texto de *Cumandá* sigue una doble estrategia: establecerse simultáneamente como utopía jesuita y como apología de la administración de García Moreno. Mera eligió la jungla de la parte oriental del país, bañada por el Pastaza y otros afluentes del Amazonas, como el escenario para su «drama entre salvajes». Al hacerlo rompió no sólo con el paisaje natural y la tradición quechua nativa de su lugar de nacimiento (Ambato), sino también con los referentes andinos de su obra lírica: *Melodías indígenas* (1858), *La virgen del sol* (1861). Sólo podemos sorprendernos ante este abrupto cambio en los intereses literarios, en los que lo familiar se sacrificó en el altar de lo desconocido, particularmente si consideramos que aquí lo desconocido era la jungla y sus habitantes más visibles: los indios jíbaros, cazadores y reductores de cabezas. Creo, sin embargo, que Mera tenía razones para estar interesado en mitificar el este ecuatoriano.

Es fácil ver que la geografía rocosa de los Andes no tiene nada en común con las verdes y enormes selvas de las novelas de Chateaubriand y Cooper, los únicos modelos novelísticos de prestigio que hablaron adecuadamente de América y sus indios. Así, buscando la legitimidad literaria en las selvas exuberantes narradas por estos escritores, así como en el casto y exótico idilio «natural» concebido por Bernardin de Saint-Pierre, Mera nacionalizó numerosos estratos de *Pablo y Virginia*, *Atalá*, *René*, *El pionero*, *El último mohicano*, *La pradera*, *El explorador*, *The Deerslayer*, *The Wept of Wish-ton-wish*, etc., como ha observado Concha Meléndez. Como he dicho, estas fuentes no sólo cumplen el propósito de confirmar el prestigio de *Cumandá*, sino también la intención del proyecto de García Moreno, un intento de conseguir la unidad nacional a través de una fuerza cultural: el Catolicismo. Este propósito es claramente visible en la relación entre Carlos y Cumandá. Su idilio fallido, imposible desde todo punto de vista debido a su carácter incestuoso, no se refiere a una diferencia racial, como sucede por ejemplo en *Sab*. Raptada por los indios en su tierna infancia, Cumandá es tan blanca como su hermano Carlos. Por eso lo que separa a los amantes no es el color de la piel, sino la cultura y, dentro de ella, la religión. Al sufrir la muerte ritual a la que las viudas de los caciques jíbaros estaban destinadas. Cumandá es víctima de la cultura en la que ha vivido. Precisamente, esta cultura «salvaje» es lo que, de acuerdo con la Constitución de García Moreno, excluía a Cumandá de la nación.

MÉXICO: LUIS G. INCLÁN E IGNACIO M. ALTAMIRANO

La ficción nacionalista comenzada por Fernández de Lizardi no se cultivó con asiduidad hasta los años 60, con la aparición de las figuras de José Tomás Cuéllar (1830-1894), Vicente Riva Palacio (1832-1896), y, sobre todo, Ignacio Manuel Altamirano (1834-1893). Esta parálisis se debió en gran medida al largo periodo de inestabilidad política que siguió a la Independencia (1821), caracterizado por conflictos armados continuos entre los Federalistas y los Centralistas y, más tarde, entre los Liberales y los Conservadores. Pero, sobre todo, deberíamos tener claro que en esos años el país se vio desangrado por una serie de guerras que lo sumergieron en una crisis política, social y económica. Estos conflictos fueron provocados por la secesión de Texas (1836), por la invasión norteamericana (1846-1848) que le costó a México la mitad de su territorio, por la puesta en marcha de la Constitución liberal (1858-1861) y por la invasión armada francesa (1861-1864) a favor del imperio marioneta de Maximiliano de Habsburgo (1864-1867).

Durante estas décadas turbulentas se escribieron, a pesar de todo, algunas obras de interés, como *El fistol del diablo* de Manuel Payno (1810-1894), un panfleto costumbrista influido por la picaresca; *La hija del judío* (1848-1850) de Justo Sierra O'Reilly (1814-1861), un panfleto histórico de contenido anticlerical, y *Gil Gómez el insurgente o La hija del médico* de Juan Díaz Covarrubias (1837-1859), una novela histórica de tipo sentimental que recuerda a la época de la Independencia. Pero ninguna de ellas se puede comparar ni remotamente con *Astucia, el jefe de los Hermanos de la Hoja, o los charros contrabandistas de la rama* de Luis Gonzaga Inclán. El máximo logro de *Astucia* se deriva quizás de sus pretensiones literarias modestas que lo salvan del lenguaje artificial y del melodrama excesivo que caracterizaba a las obras del período. Nacido en el interior mexicano, Inclán dedicó su vida al negocio de la ganadería, una experiencia que nutrió a su novela de un regionalismo auténtico y vital. La fuente europea de mayor impacto es, como ha observado Salvador Novo, la novela de aventuras popular, en concreto *Los tres mosqueteros* de Dumas padre, cuyo espíritu igualitario fraternal —«uno para todos y todos para uno»— une a la banda liderada por Lorenzo Cabello, conocido como Astucia. El largo título de la novela se refiere a las actividades de la banda: el contrabando de tabaco. Aquí la profesión de contrabandista se debería juzgar dentro de un contexto positivo, ya que hacia mediados de siglo el comercio de tabaco era un monopolio estatal del que las autoridades se beneficiaban para enriquecerse. El consumo de tabaco también se debe ver de manera semejante, es decir, de acuerdo con los códigos de la época. Como sugiere Anthony Castagnaro, el tabaco era entonces sinónimo de placer. La profesión de la banda de los Hermanos de la Hoja está justificada éticamente, pues, ya que ayuda a que el placer sea accesible a las capas más empobrecidas de la sociedad. Es importante el hecho de que Inclán extienda esta idea descentralizadora a otras áreas de su novela. En efecto, no sólo está construida en el lenguaje popular de las gentes rurales, sino que sitúa los valores socioculturales de las gentes del interior en oposición a la ley y la corrupción que emanan de la capital. Al final, estos son los valores que triunfan en la novela, ya que, tras veinte años de aventuras, Astucia decide casarse y retirarse felizmente a su hacienda. Es fácil ver que en su novela Inclán complementa el Nacionalismo popular de Lizardi. Para este último, el futuro de México estaba en manos de los criollos de las clases bajas de la ciudad; para el primero, en manos del peón y el ganadero, a quienes la Independencia y el imperio no habían beneficiado.

Una vez derrotado el régimen de Maximiliano (1867), Benito Juárez comenzó el proceso de reconstrucción nacional del que se hace eco la novela. La gran figura literaria de la Restauración es Ignacio M. Altamirano, amigo de Juárez y político liberal, que daría a México un liderazgo cultural semejante a los de Delmonte y Echeverría treinta años antes en sus países respectivos, excepto porque en su caso esto se llevaría a cabo desde una posición de poder. Al igual que Bello, Altamirano creía que la novela no era sólo el género literario más apropiado para su época, sino que además era un medio de difusión que contribuía a la consolidación nacional al abordar los paisajes, la historia y los asuntos de México. Era un admirador ferviente de la obra de Lizardi; al igual que éste, creía que la profesión literaria implicaba una responsabilidad ética y educativa. Publicó dos novelas, *Clemencia* y *El Zarco* (escrita en 1888 y publicada en 1901), así como varios cuentos y novelas cortas entre los que destaca *La navidad en las montañas* (1871). Las obras de Altamirano, a pesar de la artificialidad de sus personajes, su estilo demasiado controlado y su didactismo moral, fueron las primeras de la literatura mexicana que demostraron un interés artístico.

De las dos novelas de Altamirano, *Clemencia* sigue más de cerca los modelos del Romanticismo. La acción se sitúa en los años de la invasión francesa precedentes al gobierno de Maximiliano. Los personajes principales son cuatro: Enrique, Fernando, Isabel y Clemencia. Los dos primeros son oficiales de la armada nacionalista y luchan en el mismo regimiento, pero están distanciados por diferencias físicas y morales muy profundas. Enrique es elegante, rubio, galante y dado a las aventuras amorosas; Fernando es feo, oscuro, introvertido y desafortunado en el amor. No es ninguna sorpresa por lo tanto, que Isabel y Clemencia, dos herederas bellas y ricas de Guadalajara, se enamoren de Enrique y se burlen de Fernando. Sin embargo, en los últimos capítulos de la novela, se nos revela que Enrique es un hombre sin escrúpulos y, sobre todo, un traidor que pasa información militar a las tropas francesas a cambio de ser aceptado como coronel entre ellas. Fernando, un sincero patriota que ama a Clemencia en silencio, descubre la traición de Enrique y contra sus deseos, lo denuncia al líder de las fuerzas leales. Enrique es condenado a ser fusilado, pero al saber que su muerte destruirá a Clemencia, Fernando ocupa su lugar en la celda. Por fin, la bajeza moral de Enrique se descubre ante Clemencia, que trata de salvar a Fernando, condenado a muerte por dejar escapar al prisionero. Al final, Fernando muere ante el pelotón, Clemencia toma el hábito de las Hermanas de la Caridad, y Enrique, irónicamente, accede al rango de coronel en la armada invasora.

La función nacionalista y didáctica que exigía de la novela Altamirano se ve claramente manifestada en *Clemencia*. A pesar de que el autor aclara que Fernando no es ni indio ni mestizo, su color oscuro, su timidez, su carácter reservado, su frugalidad, su pelo negro y liso y el hecho de entrar en el ejército como soldado raso, lo convierten en indio a los ojos del lector mexicano de la época. Por encima de su falta de atractivo se convierte en el héroe espiritual de la novela al disponerse a morir por sus ideales, ya sean estos la soberanía de la madre patria o la felicidad de Clemencia. Altamirano, que era un indio puro al igual que Juárez, parece haber querido indicar al lector racista que no debe juzgar a la gente por su apariencia, como hizo Clemencia, sino por las cualidades morales y la conciencia patriótica. Así, el oscuro Fernando queda situado en el centro de la Mexicanidad, mientras que el rubio Enrique es expulsado de sus límites al preferir la bandera del invasor a la suya propia.

La novela histórica de la Restauración tuvo su representante en Vicente Riva Palacio, que publicó ocho libros entre 1868 y 1896. Como sucede en la mayor parte de las obras hispanoamericanas de este tipo, escritas antes de que el proceso de modernización tuviera lugar, las novelas de Riva Palacio carecen del valor artístico y de la interpretación intencional del pasado. Varias de ellas se refieren a las actividades de la Inquisición, pero no son más que ficción popular barata mal escrita. Ninguna es mejor que *La hija del judío* de O'Reilly, ni siquiera las escritas en este periodo por el guatemalteco José Milla (1822-1888). Debemos admitir, no obstante, que al referirse a los sucesos y personas más o menos históricos, éstas ayudaron a reforzar el sentimiento nacional. Dentro de la novela histórica, el tema de la idealización del indio fue abordado por Eligio Ancona (1836-1893) e Ireneo Paz (1836-1924).

La corriente costumbrista urbana y picaresca, inaugurada por Lizardi y continuada por *El fistol del diablo* de Payno, encontraría su mejor exponente en José Tomás Cuéllar, autor de una serie de once novelas breves titulada *La linterna mágica*. Las más conseguidas son *Ensalada de pollos* (en forma de serial, 1869;

en forma de libro, 1871) e *Historia de Chucho el Ninfo* (1871). Estaba interesado por la fotografía y la pintura y sus obras emergen de una visualización de los personajes típicos de la clase media: niños consentidos, militares ambiciosos, políticos corruptos, pequeños comerciantes, petimetres y *cocottes*. Influido por Balzac y por los españoles Estébanez Calderón y Mesonero Romanos, la obra costumbrista de Cuéllar se encuentra entre las más logradas de Hispanoamérica, sobre todo en lo que respecta a la precisión en los detalles. A pesar de que intentaba conseguir una ficción didáctica al modo de Lizardi, dirigida a corregir los defectos de la sociedad de su época, su gusto por la sátira lo llevó a ridiculizar a los personajes virtuosos que tomó como modelos. En todo caso —como señala John S. Brushwood—, el objetivo de su atención se centraba en el pollo, el joven irresponsable que era, de acuerdo con las ideas de Cuéllar, a la vez causa y efecto de la inconsistencia social que sufría la pequeña burguesía urbana. A pesar de que el débil carácter y la falta de sentido común de esta figura recuerda a los defectos del Catrín de Lizardi, el pollo no es un granuja; es simplemente víctima del oportunismo y la corrupción que rigen la sociedad. De acuerdo con la perspectiva tragicómica de Cuéllar, a veces cercana a la del Naturalismo, los hijos e hijas del pollo seguirían el mismo camino que siguió el pollo y su moralidad empobrecida les llevaría a hacer cualquier cosa por dinero y preeminencia social.

LAS ANTILLAS: EL TEMA DEL INDIO EN LAS NOVELAS DE EUGENIO MARÍA DE HOSTOS Y MANUEL DE JESÚS GALVÁN

Al contrario que *Cumandá*, la mayoría de las novelas de este periodo que asumen al Indio como referente lo hizo para legitimar el sentimiento de Nación. El indio y sus tradiciones se confundieron idílicamente en ellas con la naturaleza, que les dio así una autoridad telúrica. Este tipo de novelas no abunda en los países cuyo proceso de modernización comenzó pronto, ni en los países donde empezó tarde. En Argentina, por ejemplo, se idealizó poco al Indio, ya que era el núcleo de la «barbarie»; sin embargo el gaucho, al ser más asimilable a la «civilización», fue mitificado con frecuencia. En los países andinos, en los que las culturas semifeudales de las colonias se mantuvieron casi intactas, la única cosa a la que podía aspirar el Indio era a la compasión de los escritores liberales, una minoría marginada por el poder conservador. Este no es el caso de México y de las naciones de la cuenca caribeña. En el primer caso los liberales triunfaron bajo el liderazgo de Juárez y la Constitución de 1857 echó por tierra la antigua alianza conservadora entre la Iglesia y los terratenientes. En este contexto anticolonial y revolucionario, se escribieron una serie de novelas que critican la Conquista y buscan la autoridad cultural entre los indígenas, por ejemplo: *La cruz y la espada*, y *Los mártires del Anáhuac* de Eligio Ancona, y *Amor y suplicio* (1873) de Ireneo Paz. En el caso de las Antillas la inclusión del Indio dentro del sentimiento Nacional fue aceptada no sólo por los liberales sino por el poder conservador. Hubo dos razones para ello. En primer lugar, el indio había desaparecido hacía casi dos siglos y su remota presencia demográfica no molestaba a nadie. En segundo lugar, el tema del Indio sirvió para atenuar la autenticidad del esclavo negro como ciudadano de la nación. En Colombia y Venezuela, además, a pesar de que había indios y de que la esclavitud se había eliminado, los negros, eran mucho más activos en el campo social que los indios y constituían un peligro político para el poder conservador. Así pues en estas zonas de plantadores aparecieron obras indianistas, como *Yngermina* de Nieto, *Anaida* (1860) e *Iguaraya* de José Ramón Yepes (Venezuela, 1822-1881), *La peregrinación de Bayoán* de Eugenio María de Hostos (Puerto Rico, 1839-1903) y *Enriquillo*, de Manuel de Jesús Galván (República Dominicana, 1834-1910). En Cuba, a pesar de que se escribió literatura antiesclavista basada en personajes negros, no se pudo publicar ni aun tras la Abolición (1880). Aún así, el cuento indianista «Matanzas y Yumurí» (Palma y Romay, 1837), así como la abundante poesía que idealizaba a los primitivos habitantes de la isla, fueron ampliamente aceptados por los diversos grupos políticos y sociales.

En todo caso, entre los trabajos que he mencionado, *La peregrinación de Bayoán* es el más original. Su proyecto nacional desea la unión de Puerto Rico, Cuba y la República Dominicana (Santo Domingo) dentro de una sociedad de naciones que incluyese a España. (En 1863 los tres países eran colonias españolas). La novela es narrada como un registro de viaje, y se puede leer como un discurso enfrentado a las viejas crónicas de viajes de Cristóbal Colón. En la novela encontramos descripciones escritas a bordo de un barco de vapor que tratan de la isla de Guanahaní (San Salvador), del lugar de La Isabela (fundado por Colón en La Española), así como de las características de las costas de Cuba y Puerto Rico exploradas por Colón. También se narra un viaje de «regreso» a España, tan largo y lleno de dificultades como los de las antiguas carabelas. A pesar de ser contemporáneos de Hostos, los protagonistas de la obra tienen estos nombres taínos: Bayoán, el primer indio puertorriqueño que duda sobre la inmortalidad de los españoles; Marién, una doncella cuyo nombre es el de una bella región de cuba; Guarionex, un cacique poderoso de La Española en la época de Colón, y el padre de Marién. La novela se presenta como el diario personal de Bayoán, es decir, la voz del Otro-Colón, a pesar de que la propia voz de Hostos se deja oír como intérprete de la antillanidad, así como la voz del redactor del diario, un español que simboliza a Bartolomé de las Casas en su doble papel de Protector de los indios y verdadero publicista del descubrimiento y la conquista de las Antillas. A pesar de que Bayoán y Marién consiguen casarse en España, el matrimonio no llega a consumarse debido a la enfermedad mortal de la doncella. Al final, solo y amargado, Bayoán decide volver a las islas. Este segundo regreso deja abierta la posibilidad de un nuevo acto de fundación para constituir la triple nación antillana. Sus premisas serían la naturaleza autóctona, las tradiciones taínas y la lengua y la cultura españolas. Como ha observado Eliseo Colón Zayas, Hostos no intentó legitimar su novela en las capitales insulares —que el entendía desnacionalizadas porque querían imitar a ciudades europeas— sino en los campos de caña, de forma análoga a la de Avellaneda en *Sab*, es decir, en el espacio más aproximado a lo telúrico. Naturalmente Hostos excluyó de su programa a Haití, ya independiente y las otras islas no españolas del Caribe. De acuerdo con las ideas autonómicas, el centro europeo debía ser España, en especial la «buena» España, la España descolonizadora de Las Casas, la España liberal de la Constitución de 1812 y la de la Unión Liberal (1856-1863), que al menos ofrecían una esperanza remota de cambio en la situación colonial de las tres naciones.

Aparte de la originalidad de *La peregrinación de Bayoán*, la novela más importante del grupo es *Enriquillo*. De entre los libros de este periodo se puede decir que es uno de los que representan con mayor fidelidad el tipo de americanismo literario propuesto por Bello. Esto lo digo no sólo porque sus fuentes europeas son crónicas de las Indias sino, sobre todo, porque entre estas fuentes domina abiertamente la *Historia de las Indias* (1875-1876) de Bartolomé de las Casas —de la que *Enriquillo* toma numerosos párrafos— un libro que Bello juzgó de lectura obligatoria para los hispanoamericanos. *La Historia de las Indias* centra su interés en los dominicanos, entre otras razones porque habla de Enriquillo, el cacique caballeroso que entre 1519 y 1533 organizó un centro de resistencia indígena que llegó a derrotar a bandas de hasta 300 hombres. Enriquillo se había levantado en armas para reclamar sus derechos legales y para defender su honor como indio ilustre. El español para el que trabajó le robó su propiedad, y, más tarde le dio una paliza a su mujer por negarse a acceder a su peticiones sexuales. Tras agotar los medios legales que el sistema de justicia colonial proporcionaba, Enriquillo decidió declararse en rebelión en las montañas de Bahoruco. Por fin, por orden expresa del Emperador Carlos V, fue perdonado y compensado. Recibió el título de Don y se le permitió fundar su propio pueblo, a donde se retiró con su gente y su familia.

El celo patriótico de Galván ha sido puesto en duda a menudo porque colaboró con el último gobierno del general Pedro Santana, que requirió y obtuvo la reanexión de Santo Domingo a España (1861-1865). Esta crítica, que parece justa, debería sin embargo tener en cuenta que el Nacionalismo es una manifestación de naturaleza eminentemente cultural. Si Galván apoyó al gobierno anexionista de Santana, fue porque pensó que Santo Domingo corría el riesgo de ser ocupada de nuevo por el Haití afro-francés, es decir, una nación distinta culturalmente. (En 1822, el presidente Jean-Pierre Boyer invadió el país y lo anexionó a Haití hasta 1844). Así, ser un dominicano y un patriota en los tiempos de *Enriquillo*, presuponía en primer lugar un firme rechazo de todo lo proveniente de Haití. A pesar de que una gran parte de la población era negra o mulata, en lo que coincidía con la de Haití, el pensamiento nacionalista buscaba la explicación al color más o menos oscuro de la gente en ancestros indígenas ficticios, una aproximación que *Enriquillo* fortaleció. Así, a pesar de que la cultura popular seguía caracterizándose por una gran parte de elementos de origen africano –e incluso haitianos (por ejemplo, el merengue, el baile nacional) – la literatura dominicana buscó autoridad en el indio, cuya ausencia favoreció su idealización. La popularidad de la que ha disfrutado *Enriquillo* hasta tiempos recientes se debe en gran medida a su arreglo tácito con el mundo de lo imaginario.

ARGENTINA: LUCIO V. LÓPEZ, JOSÉ MARÍA MIRÓ, EUGENIO CAMBACERES Y EDUARDO GUTIÉRREZ

El proyecto más ambicioso de modernización de toda Hispanoamérica tuvo lugar en Argentina, donde, en un clima de estabilidad política, emergió una poderosa plutocracia de terratenientes, empresarios y financieros, una agrupación que conectó la economía nacional con la atlántica de forma casi completa. La exportación anual de lana creció desde 45 millones de kilos en los años 60 del siglo XIX, a más de 100 millones en los 70 y a 211 millones a finales de siglo. De la misma forma, el país se convirtió en un exportador de grano a nivel mundial, hasta llegar al punto en el que el número de acres que la pampa dedicó al cultivo de cereales se multiplicó por quince entre 1872 y 1895. Además, al ponerse en marcha el sistema de barcos refrigerados en los años 70, la exportación de carne fresca dio un nuevo paso en el comercio. Naturalmente, la importación de capital, tecnología, maquinaria y productos manufacturados también creció y Argentina llegó a estar doblemente atada a Europa, y en especial a Inglaterra, desde el punto de vista económico.

Dentro de este panorama de cambios, la literatura no fue ninguna excepción. Gracias al desarrollo de la imprenta, las publicaciones, las bibliotecas y otras instituciones culturales, así como a la emergencia de la figura del escritor profesional, la producción de novelas se multiplicó notablemente. Esto se puede observar como consecuencia indirecta del crecimiento importante del nivel de vida de la población (el más alto en Hispanoamérica), el aumento en la emigración europea y el descenso en el analfabetismo. La novela de ciencia ficción hizo su aparición en este clima de positivismo y fe en la ciencia. Con elementos tomados de Charles Darwin y Julio Verne, Eduardo L. Homberg (1852-1937) publicó *Viaje maravilloso del Sr. Nic-Nac al planeta Marte* (1875-1876) y *Horacio Kalibang, o los autómatas* (1879). Aquiles Sioen (1834-1904), inmigrante de origen francés, escribió *Buenos Aires en el año 2080*. Sioen construyó la fabulosa ciudad que describe —y que deseó— gracias al progreso científico, el desarrollo agrícola y comercial y el aumento de inmigración europea. Juan Bautista Alberdi, sin embargo, ausente de la vida política, no abrigaba falsas esperanzas. En su novela alegórica *Peregrinación de la Luz del Día, o viaje y aventuras de la Verdad en el Nuevo Mundo*, incluyó críticas muy ácidas del militarismo, el caciquismo, la violencia y la corrupción que había llegado al país en las últimas dos décadas. En todo caso, se puede decir en efecto que las novelas más importantes publicadas en este periodo abandonaron el canon fundacional del Romanticismo, tan claro en

Amalia, para nacionalizar modelos de Realismo y Naturalismo. Como ya he dicho antes, podemos identificar detalles románticos en estas obras (melodrama, sentimentalismo, pintoresquismo) e incluso características neoclásicas (el didactismo moral) pero tales características han de ser vistas como metáforas referidas a ciertas áreas de la superficie sociocultural que se resistían a los cambios modernizadores.

La gran aldea (un panfleto en *Sud-América)* de Lucio V. López (1848-1894), en principio recurre a modelos realistas para narrar la transformación experimentada por Buenos Aires en un breve periodo de veinte años. Julio, el protagonista, es un ser marginal que no simpatiza con la sociedad pedante, seudo-patriótica y militarizada de su infancia (en la década de los 60), ni con la sociedad burguesa, civil y materialista de su edad adulta (en la década de los 80). A pesar de que el texto se presenta a sí mismo como una novela que describe las costumbres de Buenos Aires (costumbres bonaerenses), su trama va más allá del Costumbrismo y se centra en el conflicto que experimenta Julio al no poder adaptarse al régimen moralmente relajado de los nuevos tiempos. En la novela aparecen tres iconos del Buenos Aires de moda que reaparecerían una y otra vez en obras posteriores: el Teatro Colón, el Club Progreso y el punto de veraneo de Palermo. Tomando elementos de Balzac, López describe con singular precisión las mansiones, vestidos, joyas, bailes, óperas, fiestas, banquetes y costumbres acomodadas de los ricos, y en particular de los *parvenu*, determinados a brillar más que los demás en la sociedad materialista de aquellos años. El impacto cultural de la europeización del país se puede ver no sólo en las modas y los artículos importados que consumía la «nueva clase», sino también en las palabras francesas e inglesas que usaban en su estilo de habla.

Fruto vedado, de Paul Groussac (1848-1929) también se publicó en *Sud-América* en el mismo año. Nacido en Francia e inmigrado a Argentina a los 18 años, Groussac llegó a dominar completamente el español. Su importancia intelectual no reside en haber escrito *Fruto vedado*, sino en su larga y productiva carrera como crítico, historiador, bibliotecario y promotor cultural. La trama de *Fruto vedado* se puede resumir como la historia de Marcel Renault, un ingeniero de origen francés que inmigró a la ciudad de San José (Tucumán) y que disfruta del amor de dos hermanas, Andrea y Rosita. La primera parte de la novela trata de hacer honor a su subtítulo de costumbres argentinas, pues Groussac se detiene para describir la vida provinciana de San José. Sin embargo, al igual que sucede en *La gran aldea*, el marco costumbrista se ve superado ampliamente, en este caso por la intención de describir cómo los cambios modernizadores han llegado hasta la remota provincia de Tucumán, provocando una situación ambivalente. A pesar de que la vida social y económica de la ciudad se ve galvanizada, el precio del suelo aumenta considerablemente al estar sujeto a una especulación sin fin. Además, los terratenientes de la zona ven en la marcha hacia el progreso una paradoja ya que, a la vez que se hacen ricos, ponderan con tristeza que la nación estará cayendo gradualmente en manos extranjeras. Los sentimientos de Marcel son también paradójicos, al enamorarse al mismo tiempo de la bella y pasional Andrea —su primer amor, casada por conveniencia con un primo ciego llamado Fermín— y de la virtuosa Rosita. Por fin todos se reúnen en París, Marcel y Andrea comienzan una pasión adúltera hasta que Fermín y Rosita los sorprenden. Groussac termina este conflicto realista / naturalista con un fin decididamente romántico: Fermín se suicida, Rosita se refugia en un convento esperando a Marcel y éste decide irse a África en una expedición científica y allí muere a manos de guerreros árabes.

La especulación sin tregua propia del clima financiero de los años 80 llegó a su clímax en 1890. Fue el año en el que la Bolsa de Buenos Aires cayó y su moneda se devaluó, causando la ruina repentina de miles de inversores. La crisis moral y económica que sufrió el país fue el tema de muchos escritores, entre los que fue el más notable José María Miró (1867-1896). Bajo el seudónimo de Julián Martel, publicó la novela *La bolsa* en 1891. La obra relata el crecimiento y caída del Dr. Glow, un probo y brillante abogado que sucumbe ante la fiebre especuladora y pasa de la riqueza a la pobreza cuando cae la bolsa. La novela ilustra el ambiente financiero de Buenos Aires al estilo de los realistas españoles, desde la fiel descripción del edificio de la Bolsa con sus magníficas arcadas y su gran reloj, hasta la galería de personajes que generó la bonanza económica dentro de la ciudad: el corredor de bolsa, el banquero, el especulador, el prestamista, el ganador, el perdedor. Al final, arruinado y deshonrado, el Dr. Glow se vuelve loco y cree ver un monstruo que lo amenaza constantemente: la Bolsa.

La crisis financiera es también el tema central de *Horas de fiebre*, de Segundo I. Villafañe (1860-1937); *Quilito*, de Carlos María Ocantos (1860-1949), publicada en París en el mismo año, y *Contra la marea*, del inmigrante chileno Alberto del Solar (1860-1921). De estos autores el más importante es Ocantos, que escribió una serie de veinte «Novelas argentinas» basadas en la obra de Pérez Galdós y Balzac, publicadas entre 1888 y 1929. Es importante subrayar que Ocantos rechazó la idea de representar en sus novelas el español hablado en Argentina; su lenguaje apenas si transgrede los límites del castellano académico.

El tema de la inmigración, que abordan directa o indirectamente numerosas obras, se trata con cierta complejidad en *Teodoro Foronda,* del inmigrante español Francisco Grandmontagne (1866-1936). Usando las obras de Pérez Galdós como su punto de partida, Grandmontagne cuenta la paradójica vida de un inmigrante —Teodoro Foronda— que, tras casarse con una mujer indígena y ganar dinero con el comercio, es menospreciado por sus hijos debido a su pobre educación y a sus pocos contactos sociales. En conjunto, las obras que tratan de la inmigración europea ofrecen un campo muy amplio de investigación sociológica. El inmigrante no siempre encontraba en Argentina la tierra prometida, como sugieren Ocantos y otros escritores. En las últimas décadas del siglo, la discriminación contra los inmigrantes humildes —a menudo italiano, españoles y judíos de la Europa del Este— era ya común. Por ejemplo, en *Inocentes o culpables*, Juan Antonio Argerich (1862-1924), toma a Zola como modelo para narrar la vida de una familia italiana de origen pobre —los Dagiores— que no consiguen huir de su «inferioridad». El fatalismo naturalista de Argerich se expresa sobre todo cuando narra la existencia violenta y degradada del hijo Dagiore que, enfermo de sífilis, termina suicidándose.

El canon naturalista de Zola tuvo fieles seguidores en Argentina como Villafañe, Argerich, Manuel T. Podestá (1853-1920), Francisco A. Sicardi (1856-1927) y Martín García Merou (1862-1905), pero su representante más importante fue Eugenio Cambaceres. Hijo de padres ricos y distinguidos, Cambaceres disfrutó de una excelente educación llena de libros y viajes. Su primera novela, *Pot-pourri*, causó un gran escándalo entre las clases altas de Buenos Aires. Sugerido probablemente por el *Pot-Bouille* (1881) de Zola, el título hace referencia a la imagen de Argentina como una olla podrida. En efecto, durante un monólogo desorganizado por la fragmentación y por la furia iconoclasta, Cambaceres propone desmantelar la imagen de la nación proyectada por los códigos positivistas. En su denuncia, Cambaceres critica la hipocresía de la política y del matrimonio; para él, la vida social está llena de mentiras, oportunismo e inmoralidad. Pero sobre todo —y yo creo que es aquí donde se encuentra su verdadero logro literario—, Cambaceres denuncia el lenguaje insípido institucionalizado por la política, las crónicas sociales, el romanticismo literario, la educación positivista, la Iglesia y la familia, para poder así presentar su propio lenguaje como una opción legítima; un lenguaje desigual y contradictorio que, en su desorganización, puede ser a la vez cínico y sincero, inteligente y vulgar, coloquial y amanerado, local y abierto a influencias extranjeras.

En la novela siguiente, *Música sentimental*, Cambaceres se acerca aun más a los modelos de Zola, en especial a *Nana* (1880). A pesar de que la narrativa continúa en primera persona y con él como narrador, la trama está mucho más desarrollada. El lugar de la acción es París, una ciudad que Cambaceres conocía muy bien. El protagonista es Pablo, un joven rico y disoluto que viaja a Europa buscando nuevas experiencias. Allí tiene dos aventuras amorosas al mismo tiempo con una condesa y una prostituta llamada Loulou, que se enamora del joven. Cuando Loulou se entera de la relación de Pablo con la condesa, decide informar al marido de ésta. Tras un duelo en el que el conde muere y Pablo resulta herido, se descubre que Pablo está enfermo de sífilis. En vez de curarse, la herida infecta todo su cuerpo a la vez que acelera el progreso de la enfermedad venérea. Al final Pablo muere ciego y podrido mientras que Loulou, que aborta, vuelve de nuevo a su vida como prostituta. El personaje de Pablo permite una lectura alegórica que cuestiona la autoridad de los grupos poderosos que definían la nación argentina como un sistema en marcha hacia el progreso.

Las mejores novelas de Cambaceres son *Sin rumbo* y *En la sangre*. A pesar de que su pesimismo es casi absoluto, ambas obras logran una calidad artística excepcional debido al desarrollo psicológico e introspectivo de sus respectivos protagonistas. Al contrario que las otras novelas de Cambaceres, la trama de *Sin rumbo* no tiene un desenlace predecible. En un primer momento el lector cree que Andrés, arrepentido de su pasado irresponsable y licencioso, va a conseguir reconstruir su vida gracias al amor paternal que profesa por Andrea, la hija ilegítima que tuvo con una mujer campesina ya fallecida. Pero al morir de difteria tras horribles sufrimientos, la chica rompe el único vínculo que une a su padre con la vida. La obra termina con el suicidio de Andrés.

En la sangre —para mí la novela más interesante del periodo— no se limita a hablar del impacto del entorno y los factores hereditarios sobre un niño de una familia de inmigrantes italianos pobres. Al contrario que otras novelas hispanoamericanas más o menos naturalistas, en ésta Genaro Piazza, el protagonista, ha asimilado los códigos sociológicos referidos a su inferioridad, su violencia y su inmoralidad, de tal forma que se cree a sí mismo incapaz de ser redimido. Así, convencido de que siempre ha sido y siempre será una mala semilla, concibe un plan repugnante para penetrar en los exclusivos círculos de la aristocracia: seducir y preñar a la hija de una familia rica de Buenos Aires. Una vez conseguido el deseado matrimonio, Genaro actúa como una fuerza ciega y destructora dentro de los grupos de poder en los que ha conseguido infiltrarse. Genaro Piazza es mucho más que el fruto del determinismo genético y ambiental; es a la vez víctima y verdugo del tipo de nación que el liberalismo positivista ha construido sobre la Argentina «bárbara» de Rosas. La crítica de Cambaceres al *status quo* social no es sólo más desesperada y extrema que la de Zola en su *Rougon-Macquart*, sino que ni siquiera se encuentra en Cambaceres la intención optimista de la que emergió la obra de Zola. Según mi interpretación de la novela hispanoamericana, Cambaceres es el escritor que con más pesimismo observó la interacción paradójica del sentimiento de Nación y de Modernidad.

A pesar de que la obra de Cambaceres atrajo a lectores de clase media y alta, el escritor más popular y productivo del momento fue Eduardo Gutiérrez (1851-1889), autor de más de treinta novelas. Caracterizada por una combinación de objetividad artística y urgencia al hablar del tema de la nación, la obra de Gutiérrez debe su forma a los artículos truculentos y las crónicas sensacionalistas que los periódicos más prestigiosos de la época no dudaban en publicar. En todo caso, la obra de Gutiérrez contribuyó enormemente a extender entre los sectores humildes de la sociedad, incluyendo a los emigrantes, una imagen de la nación argentina muy diferente a la que ofrecían otros escritores del periodo.

Las cuatro novelas que constituyen los Dramas de Terror de Gutiérrez hacen referencia a la tiranía de Rosas, narrando de forma macabra las persecuciones que sus oponentes sufrieron y los crímenes de su despótico gobierno. La trama de estas novelas no se diferencia mucho de *Amalia*, y se podría decir que mantienen los ideales de la Asociación de Mayo. A pesar de esto, en una serie de cuatro Dramas Militares, Gutiérrez defiende con una convicción apasionada la figura del jefe político Ángel Vicente Peñaloza (El Chacho), cuya banda fue exterminada sin piedad por Sarmiento en nombre de la «civilización». En ese caso, ¿en qué polo ideológico podemos colocar las novelas de Gutiérrez? Creo que en ninguno de los dos. Su narrativa rudimentaria se hace eco simplemente de los valores anómalos que eran corrientes en la tradición popular, en la que, más allá del reduccionismo ideológico de la «civilización contra la barbarie», Rosas aparecía como un monstruo y El Chacho como un Robin Hood patriótico de La Rioja. Al hablar del gaucho, Gutiérrez también adoptó una orientación paradójica. A pesar de que se aproximan a *Martín Fierro* al condenar el tratamiento injusto sufrido por los gauchos durante los gobiernos positivistas, sus novelas gauchescas más conocidas —entre ellas *Juan Moreira*, *Santos Vega* y *Hormiga negra*— difieren de la obra de Hernández porque relatan los detalles más chocantes de la vida violenta en la Pampa. En resumen, el triunfo de Gutiérrez fue una consecuencia de su capacidad para reciclar una visión de la argentinidad que simplemente representaba los gustos y deseos de las clases más bajas en oposición a aquellas que ostentaban la autoridad, ya que era marginal a las interpretaciones ideológicas de la nación que se debatían dentro de los grupos de poder. Su obra, a pesar de ser dura y vulgar, no se debiera infravalorar, ya que, entre otras cosas, sirvió para consolidar los mitos nacionales del gaucho y el revolucionario. Su *Juan Moreira* —cuyo protagonista se inspira en la vida real— se incorporó a las pantomimas del circo y más tarde al teatro (1884) con un gran éxito popular, señalando no sólo el comienzo del teatro gaucho sino también la orientación popular que el teatro regional del Río de la Plata seguiría.

URUGUAY: EDUARDO ACEVEDO DÍAZ, CARLOS REYLES Y JAVIER DE VIANA

El proceso de modernización en Uruguay comenzó tarde debido al largo y devastador periodo de guerras civiles entre los Blancos (los federalistas) y los Colorados (los centralistas). La dictadura de Lorenzo Latorre (1876-1879) inició un periodo de gobiernos militares que duraría hasta 1890. En esos años de estabilidad relativa las áreas rurales fueron por fin pacificadas y la economía agrícola del país comenzó a reorganizarse, lo que llevó a un incremento del comercio internacional. Uruguay consiguió convertirse en un exportador de confianza de piel, carne embutida y lana y al mismo tiempo atraer inversiones cada vez mayores de capital europeo y, sobre todo, a inmigrantes de Italia y España. Fue durante ese periodo cuando la novela resurgió con lo que se ha llamado «Generación de 1890», o más frecuentemente «Generación de 1900».

El escritor más distinguido de esa época fue Eduardo Acevedo Díaz (1851-1924), autor de siete novelas. De ellas sólo nos interesan aquí *Ismael, Nativa* y *El grito de gloria*, parte principal de una tetralogía histórico-patriótica que incluyó además *Lanza y sable* (1914). El siguiente, después de Acevedo Díaz, es Carlos Reyles (1868-1938) con *Beba*, y finalmente Javier de Viana (1868-1926), que fue sobre todo un cuentista, con su novela *Gaucha* (1899-1901). Más allá de su importancia artística, las obras de estos tres escritores forman un grupo particularmente interesante porque ofrecen tres formas diferentes de hablar de la nación uruguaya, cada uno de ellos apoyado en una hipótesis sociológica. La tetralogía de Acevedo Díaz tomó como punto de partida los textos históricos de Bello y las novelas que hemos descrito en la primera parte. Para él —al igual que para Bello— la novela debía tener una función ética y perceptiva y, sobre todo, debía contribuir al desarrollo de la conciencia nacional. Sus ideas políticas —que fueron federalistas hasta 1903— no sólo justificaron su simpatía por el gaucho y su oposición a la europeización económica y cultural del país, sino también su devoción a figuras históricas pertinentes del credo federalista tales como José Artigas, artífice de la Independencia y Protector de la madre patria uruguaya, así como a los diputados Juan Antonio Lavalleja y Manuel Oribe. No es sorprendente pues que Acevedo Díaz, que había luchado en las filas de los Blancos y estaba viviendo en el exilio en Argentina, tratara de legitimar en sus primeras tres novelas el proyecto nacional federalista, conectándolo con las gloriosas épicas que habían liberado al país del dominio de España (1811) y de Brasil (1825). Años después, al cambiar el escritor sus alianzas políticas, escribiría *Lanza y sable*, en la que el héroe es el centralista Fructuoso Rivera.

En todo caso, entre los modelos literarios europeos que Acevedo Díaz tuvo a mano en la década de los 80, uno de los que mejor se adaptó a su proyecto fue el de Pérez Galdós en sus *Episodios nacionales*, cuyas dos primeras series aparecieron a lo largo de la década de los 70. Pérez Galdós no sólo noveló la Guerra de Independencia en España, refiriendo las acciones de personajes ficticios y reales, sino que también, tuvo en cuenta el gusto popular, lo que implicó la regresión estilística hacia una prosa realista salpicada de escenas costumbristas y giros románticos. Este modelo era precisamente el que Acevedo Díaz buscaba y el que finalmente nacionalizó. La fuente local principal en la que Acevedo Díaz se apoyó para legitimar su serie de novelas fue el diario de campaña de su abuelo, el general Antonio Díaz, memorias que también usó para su obra histórica *Épocas militares de los países del Plata* (1911).

La mejor novela de la tetralogía es *Ismael*, que comienza con una descripción de Montevideo en 1808 y termina con el triunfo de Artigas sobre los españoles en la Batalla de Las Piedras (1811). El protagonista es Ismael Velarde, un gaucho práctico y sentimental que se une a las fuerzas independentistas. A pesar del desarrollo predecible del triángulo amoroso que el escritor construyó entre los personajes de Ismael, Almagro y Felisa, la novela es de gran interés por dos razones. En primer lugar, describe admirablemente las costumbres de Montevideo, las características particulares del paisaje y la naturaleza uruguayas, y la vida rural en el campo. En segundo lugar, al centrar su obra sobre la existencia agitada de Ismael Velarde, Acevedo Díaz ofrece al lector un excelente estudio sociológico sobre el gaucho. En las dos novelas restantes de la serie el protagonista es Luis María Berón, un joven aristócrata de Montevideo que se une a las fuerzas que luchaban por liberar al país del dominio portugués. Tras ser herido en combate, Luis María convalece en la hacienda Los Tres Ombúes, cuyo propietario tiene dos hijas, Dora y Natalia. Ambas chicas se enamoran de él, pero Luis María sólo muestra interés por Natalia, la que corteja un oficial enemigo llamado Pedro de Souza. *Nativa* termina cuando Luis María, herido de nuevo y capturado por el batallón de Souza, es rescatado por el gaucho Ismael Velarde. En *El grito de gloria*, a pesar de que el amor de Luis María y Natalia continúa, la atención de la trama se centra en algunas figuras reales (Lavalleja, Oribe, Rivera) y sucesos históricos (la sustitución de la dominación brasileña por la portuguesa en 1824, la liberadora «expedición de los Treinta y Tres», la decisiva batalla de Sarandí en 1825). La novela termina cuando Luis María, herido de muerte en Sarandí, fallece en los brazos de Natalia. Merece la pena subrayar que con estas novelas Acevedo Díaz no sólo se propuso glorificar la causa federalista, sino también reivindicar ética y culturalmente al gaucho, al mestizo, al negro y al indio charrúa como elementos fundacionales de la uruguaynidad.

Al leer *Beba*, de Carlos Reyles, y *Gaucha*, de Javier de Viana, el lector tiene la impresión de encontrarse en un país diferente al retratado por Acevedo Díaz. Los dos, por supuesto, eran hombres con intereses profesionales y literarios diferentes. Reyles, por ejemplo, era un hacendado rico interesado en la aplicación de los últimos métodos científicos en el mejoramiento de la agricultura y del ganado. El pasado no le interesaba, aunque la tierra sí; era un hombre moderno que veía el Territorio Nacional como una enorme hacienda que podía conseguir el progreso a través de la ciencia y la tecnología. La ciudad tampoco le interesaba; para él Montevideo era una especie de apéndice decadente que debía ser transformado desde el interior del país; el verdadero centro de Uruguay era la hacienda, y el verdadero patriota era el hacendado modernizador; hay tres personajes clave en la novela: Gustavo, un hacendado emprendedor y moderno de la zona de Río Negro, que proyecta la opinión de Reyles; Isabel (Beba), su sobrina, a la que Gustavo salva de ahogarse en el río, y Rafael, casado con Beba, hombre de cuerpo y espíritu débiles que vive en Montevideo y alegoriza, para Reyles, la vida parasitaria de la ciudad. El triángulo amoroso se crea cuando Gustavo y Beba se dan cuenta de que se aman y tienen relaciones sexuales. El conflicto se resuelve cuando Gustavo, arruinado y consumido por el remordimiento, se va a Europa y Beba se suicida al dar a luz a un hijo monstruoso, producto del incesto entre tío y sobrina. Más allá del hecho de que Reyles aplicó aquí sus teorías seudocientíficas biológicas y sociales, en su metáfora del incesto y del Río Negro la novela retrata la lucha entre el pasado y el presente, entre la naturaleza y la tecnología, entre la cultura primitiva y la moderna, entre la parte instintiva de la naturaleza humana y la parte racional y civilizada. En el análisis final, el conflicto alegórico de Beba se refiere —y de forma pesimista— al conflicto entre lo nuevo y lo viejo provocado por el proceso de modernización. Como Sarmiento en *Facundo*, Reyles nos deja el siguiente mensaje: las fuerzas oscuras que impiden la marcha del progreso no sólo residen en la naturaleza salvaje —el Río Negro— sino también en aquellas personas que, como él, abogan por la «civilización».

A pesar de que Javier de Viana luchó en las filas del partido de los Blancos, al igual que Acevedo Díaz, su representación del gaucho no es compatible con el retrato de éste en *Ismael*. Esta diferencia de criterios proviene del concepto fundamental que tiene cada escritor de la literatura nacional. Para Acevedo Díaz, como hemos visto, la novela debe ser un instrumento para la educación patriótica y moral. Por ello la figura del gaucho debe describirse de forma épica a partir del pasado nacional y articulada a través de códigos románticos, costumbristas y realistas. Javier de Viana, por otro lado, no creía que la literatura debiera cumplir una función edificante; sus preocupaciones se centraban en que reflejara la realidad buena y mala de las cosas y, sobre todo, que observara los cambios que ocurrían en las esferas económica, social y cultural de la nación. Para él, el gaucho no era una figura fija (fundacional), sino más bien una entidad sociobiológica que, llevada por las transformaciones en las estructuras uruguayas, había completado una trayectoria, desde su nacimiento hasta su edad adulta, desde su decadencia hasta su muerte. Mal entendido en su tiempo, los que idealizaban el pasado le reprocharon que describiera al gaucho como un animal. De hecho, Viana pensaba que el papel del autor era observar la realidad de forma científica y, tras nacionalizar los métodos de la novela experimental francesa, se limitaba a narrar el momento de desintegración material y espiritual del gaucho bajo la presión dinámica del proceso de modernización.

Los personajes principales de *Gaucha* aparecen en escena de la siguiente manera: cuando sus padres mueren, Juana es adoptada por su tío Don Zoilo, un gaucho taciturno y brutal que tiene su cabaña en un lugar muy aislado. La niña ama a Lucio, su compañero de juegos de infancia, y él también la ama. Pero entonces aparece Lorenzo, un gaucho malo cuyo grupo de bandoleros recorre la zona; aprovechando la ausencia de Don Zoilo, Lorenzo viola a Juana, lo cual la impulsa a romper con Lucio. Los amantes se reconcilian, pero la novela termina cuando Lorenzo mata a Lucio en una pelea de cuchillos, asesina a Don Zoilo, y provoca la muerte de Juana al atarla desnuda a un árbol para que pudiera ser violada por todos los miembros de su grupo.

Además de estos tres tipos de gaucho —Don Zoilo, Lucio y Lorenzo— que ocupan el lugar central en la novela, Viana incluyó otros personajes típicos de la frontera en su narración: el jefe, el agente, el ranchero atrasado. De todos ellos, Juana y Lucio son los únicos que no tienen una moral degradada, a pesar de que están muy lejos de representar la típica pareja hermosa y fundacional de la novela romántica. Lucio es un gaucho tímido de carácter débil y Juana es una belleza escuálida y neurótica. Con una visión muy certera en su análisis del gaucho, Viana observa que si Lorenzo hubiera nacido antes, habría canalizado su violencia terrena hacia las guerras de liberación o hacia las batallas entre Blancos y Colorados; es decir, habría sido un héroe de la madre patria como el Ismael de Acevedo Díaz. Esta posición relativista se extiende por supuesto a la nación ya que el gaucho es su mito más poderoso. Por ello para Viana la nación uruguaya era un organismo cambiante, una especie biológica que vivía, moría y renacía, transformada por la interacción de los impulsos genéticos y los agentes ambientales; es decir, hablando en términos metafóricos, la naturaleza y la tradición por un lado y la europeización y la modernización por otro.

MÉXICO: HERIBERTO FRÍAS, EMILIO RABASA, ÁNGEL DEL CAMPO Y FEDERICO GAMBOA

En el último cuarto del siglo XIX domina la figura del general Porfirio Díaz, cuya dictadura duraría desde 1876 hasta 1911. A pesar de su origen mestizo, su pasado liberal y su carrera patriótica militar al lado de Juárez, Díaz se dio a conocer por la mano dura con la que castigaba cualquier arranque de anarquía, oposición política o inconformidad social, así como por el desalojo de tierras y la represión violenta que llevó a cabo contra los indios. Al mismo tiempo, la estabilidad prolongada de su gobierno, la protección de las inversiones extranjeras y la decisión de empujar al país hacia el progreso de acuerdo con ideas positivistas, dieron como fruto una era de prosperidad sin igual en toda la historia de México. Independientemente de las concesiones generosamente otorgadas a las inversiones extranjeras, el error más importante de Porfirio Díaz fue la alianza que estableció con el clero y, en especial, con la oligarquía poderosa, comercial y terrateniente, a quienes agasajó con privilegios; es decir, los antiguos centralistas y los sectores conservadores que apoyaron al imperio y se opusieron a las reformas constitucionales de Juárez. De hecho, sólo los ricos, los miembros de alto cargo del ejército y la burocracia oficial, los profesionales de carrera y los intelectuales se favorecieron con el gobierno de Díaz. Las masas indias y mestizas de campesinos fueron excluidas de los beneficios de la bonanza económica y del desarrollo cultural. A pesar de que la producción literaria se vio afectada por la censura, la novela mexicana del porfiriato muestra una mediocridad intrínseca en general —banalidad, pobreza temática, didactismo e insuficiencia dramática— que no se puede explicar solamente por las restricciones impuestas por los censores. Si se comparan estas novelas con la obra de Cambaceres, Acevedo Díaz, Reyles, Matto de Turner, Villaverde, Zeno Gandía, Carrasquilla e incluso escritores mexicanos tales como Lizardi o Inclán, el lector percibirá rápidamente una desigualdad que sólo puedo definir como falta de pasión, de vigor y de convicción. Tal vez, como ha dicho Manuel Pedro González, estas deficiencias reflejen un complejo de culpa. Merece la pena señalar que Díaz ofreció astutamente puestos de prestigio a los escritores más sobresalientes.

En todo caso, por una razón u otra, los novelistas de aquellos años, con excepción de Heriberto Frías (1870-1925) en *Tomochic* (1894), no criticaron por lo general la dictadura de Díaz ni mostraron ningún interés por incluir al indio como una parte verdadera de la nación. La importancia de *Tomochic* está en su valor documental; es un ejemplo temprano de lo que hoy podríamos llamar la novela testimonial. La obra narra a través de códigos realistas y naturalistas la rebelión, captura y destrucción de Tomochic, un pueblo indígena al norte del país que se rebeló contra las autoridades por razones políticas y religiosas. Frías, que participó en la campaña como segundo lugarteniente de las tropas federales, relata lo sucedido a través de su personaje, Miguel Mercado, también oficial del ejército. A pesar de que se presenta un conflicto amoroso en la novela, éste tiene poca importancia. Las páginas más interesantes de la obra son aquellas en las que describe el culto semi-pagano de Tomochic y a los personajes más pintorescos del pueblo: Cruz Chaves, que pretende ser una reencarnación de San José y una mujer fanática y combativa conocida como la Santa de Cabora. También son muy interesantes los detalles de Frías sobre la composición y costumbres del ejército federal —por ejemplo, la descripción de las soldaderas, las mujeres que seguían a los hombres hasta el campo de batalla. A pesar de que Frías no critica directamente al Gobierno, su simpatía por los indios de Tomochic es evidente. Pertenecían a la nación yaqui cuyas tribus, que rechazaban ser gobernadas por una autoridad central y participar en el proceso de modernización, mantuvieron un estado de rebeldía durante todo el periodo de Porfirio. En todo caso, tras publicar su novela en *El Demócrata* —cerrado poco después—, Frías fue expulsado del ejército. Más tarde publicó otras novelas, pero ninguna igual en importancia a *Tomochic*, cuyos materiales temáticos y estilo periodístico tendrían influencia en *Los de abajo* (1911) de Mariano Azuela (1873-1952). La similitud existente entre la rebelión de Tomochic y la de Canudos (Brasil, 1897), descrita por Euclides da Cunha (1866-1909) en *Os sertões* (1902), nos da entender que hubo un proceso más o menos común en las Américas: una resistencia cultural desesperada de los pueblos de frontera durante el proceso de modernización.

Las cuatro novelas cortas de Emilio Rabasa (1856-1930) deberían leerse como parte de una sola obra. A pesar de que los críticos han alabado mucho la serie, creo que le falta la originalidad que se le ha atribuido. Su estrategia es una réplica a la de Lizardi: la nación blanca de clase media lleva en su pecho el destino de la nación y por ello debe ser perfeccionada moralmente para que ésta no se desintegre. A pesar de que Rabasa critica al modo costumbrista y picaresco de Lizardi la violencia *(La bola),* la política *(La gran ciencia),* la corrupción de la prensa *(El cuarto poder)* y la delincuencia *(Moneda falsa),* su proyecto no incluye a las masas campesinas como componente social, ni al indio como factor etnológico en la nación mexicana. Además, el didactismo de Lizardi refleja una sinceridad vehemente, mientras que el de Rabasa es artificial y vulgar. Esta misma complacencia con el *status quo* y con las cerradas ideas de la nación características del periodo de Porfirio se pueden encontrar en *La Calandria*, la novela más conocida de Rafael Delgado (1853-1914). A pesar de que *La parcela* (1898) de José López-Portillo y Rojas (1850-1923) trata el problema de la posesión ilegal de tierras, deja el tema sin resolver; por ello no llega a ser una novela de denuncia social.

La rumba, de Ángel de Campo (Micrós), es una novela breve que recuerda por su estilo a *Fruto vedado* de Groussac. Las características realistas predominan en él, pero también hay formas que pertenecen a las corrientes literarias más importantes del siglo XIX, incluyendo el Modernismo. Su ejecución es excelente, hasta el punto de que creo que es la novela mexicana mejor escrita de esa década.

El título se refiere al nombre de una plaza de un barrio pobre de la capital y también a uno de los significados de la palabra *rumba:* una pila de cosas, un montón desordenado. El autor describe con precisión el pobre espectáculo que tiene lugar en la plaza —los charcos, el barro, la basura, los perros escuálidos— así como la triste existencia de las gentes del vecindario, sobre todo la de una joven llamada Remedios. La novela, como se puede ver fácilmente, se presta a una lectura alegórica. Estoy de acuerdo con Brushwood *(México en su novela)* en que *La rumba* intenta presentar ante el lector un espacio colectivo, es decir, una bolsa de marginalidad de la mexicanidad dentro del esplendor del porfiriato.

El Zarco, de Altamirano, publicada póstumamente en 1901, es una típica novela fundacional. En realidad es una variación perfecta del modelo utilizado por el propio Altamirano en *Clemencia.* Aquí encontramos una vez más la oposición binaria «blanco/oscuro» que divide la nación por los colores de la piel. Al principio de la narración, Manuela (negativa y blanca) quiere a El Zarco (negativo y blanco), pero al mismo tiempo es cortejada por Nicolás (positivo y oscuro) a quien a su vez ama secretamente Pilar (positiva y oscura). En su amor por El Zarco, nombre real de un bandido de la época, Manuela se deja conquistar por su apariencia —está virtualmente cubierto de adornos de plata— sin percatarse de su pobreza moral. Tras rechazar a Nicolás, la joven huye de su hogar materno y se va a vivir con El Zarco, en cuyo campamento, además de verse sujeta a humillaciones, se da cuenta de la perversidad de los *plateados* (los bandidos que van forrados de plata). Pronto se arrepiente de haber unido su destino al del bandido, pero, ya es demasiado tarde. Nicolás, por su parte, tiene la oportunidad de comprobar el amor que Pilar siente por él, y decide casarse con ella. La novela termina con la captura y ejecución de El Zarco, la muerte de Manuela y la boda de Nicolás y Pilar. Al triunfar sobre la pareja «blanca», Nicolás y Pilar definen a la vez que legitiman el color «oscuro» de la mexicanidad. En todo caso, no es al indio de las masas campesinas —que se levantaría con Hidalgo, Morelos y Guerrero— al que se refiere Altamirano. A pesar de que Nicolás es un indio desde el punto de vista racial, no lo es en sentido económico, político, social o cultural. Así, el color más representativo de la nación no es el «blanco» ni el de los indígenas aún no asimilados, sino más bien un color «oscuro» que envuelve como una piel contradictoria a un individuo que tiene los atributos europeos de la «civilización». En efecto, Nicolás termina siendo un *alter ego* de Altamirano e incluso de Juárez, que aparece al final de la novela como un ejemplo de civilización y patriotismo. En realidad, *El Zarco* es una novela visiblemente anacrónica. Su alegoría, articulada en códigos neoclásicos, románticos y costumbristas, corresponde a los esquemas utópicos sostenidos por los escritores y políticos de la segunda mitad del siglo. Algo parecido ocurre en el interminable panfleto costumbrista de Manuel Payno, *Los bandidos de Río Frío*, publicada por entregas entre 1889 y 1891.

De todos los escritores del periodo de Porfirio, Federico Gamboa fue el que nacionalizó de manera más exitosa los modelos franceses del naturalismo, aunque lo hizo de una forma mucho menos radical que Cambaceres o Viana, debido en gran medida a que el determinismo científico tuvo un impacto limitado en el pensamiento del periodo de Porfirio Díaz. Las tendencias positivistas de aquella época estaban dirigidas hacia las posiciones religiosas de la Iglesia Católica —libre albedrío por un lado, esperanza de redención por el otro. Así, ni el naturalismo de Gamboa ni, en lo más profundo, el positivismo mexicano se basaron en una concepción científica de la sociedad o del mundo. Es cierto que vemos en sus novelas personajes o paisajes tomados de la narrativa naturalista francesa —la relación adúltera de *Suprema ley*, la monja pecadora de *Metamorfosis*— pero esta apropiación es meramente temática y no ideológica. *Santa*, su obra más conocida, relata la historia de una joven campesina que, tras ser seducida y abandonada, trabaja como prostituta en un burdel de la capital. Pronto Santa se convierte en la favorita de los clientes y, como la Nana de Zola, toma el mando de la vida alegre y disipada del lugar. Tras ser la amante de un torero y de un hombre rico, la situación empeora y se hunde en lo más bajo de su profesión hasta que cae enferma de cáncer. En medio de la decadencia física y moral, es redimida por el amor puro de Hipólito, un pianista ciego que tocaba en el burdel donde ella había sido reina. A pesar de que muere al final, Santa está en paz consigo misma y con Dios; gracias al amor transformador de Hipólito, su muerte implica una esperanza cristiana, una resurrección. Brushwood *(México en su novela)* observa sagazmente que el personaje de Santa se puede ver como una alegoría del México en el cambio de siglo, es decir, en un momento en el que los valores nacionales, corrompidos por la inmoralidad del periodo de Porfirio, necesitaban deshacerse completamente para renacer en otro momento histórico.

CUBA Y PUERTO RICO: CIRILO VILLAVERDE Y MANUEL ZENO GANDÍA

A pesar de que en Cuba el proceso de modernización comenzó bajo la dominación española —debemos recordar que la isla no obtuvo la independencia hasta 1902—, éste fue financiado en gran medida por la demanda norteamericana de azúcar. Dicha tendencia se aprecia mejor en los años sesenta, el periodo en el que los viejos molinos de azúcar comenzaron a ser reemplazados por la central moderna, con el consecuente aumento de la producción y la exportación. Aún así, y a pesar de la alta tecnología utilizada en la fabricación de azúcar así como de los impresionantes avances conseguidos por los transportes y las comunicaciones, la modernización en Cuba excluyó la agricultura en general e incluso el cultivo de caña de azúcar. Así, a la vez que la productividad industrial azucarera continuaba creciendo, el sector agrícola siguió estancado y en él la mano de obra fue básicamente esclava hasta 1880-1886. En el periodo post-esclavista, Cuba fue incapaz de sobreponerse a esta contradicción y por ello las estructuras agrarias se quedaron obsoletas y la población rural se benefició poco de la modernización industrial. Del mismo modo, como el país continuó dependiendo de la exportación de azúcar y de los cortadores de caña negros, las viejas dinámicas socioeconómicas de la plantación esclavista sufrieron pocas variaciones. Estas circunstancias explican por qué novelas antiesclavistas como *Sab* o *Francisco*, escritas en la década de los 30, despertaron interés medio siglo después y por qué los problemas raciales se reflejaron en las obras de Francisco Calcagno (1827-1903), Martín Morúa Delgado (1857-1910) y, sobre todo, en *Cecilia Valdés*, de Cirilo Villaverde.

Cuando se publicó en Nueva York la versión definitiva de *Cecilia Valdés*, el exilio político de Villaverde en los Estados Unidos duraba ya más de treinta años. Involucrado en las conspiraciones de Narciso López (1848-1851), dejó de escribir ficción justo en el momento en el que florecía su talento literario. En 1849, tras ser capturado y condenado a muerte por las autoridades españolas, escapó de la cárcel y consiguió embarcarse rumbo a la Florida. Se instaló en Nueva York como profesor y traductor y tanto él como su mujer probaron ser propagandistas activos por la independencia de Cuba. Entonces, y en circunstancias tan poco halagüeñas para la empresa literaria, ¿qué impulsó a Villaverde a desempolvar su antiguo proyecto novelístico, interrumpido hacía cuarenta años? Ciertamente no fue por razones abolicionistas, ya que la esclavitud se había abolido en Cuba en 1880. Tampoco fue por razones políticas, ya que la acción de la novela transcurre en el primer cuarto del siglo XIX. El crítico actual se debe enfrentar aún a otra pregunta: cómo clasificar a *Cecilia Valdés*. Se ha dicho que es una novela histórica, costumbrista, testimonial, anti-esclavista, romántica, realista, social, pesimista, e incluso racista.

Creo que se puede responder a todas estas preguntas a través de un solo comentario. Yo entiendo *Cecilia Valdés* como el legado de un fundador de la nacionalidad cubana, nacido en la generación de Echeverría y Delmonte y que moriría en la generación de Martí y Darío. Al final del siglo XIX había muy pocos cubanos que entendieran los problemas de su país tan bien como Villaverde; la madre patria siempre fue su tema. Esta constancia patriótica es precisamente lo que me lleva a pensar que la finalización y publicación de *Cecilia Valdés* debe verse como una recapitulación del largo diálogo de Villaverde con Cuba. Quiero decir que *Cecilia Valdés* es sobre todo una novela fundacional —aunque añadiría inmediatamente que es una novela fundacional mucho más compleja y paradójica que las que hemos visto hasta ahora, ya que festeja la constitución de la cubanidad al mismo tiempo que habla de las tensiones etnológicas que ponen en peligro la coherencia de la nación. No es una coincidencia que Cirilo Villaverde compartiera con la protagonista una fecha de nacimiento (1812) y las mismas iniciales (C. V.), ni que en la novela Cecilia Valdés fuese conocida en el mundo popular de La Habana como la *Virgencita de Bronce,* es decir, la virgen mulata, la Virgen de la Caridad del Cobre, la imagen mítica de la misma nación. En resumen, creo que el texto de *Cecilia Valdés* se presenta como una variante problemática de este mito, en el sentido de que desea la integración racial, social y cultural de la madre patria y al mismo tiempo habla de la imposibilidad de conseguir tal síntesis, ni siquiera dentro del espacio sociocultural construido por la modernización. El centro paradójico de la cubanidad se alegoriza en varias ocasiones a lo largo de la novela, por ejemplo en el capítulo en el que se habla del molino de azúcar, o en el que describe el baile que la mulata Mercedes da en su casa. En este último caso vemos una enorme masa de negros, blancos y mulatos de varias clases sociales, entre ellos los principales protagonistas de la novela: Cecilia Valdés, una bella cuarterona; Leonardo Gamboa, un joven blanco de la aristocracia esclavista azucarera, y José Dolores Pimienta, un clarinetista mulato que toca en la pequeña orquesta. Allí y con ocasión del encuentro festivo, los blancos y los negros comen, beben, bromean y se divierten juntos, bailando una música que ahora pertenece a todos, la *danza cubana*. Pero la armonía sociocultural se rompe de forma irreparable cuando Cecilia, ya deseada por José Dolores, comienza a ser deseada por Leonardo. «¿No tienen los blancos suficientes mujeres propias?». Se queja José Dolores. «¿Por qué tienen que venir a quitarnos las nuestras?». Pero el problema es mucho más serio y no se puede reducir sólo a la oposición «blanco/negro». Leonardo desea a Cecilia debido a su semejanza física con su hermana blanca, Adela Gamboa. El incesto, sin embargo, no se puede evitar, ya que Leonardo y Cecilia mantienen relaciones sexuales sin saber que son ambos hijos del mismo padre. De esta forma, el deseo incestuoso se presenta al lector como un defecto generalizado y fatal que corre a lo largo de la nación cubana, reduciendo su efectividad en la medida en la que se trata de un proyecto esclavista y patriarcal. Es precisamente la desesperación con la que Villaverde contempla las grietas en la nación cubana la que convierte a *Cecilia Valdés* en una novela de cambio de siglo, a pesar de sus características costumbristas y románticas. Cuando leemos las novelas de Calcagno, Morúa Delgado y Ramón Meza (1861-1911), cuyo comentario sería esencial para un estudio más extenso, debemos concluir que ninguno de estos escritores intentó revelar las incongruencias de la cubanidad tanto como Villaverde.

En Puerto Rico, al contrario que en Cuba, el proceso de modernización apenas se desarrolló durante el siglo XIX. A pesar de que las exportaciones de azúcar y café se elevaron, el aislamiento y el atraso económico que sufrió la isla bajo la administración colonial española, evitó la formación de un capital comercial y financiero fuerte, así como la organización de una infraestructura capaz de sostener el impulso modernizador. Por este último propósito se hizo necesaria la educación y la productividad del campesino, un tema que Manuel Zeno Gandía (1855-1930) desarrolló en *La charca*.

El subtítulo de la novela de Zeno Gandía es *Crónicas de un mundo enfermo* e ilustra la perspectiva naturalista de la obra. El autor, médico de profesión, intentó realizar un diagnóstico clínico de la población rural, entonces sumergida en el atraso, la malnutrición y la pobreza. La protagonista es Silvina, que tras ser violada por Galante, un terrateniente rico e inmoral, se ve forzada a casarse con uno de sus peones, un degenerado llamado Gaspar. La trama de la novela gira en torno al plan de Gaspar para matar al propietario de una tienda local, un hombre llamado Andújar, para robarle el dinero que guardaba en un baúl. Gaspar cuenta con la asistencia de un cómplice (Deblás) y de Silvina, a quien obliga a participar en el crimen. Pero cuando Andújar es advertido del plan para matarlo, huye de la tienda y causa la confusión: Andrés y Silvina matan a Deblás en la oscuridad, tomándolo por Andújar. Cuando Andrés huye, se podría pensar que Silvina queda libre para unirse a Ciro, el hombre al que siempre ha amado, pero el propio hermano de éste lo mata de una cuchillada. Por fin Silvina sufre un ataque epiléptico y se lanza desde un barranco.

Los personajes secundarios de *La charca* no tienen un destino mejor, y el diagnóstico social de Zeno Gandía es alarmante: los campesinos puertorriqueños son seres defectuosos a nivel físico y moral; viven fuera del alcance de la ciencia, la religión, la educación, la salud, el trabajo y la familia, y a pesar de que hay gente culta a quienes les gustaría verlos emerger de su degradación, sus buenas intenciones son insuficientes para la tarea.

PERÚ: CLORINDA MATTO DE TURNER

A pesar de que el sistema tributario de los indios y la esclavitud de los negros se abolieron durante el segundo término presidencial de Ramón Castilla (1854-1862), en los años siguientes la oligarquía terrateniente y los empresarios que dominaban el Perú demostraron su incapacidad de transformar en profundidad las estructuras socioeconómicas heredadas del periodo colonial. La construcción del ferrocarril supuso un endeudamiento internacional enorme y, tras el final de la Guerra del Pacífico (1879-1883), Perú había perdido a manos chilenas la región costera productora de guano y de nitratos para la exportación. Sumergido en la crisis económica y política, el país reclamaba un cambio. En 1895, Nicolás Piérola fundó el Partido Democrático y ganó las elecciones presidenciales. Pero una vez más los esfuerzos modernizadores no consiguieron mejorar las condiciones económicas y sociales del campesinado, en particular de los indígenas en la región andina, cuyo número ya había llegado a los dos millones y constituía el grueso de la población.

Al final de los años 80 Manuel González Prada (1848-1918) el intelectual peruano más importante de aquellos años, había empezado a criticar agudamente la alianza conservadora —la Iglesia, el Ejército, el Estado, los terratenientes y los intereses empresariales— que había perdido la guerra con Chile y sumergido al país en la ruina. En sus propuestas modernizadoras González Prada veía la educación de los indios y su mejora social como una necesidad para poder incorporarlos a la nación. Estas ideas, a pesar de disfrutar de escasa aceptación, establecieron una base para la renovación de la literatura indianista de sello romántico que aún se cultivaba en ese momento. Esta nueva dirección se caracterizaba por las denuncias de abusos concretos sufridos por los indios de los Andes, la región más conservadora del Perú. Clorinda Matto de Turner (1854-1909), influida por González Prada, introdujo esta nueva tendencia dentro de la novela nacional con *Aves sin nido*. De todas formas, *El Padre Horán* de Narciso Aréstegui debería considerarse un antecedente romántico-liberal. Tampoco puede ignorarse a Mercedes Cabello de Carbonera (1843-1909), que construyó sus novelas urbanas por entregas en base a las ideas positivistas.

La trama de *Aves sin nido* transcurre en Killac, un pueblo del borde este de los Andes. Los personajes son muchos. En primer lugar están Margarita y Manuel, los jóvenes amantes que ignoran tener un padre común en el obispo Pedro de Miranda. Luego dos parejas casadas, Marcela y Juan Yupanqui, una pareja humilde, y Petronila y Sebastián Pancorbo, que representan el poder político y económico local. Tanto Marcela como Petronila fueron víctimas de la rapacidad sexual del obispo Miranda cuando éste era el cura del pueblo y por ello son las madres de Margarita y Manuel respectivamente. Finalmente están Lucía y Fernando Marín, una pareja generosa de raza blanca y cómoda posición que viven temporalmente en Killac por razones de negocios. Esta pareja ejemplar, que sostiene las ideas positivistas de Matto de Turner, entra en conflicto con las autoridades políticas y religiosas locales al pagar las deudas de los Yupanqui y salvarlos de la pobreza. Furiosos por lo que consideran una interferencia en los asuntos internos del pueblo, Sebastián Pancorbo y el cura Pascual Vargas, organizan un asalto armado al hogar de los Marín. Estos sobreviven pero no los Yupanqui, que han acudido a ayudar a sus benefactores al oír los disparos. Antes de morir, Marcela revela el secreto del nacimiento ilegítimo de Margarita, que ha sido adoptada por los Marín; sin embargo esto no se hace público hasta el final de la novela, cuando Manuel viene a pedir su mano y revela que él es, a su vez, el hijo ilegítimo del obispo Miranda.

Como dice Antonio Cornejo Polar (en *La formación de la tradición literaria en el Perú),* esta novela se puede ver como un proyecto ético-pedagógico en el sentido de que está dedicada a la educación del indio como medio para integrar a la nación mientras que denuncia, al mismo tiempo, la inmoralidad de las instituciones que regulaban la vida indígena. Matto de Turner explicó aún más sus ideas en *Herencia*, donde encontramos a Margarita Yupanqui, educada por los Marín, brillando en la sociedad limeña y contrayendo un matrimonio ventajoso. A pesar de que Matto de Turner se adscribía a un proyecto positivista nacional en sus obras, no se puede decir que la autora mirase hacia el futuro con optimismo. La adopción de Margarita por los Marín es sólo un ejemplo casuístico que no se puede tomar de ninguna forma como una demostración exitosa de su tesis. En efecto, la propia autora parece cuestionar el valor práctico de las buenas acciones individuales cuando se pregunta, al referirse a la liberación del indio Isidro Champí de la cárcel: «¿Y quién liberará a toda esta raza desheredada?». En todo caso, independientemente del positivismo pedagógico naïf de las novelas de Matto de Turner, *Aves sin nido* es una obra importante por más de una razón. En primer lugar desea la integración de los indios dentro de la nación en condiciones de igualdad civil; en segundo lugar, al denunciar las prácticas coloniales que aún oprimían a los pueblos andinos a finales de siglo, habla de las limitaciones del proceso de modernización como agente transformador de la nación peruana.

VENEZUELA Y COLOMBIA: GONZALO PICÓN FEBRES Y TOMÁS CARRASQUILLA

La modernización de Venezuela comenzó bajo la dictadura del general Antonio Guzmán Blanco, que gobernó el país, con breves interrupciones, entre 1870 y 1888. Su administración se caracterizó por el autoritarismo y la corrupción por un lado y por la adopción de medidas liberales, entre ellas la organización de un sistema de educación pública y el desmantelamiento del poder de la Iglesia, por otro. Durante su dictadura hubo frecuentes levantamientos organizados por los Conservadores, que fueron reprimidos. Le sucedió el general Joaquín Crespo, bajo cuyo gobierno el país cayó de nuevo en el caos político y económico. Crespo murió en 1898 al aplastar la revuelta de un cabecilla local. Un año después el general Cipriano Castro tomó el poder, iniciando una dictadura militar desastrosa.

El novelista venezolano más importante del periodo fue Gonzalo Picón Febres (1860-1918) autor de *Fidelia* (1893), *Nieve y lodo* (1895), y *El sargento Felipe*, su mejor obra. La acción de *El sargento Felipe* transcurre en los tiempos de Guzmán Blanco, aunque su mensaje pacifista está dirigido a las facciones armadas que lucharon por el poder hacia finales de siglo. Los primeros capítulos describen desde el modernismo el mundo patriarcal de Felipe: la naturaleza bella y salvaje, las abundantes cosechas de café, la simplicidad bucólica de la vida campestre, el orden doméstico bajo la supervisión de Gertrudis (esposa) y Encarnación (hija), mujeres humildes y trabajadoras. Muy contra su voluntad, Felipe debe abandonar su pequeña granja, debido a que ha sido reclutado por el ejército de Guzmán Blanco para aplastar la rebelión de un hombre fuerte conservador. Entonces, de repente, la situación cambia y con ella el lenguaje de la novela, que adopta características realistas y naturalistas a partir de ese punto. En ausencia de Felipe, su paraíso armonioso es barrido por una serie de calamidades: soldados de ambos bandos roban sus sacos de café, sus vacas y su ganado reproductor; el fuego destruye su casa y Gertrudis muere quemada; Encarnación es seducida por Don Jacinto, el tendero local y se convierte en su amante pública. Tras recibir una carta que relata estos sucesos desafortunados, Felipe, convaleciente de una herida de machete en la cabeza, ruega al general de las fuerzas leales que le dé permiso para visitar a su familia. Concedido el permiso, Felipe vuelve a casa. Cuando ve las ruinas abrasadas del hogar y sus cultivos invadidos por la maleza, las lagartijas y las serpientes, se hunde en la desesperación. Tras matar a Don Jacinto de un balazo, se suicida tirándose por un precipicio.

La novela está dedicada «al honrado y laborioso pueblo de Venezuela —verdadera víctima de nuestras guerras civiles». Su pesimismo claro y directo denuncia la violencia generada por las facciones políticas que luchaban por el poder. Picón Febres no se preocupa, en su último análisis, por la modernización de Venezuela bajo el proyecto liberal ni tampoco del triunfo del proyecto conservador. Su novela lo sitúa fuera tanto del positivismo de los unos como del tradicionalismo de los otros; se pone del lado del campesino que ha sido y continuará siendo el perdedor, no importa cuál sea el hombre fuerte que salga victorioso.

En Colombia las guerras civiles entre Liberales y Conservadores fueron incluso más frecuentes y sangrientas que en Venezuela. Los puntos de conflicto entre los proyectos nacionales de un partido y del otro eran básicamente qué tipo de sistema político debía tener el país, es decir la confrontación centralismo/federalismo y, en segundo lugar, cuál era el papel que debía tener la Iglesia dentro del Estado colombiano. En el tercer cuarto del siglo el proyecto liberal (federalista y anticlerical) prevaleció, mientras que en las dos últimas décadas, el conservador se instaló en el poder personificado en el gobierno de Rafael Núñez, quien iniciaría el llamado Periodo de Regeneración. Los conflictos armados entre Conservadores y Liberales continuarían durante muchos años y a finales de siglo, comenzó la Guerra de los Mil Días (1899-1903) que ganarían los Conservadores.

El novelista más importante que emergió en esta época turbulenta fue Tomás Carrasquilla (1858-1940) uno de los escritores de literatura hispanoamericana más importantes y menos leídos. A pesar de que sus principales obras se escribieron en el siglo XX, su primera novela *Frutos de mi tierra*, corresponde a este periodo. En esta novela Carrasquilla ya exhibe un lenguaje realista-naturalista poderoso y maduro que lo caracterizaría como escritor del siglo XX. Más allá de su lenguaje contemporáneo, sin embargo, *Frutos de mi tierra* sigue las estrategias de la novela hispanoamericana de final de siglo, al criticar la sociedad más o menos modernizada de su periodo. Dadas las ideas conservadoras de Carrasquilla, su crítica está orientada por los códigos de la Iglesia Católica, y en esto no está lejos de Lizardi. En *Frutos de mi tierra*, al igual que en Periquillo, vemos cómo un personaje picaresco se beneficia de aquellos que confían en él. En efecto, César, un joven de moral relajada de Bogotá, seduce a su tía Filomena, una solterona de Medellín. Tras casarse, con un permiso especial del Obispo, César le roba a Filomena toda su fortuna y desaparece, provocando la muerte de ésta. Este desenlace, en el que el héroe picaresco no se reforma y el crimen queda sin castigo, refleja la diferencia entre el didactismo optimista de Lizardi y la versión pesimista de Carrasquilla, investida de la ironía y naturalismo típicos de la novela de finales de siglo.

Recapitulando, deberíamos darnos cuenta de que en las novelas de este periodo las naciones hispanoamericanas están muy lejos de representar los proyectos defendidos por los escritores del periodo postindependentista. En realidad la reconciliación política no se había conseguido y el orden nacional sólo se podría lograr bajo la mano fuerte de dictadores y gobiernos autoritarios; los esclavos habían sido liberados y a los indios se les había retirado su obligación tributaria, pero ambos continuaban siendo oprimidos y discriminados tanto por su raza como por su cultura; los programas educativos no habían logrado «civilizar» a los campesinos y la inmigración blanca tan ansiada no había traído, en general, ni anglosajones ni germanos, sino más bien, asiáticos, judíos y gente aldeana de Galicia, las Islas Canarias, Sicilia, Calabria y otras áreas periféricas de Europa; las exportaciones crecieron, pero junto a ellas también crecieron las deudas y las inversiones extranjeras; las grandes ciudades se habían modernizado hasta cierto punto, pero sólo para el beneficio de las clases alta y media; la Iglesia Católica perdió mucho de su poder de hierro sobre las vidas de los creyentes y las costumbres se hicieron mucho más tolerantes, pero una ola de inmoralidad, deseo de lujo, crimen y vicio barrió el territorio nacional desde un extremo hasta el otro. Ciertamente, desde los tiempos de Lizardi hasta los de Carrasquilla, las cosas cambiaron no sólo para bien sino también para mal. Los proyectos nacionales sin llegar a desaparecer del todo, se habían desgastado debido a sus arreglos con las realidades política, económica, social y cultural de cada nación; el Positivismo había envejecido a la vez que Sarmiento y a finales de siglo lo representaba la figura decadente de Porfirio Díaz. Hispanoamérica no se había unido, como Bolívar había deseado una vez, y tampoco la novela se había limitado a tratar temas edificantes, como hubiera preferido Bello. Incluso la novela patriótica —y estoy pensando aquí en *Juan de la Rosa,* del boliviano Nataniel Aguirre (1843-1888), la serie de Acevedo Díaz, y *Durante la reconquista*, de Blest Gana— deja al lector con la certeza de que la nación estaba dividida desde sus comienzos por diferencias de todo tipo. El héroe de estas novelas ya no es la figura escultural de *El Capitán de Patricios*, de Juan María Gutiérrez, sino un personaje colectivo con virtudes y defectos: el pueblo. Así, en el siglo XIX, la novela describió una parábola en su diálogo con la nación. Comenzó cantando el potencial de la nación y terminó enumerando sus fallos. Propuso reunir los elementos dispersos de la nacionalidad a través de la novela sentimental y terminó examinándolos de cerca y de forma separada, como si fueran órganos enfermos del cuerpo social. En este momento crítico, la novela pasó de moda como género literario mayor entre los intelectuales hispanoamericanos; se vio sustituida por la poesía. En efecto, enfrentada al exotismo pomposo y a los fuegos de artificio métricos y rítmicos de la poesía modernista, la novela del sentimiento de Nación se repliega. Excepto por algunos ejemplos de obras de estilo fundacional, que aparecen dentro de los cánones artísticos modernistas, la novela no reaparecería con vigor hasta la segunda década del siglo XX. Cuando reaparece, con más experiencia estética y partiendo de perspectivas diferentes aunque seguramente no menos ilusorias, es básicamente para retomar una vez más su diálogo paradójico con el progreso y la tierra.

[14]

LA NARRATIVA BREVE EN HISPANOAMÉRICA: 1835-1915

ENRIQUE PUPO-WALKER

LA ESTAMPA COSTUMBRISTA

Desde cualquier punto de vista, la historia de Hispanoamérica en el siglo XIX ofrece un panorama de inestabilidades constantes. Tras conseguir independizarse de España, las antiguas colonias soportaron un largo proceso de fragmentación ideológica y territorial. Surgieron frágiles repúblicas por doquier, que serían pronto divididas debido a las luchas constantes entre caudillos y jefes locales. Pronto este conglomerado de territorios independientes se enfrentó a la necesidad de verse a sí mismo como una comunidad de naciones, unidas por instituciones similares y una historia común. Pero en esa época inicial de confusión era difícil pensar en términos de pactos y solidaridad. Chile y Brasil consiguieron instaurar sistemas políticos bastante estables pero no fue éste el caso de Argentina, Colombia, México y otras nuevas repúblicas. Cuba y Puerto Rico estaban aún más retrasadas ya que seguían siendo colonias. Los trastornos iniciados por la independencia se agravaron por las ambiciones territoriales de los poderes extranjeros. En 1833, Inglaterra ocupó las Islas Malvinas; en los años cuarenta del siglo XIX los Estados Unidos le quitaron la mitad de su territorio a México y a comienzos del los sesenta, Francia asumió el control de lo que quedaba de la empobrecida República de México.

Como era de esperar, las turbulencias que reinaban a sus anchas en la Hispanoamérica del siglo XIX se reflejaron en el discurso político y la producción literaria del periodo. Las primeras novelas y, sobre todo, la inmensa ola de textos producida por los costumbristas nos ofrece chocantes descripciones de sociedades acosadas por la incertidumbre y la violencia política. Los costumbristas practicaron el «esbozo de las costumbres y modales». Produjeron narraciones breves de contornos imprecisos conocidas sobre todo como «cuadros de costumbres». Debido a sus muy diversas estructuras sería difícil señalar textos específicos emblemáticos de los logros literarios de los costumbristas en la primera mitad del siglo XIX. Si fuera preciso hacerlo, «El matadero» (1837?) de Esteban Echeverría (Argentina, 1805-1851), sería el ejemplo más válido. A pesar de su brevedad, «El matadero» nos ofrece un conjunto representativo de las formas narrativas más importantes. También anticipa obras de mayor complejidad como *Facundo* (1845) de Domingo F. Sarmiento (Argentina, 1811-1888).

En casi cualquier revalorización de lo que se ha escrito sobre la prosa hispánica del siglo XIX, se puede concluir que los juicios más provisionales están dirigidos hacia la narrativa costumbrista. Muchos han hecho esfuerzos persistentes por percibir a los precursores del «cuadro de costumbres», mientras que otros insisten en compartimentarlo a través de definiciones formales o historiográficas. En su prólogo a las obras de José María Pereda (1833-1906), Marcelino Menéndez Pelayo concluyó que la estampa costumbrista no era una forma narrativa «subsidiaria a la novela» (pág. 37). Aludió a la larga historia del «cuadro de costumbres» y a la variedad de sus diseños estructurales. Subrayando las ambigüedades que han rodeado el cuento costumbrista, José Montesinos nos advirtió que ni siquiera Ramón Mesonero Romanos (1803-1882) —un costumbrista español de peso— fue capaz de señalar sus características más distintivas. El propio Mesonero decía a los lectores de *Los españoles pintados por sí mismos,* II (1843): «A veces el cuadro de costumbres relata una historia que se aproxima a la novela; en otros casos se convierte en un cuento que mordisquea la historia», *Obras completas* (pág. 503). Las definiciones que provienen de Hispanoamérica son igualmente vagas. En sus *Apuntes de ranchería* (1884), el colombiano José Caicedo Rojas (1816-1897), conocido como el Mesonero de su país, eligió señalar simples razones utilitarias. Arguyó que las estampas costumbristas debían ser vistas principalmente como «complemento indispensable de la Historia de gran importancia para dar a conocer en todos sus pormenores una sociedad, un pueblo en su modo íntimo de ser» (pág. IX[1]). Si consideramos el giro pragmático de la definición de Caicedo y la vaga afirmación historiográfica hecha por Menéndez Pelayo y Mesonero, definiremos el «cuadro de costumbres» como un texto que tiende a mezclar modelos retóricos diferentes. Creo que tal pluralidad de modelos explica, al menos en parte, por qué los investigadores literarios han usado tantas etiquetas para definir el cuento costumbrista.

En *El krausismo español* (1980), Juan López Morillas describió agudamente a los costumbristas en estos términos: «Su preocupación con los detalles más mínimos, el colorido local, lo pintoresco, y las cuestiones de estilo a menudo no es más que un subterfugio. Asombrados por las contradicciones que ven a su alrededor, incapaces de comprender claramente el tumulto del mundo moderno, estos escritores buscan refugio en lo particular, lo trivial o lo efímero» (pág. 129). Como definición general del «cuadro de costumbres», habría que añadir que estos

[1] En *Apuntes de ranchería y otros escritos,* Biblioteca Popular de Cultura Colombiana, Bogotá, 1945.

textos tienden a desarrollar diversas líneas argumentales vinculadas a una anécdota sin importancia. Las narrativas costumbristas también mezclan la información autobiográfica con las observaciones satíricas, e incorporan citas de fuentes periodísticas, trozos de poesía y retazos de la cultura popular. Pero si estos componentes del «cuadro de costumbres» no se hacen visibles en ocasiones, es debido a que la presencia del narrador a menudo tiende a oscurecer la historia. De forma indirecta, esta especie de exceso de medios testimoniales ilustra la relación problemática del narrador con la línea principal del relato. En ocasiones el «cuadro de costumbres» es una curiosa representación de experiencias, que enmascara su condición ficticia. En muchos casos, estos esbozos narrativos se acercan más al ensayo que al cuento bien estructurado.

La narrativa costumbrista en general exhibe un contenido tan predecible que convierte la escritura un ritual. Si mantenemos presentes estas características, entenderemos por qué la historiografía literaria jamás ha sabido abordar el «cuadro de costumbres». Un ejemplo es «El matadero», una pieza clave del costumbrismo que no se puede definir exclusivamente en relación con su procedencia literaria. De hecho, es la factura ecléctica de este sorprendente cuento lo que lo hace distintivo. Alude a circunstancias históricas concretas e ideologías prevalecientes, pero en un nivel más sutil describe una situación explosiva que se desarrolla por caminos impredecibles. De este modo el texto de Echeverría demuestra cómo se utilizan los tipos alternos de desarrollo narrativo en los «cuadros de costumbres». Por consiguiente, yo diría que cualquier lectura documentada de las narrativas de este tipo debe reconocer, ante todo, su obcecada resistencia a las definiciones. Las diferencias entre los cuentos costumbristas son aún más explícitas cuando examinamos las modalidades que estos asumen en España y en Hispanoamérica.

Los costumbristas españoles como Mariano José de Larra (1809-1837), Mesonero Romanos y Serafín Estébanez Calderón (1799-1867) alcanzaron una importante repercusión en Hispanoamérica. Es sorprendente que autores que a menudo se mostraban incómodos por los legados institucionales españoles, confesaran abiertamente su admiración por estos autores peninsulares. El conocido argentino Juan Bautista Alberdi (1810-1884) adoptó el seudónimo «Figarillo» —un tributo implícito a Larra, conocido como «Fígaro». Sarmiento también se hizo llamar «Fígaro» en una carta escrita el 10 de enero de 1876 al escritor chileno y líder político José Victorino Lastarria (1817-1888), (Del Piño, *Correspondencia entre Sarmiento y Lastarria,* 94). El impacto de los costumbristas españoles en los hispanoamericanos es innegable, pero parece particularmente extraño cuando se recuerda la marea de sentimientos nacionalistas que pervivieron en Hispanoamérica durante el siglo XIX. Las nuevas naciones debían consolidarse y este factor importante pronto condujo al discurso literario a ponerse al servicio como modo de fortalecer la identidad nacional. Ningún otro género tuvo un papel más importante en este esfuerzo que la narrativa costumbrista. Las amplias afirmaciones nacionalistas confirieron a muchos «cuadros de costumbres» el título de textos fundacionales. Cada característica o costumbre regional debía ser documentada hasta el más mínimo detalle y esta tarea acercó la actividad literaria a casi todo el mundo; desafortunadamente, la escritura en aquellos días a menudo se reducía a una acción descriptiva superficial. Además, las abundantes referencias a eventos y personalidades secundarios rebajaban el ya reducido contenido imaginativo del «cuadro de costumbres».

Limitaciones de este tipo no parecían inhibir, sin embargo, la proliferación masiva de la narrativa costumbrista. El número de revistas, semanarios y suplementos dedicados a las descripciones satíricas de las costumbres y modos se multiplicó por toda Hispanoamérica. *Las hojas de aviso* (1861-1862) o *La semana* (1865-1871) publicada por el guatemalteco José Milla (1822-1882), y las revistas mexicanas *Miscelánea* (1829-1832), *Minerva* (1834) o *El Museo Popular* (1840-1842) estaban muy abiertas a cualquier tipo de estampa costumbrista. Hoy en día, pocos se dan cuenta de cuán grande es el número de narraciones producidas por los costumbristas. En sus *Letras colombianas* Baldomero Sanín Cano (1861-1957) habla más de una vez de la «tiranía» (pág. 94) impuesta en los círculos literarios colombianos por los costumbristas. La moda abrumadora de este tipo particular de narrativa ha sido estudiado con detalle por Frank M. Duffey *(The Early Cuadro de Costumbres in Colombia)* y por Salvador Bueno en sus *Temas y personajes de la literatura cubana*. El impacto del costumbrismo quedó impreso aún más claramente en publicaciones seminales como: *Los cubanos pintados por sí mismos* (1852) y *Los mexicanos pintados por sí mismos* (1855). Este tipo de volúmenes aparecieron en toda Hispanoamérica; eran variaciones regionales de precedentes muy conocidos, es decir, de *Los españoles pintados por sí mismos* (1843) y la *Enciclopedia de tipos vulgares y costumbres de Barcelona* (1844). Estas dos empresas enciclopédicas españolas estaban inspiradas, a su vez, en *Les français par eux-mêmes* (1840-1842). Aunque reconocieron tales modelos, los costumbristas hispanoamericanos sintieron la necesidad de establecer una genealogía literaria propia, pues ya no se podían reconocer en los paradigmas culturales y literarios de la decadente España.

Sin mejores opciones a mano, los autores hispanoamericanos adoptaron gradualmente algunas de las primeras descripciones históricas del Nuevo Mundo como piedras fundacionales de su herencia literaria. Este cambio de perspectiva comenzó a manifestarse en el ocaso del periodo colonial y es particularmente evidente en *Los infortunios de Alonso Ramírez* (1680) y en otras obras del sabio mexicano Carlos de Sigüenza y Góngora (1645-1700). La independencia política llevó inevitablemente a una amplia revalorización de la herencia cultural hispanoamericana. La necesidad de identificar textos que pudieran constituirse en la raíz de una tradición literaria distintiva es particularmente evidente en «Modos de escribir la historia», un artículo crucial publicado por el venezolano Andrés Bello (1781-1865) en 1848. En él Bello subraya la necesidad de establecer las tradiciones narrativas americanas y su deseo de basarlas en las tradiciones precolombinas y en las primeras narraciones históricas. Otros también abogaron por esta idea. Con ironía, Echeverría nos recuerda, al inicio de «El matadero» que «los primeros historiadores españoles del Nuevo Mundo deben ser nuestros modelos» (pág. 3). Una elaboración aún más compleja de esta noción también apareció en el famoso ensayo de Echeverría «Situación y porvenir de la literatura hispanoamericana» (1846), en el que respondía a un artículo del escritor conservador español Antonio Alcalá Galiano (1789-1865). Cuatro décadas después, Bartolomé Mitre (1821-1906), un hombre de estado e historiador argentino de primera línea, exaltó en *La Revista de Buenos Aires* (1881) la importancia de *La historia verdadera de la conquista de Nueva España* (1632) de Bernal Díaz del Castillo (1492-1581), una obra que era aún poco conocida. Curiosamente, hay ecos de este tema en el ensayo actual de Jorge Luis Borges «Las alarmas del doctor Américo Castro» (1960).

La relevancia que le doy a este conjunto de acontecimientos, es simplemente para subrayar una faceta singular del costumbrismo hispanoamericano, un fenómeno que no tiene equivalentes en los círculos literarios peninsulares de ese periodo. Me refiero aquí a los persistentes vínculos entre el costumbrismo hispanoamericano y la primera historiografía del Nuevo Mundo. Engendrar una nueva conciencia histórica atraía a los románticos y, en particular, a los autores hispanoamericanos del siglo XIX. Esta es en parte la razón de que un gran número de anécdotas provenientes de crónicas del periodo colonial acabaran entrando en la narrativa costumbrista. *Los comentarios reales del Perú* (1609-1617) del Inca Garcilaso de la Vega (1540-1616), *El carnero* (1637) de Juan Rodríguez Freyle (1566-1640) y *El lazarillo de ciegos caminantes* (1773) de Alonso Carrió de la Vandera (1715-1783) se cuentan entre las fuentes de anécdotas más ricas utilizadas principalmente por los costumbristas sudamericanos.

De hecho, esa imaginativa reconstrucción de la historia hispanoamericana está en la misma raíz de las famosas «tradiciones» de Ricardo Palma (Perú, 1833-1919) —una especie de estructura narrativa—, que es una variante distintiva del «cuadro de costumbres». La «tradición» es, por lo general, un cuento breve que medra a partir del comentario divagador y que tiende a digresiones irónicas. Palma unió estos rasgos sagazmente, dando así a sus interpolaciones y apartes un flujo conversacional efectivo que resultaba extraño en los textos de sus muchos imitadores. La unión astuta de cláusulas subordinadas —que Palma aprendió de los cronistas coloniales que tanto amaba— dieron a su escritura un cierto encanto arcaico. «Amor de madre: crónica de la época del virrey Brazo de Plata» (1880) y «Un cerro que tiene historia» (1875?) se encuentran sin duda entre sus mejores «tradiciones». Sus cuentos sinuosos aparecieron de manera constante desde 1872 hasta 1911.

Reconsideraciones de los logros literarios pasados similares a esta se encuentran evidentemente en los artículos del destacado costumbrista chileno José Joaquín Vallejo (1811-1858), más conocido como «Jotabeche». Como muchos de sus pares, Vallejo fue un periodista y un líder político. Este papel dual como protagonista y comentarista de los acontecimientos políticos y sociales es aún más visible en los casos de Echeverría, Alberdi, Sarmiento, Lastarria y otros muchos que cultivaron la estampa costumbrista. La mezcla abierta de actividad política y creación literaria ayuda a explicar el fuerte contenido ideológico del costumbrismo hispanoamericano, una generalización que no se puede aplicar tan libremente a los escritores peninsulares del periodo. En algunos de los treinta y nueve artículos que «Jotabeche» publicó en *El Mercurio,* en las breves narraciones históricas que reunió en *El último jefe español en Araucho* (1845) y en *Francisco Montero; recuerdos del año 1820* (1847), el costumbrista chileno parece hacer caso al consejo de Bello. A su modo limitado, Vallejo intenta crear una literatura que definirá el perfil cultural de su nueva nación y, en un sentido más amplio, de Hispanoamérica.

Preocupaciones muy similares sobre un pasado en qué apoyar un nuevo presente afloraron en los artículos, reseñas y estampas de otros conocidos costumbristas. Los colombianos José Manuel Groot (1800-1878), Eugenio Díaz Castro (1804-1865) y José María Vergara y Vergara (1831-1872), cultivaron una especie de narrativa costumbrista que se basaba libremente en los hechos históricos y las leyendas regionales. El grueso de sus escritos apareció en *El Mosaico* (1858-1872), una revista dedicada en su mayor parte a los proyectos misceláneos del costumbrismo. Lo que se suele encontrar en los escritos del venezolano Juan Manuel Cagigal (1803-1856) y en los cuentos del peruano Felipe Pardo Aliaga (1806-1868), es un entretejido caprichoso de ficción y datos reales, aunque el último se vio severamente coartado por su visión reaccionaria y el giro nostálgico de sus meditaciones. Para reflexiones más agudas sobre el uso imaginativo de la historia, debemos detenernos en *Artículos satíricos y de costumbres* (1847) de José María de Cárdenas Rodríguez (Cuba, 1812-1882). Este texto y el sagaz prólogo del novelista cubano Cirilo Villaverde (1812-1894) vuelven a examinar una vez más el pasado y los avatares de la creación literaria, pero desde un punto de vista determinado por las concepciones americanas de la historia. Su compatriota Francisco Baralt (?-1890) caracterizó con más detalle los modos de vida derivados de un largo pasado colonial, a pesar de que en sus *Ensayos Literarios* (1846) cede ante la urgencia clasificadora que trivializa una gran parte de la escritura producida por los costumbristas. «Para la descripción de costumbres», escribió, «no hay mejor contexto o fuente más fértil que la observación directa. La gravedad de los ingleses se encuentra cerca de la agradable frivolidad de los franceses, el noble orgullo y desdeño de los castellanos cerca de la vaga voluptuosidad de los cazadores de fortunas españoles en América. Y debido a que los seguidores de Colón se mezclaron con los indios ciboney, sus descendientes disfrutan ahora de los hábitos sensuales y la dulzura de esa raza extinta» (pág. 21).

Incluso cuando escribían con humor, Baralt y sus contemporáneos anticiparon las observaciones que años después hiciera el erudito venezolano Mariano Picón Salas (1901-1965) en la breve introducción a sus *Satíricos y costumbristas venezolanos* (1956): «La escritura costumbrista se ve como el camino primario, si no hacia los temas autóctonos, ciertamente hacia las más tempranas conceptualizaciones de nuestra propia tradición literaria» (pág. 5). Ese esfuerzo por enfocar los distintos rasgos culturales de una sociedad también se pueden detectar en *Tipos y costumbres de la isla de Cuba* (1881), una amplia antología de escritores costumbristas redactada por Miguel de Villa. En ella, Antonio Bachiller y Morales (1812-1889) evoca una rápida secuencia de imágenes al describir la actividad social y económica que le rodea: «Una colección de tipos cubanos: negros que se levantan al atardecer, criaturas de cuatro patas que van hacia el mar... y los mulateros que esperan el disparo de cañón del Ave María... [y] más allá de los ricos ociosos en las mesas de juego y alrededor de ellas otros muchos tipos sociales» (pág. 27). Como muchos de sus pares, Bachiller y Morales intentaba un esfuerzo taxonómico cuya base se puede retrotraer hasta muchos artículos más cortos pero seminales publicados en *El Papel Periódico de la Habana* (1790). Una inclinación análoga hacia la categorización aparece también en las elegantes páginas de *Colección de artículos* (1859) de Anselmo Suárez y Romero (Cuba, 1818-1878). Y, para gran sorpresa nuestra, este giro mental narrativo, resuelto a ordenar y tipificar, resistió en las numerosas *Estampas* que Eladio Secades (Cuba, 1908-) publicó durante los años cincuenta en *Revista Bohemia*.

La notable durabilidad de las narrativas costumbristas no es sorprendente si recordamos que, en el atraso político y económico de las naciones hispanoamericanas el «cuadro de costumbres» constituía una vía de escape del desacuerdo y la crítica social, a través de la caracterización satírica. Las distorsiones creadas por el poder absoluto, el privilegio y la privación social y económica se hallan en el núcleo de mucho de lo que los costumbristas escribieron. Las agudas estampas reunidas por el guatemalteco José Milla en sus *Cuadros de costumbres* (1865-1871) tocan una amplia gama de asuntos frecuentemente disfrazados bajo el aspecto de una anécdota divertida, como en muchas de las «tradiciones» de Ricardo Palma. Igualmente, detrás de los frívolos comentarios del cubano Luis V. Betancourt (1843-1885) en *Artículos de costumbres y poesías* (1867) se percibe el resentimiento de una mayoría que no tenía voz en los asuntos de una sociedad aún colonial: «La ciencia es larga, la vida corta», escribió Betancourt, «Nuestro país, ¿a quién le importa?... Nacemos hoy para morir mañana... Espero que la madre patria sea recompensada algún día...» (pág. 25). En un sentido más amplio, los textos de este tipo también expresan un sentimiento persistente de marginalidad con connotaciones geográficas y culturales más amplias. Hacia finales del siglo XIX, Hispanoamérica aún se encontraba en la periferia del mundo occidental. La revolución industrial era para la mayoría de los hispanoamericanos un espectáculo distante de progreso asombroso y mítico. Ocasionalmente los hispanoamericanos participaron en nuevas redes que unían el periodismo, las ciencias, el arte y la tecnología moderna, pero en la mayoría de los casos aquellos instrumentos de progreso sólo alcanzaron a sectores limitados de Buenos Aires, la Ciudad de México, La Habana, Bogotá y Santiago. Los deslumbrantes logros de la modernidad descritos tan hábilmente por Walter Benjamin en su ensayo «París, capital del siglo XIX» (1934) eran conocidos sólo de oídas por los hispanoamericanos. El tipo de expresión literaria que mejor mide la distancia que separa al mundo hispanoparlante de los impactantes logros de la Edad Moderna es probablemente la narrativa costumbrista; estos textos a menudo confirman que el progreso material generado por la investigación científica y por la revolución industrial fue percibido en Hispanoamérica principalmente como experiencia retórica. «Manual de cuquería o fisiología del cuco» (1857) del español Eugenio de Ochoa (1815-1872), «Los tontos» (1881) de José Milla o *Los frutos de mi tierra* (1896) del colombiano Tomás Carrasquilla (1858-1940), son ejemplos válidos de las miríadas de textos que mimetizan, desde la distancia, los logros de las sociedades avanzadas. A menudo lo hacen a través de la parodia o representando trazos incoherentes de los discursos de la modernidad. En *The Spanish American Regional Novel,* Carlos Alonso, con muchas pruebas persuasivas, corroboró que para la mayoría de los hispanoamericanos la Edad Moderna era claramente, un «evento discursivo» (pág. 22) representado una y otra vez en la ficción contemporánea hispanoamericana.

Para evaluar el «cuadro de costumbres» es útil recordar que surgió fuera de las fronteras de los géneros literarios establecidos. El obvio vínculo del costumbrismo con el periodismo sitúa de manera inmediata a estos textos superficiales en los márgenes de las *belles-lettres*. De hecho, si hay una forma narrativa ilustrativa del colapso de los géneros literarios que ocasionaron las tentativas perjudiciales del Romanticismo, esta forma es el «cuadro de costumbres». Una vez más, el celo de Mesonero Romanos por clasificar la posible genealogía de la estampa costumbrista sólo sirvió para confirmar sus ambigüedades. En su *Panorama matritense* (1825), Mesonero subrayó que los «sueños fantásticos y alegorías escritas al modo de Quevedo, Espinel, Mateo Alemán y Diego de Torres fueron los obvios precursores del cuento costumbrista» (I, 12). Si tomamos en serio esta genealogía, los antecedentes del «cuadro de costumbres» se mostrarán realmente muy oscuros. Ni Mesonero ni sus muchos imitadores modelaron sus obras sobre alegorías o sueños. Si se va a encontrar a los precursores de la estampa costumbrista, hay que empezar por investigar en las numerosas colecciones de cuentos publicadas en los siglos XVI y XVII. Es en esos libros olvidados donde se pueden detectar algunas vagas similitudes con los textos costumbristas, particularmente en lo que respecta al orden de los episodios y el punto de vista narrativo. Las *Historias peregrinas* (1623) de Gonzalo Céspedes y Meneses (1555-1638) o la *Floresta española* (1524) de Melchor de Santa Cruz (1529-1595) se pueden ver como esquemas primarios para narraciones centradas en la observancia satírica de la norma social. Pero el marco conceptual y el proyecto narrativo de estos textos contrasta claramente con lo que los costumbristas pretendían conseguir.

Mucho más inmediatas y pertinentes son las afinidades entre las narraciones de los costumbristas hispanos y *L'Hermite de la Chaussée d'Antin* (1825-1827) del periodista francés Victor Étienne Joy (1764-1846). No menos importantes como modelos distantes del «cuadro de costumbres» fueron las narraciones satíricas recopiladas por Joseph Addison (1672-1719) y Richard Steele (1672-1729) para el *Spectator* (1711-1712) y el *Tatler* (1709-1711). Mesonero, Milla, Alberdi y muchos otros costumbristas confesaron más de una vez su admiración por los cuentos incisivos, fluidos y fragmentados difundidos por Addison y Steele. Creo que ese vínculo es importante porque una de las características principales de la cambiante armadura de la estampa costumbrista es la afinidad con precisamente este tipo de fragmento periodístico dominado por Addison y Steele. A su modo sardónico el texto costumbrista habla las más de las veces de lo que oye y parece rehacer la trama, resumir o instruir. Siguiendo los modelos ingleses y franceses los costumbristas descubrieron que la pura gracia era mucho más deseable que la escritura memorable.

Una vez más, tales prioridades señalan la estrecha relación entre el costumbrismo y el periodismo en sus formas modernas. No es ninguna coincidencia que el poeta cubano Julián del Casal (1863-1893) subtitulara algunos de sus esbozos narrativos como «fragmentos». Esta forma improvisada se reproduce en Casal en «La prensa» (1886) y en la mayoría de sus *Bocetos habaneros* (1890), así como en otros «cuadros de costumbres» escritos por Milla, «Jotabeche», y Manuel Payno (México, 1810-1894). El arbitrario orden en los sucesos que podemos ver en las primeras páginas de «El matadero», en «Rosa» (1848), en José V. Lastarria o en los muchos cuentos de *El espejo de mi tierra* (1869) del peruano Felipe Pardo Aliaga es sintomático de una estructura narrativa centrada en las actividades diarias de forma que nos recuerda a las pinturas de género. En las *Escenas cotidianas* (1838) del cubano Gaspar Betancourt Cisneros (1803-1866), en *Instantáneas metropolitanas* (1846) del argentino José Álvarez (Fray Mocho) (1858-1903) o en «Lanchitas» (1878) del mexicano José María Roa Bárcena (1827-1908) encontramos la casualidad de la prosa periodística, recursos epistolares, chispazos de datos autobiográficos y una pequeña parte de comentario político. Estos recursos narrativos están casi siempre mezclados dentro de una secuencia convulsa que va a la deriva sin resolver su problema discursivo. En «La polémica literaria» (1833) Larra reconoce abiertamente la recepción errática del escritor costumbrista. «Muchos son los obstáculos que para escribir encuentra entre nosotros el escritor, y el escritor sobre todo de costumbres que funda sus artículos en la observación de los diversos caracteres que andan por la sociedad revueltos y desparramados. Si hace un artículo malo, '¿quién es él', dicen, 'para hacerle bueno'? Y si le hace bueno, 'será traducido', gritan a una voz sus amigos. Si huyó de ofender a nadie, son pálidos sus escritos, no hay chiste en ellos ni originalidad» *(Artículos,* 742).

También prevalece un sentimiento parecido de duda en «Siempre soy quien capitula» (1855) del peruano Manuel Ascensio Segura (1805-1871) así como en otros muchos textos incluidos en *Artículos de costumbres* (1892) de José Victoriano Betancourt (1813-1875). Pero más que documentar la recepción desigual que se dio al «cuadro de costumbres» lo que hay que entender es por qué los lectores y los investigadores literarios se han sentido incómodos ante esta forma narrativa en particular. Si no hay consenso sobre la forma de leer o definir el cuento costumbrista, es porque su impulso narrativo emana más de un deseo de instruir que de una visión lógica de los materiales anecdóticos. Además, la narrativa costumbrista es casi siempre un acto de mediación narrativa en el que otros discursos —históricos, políticos o científicos— se mezclan y disuelven entre las galas de un relato particular. El famoso cuento de Larra «El castellano viejo» (1832) es mucho más que una representación entretenida de los singulares problemas sociales padecidos por el relator. El cuento representa las dislocaciones urbanas producidas en el siglo XIX por el crecimiento precipitado de las ciudades en las que muchas clases sociales comenzaron a mezclarse de formas totalmente nuevas. Estas dislocaciones se convirtieron en temas centrales de los tratados escritos por Claude H. de Saint-Simon (1760-1825), Charles Fourier (1772-1837), Thomas Carlyle (1794-1881), Auguste Comte (1798-1857) y Pierre Proudhon (1809-1865), entre otros teóricos políticos. Fragmentos de las teorías de Fourier y Saint-Simon son visibles en *El dogma socialista* (1846) de Esteban Echeverría y se convierten vivamente en ficción en «El matadero». *La guerra de la tiranía* (1840) de «Jotabeche» también incorpora rasgos de teoría política con menos intensidad, pero en sus textos estas preocupaciones se ven reflejadas normalmente a través de fuentes secundarias. Muchos costumbristas chilenos y argentinos se familiarizaron con las nuevas teorías políticas en los ensayos de Lastarria, Sarmiento y otros comentaristas políticos. Aún así la representación de las teorías sociales y políticas en los «cuadros de costumbres» aparecen a veces como vagos recuerdos, en parte porque estas ideas eran transmitidas por medio de traducciones dudosas o de fragmentos incluidos en informes periodísticos.

Al reconstruir las líneas generales del desarrollo científico del siglo XIX es importante recordar que las ciencias sociales (la sociología, la economía y la teoría política) emergieron en ese periodo, sobre todo en tratados de Saint-Simon, Fourier, Proudhon y sobre todo Comte. Como sabemos, las primeras iniciativas emprendidas en estos nuevos campos fueron bastante tímidas y en general vacías de contenido experimental. De hecho, la investigación sociológica de los escritos de Fourier, Proudhon y Comte viene a ser una mezcla indiscriminada de preceptos derivados de la historiografía, la ética, la jurisprudencia y las ciencias naturales. Las conceptualizaciones seudocientíficas aplicadas al análisis de las estructuras sociales no se basaban en el análisis cuantitativo y tenían poco que ofrecer en cuanto a datos estadísticos. Charles Fourier en particular fue conocido durante su época como pionero de las ciencias sociales. Escribió de forma profusa y con entusiasmo sobre las «patologías» y «fisiologías» de contextos sociales específicos. Precisamente a partir de estas afirmaciones y de otras similares, creo que se deriva la obsesión pedestre de los costumbristas por la fisiología de casi todo. El cubano José María de Cárdenas (1812-1882) escribió sobre la «Fisiología del administrador de un ingenio» (1847) y muchos otros se embarcaron en elucubraciones semejantes.

En su tan admirada *Teoría de los cuatro movimientos* (1808), Fourier consiguió clasificar las costumbres, los hábitos económicos, los acuerdos matrimoniales, muchas de las pasiones humanas, las configuraciones psíquicas y otras muchas cosas. En la mayoría de los casos la tarea principal de estas formas embrionarias de investigación social era clasificar todo lo observado. El catálogo de categorías que Fourier y sus seguidores concibieron parece interminable. La categorización se convirtió en un sinónimo de la empresa científica e incluso de la erudición moderna en general. Las revistas ilustradas en Europa e Hispanoamérica procedieron a representar gráficamente y de otras formas, nuevos tipos o clases sociales que habían emergido como subproductos de los desplazamientos demográficos. Los conocidos *aleluyas* que aparecieron durante todo el siglo XIX, como los reproducidos en el volumen XXIII de la *Summa artis* (Madrid, 1988), son representaciones gráficas y satíricas de profesiones, costumbres y sucesos históricos. Las formas tempranas de investigación científica se popularizaron sobre todo a través de medios periodísticos y es en estas fuentes secundarias en las que el «cuadro de costumbres» detectó las categorías y clasificaciones que repetiría y perfeccionaría. «Los oficios» (1890) de Julián del Casal, «El pescador» (1891), o «El carbonero» (1889) de Ramón Meza (Cuba, 1861-1911) o *Semblanzas de mi tiempo* (1890) de Francisco de Sales Pérez (Venezuela, 1836-1926) son algunos de los miles de esfuerzos clasificadores publicados en España y en Hispanoamérica.

De todas las formas de investigación científica que llegaron a Hispanoamérica en el siglo XIX, le correspondió al positivismo la recepción más entusiasta. En México, por ejemplo, el régimen dictatorial de Porfirio Díaz (1876-1911) adoptó las principales afirmaciones del Positivismo como base para su política económica. En Hispanoamérica se escribieron innumerables tratados y revisiones a favor del Positivismo. Los eruditos ensayos de Lastarria, Alberdi y Manuel González Prada (Perú, 1848-1918) así como los de Enrique José Varona (Cuba, 1849-1933) se debatieron en círculos intelectuales y políticos y fueron revisados por los diarios más influyentes. De todos los esfuerzos por adaptar las ideas de Comte a la realidad hispanoamericana ninguno tuvo tanto éxito como las *Lecciones de política positiva* (1875) de Lastarria, aunque sólo se trata de una ingenua parodia de los famosos textos de Comte. «Lo positivo» se convirtió en una noción ambigua que penetró en todos los círculos cultos y se infiltró en el mundo de la cultura popular. En su tan admirado *Cours de philosophie positive* (1830-1842) y en su *Système de politique positive* (1851-1854) Auguste Comte enunció, con más elocuencia que precisión, las premisas fundamentales de sus teorías.

Lo que Comte propuso fue esencialmente el estudio sistemático de valores y normas que, una vez establecidas, se podrían usar para entender los patrones de cambio dentro de un contexto social determinado. Como muchas de las ideas de Proudhon, las teorías de Comte estaban en parte enraizadas en conceptos éticos y legales. Como en el caso de sus predecesores (Saint-Simon, Condorcet y Fourier), el pensamiento de Comte era poco más que una respuesta dispersa a los drásticos cambios sociales y económicos que trajo la revolución industrial. En un sentido general, su programa se centró en la reorganización social y la modernización de las estructuras institucionales. Pero al final las teorías de Comte se percibieron en Hispanoamérica no como soluciones para problemas específicos sino como medios para elaborar una crítica del pasado y, de manera más importante, como una forma de romper con él. En *Los hijos del limo* (1974), Octavio Paz explicó de forma convincente que el Positivismo permitió que las elites hispanoamericanas participasen tangencialmente en la Edad Moderna. Al menos las teorías de Comte parecían la vía más efectiva para formular una evaluación crítica de las instituciones tradicionales. El atractivo que tal posibilidad tenía para Hispanoamérica no se puede infravalorar. Pero, al final, las inconsistencias internas de las premisas de Comte no alcanzaron los logros concretos que muchos habían esperado. Los sofisticados medios de análisis que las minorías cultas deseaban, comenzaron a emerger en el cambio de siglo a través de los impresionantes escritos de Emile Durkheim (1858-1917) y Max Weber (1881-1961), entre otros.

Si destaca algún desarrollo en cualquier visión de conjunto de las ciencias sociales del siglo XIX, es probable que éste sea la constante interacción entre las ciencias sociales emergentes y la creación literaria. En su admirable libro *A New Science,* Bruce Mazlish —un historiador de las ciencias sociales— admite abiertamente que

> Fueron la filosofía, la profecía, la poesía y la literatura creadora las que, según mi punto de vista, inspiraron a la sociología, tanto o incluso más que ésta a aquéllas... La sociología toma las preocupaciones más profundas para tratar de objetivarlas y darles una forma científica. El intentar comprender las raíces pasionales, que por supuesto comprometen parte de los hechos sociales que se intentan ordenar y clasificar, no reduce necesariamente el contenido «científico» de la sociología (pág. 163).

Como fondo sugeridor, el Positivismo reforzó de muchas formas el gesto taxonómico de los costumbristas. Observar, demarcar, encerrar y reordenar se puso de moda entre los escritores de muchas nacionalidades, activos durante la segunda mitad del siglo XIX. «Los carnavales» (1855) del peruano Manuel Ascensio Segura, o «El médico pedante y las viejas curanderas» (1838) de José V. Betancourt o «Costumbres y fiestas de los indios» (1842) del mexicano Guillermo Prieto (1818-1897) son ejemplos obvios del tipo de narración taxonómica inspirada por las nociones positivistas. Esta conexión tan frecuente entre las aventuras seudocientíficas y la creación literaria es aún más visible en *Artículos de costumbres* de José V. Betancourt:

> Útil a todas luces es investigar las costumbres populares cuando el observador tiene por objeto influir en la mejora del pueblo cuya índole caracterizan, aunque en verdad no todas pueden servir de apoyo a resultados provechosos. No es mi ánimo entrar de lleno a examinar las del país en que nací; muchas son, unas con su tipo ultramontano, otras con el indígena, unas que pueden considerarse como el apagado reflejo de las que reinaron en Europa hace muchos siglos, otras flameantes, importadas últimamente de París; dejo de buen grado examinar tan profundo al celebérrimo Comte y otros que como él pueden eternizar su nombre con sus inmortales desvelos en pro de la sociedad humana (pág. 17, La Habana, 1941[2]).

---

[2] Edición: Cuadernos de Cultura, quinta serie, 2, Publicaciones del Ministerio de Educación, Dirección de Cultura, La Habana, 1941.

La preocupación de Betancourt por las cuestiones éticas constituye una característica dominante de este texto. Los comentarios superficiales centrados en la moralidad pública fueron denominadores comunes del «cuadro de costumbres». Cuando describió este tipo de tendencias entre los costumbristas hispanos, José Montesinos subrayó que mientras en Francia el *roman de mœurs* trataba sobre cuestiones éticas amplias, los costumbristas hispanos se limitaban a hechos accesorios que sólo tenían valor debido a sus connotaciones pintorescas. El vacío de conocimiento científico y filosófico que las naciones hispanoparlantes del siglo XIX experimentaron, explica las triviales polarizaciones hacia las cuestiones éticas de las que se lamenta Montesinos (pág. 48).

Es justo concluir que la estampa costumbrista, llena de contradicciones y superficialidades, pese a todo era un presagio de desarrollos intelectuales de considerable importancia. Pero en el «cuadro de costumbres» tales desarrollos se percibieron y relataron bajo la forma de relato casual, anécdota o parodia. Dependiendo de las circunstancias de publicación, estos textos se pudieron designar y ser pensados como artículos, «cuadros de costumbres», estampas o incluso bocetos. Dentro de su limitado alcance, también representaron la fragmentación sucesiva del conocimiento ocurrida en los primeros momentos de la modernidad. Si lo miramos en ese contexto, entendemos mejor por qué el «cuadro de costumbres» no se ajusta a ninguna de las estrechas categorías que la investigación literaria tradicionalmente ha diseñado. En la Edad Moderna sobreviven formas narrativas indeterminadas y subproductos de los discursos seculares. La estampa costumbrista se percibe como un subgénero resbaladizo en parte porque tiende a menudo a reflejar su propia construcción discursiva. De hecho, el «cuadro de costumbres» con frecuencia representó discursos influyentes generados por la investigación científica, en vez de realidades externas. En esos casos, la narración aparece al lector como la imagen tramposa que se crea cuando enfrentamos dos espejos. Tal imagen ilustra tanto el carácter mediador del lenguaje como la opacidad de las narraciones que intentaron vincular un texto con los sucesos que lo generan. Sin que esto resulte sorprendente, estas evasivas referencias contextuales son las que el cuento romántico explorará para construir algunas de sus fabulaciones más memorables.

EL NACIMIENTO DEL CUENTO EN HISPANOAMÉRICA

En una obra innovadora *(The Short Story in English)* sin equivalente en español, Walter Allen describe la historia del nacimiento del cuento moderno en el mundo angloparlante. Entre otras cosas, el autor nos dice que el cuento apareció en los márgenes de la actividad literaria romántica. También demuestra que, desde sus comienzos, el cuento está vinculado a una visión romántica particular de la creatividad. Se puede decir casi lo mismo de las primeras formas de cuento en el mundo hispanoparlante. El cuento literario, como nos referiremos a él ahora, emergió principalmente como una narración lírica que se alimentaba en nociones radicales de la originalidad. En Hispanoamérica, como en el resto del mundo, el cuento introdujo una nueva forma. Pero sabemos que está vinculado a prácticas literarias del pasado; formas como la leyenda romántica, el cuadro de costumbres, y las narraciones en verso son algunas de las precursoras indirectas del cuento moderno.

Una de las primeras formas del cuento fue el cuento interpolado que aparecía a menudo escondido dentro de formas narrativas más extensas como novelas líricas, leyendas profusas y periodismo literario de entre siglos. Uno de los primeros cuentos románticos en Hispanoamérica se puede encontrar en la novela *María* (1867) de Jorge Isaacs (Colombia, 1837-1895). En los capítulos 40-43 encontramos el cuento de Nay y Sinar. Se trata de un episodio exótico que tomó forma como reelaboración directa del relato de Nay y Atalá en *Atalá* (1801) de François R. Chateaubriand (1768-1848). Narraciones interpoladas semejantes se dieron en muchas novelas del siglo XIX; los ejemplos más notables son *Amalia* (1851-1855) del argentino José Mármol (1817-1871) y *Cumandá* (1889) de Juan León Mera (Ecuador, 1832-1894). Si el cuento romántico surgió con frecuencia como narración interpolada, se debió en parte a que buscaba complementar el formato más grande de la novela. Además, a menudo aparecen como resultado de una intuición poética repentina. En secciones anteriores de este capítulo, he llamado la atención sobre la naturaleza híbrida de las primeras formas de narrativa breve. «El matadero» de Esteban Echeverría o «Los carnavales» (1855) de Pardo Aliaga son tal vez los ejemplos más persuasivos de esta desigual convergencia de patrones narrativos. Pero no se puede decir menos de los cuentos escritos por de José V. Lastarria, Manuel Payno, Ricardo Palma, Cirilo Villaverde y otros escritores costumbristas.

La unión del cuento romántico con otras tipologías narrativas no debería sorprendernos. A lo largo del siglo XIX los periódicos mostraron una marcada preferencia hacia la estampa costumbrista. El predominio de una forma de discurso híbrida tal como el «cuadro de costumbres» da razón del desarrollo desigual del cuento en Hispanoamérica. En su *Costumbrismo y novela,* José Montesinos subrayó repetidamente que, para los románticos, el cuento literario era sin duda una forma enigmática (pág. 37). Para algunos, el cuento estaba vinculado al chascarrillo, un tipo de acertijo asociado a los cuentos folklóricos, mientras que, para la mayoría, el cuento era un sinónimo de los cuentos de hadas. A diferencia del inglés, el español no tiene un término establecido para designar al cuento moderno. Como era de esperar, Mesonero Romanos no fue capaz de hallar diferencias importantes entre «historias, episodios y cuentos» *(Obras Completas,* 59), a pesar del hecho de que algunos de sus textos, por ejemplo «El recienvenido» (1838), se acercan intermitentemente a la cohesión sintáctica que asociamos con el cuento moderno.

Los cuentos líricos escritos en la España del siglo XIX por Cecilia Bohl de Faber, mejor conocida como Fernán Caballero (1796-1877), que aparecieron en sus

Relaciones (1857), se asemejan a las características distintivas del cuento literario, pero desafortunadamente la mayoría de estos textos pasaron desapercibidos a sus contemporáneos. El mismo destino tuvo uno de los mejores cuentos románticos escritos en España, «La tormenta», un cuento erótico delicado que apareció dentro de la novela *La hija del mar* (1859) de Rosalía de Castro (1837-1885). En gran parte debido a su tenue construcción, el cuento literario se vio aislado gradualmente de los objetivos periodísticos de los costumbristas. Estos tendieron a mirar críticamente a los cuentos, de los cuales la obra de Castro es un ejemplo, porque los consideraron efímeros, entretenidos o con una tendencia excesiva hacia la representación de sucesos insignificantes. Para ser justo se debería subrayar que el cuento romántico en español no muestra la sutileza imaginativa alcanzada por la ficción corta francesa, alemana o norteamericana del mismo periodo. Para apreciar la diferencia, sólo debemos evocar las celebradas historias de «Councillor Krespel» (1816) de Ernest T. A. Hoffmann (Alemania, 1776-1822), o «Mi pariente, el Comandante Molineux » (1929) de Nathaniel Hawthorne (Estados Unidos, 1804-1864).

Una vez al tanto de las sutilezas de estas historias, no debe sorprendernos que la recepción del cuento romántico fuera tan irregular en el mundo hispanoparlante. Aún así, desconcierta mucho que la mayoría de los lectores hispanoamericanos del siglo XIX continuaran elogiando la estampa costumbrista como la forma narrativa corta más atractiva. Tal preferencia es extraña debido al hecho de que el «cuadro de costumbres» a menudo trivializa la actividad social o parece tener una intención obsesiva por la clasificación de todo tipo de sucesos marginales. Por contraste, sin embargo, el cuento literario a menudo se preocupa de la esencia recóndita del deseo humano. La naturaleza íntima y paradójica de las empresas humanas fue rara vez una preocupación fundamental para los costumbristas. De hecho, la aguda introspección valorada por la sensibilidad romántica apenas aparece en las obras del modo costumbrista que continuaba dominando.

Al seguir la pista de las prácticas narrativas del periodo, debemos recordar que la vida interior fue un descubrimiento importante del Romanticismo. De hecho, las escenas internas de carácter íntimo fueron las preferidas de la mayoría de los pintores del siglo XIX. Los lienzos de Gustave Courbet (Francia, 1819-1877), Mariano Fortuny (España, 1838-1879), James A. McNeill Whistler (Estados Unidos, 1838-1879) y Edouard Vuillard (Francia, 1868-1940) ilustran las escenas íntimas que se encuentran con frecuencia en el núcleo del cuento romántico. Montesinos, en su *Costumbrismo y novela* reflexionó sobre este importante cambio de perspectiva (pág. 61).

En este libro se mofa de los cuentos de Serafín Estébanez Calderón y, al hacerlo, señala que la mayoría de los textos del escritor andaluz sufrían «de una cierta falta de enfoque y una debilidad estructural general» (págs. 28-9). Estos fallos los atribuyó a la importancia que daba Estébanez a la mera descripción en vez de a la vida interna de sus personajes. Las observaciones de Montesinos nos recuerdan de forma indirecta una carta escrita en 1824 por Washington Irving. El escritor norteamericano intenta en ella identificar las características distintivas del cuento. Para Irving estas ficciones innovadoras están «expresivamente delineadas [y siempre parecen tener un toque de gusto] por el pathos y el humor» (pág. 212). Henry James (Estados Unidos, 1843-1906), al referirse a su cuento «The Figure in the Carpet» reflexionó sobre la «delicadeza incómoda, mística y extraña» *(The Notebooks of Henry James,* 223) que aparecen a menudo en las ficciones cortas. En el prólogo de *The Ambassadors* también comentó que «el don de la intensidad» (pág. 9) es una característica central del cuento. La reseña hecha por Edgar Allan Poe (Estados Unidos, 1809-1849) de *Twice-Told Tales* de Nathaniel Hawthorne (Estados Unidos, 1804-1864) describe mejor los matices de la narrativa breve. En este famoso ensayo Poe alude a la «unidad de efecto o impresión» *(The Works of Edgar Allan Poe,* II, 37) e insiste aún más en el «sentimiento poético» (pág. 7) inherente a los cuentos; también reconoce que en el cuento todas las palabras *hacen mella* (pág. 44). De muchas maneras estas formulaciones suponen el inicio de un cuerpo de crítica resuelta a representar los rasgos distintivos de esta nueva forma literaria. De estas primeras afirmaciones teóricas, algunas son particularmente penetrantes. Merecen un escrutinio minucioso sobre todo los ensayos de Anton Chéjov (Rusia, 1860-1904), Brander Mathews (Estados Unidos, 1852-1929) y Sidel Camby (Estados Unidos, 1878-1961) recopilados por Eugene Current-García en *What is the Short Story* (1974). Las mejores evaluaciones críticas de cuentos en español las escribieron los argentinos Jorge Luis Borges (1899-1986) y Julio Cortázar (1914-1984).

Las distinciones hechas por estos autores y críticos tienden a evaluar el cuento a la luz de las prácticas textuales evidentes en la ficción moderna. En este momento, sin embargo, es necesario referirse a la relación entre el cuento y la poesía moderna. Mi intención no es caracterizar el cuento, una vez más, como poesía en forma de prosa. Si no hacen otra cosa, este tipo de generalizaciones tienden a pasar por alto las estrategias literarias específicas empleadas por un lado por los poetas románticos y por otro por los escritores de ficción corta. Está claro, sin embargo, que las narraciones cortas escritas en la primera mitad del siglo XIX nos recuerdan muchas de las cualidades líricas que asociamos con la poesía romántica. La tensión lírica que abunda en la poesía romántica a menudo intenta conseguir una armonía idealizada entre los paisajes antropomórficos y el espíritu creador; esta inclinación imaginativa en particular se repite en una gran parte de la ficción romántica que se ha escrito en Latinoamérica y en el resto del mundo. En todo caso, la intrincada convergencia de la poesía moderna y el cuento significaba una ruptura radical con el pasado. El cuento ejemplificaba el rechazo a las anteriores formas narrativas codificadas como la leyenda, la fábula y los «cuadros de costumbres». En esta ruptura explícita con los modelos anteriores, el cuento se guió por muchos de los objetivos radicales de la poesía moderna. Al igual que la poesía romántica, el cuento se centró en el flujo paradójico de los acontecimientos humanos; buscó crear estructuras narrativas que reflejaran sus poco convencionales objetivos. En efecto, a veces el cuento dramatiza los límites intrínsecos del lenguaje. Lo que los cuentos románticos dramatizan a menudo es la incapacidad de la escritura para abarcar la totalidad de la experiencia. En la introducción de Gustavo Adolfo Bécquer (España, 1836-1870) a sus *Leyendas* (1868) se nos recuerda la ansiedad del escritor cuando se enfrenta a la fragilidad del lenguaje.

> Por los tenebrosos rincones de mi cerebro, acurrucados y desnudos, duermen los extravagantes hijos de mi fantasía, esperando en silencio que el arte los vista de la palabra… (pág. 1[3]).
>
> Yo quisiera forjar para cada uno de vosotros una maravillosa estofa tejida de frases exquisitas, en la que os pudierais envolver con orgullo, como en un manto de púrpura. Yo quisiera poder cincelar la forma que ha de conteneros, como se cincela el vaso de oro que ha de guardar un preciado perfume. Mas es imposible… (pág. 2).

En la poesía romántica estas ideas sobre las deficiencias del lenguaje se articulan dramáticamente hasta el punto de convertirse en un tópico codificado en la tradición literaria occidental. La preocupación sobre los límites del lenguaje se puede detectar en obras de muchos escritores importantes. En su memorable «Expostulation and reply» (1798), William Wordsworth (Inglaterra, 1770-1850) nos recuerda:

> Dulce es la canción que nos trae la Naturaleza; / Nuestro intelecto entrometido / deforma la bella forma de las cosas: / matamos para diseccionar... *(The Poetical Works of W. Wordsworth,* 82).

De manera similar, el colombiano José Asunción Silva (1865-1896) alude a las limitaciones de la palabra escrita en su poema «Vejeces» (1889); su texto está construido con una sutil inclinación narrativa y en él el poeta admite que incluso «Las cosas viejas, tristes, desteñidas, / Sin voz y sin color, saben secretos» *(Obras completas,* 30). Parece estar diciéndonos que las iluminaciones y el flujo que el poeta intenta captar siempre trascenderán la capacidad expresiva de la palabra escrita. Este sentimiento de incompatibilidad entre los medios usados para representar y lo que se representa también se puede percibir visualmente.

Los pintores románticos más influyentes representaron amplios paisajes que a menudo nos recuerdan la presencia fugaz y las posibilidades limitadas del ser humano. Es como si la composición de estas pinturas estuviera pensada para ilustrar la radical disparidad que existe entre el artista y la magnitud de la tarea a la que se enfrenta. Los lienzos y acuarelas de los famosos pintores ingleses J. M. W. Turner (1775-1851) y R. P. Bonnington (1802-1828) o los pintados por el norteamericano Frederick E. Church (1826-1900) ilustran estas disparidades. Las impresionantes representaciones de los enormes paisajes latinoamericanos de Church representan los contrastes que ya hemos indicado. Más que el espectáculo o la mecánica de una anécdota, lo que la pintura y la poesía romántica a menudo ex-

[3] En *Obras escogidas de Gustavo A. Bécquer,* Edición del Monumento, Madrid, 1912.

presaron fue el vacío que hay entre la experiencia y su representación. El cuento hace algo parecido. Se asume que la creación verbal casi nunca comprende todo el espectro de nuestras experiencias. El propio Bécquer, en el texto antes mencionado, señala repetidamente los impedimentos de la creación verbal. Dice, «Pero ¡ay, que entre el mundo de la idea y el de la forma existe una abismo que sólo puede salvar la palabra...» *(Obras completas,* 2). [Aún así] —señala Bécquer— «la palabra, tímida y perezosa, se niega a secundar sus esfuerzos» (pág. 2). En efecto, estos intentos de trascender las convenciones del lenguaje así como los límites impuestos por los géneros literarios, responden en parte al nacimiento de nuevas formas narrativas más flexibles. El cuento se inscribe histórica y retóricamente en este proceso de desviaciones radicales. En consecuencia, con el paso del tiempo, adoptó el formato desenfadado, que lo vincula con la narrativa lírica, el ensayo y las muchas formas de periodismo literario.

«El mendigo» (1843) de José Victorino Lastarria (Chile, 1817-1888), publicado en su *Miscelánea literaria* (1855), ilustra el tipo de escritura en el que se pueden corroborar muchas de las observaciones formuladas anteriormente. Lastarria toma elementos de casi todos los discursos del siglo XIX. Para él, al igual que para la mayoría de sus contemporáneos, la narrativa breve era principalmente una forma complementaria a otros tipos de escritura. De hecho, esta historia en particular exhibe las variadas convenciones narrativas del cuento romántico en sus formas seminales. Por su configuración general, «El mendigo» nos recuerda a los cuentos de Ernest T. A. Hoffmann contenidos en sus *Fantasy Pieces* (1815). Tal vez existen vínculos más identificables entre «El mendigo» y dos ficciones románticas muy conocidas: «The two drovers» (1827) de Sir Walter Scott (Escocia, 1771-1832) y «Mateo Falcone» (1832?) de Prosper Mérimée (Francia, 1803-1870).

Con todo, la comparación de «El mendigo» con otros textos prestigiosos que pertenecen a tradiciones literarias diferentes pueden llevarnos a pensar que, en Hispanoamérica, el cuento rápidamente alcanzaba un nuevo estatus. Pero este no es el caso. De hecho, «El mendigo» apareció como una subsección del libro de Lastarria dedicado a las «Formas preliminares de novela histórica». Pero curiosamente el cuento de Lastarria en modo alguno es lo que sugiere su etiqueta. El cuento en sí mismo, como sucede con otros muchos de ese periodo, comienza describiendo a un relator solitario y autorreflexivo. Mientras pasea por la arbolizada avenida de Mapacho, el relator parece disfrutar del «magnífico paisaje» *(Miscelánea,* 55) que lo rodea. Aprecia el paisaje como lo haría quien hablase de los generosos afectos de una madre, se regodea en la reconfortante belleza del momento. Recuerda: «Cuán a menudo esta misma visión me ha hecho sentir esta sensación de genuina felicidad» (pág. 57). En este momento el relator interrumpe su ensueño para describir a un personaje enigmático que de repente aparece a su lado. Este individuo parece ser la personificación de la inseguridad. El relator nos dice que el hombre no articula palabra. Gradualmente la narración da al extraño una presencia deslumbrante y lacónica. El «grave y melancólico aspecto» (pág.

58) del mendigo se repite en varias ocasiones. El relator rápidamente vuelve a subrayar que se trata de una persona misteriosa de quien no se sabe nada. Le pregunta «¿Me conoce, buen hombre? Me gustaria... saber algo de su vida» (pág. 59).

Así es como el relator comienza a construir la biografía idealizada del mendigo. El proceso narrativo se apoya en exclamaciones y frases truncadas y revela lentamente la identidad del extraño. Era un «antiguo soldado de su tierra (Chile)» (pág. 59). Se llamaba Albaro Aguirre. Cuando se le pregunta, el mendigo responde: «Nací en Serena» (pág. 61). En ese momento, el relator nos hace saber que luchó en las guerras de la independencia contra España. Estas referencias al pasado del mendigo llevan al relator a evocar «mil posibilidades misteriosas» (pág. 60). Pronto nos damos cuenta de que la condición presente del individuo contrasta con su vida anterior llena de acciones heroicas. El recuento fragmentado de la biografía del mendigo parece situarlo en un vacío. Pero esta falta inicial de conocimiento se va llenando con retazos de información que parecen aclarar la identidad del mendigo. Pero lo que aprendemos sobre el extraño es más sugestivo que real. Como suele suceder en la ficción romántica, la escasa información sobre el hombre a menudo se mina y se contradice a sí misma. Como si estuviera esperando su destino pasivamente, la vida del mendigo lo ha llevado a través de una sucesión de secuencias enigmáticas, amores e infortunios. No es de extrañar que en su juventud le pronosticaran «un futuro lleno de lágrimas y sangre» (pág. 62). Relata éste y otros portentos «ocultando su cara» entre sollozos. Su vida ha sido una larga serie de accidentes curiosos. Incluso la imagen heroica del liberador chileno Bernardo O'Higgins llega a forma parte del fondo del relato. Él reconoce al relator cuán cerca ha estado del abismo de la locura y el vicio. Sabemos que la ruina no fue determinada por su descenso gradual a la mendicidad sino por una pérdida de tipo más íntimo: la esquiva Lucía le negó su amor. En su angustia, pide al relator que lo abandone con su dolor: «Déjeme, querido señor, que cubra mi pasado con un manto porque no puedo hablar de lo que sucedió entonces sin caer otra vez en la locura» (pág. 114). Al final, la figura del mendigo se confunde otra vez en la masa anónima que pasea por las calles y callejones. «Algún tiempo después, lo vi otra vez», nos dice el relator, «Pero durante un largo periodo no he sabido nada del pobre viejo, tal vez haya muerto y Lucía debe ser hoy una de las damas nobles de España, gracias a la riqueza de su marido» (pág. 115).

Si descorremos el velo sentimental colocado entre el lector y este relato, nos daremos cuenta de que esta historia deprimente es una representación alegórica del proceso de creación como se ve a menudo en el cuento moderno. Queda claro que la trama no se centra en el contenido objetivo de la historia, sino más bien en la forma de contarlo. Lo que justifica el cuento no es el interés por la anécdota en sí misma, sino la dosis de imaginación que surge de los fragmentos de información dispersos.

La compleja estructura narrativa de «El mendigo» lo distancia de los legados retóricos de los «cuadros de costumbres». Queda claro que la intención mimética de este texto es más amplia y que proyecta el relato más allá del alcance de datos concretos. Se podría decir lo mismo de la condición del mendigo Albaro Aguirre, ya que de muchas maneras se trata de la personificación del impulso creador que impulsa la escritura de cuento. Incluso la ortografía de su nombre —que normalmente se escribiría Álvaro— alude indirectamente al carácter extraño del mendigo. La manera exagerada de describir su personalidad y acciones lleva implícitamente a una veneración casi supersticiosa de su individualidad. En efecto, parece representar todo lo que se puede percibir como genuino o único. El paralelismo entre el mendigo y el cuento en sí mismo revela que este hombre es un ser sin parangón ni antecedentes. Aguirre nos dice: «Nací en Serena, dije, y mi nacimiento causó la muerte de la que me dio vida» (pág. 61). Poco después nos enteramos de que ha dejado de tener contacto con su familia para siempre.

El contenido de este cuento implica claramente que, en el acto narrativo, al igual que en la existencia humana, no se puede ser inequívoco, y cualquier intento de serlo lleva normalmente a la falsificación. En la vida del mendigo, al igual que en el caso del cuento, todos los precedentes se han borrado. El mendigo existe como una presencia indefinible y, si algo le ilumina, no es el precario estado de su situación presente, sino más bien, la narración, es decir, la palabra, el relato que encarna. El lenguaje es lo que limita y determina su individualidad enigmática. Más poderosamente que los hechos indiscriminados y los bocetos regionales favorecidos por los «cuadros de costumbres», el cuento de Lastarria describe un final impredecible que se va revelando al lector gradualmente a través de alusiones y gestos sutiles. La escritura de Lastarria demuestra —con una efectividad desigual— cómo se usan las palabras efímeras y el lenguaje alusivo para producir un sentido más profundo de significación personal e histórica. Hoy, al mirar atrás hacia los escritores del siglo XIX, tales como Poe, Chéjov y Guy de Maupassant (1850-1893), nos damos cuenta de que el contenido anecdótico del cuento se utilizaba siempre para trascender los hechos y no para corroborarlos.

Pero si Lastarria emplea en «El mendigo» las estrategias retóricas inherentes al cuento, también es cierto que en otros textos incluidos en su *Miscelánea literaria,* este proceso narrativo tuvo menos éxito. En «Rosa» (1847) o en «El manuscrito del diablo» (1849) es evidente que la visión es mucho más limitada. En este último cuento, se tiende a imaginar una sugerente historia de naturaleza diabólica o esotérica, muy a la manera de la ficción romántica, pero se nos engaña con un comienzo en falso que retrocede hacia unas formas más tradicionales. La introducción parece familiar, «Estábamos viajando desde Santiago a Valparaíso: la noche era fría y siniestra...» (pág. 275). La trama es típica de los cuentos de terror del periodo: tras un accidente del carruaje, los viajeros se reúnen en torno a la luz de un fuego y allí, un viejo, el relator, encuentra una maleta llena de manuscritos abandonada en el asiento del carruaje por un viajero desaparecido. Pero estos escritos distan mucho de ser los «manuscritos del diablo». Por desgracia, suceden a continuación una serie de pasajes nombrados con títulos como «País» o «Sociedad», con lo que el texto se desvía así de lo que podría haber sido un proyecto más coherente de meditaciones políticas. Si estoy analizando esta historia en particular es para demostrar que, durante este periodo, cuentos diferentes de un mismo autor a menudo muestran una heterogeneidad extraordinaria, resultado en parte de la utilización de diversas fuentes por el autor. Dentro de la propia obra de Lastarria se pueden identificar narraciones breves de carácter esquivo. En referencia a su colección de cuentos *Antaño y hogaño: novelas y cuentos de la vida hispanoamericana* (1855), Lastarria señaló, de forma casual cómo estos textos son «simplemente el resultado de la sensibilidad artística de uno, son las narraciones que tratan de personajes y sucesos» (pág. 22). Los comentarios de Lastarria apenas si describen el abanico de formas narrativas que convergen en sus historias.

Sin minar la representación detallada valorada por la estampa costumbrista, el cuento hispanoamericano fue ganando gradualmente un espacio propio en el periodismo literario de la época. Revistas tan prestigiosas como *La Revista de Buenos Aires* (1863-1871), *El Mosaico Mexicano* (1836-1842), *La Revista Chilena* (1875-1880) y el puertorriqueño *El Almanaque Aguinaldo* (1859-1889) publicaron y reeditaron historias diferentes que anticipaban el eventual dominio del cuento literario. Específicamente, en *La Revista de Buenos Aires,* escritores y periodistas hispanoamericanos publicaron numerosas traducciones anónimas. El chileno Guillermo Blest Gana (1829-1904) publicó traducciones de textos que ya habían aparecido antes en las revistas literarias europeas. Ejemplos de estas historias se incluyen en 1842, en el volumen VII de la *Revista de Buenos Aires*. «Carmen» y «El camino y el aldeano» son traducciones anónimas de textos publicados en Europa. Además, el poeta cubano José María de Heredia (1803-1839) tradujo en ocasiones relatos breves, como sus «Narraciones sueltas», publicadas por entregas en *Miscelánea* (México, 1829-1832). «El pobre» (1830), publicado en el volumen II de la revista es un ejemplo de la construcción desigual y el carácter periodístico de muchos de los tempranos cuentos románticos.

Al final fue en México donde el cuento romántico consiguió un conjunto de lectores más grande y estable. El mexicano José María Roa Bárcena (1827-1908) demostró una particular afinidad con las leyendas nórdicas, preferencia compartida por muchos contemporáneos suyos, incluyendo a varios poetas modernistas destacados. En su *Historia del cuento hispanoamericano,* Luis Leal indica, correctamente, que algunas de las primeras revistas literarias que ya he mencionado introdujeron en Hispanoamérica modelos seminales europeos del cuento romántico. Leal señala cómo se imitaron esos modelos y subraya la poderosa influencia que tuvo Edgar Allan Poe sobre Roa Bárcena y otros autores hispanoamericanos. La recepción entusiasta de la ficción de Poe está documentada parcialmente en la monografía de John Engelkirk, *Edgar Allan Poe in Hispanic Literature* (1934).

La obra de Roa Bárcena, como la de Lastarria, nos interesa por ser una forma embrionaria del cuento en Hispanoamérica. En los relatos de Bárcena, identificamos variantes del cuento literario que reaparecerán más tarde en los relatos de otros autores mexicanos como Ignacio M. Altamirano (1834-1893), Vicente Riva Palacio (1832-1896) y Justo Sierra (1849-1912). El inseguro formato del cuento romántico también se puede encontrar en las obras en prosa de los ecuatorianos Juan Montalvo (1832-1889) y Juan León Mera (1832-1894). Pero lo que distinguió a Roa Bárcena de sus contemporáneos fue su compromiso constante con el cuento. Sus *Noches de raso* (1870) sobresalen como una de las primeras colecciones de cuentos publicados en forma de libro y estructurados cuidadosamente. Pero sus mejores cuentos los escribió en un momento posterior. En «Lanchitas» (1878), por ejemplo, se percibe un deseo de captar las posibilidades expresivas de lo inaudible. Otros cuentos de Roa Bárcena, como «El rey y el bufón» (1883) o «Combates en el aire» (1891) aparecen como adaptaciones fallidas recogidas de varias fuentes literarias. Tales prácticas, comunes en esos días, son también evidentes en cuentos que muchos han atribuido al cubano José María Heredia. «El hombre misterioso» (1834), publicado en la revista *Minerva* es un ejemplo perfecto. En estas formas primitivas, el cuento estaba impregnado de las tensiones de formas narrativas que aún estaban en proceso de definir sus contornos y posibilidades.

La soltura estructural que podemos detectar en las ficciones breves de Roa Bárcena, Heredia y Montalvo parece empañar la primera historia del cuento en Hispanoamérica. Pero esta percepción no es totalmente correcta. Escritores como José Tomás Cuéllar (1830-1894) rompieron con la sentimentalidad abrumadora que se evidencia en «Pepita» (1892?) de Manuel Payno (1810-1894) o en *Impresiones y recuerdos* (1882) de Pedro Costera (1846-1906). Roa Bárcena, Payno y Riva Palacio, entre otros, fueron perfeccionando cada vez más cuentos claramente basados en modelos europeos o adaptados de fuentes locales. Además, la obra de estos hombres nos ofrece un ejemplo importante del complejo fenómeno de recepción literaria que tuvo lugar en Hispanoamérica a mediados del siglo XIX. Las formas en las que viajaron las diferentes tradiciones narrativas de un lado a otro del Atlántico es un proceso que apenas comienza a explorarse.

En las tres últimas décadas del siglo XIX, el cuento emergió en Hispanoamérica como una forma literaria mucho más refinada. Gradualmente asumió un papel más amplio en las obras de conocidos autores mexicanos tales como Altamirano y Justo Sierra. Se podría decir que cuando el cuento adquirió una forma narrativa mejor definida, su público lector creció en proporción. La publicación de *Cuentos frágiles* (1883) de Manuel Gutiérrez Nájera (1859-1895) señala esta creciente aceptación del cuento. Pero el éxito de los modernistas mexicanos se debe sin duda a sus predecesores románticos. «Fiebre amarilla» (1893) de Justo Sierra, publicada como parte de sus *Cuentos románticos* (1896), presenta un registro sofisticado de las herramientas de la narrativa romántica que reaparecerá en *Almas que pasan* (1906) de Amado Nervo (México, 1870-1919 y también en *Cuentos fatales* (1926) de Leopoldo Lugones (Argentina (1878-1938). En «Fiebre amarilla» el relator omnisciente en primera persona actúa a la vez que el protagonista. Como en el ya descrito «El manuscrito del diablo» de Lastarria, la trama del cuento de Sierra nos habla de unos viajeros en carreta a Veracruz. Por su forma sinuosa, por así decirlo, el cuento nos recuerda a «Errantes» (1899) de Pío Baroja (España, 1872-

1956), cuento que también emplea los recursos convencionales propios de las ficciones de viajeros del siglo XIX. En el Nuevo Mundo, sin embargo, las narraciones de viajes comienzan tan tempranamente como en el siglo XVIII, a menudo se ponían a redescubrir las características únicas de las realidades americanas. De forma similar, los largos y elaborados lienzos del pintor paisajista mexicano José María Velasco (1840-1912) retrataron esta exploración imaginativa de lugares que a la larga se aceptarían como emblemas nacionales.

En el cuento de Sierra el relator evoca la leyenda de Starei, una figura mítica. Es la musa del Golfo de México, enmarcada en este caso por unos paisajes tropicales espléndidos: «En el fondo del cuadro, allí donde se adivinaba el mar se levantaban soberbios grupos de nubes, sobre cuyo gris azulado de destacaban negros e inmóviles los *stratus,* que parecían una bandada de pájaros marinos abriendo al viento, que tardaba en soplar, sus larguísimas alas» *(Cuentos románticos,* págs. 106-7, Porrúa, México, 1999). A través de la leyenda de Starei el relator pronto cierra el desarrollo fatalista y sentimental de la trama. Los otros cuentos de Sierra que aparecen en la misma colección, incluyendo «Playera» y «Sirena» también evocan leyendas enraizadas en los diversos legados culturales presentes en el Golfo de México. En varias de estas leyendas, típicamente, la estructura del cuento, parecida a la de la fábula, se vuelve demasiado digresiva.

En la segunda mitad del siglo XIX el cuento hispanoamericano comenzó a crearse una imagen más distintiva. Pero, a menudo, algunos de los escritores más talentosos del periodo son más conocidos por sus actividades políticas que por sus logros como narradores. Este es el caso de Esteban Echeverría, Juan Bautista Alberdi, Juan Montalvo y el cubano José Martí (1853-1895). No se puede decir menos de Eugenio María de Hostos (Puerto Rico, 1839-1909) y la peruana Clorinda Matto de Turner, entre otros muchos. En sus escritos uno detecta a veces cierta tendencia creciente hacia la politización de la ficción. Se pueden encontrar textos representativos de este periodo en las primeras historias de Montalvo publicadas en su revista *El Cosmopolita* (1866-1869). La mayor parte de los cuentos de Hostos se recopilaron en *Cuentos a mi hijo* (1878) y los de Martí en *La edad de oro* (1889). Las *Leyendas y recortes* (1893) y las *Tradiciones cuzqueñas* (1894) de Matto de Turner siguieron las convenciones narrativas tradicionales típicas de los costumbristas. En efecto, en la mayoría de los países hispanoamericanos el cuento emergió de forma desigual y a menudo pasó desapercibido. En los años setenta del siglo XIX pocos críticos prestaban atención al género. Alberto Blest Gana, muy al tanto de la actividad literaria de su tiempo, dijo muy poco sobre el cuento. Sus dos estudios, «De los trabajos literarios en Chile» (1859) y «Discurso» (1861) apenas si lo mencionan como género innovador. Pero estas omisiones no son sorprendentes si recordamos que el largo cuento de Blest Gana titulado «Un drama de campo» (1859) carece de la cohesión y los giros narrativos audaces que identificamos con el cuento. En la mayor parte de los casos, los cuentos de Blest Gana y los del mexicano Manuel Payno siguen las técnicas narrativas más amplias que aprendieron de las largas novelas de los realistas europeos del siglo XIX.

El ecuatoriano Juan León Mera, pintor además de novelista, escribió bajo la fuerte influencia de *Atalá* de Chateaubriand. Sus cuentos «Porque soy católico» (1873?), «Un matrimonio inconveniente» (1876) y «Las desgracias del Indio Pocho» (1874?) recopiladas en *Novelitas ecuatorianas* (1909) son textos que él designó con el amplio término de «historietas». En general, Mera y sus contemporáneos se preocuparon más de las opciones narrativas que ofrecían los escritos históricos y las novelas líricas que de los entresijos del cuento. Muy parecida a las de Mera es la famosa leyenda costumbrista «La bellísima Floriana» (1874) de Nataniel Aguirre (Ecuador, 1843-1888). Se trata de un relato inspirado en *La Historia de la Villa Imperial de Potosí* (1675) de Bartolomé Sanz de Ursúa (1676-1736) y está muy lejos de la impresionante capacidad de condensación que admiramos en los cuentos modernos.

Los temas vinculados con la búsqueda de identidad cultural están a la vanguardia de la ficción corta escrita en las dos últimas décadas del siglo XIX. Los primeros cuentos del hondureño Juan Ramón Froilán Turcios (1878-1943), recopiladas en *Renglones* (1899) y *Tierra maternal* (1911), son textos en los que las nociones de origen y singularidad cultural adquieren mucha importancia. Pero al conjunto le falta la riqueza imaginativa de las primeras historias de Mariano Latorre (Chile, 1886-1955) y Salvador Salazar Arrúe (El Salvador, 1899-1975). En ocasiones, el legado de la ficción romántica da a muchas de sus historias una cualidad visionaria que nos recuerda un poco al realismo mágico del siglo XX.

«La desconocida» (1929), de Latorre, publicado en sus *Catorce cuentos chilenos* (1932) es un ejemplo vivo del tipo de escritura imaginativa al que me he referido. Como los románticos, Latorre evoca al comienzo paisajes enormes que se sitúan enfrentados a las búsquedas personales del relator-protagonista. Una perspectiva narrativa semejante es evidente en el cuento «Cómo se forman los caudillos» (1901?) de Lucio V. Mansilla (Argentina, 1831-1907) y los numerosos cuentos del costarriqueño Manuel González Zeledón (1864-1934). Latorre, al igual que estos autores, construye un complicado marco regional que sirve como una especie de emblema nacionalista. En «La desconocida», Latorre subraya la imagen de un carruaje cubierto que se abre camino a través del colosal paisaje andino. El diálogo es, en el mejor de los casos, lacónico y la atención del lector se enfoca gradualmente hacia los viajeros que hacen paradas a lo largo del camino. La enigmática presencia de una mujer y lo que realmente pasó entre ella y un joven viajero que halla cobijo en el carruaje, se deja a la imaginación del lector. A través del poder de sugestión de este incidente llegamos a percibir el contenido poético del cuento de Latorre.

Estas referencias a textos particulares demuestran que el advenimiento del cuento en Hispanoamérica tuvo lugar de manera gradual entre las muchas formas híbridas empleadas por los escritores de ficción del siglo XIX. En ese tiempo, restos de periodismo, así como de discurso legal y científico bregan dentro del sutil marco de la ficción. Por lo tanto, cualquier historia de la narrativa breve producida en el último siglo fácilmente puede falsificar las características únicas de textos tan variados. En el caso específico de la ficción latinoamericana de finales del siglo XIX, no se detecta una preponderancia clara de ninguna modalidad narrativa. El cuento romántico no fue minado o suplantado por las historias líricas de los modernistas, ni fue enteramente suprimido por los relatos seudocientíficos de los naturalistas.

Durante muchos años, diferentes tipos de narración, de las modalidades ya descritas, existían en un vago patrón de permutaciones que se fundieron a la larga en los cuentos criollistas del siglo XX. Por ejemplo, «El fardo» (1888), de Rubén Darío, contiene una mezcla representativa de las formas narrativas que prevalecieron en el siglo XIX. Lo mismo se puede decir claramente de «La mañana de San Juan» (1833) de Manuel Gutiérrez Nájera, cuento exquisitamente concebido y centrado en un episodio en el que la muerte se recrea en el morbo que con frecuencia deleitó a la imaginación romántica. Por último, debemos ver la consolidación del cuento, o cuento literario, hispanoamericano como una creación distintiva de la sensibilidad moderna. En Hispanoamérica y en otras partes, resulta ingenuo explicar la consolidación del cuento como un proceso determinado por la emergencia de un público lector burgués. Desde un punto de vista más general, el cuento representa la unión de una pluralidad narrativa radical que comenzó a incorporarse en la obra de Poe, Hawthorne o Chéjov, y que llegó a una brillante síntesis en los cuentos de William Faulkner (EE.UU., 1897-1962), Jorge Luis Borges y Gabriel García Márquez, entre otros. En resumen parece justo añadir que autores románticos como Echeverría, Lastarria o Bárcena no fueron conscientes de que sus cuentos provisionales serían vistos, con el tiempo, como precursores de un género que ha enriquecido inconmensurablemente el alcance de la ficción hispanoamericana.

EL CUENTO EN EL CAMBIO DE SIGLO: 1888-1915

Tanto política como económicamente, las tres últimas décadas del siglo XIX se caracterizan por un largo ciclo de éxitos y fracasos para Hispanoamérica. Fue un periodo marcado por la acelerada integración de las repúblicas americanas en la vasta economía del mundo occidental. Como consecuencia, el uso del barco de vapor, el ferrocarril, la refrigeración y la comunicación telegráfica se extendió rápidamente a lo largo de muchas regiones. Esto, a su vez, trajo una repentina expansión en la exportación de materias primas y alimentarias. Tal actividad comercial pronto trajo la prosperidad económica sobre todo a Argentina, México, Uruguay, Chile y Cuba. No había muchas personas, sin embargo, que esperaran que esta acumulación de nuevas riquezas cambiara las estructuras sociales y demográficas existentes de las naciones emergentes. Sin embargo, los últimos años del siglo vieron el crecimiento de los sindicatos obreros y el desarrollo paralelo de una clase media con una influencia creciente, sobre todo en las repúblicas del cono sur.

Además, la modernización total se convirtió en algo así como una obsesión, aunque fue, normalmente, más una cuestión de apariencias que de sustancia. Fue una era condicionada por los logros de una modernidad que se dio a conocer indirectamente y que alcanzó su cenit al comienzo de la Primera Guerra Mundial. Respecto a este nuevo giro de la historia, el uruguayo José Enrique Rodó (1872-1917) señaló que el modernismo (como expresión literaria de la modernidad) llevaba a un deseo compulsivo de sensaciones desconocidas y una inclinación por la artificialidad en los sentimientos y las formas. También habló de la «obsesiva preocupación con todo lo nuevo, incluso si es de manera superficial» de los modernistas *(Escritos de la Revista Nacional de Literatura y Ciencias Sociales,* 240).

En efecto, la dinámica cultural del periodo está corroborada —con una unanimidad excepcional— en los célebres textos de José Martí (1853-1895), Rubén Darío (1867-1916) y sobre todo en *Ariel* (1900) de Rodó. Las tensiones ideológicas particularmente intensas en el cambio de siglo también están representadas en un género que aún no poseía la visibilidad que adquirió sin duda a comienzos del siglo XX: es el caso del cuento. En la condensada retórica del cuento literario, detectamos los muchos cambios abruptos que las sociedades hispanoamericanas soportaron en el cambio de siglo y en ella percibimos también los vínculos crecientes entre la ficción hispanoamericana y las tradiciones narrativas de otros continentes.

Al observar la narrativa breve que se escribió entre 1888 y 1915, sería erróneo restringir la gama de cuentos a meras categorías. La enorme variedad de estos textos entorpece cualquier intento de clasificación. Las fechas sugeridas pueden parecer un poco arbitrarias, pero creo que se pueden justificar si las vinculamos tanto a sucesos históricos de importancia como a la publicación de libros en los que el cuento alcanzó grados de sofisticación sin precedente en el mundo hispánico.

Si nos centramos en los sucesos históricos y los mayores éxitos literarios como hitos, debemos acordar que *Azul* (1888) de Rubén Darío señala el comienzo de una época literaria mayor, y que el siglo XIX realmente terminó con el comienzo de la Primera Guerra Mundial. Tales son, en general, los parámetros cronológicos de esta sección. En este contexto, es igualmente evidente que en *Azul*, el cuento alcanzó un incomparable nivel de refinamiento. Sin duda, siempre se puede aludir a las características refinadas contenidas en *Cuentos frágiles* (1883) del mexicano Manuel Gutiérrez Nájera o a los delicados usos de la trama mostrados en *Cuentos de colores* (1889) del venezolano Manuel Díaz Rodríguez (1871-1927), pero, de hecho, ninguno de estos importantes libros muestra el alcance imaginativo o el don de contar cuentos conseguido por *Azul* de Darío. Naturalmente, la mera mención de textos escritos por Nájera, Darío o Díaz Rodríguez nos recuerda una vez más de los profusos vínculos que existen entre el cuento y la poesía de los modernistas. Con un estilo narrativo deslumbrante, dieron a la ficción en prosa la profundidad y sobriedad sintáctica inherente a la poesía lírica. Muchos años después de *Azul,* este tipo de economía verbal seguía presente en las obras que hoy vemos como piezas clave del cuento en el cambio de siglo.

Cuentos de muerte y de sangre (1915), del argentino Ricardo Güiraldes, es sin duda uno de estos libros. En esta colección difícil y desigual de cuentos, percibimos las distintivas estrategias narrativas desarrolladas por Güiraldes y por la mejor ficción criollista del periodo. El título y contenido de este breve libro —que Güiraldes completó hacia 1900— parece anticipar los famosos cuentos del uruguayo Horacio Quiroga (1878-1937), que comenzaron a aparecer hacia 1906 en los periódicos y revistas argentinos. A pesar de no ser muy conocidos al principio, los cuentos de Quiroga sirvieron como fundamento para sus conocidos *Cuentos de amor, de locura y de muerte* (1917), un libro que siempre se ha considerado como un punto clave en la ficción corta hispanoamericana.

Cuando se comienza a revisar el proceso de consolidación del cuento hispanoamericano en el cambio de siglo, podemos llevar la impresión de que los textos escritos entre 1888 y 1915 respondieron a los dictados poéticos del modernismo o a la visión telúrica de los escritores criollistas. Sin embargo, las dicotomías de este tipo tienden a ser demasiado limitantes, cuando no absurdas. En Hispanoamérica, la actividad literaria en el cambio de siglo fue mucho más compleja de lo que podríamos suponer hoy. La mayoría de las modalidades perfeccionadas en el cuento durante el siglo XIX reaparecieron indiscriminadamente en revistas literarias y diarios de importancia alrededor del año 1900. Incluso una somera inspección de los diarios y semanarios mostrará que, metidos entre los anuncios y los titulares, aparecían artículos de costumbres, leyendas, fábulas, cuentos románticos y modernistas, así como anécdotas casuales complementadas por ilustraciones muy detalladas. Irónicamente, esta mezcla heterogénea de formas narrativas breves atrajo a los lectores que dedicaron la mayor parte de su atención al cuento. Pero hay otros factores que afectaron en gran medida al curso de su desarrollo.

En los sectores de vanguardia de la prensa comenzaron a aparecer traducciones de cuentos de autores muy celebrados con una frecuencia creciente e incluso comenzaron a circular textos no traducidos entre las elites literarias del periodo. Sabemos, por ejemplo, que Rubén Darío y el boliviano Ricardo Jaimes Freyre (1868-1933) habían leído cuentos traducidos o no del francés, el ruso y el inglés y que esos textos fueron también comentados por Ricardo Güiraldes y Leopoldo Lugones (Argentina, 1878-1938). Horacio Quiroga y los chilenos Augusto D'Halmar (1882-1950) y Baldomero Lillo (1867-1923) leyeron con avidez las ficciones cortas de Kipling y Chéjov entre otros. Hacia finales de siglo ya se habían publicado cuentos magistrales de Edgar A. Poe —la mayoría traducidas del francés— al igual que algunas de las ficciones breves de Alphonse Daudet (1840-1897), entre ellas *Contes du lundi* (1873). Los famosos *Contes de la Bécasse* (1883) de Guy de Maupassant se leyeron con especial fascinación al igual que las traducciones parciales de *Les Soirées de Médan* (1880), la influyente antología patrocinada por Émile Zola (1840-1902).

Hacia finales de siglo el cuento seguía un camino guiado sobre todo por modelos franceses. Por el contrario, los escritores españoles de cuentos no llamaban mucho la atención. Algunos cuentos de Leopoldo Alas (Clarín, 1852-1901) y especialmente los *Cuentos escogidos* (1891) de Emilia Pardo Bazán (1852-1921) se dieron a conocer sobre todo en los círculos literarios conservadores. En el Cono Sur, uno de los escritores más celebrados fue el inglés Rudyard Kipling (1865-1936), un escritor que aprendió mucho de las geniales ficciones de Maupassant y Gustave Flaubert (1821-1880).

Sin embargo, si volvemos la mirada hacia los numerosos periódicos publicados en Hispanoamérica durante el siglo XIX, surgen de inmediato otros hechos pertinentes, pero poco conocidos, que conciernen al cuento. Verificaremos, por ejemplo, el impacto inesperado de varios autores rusos sobre importantes escritores de este periodo. Cuentos de Fiódor Dostoievski (1821-1881), Iván Turgenev (1818-1883), y algunos de Anton Chéjov (1860-1904), en su mayoría traducidos al francés, se leyeron en esa época, pero parece que se sabía poco de los cuentos memorables de Nikolái Gógol (1809-1852) o de Alexander Pushkin (1799-1837). Los chilenos Baldomero Lillo y Augusto D'Halmar, el uruguayo Javier de Viana (1868-1926) y la argentina Juana Manuela Gorriti (1818-1892) se aficionaron a las letras rusas. En cualquier caso es evidente que hacia 1900 era conocida una serie de cuentos modernos que, a nivel internacional, se veían como modelos de un género y que también representaban el espíritu y el proyecto de la modernidad.

Los mencionados cuentos de Poe, Maupassant, Turgenev y Kipling captaron el tempo arrítmico y fragmentado, común en las culturas urbanas del momento. Para 1900, el cuento ya no era una presencia casual o esporádica en los periódicos. El creciente número de antologías y volúmenes de cuentos publicados en el cambio de siglo confirman la presencia de un público lector cada vez más amplio. Las colecciones más importantes mencionadas anteriormente de Güiraldes, Quiroga, Roberto Payró (Argentina, 1867-1928) y Javier de Viana comenzaron a llegar a lectores de países alejados del Cono Sur.

Entre 1890 y 1920, el cuento naturalista se convirtió en la forma más común en la mayoría de las regiones de Hispanoamérica. El nexo abierto implícito entre este tipo de ficción y el discurso científico dieron un cierto prestigio a las narraciones asociadas con las hipótesis del Naturalismo. Las representaciones sin adornos de realidades contextuales que desarrollaron los naturalistas, a menudo evolucionaron hasta convertirse en ligeras parodias de discursos seudocientíficos. Muchos vieron en este tipo de textos, por muy endebles que fueran, expresiones apropiadas de la modernidad.

Bajo la influencia de los cuentos de Maupassant, Flaubert, Kipling y, sobre todo, Zola, cobró forma una narrativa cuyo antecedente más próximo era el meticuloso estilo desarrollado en la ficción realista de Balzac, Dickens, Pérez Galdós y Eça de Queiroz. En algunos momentos, las técnicas utilizadas por estos escritores y las utilizadas por los naturalistas, fueron tan parecidas que durante años ambas tendencias fueron vistas como formas paralelas de ficción del siglo XIX. Alusiones detalladas a estos paralelismos se pueden encontrar, por ejemplo, en la famosa monografía de Ferdinand Brunetière (1849-1906), titulado *Le Roman naturaliste* (1883). Se podría decir, en todo caso, que ambas tendencias favorecieron un tipo de narración enfocada sobre las facetas más crudas de la vida diaria. En sus raíces, este tipo de literatura rechazaba claramente el idealismo trascendental que emergió de los principios artísticos y filosóficos del Romanticismo.

Tal vez lo que distingue de forma más visible al cuento naturalista es su afectado uso de la terminología médica, en particular cuando se refiere a síndromes patológicos. En algunos momentos, los descubrimientos de la ciencia del siglo XIX se reflejan en la prosa de los costumbristas, pero los naturalistas se inspiraron en exceso de la temática científica. En síntesis la intención de los naturalistas era algo que venía ya de antiguo: contribuir a la verosimilitud del cuento. Con una libertad sin precedentes, los naturalistas unieron discursos tradicionalmente considerados extraños o tangenciales para la creación literaria. Al hacerlo, el escritor esperaba transferir al texto literario el aura de novedad que había rodeado a los descubrimientos científicos. En la mayoría de los casos, la terminología seudocientífica dio una precisión excepcional a las ficciones naturalistas. Esa terminología también sirvió para disimular el contenido imaginativo inherente a la ficción.

Con la aureola de su fama, Émile Zola se convirtió en el abogado más elocuente de una ficción científica en la que veía la ola del futuro. En *Une Campagne* (1880-1881) decía, por ejemplo, que el hombre metafísico había sido reemplazado por el hombre fisiológico. Es precisamente este concepto de la literatura lo que emerge con claridad en *La Bête humaine* (1890). Hay pocas tendencias literarias que tengan la ventaja de un portavoz tan persuasivo como Zola lo fue para el Naturalismo. Su influencia se dejó sentir en todo el mundo. En una monografía dedicada a las obras de Roberto Payró, Germán García señaló que Zola causó furor en Argentina y que sus libros se introdujeron en el dormitorio de muchos lectores. García subraya el impacto de los escritos de Zola entre los novelistas del momento, «entre ellos Podestá, Sicardi, Cambacérès» *(Roberto Payró,* 28). La preocupación de Zola por las metodologías científicas y su interés por las ciencias son casi legendarios. Sus ideas sobre el determinismo evolutivo están enraizadas en los famosos ensayos y tratados de Hippolyte Taine (1828-1893) y en las espectaculares investigaciones que Charles Darwin resumió en *La descendencia del hombre* (1871).

No es sorprendente por tanto que los cuentos escritos por los naturalistas estén a menudo llenos de referencias a la raza, las características hereditarias o las condiciones patológicas. Como veremos, bajo la fachada científica de estos cuentos hay una ligera inclinación fenomenológica que exige una y otra vez la observación meticulosa, la actividad experimental o las clasificaciones angostas. Pero, por lo general, los legados del discurso científico del siglo XIX siguieron siendo tan sólo ecos distantes para la mayoría de los escritores hispanoamericanos del cambio de siglo.

En el letargo de las sociedades hispanoamericanas neocoloniales, el sentido de las teorías naturalistas se vio a menudo reducido a meros esbozos producidos para informes periodísticos. Los rastros más evidentes de este *corpus* teórico se pueden percibir, por ejemplo, en cuentos centrados en preocupaciones éticas, en formas de explotación o en las visiones fatalistas que la ficción europea había puesto de moda en el cambio de siglo. En las escenas terroríficas que Horacio Quiroga desarrolló en «La gallina degollada» (1909) y en «El almohadón de plumas» (1912) prevalecen las representaciones de sórdidas relaciones o anormalidades congénitas. No se puede decir menos de «Los amores de Bento Segrera» (1896) y «La alpargata» (1910) de Javier de Viana. Estos textos son los mejores ejemplos de un tipo de ficción que exploró obsesivamente aspectos degradados de la conducta humana.

El núcleo de los cuentos de Viana es a menudo la avaricia y los efectos de enfermedades incurables. De entre ellas podemos señalar «La tísica» (1909), un breve texto que se publicó por primera vez en *Macachines* (1910). La historia es casi elíptica y se podría ver como una narración que ejemplifica los recursos usados por los narradores de la región del Río de la Plata en el cambio de siglo. «La tísica» mezcla las visiones antropomórficas derivadas del folklore rioplatense con indicaciones diagnósticas proporcionadas por un relator. Esta poco probable ecuación se convirtió, a su debido tiempo, en una fórmula sincrética a la que se aficionaron muchos narradores entusiasmados con las teorías naturalistas. El relator, un médico, recuerda a la tísica en estos términos: «Tenía una cara pequeña, pequeña y afilada como la de un cuzco»; o «A veces, cuando se levantaba a ordeñar, en las madrugadas crudas, tosía. Era la tisis que andaba rondando sobre sus pulmoncitos indefensos» (pág. 5). Aislada de los demás por su presunta enfermedad y por los temores de los peones supersticiosos, la joven se hunde cada vez más en la miseria. Algunos la ven como «un camaleón [que] es el animal más pequeño y más peligroso» (pág. 5). Varios meses después se informa al lector a través de un artículo periodístico de que, «en la estancia X... han perecido envenenados con pasteles que contenían arsénico, el dueño Z..., su esposa, su hija, el capataz y toda la servidumbre, excepto una peona conocida por el sobrenombre de la tísica» (pág. 7).

A pesar de que una gran parte de lo que nos revela el relator no nos sorprende, al lector le agrada la moderada progresión de la historia y en particular el equilibrio oculto entre sus elementos. En todo caso el virtuosismo comedido de este texto no es característico de los cuentos de Viana. Al igual que Quiroga, éste escribió siempre bajo la presión de los plazos impuestos por periódicos y revistas. Durante muchos años se sintió agobiado por la falta de estabilidad en su vida. Pero a pesar de las dificultades sin fin, su interés por el cuento se convirtió casi en una obsesión. Viana comenzó a escribir relatos breves con diecisiete años, y cuando murió había superado la producción de casi todos sus contemporáneos. Escribió novelas de poco éxito. Se le recuerda sobre todo como escritor de cuentos, entre los mejores los incluidos en *Campo* (1896), *Gurí y otras novelas* (1901), *Macachines* (1910), *Leña seca* (1911) y *Yuyos* (1912). El crítico argentino Enrique Anderson Imbert (1910-2000) acertó al decir que Javier de Viana «tenía el poder de síntesis propio de los narradores con más talento» (Anderson Imbert y E. Florit, *Literatu-*

ra hispanoamericana, 5). Sin duda fue capaz de tejer una historia muy condensada. Como en «La tísica» podía revelar un conocimiento creciente que está contenido a cada momento. Pero la exquisita elaboración que tanto admiró en los cuentos de Daudet, Turgenev y Maupassant era a menudo el resultado de largos periodos de rescritura que él no se podía permitir.

Cuando se lee a Viana se tiende a recordar las muchas similitudes que existen entre sus mejores cuentos y los de su compatriota Eduardo Acevedo Díaz (1851-1921). A Díaz se le recuerda por cuentos tales como «El combate de la trapera» (1892) y «Soledad» (1894); éstos y muchos otros fueron recopilados en 1931, pero a ninguna de sus refinadas fabulaciones se le ha prestado la atención crítica que merece. «El combate de la trapera», en particular, es uno de los mejores ejemplos de narrativa gauchesca producida en el área del Río de la Plata. La historia se sitúa en la terrible batalla de Catalán que tuvo lugar en el sector oriental de Uruguay el 4 de enero de 1817. Pero si vamos más allá de las brutales escenas, nos damos cuenta de cuán hábilmente equilibra Acevedo Díaz las características convencionales de la ficción romántica con la cruda retórica descriptiva del Naturalismo.

Esta sutil mezcla de perspectivas narrativas fue menos afortunada en los cuentos de Luis Orrego Luco (Chile, 1866-1948); a pesar de que ahora está casi olvidado, sus cuentos fueron bien recibidos en Chile y fuera de ese país. Pero el éxito literario de Orrego Luco desapareció rápidamente. En demasiadas ocasiones sus cuentos fallaban debido a inconsistencias internas y a que se apoyaban demasiado en la caricatura o en las caracterizaciones superficiales que muchos escritores chilenos aprendieron de los costumbristas. «Un pobre diablo» (1915) se encuentra entre sus mejores cuentos. Cuando se comparan con muchos de los textos escritos por sus contemporáneos, sus cuentos resultan menos recargados de referencias contextuales que en la actualidad no tienen sentido y están pasadas de moda. Sus representaciones más penetrantes se recopilan en *Páginas americanas* (1897) y *La vida pasa* (1918).

Las anécdotas ligeras y evocadoras que podemos subrayar de los libros de Orrego Luco las desarrolló también, pero con más éxito, el argentino Roberto Payró. Se le recuerda sobre todo por los cuentos recopilados en *Pago chico* (1908) y *Violines y toneles* (1908). La aceptación crítica con la que contaron estos trabajos es sorprendente, sobre todo cuando se observa su debilidad estructural. La mayoría de las obras de Payró están más cerca del *métier* de los costumbristas que del firme tejido de los cuentos.

A pesar de que muchos de sus cuentos parecerán pasados de moda al lector actual, es justo decir que algunos tienen la energía de intuiciones agudas. «Metamorfosis» (1907) en *Pago chico* es un claro ejemplo. La historia se centra, con gran éxito, en un tema muy viejo: los aspectos vulnerables de la condición humana. Somos testigos en ella de la vanidad de un hombre preparado para soportar una serie de decepciones complicadas para poder mantener las apariencias. Hay una inclinación picaresca en este cuento que a menudo emerge en la ficción de Payró y que también está presente en los cuentos de su compatriota Benito Lynch

(1880-1951). En *La evasión* (1922) y *De los campos porteños* (1931), Lynch evoca sobre todo la vida rural en Argentina. Al igual que Payró, Lynch escribió bajo la influencia de la retórica seudocientífica de los naturalistas. Pero él estaba mucho más cerca que Payró de las visiones telúricas y del folclore rural preferido por los criollistas que escribieron sobre todo en los años 20 y 30 del siglo XX. Ambos demostraron una preferencia marcada por la ficción gauchesca que floreció durante muchos años en el área del Río de la Plata.

Muchos de los cuentos escritos por el chileno Federico Gana (1867-1926) también están vinculados al sincretismo cultural idealizado, evidente en las ficciones de Payró y Lynch. Los cuentos de Gana repiten una y otra vez las vicisitudes de la vida campesina en Chile. Sin embargo, el tono afectado de los diálogos y los pasajes descriptivos a menudo muestran la mano de un escritor cosmopolita. Su preferencia por el credo naturalista está oculta, más de una vez, tras la inclinación sentimentalista de sus cuentos. Las muchas sutilezas que tomó de las páginas de Flaubert y Turgenev lo impresionaron mucho más que la virulencia descriptiva de Zola. Gana también escribió al estilo modernista. Esta inclinación es evidente a veces, en su colección de cuentos *Días de campo* (1916). Pero sus mejores páginas son las que mezclan la dura retórica de los realistas con las anécdotas sentimentales derivadas de la ficción romántica. El cuento titulado «Un perro» (1894), también conocido como «Un carácter», merece una atención especial. Cuenta taciturnamente las circunstancias de un hombre desposeído que ha cometido un asesinato para vengar la muerte de su más querido compañero, un perro. En forma de parábola, el cuento dramatiza las duras desigualdades de una sociedad en la que la justicia a menudo se convierte en una curiosa abstracción.

Es la preferencia de Gana por los motivos líricos y la reflexión serena la que lo distingue a menudo de su compatriota Baldomero Lillo (1867-1923). En sus dos volúmenes de cuentos, *Sub terra* (1904) y *Sub sole* (1907), Lillo se adhiere abiertamente a las teorías articuladas por los naturalistas. Sus mejores cuentos están condicionados por una visión fatalista que tiende a las descripciones cáusticas pero gratuitas. Esta propensión a la hiperactividad narrativa es notoria en «La compuerta número 12» (1902) —tal vez su cuento más conocido— y «El chiflón del diablo» (1903). El exceso de medios narrativos con frecuencia reduce la línea principal de estos cuentos a una mera caricatura. Además, el contenido ideológico que muchos críticos han subrayado en los cuentos de Lillo a menudo tiende a distorsionar los méritos del texto. Si ignoramos la peripecia anecdótica, algunos de los cuentos de Lillo muestran cómo una intuición aguda puede permitir la creación de una gama sorprendente de descripciones. Esta inclinación imaginativa, característica de sus mejores obras, es evidente en su colección póstuma *El hallazgo y otros cuentos del mar* (1956) y también en los cuentos recopilados por Raúl Silva Castro en las *Obras completas* de Lillo (1960).

Pero incluso en sus dos primeras obras encontramos cuentos que van más allá de la necesidad de predicar o de la presentación obsesiva de sucesos sórdidos. De formas que nos recuerdan a los cuentos del norteamericano Erskine Caldwell

(1902-1987), Lillo pretendió condenar la explotación sistemática sufrida por las clases trabajadoras; se centró en particular en los mineros chilenos. Pero es más eficaz Lillo cuando la indigencia y la brutalidad asumen un papel secundario en la estructura narrativa. Esto es evidente en «El pozo» (1902), cuento incluido en *Sub terra*. Lo que distingue a primera vista este cuento es la delicada articulación del material anecdótico. La narración nos recuerda la cuidadosa utilización de Dostoievski de los detalles significativos y las alusiones indirectas. Las referencias en «El pozo» a formas de comportamiento imprevisibles que resultan de estados de ánimo obsesivas evocan algunos pasajes de Dostoievski en *El poseído* (1871-1872) y en *El adolescente* (1875). Estas semejanzas no son meras coincidencias, dada la gran admiración de Lillo por el novelista ruso.

En «El pozo» un joven autodestructivo es el centro del proceso narrativo. Este cuento violento se desarrolla en el campo chileno y representa una atracción sexual alimentada en la inseguridad y el rechazo. La tensión que surge entre la sexualidad adolescente de Rosa y la presencia casi enfermiza de Remigio, que la desea, es muy poderosa. La efectividad del conflicto emana de la capacidad de Lillo para mantener el ritmo conflictivo de un cuento que parece impulsado por la violencia que representa. Sin embargo, en las partes menos logradas del cuento, los ecos fisiológicos del Naturalismo sugieren una condición patológica latente. A pesar de que Remigio es estrábico y sufre de los paroxismos de cólera, su condición física cede importancia a la descripción de su psique, una amalgama de irracionalidad sutil y rencor.

En conjunto, las técnicas de ficción naturalista son evidentes en los textos más celebrados de Lillo. «Los inválidos» (1904), incluido en muchas antologías, tiene menos suerte. En este cuento, percibimos los legados indirectos y antiguos de la fábula. En su preciso uso del detalle el cuento nos recuerda las crudas escenas de la película de Vittorio de Sica *El ladrón de bicicletas* (1949) y otros filmes neorrealistas producidos en Italia en los últimos años 40. También existe una notable afinidad entre las obras de Lillo y las vigorosas pinturas de su compatriota Pablo Burchard Eggiling (1875-1964) que, al igual que Lillo se deleitaba con la simplicidad, el tipo de creación minimalista que busca sólo lo necesario. Subrayo esta comparación no para hacer una digresión, sino para destacar el proceso de condensación que realza la madura ficción de Baldomero Lillo.

Llama sobremanera la atención el poder de síntesis de los cuentos del cubano Jesús Castellanos (1879-1912), escritor que compartió muchas de las mejores cualidades de Lillo. Al igual que Orrego Luco, Castellanos fue admirado tanto en su tierra como en el extranjero, pero desgraciadamente murió justo cuando su talento estaba comenzando a madurar. Desarrolló su carrera literaria en México y Cuba. Castellanos también consiguió cierta fama como delineante y pintor. En algunos momentos queda claro que su amplio conocimiento de las artes gráficas y su buen gusto por la línea y el color enriquecieron muchas de sus páginas.

Como la mayoría de los escritores de su época, Castellanos asimiló totalmente gran parte de la ficción corta que Francia podía ofrecer en el cambio de siglo. En

La Habana conoció al gran escritor portugués Eça de Queiroz con el que compartió una gran veneración por Nietzsche. Es inevitable que los duros principios del Naturalismo francés estén presentes en sus mejores narraciones. Pero las sutiles representaciones de la sociedad cubana que hace Castellanos no siempre se guiaron por las afectadas convenciones que los naturalistas preferían. Entre sus obras, publicadas en Cuba y en España, destaca el cuento magistral «La agonía de la garza» (1907). Este texto relata con una simplicidad admirable la lucha brutal por la supervivencia. También es un ejemplo importante de la iconografía artística asociada a menudo con el Caribe. En su amplia representación de los paisajes y de las durezas del mar, el cuento de Castellanos evoca las pinturas del maestro norteamericano Winslow Homer (1836-1910) y en particular su famoso óleo *Gulf Stream* (1899). En él, un marinero negro exhausto contempla pasivamente los tiburones que dan vueltas alrededor de su balsa destrozada por la tormenta en las duras aguas del Caribe. *El viejo y el mar* (1952) de Ernest Hemingway (1899-1961), que se ambienta en las regiones costeras de Cuba, también está vinculado a esta tradición artística que emergió de la cuenca caribeña.

En «La agonía de la garza», al igual que en las obras antes mencionadas, la secuencia de sucesos es a la vez lenta y veloz. Este cuento se centra en un desvencijado buque rodeado por un hambriento banco de tiburones. El relator nos dice pacientemente: «Acaso el hambre les dio ánimo y uno de los escualos, sacando su masa blancuzca sobre el agua, acometió un costado de la barca. Del grupo salió un aullido múltiple y uno de los muchachos, desmadejado, se deslizó sin ruido de junto a su madre. "¡José!... condenao... ¿dónde estás?"» *(La agonía de la garza,* 66[4]). En los cuentos de Castellanos cada incidente se describe con un lenguaje lleno de imágenes coloristas. Al describir a los pasajeros del frágil barco, el relator nos dice cómo: «Los negritos enseñaban sus dientes como pulpa de coco» y «en ese momento, la sombra fugaz de una gaviota manchó la corriente de luz» *(La agonía,* 62).

Este mismo tipo de descripciones sobresalen en «Naranjos en flor» (1906). En este texto Castellanos se acerca bastante a la sensualidad parnasiana de los modernistas. La trama se abre en el marco arquitectónico de un arco bizantino que conduce a una puerta desde la que uno puede ver «los brotes rojizos de las acacias». «Naranjos en flor» es una narración luminosa, a pesar de que a menudo caiga en un sentimentalismo afectado que retrocede claramente hacia la ficción romántica.

En la literatura cubana, la obra de Castellanos contribuyó a liberar a la narrativa breve de los dictados largamente dominantes del costumbrismo peninsular. Sin duda sus mejores cuentos están libres de las trabas que suponían las fórmulas descriptivas que la mayoría de los escritores aprendieron de la ficción realista del siglo XIX. Pero el giro novedoso de la ficción de Castellanos no fue percibido por la mayoría de sus contemporáneos. La grácil agilidad de sus tramas no está muy

[4] En *La agonía de la garza,* Ed. Letras Cubanas, La Habana, 1979.

presente en los cuentos de sus compatriotas Carlos Loveira (1882-1928) y Luis Rodríguez Embil (1880-1954). Aunque Miguel de Carrión (Cuba, 1875-1929) en algunos momentos mostró un dominio de las técnicas narrativas similar al de Castellanos. En efecto, *Inocencia* de Carrión es una colección seminal de cuentos para la ficción corta de la Cuba del cambio de siglo.

Una vez más, las paradojas inherentes de la historiografía literaria se hacen evidentes cuando nos fijamos en que la innovadora ficción de Castellanos es parecida a las obras de narradores cubanos mucho más jóvenes. Varias colecciones de cuentos bastante recientes están muy cerca de los textos de Castellanos. Pensemos por ejemplo en *Dos barcos* (1934), de Carlos Montenegro (1900-1967?); *La luna nona y otros cuentos* (1942) de Lino Novás Calvo (1905-1980); y *Carne de quimera* (1947) de Enrique Labrador Ruiz (1902-1990?).

Tan buen autor como Castellanos fue Augusto Jorge Goeminne Thompson (Chile, 1882-1950) cuyo afortunado seudónimo fue Augusto D'Halmar. Al igual que Castellanos, éste es un escritor olvidado en la actualidad y también un precursor de las sutiles ficciones que varios compatriotas suyos escribieron en los años 40 y 50. Las agudas referencias de D'Halmar a detalles sugerentes evocan los mejores textos de Manuel Rojas (1896-1972), María Luisa Bombal (1910-1980), José Donoso (1924-1996) y Jorge Edwards (1931-). Mucho aprendió D'Halmar de autores rusos y escandinavos; Turgenev y Tolstói estaban entre sus favoritos. De hecho, esta simpatía era tan profunda que D'Halmar intentó una vez organizar una comunidad de escritores que siguiera los modelos propuestos por Tolstói. Las delicadas composiciones de sus cuentos recuerdan, a veces, a la famosa colección de cuentos de Turgenev *Cuaderno del deportista* (1852).

A primera vista parece lógico que identifiquemos a D'Halmar con los principios del Modernismo, pero esa afirmación es correcta sólo en parte. Debemos recordar que cuando D'Halmar publicó su primera novela *Juan Lucero* (1902), estaba muy hechizado por los naturalistas franceses. Pero poco después quedó fascinado por unas ficciones muy diferentes. Sus labores diplomáticas lo llevaron a Extremo Oriente, donde su fascinación por el pensamiento místico se convirtió en una preocupación absoluta. Pocos escritores de su época viajaron tanto como él por Extremo Oriente, Europa y Latinoamérica. Inevitablemente el impacto del conocimiento adquirido en tierras extranjeras sale a flote en muchas de sus ficciones. Su primera colección de cuentos, *La lámpara en el molino,* contiene sorprendentes referencias a experiencias vinculadas a sus viajes. A pesar de que el libro se publicó en 1914, casi todos los cuentos incluidos en él aparecieron entre 1903 y 1910. Se publicarían otros dos volúmenes: *Capitanes sin barco* (1934) y *Amor, cara y cruz* (1935). Aquella colección de cuentos está marcada por rasgos sutiles típicos de las ficciones cortas de Joseph Conrad (1857-1924). A pesar de ser evidentes, los complejos vínculos que existen entre las ficciones de D'Halmar y los textos de Conrad, Bertolt Brecht y Herman Melville, aún no han sido estudiados. La extraordinaria extensión de sus obras puede que haga difícil una lectura pormenorizada de sus textos. En su última edición, las obras de D'Halmar comprenden veinticinco volúmenes. En esa producción tan voluminosa el cuento ocupa un espacio muy reducido, pero se encuentra entre sus mayores logros.

Los cuentos de D'Halmar son también el centro de sus mejores críticas. En una breve nota publicada en 1948 en el prestigioso periódico chileno *Atenea,* admitió que sus mejores obras estaban reunidas en *La lámpara en el molino.* También añadió que nada desde entonces había sobrepasado la calidad de aquellos cuentos. Se refirió específicamente a textos tales como «Sebastopol», «Ternura», y «En provincias». De estos tres cuentos, «En provincias» es la que ha aparecido en muchas antologías y se encuentra claramente entre los mejores cuentos que se escribieron en Hispanoamérica durante este periodo.

El texto es escaso e incluso descolorido algunas veces. Previsiblemente, su brevedad episódica y su forma de crear alusiones indirectas resalta el efecto poético. En la historia, la pasión reprimida que el tímido Borja siente por Clara se consuma en un momento intenso y fugaz, pero la intensidad erótica del episodio se ve erosionada gradualmente por lo estéril de la culpa y su rutina diaria. Aquí la monotonía deliberada del proceso narrativo evoca el famoso pasaje de *Un amigo de la familia* (1859) de Dostoievski. De forma casi imperceptible, la tensión de la historia parece surgir de la enumeración de objetos humildes que día a día asumen una importancia desproporcionada en la vida de este empleado sin galardones. El creciente vacío de su existencia se capta con sorprendente precisión refiriendo elementos como una flauta, unas fotografías; o actos como abrir una ventana que, paradójicamente, lo lleva a la introspección. Borja se está haciendo viejo y estos objetos y otros semejantes crean lentamente una iconografía narrativa sugerente que evoca los geniales pasajes de obras como *Un corazón simple* (1877) de Flaubert, *Ana Karenina* (1886) de Tolstói y «Una señora mayor» (1969) de Jorge Luis Borges.

Una gran parte de lo que se cuenta en «En provincias» es intensificado por las hábiles referencias a los detalles más mínimos. Una deliciosa parsimonia de la misma índole es evidente en «Un mendigo» (1959) de Manuel Rojas; en «El preceptor» (1928) de José Santos González Vera (Chile, 1897-1970), y, particularmente, en «Paseo» (1959) de José Donoso. Los vínculos que existen entre «En provincias» y estos cuentos confirman el carácter precoz de las ficciones de D'Halmar. Sin embargo, sus cuentos, como los de Lillo o los de Castellanos, han sido olvidados por los lectores contemporáneos.

A pesar de que sólo tenemos un conocimiento muy reducido de la ficción escrita en el cambio de siglo, al menos podemos decir con bastante certeza que para entonces, el cuento había conseguido un espacio propio entre los lectores cultos latinoamericanos. Un grupo de autores en expansión comenzaba a dedicar sus mayores esfuerzos al nuevo y ágil género. Es evidente una preferencia por el cuento incluso en las ficciones de escritores que habían conseguido un escaso reconocimiento. Los logrados cuentos de Darío Herrera (Panamá, 1883-1914) y Adolfo Montiel Ballesteros (Uruguay, 1888-1971) son un caso típico.

A pesar de su condición minoritaria, el cuento comenzó gradualmente a ser percibido como una forma autónoma que reflejaba la alienación de distintos sectores cultos de la sociedad hispanoamericana. Muchos alababan el cuento literario como una forma innovadora, pero la verdad es que en la prensa diaria, continuaba apareciendo junto a un amplio género de anécdotas, piezas costumbristas e ilustraciones gráficas que a menudo parecían reducir el cuento al estatus de comentario pasajero.

Algunas de las diferencias que se detectan en la ficción corta que surgió con el nuevo siglo, son evidentes en los cuentos recopilados por el escritor dominicano Fabio Fiallo (1865-1943) en sus *Cuentos frágiles* (1908). Casi todos estos cuentos fueron escritos al modo de la ficción romántica y dan un giro hacia la parodia que a menudo recuerda a las ficciones de Heinrich Heine (1797-1856), Larra, Gustavo Adolfo Bécquer y Manuel Gutiérrez Nájera. Los cuentos de Fiallo, a pesar de ser evocadores, tienden a fragmentarse por las desafortunadas digresiones y el estilo declamatorio de su escritura. Pero su cuento «El castigo», que aparece en varias antologías hispanoamericanas conocidas, es una de las creaciones más memorables de Fiallo. Su trama tenue y sus matices poéticos son la base de su éxito.

Los relatos de Fiallo y los de Payró y Herrera aparecen a menudo como variantes contrastantes del cuento. Es justo asumir que las arbitrarias demandas de todo tipo de revistas y periódicos, tendían a desfigurar una parte de la ficción corta publicada en el cambio de siglo. Las diferencias entre los cuentos escritos en esa época quedan claras en los largos relatos de Tomás Carrasquilla (Colombia, 1858-1940), un escritor prolífico que practicó muchas formas de narrativa breve. Entre 1903 y 1936 publicó tres libros de cuentos: *Salve regina* (1903), *Dominicales* (1934) y *De tejas arriba* (1936); otras obras aparecieron póstumamente. Si revisamos las historias más conocidas de Carrasquilla, como «Blanca» (1897), «San Antoñito» (1899), «El rifle» (1915) y «Rogelio» (1926), nos daremos cuenta de que estos cuentos están vinculados de una forma bastante indiscriminada a la leyenda romántica, la tradición, el artículo de costumbres y el cuento moderno. En parte, el diseño regresivo de algunos de los cuentos de Carrasquilla, refleja la orientación conservadora de los círculos literarios colombianos antes de los años 40 del siglo XX. «San Antoñito», por ejemplo, es una narración que toma muchos elementos del tono ligeramente picaresco de la tradición e incluso más de los recursos retóricos relajados usados por los costumbristas.

Las dudas sobre la forma características de la narrativa breve al comienzo del siglo XX no quedan tan claras en las obras de otros escritores. Clemente Palma (Perú, 1872-1946) y, sobre todo, Amado Nervo (México, 1870-1919) entendieron mejor que la mayoría las posibilidades y limitaciones del cuento. Ambos comenzaron a escribir durante la última fase del Modernismo y su afinidad por los objetivos del movimiento es obvia, por ejemplo, en una colección de los cuentos de Nervo recopilada por Alfonso Méndez Plancarte en *Mañana del poeta* (1938). Pero poco después de sus intentos iniciales, tanto Palma como Nervo rechazaron las anécdotas afectadas por las que se inclinaban los modernistas.

En *Almas que pasan* (1906) y *Cuentos misteriosos* (1921), ambos escritos entre 1895 y 1916, los cuentos de Nervo muestran un contenido imaginativo considerable. El cuidadoso entretejido de estos cuentos nos recuerda a *Las fuerzas extrañas* (1906) de Leopoldo Lugones, así como a algunos cuentos incluidos en *El plano oblicuo* (1920) de Alfonso Reyes (1889-1959). Más de una vez confesó Reyes su admiración por el talento de Nervo como narrador. Cuando reseñó los *Cuentos misteriosos* (1921) de Nervo, Reyes aludió específicamente a «Un sueño», que se sitúa en el Toledo de El Greco. Sobre este cuento, Reyes dice que «toda la trama está entrelazada en un velo de luz que, cuando sale el sol, se cuela entre las grietas de la ventana» *(Obras completas,* 287).

En «El ángel caído», «Una esperanza» y «El diamante de la inquietud», Nervo demuestra su creciente fascinación por las experiencias místicas y los procesos mentales cercanos a las alucinaciones o a los estados mórbidos de la mente. Mucha de su curiosidad iba dirigida a intereses de este tipo, pero sus mejores cuentos se centran principalmente en la naturaleza enigmática del amor y la inminencia de la muerte. Es una lástima, sin embargo, que muchos de sus mejores cuentos estén desfigurados por digresiones. La admiración abrumadora que sentía Nervo por H. G. Wells, Nietzsche, Victor Hugo, Kierkegaard y por las manifestaciones de pensamiento esotérico, a menudo lo llevaron al tipo de reflexiones interpoladas que el cuento no tolera. Con pocas excepciones, gran parte de lo que se puede decir sobre los textos de Nervo también se aplica a los cuentos de Clemente Palma (1872-1946). Las experiencias que emanan de los sueños son el núcleo de los mejores textos de Palma. Tal es el caso de «La granja blanca» (1903?). Miguel de Unamuno, entre otros, escribió con admiración sobre los cuentos de Palma, que están recopilados en tres volúmenes: *Cuentos malévolos* (1904), *Mors ex vita* (1923) e *Historias malignas* (1925).

Palma comenzó a experimentar con el cuento a finales del año 1903. Los críticos y reseñantes se han dado cuenta más de una vez de que existen importantes similitudes entre sus textos y los escritos por Máximo Gorki (1868-1936), Chéjov, Huysmans y Borges. Su cuento más aplaudido es, tal vez, «Los ojos de Lina» (1902) incluido en *Cuentos malévolos*. Su organización poco usual recuerda a los famosos cuentos de Boccaccio y exhibe una tendencia sutil hacia percepciones de asimetría y desfiguración. Los cuentos de Palma a menudo contenían descripciones que llevaban a conclusiones inesperadas. «La granja blanca» se refiere también a algunos de los giros imaginativos que admiramos en *Sonatas* (1902-1905) de Ramón del Valle-Inclán (1866-1936) y evoca la conclusión reveladora de «Las ruinas circulares» (1941) de Jorge Luis Borges. Pero debido en parte a la afectación estilística y a la falta de estructuración, muchos de los textos de Palma no consiguen las metas que el lector presume desde el comienzo del texto. En los cuentos de Nervo y Palma la trama a menudo parece acabar con todas sus posibilidades en los primeros pasos del proceso narrativo. Tal vez esto se deba a que la mayoría de sus escritos se centran en impulsos o intuiciones iniciales que no pueden sostenerse en el desarrollo de la trama.

No se puede decir lo mismo de los veintidós cuentos recopilados en *La guerra gaucha* (1905) de Leopoldo Lugones. Estos primeros cuentos están llenos de referencias culturales y afirmaciones teóricas que a la larga hacen pesada la estructura narrativa. Además, muchos de sus cuentos están saturados de los recursos narrativos que Lugones absorbió de los naturalistas y del discurso telúrico que se había infiltrado extensamente en la literatura hispanoamericana. En estos cuentos aparecen veladas alusiones a los textos de Sarmiento y Alberdi. Asimismo se reconocen fácilmente rasgos de *Facundo* y *Las memorias descriptivas de Tucumán* (1834) respectivamente. Pero en ocasiones estas alusiones inoportunas tienden a distorsionar la narrativa.

Reflexionando sobre la obra de Lugones, Borges señaló que «las asombrosas características presentes en esta obra [*La guerra gaucha*] tales como el episodio del gaucho que guarda el brazo de un soldado español para su perro, pueden estar basadas en hechos reales, pero no son convincentes» *(Leopoldo Lugones,* 70-1). Esta objeción parece razonable, pero no se aplica a las representaciones más perfeccionadas de sucesos imaginarios que hace Lugones. Es esos casos, el impacto de la ficción de Poe en los textos de Lugones es bastante obvio. Pero, afortunadamente, las diferencias y excesos descriptivos de su primer libro de cuentos serán menos evidentes en *Las fuerzas extrañas* (1906).

En este segundo libro, lo que se entiende por «real» o histórico se convierte en un mero punto de partida. En la mayoría de los cuentos, la paradoja y el proceso de representación es la preocupación primordial del autor. La construcción de la historia y su autonomía estructural se reconocen como los procesos a través de los cuales los significados pueden ser comunicados. Es en efecto el concepto sofisticado del acto narrativo, lo que da a *Las fuerzas extrañas* un importante papel en la ficción rioplatense del cambio de siglo. La mayoría de los cuentos que encontramos en la obra dramatizan la ilusoria convergencia de la creación verbal y las ciencias, pero casi siempre Lugones lo hace con un sentido de ironía y humor que les era desconocido a los naturalistas. Es en efecto este punto de vista tan especial lo que se ha terminado admirando en muchos de los mejores cuentos de Borges. En el momento de su publicación, *Las fuerzas extrañas* representaron el advenimiento de un nuevo tipo de ciencia ficción que daba a los excesos fisiológicos de los naturalistas un contenido imaginativo más rico y que, a su vez, estaba unido a los misterios del pensamiento esotérico. Algunos de los mejores ejemplos de este tipo de ficción se encuentran en «La lluvia de fuego», «Yzur» y «Los caballos de Abdera». «Yzur» es una narración basada en las frágiles teorías del siglo XIX sobre la comunicación verbal y en una definición muy vaga del inconsciente. Como referencia contextual es útil tener en cuenta que este tipo de ficción coincidió con los inicios de la psicología experimental. Pero para muchos, las actividades científicas de este tipo parecían entonces como una fábula, tal vez no muy diferente de «Yzur».

El patético desenlace de este cuento se produce cuando un gorila consigue finalmente hablar a su entrenador y en ese mismo momento muere. Este texto es una pieza de escritura intrépida y su sofisticación aún perdura. Esto se debe, en parte, a que la seudociencia en la que se apoya no trivializa el proceso narrativo. Sin embargo, sorprende que los cuentos recopilados por Lugones en *Cuentos fatales* (1924) no vayan más allá de la gama imaginativa que consiguió en *Las fuerzas extrañas*. En general, las innovaciones introducidas por Lugones se sitúan como piezas clave de la ficción argentina del cambio de siglo. En sus textos tenemos un anticipo del genial tejido de *Historia universal de la infamia* (1935) de Borges. Y se puede decir lo mismo de *Trama celeste* (1948) de Adolfo Bioy-Casares (1914-), *Final del juego* (1956) de Julio Cortázar y *El grimorio* de Enrique Anderson-Imbert.

En menor medida, Alberto Edwards (Chile, 1878-1932), escribió varios cuentos —sobre todo entre 1913 y 1916— que muestran su fascinación compulsiva por el infortunio o por las experiencias inescrutables. Los cuentos se recogieron en *Cuentos fantásticos* (1921). Algunas de las mejores ficciones cortas de Edwards nos recuerdan a *A Rebours* (1884) de Huysmans y *Contes cruels* (1883) de Jean M. Villiers (1838-1889). Las piezas cortas de Edwards están por lo general mucho más cercanas a los cuentos de G. K. Chesterton (1874-1936) y Arthur Conan Doyle (1859-1930). A menudo escribió bajo el pseudónimo «J. B. C.» y «Miguel Fuenzalida» y quiso, claramente, transformar el cuento detectivesco en un logro artístico. Pero sus meticulosas descripciones a menudo estorbaron la cohesión de la trama. «El secuestro del candidato» (1913) es posiblemente su mejor historia de este tipo. Desafortunadamente, los textos de Edwards se han leído a menudo desde un punto de vista poco imaginativo.

Las obras del dandy peruano Abraham Valdelomar (1888-1919) son menos competentes que las de Edwards. Si tuviéramos que elegir un tema dominante en las obras de Valdelomar, éste sería la dramatización de los conflictos existenciales, una preocupación presente en la literatura del cambio de siglo que persistiría hasta los años 40. Sin embargo, estas indagaciones introspectivas a menudo llevan a una presencia desproporcionada del relator y de su sentimiento particular de crisis. Cuando comparamos los cuentos de Valdelomar con su voluminosa producción periodística, éstos se sitúan en un sector marginal de su producción. Sus novelas *La ciudad de los muertos* y *La ciudad de los tísicos,* ambas fechadas en 1910, merecieron alguna atención; ambas novelas están enraizadas en las últimas y más estridentes fases del Naturalismo.

Más que a teorías científicas, la ficción de Valdelomar respondía a la presión de los discursos nacionalistas que habían infestado la literatura hispanoamericana desde el comienzo del periodo republicano. Como en el caso de muchos de los de sus contemporáneos, los textos de Valdelomar estaban vinculados a preocupaciones ideológicas y éticas expresadas en la narrativa criollista que arraigó en Hispanoamérica alrededor de 1915. Pero el legado discursivo del criollismo no predomina siempre en sus mejores obras. Entre sus cuentos, «El Caballero Carmelo»

(1915?) y «Hebaristo el sauce que murió de amor» (1918) se acercan a la representación sutil que podemos encontrar en los mejores cuentos de Jesús Castellanos y Augusto D'Halmar. Tal vez sus mayores logros son las representaciones perceptivas de individuos cuya existencia evoluciona gradualmente hacia una impasible marginalidad.

La mayoría de los textos descritos arriba ilustran las diferentes etapas de actividad literaria en las que se encontraba Hispanoamérica al final de la *belle époque*. En este momento, las naciones industrialmente avanzadas comenzaron a toda prisa los rituales de una guerra que reforzarían la marginalidad casi crónica de Hispanoamérica. La profusa actividad literaria del periodo tuvo lugar en grandes ambientes metropolitanos. Los palacios de cristal, la tecnología y el arte exhibido en las espectaculares exposiciones universales de Londres (1851), Chicago (1893) y París (1899) glorificaron el poder y el centralismo de la vida urbana. Los pintores impresionistas y una gran cantidad de ilustradores gráficos captaron vivamente estas imágenes. En los países industrializados, la actividad económica y el poder político cayeron en manos de una clase dominada por la burguesía comerciante. En Hispanoamérica, Buenos Aires fue, quizás, la única ciudad que se aproximó a esta cegadora secuencia de acontecimientos. Inevitablemente, la repentina prosperidad que siguió a la Gran Guerra también trajo un boom literario sin precedentes reflejado en la producción de nuevas editoriales argentinas, mexicanas, chilenas y cubanas.

En el área del Río de la Plata, las obras y la personalidad de Ricardo Güiraldes (1886-1927) representaron de forma bastante fiel el creciente contexto de prosperidad y refinamiento cultural. Su ficción y su poesía comunican las preocupaciones intelectuales que afectaban a la camarilla de literatos en el cambio de siglo. A pesar de que sus cuentos describen escenas rurales, uno inmediatamente reconoce la destreza y la elegancia de un escritor cultivado. Entre los literatos que frecuentaron a menudo el refinado «Café Richmond» de Buenos Aires el cuento se consideraba una novedad refulgente. Güiraldes no sólo cultivó este nuevo género narrativo sino que también entendió muy bien muchas de sus posibilidades inexploradas.

En Buenos Aires y en Europa, Güiraldes leyó a los mejores escritores de cuentos de la época y se familiarizó también con las ideas que desarrollaron algunos de ellos con respecto a la naturaleza del cuento moderno. La perspicacia teórica de Güiraldes es obvia en la escritura de *Cuentos de muerte y de sangre* y también en la correspondencia que mantuvo con sus amigos Valéry Larbaud y Guillermo de Torre, entre otros. Estas piezas informales están salpicadas de comentarios sobre textos de Poe, Baudelaire, Flaubert, Kipling, Mallarmé, Conrad e Ibsen. Y a veces sus cartas también muestran que seguía de cerca las teorías emergentes respecto al cuento moderno.

En *Cuentos de muerte y de sangre,* «El pozo» y «El trenzador» mostraban claramente el cuidado con que Güiraldes desarrolló algunos de sus cuentos. Su atención a los detalles significativos nos recuerda las observaciones de Chéjov sobre la delicada articulación del género. En *Cartas sobre el cuento, el drama y otros temas literarios* (1924) el famoso escritor ruso recomendó a su nieto que «en la descripción, uno debe centrarse en los pequeños particulares» (pág. 81). Es precisamente esta aproximación narrativa la que admiramos en «El remanso» y otros cuentos de Güiraldes. Las referencias de paso que llegan a afectar al proceso narrativo son particularmente evidentes en «El pozo», un texto que deja tanto al lector como al protagonista a merced de la cruel mirada de un gaucho supersticioso. En este cuento, un hombre cae accidentalmente en un pozo mientras duerme; el efecto sorpresa evita que por un momento vuelva al mundo conocido, pero gradualmente consigue trepar hasta la superficie. De repente, cuando sale del pozo se siente paralizado por un ataque de terror y violencia que le causa la muerte.

Este tipo de brevedad sorprendente era el objetivo de Güiraldes. En una carta fechada en 1926 a Valéry Larbaud, se refiere a su obra en estos términos: «Quisiera que mi prosa fuese condensada, breve y convincente: lo que me gusta más de la mano es su capacidad de convertirse en puño» *(Obras completas,* 789). En otra carta a Larbaud, alude a Whitman, D'Annunzio y Poe y añade: «... y hasta últimamente se ha dado en la orientación del cuento y la novela psicológica la entrada de un nuevo bárbaro, esta vez normando: Joyce» (pág. 777). La carta la escribió mientras leía por primera vez *Dublineses* (1914) de Joyce.

Pero este fascinante cuerpo de escritos no sólo demuestra el conocimiento de Güiraldes de la literatura moderna, su correspondencia también contiene sagaces comentarios sobre los cuentos de Horacio Quiroga que se iban publicando en revistas, como *Fray Mocho* y *Caras y caretas*. En otra carta fechada en 1926 y escrita a su amigo Héctor Eandi, Güiraldes hace un comentario sobre los textos uruguayos:

> Quiroga ve en América un gran continente bravío y luchador que amenaza a la posesión del hombre, con clima peligroso de fauna y flora y enfermedades y sugestiones mentales de funestos resultados. Quiroga ve, las más de las veces, al habitante como a un desterrado en una tierra hostil *(Obras completas,* 791).

Y más tarde añade: «[En sus textos] los hombres luchan y las mujeres vegetan, como flores trasplantadas a un suelo de infelicidad en el que abrazan fantasías irreales y torpes alucinaciones» (pág. 793). Sus agudas observaciones sobre los cuentos de Quiroga están reforzadas por otros comentarios contenidos en la misma carta: «Más que el medio ambiente me parece ver en los cuentos de Quiroga el *medio interior,* la verdadera causa de las tragedias que relata» (pág. 792).

Escritores de talento como Alfonso Reyes y Lugones admiraron los cuentos de Güiraldes, pero sabemos que *Cuentos de muerte y de sangre* fue leído tan sólo por el pequeño círculo de escritores vanguardistas que prosperó en el Río de la Plata. En todo caso, «El trenzador» de Güiraldes figura entre los mejores cuentos que ha dado Hispanoamérica en el cambio de siglo. El texto ya contenía la mayor parte de las cualidades más importantes que podemos ver en «A la deriva» (1912) de Quiroga, «La intrusa» (1966) de Borges y «La prodigiosa tarde de Baltazar» (1961) de Gabriel García Márquez (1927-).

A finales de la Primera Guerra Mundial, el cuento estaba superando claramente su estatus marginal. En prácticamente todas las capitales latinoamericanas, los editores publicaban nuevas colecciones de cuentos. Muchos de los libros mencionados en este ensayo corroboran la gradual emergencia de un público lector que sintonizó en especial con este nuevo género. Estos desarrollos son aún más impactantes si atendemos al hecho de que existían amplios sectores analfabetos en Latinoamérica y que, para muchos otros, los libros seguían siendo un objeto de lujo. Pero estos considerables obstáculos no impidieron la productividad editorial ni la creciente aceptación del cuento.

Como ejemplo, las muchas colecciones de ficción corta escrita por venezolanos, tales como *Cuentos de poeta* (1900) o *Cuentos americanos* (1903) de Rufino Blanco Fombona (1874-1944), *Los abuelos* (1909) de Luis Manuel Urbaneja Achepohl (1873-1937) y *Los aventureros* (1913) de Rómulo Gallegos (1884-1969), confirman la aceptación del cuento en Hispanoamérica como género establecido del discurso de ficción. Se puede decir lo mismo de *Dolorosa y desnuda realidad* (1944) de Ventura García Calderón (Perú, 1886-1969) y de *Los gauchos judíos* (1910) de Alberto Gerchunoff (Argentina, 1883-1950). Con diligencia semejante, las editoriales chilenas publicaron *Escenas de la vida campesina* (1909) de Rafael Maluenda (1885-1963) y *Cuentos del maule* (1912) de Mariano Latorre (1886-1955). Aparecieron muchos cuentos sofisticados en *Cuentos pasionales* (1907) de Alfonso Hernández Catá (Cuba, 1885-1940) y en *El hombre que parecía un caballo* (1915) de Rafael Arévalo Martínez (Guatemala, 1884-1975).

Incluso la revisión más somera de los libros anteriormente mencionados frustrará casi cualquier intento de clasificación rígida. Los cuentos escritos por Urbaneja, Blanco Fombona, Gallegos, García Calderón y Latorre son variaciones muy diferentes de la ficción naturalista ubicada en zonas rurales de Hispanoamérica. En las obras de Gerchunoff percibimos ecos de antiguas leyendas semíticas. Y en cuentos escritos por Hernández Catá y Arévalo Martínez el subconsciente y el mundo de los sueños a menudo nos remite a poderosas imágenes antropomórficas que nos recuerdan a Franz Kafka. Los contenidos distintos de estos libros son sólo una parte del amplio espectro que emerge en la ficción corta hispanoamericana del cambio de siglo. Es importante tener en cuenta que, tras 1915, la literatura mexicana siguió en su mayor parte su propio curso; directa o indirectamente, la revolución mexicana trazó un nuevo camino literario a recorrer por el país.

En el genial ensayo de Walter Benjamin «El narrador» (1936), el crítico alemán subraya el peculiar dilema con que se enfrentan los escritores modernos al buscar nuevas formas de credibilidad que puedan validar sus obras. Distraído por las sucesivas rupturas y desplazamientos que han caracterizado a la sociedad moderna, en especial en contextos urbanos, el escritor moderno —según Benjamin— se ha ido separando progresivamente del juicio colectivo que existía tradicionalmente en sociedades en las que todos compartían un amplio espectro de experiencias diarias. Perdido en el anonimato impuesto por las ciudades grandes y modernas y sin otra alternativa, el escritor pone énfasis en la sofisticación estructural como forma de dar coherencia a sus textos. Sin duda ésta es la razón por la que los textos modernos a menudo muestran una inclinación reflexiva hacia la introspección e incluso la parodia. Más que las realidades contextuales, estos textos con frecuencia representan formas de alienación o de marginalidad cultural.

En Hispanoamérica, muchos autores intentaron rescribir los textos de Daudet, Zola y Maupassant. Pero los contextos históricos y culturales americanos diferían bastante de los dramatizados por los modelos europeos. La disparidad entre realidad histórica y práctica textual es una de las razones más importantes de la cualidad contradictoria y descentrada de una gran parte de la ficción hispanoamericana en el cambio de siglo. El progreso, los excesos y la conmoción cultural que trajo la Revolución Industrial alimentaron el discurso naturalista. Pero para la mayoría de los hispanoamericanos estos acontecimientos, equiparados con los grandes logros de la Humanidad, eran sólo una experiencia narrativa.

En tales circunstancias, la ficción hispanoamericana eligió legitimar la escritura dentro del único contexto que podía dar validez a su empresa: el entorno rural. Al vincularse más y más la ficción moderna al discurso cosmopolita, la ficción hispanoamericana optó por una iconografía telúrica que la alejó de las corrientes narrativas de otras naciones occidentales. *Cuentos de muerte y de sangre* de Ricardo Güiraldes, *Guri* de Javier de Viana, o *Cuentos de amor de locura y de muerte* de Horacio Quiroga, se revelan gradualmente como algunas de las mejores creaciones producidas durante esta larga y conflictiva fase de la actividad literaria. Fue un periodo con tendencia a la experimentación. En palabras de José Lezama Lima (Cuba, 1910-1976), la ficción hispanoamericana en el cambio de siglo debió de parecer a muchos lectores un increíble «escaparate de paradojas y encantamientos» («Verba criolla», 166).

[15]

EL TEATRO HISPANOAMERICANO DEL SIGLO XIX

FRANK DAUSTER

El teatro en la Hispanoamérica del siglo XIX se limitó a las ciudades más importantes. El Neoclasicismo predominó hasta aproximadamente 1810; a partir de entonces la estética dominante fue esencialmente la romántica, pese a ocultarse a menudo tras un velo de formas adoptadas de otras escuelas. El Romanticismo europeo desapareció a mediados de siglo, pero la versión hispanoamericana es mucho más tardía, y está muy relacionada con dos procesos de desarrollo que abarcan el final del siglo XIX y principios del XX: el Costumbrismo, la representación de costumbres regionales que a menudo resulta ser una máscara del creciente nacionalismo, y un teatro urbano de base popular. Términos tradicionales como Neoclasicismo, Romanticismo, Postromanticismo o Modernismo son engañosos, ya que estas tendencias a menudo coexistieron y estaban profundamente influidas por las actitudes románticas. Tales complejidades y las dificultades derivadas de tratar en conjunto un gran número de literaturas nacionales convierten la historiografía de las letras hispanoamericanas en una labor complicada y a menudo polémica, en la que no hay un consenso absoluto. Por conveniencia, la organización que vamos a usar aquí es la desarrollada por José Juan Arrom, que sigue un esquema generacional basado en periodos de treinta años. Esta organización es adecuada para el cambio y el desarrollo literario sobre todo si se aplica con flexibilidad, dando un margen a las variaciones considerables de cada nación individual y de cada generación.

LA GENERACIÓN DE 1804

A pesar de que incluye el movimiento por la independencia política, la Generación de 1804, nacida entre 1774 y 1804, es un movimiento de transición, un vínculo con el pasado más que una ruptura con el *status quo*. No hubo cambios socioeconómicos profundos, a pesar del caos político, y el periodo muestra una tendencia a conservar formas e ideas heredadas de la generación precedente. El periodo de las guerras de independencia no cuenta con ninguna forma de teatro significativa y, en los lugares en los que sí existían, no quedó mucha huella de las producciones. La tendencia general era el Neoclasicismo, y el repertorio, casi exclusivamente extranjero: Voltaire, Alfieri, Addison, Quintana, Moreto, los dramaturgos europeos de inspiración liberal y estética neoclásica, aunque hacia finales del periodo vemos que comienza la tendencia romántica. Mientras tanto, el teatro musical siguió ganando popularidad; el triunfo del Neoclasicismo sobre la zarzuela grande significa también la llegada de la ópera. Éste fue un tipo de teatro que se asentó en unas pocas ciudades; la población reducida, la inestabilidad política crónica, la falta de una economía estable, la mala calidad de vida y educación de la gran mayoría de la población, así como la firme oposición de muchos clérigos, realmente debilitó la actividad teatral. También se desarrolló un teatro más modesto, popular en cuanto a su inspiración, que pasó desapercibido para los públicos más cultos, y que se dirigía a una audiencia sobre todo rural.

Donde más actividad hubo fue en Argentina. Hacia 1818 la ópera y la zarzuela habían llegado ya, provocando consecuencias negativas para el teatro serio. Cuando otras naciones comenzaron a tener una actividad mayor, el movimiento argentino se deterioró bajo la represión del régimen de Rosas. La mayoría de las obras se han perdido; hubo autores de provincias, algunos bastante prolíficos, cuya contribución ha desaparecido. La característica primordial del teatro rioplatense del periodo fue el patriotismo oratorio; los textos son estáticos y tienen poca acción dramática. En 1817 el gobierno revolucionario, intentando beneficiarse de posibilidades propagandísticas, fundó la Sociedad del Buen Gusto. Aunque procuró elevar el nivel del gusto popular imitando el modelo racionalista neoclásico francés, había otros fines presentes: la utilización del teatro como instrumento político. La Sociedad duró poco y produjo un muy pequeño número de obras interesantes, pero consiguió aumentar el interés por el teatro entre los estratos sociales más humildes, que el dictador Rosas utilizaría en contra de sus enemigos.

Este movimiento argentino tiene sobre todo un interés histórico y sociológico. Su dramaturgo, director, traductor y actor más importante fue el peruano Luis Ambrosio Morante (1775-1837), que también trabajó en Chile después de 1821 y fue un defensor neoclásico del teatro como vehículo de propaganda doctrinaria. Es imposible determinar cuáles de las muchas obras atribuidas a Morante fueron compuestas realmente por él, pero se hizo importante por *Túpac Amarú* (1821), basada en el levantamiento del heredero del Imperio Inca en 1780. Es una obra llena de arranques políticos, excesos verbales y con los deliberados americanismos típicos de la época. Más pintoresco es el cura, médico y periodista chileno, Camilo Henríquez (1768-1825). Su obra es didáctica y esquemática, llena de símbolos parlantes más que de gente. *Didi* (1823) y *Argía* (1824) de Juan Cruz Varela (1794-1839) son típicas del periodo. Son obras que jamás fueron llevadas a la escena, son esquemáticas y lentas, aunque mantienen las unidades, la verosimilitud, el culto a la razón y al orden y todas las demás convenciones neoclásicas, pero dan una pista sobre la pasión romántica que habría de llegar. Lo verdaderamente interesante de Varela está en un sainete poco conocido, escrito antes de 1816 pero publicado por primera vez en 1959. *A río revuelto, ganancia de pescadores* habla de los derechos de las mujeres y los niños en un entorno urbano, usando diferentes lenguajes teatrales asignados a clases sociales distintas para crear un efecto cómico. También hubo un teatro rural muy temprano: *El amor de la estanciera* (1792), *El detalle de la acción de Maipú* (1818), *Las bodas de Chivico y Pancha* (1823), *Un día de fiesta en Barracas* (1836). La primera expresa su violento mensaje antiespañol en un lenguaje popular crudo. *Las bodas* es más dramática; su cuidada diferenciación lingüística entre personajes y clases anticipa el teatro rural. A pesar de su relativa simplicidad, estas obras se conservan frescas debido a la distancia que mantienen respecto a la declamación estática del teatro oficial.

La primera obra chilena conocida es anónima, *Hércules chileno* (1693) y la verdad es que hubo poca actividad teatral hasta bien entrado el siglo XIX: sólo algo de ópera, un pálido Neoclasicismo imitativo, o alguna actividad popular mal documentada. Antes de exiliarse en 1817, Camilo Henríquez luchó por crear un teatro que respondiera a las necesidades nacionales y enseñara las virtudes cívicas. En 1818 Bernardo O'Higgins ordenó la organización de una compañía teatral, la primera de la historia chilena. El tono liberal anticlerical del repertorio europeo y la prohibición por el Senado de los autos sacramentales en 1821, provocó controversias, pero para finales de los años veinte del siglo XIX éstas se aquietaron y el teatro se convirtió en un simple pasatiempo.

En México encontramos casi exclusivamente obras españolas. Desde 1805 hasta 1808, los periódicos *La Gazeta* y *El Diario* convocaron tres concursos para escritores de teatro mexicanos, pero sólo se presentaron siete obras. El primer interés serio se aprecia en un estreno en 1823 por parte de un autor mexicano desconocido y en la fundación en 1824 de la primera compañía teatral estable. Una vez más la zarzuela y la ópera dominan la escena; la mayor parte de las escasas obras mexicanas que se representaron se han perdido. José Joaquín Fernández de Lizardi (1776-1827), novelista y periodista, escribió algunas obras cortas de tendencia política liberal. Se le atribuye la sátira de la sociedad concebida como una casa de locos *Todos contra el payo*, prefiguración interesante de formas contemporáneas. El teatro popular apenas documentado está representado por *El charro* (1797?) y *Los remendones* (1801), piezas breves de José Agustín de Castro (1730-1814) que tratan el tema de la omnipresente pobreza.

Una ilustre figura del teatro hispánico es Manuel Eduardo de Gorostiza (1789-1851). En una época en que el teatro estaba amenazado por la pasión por la ópera cómica, es impresionante por la solidez de sus composiciones. Hijo de un oficial español, Gorostiza vivió en España e Inglaterra desde 1794 hasta 1833. A sus obras, en su mayoría representadas inicialmente en España, les faltan alusiones regionales o nacionales, pero adquirió la ciudadanía mexicana en 1824, fue ministro plenipotenciario en Inglaterra y los Estados Unidos y luchó contra los invasores americanos en 1847. Una parte muy importante de la extensa producción de Gorostiza se ha perdido y aunque sus tramas no son originales, él las desarrolló cuidadosamente y demostró así entender el concepto de teatro. Su humor, propósitos didácticos y rechazo de las nuevas ideas y de la moralidad importada de Francia, lo sitúan entre el riguroso Neoclasicismo de Leandro Fernández de Moratín y la actitud moralizante más moderada de Manuel Bretón de los Herreros. Sus mejores obras son *Indulgencia para todos* (1818), una divertida lección de tolerancia, *Don Dieguito* (1820), una sátira sobre la vanidad y las falsas adulaciones, y *Contigo pan y cebolla* (1833). La última recurre a la técnica estructural favorita del autor, la trama doble, para reírse de las ensoñaciones románticas. Los personajes de Gorostiza son a veces más una caricatura que un personaje y utilizaba repetidas veces los mismos recursos en su trama, pero sus obras aún nos parecen deliciosas.

Colombia también tuvo una actividad limitada. El Romanticismo incipiente se puede ver en la mezcla de sueño y fantasía de *La ilusión de un enamorado* (1813) de Mario Candil (1789-1841) o en los temas indigenistas de José Fernández Madrid (1789-1830) en *Atala* y *Guatemocín*, ambas de 1825. Luis Vargas Tejada (1802-1829) escribió estáticas tragedias seudoclásicas sobre temas indigenistas, pero es más conocido por su comedia costumbrista *Las convulsiones* (1828), basada en *Convulsioni* de Capacelli, y que aún se representa con éxito. En las demás nuevas naciones se dieron casi exclusivamente traducciones de obras francesas. A veces se citan obras sólo porque sus autores fueron ilustres en otros campos, como por ejemplo Andrés Bello, José Joaquín de Olmedo o José María Heredia, pero los textos despiertan poco interés excepto por la creciente importancia del indigenismo. Muchos de estos autores también escribieron comedias breves populares que, se comparan favorablemente con los esfuerzos más ambiciosos de tragedia que motivaron sus otras obras. Este teatro popular estaba enraizado en la realidad americana, y autores como Francisco Covarrubias (Cuba, 1775-1850) nacionalizaron las formas populares españolas y prepararon el camino del teatro cómico popular de finales de siglo.

LA GENERACIÓN DE 1834

A pesar de la incertidumbre política este periodo fue testigo de más producciones y de una profunda americanización de la obra de sus autores, nacidos entre 1804 y 1834. El primer indigenismo débil dio un importante empuje equivalente a la fascinación romántica europea por el pasado medieval. El Romanticismo tuvo un impacto profundo; siguió siendo estética dominante mucho después de que desapareciera en Europa. España ejerció una influencia notable, mientras que las diferencias regionales en desarrollo comenzaron a producir sus variantes individuales en el teatro. Éste pasó del pseudoclasicismo al melodrama romántico, al Costumbrismo crítico y, por fin, al Naturalismo, pero siempre con un tinte romántico muy fuerte.

Hacia 1829, el teatro musical, seguido por el conjunto romántico de comedias sentimentales francesas y de melodramas españoles, había dejado exhausto al teatro argentino. La tiranía de Rosas dominó los escenarios a partir de 1840. Sus seguidores escribieron obras propagandistas sensacionales y sus oponentes en el exilio fueron casi igualmente propagandistas, a pesar de que hay sorpresas. *El gigante Amapolas* (1841), un ataque a Rosas, de Juan Bautista Alberdi (1810-1884), muestra un vivaz sentimiento del absurdo y una tendencia a evitar los lugares comunes románticos. Desde la caída de Rosas en 1852 hasta 1877, el repertorio copia los modelos románticos tardíos españoles y a menudo con un sesgo político fuerte. El teatro uruguayo fue sobre todo un reflejo del argentino y prevalecen en él sus mismas características.

Mientras decaía el teatro argentino, florecía el chileno. La polémica de 1842, y el debate entre los exiliados argentinos y chilenos sobre la existencia de un teatro chileno terminaron con las tibias traducciones neoclásicas que dominaban los escenarios. La confrontación entre Andrés Bello y Domingo F. Sarmiento creó una atmósfera intensa de debate intelectual, a pesar de que Bello estaba más cerca del Romanticismo y la polémica en sí, menos polarizada de lo que se ha dicho normalmente. La consecuente ruptura con el pasado literario llenó el teatro chileno del más truculento Romanticismo, a pesar de que las obras dejan mucho que desear. El sentimentalismo heroico no esconde la creciente influencia de la política. La mezcla de Realismo con Romanticismo queda clara en *El jefe de la familia*, escrita en 1858 por el novelista Alberto Blest Gana (1830-1920), pero sólo producida en 1954, momento en el que tuvo bastante éxito. La sátira a las esposas dominantes, los maridos débiles, los pretendientes pícaros y los matrimonios de conveniencia, nos parece extraña ahora, pero el diálogo comedido en prosa da un paso más allá de la acostumbrada declamación en verso, apuntando a un cambio hacia una técnica más mesurada. En 1859, *La beata* de Daniel Barros Grez estableció el Costumbrismo como la escuela dominante, una variante regionalista del Realismo, a pesar de que su insistencia en los temas chilenos y sus esfuerzos para estimular un movimiento menos europeizado, nunca perdieron su base romántica.

En cuanto a México, la inquietud civil no destruyó la continuidad cultural del país. Las sociedades literarias dieron a los miembros de facciones artísticas y políticas opuestas un campo de acción común de modo que coexistieron las corrientes más diversas. El repertorio era español y el imperio de Maximiliano trajo consigo el gusto por el teatro musical francés al modo de Offenbach. Incluso así, México se puede preciar de haber tenido varias figuras importantes, sobre todo Fernando Calderón (1809-1845) e Ignacio Rodríguez Galván (1816-1842). Este último es el arquetipo romántico; su vida estuvo compuesta por una serie de desgracias y sus obras son alusiones a la escena política del momento y paradigmas de la estética romántica: diálogo enérgico, acción exagerada, obsesión por el honor individual, emoción exteriorizada, reacciones abruptas más que respuestas racionales, todos ellos signos del teatro romántico español que fue su modelo. Sus personajes viven en un permanente estado de irritación y llevan sus emociones a flor de piel, pero su obra es interesante por el tratamiento que hace de las patologías en *El privado del virrey* (1842) y *Muñoz, visitador de México* (1838). Este último es una figura verdaderamente gótica que se presenta como una encarnación del diablo, pero se convierte en un fascinante caso de estudio. Las obras de Calderón casi no se pueden distinguir de las de Sir Walter Scott *et al.*, que combinan la mitología neoclásica con una técnica romántica exagerada y temas medievales. Pero *Ninguna de las tres* (1839?), escrita en respuesta a *Marcela o ¿a cuál de las tres?*, de Bretón de los Herreros, se burla del fracaso en la educación de las mujeres, de la afectación y del romanticismo sentimental. A pesar de que sus obras fueron producidas poco después de las de Gorostiza, hay todo un mundo de diferencias entre ellas, excepto en el caso de *Ninguna de las tres,* que se hace eco de muchas maneras del humor y el sentido común de Gorostiza. Es típico de la fusión de movimientos hispanoamericanos encontrar a un romántico ortodoxo escribiendo una comedia costumbrista con tintes neoclásicos.

Al igual que una gran parte del teatro de la época, las obras mexicanas preferían las tramas sobre la historia nacional. Guillermo Prieto (1818-1897), cuya poesía intentó crear una literatura nacional basada en los tipos locales, hizo lo mismo con un tema de conspiración colonial en *Alonso de Ávila* (1841). Entre 1861 y 1864 Juan Mateos (1831-1913) consiguió quince éxitos comerciales, sobre todo sainetes y comedias escritas en colaboración con el novelista Vicente Riva Palacio (1832-1896) pero la obra que tiene más interés potencial de Mateos se ha perdido, un problema endémico en el teatro del siglo XIX. *La muerte de Lincoln* (1867) fue prohibida por subversiva; Mateos desarrolló el sketch político que presentaba roces entre las clases sociales y llevaba al escenario a las figuras políticas contemporáneas.

En Colombia la situación es conocida: a las obras francesas neoclásicas les siguieron los románticos españoles. Pero en las comedias satíricas de costumbres, el teatro colombiano encontró el tono que dominaría el resto del siglo y también el comienzo del XX. José María Samper (1828-1888), un caso típico de esta tendencia, adoptó un tono progresista en su presentación del conflicto entre la ciudad y el campo, entre el cambio y la nostalgia conservadora. Satirizó los gobiernos regionales conservadores y un sistema social represivo. El teatro peruano temprano está poco documentado, pero el Perú tuvo dos importantes herederos de la tradición satírica colonial: Felipe Pardo y Aliaga (1806-1868) y Manuel Ascensio Segura (1805-1871). Ambos se especializaron en comedias costumbristas, pero fueron diametralmente opuestos. Pardo y Aliaga, conservador con una mentalidad colonialista, fue un neoclásico europeizante y aristocrático que se opuso al ideal democrático. Toda su obra es una sátira didáctica. A pesar de su naturaleza reaccionaria implacable, su teatro es a menudo humorístico, como en la primera obra que se representó en el Perú independiente, *Los frutos de la educación* (1829).

Segura, que sobresale entre el Romanticismo ortodoxo de sus contemporáneos, fue la antítesis de Pardo y Aliaga, un liberal cuyas obras, mucho más vivas, estaban menos enraizadas en las actitudes propias de la clase dominante. Sus temas, lenguaje y personajes surgen de la vida diaria. *El sargento Canuto* (1839) es el *miles gloriosus* romano burlándose de la plaga del militarismo; su obra más conocida es *Ña Catita* (1856), un retrato ácido de una alcahueta en la tradición medieval española. A pesar del entorno neoclásico —son comedias en verso, con tres unidades y moraleja—, las comedias de Segura siguen vivas debido a sus raíces populares y su humor.

En Cuba la actividad creció considerablemente a partir del año 1830, y 1838 fue el año en el que comenzó un Romanticismo ortodoxo medievalizante. Buena parte de esto enmascaró ataques contra el rígido control político español. Como la mayoría del drama romántico hispanoamericano, éste es grandilocuente y amanerado, pero hay ciertas características que lo sitúan entre los más interesantes en su género. José Jacinto Milanés (1814-1863), de familia humilde, autodidacta y recluido, se refugió en obras escapistas como *Un poeta en la corte* (escrita en 1840) y *El conde Alarcos* (1838). Aquélla nunca llegó a producirse, probablemente por razones políticas, ya que critica al gobierno y a la corrupción del poder; una petición formal de publicación se archivó en la mesa del censor durante seis años. *El conde Alarcos* es un ejemplo del Romanticismo de moda en la época y recurre a tales figuras estereotipadas tales como mujeres contrastantes, una angélica y otra pasional. Milanés también escribió dos piezas cortas didácticas. Fue ante todo un escritor ético, abogando por causas liberales al estilo melodramático convencional, pero el escapismo fue la única forma de tratar temas como la conciencia patriótica o las lealtades opuestas.

Como muchos en su época, José Lorenzo Luaces (1826-1867) fue un escritor muy prolífico, pero pocas obras suyas se representaron o publicaron durante su vida, a pesar de que tuvo un impacto considerable entre los círculos intelectuales cubanos. *El becerro de oro*, escrita en 1859, tuvo que esperar hasta 1968 para ser publicada. En esta obra se burla de las pretensiones y de los intereses venales ocultos tras la máscara de la cultura, parodiando la moda de la ópera. El teatro popular nacional creando por Francisco Covarrubias fue cultivado por José Agustín Millán y José Crespo y Borbón, más conocido como Creto Gangá. Las comedias costumbristas de Millán se acercan al espíritu de los esbozos políticos; Crespo y Borbón escribió sainetes cuya sátira estuvo disfrazada por el apenas comprensible lenguaje de los esclavos, que eran sus personajes favoritos.

Los demás miembros de esta generación palidecen en presencia de una de las mayores figuras del teatro en español, Gertrudis Gómez de Avellaneda (1814-1873), cuyo teatro está muy unido a su apasionada vida. A pesar de que todas sus obras se representaron por primera ven en España, es cubana de nacimiento y formación y pertenece a ambas literaturas. Sus obras de teatro, su poesía y su vida demuestran su determinación y espíritu libre; admiradora de George Sand, creó personajes femeninos fuertes y comprometidos con el derecho de decidir su propio futuro. A lo largo de su teatro encontramos una rebeldía más comprensible si sabemos que, a pesar de su talla como artista, se le negó la entrada en la Real Academia Española debido a su sexo.

El romanticismo de Gómez de Avellaneda es más ecléctico, sólidamente construido y psicológicamente penetrante. Su violencia descansa no en la acción sin motivo sino en las pasiones que atormentan a sus personajes. Creó figuras trágicas que reafirman la libertad e integridad del espíritu violando los dogmas y reglas de la sociedad. *Baltasar* (1858), una versión del tema bíblico de Daniel y Nabucodonosor, analiza a un único y melancólico personaje que anticipa al *Calígula* de Camus y al *mal du siècle*. *Alfonso Munio* (1844) apareció en 1869 en una versión revisada bajo el título *Munio Alfonso*. Trata del orgullo y la responsabilidad, de la libertad de elegir en la vida a los propios compañeros de uno. En vez de la acostumbrada solución de tales problemas de honor y el sacrificio tan queridos por los dramaturgos románticos, Gómez de Avellaneda demuestra una gran profundidad y capacidad de comprensión. De sus muchas obras teatrales desde 1846 hasta 1858, la mayoría de gran éxito, no todas estuvieron dedicadas a tales temas; también sobresalió en un tipo de teatro más ligero, como en *La hija de las flores* o *Todos están locos* (1852), una deliciosa comedia de intrigas que recuerda a Lope de Vega por su forma.

Las islas vecinas registraron poca actividad. Una obra del primer Romanticismo fue *Don Pedro de Castilla*, firmada por un dominicano que residía en Cuba, Francisco de Javier Foxá (1816-1865) y la primera obra dominicana de temática indígena es *Iguaniona* (1867) de Javier Angulo Guridi (1816-1864), aunque su espíritu se halla más próximo a Calderón que a una reminiscencia indígena auténtica. En Puerto Rico, la censura y el aislamiento comercial no permitieron más que una actividad esporádica hasta mediados de siglo. Las puestas en escena eran sobre todo de obras españolas, con abundancia de la ópera en la primera parte del siglo y zarzuela en la segunda. El primer dramaturgo de importancia fue Alejandro Tapia y Rivera (1826-1882), cuyas obras escapistas de honor y amor frustrado, fueron en realidad ataques políticos enmascarados. Sorprendentemente moderna es *La parte del león* (1880), un llamamiento a los derechos de la mujer en el matrimonio. Más típica fue *Roberto D'Evreux*, que mandó a Tapia al exilio y sólo se representó, y en una versión muy alterada, en 1856, ocho años después, debido a la prohibición de representar a soberanos en términos que los pudieran humanizar. Esto parece incomprensible, ya que la trama tenía que ver con Isabel de Inglaterra y el conde de Essex, pero es, de hecho, un agrio comentario político. Todas las obras históricas de Tapia sufren de clichés románticos: monólogos, parlamentos largos, revelaciones de último momento. La más interesante de sus obras es *La cuarterona* (publicada en 1867, representada en 1878), un ataque sobre los prejuicios raciales recargado con una trama complicada y una intriga excesiva pero más ágil, más moderada y más humana que la mayoría de las obras de la misma escuela. Al igual que en Cuba, además de este tipo de teatro culto y orientado hacia Europa, existió un teatro popular todavía muy poco estudiado. Uno de los pocos ejemplos que se conservan es *La juega de gallos o El negro bozal* de Ramón C. F. Caballero (nacido en 1820), publicada en 1852.

Bolivia, en esa época un país mucho más próspero de lo que es hoy en día, ostentaba una gran actividad en la segunda parte del siglo, pero han sobrevivido pocos textos; en Venezuela, dominaron las obras de importación y las zarzuelas cómicas y con frecuencia satíricas. También se asentó una tradición de obras breves populares, a menudo asociadas a días de fiestas religiosas. En Paraguay, al igual que en muchos otros países, sólo escribieron unas pocas figuras y su éxito fue, en el mejor de los casos, sólo relativo. Paraguay nos ofrece sin embargo dos curiosidades: la persistencia del teatro misionero entre los indios y la abundancia de compañías profesionales instaladas en Asunción, abandonadas allí debido a la inestabilidad civil y la falta de audiencias que pagasen una entrada.

LA GENERACIÓN DE 1864

Nacidos entre 1834 y 1864, estos autores fueron los protagonistas de los comienzos del Modernismo, que se impuso en el mundo literario hispanoamericano durante las últimas dos décadas del siglo XIX. Pero en teatro, el Modernismo no aportó ninguna contribución significativa. Se ha dicho que el espíritu modernista está en el creciente americanismo de las obras, que éste corresponde al exotismo en otros géneros. El escenario está dominado por un Romanticismo tardío que emana de la influencia del dramaturgo español José Echegaray y de la vieja tradición costumbrista. La situación política y económica, agravada por la desigual distribución de progreso material queda patente en el tibio Realismo y el Naturalismo naciente.

Durante la dictadura de Rosas, el teatro argentino se convirtió en un recurso para atacar a sus enemigos. Desde su caída en 1852 hasta la aparición del teatro rural más de tres décadas después, los dramaturgos argentinos pertenecieron sin remedio al Postromanticismo. En los años 70 del siglo XIX se pusieron en escena más obras argentinas, y en algunas piezas cortas incluso se aprecian toques de colorismo local. En Uruguay hubo una actividad considerable, pero pocas obras que merezcan distinguirse; los primeros románticos escribieron bajo la influencia de los argentinos enemigos de Rosas, muchos de los cuales se refugiaron en Montevideo, mientras que el segundo grupo se dedicó a los dramas históricos y las comedias urbanas costumbristas. Francisco Fernández (1841-1922) es el autor de *Solané* (publicada en 1881), obra nunca producida aunque muy conocida en su época y pronto olvidada a pesar de la considerable importancia de su tema. Un caso de estudio en las nuevas teorías psicofisiológicas, se basa en la historia de un gaucho antes estudiante de medicina, luego curandero rural, que fue asesinado por una turba. En la versión de Fernández este hombre es un redentor de los gauchos explotados y perseguidos, sacrificado por una justicia corrupta. Mejor escrita que la famosa *Moreira* y más auténtica que el resto de las obras gauchescas, *Solané* es aún así bastante rudimentaria, excesivamente prolija y románticamente idealizada.

El tema gauchesco llevó al desarrollo de un teatro nativo que dominó los escenarios durante un considerable periodo y aún se encuentra en la obra de dramaturgos contemporáneos. El extraordinario crecimiento de Buenos Aires debido a la inmigración masiva llevó también a una repentina europeización. Los privilegiados vivían lujosamente; la mayoría de los inmigrantes se encontraban aislados y marginados. El progreso social no se extendió ni a ellos ni a los gauchos rurales semi-nómadas, que fueron hostigados por una sociedad que veía en ellos un obstáculo para el progreso y que tenían que competir por la tierra con los inmigrantes que abandonaron las ciudades. El teatro fue el pasatiempo de la sociedad culta; el populacho hambriento de entretenimiento acudía a los circos. A pesar de que existen antecedentes tales como *El amor de la estanciera* o *Solané*, no se dio un teatro que reflejara la inquietud popular.

El nacimiento de este tipo de teatro es fruto de una serie de circunstancias fortuitas. Los hermanos Carlos, dueños de un circo de éxito, decidieron introducir un número de pantomima en el espectáculo diario, y eligieron una versión de *Juan Moreira*, una novela de Eduardo Gutiérrez (1853-1890) basada en la vida de un cacique gaucho criminal y rebelde asesinado por la policía. La versión es rudimentaria, se compone de escenas breves, militantemente pro-gaucho y poco sofisticada, en cuanto a sus recursos teatrales. Los actores eran acróbatas y payasos. En la novela Gutiérrez había invertido los papeles, transformando al criminal en defensor de los pobres y en símbolo de la resistencia a la opresión. Esta figura marginal concentraba los resentimientos de los sectores marginales de la sociedad. Dos años después del tremendo éxito del estreno de 1884, la pantomima fue presentada con un diálogo de Gutiérrez. El abismo entre este nuevo teatro y la obra escénica corriente se aprecia en el hecho de que el estreno de *Moreira* tuvo lugar el mismo año en que Sarah Bernhardt apareció por primera vez en Buenos Aires en una obra de Sardou.

Los empresarios pronto se percataron del enorme potencial de este tipo de melodramas esquemáticos tan populares. Pronto algunos escritores de más talento comenzaron a tratar esta materia prima en términos más sofisticados y se comenzó a producir obras de mérito permanente. Este nuevo tipo de teatro llegó cuando el público estuvo preparado para él; coincidió con una lucha social entre el campo y la ciudad y con la inmigración que, por un lado, desplazó a los gauchos y, por otro, creó una masa urbana alienada que vio en la militancia de *Moreira* una idealización de su propia situación. Por su individualismo, su culto del valor, su xenofobia y su odio al sistema, *Moreira*, por rudimentaria que fuera, hablaba a un público que se sentía igual de marginado. Uno de los aspectos más extraños de *Moreira* es que convertía a un inmigrante italiano en una de las causas principales del sufrimiento del protagonista; paradójicamente, en algunos años, los inmigrantes italianos se sentirían identificados con un teatro urbano que procedía en parte de los melodramas gauchescos que antes los habían atacado. Esta nueva situación, incluyendo la creciente influencia del Naturalismo europeo, pertenece más a la siguiente generación de 1894. Una de las fuerzas más importantes que caracterizó este cambio fue precisamente la creciente fuerza del este nuevo tipo de teatro.

El teatro mexicano sufrió los altibajos de costumbre; a veces casi moribundo, en gran parte debido al gusto maniático por el can-can y la ópera, y en otros momentos floreciente. A pesar de los comienzos del Realismo, la escena estaba aún dominada por los valores del Romanticismo tardío: escenarios complicados, sentimentalismo, pasiones exaltadas, acción exagerada y diálogos declamatorios, como se puede apreciar por el hecho de que el nuevo Teatro de los Autores fue inaugurado en 1873 con *El torneo* de Fernando Calderón, un melodrama arquetípico romántico. La década de los 70 del siglo XIX presenció la llegada del teatro social serio, en respuesta a la inquietud política. Durante todo el periodo existió el mismo teatro regional que ya hemos visto cn anteriores generaciones.

En 1875, el presidente Lerdo de Tejada, a pesar de ser muy atacado en las obras de teatro, ordenó que se subvencionaran las obras mexicanas y en 1876 se estrenó el asombroso número de cuarenta y tres obras de teatro mexicanas. También estableció la censura y Alberto Bianchi fue encarcelado por representar ante una audiencia de la clase obrera sus *Martirios del pueblo*, un ataque a una de las armas favoritas de los tiranos del siglo XIX, el reclutamiento militar. Son interesantes, porque apuntan hacia la fusión de elementos realistas y románticos, Rafael Delgado (1853-1914), más conocido como novelista, y Juan A. Mateos (1831-1913). Creció el interés por el pasado indígena y encontramos mezclas de teatro social e histórico o de elementos románticos y realistas, e incluso a veces naturalistas, en el mismo autor.

El dramaturgo mexicano más importante de esta generación fue José Peón y Contreras (1843-1907), un político conservador y médico especializado en enfermedades mentales cuya obra tiende al pseudorrealismo de tipo romántico tardío. Evitó los excesos, concentrándose en la psicología individual. Como resultado su teatro tiende a lo esquemático; sus personajes están bien desarrollados pero les falta profundidad y sus dramas históricos son superficiales. Aún así, tuvo gran éxito; en 1876 puso en escena diez obras nuevas, casi un cuarto de la producción total de la Ciudad de México en ese año. Apenas pudo mantener ese ritmo, pero continuó llevando a escena nuevas obras hasta 1906. Muchas de sus obras se hacen eco de las comedias de intriga del Siglo de Oro español, pero en *La hija del rey* (1876) hizo un estudio clínico del cliché romántico de un padre y un hijo enamorados de la misma mujer. Las raíces románticas quedan patentes en la resolución de la trama: el padre mata al hijo y la mujer se vuelve loca, pero este estruendoso final no oculta el hecho de que ésta fuera una nueva modalidad en México. En realidad, Peón y Contreras es un dramaturgo atrapado entre dos periodos; su éxito popular se debió al efecto comercial pero hay claros signos en él que apuntan hacia un teatro más serio.

Este renacimiento del teatro en los años 70 se dio también en Chile, país cuya tendencia dominante fue el costumbrismo. Algunas de las obras de Daniel Barros Grez (1834-1904) aún se representan hoy. Sus obras son muy cómicas, sus personajes provienen de la tradición de la farsa, su tema favorito es la sátira de las clases medias. Barros Grez también incorporó elementos rurales, incluyendo tipos que hasta entonces habían sido ignorados por el teatro. Debido al apoyo oficial y a la existencia de un inusual gran número de compañías extranjeras, fue posible un nivel de actividad insólito; el último cuarto de siglo fue testigo de cómo se llevaron a escena unas 200 obras chilenas. Entre todas ellas hay pocas de interés duradero, debido tal vez a las turbulencias políticas que ocuparon el tiempo y el talento de la mayoría de los escritores y al dominio del Costumbrismo realista que tendió a recompensar la facilidad más que el rigor. Román Vial (1833-1896) escribió tramas melodramáticas e inverosímiles pero creó también sátiras cómicas basadas en el lenguaje popular. También trató temas más serios como los comienzos de la inmigración europea *(Los extremos se tocan*, 1872) y la humillante situación social de la mujer *(La mujer hombre*, 1875). Otros dramaturgos continuaron trabajando dentro de las tradiciones románticas (Domingo Antonio Izquierdo, 1860-1886) o escribieron melodramas calderonianos de amor y honor (Daniel Caldera, 1851-1896). Pero hoy nos resultan más interesantes las obras basadas en lo popular como *Chincol en sartén* (1876) de Antonio Espiñeira (1855-1907) o *Don Lucas Gómez* (1855) de Mateo Martínez Quevedo (1848-1923) cuyo éxito se debió a la introducción de los tipos regionales en una trama tradicional, que enfrenta el campo a la ciudad.

En Cuba, junto a un decadente Romanticismo, creció un teatro social basado en los problemas nacionales, pero debilitado por las tensiones políticas que culminarían a comienzos de la siguiente generación en la Guerra de la Independencia. José de Armas y Cárdenas (1866-1919), influido por el Naturalismo francés, ataca la hipocresía voraz de las clases altas en *Los triunfadores* (1895). La obra es típica de la producción más tardía de esta generación, es un retrato amargo, con las debilidades del teatro social del siglo XIX: personajes exagerados y una trama melodramática forzada. El tema étnico tan importante en la literatura caribeña aparece en *El mulato* de Alfredo Torroela (1845-1879). Como muchas otras obras cubanas del siglo XIX censuradas por las autoridades, *El mulato* se estrenó en México. Es un tratado antiesclavista medio realista que consigue un tono relativamente moderado. José Martí (1853-1895), notable poeta, prosista y líder de la lucha cubana por la independencia, también cultivó el teatro. *Abdala* (1869), una obra patriótica de juventud; *Adúltera*, una obra de moralidad simbólica; y *Patria y libertad* (escrita en 1873), que defiende la redención de los indios, comparten el tono literario, pero *Amor con amor se paga*, que no tiene un fin ni moral ni político, es una pieza menor fresca y deliciosa.

Una de las corrientes más importantes es la persistencia del teatro popular. Ya hemos visto cómo se creó una tradición cómica basada en los cambios lingüísticos traídos al español por los esclavos africanos. A través del dialecto de estos cubanos de origen africano, los autores se burlaron del gobierno colonial y atacaron la esclavitud. En 1868 apareció la compañía conocida como Bufos Habaneros, inspirada en los *bufos* Arderíus españoles y, a través de ellos, en los *buffes* de París, con restos de can-can y de opereta atrevida. Como el sainete orillero, el bufo adaptó las formas españolas al teatro popular y a la cultura regional. Comenzando en 1884, el bufo degeneró hacia la frivolidad semipornográfica, mientras que la versión rioplatense tendió más hacia formas más serias. Pero bajo su superficie cómica basada en los tipos populares pintorescos, el bufo reflejaba los sentimientos de la masa cubana. Las obras bufas favorecieron la independencia y los textos que han sobrevivido muestran las mutilaciones de la censura. Los ataques debieron ser agudos, ya que en 1869 los voluntarios legitimistas abrieron fuego contra el público que aplaudía el tono insurrecto de *Perro huevero aunque le quemen el hocico* de Juan Francisco Valerio. Tales episodios llevaron a una drástica reducción de las actividades bufas desde 1869 hasta 1878.

La versión cubana es una reacción en contra del teatro culto romántico a través de personajes tales como el inmigrante gallego, el antiguo esclavo o el campesino. Estas actitudes culminan en una mitología del barrio bajo, otra importante similitud con la versión argentina. En su periodo dorado esta última siempre acababa con un tango, y la otra con una conga; ambas tenían una orientación social, y la música y el baile a veces llegaron a superar los diálogos. Pero en Cuba el tono democrático igualitario llevó a unas características especiales, sobre todo el «choteo», una estructura cómica verbal que satirizaba el materialismo y la avaricia. Se da un tono de parodia y un rechazo del orden, una falta de respeto por todo tipo de autoridad.

El creador del bufo tal como apareció en 1868 fue Francisco Fernández, con *Los negros catedráticos*, *Política de Guinea* y otras obras. Dada la naturaleza efímera y el enorme número de obras representadas, es casi imposible señalar autores por separado. Entre los más importantes están Ignacio Sarachaga (1852-1900), cuyo *Mefistófeles* (1896) parodia al *Fausto* de Gounod en los términos de Plauto y la *commedia dell'arte*, los hermanos Robreño y Benjamín Sánchez Maldonado, cuya obra *Las hijas de Talía* (1896) es metateatro puro ya que los tres niveles de la obra unen la realidad y la ficción. Hay razones obvias por las que esta tradición haya despertado un gran interés en los dramaturgos cubanos de los últimos años, un fenómeno que también se ha dado en Argentina. Es una pena que la mayoría de las obras bufas, perdidas o ferozmente atacadas por los censores, aún no se hayan publicado.

Seguramente por influencia cubana, las obras bufas, el teatro musical y a menudo la sátira política fueron importantes en Puerto Rico. Éste es el periodo del comienzo del teatro jíbaro o campesino en las farsas de Ramón Méndez Quiñones (1847-1889). Con *Un jíbaro como hay pocos* (1878), un público popular comenzó a frecuentar este tipo de representaciones con su visión cómica de las virtudes campesinas. Este moralizador regionalismo costumbrista es típico de la época, pero su cuidadoso uso del lenguaje campesino creó retratos muy vivos que desarrollarían una forma para dramaturgos posteriores. En 1880 ya había un teatro rural floreciente; incluso los dramaturgos más sofisticados escribían para los escenarios vernáculos ya que las obras más serias tenían pocas posibilidades de ser estrenadas. Salvador Brau (1837-1912) es mejor conocido por el teatro histórico en verso dentro de las convenciones románticas, pero casi todas sus obras tienen una proyección sociopolítica: *La vuelta al hogar* (1877), que cuenta las aventuras de un corsario local muy famoso; *Héroe y mártir* (1871), que habla de la lucha de clases en las revueltas comuneras de Castilla; *Los horrores del triunfo* (1887), que habla de la rebelión siciliana del siglo XIII contra un rey invasor.

En Colombia y Venezuela la actividad fue rutinaria y casi exclusivamente romántica, alternada con un costumbrismo típico y con el teatro lírico breve español, el género chico. Perú nos ofrece poco más. Clorinda Matto de Turner y Ricardo Palma, famosos por su trabajo en otros géneros, no consiguieron mucho éxito con su teatro. En la mayoría de los países casi las únicas obras que se pueden representar hoy en día son obras cómicas de carácter popular. Las ayudas gubernamentales esporádicas hicieron poco por alterar la dieta estable del comercialismo rutinario, donde éste existía. En Bolivia se desarrolló uno de los periodos más productivos de su historia teatral, pero la mayoría de las obras se han perdido.

LA GENERACIÓN DE 1894

Éste es un periodo de transición. El Modernismo influyó sólo en algunas obras que se produjeron muy de vez en cuando, y se consideran interesantes, en general, por la relación que tenían con otras obras del autor. El Costumbrismo fue importante hasta bien entrado el siglo XX y hoy en día es aún comercial. Las últimas décadas del romanticismo, que corresponden al florecimiento del Costumbrismo y el comienzo del Realismo y del Naturalismo, degeneraron en un sentimentalismo rutinario. Esta generación también protagonizó los comienzos de un teatro más moderno, que no tuvo un impacto significativo hasta más o menos 1910. En este sentido se corta la generación de 1894; hacia la mitad se convierte visiblemente en algo bien diferente, ni romántico ni siglo XIX. El verdadero final del siglo XIX es el año simbólico de transición, 1910.

Un aspecto fascinador de este periodo es la importancia en Buenos Aires del sainete orillero, derivado del teatro rural, el género chico español y el teatro popular tradicional. El género chico, nacido en torno a 1867, es una versión más corta de la zarzuela. Debido a su brevedad y popularidad, pronto se representó en varias sesiones al día. Es una mezcla de crítica social, zarzuela, realismo regional y caricatura en el que las masas urbanas se veían reflejadas; sus problemas se trataban con humor y espíritu festivo. Este nuevo género fue un éxito inmediato en América, sobre todo en el Río de la Plata, donde existía una tradición de obras populares semejantes que databa del siglo XVIII. También hubo, desde los tiempos de Rosas a más tardar, sainetes rudimentarios que se representaban en la pista de los circos, además de la tradición de la pantomima que culminó con *Moreira*. Todas estas obras tenían en común una serie de características formales y temáticas que se asemejan sobre todo a las del género chico. Por contraste, el teatro serio del periodo no tenía elementos para competir por el público masivo con el teatro más popular. Para 1890, por ejemplo, casi no se representaba ninguna obra argentina. Al mismo tiempo, la difícil situación política y económica dio lugar a muchos esbozos satíricos. Debido a la tradición popular enraizada en problemas rurales y a la falta de un teatro serio, adaptado a la situación argentina, el terreno estaba preparado para la aparición de un teatro basado en lo popular.

Hacia 1890 comenzaron a aparecer obras cuyos personajes urbanos son tanto variantes de las figuras rurales del sainete tradicional, como copias de los tipos de Madrid. De aquí sólo faltaba un paso para llegar al verdadero sainete orillero, cuyo fundador fue Nemesio Trejo (1862-1916), autor de más de cincuenta obras, normalmente satíricas y a menudo llenas de alusiones hoy incomprensibles. Él fue el autor de la fusión definitiva que se convertiría en forma clásica. Justo López de Gómara, un español instalado en Buenos Aires desde 1880, ya había trabajado en la adaptación del material local en *Gauchos y gringos* (1884) y *De paseo por Buenos Aires* (1890), influido por el clásico del género chico, *La Gran Vía* (1886) y ayudó a establecer la forma. Ezequiel Soria (1873-1936) fue importante como director, promotor y autor; en *Justicia criolla* (1897) la escena definitiva de la acción llega a ser el «conventillo», la antigua mansión colonial que era ya una casucha. De la misma forma sus sainetes posteriores fijaron la función del tango. Pronto el sainete comenzó a competir con el teatro serio por el control de los escenarios y tuvo una influencia decisiva en el drama. El sainete se convirtió pronto en una forma más compleja debido en gran parte a las innovaciones de dramaturgos como Florencio Sánchez, mientras que, al mismo tiempo, se puede percibir un movimiento hacia la deformación que culminaría en el «grotesco criollo» del siglo XX. Hacia 1910 las cosas empezaron a decaer, la originalidad se perdió a favor del éxito comercial. A pesar de que están fuera de los márgenes de nuestro estudio, la culminación de todo esto fueron las obras de Alberto Vacarezza (1896-1959), el autor de sainetes más exitoso; Armando Discépolo (1887-1971), que a partir de 1910 evolucionó hacia lo grotesco, y Francisco Defilippis Novoa (1891-1930), que desarrolló un sainete dramático de dimensiones religiosas.

El sainete orillero es más teatral que literario; el texto tiene poca importancia y existe un fuerte elemento de sátira social cuyo significado a menudo no se entiende en la actualidad. El sainete arquetípico está construido a partir de una serie de sobresaltos más que de un conflicto dramático sistemático. La acción violenta tiene lugar en el conventillo, una casucha urbana; la resolución es casi siempre más dramática que cómica. Los personajes tienden a ser estereotipos y hablan en el lenguaje callejero urbano; a veces alcanzan una cierta dimensión individual e incluso los personajes cómicos tienen una dignidad que subraya los orígenes plebeyos del género. Más dramático y más melodramático que la versión española, de una complejidad psicológica mayor que a menudo raya en lo trágico, se trata de un retrato del barrio bajo urbano, un producto en gran medida del nuevo sistema industrial. Es un teatro a menudo poco complicado que ofrece una versión romántica y truculenta, en parte herencia del Romanticismo y en parte debido al material en sí mismo. Es obviamente un teatro «de fórmula». Visto con la perspectiva del tiempo, el sainete orillero pertenece mucho a su época, pero algunos despiertan aún la atención, incluso sin el humor de la puesta en escena para el que fueron creados. Este género dio un sabor especial al teatro rioplatense, y en su época aportó un vigor y una vitalidad muy necesarios. Muchos dramaturgos, actores y músicos desarrollaron sus capacidades en el sainete antes de internarse en otros tipos de teatro. Igual que el gran cómico «Cantinflas», Mario Moreno, comenzó en el teatro callejero de la Ciudad de México, el inimitable Carlos Gardel surgió del *music hall*.

El floreciente teatro rural gauchesco poco a poco fue eliminando el repertorio extranjero. El primer paso fue *Calandria* (1896) de Martiniano Leguizamón (1858-1935), que siguió la estructura en episodios de su modelo, *Moreira*, pero eliminó una gran parte de los efectos superficiales. Calandria es el gaucho alienado y perseguido, pero en vez de morir a manos de la policía que lo persigue, se le perdona y se convierte en un miembro útil de la sociedad. El segundo paso fue *La piedra de escándalo* (1902), de Martín Coronado (1850-1919), cuyas obras anteriores son excesos románticos de un estilo pasado de moda. Con *La piedra de escándalo* comenzó una serie de obras sentimentales socialistas, claramente influidas por la tradición de *Moreira*. Coronado aplicó a la temática rural una serie de efectos mecánicos aprendidos del Romanticismo europeo. En ese mismo año Nicolás Granada (1840-1915) produjo *Al campo*, el viejo conflicto entre el arribismo urbano y la libertad rural, y un año después *La gaviota* (1903), de temática semejante. Todos estos autores demuestran la nacionalización continuada tanto del gaucho como del teatro gaucho.

La unidad cultural del Río de la Plata pronto llevó a la incorporación de los dramaturgos uruguayos. Los autores de la primera oleada rural nacieron hacia los últimos años de la generación anterior y sus obras se sitúan entre dos extremos, sin abandonar aún el Romanticismo pero apuntando ya a un teatro diferente. Sus obras rurales son sobre todo la expresión de una protesta social relacionada con el nuevo Naturalismo. Fueron los autores nacidos tras 1870 los que por fin superaron el limitado repertorio de xenofobia, culto a la valentía y odio a la clase dirigente. El más grande de todos es el uruguayo Florencio Sánchez (1875-1910). Desilusionado por la revolución de 1897, abandonó la política tradicional por el anarquismo. Presentado a menudo como un autor subversivo, comenzó a escribir por razones políticas. Se dice que Sánchez escribía sus obras de manera apresurada y con descuido, pero su obra puede ser de todo, menos improvisada; al contrario, fue un artista serio consciente de las necesidades artísticas. Su fama quedó garantizada con *M'hijo el doctor* (1903), que se mantuvo en cartel treinta y ocho representaciones, el máximo nivel alcanzado por una obra seria hasta entonces en Buenos Aires. Murió de tuberculosis con treinta y cinco años.

El teatro de Sánchez fue el más inquieto y el menos convencional del periodo; trata de ciudad y campo, de las clases medias y las barriadas. Compartió a menudo sus temas con otros dramaturgos pero los liberó de los ecos de sus orígenes rudimentarios. El progreso es importante si nos damos cuenta de que escribió sólo uno o dos años después de la publicación de obras mucho menos sofisticadas como *La piedra de escándalo* y *Al campo*. Su obra maestra de la trilogía rural que también incluye a *M'hijo el doctor* y *La gringa* (1904), es *Barranca abajo* (1905), una tragedia sobre un gaucho viejo, incapaz de adaptarse a la cambiante sociedad. Su obra es muy difícil de clasificar debido a su unidad fundamental. Se trata de un teatro didáctico y socialmente comprometido, que expone los sufrimientos de los miembros marginales de la sociedad y ataca los abusos del poder y el privilegio. El teatro comprometido es peligroso si no existe el compromiso humano, pero Sánchez también lo tenía. Sus obras son compasivas y comprensivas. Sánchez fue un moralista, lo cual lo llevó en ocasiones a la simplificación psicológica, pero sus personajes son seres humanos reales.

Hacia 1910 varios miembros de esta generación comenzaron a producir importantes obras. Ernesto Herrera (Uruguay, 1889-1917) escribió análisis retóricos naturalistas de los problemas sociales. *El león ciego* (1911) es un retrato muy convincente de un cacique político envejecido, incapaz de comprender el fracaso de un sistema basado en las guerras civiles y el oscurantismo partidista. Como su naturalismo, la insistencia de Herrera en la tensión entre la necesidad de reconocer las virtudes del pasado y la de abandonar la barbarie apunta hacia el final de un periodo. Como las de Herrera, las mejores obras de Julio Sánchez Gardel (1879-1937) aparecieron a partir de 1910; realizan un retrato de las costumbres y el folclore rurales. Los excesos lingüísticos y temáticos son el resultado por un lado de la herencia declamatoria del siglo XIX y, por otro, del nuevo teatro simbolista italiano que aplicaba estas técnicas al entorno rural. El otro dramaturgo principal de esta generación es Gregorio de Laferrère (1867-1913), líder político y miembro de la elite, que encontró el éxito comercial con sus comedias satíricas sobre las supersticiones y debilidades de la clase media urbana. Fue uno de los mejores artesanos del periodo y sus obras muestran un cuidadoso control de los recursos técnicos así como un humor moralizante. Algunos críticos han visto los prejuicios de las clases privilegiadas en el teatro de Laferrère pero también se puede ver como un teatro firmemente asentado en la mejor tradición costumbrista.

Roberto J. Payró (1867-1928), militante socialista culto y autor de ocho obras que conectaron el aún inmaduro teatro rural con el profesional, favoreció la observación moral y estuvo influenciado por la vanguardia europea. Enrique García Velloso (1880-1938) es más conocido por sus sainetes y melodramas rurales con implicaciones religiosas, como *Caín* y *Jesús Nazareno* (1902). Víctor Pérez Petit (Uruguay, 1871-1947) publicó ocho volúmenes de obras; a pesar de que la mayoría pertenecen a un periodo posterior, era activo al final del siglo XIX y principios del xx en el estilo rural y de sainete. Tanto por su obra como por su cronología Pérez Petit marca un momento en el que el teatro se estaba desarrollando desde los rescoldos románticos hacia una forma nueva y radicalmente diferente.

A finales de siglo, México estaba limitado casi por completo a compañías extranjeras y teatro musical; la Revolución de 1910 y la Primera Guerra Mundial relanzaron el mundo del teatro. A pesar de que el género chico nunca tuvo el mismo impacto en México que en Buenos Aires, en 1890 ya había zarzuelas de autores y temática mexicanos o situados en México. El autor más conocido es José P. Elizondo (1880-1943), autor junto a Rafael Medina y Luis Jordá de la zarzuela titulada *Chin-Chun-Chan* (1904), la primera obra mexicana que llegó a ser representada mil veces. Durante los últimos años del siglo la revista política ganó importancia y se dio una creciente identificación de la zarzuela y el sainete con las formas populares y folclóricas, especialmente bajo la presión de la difícil situación política. Rubén M. Campos escribió en 1903 *La sargenta*, sobre las mujeres de los soldados; *La hacienda* (1907) de Federico Carlos Kegel trataba los problemas de los trabajadores rurales explotados. Este tipo de revista política culminó con obras como *El tenorio maderista* (1912) de Luis Andrade y Leandro Blanco y toda la serie de éxitos de Elizondo, entre ellos *El país de la metralla* (1913) y *Tenorio Sam*. Este tipo de revista, en su forma más rudimentaria, siguió siendo importante en las zonas metropolitanas durante una gran parte del siglo xx; el campesino cómico se convirtió en el «payo», el pillín de barrio bajo que Cantinflas perfeccionó.

El Romanticismo retórico de Echegaray sentó las bases del llamado teatro serio, que tiene características de Ibsen y del Naturalismo catalán. Las dos figuras más importantes son Federico Gamboa (1864-1939) y Marcelino Dávalos (1871-1923). Este último usó el mismo Naturalismo en sus obras que empleó para sus novelas de este periodo. El diálogo enfático y los temas atrevidos revelan las raíces del Romanticismo tardío en las obras. *La venganza de la gleba* (1905) trata sobre la explotación de los campesinos y sobre una historia de amor incestuosa entre dos hermanastros; melodramática y sensacional, la obra es tal vez la primera denuncia seria en el teatro mexicano de los sufrimientos de los campesinos pobres. Dávalos evolucionó desde el Romanticismo hasta el Realismo; *Así pasan* recurre a tres momentos clave en la vida de una actriz para crear una obra con una visión psicológica sólida. Es interesante especular sobre lo que su autor podría haber llegado a conseguir de no haber sido encarcelado en 1916 y más tarde haberse exiliado por razones políticas.

Al volver la calma a la nación hubo intentos de revivir el teatro, pero pertenecen a la historia del siglo xx. Algunos dramaturgos ya se habían establecido dentro de una tradición más antigua pero se adaptaron a las nuevas corrientes. José Joaquín Gamboa (1878-1931) escribió sus primeras obras y una zarzuela bajo la influencia del Naturalismo; tras vivir en Europa desde 1908 hasta 1923 fue una de las figuras centrales de la renovación. Un caso parecido es el de Carlos Díaz Dufoo (1861-1941), un modernista consumado que, en 1885, llevó a escena dos obras cómicas inconsecuentes, y no volvió al teatro hasta más de cuarenta años después como miembro de la Vanguardia. Mientras tanto, hacia 1907, un teatro regional en maya se apoderó de la región de Yucatán, tal vez estimulado por el recuerdo del teatro del siglo XIX en Mérida y sin duda como resultado de la tradición popular. Ya había existido teatro maya, con raíces prehispánicas hacia 1850 y José García Montero escribió en maya durante la segunda mitad del siglo. Las obras eran normalmente cortas y cómicas, con música y baile y un lenguaje híbrido. A pesar de que el apogeo de este movimiento llegó más tarde, su aparición significó la aparición del indio y del mestizo como protagonistas o autores. Este teatro incluso influyó sobre dramaturgos conocidos como Antonio Médiz Bolio (1884-1957), que escribió obras de juventud al estilo de Echegaray, pero en los años siguientes las obras mostraron la doble influencia tan poco común de Benavente y el teatro maya indígena.

Cuba nos ofrece el panorama habitual de compañías teatrales españolas en gira con un repertorio comercial y romántico. El teatro popular estuvo dominado por el bufo y el teatro musical frívolo y la mayoría de los autores escribieron al menos en parte en estos estilos. El más productivo fue Federico Villoch, autor de cientos de obras estereotipadas, desde sainetes hasta revistas costosas. El dramaturgo más importante es José Antonio Ramos (1885-1946), exiliado por sus ideas políticas. Las obras más importantes de Ramos, caracterizadas por la adaptación que hacen de nuevas corrientes europeas, comenzaron a parecer hacia 1911. Con él comienza el nuevo teatro cubano.

En Chile el último cuarto de siglo fue testigo de la típica mezcla de romanticismo pasado de moda, teatro de temática rural sin sofisticaciones, comedia sentimental de tono alto basada en modelos franceses y el auténtico costumbrismo de Barros Grez. El año 1900 vio la fiebre de la zarzuela, pero en 1910 comenzó una tendencia importante hacia el examen realista de la realidad nacional que llevó al teatro social que sería importante para los trabajadores después de 1912. Al mismo tiempo, el teatro comercial comenzó a estudiar a las clases medias, lo que llevó al dominio de la comedia sentimental influida por las muchas visitas de compañías extranjeras tras 1910, la misma fecha que indica un cambio fundamental de la dirección del teatro en toda Hispanoamérica. Los dramaturgos típicos del momento son Manuel Magallanes Moure (1878-1942), por sus esfuerzos para crear un teatro musical y Víctor Domínguez Silva (1882-1960), autor de varias obras sobre temas políticos radicales.

En el Perú, el Romanticismo y el Costumbrismo, elementos esenciales del teatro de la última parte del siglo XIX, decayeron rápidamente y comenzó un largo periodo estéril que sólo tuvo el respiro de algunas imitaciones de Echegaray y Marquina o del teatro superficial y frívolo. Leónidas Yeroví (1881-1917) adaptó el sainete orillero argentino a la situación peruana. *La de cuatro mil* (1903) muestra su compasión y su desdén hacia la hipocresía. Sus obras más tardías, posteriores a 1914, prueban que la temprana muerte de Yeroví nos arrebató una promesa real del arte dramático. Venezuela presenta la misma situación general del Costumbrismo; Simón Barceló (1873-1938) escribió algunos sainetes de éxito, pero el panorama general nos ofrece poco.

En Puerto Rico, casi no existen obras de autores nacionales excepto por los mencionados en la generación anterior. En América Central, el limitado público potencial, la falta de facilidades técnicas y la inestabilidad pública redujeron el movimiento a los esfuerzos casi desconocidos de unos pocos. Típico es El Salvador, donde Francisco Gavidia (1863-1955) combinó ecos de Victor Hugo y el Modernismo con algunos toques costumbristas; el teatro salvadoreño de la época consiste casi solamente en algunas representaciones esporádicas de las obras de Gavidia. Nicaragua contó con un teatro popular vigoroso pero el teatro profesional se vio reducido a visitas ocasionales de compañías extranjeras, y el teatro costarricense se basaba en un costumbrismo, que culminaría varias décadas después en un teatro satírico basado en lo popular. Ecuador ofrece el mismo paisaje de publicación irregular más que de producción. El vigoroso aunque prácticamente desconocido movimiento boliviano decayó rápidamente; pronto sólo quedaron Ricardo Jaimes Freyre, Franz Tamayo y M. P. Roca, que escribieron sobre historia nacional y precolombina pero sucumbieron a la fascinación por lo exótico, más que por un interés real en América. Y con esto el siglo XIX y el periodo romántico se terminan. Expiran de forma tal vez poco gloriosa pero en casi todos los países los escenarios se estaban preparando para un nuevo teatro que comenzaría a funcionar poco tiempo después.

[16]

EL ENSAYO EN LA SUDAMÉRICA ESPAÑOLA: DE 1800 HASTA EL MODERNISMO

NICOLAS SHUMWAY

De todas las formas literarias el ensayo es la menos definida y puede incluir textos tan diversos como cartas, biografías, discursos, artículos de periódico, decretos políticos y tratados filosóficos. Este capítulo no pretende definir el ensayo como una forma literaria, pero los textos de los que se va a hablar reflejan las muchas formas que puede tomar un ensayo. Más preocupante que la cuestión del género es la de la organización. Como medio principal de pensamiento publicado, el ensayo está muy vinculado a los desarrollos en la historia intelectual en general. Por consiguiente resulta muy tentador clasificar a los pensadores latinoamericanos usando términos que han surgido en el pensamiento europeo, como liberalismo, utilitarismo o positivismo. Sin embargo, el aplicar etiquetas europeas al pensamiento hispanoamericano asume que existió una transmisión de ideas desde Europa a Latinoamérica casi perfecta, ya que, si no se dio esta transmisión, las categorías europeas simplemente sustituyen la comprensión real por conceptos preexistentes. Resulta que descubrir cómo penetró el pensamiento europeo en Hispanoamérica es un problema complejo y de resolución casi imposible. Sólo tenemos algunas pistas sobre qué textos leyeron los ensayistas sudamericanos del siglo XIX y sabemos aún menos sobre el grado de profundidad y entendimiento con el que los leían. Además, incluso cuando la influencia es innegable es rara vez definitiva. En efecto, lo que distinguió a los pensadores hispanoamericanos más creadores del siglo XIX, como por ejemplo a Sarmiento, fue su capacidad para modificar e incluso deformar el pensamiento europeo mezclándolo con visiones pertinentes a sus circunstancias especiales. En vista de lo dicho anteriormente, he organizado este artículo en torno a nociones antiguas de tiempo, lugar y generación.

Es peligroso conectar a los ensayistas hispanoamericanos con los movimientos europeos, pero otros asuntos tales como la Guerra contra España, las guerras civiles entre elites locales y los intentos de formar nuevas naciones sí que vinculan a los pensadores hispanoamericanos entre sí. La mayoría de los ensayistas del siglo XIX emergieron con el telón de la guerra, las tensiones nacionales y las identidades inciertas. Sólo unos pocos escritores disfrutaron del lujo de la especulación abstracta, o de la literatura puramente imaginativa. Aunque se señalan éstos debidamente, constituyen una minoría pequeña.

LOS PAÍSES ANDINOS

SIMÓN BOLÍVAR (1783-1830)

El jefe militar más conocido de Hispanoamérica es uno de sus ensayistas más interesantes. Nacido de familia rica en Caracas, Simón Bolívar vivió una lujosa vida con el dinero que heredó de su padre, que murió cuando el joven Bolívar tenía sólo seis años. Entre los dieciséis y los diecinueve años estudió en España, siendo testigo de primera mano de la decadencia del gobierno de Carlos IV. En 1804 viajó a París, donde presenció la coronación de Napoleón, un acto que lo atrajo a la vez que lo repelió. También en París renovó sus contactos con un antiguo tutor, Simón Rodríguez, que lo introdujo en la obra de los racionalistas europeos tales como Locke, Voltaire, Montesquieu y Rousseau. También se puso al tanto de las críticas hacia la Revolución Francesa, escritas por autores como Edmund Burke, que contribuyeron al rechazo que sintió Bolívar de por vida hacia el sufragio universal. Tras la invasión napoleónica de España, Bolívar se unió a los conspiradores en Venezuela, quienes el 19 de abril de 1810 formaron una junta que expulsó al gobernador español. Mandado por la Junta, Bolívar viajó a Londres buscando el apoyo británico para la Revolución. A pesar de que el gobierno británico prestó poca atención al joven venezolano, encontró en las instituciones políticas británicas modelos aptos para una gran parte de su teoría de gobierno. Una vez de vuelta en Venezuela, Bolívar se involucró totalmente en las luchas políticas y militares que serían la característica del resto de su vida. Tras poco más de dos años de gobierno local, en 1812, España retomó el control de Venezuela. Bolívar se refugió en Cartagena, Nueva Granada, ahora Colombia, donde ese mismo año publicó su primera gran obra política: *El Manifiesto de Cartagena*.

A pesar de su título, este manuscrito es menos una declaración de intenciones que una explicación de por qué el primer movimiento independentista venezolano había fallado. El punto fuerte de Bolívar es que los rebeldes perdieron ante los españoles debido a una preocupación excesiva por los principios morales abstractos, «la fatal adopción de un sistema tolerante» hacia el enemigo. Los códigos de conducta que los fallidos revolucionarios siguieron, nos dice Bolívar, no estuvieron basados en ninguna «ciencia práctica del gobierno» sino en ideas formadas por «ciertos buenos visionarios» que intentaron alcanzar «la perfección política, presuponiendo la perfectibilidad del linaje humano. Por manera que tuvimos filósofos por jefes; filantropía por legislación; dialéctica por táctica y sofistas por soldados» (Bolívar, *Escritos políticos*, 48). Especialmente perjudiciales bajo el punto de vista de Bolívar fueron «las máximas exageradas de los derechos del hombre» (pág. 51), una frase con la que se distancia contundentemente del idealismo de la Revolución Francesa. El desprecio que sintió Bolívar por las nociones de la perfectibilidad humana le sitúa también de forma extraña cerca del crítico más articulado y reaccionario de la Revolución: Joseph de Maistre. A pesar de que el anticlericalismo de Bolívar nunca le permitiría hablar del pecado original, su concepto de una humanidad defectuosa caída en necesidad constante de una mano fuerte que hiciese de guía lo une de cierta forma al catolicismo autoritario de Maistre.

El resultado visible de la «fatal adopción» de la tolerancia y de la preocupación «exagerada» por los derechos del hombre es lo que Bolívar llama «federalismo», por el que entiende el gobierno representativo, si no de ciudadanos iguales, al menos sí de regiones iguales. El federalismo, nos dice, «es lo más opuesto a los intereses de nuestros salientes estados» en parte porque engendra a una burocracia engorrosa, a menudo pagada con papel moneda sin valor, de «oficinistas, secretarios, jueces magistrados, [y] legisladores provinciales y federales» (págs. 50-51). Sin duda el gobierno unipersonal sería más barato. Bolívar concede que el federalismo puede ser útil en donde todos los ciudadanos «sean prósperos y serenos». Sin embargo, si los hombres son «calamitosos y turbulentos, [el gobierno] deberá mostrarse terrible, y armarse de una firmeza igual a los peligros, sin atender a leyes ni constituciones interín no se restablezen la felicidad y la paz». No es de extrañar que Bolívar también condene las elecciones populares por dar voz a «rústicos de campo y por los intrigantes moradores de ciudad» (pág. 52). Lo que emerge de todo esto, por supuesto, es el fatal fallo de Bolívar: su fascinación por la autoridad personal y particularmente por la suya propia. El federalismo significaba compartir el poder y, como demostraría Bolívar una y otra vez, él quería gobernar, por mucho que hablara de libertad. En efecto, su afición al poder unipersonal (de su persona) pronto le creó enemistad que, ni siquiera cuando ya viejo y enfermo, ninguno de los países a los que liberó del dominio español lo quiso como ciudadano. Bolívar termina su manifiesto con una sonora llamada a todos los colombianos para que guerreen contra los españoles en Venezuela: «No seáis insensibles a los lamentos de vuestros hermanos. Id veloces a vengar al muerto, a dar vida al moribundo, soltura al oprimido y libertad a todos» (pág. 57). En vista de las dudas de Bolívar con respecto al autogobierno, no queda claro qué quiso decir con todo esto. Obviamente está llamando a la liberación del yugo español. Sin embargo, lo que venga después de que se consiga esta liberación no es obvio en absoluto.

Siguiendo la llamada a las armas del *Manifiesto*, unos colombianos le siguieron hasta Venezuela, donde venció de nuevo a los españoles. Esta vez, sin embargo, los españoles regresaron con una caballería de llaneros, hombres de las llanuras semibárbaros, bajo el liderazgo de José Tomás Boves, que obligó a Bolívar a huir para salvar la vida. La alianza española con estas milicias rurales sólo reforzó las sospechas que despertaban en Bolívar las clases populares. Tras otro intento fallido de echar a los españoles, Bolívar escapó a Jamaica y allí, liberado de obligaciones militares, escribió su ensayo más sesudo, llamado comúnmente la *Carta de Jamaica*. Fechada el 6 de setiembre de 1815, la *Carta* responde a una pregunta de un caballero innominado sobre la Revolución y su futuro. A pesar de que la carta del caballero se ha perdido, Bolívar cita lo suficiente como para dar una idea de su contenido.

Lo que hace que, entre todos los escritos de Bolívar, la *Carta de Jamaica* sea inusitada es su tono contemplativo. Hallándose libre de responder a situaciones políticas inmediatas o a necesidades militares, Bolívar especula sobre el pasado y el futuro. Y aquí Bolívar muestra ser un lector bastante docto en historia hispanoamericana así como un observador político con notables dones proféticos. Agudamente enterado de que las naciones novatas que surgirían de las rebeliones criollas no tendrían una mitología hecha de la identidad nacional, Bolívar trató de crear una historia que justificase la rebelión contra España. Para ello sugiere que la América real, la América fundacional, era la de los indios. Cita con admiración al «filantrópico obispo de Chiapas» Bartolomé de las Casas, que a mediados del siglo XVI escribió relatos irrecusables sobre los malos tratos de los españoles a los nativos americanos *(Escritos políticos*, 63) y también hace referencia a otros cronistas de la conquista de todo el continente (pág. 68) revelando así una familiaridad con la primera historia colonial que lo sitúa al margen de la mayoría de sus contemporáneos. Lo que Bolívar quiere, por supuesto, es forjar un vínculo entre su lucha y la resistencia indígena de casi tres siglos antes. De esta manera, se puede referir a América como una entidad preexistente cuya historia interrumpieron los españoles. En el esquema de Bolívar, los españoles son «conquistadores, invasores y usurpadores» (pág. 73), y la rebelión criolla se convierte no ya en una nueva etapa histórica sino en una restauración de la independencia perdida. Por desgracia, Bolívar, como casi todo el resto de los liberales hispanoamericanos del siglo XIX, nunca se refirió de forma práctica a los problemas de los indios reales. Los americanos nativos fueron un símbolo muy útil, pero poco más.

A España, por otro lado, se le culpa de todos los problemas hispanoamericanos. Sostiene Bolívar que el mercantilismo español redujo a las colonias americanas a ser simples productoras para la metrópoli e incluso prohibió la construcción «de las fábricas que la misma Península no posee» (pág. 71). Mantiene que el rechazo de España a nombrar líderes criollos dejó a los americanos en un estado de «infancia permanente» y sin preparación para el autogobierno. «Los americanos», escribe, «han subido de repente y sin los conocimientos previos» (pág. 72). «Estamos dominados por los vicios traídos por... España, que sólo se ha distinguido por su salvajismo, ambición, vengatividad y avaricia» (pág. 75). Además de las exageraciones, no se puede evitar observar el efecto parricida de todo esto. La condena en masa que hace Bolívar a España, la madre más inmediata de Hispanoamérica, y sus intentos de glorificar un pasado indígena idealizado, que no existía para nada en la sociedad básicamente urbana y terrateniente que Bolívar quería liberar, lo dejó doblemente huérfano.

Más interesantes que las cuestionables (aunque estratégicamente útiles) reconstrucción que hace Bolívar del pasado son sus observaciones sobre el futuro. Siguiendo un relato detallado sobre la actividad revolucionaria en toda Hispanoamérica, Bolívar expresa su deseo de ver emerger una única nación en Hispanoamérica, pero rápidamente concede que esto no ocurrirá. En cambio predice que podrían emerger seis grandes países: México, América Central, Colombia (que engloba a Venezuela y Ecuador además de la Colombia actual), Perú, Chile y el Río de la Plata. De ellas, predijo acertadamente que México, debido a su mayor cohesión espiritual, mantendría su integridad territorial (págs. 82-3). (No previó el robo de tierras por los EE. UU. en 1848, pero, ¿quién lo habría podido adivinar en 1815?) Predijo correctamente que Perú caería en manos de la elite más reaccionaria (págs. 80-1), que una oligarquía con centro en Buenos Aires, con la ayuda de una poderosa milicia, dominaría el Río de la Plata y que Chile sería el lugar de la primera república estable, que de hecho tuvo como inicio el gobierno de Portales en 1830. Se equivocó con respecto a su propia área, Nueva Granada, hoy Venezuela, Colombia y Ecuador. Tampoco predijo que las fragmentaciones de las guerras civiles darían lugar a países como Bolivia, Paraguay, Uruguay y los siete países de América Central. Bolívar no previó esta fragmentación, pero la temió lo suficiente como para hacer dos recomendaciones controvertidas a los gobiernos sudamericanos: una presidencia vitalicia pero no hereditaria y una legislatura que consistiese en parte en un senado no elegido cuyos escaños fueran hereditarios.

Estas ideas florecieron totalmente en escritos posteriores, siendo el más importante el *Discurso de Angostura* de 1819 y de nuevo en el *Discurso ante el Congreso Constituyente de Bolivia* en 1825. En ambos casos Bolívar recomienda emular el sistema británico. Pero en vez de un monarca, quiere un presidente vitalicio. En vez de una Cámara de los Lores quiere un Senado de «ciudadanos principales» que serían en primera instancia designados por el Congreso y a partir de entonces dejarían su escaño en herencia a herederos de mérito. Sólo la cámara baja sería elegida de forma regular y libre (*Escritos políticos*, 93-140). En 1826, Bolívar también redactó la constitución del país que lleva su nombre, Bolivia, y ésta codifica en leyes lo que antes había expuesto el autor como teoría: un ejecutivo poderoso y vitalicio, una legislatura y un poder judicial limitados y un sufragio muy restringido. Por desgracia muchos contemporáneos de Bolívar temían, tal vez con razón, que el Liberador sólo quisiera convertirse en dictador con justificación constitucional. Como resultado y a pesar de que en 1826 fue presidente de todo el territorio entre Bolivia y Venezuela, cuando murió en 1830 era un hombre sin patria y la guerra civil estaba destrozando su gran país. Viendo el malestar civil a su alrededor desde su lecho de muerte, dicen que Bolívar se lamentó de que «hemos arado el mar».

Una última idea de Bolívar se merece un comentario: su panamericanismo. A pesar de que, como ya vimos en la *Carta de Jamaica*, Bolívar reconoció pragmáticamente que un solo país hispanoamericano no es práctico, nunca se rindió en su noción de la cooperación regional. En 1822, mucho antes de que todas las tropas españolas fueran expulsadas, Bolívar se puso en contacto con líderes regionales esperando crear alianzas económicas y militares. Hacia 1824, estos tratados habían sido ratificados por México, América Central, Colombia, Perú y las Provincias Unidas del Río de la Plata. También en 1824 envió una invitación a los «plenipotenciarios» de cada una de estas naciones para que mandaran representantes a un congreso continental en Panamá. Tal congreso, escribe, «encontrará el plan de las primeras alianzas que trazará la marcha de nuestras relaciones con el universo» *(Carta a los Gobiernos de las Repúblicas de Colombia, México, Río de la Plata, Chile y Guatemala,* en *Escritos políticos*, 146). Aunque sólo se presentaron representantes de cuatro países (México, América Central, Colombia y Perú), la mera existencia del encuentro que se celebró en Panamá en 1826 y la mano que tuvo Bolívar para organizarlo demuestran que la Organización de Estados Americanos así como las Naciones Unidas deben reconocer a Bolívar como uno de sus progenitores.

Juan Montalvo (1832-1889)

Tal vez más que cualquier otro ensayista del siglo XIX en Hispanoamérica, el ecuatoriano Juan Montalvo, un hombre de muchas pasiones, también conoció las pasiones de la literatura y la lengua. Sus escritos contienen frecuentes comentarios políticos, pero también incluyen ensayos elegantes sobre literatura, reflexiones sobre la naturaleza de la belleza y el arte y una imitación ingeniosa del *Don Quijote* de Cervantes. De ascendencia indígena, nació en 1832 en Ambato, una pequeña ciudad cerca de Quito. Fue consciente de su aspecto poco europeo y una vez observó que «mi cara no es el tipo de la que uno quisiera mostrar en Nueva York» (citado por Benjamín Carrión en *El pensamiento vivo de Montalvo*, 41). Su prosa, por otro lado, atrajo mucha atención, tanto que en 1883 varios de los mejores escritores españoles —incluyendo a Juan Valera, Emilia Pardo Bazán y Ramón de Campoamor— lo propusieron como miembro de la Real Academia Española de la Lengua (que no lo admitió).

Tras acabar la carrera de filosofía en el Seminario de San Luis de Quito, Montalvo sirvió en el cuerpo diplomático de Ecuador durante cuatro años, primero en Italia y luego en París. En 1866, de vuelta en Ecuador, fundó *El Cosmopolitano*, la primera de varias revistas que editaría. Su escritura pronto cayó en desgracia con el dictador Gabriel García Moreno, que mandó a Montalvo al exilio en Ipiales, un pueblo pequeño y desolado en la frontera con Colombia. Durante su exilio escribió sus ensayos más famosos: *Siete tratados* (1882-1883), *Capítulos que se le olvidaron a Cervantes* y *Geometría moral*. De todos ellos, sólo *Siete tratados* se publicó en vida del autor. En 1875 García Moreno fue asesinado, a lo que Montalvo declaró «Mi pluma lo mató», aunque es poco probable. Pero no bien había muerto Moreno, otro dictador, Ignacio de Ventimilla, ocupó su lugar. Montalvo respondió a esto con otra revista literaria, *El Regenerador* y, mientras tanto, en Panamá, publicó *Las catilinarias*, una sátira política muy violenta inspirada en Cicerón. Exiliado de nuevo, Montalvo finalmente se fue a París, donde murió. Pero antes de morir se vistió de negro y gastó las últimas monedas que le quedaban en flores, en la firme creencia de que nadie debía morir sin accesorios apropiados.

La prosa de Montalvo anticipa el tipo de expresión que hoy en día puede ser llamada neobarroca. Su estilo es difícil, sus ideas poco claras a menudo y muchas veces parece más interesado en el acabado de una frase que en dar a entender su idea. En su libro sobre la prosa de Montalvo, Anderson Imbert insiste en que sólo su estilo ya justifica a Montalvo actualmente. Pero esto es injusto. Está claro que Montalvo adoraba la experimentación lingüística, pero su prosa no está exenta de ideas. Su póstuma *Geometría moral*, por ejemplo, es una reivindicación de América sobre Europa en la que el hombre americano no es sólo más ingenioso sino más energético gracias a su juventud y su herencia cultural más variada. Lo sorprendente, sin embargo, no es el mensaje sino el medio que usa Montalvo. La figura que elige para demostrar las diferencias culturales y la superioridad americana es Don Juan, tal como aparecía en diferentes contextos culturales e históricos, incluyendo la antigua Roma y la España de Amadís de Gaula. Como resultado y a pesar de que Montalvo concluye que América es superior a todo lo que la ha precedido también usa las muchas personas de Don Juan para hablar sobre el amor humano, la belleza femenina y todo lo que pasó por su mente. Además vincula las diferentes manifestaciones de Don Juan a diferentes figuras geométricas y en esta unión la parábola representa a Goethe y la elipse delinea a Chateaubriand y a Lamartine. El Don Juan americano supera a todas estas figuras además de unirlas en una sola. Lo que todo esto significa de verdad es lo que todo el mundo quisiera saber. Sin embargo su prosa tan sugerente separa a Montalvo de sus contemporáneos cuyas mentes eran más «literales».

Semejantes en su incierto propósito son los póstumos *Capítulos que se le olvidaron a Cervantes (Ensayo de imitación de un libro inimitable)* de Montalvo. El libro empieza como una sátira en la que el autor retrata a sus propios enemigos como si fuesen enemigos de don Quijote. Pero ese énfasis inicial da lugar a breves comentarios que Montalvo pone en boca de don Quijote que especulan sobre cada cosa desde la virtud romana hasta la importancia de la locura en la inspiración poética, o la admiración por las distintas frutas y legumbres. Otra vez, lo que salva el libro es la voluptuosa prosa de Montalvo en la que la destreza lingüística eclipsa cualquier mensaje específico. Tal es su vigencia que incluso se ha sugerido que Montalvo inspiró a Unamuno y a Ortega y Gasset en sus famosos estudios paródicos del *Quijote*.

El trabajo más conocido de Montalvo es el único que publicó en vida, los *Siete tratados*. La elección del término «tratado» para el título sugiere una solemnidad que no es para nada característica de su obra. Todo lo contrario, los temas en los tratados nos recuerdan a los breves ensayos de Bacon y Montaigne, tanto en su contenido como en su concepción. Sin embargo, los *tratados* de Montalvo no son cortos sino que se expanden y amplían ostensiblemente, al parecer llevados más por el lenguaje que por los conceptos. Los títulos informan sólo de una parte de los temas: *De la nobleza, De la belleza en el género humano. Réplica a un sofisma seudocatólico, Del genio, Los héroes de la emancipación americana de la raza hispanoamericana. Los banquetes de los filósofos-preliminares,* y *El buscapié.* Aunque cada ensayo va desde el inicio en una dirección particular, Montalvo no puede resistir la tentación de añadir anécdotas, apartes, y digresiones de diversa índole que por lo general muestran poca relación con el argumento central. Quizás el título más auténtico de los *tratados* es el enigmático *El buscapié.* De difícil traducción, *buscapié* puede sugerir una insinuación, un rumor e incluso una tentativa conversacional para determinar la actitud de alguien respecto a un tema particular. Tal término describe muy bien la prosa de Montalvo. Éste insinúa, sugiere, palpa, todo el tiempo, induciendo a sus lectores a participar con él en el mismo proceso. Pero ese proceso normalmente llega a ser su más visible ambición. Quien quiera ideas claras, sin adornos, bien sustentadas debería buscarlas en otro sitio.

La fama de Montalvo es tan contradictoria y variada como su prosa. Algunos lo acusan de torpeza autocomplaciente mientras otros lo elogian como uno de los grandes virtuosos de la prosa en lengua española. Entre quienes lo admiran se encuentran Juan Valera, Rubén Darío, Miguel de Unamuno y José Enrique Rodó. Sus ensayos son de alguna manera como montañas por conquistar, alturas por dominar. Mientras sus ideas políticas a menudo parecen situarse en tiempos y acontecimientos pasados, su prosa se adelanta a los más desafiantes experimentos de escritores como José Lezama Lima y Severo Sarduy. No en vano Montalvo continúa deleitando y exasperando a sus lectores.

Otros ensayistas dignos de mención

No todos los escritores andinos reflejaron la orientación básicamente liberal que tuvieron Bolívar y Montalvo. Por ejemplo, los debates que se han dado en Colombia a lo largo del último siglo revelan una interesante dicotomía entre los valores liberales y los tradicionales, muy analizada en el entorno político del país pero menos en el intelectual. Los que tienen unas diferencias más notables son los tradicionalistas intelectuales colombianos. En 1873 Ricardo de la Palma (1815-1873) publicó *Cartas de filosofía moral*, un intento temprano de refutar el utilitarismo de Bentham. Más tarde, José Eusebio Caro (1817-1853) reafirmó ese punto de vista con sus ataques sobre el partido liberal colombiano. Sin embargo y sin duda el filósofo más importante del siglo XIX en Colombia es el hijo de José Eusebio, Miguel Antonio Caro (1843-1909), cuyos ataques al Positivismo aún resuenan en los debates colombianos. El joven Caro encontró que sus puntos de vista se veían reforzados por las encíclicas del papa León XIII, *Aeterni Patris* y *Rerum Novarum*, que reafirmaban la autoridad católica a la vez que otorgaban un nuevo papel a la Iglesia en justicia social.

CHILE

ANDRÉS BELLO (1781-1865)

El ensayista más admirado de Chile nació realmente en Venezuela, vivió durante muchos años en Londres y no se convirtió en ciudadano chileno hasta después de los cincuenta años. Sin embargo y debido a que su obra en Chile empequeñece sus logros anteriores y su vida intelectual está tan atada a la historia chilena, tiene sentido considerarle en este apartado. También se debe señalar, sin embargo, que el trabajo académico más importante sobre Bello se ha llevado a cabo en Venezuela, lugar desde donde aún se reclama a Bello como hijo legítimo.

Es probable que Andrés Bello haya sido el intelectual más formidable que dio Hispanoamérica durante el siglo XIX. Su conocimiento sobre la historia, la ciencia, las lenguas clásicas y modernas, la literatura, la jurisprudencia, la filosofía, la filología y casi cualquier otra rama del conocimiento lo situarían entre los mejores de cualquier sociedad de su tiempo. Aún así y a pesar de su enorme producción, las obras de Bello se leen poco hoy en día. Tal vez su servicio más duradero fue el de ser un estímulo para otros y un ejemplo supremo de la vida académica.

Nacido en Caracas en 1781 en una familia de medios modestos pero confortables, Bello se distinguió temprano como un estudiante excepcional. Estudió casi exclusivamente con curas y recibió la mejor educación que Venezuela podía ofrecer en esos momentos, con una gran dosis de latín y retórica clásica. Apuesto, sincero y cortés, Bello hizo muchos amigos rápidamente y se movió con soltura dentro de la elite venezolana. Tras obtener su licenciatura en filosofía y letras trabajó como funcionario de segundo nivel en el gobierno colonial. Para tratar con las islas angloparlantes de la costa venezolana, Bello aprendió inglés siguiendo el poco usual método de traducir al español el *Essay Concerning Human Understanding* de John Locke. Tras la rebelión de 1810, acompañó a Simón Bolívar a Inglaterra en un intento infructuoso de conseguir el apoyo británico para la causa revolucionaria. La misión fracasó, Bolívar regresó a Caracas y Bello, que tenía poco estómago para las rebeliones armadas, se quedó en Londres durante los siguientes diecinueve años.

Bello aprovechó bien su estancia en Inglaterra. Con la ayuda de su buen amigo José María Blanco White, descendiente de familias prominentes tanto en España como en Inglaterra, Bello conoció a algunos de los mejores intelectuales británicos. Trabajó con James Mill como traductor y fue el tutor de los hijos de

William Richard Hamilton, Subsecretario de Relaciones Internacionales y coleccionista de arte griego y egipcio para el British Museum, del que Bello era asiduo visitante. Bello se relacionó más tarde con Jeremy Bentham cuyo utilitarismo dejó una profunda huella en el pensamiento legalista del propio Bello. Alrededor de Bello se formó una comunidad importante de exiliados españoles e hispanoamericanos que incluyó a Francisco de Miranda, que puso su biblioteca londinense a disposición de Bello, el cura revolucionario mexicano Servando Teresa de Mier, los luchadores independentistas argentinos Carlos de Alvear, José de San Martín y Manuel de Sarratea, y José Joaquín de Olmedo, el poeta ecuatoriano. A diferencia de la mayoría de sus contemporáneos, Bello mostró su orgullo por los logros intelectuales españoles y trabó una amistad duradera con Bartolomé José Gallardo, un bibliófilo eminente que consultó con Bello muchas cuestiones filológicas. Bello también escribió para, y en algunos casos dirigió, varias revistas en español para la comunidad hispana de Londres, incluyendo *El Español*, desde 1810 hasta 1814, *Biblioteca Americana*, de 1823, y *Repertorio Americano* en 1826-27. Los artículos de Bello, que se publicaban en grandes tiradas, informaban a los lectores españoles de ambos continentes sobre los desarrollos de la filosofía, la literatura, la historia, el teatro y casi cualquier otro tema humanista.

En 1829, Bello aceptó un cargo en el Ministerio de Relaciones Exteriores en Santiago de Chile. Apenas un año después, los estanqueros (también conocidos como «pelucones») terratenientes de Diego Portales, ganaron las elecciones nacionales, comenzando con un periodo de mandato conservador aunque a menudo ilustrado de más de cuarenta años. Bello encajó bien en el régimen conservador. Aunque intelectual entre los intelectuales, su devoción por la alta cultura, su ferviente catolicismo y su miedo al desorden le hacían un asociado fiel de los empeños culturales del régimen. En 1830 comenzó a colaborar en el periódico de Portales, *El Popular,* y más tarde se convirtió en el director de la sección cultural del periódico del gobierno, *El Araucano*, un cargo que ostentó hasta 1853. En 1842, el gobierno ordenó que la Universidad de San Felipe se convirtiera en la Universidad de Chile, y Bello fue nombrado su primer rector. Como director de muchas publicaciones y rector de la universidad, Bello creó una atmósfera cultural en la que se podían debatir libremente las ideas. A pesar de ser conservador, abrió sus páginas y las puertas de su universidad a pensadores más jóvenes como José Victorino Lastarria o Francisco Bilbao que a menudo se enfrentaron a él. Los dos ensayistas argentinos más famosos del siglo XIX, Domingo Faustino Sarmiento y Juan Bautista Alberdi, que vivieron en Chile durante largos periodos entre 1840 y 1853, se vieron también muy influidos por la afición de Bello al debate y a las ideas.

Los artículos y conferencias públicas de Bello se centraron en un momento o en otro en casi todas las materias humanísticas y científicas, pero hay dos temas que predominan: la lingüística y la jurisprudencia. En 1835, Bello publicó su primer gran ensayo sobre la lengua, *Principios de la ortología y métrica de la lengua castellana* en el que, entre otras cosas, sugiere formas de modernizar la ortografía española. Muchas de sus sugerencias se llegaron a utilizar normalmente en las publicaciones chilenas y sólo han desaparecido en el país en las últimas décadas. En 1841 publicó el primero de sus estudios lingüísticos más importantes, *Análisis ideológico de los tiempos de la conjugación castellana*, una consideración muy profunda sobre las relaciones entre los tiempos en la gramática española. Lo que separa a Bello de otros gramáticos es su devoción por la lengua tal como la oía y leía. Descartando la base latina que definía y deformaba casi toda la gramática española anterior a él, Bello descubrió la notable lógica del sistema de tiempos español, mostrando su elegancia por primera vez en sus propios términos. Cuatro años después, en 1847, Bello publicó lo que yo creo que es su obra maestra: *Gramática de la lengua castellana, destinada al uso de los americanos*. A pesar de que el título parece de libro de texto, el libro es de hecho una importante reflexión sobre la naturaleza del lenguaje así como un estudio de la gramática española tan elegante y completa que los intentos de modernizarla por parte de los lingüistas contemporáneos suelen dañarla más que beneficiarla. Bello a menudo abogó por un conocimiento más profundo de los escritores del Siglo de Oro españoles como método para unificar la expresión americana; más aún, fue un soberbio latinista que a menudo defendió una educación conservadora en la que el escolasticismo al viejo estilo se mezclara con la ciencia moderna. Pero lo que surge en su *Gramática* es una obra de asombrosa modernidad. Como los lingüistas modernos, Bello se acercó a la lengua como un fenómeno natural cuyas leyes, como las de la naturaleza, debían ser descubiertas en vez de prescritas; así, sobre la base de esta gramática «natural», intentó regularizar el uso del español entre los hispanoparlantes de su época. La gramática de Bello se hace así descriptiva y prescriptiva a la vez. También hizo que se descartase cualquier duda sobre la validez del español americano. A pesar de que la Real Academia de Madrid reconoció la contribución de Bello en 1851 haciéndolo miembro honorario, la gramática de Bello puso de alguna forma el punto final a la preeminencia de la Academia.

La segunda área en la que el pensamiento de Bello sigue siendo influyente es la jurisprudencia. Bello derivó su teoría de la ley bebiendo de fuentes muy dispares. Católico devoto, nunca perdió de vista el valor del individuo como creación divina con derechos inherentes. Al mismo tiempo, admiró mucho las instituciones y códigos civiles de la ley romana, como muestra en su obra *Instituciones de derecho romano*, publicada en 1843. También estuvo muy influido por el utilitarismo de Jeremy Bentham, particularmente por su sentimiento de que la seguridad del individuo era la única base práctica de la ley. El estudio más importante de Bello sobre teoría legal se publicó por primera vez en 1832, bajo el título *Principios de derecho de gentes*, que apareció más tarde en versiones ampliadas de 1844 y 1864 bajo el título *Principios de derecho internacional*. Hoy en día la obra es interesante sobre todo para eruditos de derecho, pero en su día contribuyó a popularizar, a lo largo de Hispanoamérica, ideas como la doctrina de la no intervención, acuñada en su aforismo más famoso: «si el no intervencionismo es un deber, el contraintervencionismo es un derecho». Elegido senador nacional en

1837, en 1840 se pidió a Bello y al senador Juan Egaña que escribieran el Código Civil chileno. Egaña murió en 1846, dejando esta enorme tarea enteramente a Bello. En 1853, Bello completó el Código Civil, dando a Chile lo que en su momento fue el código más moderno de cualquier país occidental e imitado por toda Latinoamérica más tarde. A pesar de estar muy modificado, el código de Bello aún resuena en la jurisprudencia chilena.

José Victorino Lastarria (1817-1888)

El alumno (y detractor) más famoso de Bello fue José Victorino Lastarria, un apasionado liberal que pasó su vida enfrentándose a los gobiernos conservadores. Los escritos de Lastarria están hoy recopilados en catorce volúmenes. Nacido en 1817 en Ranacagua dentro de una familia de medios modestos y situación social mínima, Lastarria dejó su hogar a los diez años para estudiar en un colegio católico en Santiago conocido por su programa piadoso y sus frecuentes azotainas. Dos años después, en 1829 y subvencionado por el gobierno liberal del Presidente Francisco Pinto, Lastarria entró en el Liceo de Chile donde estudió al cuidado de José Joaquín de Mora, un liberal español forzado al exilio por el represivo Fernando VII. Mora imbuyó en la mente del adolescente una pasión por las ideas ilustradas, el nacionalismo romántico y el total desdén por el absolutismo español en religión y política. Irónico: el desprecio de Lastarria hacia España estuvo inspirado en gran medida por un exiliado español.

Estos agradables días de colegio acabaron en 1830 cuando el general Joaquín Prieto con la colaboración del rico empresario Diego Portales arrancaron el poder de las manos de Pinto y comenzaron casi cuarenta años de gobierno conservador y oligárquico. Uno de los primeros movimientos de Prieto fue cerrar el Liceo y exiliar a Mora, cuyo liberalismo, como se había revelado en un debate público con Bello, parecía demasiado radical al nuevo gobierno. A pesar de que Bello ayudaría más tarde a Lastarria a sobresalir en la vida intelectual chilena, Lastarria siguió fiel a la memoria de Mora y fue un frecuente crítico de las acomodadas relaciones de Bello con los sucesivos regímenes conservadores.

Tras terminar su carrera de derecho en 1836, Lastarria se ganó la vida modestamente como profesor, periodista, editor de periódicos y, algunas veces, como abogado. En 1842 fue invitado a dirigir una Sociedad Literaria recién fundada, entre cuyos miembros se contaban Francisco Bilbao (que ahora estudiaremos) y Juan Bello, el hijo de Andrés. A los miembros de esta sociedad se les conoce por lo general como la Generación de 1842. En su discurso inaugural de la sociedad, Lastarria enunció las ideas que se repiten a lo largo de toda su obra posterior. Nos dice que Chile triunfó heroicamente sobre sus opresores españoles sólo para caer en una opresión aún peor, la de la obsesión absoluta por la prosperidad y el progreso económico, una opción que apoyaba la oligarquía y limitaba la libertad individual (*Recuerdos literarios*, 95-6). Sin duda su objetivo era el gobierno conservador que, bajo el mando de Diego Portales, cultivó el desarrollo comercial, agrícola y minero a la vez que ignoraba la educación y la ilustración universales. De hecho, es probable que el gobierno más tolerante de Hispanoamérica a mediados del siglo XIX fuese el chileno. Pero Lastarria quería una democracia real y eso significaba la educación y participación de todos los chilenos, incluyendo a aquellos del entorno humilde de Lastarria. Según su opinión, la literatura era el instrumento más eficaz para la regeneración porque sólo la literatura «revela de la manera más explícita la moral y necesidades intelectuales de las naciones». Además argumenta que la literatura comprende todo el conocimiento, incluyendo «los conceptos más elevados del filósofo y el jurista, las verdades irrevocables del matemático y el historiador... y el rapto y el delicioso éxtasis del poeta» (pág. 97). Lastarria respeta la erudición pero advierte en contra de la confianza excesiva en los modelos europeos. «Debemos ser originales», sostiene, «tenemos en nuestra sociedad todos los elementos necesarios para conseguir ese objetivo, para convertir nuestra literatura en la expresión más auténtica de nuestra naturaleza nacional». Pero nos advierte de que la verdadera expresión nacional no puede ser «patrimonio exclusivo de las clases privilegiadas». Más bien debería reflejar «los gustos de las multitudes, que, después de que todo esté dicho y hecho, son los mejores jueces» (págs. 104-5). El populismo literario de Lastarria se debe leer como un enfrentamiento deliberado con Bello quien, aunque apoyó la literatura nacional, mostró poco interés por los logros artísticos de las clases bajas.

Aunque Lastarria criticó mucho a Bello, éste se enfrentó a las críticas como un caballero y continuó proporcionando ocasiones a su antiguo alumno para que diera clases y publicase sus obras. En efecto, la siguiente incursión memorable de Lastarria en la vida intelectual chilena llegó en 1844 cuando Bello, ahora rector de la Universidad de Chile, lo invitó para que diera el discurso inaugural de lo que se convertiría en una serie de conferencias muy larga sobre historia chilena. Siguiendo las premisas históricas que hicieron populares Guizot y Cousin, Lastarria señaló que la historia no debía ocuparse solamente de los hechos sino de los sistemas e ideas que producían estos hechos. También mantuvo que los historiadores debían escribir con un ojo puesto en el presente y en el futuro, para explicar los errores y corregirlos por el bien de generaciones futuras. Aunque reconoció que la historia evolucionaba de forma más o menos sistemática, insistió también en que los hombres malos pueden frustrar el progreso histórico igual que los hombres de bien pueden restaurar la historia al buen y próspero camino del progreso para todos. Lo que esto significaba en el caso de Chile, continuó explicando, es que la conquista y la colonización española de América fueron sucesos retrógrados que se debían deshacer para que Chile recuperase el tipo de progreso que tenía por destino histórico. Por ello, la primera tarea de Chile consistía en «desespañolizarse» (*Miscelánea histórica y literaria,* 19-20). Sólo tras esa corrección histórica tan necesaria comenzaría el país la tarea de construcción de una nación moderna.

El discurso de Lastarria se enfrentó a una oposición considerable, sobre todo proveniente de Bello, que arguyó persuasivamente que el juzgar la conquista española con los ojos éticos del siglo XIX era hacer historia basándose en la ideología más que en los hechos. También dijo que la obra de España en América tuvo muchos aspectos positivos, incluyendo la generación de una gran parte de las ideas que se hallaban tras el movimiento independentista que Lastarria admiraba. En particular, Bello deploraba el que se redujera la historia a unas nociones tan simples como la de movimiento histórico «correcto» y aconsejó a Lastarria evitar los excesos de la «historia filosófica» y volver a la «historia narrativa» del hecho demostrable y la prueba concreta. Cuarenta y cuatro años más tarde, en sus *Recuerdos literarios*, Lastarria confiesa que la refutación de Bello lo anonadó a él y a sus jóvenes correligionarios pero también argumentó que historiadores y filósofos tales como Henry Thomas Buckle y Johann Herder reivindicaron en esencia sus mismos esfuerzos juveniles *(Recuerdos literarios,* 210-13).

A pesar de la hábil refutación de Bello sobre la «historia filosófica», Lastarria continuó escribiendo historia, siempre con la intención implícita de juzgar el pasado y dar forma al futuro. Su obra más representativa en esta línea es un panfleto titulado *Juicio histórico sobre don Diego Portales* de 1861, en el que condena la obsesión de Portales por el progreso material y su desdén por las clases populares. Al mismo tiempo se lamenta del giro conservador de todos los gobiernos desde el de Portales que, a pesar de ser más sofisticados, continuaron gobernando para los pocos privilegiados mientras que ignoraban el potencial espiritual de la nación. También digna de mención es su colección *Miscelánea histórica y literaria*, publicada por primera vez en 1855 y después en forma ampliada en 1868, y que incluye ensayos, discursos, esbozos, meditaciones literarias y algunas de sus novelas históricas.

En 1874, Lastarria publicó la primera edición de su obra más influyente, una serie de conferencias bajo el título *Lecciones de política positiva*. Como admite Lastarria en sus *Recuerdos literarios*, se sintió atraído por primera vez hacia el positivismo de Comte ya que las ideas del francés sobre la evolución histórica del francés parecieron darle la razón en su debate con Bello que había transcurrido hacía tres décadas (pág. 229). Sin embargo, las *Lecciones* son mucho más que una repetición de las ideas de Comte. En las dos primeras secciones de las tres que tiene el libro, Lastarria estudia las nociones de Comte sobre el desarrollo histórico y la sociología y se las arregla para reafirmar muchas de sus ideas usando un marco positivista. Sin embargo, la última sección se aleja bastante de la propuesta de Comte de una religión de humanidad y aboga por lo que Lastarria llamó la «política positiva» que terminó siendo poco más que una reafirmación del programa político de los *pipiolos* de Pinto de hacía cinco décadas: reforma de las instituciones, más participación democrática (que significaba restar poder a la Iglesia y a los ricos) y más autonomía para las provincias. Para esta idea poco novedosa, Lastarria propuso un nuevo término: la «semecracia» o «autogobierno» (del latín *semet* «auto» y del griego *kratos*, «gobierno») y convirtió el eslogan de Comte «orden y progreso» en el de «libertad y progreso». Su modelo para la reforma son los Estados Unidos, que, según él habían alcanzado el nivel máximo de autogobierno de la historia. El positivismo de Lastarria es un peculiar híbrido que acepta por lo general la historia y la sociología principal de Comte pero sigue siendo fiel a la práctica liberal. El libro se leyó mucho en Latinoamérica, tal vez porque mezcla de forma acertada la última moda europea con un programa liberal que ya era familiar.

El libro más leído hoy en día de Lastarria y su último gran esfuerzo es su monumental *Recuerdos literarios*, de 1878. Mucho más que unas memorias personales, el libro ofrece un fascinante retrato de la vida intelectual chilena a mediados del siglo XIX; incluso los exiliados argentinos como Sarmiento y Alberdi quedan retratados vivamente en las memorias de Lastarria. El libro también incluye largas citas e incluso a veces textos completos, tanto que a veces recuerda a una antología. A pesar de que Lastarria no intentó esconder sus opiniones, trató a sus enemigos intelectuales con una asombrosa igualdad, y es particularmente interesante el retrato que hace de Bello. Sin embargo, para los ricos y materialistas, Lastarria muestra poca piedad. Hasta el final siguió siendo leal al pilluelo campesino de Rancagua que debido a su genial intelecto consiguió un lugar al margen de la sociedad chilena sólo para convertirse en el intelectual nativo de ese país más sobresaliente del siglo XIX.

FRANCISCO BILBAO (1823-1865)

Durante su corta vida, Francisco Bilbao se opuso a todos los gobiernos de su Chile natal, se vio involucrado en varias rebeliones armadas, atacó en varias ocasiones al Catolicismo por ser una burla del verdadero Cristianismo, pasó buena parte de su vida en el exilio y sufrió dos excomuniones. Hijo de un militar liberal, Bilbao adquirió un buen aprendizaje basado en los enciclopedistas, Rousseau y Vico. Pero también tuvo un interés casi protestante por la Biblia y estuvo muy influido por Robert de Lamennais, cuyos intentos de eliminar al Vaticano del Cristianismo le ganaron la enemistad de la Iglesia y la devoción absoluta del joven Bilbao.

El primer ensayo importante de Bilbao, *Sociabilidad chilena*, se publicó en 1844 cuando Bilbao sólo tenía 21 años. Los ataques contenidos en el ensayo hacia la oligarquía chilena y la Iglesia dieron con el joven escritor en el exilio y además tuvo que pagar una multa por blasfemia y desorden público. Al igual que Lastarria, atribuyó los males de Chile a la herencia española, pero fue mucho más allá señalando a la Iglesia como el depositario del «barbarismo español». El Catolicismo, nos dice, es poco más que «los mitos orientales disfrazados de revelación» *(Obras completas*, II, 5). La Iglesia es especialmente culpable en América, argumenta, por legitimar la conquista española, sostener la plutocracia chilena e hipnotizar a las clases bajas con pompa y promesas vacías. Con un giro sorprendentemente moderno, Bilbao señala que la familia constituye el instrumento básico para la opresión eclesiástica. A través de la familia se mantienen las líneas de clase, se proscriben las nuevas ideas y se mantiene a los jóvenes en un «aislamiento misántropo». Según su punto de vista, las víctimas más visibles de la opresión familiar son las mujeres jóvenes cuya «pasión debe ser contenida [ya que] la pasión exaltada es el instrumento de la revolución instintiva» (pág. 13). Sostiene además que, al igual que la familia controla a sus jóvenes a través de la fuerza bruta, los gobiernos oligárquicos dominan a los pobres usando la amenaza de violencia. Bilbao fue así uno de los primeros hispanoamericanos que vincularon a la mujer con las clases pobres en la lucha contra el enemigo común: la familia tradicional y el estado oligárquico.

En *Sociabilidad chilena,* Bilbao continúa argumentando que el Dios de la Razón que se manifiesta a través de la inteligencia de los nuevos profetas como Lutero, Descartes, Voltaire y Rousseau ha arrebatado el trono al Dios de la Fe. Los intentos de estos reformadores de mejorar la sociedad estaban motivados por el Amor Infinito que, según los esquemas de Bilbao es el dios verdadero, el dios ocultado por las maquinaciones del Catolicismo y sus ricos aliados (págs. 17-20). El plan del verdadero dios está basado en los principios de la libertad, la igualdad y la hermandad. En consecuencia, cualquier desvío de estos principios es herética (pág. 23-27). Sin embargo, la libertad para Bilbao también significa «la libertad de todos a la propiedad. Quitar el apoyo terreno a los sostenedores del orden antiguo, es destruir su autoridad» (pág. 27). La industria y el comercio también deberían tener sus puertas abiertas a todos, «exaltando el nacionalismo sobre la perfección europea» (pág. 31). Es decir, que incluso si los fabricantes europeos sobrepasan a los bienes locales en calidad, los productos locales deberían tener preferencia para levantar el nivel económico de todos. De forma similar, todos los chilenos deberían tener acceso a una educación de calidad, sin distinciones sociales ni privilegios especiales. En el tema moral, Bilbao bebe tanto de las escrituras hebreas como cristianas en cuanto a concepto y lenguaje y concluye con el mandato de Jesús de amar a Dios y a tu prójimo. Y, ¿Quién es Dios? «Tenemos que definir su esencia... Y definir si Él es una idea y su extensión o un ser personal. La espontaneidad sublime que nos asalta dice que es un ser personal. La creación de la libertad para mí es la prueba de la libertad divina. La libertad divina es la individualización del creador». De forma similar, el amor al prójimo, al «otro yo, que es depositario de la misma espiritualidad que la mía» es el «fundamento inconquistable de la democracia» (pág. 39).

Otros ensayos posteriores de Bilbao reflejan preocupaciones semejantes pero con un énfasis en la religión aún mayor. En el *Prefacio a los evangelios*, escrito en París en 1846, Bilbao presenta el evangelio cristiano como un texto revolucionario que arremete contra el materialismo y las distinciones sociales (págs. 76-9). En estas páginas, Jesús se convierte en un ideólogo revolucionario cuyo mensaje verdadero de redención material y espiritual para los pobres ha sido reprimido por la Iglesia y sus aliados plutocráticos. En *La ley de la historia*, que no se publicó hasta después de su muerte, Bilbao identifica la lucha por la igualdad y la justicia, sobre todo en América, como la fuerza que está detrás del progreso histórico y la verdadera expresión de la presencia divina en la tierra (págs. 137-67). Tales razonamientos anticipan las corrientes de la teología de la liberación actual que toma muchos elementos de las nociones marxistas del desarrollo histórico. El entusiasmo de Bilbao por una cristiandad americana emerge una vez más en *Los araucanos*, de 1847, donde describe cómo la mano de Dios apoyó la resistencia antiespañola de los primeros habitantes de Chile (págs. 305-50). Es particularmente sorprendente a este respecto el largo ensayo de 1861 sobre Santa Rosa de Lima, la mística peruana más católica de todos los santos, que él ve como una antecesora de su evangelio de liberación espiritual y económica para los pobres de América *(Estudios sobre la vida de Santa Rosa de Lima*, 351-443).

En vista de estos precedentes, no es sorprendente que su ensayo más largo y más famoso, además de ser el último que escribió, se titule *El evangelio americano*. Publicado en 1864, un año antes de que Bilbao muriese de tisis, este evangelio americano comienza invocando al dios verdadero, el dios cuyos nombres son verdad, luz, amor, eterno el Poder Supremo *(El evangelio americano*, 69-70). Lo que emerge en el pensamiento de Bilbao es una difícil identificación de la fe y la razón. Bilbao se refiere en repetidas ocasiones a Dios pero, en el momento crucial de proclamar su vínculo entre sus ideas y Dios, Bilbao dice que la razón es el verdadero canal de la revelación, que sólo a través de la razón se pueden entender los verdaderos significados de palabras tales como fe, justicia y gracia. Sin embargo, esta razón no está alejada de Dios sino que es la razón como el instrumento revelador de Dios. Para que este instrumento funcione bien, los individuos deben vivir bajo un verdadero «autogobierno», término que toma del inglés (pág. 72). Cualquier sistema que niegue la soberanía de los individuos libres, ya sea ésta religiosa, metafísica, política o económica se enfrenta al sentido del orden divino de Bilbao.

Mientras que *El evangelio americano* dice que todos los humanos pueden razonar y por ello tener acceso a la mente divina, Bilbao se ve a sí mismo como un testigo especial de alguna manera, tal vez igual a otros pero que ha recibido el encargo de proclamar en América «la fraternidad de las especies, la unidad de derechos y la gloria del deber» (pág. 70). La «fraternidad» y la «unidad de derechos», por supuesto, son sólo repeticiones de los eslóganes de la revolución francesa; lo que es nuevo en la formulación de Bilbao es su preocupación por el deber. La razón, según su punto de vista, debe llevar a la acción social que, a su vez, debe liberar a la gente de la opresión y darle los medios materiales para vivir mejor. El enemigo del deber es el egoísmo, el egoísmo que Europa «practica en sus instituciones, doctrinas, costumbres y [en las doctrinas] de la fuerza, del egoísmo nacional por encima de la ley suprema, de la centralización, del despotismo administrativo» (pág. 85).

Una gran parte de *El evangelio americano* surge de estas ideas, a veces con ejemplos históricos, a veces en meditaciones abstractas sobre la naturaleza de la verdadera igualdad y la justicia y a veces como proposiciones concretas para la emancipación de los pobres y la justicia. No es sorprendente que la izquierda revolucionaria hispanoamericana considere a Bilbao uno de sus precursores. Sin embargo se debe señalar que no existe un mensaje coherente en su obra. Defiende la razón pero sus argumentos no son muy racionales. Más bien hace proclamas, a menudo en términos que recuerdan más a Isaías que a Rousseau o incluso a Lamennais. Estas proclamas aún nos calientan el corazón con su ardor y su pasión si bien no con su rigor intelectual. También muestran que Bilbao fue un antecesor de los más grandes reformadores de Chile.

EL RÍO DE LA PLATA

MARIANO MORENO (1778-1811)

Educado en un hogar estrictamente católico en el que ni siquiera se permitían los juegos de cartas, el argentino Mariano Moreno estudió en las mejores escuelas que el Buenos Aires colonial podía ofrecer y más tarde en la Universidad de Chuquisaca, hoy Sucre, Bolivia. A pesar de que Moreno estudió derecho, sacerdotes progresistas enriquecieron sus estudios con los ideas de los *iluministas* españoles así como de los pensadores franceses más radicales, Montesquieu, Raynal, Voltaire y el favorito de Moreno, Rousseau. En 1805, Moreno volvió del Alto Perú a Buenos Aires, se vio involucrado en política y participó en la exitosa resistencia de Buenos Aires ante las invasiones inglesas de 1806 y 1807. En 1808, se puso del lado del representante español del gobierno de Cádiz contra Santiago de Liniers, un héroe de la lucha antibritánica. Sólo unos meses después, Moreno dejó en la estacada a sus amigos españoles y escribió una larga crítica contra las políticas económicas del gobierno español, que veremos más abajo. El 25 de mayo de 1810 apoyó el «movimiento de mayo», que hoy es conocido simplemente como Mayo, en el que el cabildo de Buenos Aires, declaró la independencia de España —en nombre de Fernando VII. Moreno se convirtió en secretario de la Primera Junta, como se conoce al primer gobierno revolucionario, pero se enemistó con el presidente de ésta, Cornelio Saavedra, sobre todo debido a la frustración por la popularidad de Saavedra entre las clases populares. A comienzos de 1811, Moreno se embarcó hacia Inglaterra, esperando reunir apoyos contra Saavedra de los antiguos enemigos de la Argentina. Murió en el trayecto de una misteriosa fiebre. Al enterarse de la defunción de Moreno en alta mar, se dice que Saavedra hizo la observación de que «necesitaban tanta agua para apagar semejante fuego».

A pesar de vivir tan poco tiempo, Moreno escribió mucho. Su producción incluye alegatos legales, discursos, artículos periodísticos y un temible plan de operaciones. La mayoría de sus piezas cortas aparecieron en *La Gazeta de Buenos Aires*, el periódico juntista que creó Moreno. Estos artículos, que nunca se publicaron en su totalidad se aplican a muchos temas de diferentes maneras, y a menudo llegan a contradecirse. En algunas ocasiones, por ejemplo, se sitúa en el punto de vista del estricto centralismo; en otras ocasiones, parece apoyar una estructura de gobierno federalista que daría a las provincias gran autonomía. A pesar de que los argentinos liberales le tienen por modelo, la prosa de Moreno revela que existieron al menos dos Morenos. El primero es un heredero de la Ilustración que defiende la libertad de expresión, de comercio, el sentido común, la *vox populi* y la ideología típica del momento. El segundo Moreno es una figura autoritaria temible que recuerda tanto al Gran Inquisidor como a los jacobinos franceses.

Un ejemplo representativo de las contradicciones de Moreno se encuentra en uno de sus primeros ensayos, «Sobre la libertad de escribir», que apareció en la *Gazeta* el 21 de junio de 1810. Como era de esperar, Moreno alaba la opinión pública como guía aconsejable para encontrar la verdad y sostiene que el mal se rechaza mejor «dando espacio y libertad a los escritores públicos para que puedan atacarlo vigorosamente y sin piedad». A renglón seguido, en una maravillosa demostración de contradictoriedad afirma que «la gente languidecerá en el estupor más vergonzoso a no ser que se les dé el derecho y la libertad de hablar sobre todos los temas siempre que no se opongan en ningún sentido a las verdades sagradas de nuestra augusta religión y a los dictados del gobierno» (Moreno, *Escritos*, 237). Resumiendo, se puede discutir cualquier cosa con tal de que no se oponga a la Iglesia o al Gobierno. Ni siquiera Rousseau, el ídolo intelectual de Moreno, escapa al autoritarismo de éste. En el prefacio de su traducción de una gran parte de *El contrato social*, Moreno predice que Rousseau «será la maravilla de todas las épocas» y que su traducción «es una parte necesaria de la educación de las personas» *(Escritos,* 379). Pero justo después de alabar a Rousseau anuncia que «ya que [Rousseau] tuvo la desgracia de delirar sobre cuestiones religiosas, suprimiré el capítulo y las secciones principales en las que se refiere a estos temas» (pág. 377). En suma, Moreno introduce en el discurso político argentino todo el vocabulario de la Ilustración, pero este vocabulario no le quita de hacer algunas censuras para proteger la «verdad».

Además de estos artículos cortos, Moreno escribió dos ensayos largos, cada uno diferente del otro. El primero es un resumen legal, escrito en 1808 bajo el largo título de *Representación a nombre del apoderado de los hacendados de las campañas del Río de la Plata dirigida al excelentísimo Señor Virrey Don Baltasar Hidalgo de Cisneros en el expediente promovido sobre proporcionar ingresos al erario por medio de un franco comercio con la nación inglesa*. El virrey Cisneros, que representaba al gobierno de Cádiz, había expresado reservas a la hora de tratar el tema de los intentos británicos de incrementar el intercambio comercial con el Río de la Plata. Cisneros sostenía que el aumentar el intercambio con Inglaterra ataría el desarrollo económico argentino a un poder extranjero y por ello comprometería la soberanía argentina. También mantuvo que el hacer accesibles económicamente algunos bienes manufacturados provenientes de Inglaterra devastaría la industria local que había hecho a la Argentina autosuficiente en gran medida en pequeñas manufacturas como la ropa, los productos de cuero y el mobiliario.

La respuesta de Moreno en esta *Representación* anticipa las posiciones sobre el libre comercio actuales y muestra el extraordinario nivel al que las elites hispanoamericanas estaban enteradas de la teoría económica europea. Moreno defiende que los impuestos sobre el comercio con Inglaterra aumentarían el tesoro público, estimularían el crecimiento del la industria ganadera argentina y darían a los argentinos acceso a bienes británicos baratos y de alta calidad. En efecto argumenta que

> Un país que empieza a prosperar no puede ser privado de los muebles exquisitos que lisonjean el buen gusto y aumentan el consumo. Si nuestros Artistas supiesen hacerlos tan buenos deberían ser preferidos, aunque entonces el extranjero no podría sostener la concurrencia; pero será justo que se prive comprar un buen mueble sólo porque nuestros Artistas no han querido contraherse á trabajarlos bien? *(Escritos*, 84[1]).

Sobresalen dos puntos en esta afirmación memorable. Primero, que las clases consumidoras de Buenos Aires «merecen» lo mejor, que en este caso significa bienes británicos. Y segundo, que los artesanos nativos hacen bienes de calidad inferior debido a su falta de compromiso. Los publicistas y los opositores de los sindicatos no lo habrían descrito mejor.

Se puede leer la *Representación* de dos formas muy diferentes. En un sentido, se dedica meramente a repetir las teorías económicas de la época, con claros ecos de Smith, Quesnay y, por supuesto, Gaspar Melchor de Jovellanos, que Moreno cita con placer ya que en esa época era el presidente de la junta gobernante de Cádiz y por ello el superior de Cisneros. En otro sentido, sin embargo, la *Representación* señala el trágico fallo de la Argentina: el que Buenos Aires se volviese hacia Europa prestando una atención virtualmente nula a las necesidades del interior y de las clases trabajadoras.

El otro ensayo largo de Moreno es un documento misterioso de fecha incierta. Titulado *Plan de las operaciones que el gobierno provisional de las Provincias Unidas del Río de la Plata debe poner en práctica para consolidar la grande obra de nuestra libertad e independencia*, el documento salió a la luz cuando se descubrió en el Archivo General de las Indias de Sevilla una copia manuscrita, acompañada de un affidávit que certificaba que Moreno había escrito el original. Norberto Piñeiro publicó el *Plan* en su antología de las obras de Moreno de 1895, la que hemos citado aquí. Debido a que el Plan representa una visión de Moreno radicalmente opuesta a la de la historia oficial, algunos admiradores liberales de Moreno como Paul Groussac y Ricardo Levene cuestionaron inmediatamente la autenticidad del documento. La investigación más exhaustiva sobre los orígenes del Plan es la del historiador nacionalista Enrique Ruiz-Guiñazú, *Epifanía de la*

[1] En *Escritos*, ed. R. Leverne, tomo II, Ediciones Estrada, Buenos Aires, 1943.

libertad: documentos secretos de la Revolución de Mayo. A pesar de que concede que existe un cierto nivel de corrupción, Ruiz-Guiñazú muestra que el plan casa punto por punto con otros escritos en los que la autoría de Moreno es incuestionable. También demuestra que muchos de los contemporáneos de Moreno, así como historiadores posteriores, incluyendo a Bartolomé Mitre, sabían de la existencia del Plan.

El nerviosismo de los liberales que apoyan a Moreno acerca del Plan es comprensible. Moreno comienza este documento defendiendo la represión sin piedad del disentimiento: «La moderación fuera de tiempo no es cordura, ni es una verdad... jamás en ningún tiempo de revolución, fue adoptada por los gobernantes la moderación ni la tolerancia; el menor pensamiento de un hombre que sea contrario a un nuevo sistema es un delito por la influencia y por el estrago que puede causar con su ejemplo y su castigo es irremediable» *(Escritos*, 458). Más tarde afirma que la supresión del disentimiento debe usar todos los medios necesarios: «No debe escandalizar el sentido de mis voces, de cortar cabezas, verter sangre y sacrificar a toda costa, aun cuando tengan semejanza con las costumbres de los antropófagos y caribes... Ningún estado envejecido o provincias pueden regenerarse sin cortar sus corrompidos abusos sin verter ríos de sangre» (pág. 467). Para identificar a los enemigos, Moreno recomienda crear una policía secreta: «El gobierno debe, en la capital como en todos los pueblos, conservar unos espías no de los de primer ni segundo orden en talentos y circunstancias pero de una adhesión conocida a la causa» (pág. 473). También recomienda, en clara oposición a su previa defensa de la libertad de prensa que la conducta del gobierno debe ser «silenciosa y reservada con el público, sin que nuestros enemigos ni aun la parte sana del pueblo, lleguen a comprender nada de nuestras diligencias» (pág. 470).

El Plan también se refiere al desarrollo económico, pero en términos decididamente diferentes a los de la *Representación*. Aboga por una agresiva redistribución de la riqueza y la propiedad. De los ricos a los pobres, siendo los primeros objetivos la propiedad de los «enemigos» ricos. «... que aunque en unas provincias tan vastas como éstas, hayan de desentenderse por lo pronto cinco o seis mil individuos», nos dice, «resulta que como recaen las ventajas particulares [de la prosperidad] en ochenta o cien mil habitantes» (pág. 512). También aboga por la creación de comisiones estatales que supervisen todas las ventas, prevengan la concentración de riqueza, supriman la exportación de bienes que se necesiten en la nación y controlen todas las importaciones y especialmente aquellos productos que «como un vicio corrompido, son de un lujo excesivo y estéril» (pág. 523). Al igual que para la política extranjera, Moreno crea un esquema inverosímil a través del cual Buenos Aires desestabilizaría otras áreas de Sudamérica para después establecer un acuerdo con Gran Bretaña por el que ésta y Buenos Aires dividirían los territorios conquistados (págs. 535-40).

El lugar exacto en el que se sitúa Moreno dentro de la historia intelectual argentina sigue siendo un tema discutido. Los liberales, los nacionalistas, los centralistas, los intervensionistas, los derechistas, los izquierdistas, los militaristas

—todos pueden encontrar citas válidas en Moreno. Sean como sean las otras cosas que hizo, Moreno introdujo dentro del discurso argentino los conceptos de la igualdad universal, la libertad de expresión y disentimiento, la libertad individual, el gobierno representativo y el mando institucional bajo la ley. Y aunque Moreno a veces traicionara estos objetivos, el vocabulario que introdujo en el pensamiento argentino se convirtió en el marco dentro del cual se podían juzgar todos los gobiernos, el punto de partida necesario para todo intento de reformar y mejorar la patria.

José Gervasio Artigas (1764-1850)

Proclamado ahora como héroe de la independencia uruguaya, Artigas tuvo en realidad poco que ver con la creación del concepto de nación en Uruguay. En efecto, pasó sus mejores años tratando de lograr que Uruguay consiguiese un lugar en una federación que estaba asociada a, pero no dominada por, Buenos Aires. Aunque no fue autor de ensayos formales, dejó miles de documentos que se siguen recogiendo todavía en el *Archivo Artigas*, que, desde 1950 ha publicado veinte volúmenes y aún continúa incompleto. Debido a que los escritos de Artigas consisten básicamente en cartas, discursos, escritos de opinión y decretos, tal vez no se le puede considerar un ensayista en el sentido más tradicional del término. Sin embargo su obra ofrece una visión indispensable de lo que puede llamarse el pensamiento pro-provincial, federalista o incluso populista. Y como tal ocupa un lugar importante en este repaso.

Artigas tenía cuarenta y siete años cuando Buenos Aires proclamó la independencia de la España napoleónica en mayo de 1810. Como Artigas había sido antes agente de la policía que se ocupaba de proteger la frontera occidental de Uruguay de las incursiones de los indios y de los soldados portugueses, visitó Buenos Aires en 1811 y ofreció sus servicios a la Junta. Se le concedió el puesto de teniente coronel en el ejército patriota y regresó rápidamente a Uruguay para movilizar un ejército de campesinos que triunfó en varias batallas contra los leales a España. Sin embargo, en Buenos Aires se comenzó pronto a desconfiar de la popularidad de Artigas, temiendo que su ejército de gauchos de sangre mezclada, de indios y campesinos constituyese una especie de «arbitrariedad popular» que amenazase las aspiraciones bonaerenses de control central. Desde ese momento, las relaciones de Artigas con los sucesivos gobiernos de Buenos Aires se hicieron más desconfiadas, tanto que en 1815 Artigas organizó un gobierno paralelo que incluía la mayor parte de Uruguay y las provincias argentinas de Entre Ríos, Corrientes y Santa Fe. Durante los siguientes cuatro años, Artigas produjo sus escritos más importantes.

Los decretos y cartas de Artigas, dictados más frecuentemente que escritos, se aplican a cuatro temas principales: el proteccionismo enfrentado al libre comercio, el igualitarismo económico así como el civil, la inclusión de todos los americanos sin importar la raza o la clase social, y una especie de nativismo que asumió una identidad americana sumergida que esperaba ser descubierta una vez el poder colonial fuera expulsado.

Al contrario que sus contemporáneos, educados según las teorías económicas de los fisiócratas del *laissez-faire* de François Quesnay y la mano invisible de Adam Smith, Artigas sospechaba que el libre comercio sólo beneficiaría a los ya ricos. Por ello sostuvo en 1815 que se permitiese a los británicos la entrada a los puertos uruguayos sólo a discreción del gobierno uruguayo y sólo bajo la condición de que respetasen la ley local y «nunca traten de interferir en los asuntos locales» (*Documentos*, 147). En el mismo año prohibió la importación de productos que compitiesen con las manufacturas locales, dejando ver su deseo de desarrollar la industria local y oponer resistencia a convertirse en un mero proveedor de materias primas (ver, por ejemplo, «Reglamento Provisional» de 1815 en *Documentos*, 148-9). Más tarde, reconociendo que los británicos podían ser tan útiles como peligrosos, limitó su papel en la economía uruguaya a sólo el transporte internacional (ver «Tratado de Comercio» de 1817 en *Documentos*, 151-2).

Artigas también quiso implementar reformas internas que incluso hoy parecen progresivas. Reconociendo que la democracia funcionaría mejor entre iguales en términos económicos, trató de redistribuir las haciendas más grandes para «los sujetos dignos de esta gracia con prevención que los más infelices serán los más privilegiados» («Reglamento Provisorio», *Documentos*, 159). Aún así, temiendo que esta tierra una vez distribuida podría regresar a manos de los ya ricos, como pasó más tarde en este mismo tipo de esquemas de reparto, Artigas también decretó que «los agraciados ni podrán enajenar ni vender estas suertes de estancia, ni contraer sobre ellas débito alguno». También mandó que el ganado, el equipamiento y las semillas fueran de fácil acceso para los nuevos terratenientes (págs. 160-2). Y ¿de dónde vendría esta tierra y este ganado? De los «europeos y malos americanos» que no apoyasen la revolución. El desdén que sintió Artigas por las elites terratenientes contribuyó sin duda a su caída así como a una especie de leyenda negra entre los historiadores conservadores que lo ven más como un fanático populista que como un héroe nacional.

Son especialmente meritorios en el sentido de la democracia de Artigas sus intentos de incluir a todas las razas y castas. Defendiendo la propiedad igualitaria de la tierra, Artigas dijo explícitamente que «los negros libres, los zambos [mezcla de indio y africano] de esta clase, los indios y los criollos pobres todos podrán ser agraciados en suertes de estancia si con su trabajo y hombría de bien propenden su felicidad y la de la provincia» («Reglamento provisorio», 160). De forma similar escribió:

> Yo deseo que los indios, en sus pueblos, se gobiernen por sí, para que cuiden sus intereses como nosotros los nuestros. Así experimentarán la felicidad práctica y saldrán de aquel estado de aniquilamiento a que los sujeta la desgracia. Recordemos que ellos tienen el principal derecho y que sería una desgracia vergonzosa pa-

> ra nosotros, mantenerlos en aquella exclusión vergonzosa que hasta hoy han padecido por ser indianos («Reglamento provisorio», 164).

La preocupación de Artigas por los indios y las personas de sangre mezclada pone un contrapunto con las actitudes prevalecientes de la época. Por muy abusivas que fuesen las leyes coloniales permitieron a la población nativa tener ciertos derechos, incluyendo el de la propiedad comunal de tierras. Estos derechos se vieron atacados cuando los Borbones aplicaron las nociones fisiocráticas de la propiedad privada como camino seguro hacia la prosperidad material. Con la caída del gobierno colonial, estos derechos desaparecieron por completo, tanto que las poblaciones indígenas y sus primos de sangre mezclada experimentaron una creciente pobreza y marginalización al adoptar los nuevos gobiernos las teorías económicas y sociales que favorecían a los ya ricos. Sobre este telón de fondo, la visión inclusiva de Artigas parece especialmente merecedora de alabanzas.

El lugar de Artigas en la historia quedó asegurado cuando los uruguayos lo hicieron su padre fundador, a pesar de que Artigas nunca deseó más para Uruguay que el estatus de provincia igual dentro de las Provincias Unidas del Río de la Plata. El igualitarismo de Artigas también lo convirtió en una *cause célèbre* dentro de los izquierdistas hispanoamericanos, siempre ansiosos por tener raíces americanas. Sea cual sea la cambiante visión que la historia tenga de él, sin embargo, una cosa parece clara: nadie articuló tan pronto y tan claramente en la historia intelectual hispanoamericana las preocupaciones provinciales y de clase baja como él.

Esteban Echeverría (1805-1851)

Esteban Echeverría fue un miembro fundador y un mentor principal de lo que se ha dado en llamar la Generación de 1837. Ésta toma su nombre de un salón literario bonaerense fundado en ese año bajo las dos rúbricas gemelas de *La asociación de la joven generación argentina* y *La asociación de mayo*, siendo esta última la referencia a la revolución de 1810 de la que se consideraban herederos intelectuales. Lo que primero definió a esta generación fue su amor por las ideas y su oposición común a la dictadura de Juan Manuel de Rosas, gobernador de la provincia de Buenos Aires y dictador virtual de todo el país desde 1835 hasta 1852. Cuando Rosas cayó, las diferencias ideológicas separaron a los miembros de la generación para siempre.

Considerado como el primer gran poeta argentino, Echeverría había vivido en Francia y estuvo muy influido por la teorías sociales de Saint-Simon y Victor Cousin así como por la poesía romántica de Schiller, Goethe y Byron. También esperaba recrear en la *Asociación de la joven Argentina* una parte del espíritu que había motivado la *Giovine Italia* de Giuseppe Mazzini, fundada en 1831 y extensamente imitada en toda Europa.

Aparte de escritos ocasionales, se atribuyen a Echeverría dos ensayos importantes. El título del primero, *Dogma socialista*, escrito en 1837, revela su simpatía por el sentido saintsimoniano del socialismo como aproximación científica y totalmente racional al entendimiento y gobernación de la sociedad, siendo esto un anticipo de las ideas sociológicas de Comte. También incluye discursos pronunciados en reuniones de la Asociación y nos da una buena visión de los principales intereses del grupo. El segundo ensayo de Echeverría, escrito en 1845, está titulado *Ojeada retrospectiva sobre el movimiento intelectual en el Plata desde el año 1837*. Escrito tras el exilio de Echeverría en Uruguay, el segundo ensayo difiere del primero en cuanto a la perspectiva pero no en cuanto a las ideas.

Dos ideas clave emergen en la obra de Echeverría. Primero, intentó cerrar el hueco que existía entre los dos partidos políticos que competían en la Argentina, «unitarizar a los federalistas y federalizar a los unitarios» *(Ojeada*, 86-7). Tuvo un punto de vista crítico hacia los dos partidos, condenando las «actitudes exclusivistas y supremacistas» de los Unitarios *(Ojeada*, 83) y atacando al partido federalista por ser un «sistema sostenido por las masas populares y la expresión genuina de sus instintos semibárbaros» *(Dogma,* 83). Segundo, Echevarría sintió que el poder gobernante debía dejarse a la «jerarquía natural de la inteligencia, la virtud y la capacidad y el mérito probados» *(Dogma,* 201), una posición que lo une mucho más a los elitistas unitarios que a los federalistas. También dice que:

> La soberanía del pueblo sólo puede residir en la *razón del pueblo* y que sólo es llamada a ejercerla la parte sensata y racional de la comunidad social. La parte ignorante queda bajo la tutela y salvaguardia de la ley dictada por el consentimiento uniforme del pueblo racional. La democracia, pues, no es el despotismo absoluto de las masas, ni de las mayorías; es el régimen de la razón *(Dogma,* 201).

En resumen, a pesar de todas sus palabras piadosas sobre la reconciliación, Echeverría y toda su generación abogaron por una democracia exclusivista que incluiría a los mortales inferiores sólo cuando «la gente se convierta en un ente» *(Ojeada,* 106).

Juan Bautista Alberdi (1810-1884)

Miembro fundador de la Asociación de Mayo, abogado, escritor y padre intelectual de la Constitución de 1853 (que continuó gobernando en la Argentina hasta finales de 1994), Juan Bautista Alberdi vivió una vida solitaria a pesar de tanta actividad. Excepto por un breve periodo en el que desempeñó el trabajo de Embajador itinerante para la Confederación de Justo José de Urquiza durante mediados de los cincuenta, apenas participó en los asuntos de su país y pasó la mayor parte de su vida en el exilio, primero en Uruguay y luego en Chile y Francia. Sin embargo la Argentina fue siempre su pasión y aunque más de un siglo nos separa de él, sus ideas continúan asombrándonos por su clarividencia.

El primer ensayo importante de Alberdi, *Fragmento preliminar al estudio del derecho*, se publicó en 1837 cuando el autor tenía sólo veintiséis años. A pesar de la modestia de su título —tanto fragmentario como preliminar— el *Fragmento* muestra una independencia inusual explicando el gobierno de Rosas y el fenómeno del caudillaje en general. Favorecido por Alejandro Heredia, el caudillo de su provincia natal, Tucumán, y apoyado en sus estudios por Facundo Quiroga, caudillo de La Rioja, Alberdi llegó a sentir simpatía por los caudillos de forma natural, y es esta simpatía la que más sobresale en el *Fragmento*. Con una influencia considerable de las teorías de Friedrich Karl von Savigny sobre el *Volkgeist*, Alberdi sostuvo que un país se puede desarrollar sólo cuando sus leyes escritas están basadas en la ley orgánica (el derecho) «que vive en vital armonía con el organismo social» *(Obras completas* [*OC*], I, 105). Partiendo de esta premisa, desarrolló una disculpa impresionante para Rosas al que veía como una «persona grande y poderosa que... posee una intuición ciega del [espíritu americano] como atestigua su antipatía profunda e instintiva hacia las teorías exóticas». Entonces hace un llamamiento a los jóvenes intelectuales argentinos para que sigan «lo que el gran magistrado ha tratado de practicar con su política» estudiando «todos los elementos de nuestra existencia americana, sin plagios, sin imitaciones y sólo en el íntimo y profundo estudio de nuestra gente y nuestras cosas» *(OC*, 116-7). Por desgracia Rosas no se conmovió por el entusiasmo de Alberdi y apenas un año después, Alberdi tuvo que huir para salvar su vida a Uruguay, comenzando así una larga vida en el exilio.

El siguiente ensayo importante de Alberdi es el más conocido y de alguna forma el que menos representa su forma de ver las cosas: *Bases y puntos de partida para la organización política de la República Argentina*. Publicadas en Chile en 1852, las *Bases* tuvieron mucha influencia sobre la Constitución Argentina de 1853. Tras describir por qué han fracasado varias constituciones hispanoamericanas, Alberdi concluye que en Sudamérica sólo un ejecutivo poderoso puede producir un gobierno estable. «Dad al ejecutivo todo el poder posible», escribe, «pero dádselo a través de una constitución» *(Bases*, 352). Cita positivamente a Simón Bolívar: «Los nuevos estados de la América antes española, necesitan reyes con el nombre de presidentes» *(Bases*, 229). En *Bases* también se refiere a las necesidades económicas de la Argentina, un tema que otros escritores de la generación no atendieron por lo general. Lo primero en la prescripción de Alberdi para la salud económica es la inmigración, un interés que fue la causa de su aforismo más famoso, «gobernar es poblar». Escribe:

> Cada europeo que viene a nuestras playas, nos trae más civilización en sus hábitos, que luego comunica a nuestros habitantes, que muchos libros de filosofía... ¿Queremos plantar y aclimatar en América la libertad inglesa, la cultura francesa, la laboriosidad del hombre de Europa y de Estados Unidos? Traigamos pedazos vivos de ellas... y radiquémoslos aquí *(Bases*, 250).

Alberdi también desea atraer el capital extranjero, al igual que a los inmigrantes. Recomienda abolir todos los aranceles proteccionistas y abrir el país a las inversiones extranjeras, los préstamos y las empresas compartidas para construir ferrocarriles, desarrollar la tierra y establecer nuevas industrias. «¿No tenemos capital suficiente [para construir ferrocarriles]?», pregunta. «Entonces dejemos que el capital extranjero lo haga» (págs. 264-5). Con capital extranjero e inmigrantes todo es posible. «Abrid vuestras puertas de par en par», pide a sus conciudadanos, «a la entrada majestuosa del mundo» (pág. 272).

La caída de Rosas en 1852 y la subsiguiente división de la Argentina entre el Buenos Aires de Bartolomé Mitre y la sede de la Confederación de Justo José de Urquiza en Paraná colocó a Alberdi en una postura ideológica muy diferente de la que sostenía en las *Bases* y que recuerda a veces a su *Fragmento*. A pesar de residir en Chile en ese momento, Alberdi se juntó con Urquiza contra la hegemonía porteña y en el proceso tuvo que reevaluar sus actitudes hacia las masas argentinas y sus líderes naturales, los caudillos de provincias. El núcleo de esta reevaluación fue un debate sostenido con un antiguo aliado contra Rosas, Domingo Faustino Sarmiento, del que hablaremos en la siguiente sección. Irritado porque Urquiza no le había ofrecido un puesto de renombre ni en la lucha contra Rosas ni en el gobierno de la Confederación, Sarmiento regresó a Chile y lanzó una campaña desenfrenada contra la Confederación de Urquiza, a quien llamó «el nuevo Rosas». Alberdi respondió a los ataques de Sarmiento en cuatro ensayos famosos llamados *Cartas quillotanas* (1853), que toman su nombre de la ciudad de Quillota, el hogar temporal de Alberdi. En las *Cartas*, Alberdi identifica al enemigo más importante de la Argentina: el liberalismo argentino como se reflejaba en el unitarianismo de los viejos tiempos cuyos intentos para imponer el orden se resumían en «guerras de exterminio contra el modo de ser de nuestras clases pastorales y sus representantes naturales [los caudillos]» *(OC,* IV, 12). Ve el «periodismo de combate» de Sarmiento y Mitre como otra dimensión de la guerra de Buenos Aires contra el interior y contra la organización apropiada de la república, y se muestra particularmente furioso por el rechazo de Buenos Aires a participar en la convención constitucional de Urquiza:

> Deberíamos establecer un teorema: cualquier retraso en la escritura de la Constitución es un crimen contra la Patria, una traición a la república. Junto con los caudillos, los Unitarios, los Federalistas, con todos los tipos de personas que dan forma y viven en nuestra triste república, debemos proceder a su organización, sin ni siquiera excluir a las malas gentes, porque también forman parte de la familia. Si se les excluye, se excluye a todo el mundo, incluyéndonos a nosotros... Hay que recordar que la libertad imperfecta es la única opción que tenemos en vista de las posibilidades del país... Si se desea construir la Patria que se tiene, y no la que se desearía tener, se debe aceptar el principio de la libertad imperfecta.... El día que se crea necesario destruir y reprimir al gaucho porque no piensa igual que nosotros, escribiremos nuestra propia sentencia de muerte y volveremos a los tiempos de Rosas *(OC,* IV [Cartas], 16-17).

Este pasaje, que no es sólo una llamada al pluralismo, emplaza a Alberdi en contra del otro Alberdi, defensor de la inmigración y proeuropeo que escribió las *Bases*. También nos recuerda al Alberdi que escribió el *Fragmento* y apunta a la idea que dominaría sus escritos durante el resto de su vida.

Tras la misteriosa rendición de Urquiza a Mitre en 1861, Alberdi eligió como residencia permanente París y fue un hombre sin patria que sólo podía escribir sobre su patria. Crítico acérrimo de las presidencias tanto de Mitre como de Sarmiento, Alberdi atacó sin piedad la participación de la Argentina en la Triple Alianza (1865-1870) por la que Brasil, la Argentina y el gobierno marioneta de Uruguay conspiraron contra Paraguay. Alberdi vio la guerra como un ejemplo más de la hegemonía porteña y del miedo irracional de los liberales hacia los caudillos (ver, por ejemplo, *El Imperio del Brasil ante la democracia de América* de 1869 en *OC,* VI, 267-308). También criticó las destacadas biografías escritas por Mitre sobre Belgrano y San Martín como intentos distorsionados de exaltar Buenos Aires sobre el interior. Los agudos ataques sobre la obra de Mitre publicados sobre todo durante los años sesenta se pueden encontrar en una útil antología de la obra más tardía de Alberdi, *Grandes y pequeños hombres del Plata,* publicada en París en 1912.

Las críticas de Alberdi sobre las historias de Mitre también incluyen una de las imágenes más perdurables y seductoras del revisionismo histórico argentino moderno: la idea de que la Argentina es en verdad dos países con dos historias diferentes cuyo destino mantiene en el mismo espacio geográfico. Según el punto de vista de Alberdi, el fracaso de Buenos Aires de vivir siguiendo los ideales de la Revolución de Mayo «ha creado dos países, diferentes y separados, tras la apariencia de uno: el estado metrópoli, Buenos Aires y el estado sirviente, la República. Uno gobierna, el otro obedece; uno disfruta de la riqueza nacional, el otro la produce; uno es afortunado, el otro miserable» *(Grandes y pequeños hombres*, 107). Lo que Alberdi intenta sugerir aquí es una alternativa a la historia oficial desarrollada y promovida por Mitre y otros historiadores pro-porteños. Las ideas de Alberdi siguen resonando en casi todas las discusiones que los argentinos tienen sobre su nación. Los liberales y los tradicionalistas económicos citan las *Bases* sin parar, mientras que su defensa de los caudillos, su reivindicación de las clases bajas rurales y sus ataques sobre las pretensiones porteñas tienen su eco en los escritos nacionalistas tanto de izquierdas como de derechas.

En 1878, Alberdi regresó a la Argentina ya siendo un viejo agotado y a veces confuso. A pesar de que el gobierno de reconciliación de Nicolás Avellaneda, presidente después de Sarmiento, trató de darle la bienvenida, pronto se cansó de atenciones públicas y regresó a París en 1881, donde murió solo en 1884.

Domingo Faustino Sarmiento (1811-1888)

A pesar de estar asociado con la generación de 1837, Domingo Faustino Sarmiento conoció a la mayoría de sus miembros mucho después de que la Asociación se hubiese roto. Nacido y criado en la aislada provincia de San Juan, hijo de un padre de mala vida y de una madre ambiciosa y único varón de una descendencia de hijas, Domingo Faustino Sarmiento fue presidente de la República, gobernador y más tarde senador de su antigua provincia, embajador en los Estados Unidos y Ministro de Educación. A lo largo de su vida fomentó sin descanso la educación pública fundando escuelas en cualquier lugar a donde iba y llenándolas de profesores venidos de escuelas normales, que también fundó. Además de estos logros también escribió constantemente sobre temas que fueron desde la historia hasta la teoría social, la biografía o la filosofía. Sus libros, artículos, manuales educativos y correspondencia llenan cincuenta y dos volúmenes, todos reconocibles por un estilo de prosa característico por su fluidez, riqueza expresiva y sincronía impecable. Aún así, a pesar de sus logros y renombre, Sarmiento fue una figura controvertida durante su vida y aún inspira el mismo número de críticas que de alabanzas. Para ser justos se debe señalar que los argentinos que lo critican probablemente aprendieron a hacerlo en las escuelas que él fundó.

Sintiendo la llamada de la grandeza, Sarmiento siempre se vio atraído por la política. Casi todos sus escritos apoyan de una forma u otra su objetivo político, juzgando, prescribiendo remedios y llamando la atención del lector sobre su erudición y sus conocimientos sobre otras culturas. Por alguna razón sus contemporáneos lo apodaron «Don yo». Con sólo diecisiete años, Sarmiento se enroló en el ejército unitario en una rebelión contra el caudillo local y cuando tenía diecinueve le exiliaron a Chile, donde fue maestro, leyó todo lo que pudo, aprendió a leer inglés y francés y comenzó a escribir artículos de periódico. Más tarde, en 1840, tras un tiempo corto en San Juan otra vez, Sarmiento regresó a Chile y se hizo una figura destacada en la vida intelectual chilena, a menudo a través de frecuentes colaboraciones en los periódicos locales y discusiones con casi todo el mundo, y sobre todo con Andrés Bello. También en Chile, entre 1840 y 1852, publicó sus memorables ensayos, tan extensos como libros.

El primero fue *Civilización y barbarie: vida de Juan Facundo Quiroga*, llamado normalmente *Facundo*, publicado en Chile en 1845 y probablemente el ensayo hispanoamericano más importante del siglo XIX. Sarmiento planeó en un principio escribir una biografía sobre Quiroga, el hombre que le exilió por primera vez de la Argentina, pero la impaciencia le llevó a escribir citando pocas fuentes que no fueran rumores y su gran imaginación. No sin causa solía decir: «Las cosas hay que hacerlas. Salgan bien o salgan mal, hay que hacerlas». Pero justo cuando empezó a escribir, el gobierno argentino, ofendido por los ataques de Sarmiento a Rosas, pidió su extradición. El presidente chileno, Manuel Bulnes, rechazó cumplir la orden pero urgió a Sarmiento a que suavizara su crítica. Sarmiento, que no era dado a la suavidad, dio un giro a su biografía sobre Facundo para convertirla en una acusación convincente contra Rosas en particular y el caudillismo en general.

Dado el tema, Sarmiento produjo un texto inusualmente complejo, en parte biografía, en parte historia, en parte sociología, en parte comentario político y, en todo caso, algo más que la suma de todo esto. A grandes rasgos, podríamos decir que *Facundo* tiene dos objetivos primordiales. Primero, es una explicación del fracaso nacional como el resultado de la barbarie. Segundo, *Facundo* prescribe remedios para el fracaso que, a su debido tiempo, harían de la Argentina una nación civilizada. La civilización enfrentada a la barbarie son las opciones que nos da Sarmiento, y no permite posiciones intermedias.

Sarmiento atribuyó el fracaso de la Argentina a tres causas básicas: la tierra, la tradición hispano-católica del área y la raza de la mayoría de sus habitantes. En un razonamiento influido por *De l'Esprit des lois* de Montesquieu, sostiene que «el mal que afecta a la República Argentina es su vasto vacío» *(Facundo*, 19). Este vacío, que se encuentra sobre todo en la pampa (que Sarmiento nunca había visto), produjo una personalidad colectiva que, por muy pintoresca que fuese, era, para Sarmiento muy inapropiada para la civilización moderna. Buenos Aires, nos dice, sería una ciudad europea civilizada si «el espíritu de la Pampa... no hubiese soplado sobre ella» (pág. 22). Los caudillos, según el punto de vista de Sarmiento, son la reencarnación del «espíritu de la Pampa» y Rosas es un bárbaro nacido «del profundo vientre de la tierra argentina» (pág. 10). Describe largamente las costumbres gauchas y cómo éstas son paralelas a las de las poblaciones nómadas en similares «topografías y climas de África y Norteamérica». Tales similitudes son prueba de la barbarie gaucha que explica a su vez por qué caen tan fácilmente bajo la dominación de los caudillos. La condena de Sarmiento hacia los gauchos, sin embargo, no está exenta de ambivalencias. Sarmiento, el escritor romántico, encuentra a los gauchos atractivos, como indican sus bellos retratos de los tipos, costumbres, canciones y poesías gauchas (págs. 21-34). Por el contrario, Sarmiento el progresista liberal no ve un lugar para los gauchos en un estado argentino moderno. Y de hecho, en su vida pública buscó constantemente erradicar la vida gaucha e india, a través del exterminio si era necesario y forzar a los supervivientes a que vieran la civilización como él la veía: una Argentina moderna y europeizada.

Una segunda fuente de la barbarie para Sarmiento era la tradición hispanocatólica de los antecesores coloniales argentinos. Se lamenta repetidamente de que la Argentina fuese colonizada por «la hija retrasada de Europa», un país caracterizado por «la Inquisición y el absolutismo español» y atribuye a España la «falta supina de capacidad política e industrial que los tiene inquietos y revolviéndose sin norte fijo, sin objeto preciso, sin saber por qué no pueden conseguir un día de reposo, ni qué mano enemiga los echa y empuja al torbellino fatal que los arrastra, mal de su grado, y sin que les sea dado sustraerse a su maléfica influencia» (pág. 8[2]). España, según su visión era la cuna de la barbarie, un padre que debería ser expulsado y sustituido.

Por último, *Facundo* atribuye el fracaso de la Argentina a la inadecuación de las «razas» del área, un término que Sarmiento usa para connotar la cultura al

[2] En *Facundo*, Planeta, Barcelona, 1986.

igual que la sangre. Un punto muy desafortunado, en su opinión, son los individuos de sangre mezclada que tras 300 años de mezcla racial incluían virtualmente a todas las clases bajas argentinas. Siguiendo las teorías racistas del momento, Sarmiento escribe:

> De la fusión de estas tres familias [la española, la africana y la indígena] ha resultado un todo homogéneo, que se distingue por su amor a la ociosidad e incapacidad industrial, cuando la educación y las exigencias de una posición social no vienen a ponerle espuela y sacarla de su paso habitual. Mucho debe haber contribuido a producir este resultado desgraciado, la incorporación de indígenas que hizo la colonización. Las razas americanas viven en la ociosidad, y se muestran incapaces, aún por medio de la compulsión, para dedicarse a un trabajo duro y seguido. Esto sugirió la idea de introducir negros en América, que tan fatales resultados ha producido. Pero no se ha mostrado mejor dotada de acción la raza española, cuando se ha visto en los desiertos americanos abandonada a sus propios instintos (pág. 26).

Sarmiento vincula explícitamente el éxito de Rosas con el apoyo de los «lomos negros» de sangre mezclada (pág. 130) y defiende que Rosas mantuvo el poder a través de una «celosa red de espías» de criados negros de una «raza salvaje» emplazada «en el pecho de cada familia de Buenos Aires» (pág. 153).

Una vez así descritas las fuentes del barbarismo, Sarmiento puede empezar a atacar a sus principales manifestaciones: los caudillos, Quiroga y Rosas. El caudillo, escribe, es la «expresión fiel de una manera de ser de un pueblo, de sus preocupaciones e instintos» (pág. 13). Es un enemigo predeterminado del progreso, el hombre natural salido del suelo salvaje americano y también heredero de la tradición medieval española (pág. 29). Su subida al poder está «predestinada, es inevitable, natural y lógica» (pág. 25). Sarmiento postula un vínculo místico entre las masas y su líder por el que el caudillo articula y lleva a cabo el deseo rudimentario de las masas (pág. 145). El punto crucial en el razonamiento de Sarmiento, sin embargo, es que el progreso llegará no gracias a la anulación de los caudillos sino a través del cambio en las circunstancias gracias a las cuales ellos emergen.

Para cambiar la tierra, Sarmiento defiende el desarrollo económico basado en unos puntos sustancialmente semejantes aunque menos detallados que los de Alberdi: construir ferrocarriles y líneas de telégrafo, establecer la navegación de los ríos y construir cercados. Para cambiar la raza la solución es atraer inmigrantes hacia las costas argentinas, darles tierra (que se ha de quitar a los gauchos y los indios que, si no hay más remedio, pueden ser exterminados) y un lugar para que ejerciten su propia fe. Para reemplazar la cultura hispánica es necesario atraer aún a más inmigrantes y construir escuelas por doquier para educar a los locales al modo europeo. Todo esto lo hicieron Sarmiento y su generación con notable energía y éxito. Pero, como veremos ahora, Sarmiento murió pensando que había fracasado, tal vez porque la tarea que se propuso era demasiado grande para una sola persona.

Facundo no fue de ningún modo el último ensayo de Sarmiento, pero anticipa casi todos los temas de la producción posterior del autor. Otros ensayos importantes incluyen su deliciosa obra en tres volúmenes: *Viajes por Europa, África y América*. Publicado en 1849 tras un viaje de tres años por España, Francia, Italia, Alemania, Suiza, norte de África y los Estados Unidos, los *Viajes* de Sarmiento ensanchan temas que ya hemos visto antes. Como anticipaba en *Facundo*, critica a los países mediterráneos, encuentra España bárbara y primitiva, Italia empobrecida y avarienta, y Francia desorganizada y sucia. Por el contrario Alemania y Suiza resultan válidas para su emulación y el autor explora las posibilidades de atraer inmigración de estos países hacia Sudamérica. Lo más fascinante para él fueron los Estados Unidos, en los que pasó temporadas en casi todas las regiones al este del Mississippi. A pesar de que también criticó a los Estados Unidos, dejó el país sintiendo que ofrecía el mejor modelo para que la Argentina lo emulase.

También fruto de sus viajes fue un informe, también de 1849, para el gobierno chileno, titulado *Educación popular,* en el que detalla las observaciones sobre los sistemas educativos de los países que visitó y elabora recomendaciones para establecer un sistema de educación pública en Chile. Muchas de estas ideas —la necesidad de financiación independiente de las escuelas públicas, el jardín de infancia, el tamaño de las clases, la naturaleza de los edificios, la educación de los maestros, etc.— muestran la influencia de Horace Mann y aparecen en ensayos posteriores, sobre todo en *Memoria sobre educación común,* de 1856, y *Las escuelas —base de la prosperidad y de la república en los Estados Unidos,* de 1866.

Poco después de su regreso a Chile, Sarmiento recibió noticias de la rebelión de Urquiza contra Rosas. Eufórico, Sarmiento escribió rápidamente un largo ensayo titulado *Argirópolis*, publicado en 1850 y dedicado a Urquiza. *Argirópolis*. Un largo tratado sobre cómo organizar la Argentina, *Argirópolis* repite las ideas que ya se encuentran en *Facundo,* pero en un plano tan abstracto que hace que nos cuestionemos el conocimiento que Sarmiento tenía del país que iba a gobernar algunos años después. Es particularmente graciosa para los críticos su intención de situar la capital de la nación en la isleta de Martín García, un lugar aislado, totalmente inapropiado y lleno de insectos pero céntrico. En suma, el libro está concebido totalmente en el plano abstracto y muestra cuán poco práctico podía ser Sarmiento aunque sonara muy bien.

Urquiza no prestó mucha atención a *Argirópolis* y cuando Sarmiento se unió a las tropas de éste en la campaña contra Rosas, sólo recibió un cargo menor como editor de boletines diarios, puesto que sentó muy mal a Sarmiento. Consternado por el rechazo de Urquiza a abandonar los colores federalistas, Sarmiento se fue de Buenos Aires poco después del triunfo de éste regresando a la larga a Chile, en donde escribió una carta abierta a Urquiza, la *Carta de Yungay*, fechada el 13 de octubre de 1852, en la que denuncia a Urquiza como «el nuevo Rosas», cuyo comportamiento «requeriría la indulgencia de la historia» *(OC,* XV, 25-34). En el mismo año también escribió *Campaña en el ejército grande*, una narración entretenida aunque calumniosa del triunfo de Urquiza sobre Rosas y un ataque a la convención constitucional de Paraná. Alberdi defendió a Urquiza en las ya mencionadas *Cartas quillotanas*. Las cartas públicas de respuesta de Sarmiento se pueden encontrar en *Las ciento y una* de 1852 cuya vacuidad intelectual sólo es comparable a los soberbios epítetos del autor. Llama a las *Cartas quillotanas* «una mezcolanza... endulzada con una salsa dialéctica de arsénico» y se refiere a Alberdi como «un tonto estúpido que ni siquiera puede mentir bien y que no sospecha que hace vomitar a la gente» *(OC,* XV, 147), «[que] tiene la voz de mujer y el valor de un conejo» (XV, 181). En 1855, Sarmiento se unió al gobierno de Mitre en Buenos Aires e inmediatamente vio crecer su fortuna política. Tras ser el embajador del gobierno de Mitre en los Estados Unidos, fue elegido como presidente en un gobierno de seis años que comenzó en 1868. Continuó escribiendo durante este periodo pero no publicó ningún ensayo de importancia hasta que dejó la presidencia. Luego, en 1883, cinco años antes de su muerte, publicó los dos últimos volúmenes de su último ensayo famoso, *Conflictos y armonías de las razas en América*.

Descrito por el propio Sarmiento como un «*Facundo* envejecido», *Conflictos y armonías* es una obra triste. Al igual que *Facundo*, *Conflictos* es una explicación del fracaso; sin embargo, y al contrario que *Facundo*, no ofrece ninguna alternativa optimista. A pesar de que la Argentina de los años 80 del siglo XIX estaba en pleno crecimiento, Sarmiento vio fraudes en cada esquina y que los inmigrantes que él había intentado atraer eran latinos en vez de germanos y muy resistentes a la asimilación. Además, durante la presidencia de Julio Argentino Roca, que comenzó en 1880, Sarmiento detectó el comienzo de un nuevo tipo de caudillismo basado en el personalismo, el fraude y el patronaje que frustraba el gobierno institucional al igual que lo había hecho el gobierno de Rosas y sus militares medio siglo antes.

Para explicar este nuevo barbarismo, Sarmiento volvió a una de sus teorías preferidas descrita en *Facundo:* el fracaso debido a la raza. Examina la historia nacional de cada país americano y señala que sólo los Estados Unidos tenían una democracia realmente enraizada en la que los inmigrantes eran asimilados y se convertían en nuevos yanquis. A renglón seguido y haciendo referencia al eugenismo europeo, defendió que la única diferencia entre los países de América del Norte y del Sur es la raza. Luego añade que de todas las gentes cristianas sólo «las razas latinas en América no han sido capaces durante más de setenta años de organizar un gobierno duradero y efectivo» *(OC,* XXXVIII, 273). Él siente que la Argentina está mejor situada que el resto de los países hispanoamericanos porque tiene más habitantes blancos. Por el contrario, un país como Ecuador «tiene un millón de habitantes, de los cuales sólo 100.000 son blancos. Resultado: tres hombres fuertes militares construyen casi toda su historia» (XXXVIII, 282-3). Tal vez *Conflictos* es el único final posible para *Facundo*, ya que Sarmiento define el éxito en términos tan inalcanzables. La tierra, la herencia cultural y la raza eran simplemente demasiado indelebles para ser eliminados.

Otros ensayistas

Otro ensayista digno de mención en el Río de la Plata es Olegario Andrade (1839-1882). Conocido sobre todo como poeta, Andrade escribió un ensayo de importancia, *Las dos políticas*, probablemente de 1866, en el que denuncia la hegemonía de Buenos Aires sobre las provincias y defiende que la disputa política entre los unitarios porteños y los federalistas fue en esencia una rencilla familiar que enmascaró la verdadera dicotomía de Buenos Aires contra las provincias. Es también importante José Hernández (1834-1886), más conocido por su famoso poema, *El gaucho Martín Fierro*. Los mejores ensayos de Hernández se encuentran en los artículos que escribió para el periódico *El Río de la Plata* (1869) en los que presenta una cuidada defensa de los intereses provinciales en contra de las políticas centralistas del presidente Sarmiento. Tanto Hernández como Andrade fueron críticos acérrimos de la Guerra Paraguaya. Por último es necesario mencionar a Carlos Guido y Spano (1827-1918). Hijo de Tomás Guido, que representó a Rosas en Brasil, Guido y Spano pasó una gran parte de su vida tratando de escapar de la reputación de su padre. Escribió también algunas poesías muy bellas y dos volúmenes de ensayos que llamó *Ráfagas* (1879). A pesar de que la política ocupa una gran parte de la atención de Guido y Spano, sobre todo con sus enérgicas críticas a Mitre, Sarmiento y la Guerra Paraguaya, también dejó geniales ensayos sobre literatura, caracterizados por una prosa hermosa y unas referencias muy cuidadas a la literatura clásica.

[17]

EL ENSAYO EN MÉXICO, CENTROAMÉRICA Y EL CARIBE EN EL SIGLO XIX

MARTÍN S. STABB

Ya que en las primeras décadas del siglo xix la parte norte de Hispanoamérica, excepto Cuba y Puerto Rico, acababa de proclamar su independencia, no es sorprendente que las muchas cuestiones suscitadas por el tema del carácter nacional (conseguido o deseado) fuesen un interés prioritario entre los ensayistas de la región. Por ello el ensayo pretendió ser un género «serio», en constante contacto con las realidades de la época, con lo que los hispanoamericanos a menudo llaman la «problemática nacional». A pesar de que se produjeron más ensayos literarios —aquellos textos en los que el autor da rienda suelta a la imaginación, a la especulación sobre las preguntas eternas, a la escritura donde la elegancia estilística, los juegos de palabras o el humor se sobreponen al contenido—, las obras que más se recuerdan son las que reflejaron los problemas más acuciantes del periodo. Aunque algunos autores buscaron formulaciones originales, o al menos «americanas» a los problemas, la mayoría de las veces fueron guiados por el pensamiento social y político europeo ya existente. Por ello, durante la primera mitad del siglo el pensamiento de la Ilustración estaba muy en evidencia, mientras que en la segunda mitad dominaron la escena varias versiones del positivismo y el organicismo social.

Nuestro estudio comienza con México y la obra de José Joaquín Fernández de Lizardi (1776-1827). Más conocido por su larga y laberíntica novela *El periquillo sarniento* (México, 1816), además de otras obras de ficción didáctica, Lizardi fue también un prolijo periodista y escritor de panfletos: sus mayores logros en esta área fueron *El pensador mexicano* (México, 1812-1814), la *Alacena de frioleras* (México, 1815), el *Conductor eléctrico* (México, 1820), las *Conversaciones del payo y el sacristán* (México, 1824-1825), el *Correo semanario* (México, 1826-1827) y una cantidad de tratados y panfletos dispersos. Como Benjamin Franklin, su equivalente norteamericano, llegó a publicar varios almanaques-calendarios.

No existe un ensayo o un libro de ensayos entre su vasta producción que pueda destacarse como obra definitiva. Más aún, muchos de sus textos explicativos desafían cualquier intento de clasificación genérica: por ejemplo, a menudo utiliza «diálogos» como vehículo de sus ideas. En otras ocasiones, moldea sus «ensayos» bajo la forma de alegorías apenas ficcionalizadas en las que la «Verdad» o la «Experiencia» aparecen ante el autor durante un sueño y proceden a guiarle a través de la ciudad o el universo. Aunque revela muchísimas lecturas y un alcance enciclopédico, en cuanto a su temática, se nota en él un constante intento de llegar a un público de intelecto sólo modesto. Su frecuente, e importante a nivel histórico, uso del argot, de los mexicanismos y similares, es una prueba más de ello. A pesar de que Lizardi fue rara vez un ensayista en el sentido clásico del término, este sustancial corpus de prosa no novelesca genéricamente mezclada se sitúa bajo la rúbrica amplia del «ensayismo» debido, sobre todo, al deseo ardiente del autor de convencer y moldear las opiniones de sus lectores.

Muy pocos investigadores dirían que Lizardi fue un pensador original o ni siquiera muy riguroso a la hora de adaptar las ideas de otros a su propia escritura. En términos generales es un reflejo de la Ilustración del siglo XVIII aunque en la mayoría de los casos se apartó de las posturas más radicales o revolucionarias del pensamiento del siglo. Su pensamiento político durante las luchas por la independencia se caracteriza por las dudas, las ambigüedades y el compromiso. Pudo atacar ciertos aspectos del régimen colonial español como la Inquisición *(Obras*, III, 172-88) pero siguió considerando a Hidalgo y a los primeros insurgentes como problemáticos y culpables de una «falta de tacto reprensible» *(Obras*, III, 247). Sin embargo, tras sufrir la censura a pesar de las promesas de la constitución liberal española y tras su desencanto con el mal concebido movimiento de Iturbide, Lizardi surge como un defensor de una independencia genuina. El establecimiento del primer gobierno autónomo de la región y la adopción de la Constitución de 1824 lo llevaron a escribir algunos de sus ensayos más interesantes. Dos de ellos, «Pragmática de la libertad» y la «Constitución política de una república imaginaria», aparecieron en su muy ameno periódico de corte popular: *Conversaciones del payo y el sacristán*.

La «Constitución política» es un maravilloso ejemplo de los puntos débiles y los fuertes de Lizardi a la hora de escribir y pensar. Como muchos de sus textos, está enmarcado en un diálogo en vez de en una forma ensayística más convencional. Los interlocutores, el payo (rústico o patán) y el sacristán un poco más culto, forman una pintoresca pareja para hablar de teoría política, economía, criminología, etc. El lector puede sospechar que Lizardi —siempre el educador— esperaba que el ambiente mexicano de su época se sintiese identificado con estos personajes y se involucrase más en los asuntos públicos. Así, cuando el humilde payo sugiere que los ciudadanos ordinarios no poseen la educación y la base para escribir leyes y reformar la nación, el exaltado sacristán le informa de que el patriotismo y las buenas intenciones pueden suplir esta carencia: «He visto rancheros que parecían hombres de letras y hombres de letras que parecían rancheros: ¡Diablos, vamos a empezar a describir nuestra república como queramos!» *(Obras*, V, 16).

Los 116 artículos de la «Constitución» revelan una curiosa mezcla de nociones fundamentales serias sobre política junto a muchos detalles triviales y tal vez festivos. En una sección seria sobre la tenencia de tierras y la reforma, Lizardi hace un llamamiento para que se limiten las propiedades a sólo cuatro «leguas cuadradas». Apunta a que en México hay mucha gente rica que tiene «diez, o más haciendas, y algunas que no se pueden andar en cuatro días, al mismo tiempo que hay millones de individuos que no tienen un palmo de tierra propio». *(Obras*, V, 435). Las secciones que tratan sobre organización gubernamental, crimen y castigo, economía, libertad de expresión y el papel de los militares son especialmente ricas. En lo referente al gobierno, encontramos que Lizardi es un defensor de la separación de poderes y un defensor militante del decoro legislativo: los miembros de la Iglesia, mientras fueran aptos para ser elegidos como diputados, tendrían que abstenerse de los votos relacionados con los intereses de la Iglesia. Esto sólo es un atisbo de la vasta producción ensayística de Lizardi. Repartidas entre la páginas de *El pensador*, la *Alacena*, las *Conversaciones* y sus otros muchos trabajos, encontramos pruebas de un increíble abanico de intereses: la reforma (que no la abolición) de las corridas de toros, notas críticas sobre el juego, ataques a los mercaderes que venden caro, la reforma del ejército, comentarios sobre la tiranía de la moda, dardos dirigidos a doctores y farmacéuticos, los beneficios del comercio libre, discusiones sobre educación elemental y muchos otros temas. Podía escribir una de las prosas más sofocantes que se puede encontrar en lengua española, pero también podía escribir páginas muy ricas en humor de corte popular. A veces revela un desdén de la clase media o alta hacia la gente ordinaria, pero aparentemente disfrutó representando el lenguaje corriente, las debilidades e idiosincrasias de los payos y los pícaros que pueblan sus páginas.

Como sugieren los escritos de Lizardi, la ruptura de México con España fue, excepto en el nivel estrictamente político, bastante superficial. El legado colonial de una iglesia conservadora y poderosa económicamente, de un ejército autosuficiente y corrupto y de una burocracia administrativa inepta, siguió atormentando la nación durante las primeras décadas de Independencia. En la obra de historiadores, pensadores y ensayistas, ciertos términos clave pronto comenzaron a reflejar el deseo de mejorar la joven república: así las palabras *Liberalismo* y *reforma* dominaron la obra de muchos intelectuales. Los últimos años de la década de los 50 del siglo XIX fueron testigos de la institucionalización de estos conceptos en las Leyes de la Reforma, cuya adopción ven los mexicanos como un momento cumbre en la historia de la nación. Varios escritores reflejaron la reforma y el génesis del partido liberal mexicano: José María Mora (1794-1850), Manuel C. Rejón (1799-1849) y Miguel Ramos Arizpe (1775-1843). Durante el mismo periodo, Lucas Alamán (1792-1853) levantó una voz fuerte en defensa del tradicionalismo. Pero con la posible excepción de Mora estos escritores fueron esencialmente historiadores y no ensayistas. En cambio, Ignacio Ramírez (1818-1879), apodado

«El Nigromante» no sólo representa la tradición reformista-liberal en pleno florecimiento sino que también es un hombre de letras de mérito considerable.

Al igual que Lizardi, Ramírez fue un polígrafo y sería difícil encontrar un sólo ensayo que resuma la esencia de su pensamiento. Al contrario que el *Pensador mexicano*, Ramírez no se identificaba lingüística o psicológicamente con las clases bajas a pesar de que apreciaba el potencial intelectual del mexicano ordinario, sobre todo del indio. Su estilo literario es correcto, limpio y tal vez más formal que el de su predecesor. Como miembro del gabinete de Juárez se involucró mucho en la política, y muchos de sus artículos periodísticos, discursos y cartas reflejan sus intereses políticos. Como Lizardi, se interesó mucho por la educación. Pero por lo que más se recuerda a Ramírez es por su ataque incesante a la religión, más específicamente a la versión del Catolicismo que España llevó al Nuevo Mundo. En efecto, es a menudo difícil determinar si su objetivo principal es la Iglesia como institución religiosa o como expresión de los valores españoles. Desde luego no hay duda acerca de la actitud básica de Ramírez hacia la madre patria: «Nadie debería hacerse ilusiones; la última nación del mundo a la que otros países desearían parecerse es la española... Una sola gota de sangre española, cuando ha corrido por las venas de un americano ha producido... a los Santa Ana, ha engendrado traidores» *(Obras*, I, 319).

Lo que parece molestar más a Ramírez sobre el papel español en México es que las instituciones, los valores y las actitudes ibéricas representaban una cultura global y ajena impuesta sobre la sociedad nativa y la mestiza naciente. En uno de sus textos más significativos, el discurso de Mazatlán del 16 de septiembre de 1863, deja muy claro este punto: «México fue la nueva España; baile andaluz, los festejos idolátricos de los pueblos castellanos, los ridículos trajes de la corte, la literatura gongorina dominando el púlpito y el foro... y los santos, haciéndose cargo de nuestros placeres, nuestras penas... nuestras mesas del comedor y nuestras camas; todo era español: para ir al cielo había que pasar primero por España» *(Obras*, I, 152). En otros contextos Ramírez censura a la Iglesia sobre el divorcio, el celibato del clero y sobre otros temas. Como uno de los autores principales de la Reforma insistió en que la Iglesia sólo debía existir dentro de y subordinada al gobierno secularizado: retiraría la ciudadanía a los clérigos que buscasen privilegios políticos o económicos debido a su estatus especial. En último término, Ramírez también puso objeciones al uso de la frase «En nombre de Dios», al comienzo de la nueva Constitución mexicana de 1857. Así, explica su posición señalando que esta invocación sugiere que el documento y el gobierno que viene a establecer, existen por virtud del derecho divino.

Las ideas básicas de Ramírez sobre la forma del nuevo gobierno de México y su relación con la sociedad están muy ligadas a su reacción contra la herencia colonial española. Por ello no es sorprendente que apoyase la libertad religiosa y de prensa. Pero Ramírez fue aún más allá de estas posiciones bastante típicas del liberalismo cuando presionó a favor de los derechos del niño, por la protección legal de los ilegítimos y en especial por los derechos de la mujer. Su actitud, aunque no muy avanzada en comparación con las actuales, representa una visión bastante abierta para mediados del siglo XIX: «Se ha pretendido en todas partes fundar la inferioridad social de la mujer en la inferioridad de su organización; para hacer más grande esta inferioridad, se la ha confundido con la diversidad de funciones y con algunos impedimentos pasajeros; y de una inferioridad verdadera o exagerada, se ha deducido una degradación en los derechos, que no se aplica a los hombres sino cuando la ciencia y el fallo judicial los declaran insensatos» *(Obras*, II, 234-5). Y en sus extensos escritos sobre la educación refutó vigorosamente a aquellos que sostuvieron que las mujeres eran inferiores declarando, con alguna reserva de importancia menor, que «la instrucción de las mujeres debe ser igual a la de los hombres» *(Obras*, II, 186).

Sobre cuestiones más técnicas de formas y funciones gubernamentales Ramírez presionó para que los oficiales fueran de elección directa (temía el politiqueo de cuerpos electorales mediadores) y para que se estableciera un gobierno local independiente y activo. Los problemas se resuelven mejor, según sostenía, «de raíz»; también creyó que ni los gobiernos utópicos del futuro ni los centrales ya existentes funcionan con mucha eficacia. En algunos de sus escritos se deja sentir un tono casi anarquista. Por ejemplo, en una pieza corta de 1868, «Principios sociales y principios administrativos», llega tan lejos que afirma: «Difícil es probar la bondad y necesidad de los gobiernos; pero a nadie se oculta que ese sistema de entregar los negocios comunales a forzosos apoderados, engendra la corrupción y la tiranía» *(Obras,* II, 7). En resumen, Ramírez está de acuerdo en que el hombre no puede vivir aislado, en que las asociaciones productivas «naturales» son necesarias, pero cree que el gobierno, y en especial el central, siempre estará enfrentado a estas agrupaciones menos formales pero más genuinas.

Sin embargo, sería erróneo hacer énfasis en esta tendencia similar a la anarquía del pensamiento de Ramírez. Típica del liberalismo del siglo XIX, su crítica hacia la administración gubernamental deriva más de su fe en el papel progresivo y «positivo» de la actividad económica libre —el *laissez-faire*— que de ningún tipo de creencia en la anarquía genuina. Tal vez su afirmación más extrema sobre este tema, y que revela el creciente positivismo del periodo, aparece en el mismo ensayo: «A partir de ahora el mundo no se estudiará según reyes o congresos, sino por bancos, compañías, organizaciones empresariales en las que incluso los más pobres se pueden hacer ricos, donde el dinero público no paga celebraciones reales ni enormes monumentos... sino más bien ferrocarriles, ilustración científica, asilos para los desgraciados, instituciones educativas para nuestros jóvenes y en amasar capital» *(Obras*, II, 89).

Al contrario que algunos darwinistas sociales de finales del siglo XIX, Ramírez creyó que los nativos americanos podían ser educados completamente. Más aún, sintió que la mejora del indio mexicano, cuyo sino no había cambiado con la independencia era claramente una responsabilidad importante de la nación. Pareció estar muy interesado en preservar la herencia cultural y lingüística india pero no deseó que los indios siguieran con su vida de pintoresco aislamiento: «Deben figurar con toda la actividad de su inteligencia... en la industria, en la agricultura, en el comercio, en la política y en el teatro de la civilización y del progreso» *(Obras*, II, 183). Para conseguir todo esto recomienda que no se les catequice, ni se les enseñe metafísica o historia clásica. En vez de ello, los indios —mujeres y hombres— deben recibir una educación moderna centrada en la ciencia, la ley, el civismo, etc. Por fin, en una nota que prefigura la visión básica del pensamiento indigenista del siglo XX, Ramírez sugiere que «los indígenas deben conocerse a sí mismos» *(Obras*, II, 184).

Durante las dos décadas transcurridas desde la reforma de 1857 hasta la muerte de Ramírez en 1879, México vivió una transición importante. Los complejos detalles del periodo no se pueden discutir aquí: es suficiente señalar que para finales de los años 70 el régimen autoritario de Porfirio Díaz, basado en una filosofía sociopolítica poco definida pero persuasiva, el Positivismo, se aseguró firmemente bajo las órdenes del presidente y sus consejeros, los «científicos». Es difícil establecer un juicio conciso y objetivo sobre el Porfiriato. Justo Sierra (1848-1912), un importante ensayista que tuvo cargos importantes dentro del régimen y fue a pesar de ello uno de sus críticos más articulados, es probablemente el mejor portavoz del periodo. También contribuyó o dirigió varios de los periódicos más importantes del periodo, fue miembro de la Cámara de Diputados, Juez de la Corte Suprema, Subsecretario y luego Ministro de Educación Pública y, finalmente, uno de los fundadores —si no el espíritu guía— de la Universidad Nacional. Además de todas estas actividades, encontró tiempo para escribir quince volúmenes de prosa explicativa. Hoy es tal vez más conocido por su historia interpretativa, *México: su evolución social* y su biografía histórica, *Juárez, su obra y su tiempo* (México, 1905). Sierra no fue un estilista literario comparable a su contemporáneo sudamericano, José Enrique Rodó, o a su compatriota del siglo XX Alfonso Reyes: pero sus escritos históricos, sus discursos y sobre todo sus piezas periodísticas revelan cualidades típicas de la mejor escritura ensayística, especialmente la habilidad de centrarse en temas específicos en un contexto muy amplio.

A primera vista Sierra parece ser el típico defensor de esa distintiva mezcla de positivismo y darwinismo social que llegó a dominar una gran parte de Hispanoamérica durante las últimas décadas del siglo XIX. Algunas citas de sus textos parecen apoyar con fuerza este punto de vista; por ejemplo: «La palabra *organización social* no es una metáfora; es la expresión de un hecho biológico: la sociedad es un organismo en el sentido genuino de la palabra» *(Obras*, V, 213). Si lo examinamos más de cerca, sin embargo, es claro que Sierra veía a la humanidad y a la sociedad en términos mucho más amplios que aquellos asociados con un cientifismo concebido de forma estrecha. Sus polémicas con algunos positivistas radicales —Gabino Barreda, por ejemplo— lo demuestran. En un excelente ensayo de 1874 que trata el tema de cómo incluir la filosofía en el programa de la Escuela Nacional Preparatoria, acepta el Positivismo como método, pero no como visión general del mundo: «Creemos en la existencia del espíritu... porque, en resumidas cuentas, hay en el hombre algo de espontáneo y original, hay ese *quid proprium* del que habla el eminente Claudio Bernard... y eso que no pertenece ni a la química ni a la física... eso entra en la zona de las ideas, esos son los derechos del espíritu» *(Obras*, VIII, 23). Es significativo que escribiera esto a los veinte y pico años; y es que su falta de confianza en la ortodoxia, ya fuera esta filosófica o científica, se hizo evidente a lo largo de su carrera. Unos treinta y cinco años después, su magnífico «Discurso en el teatro Arbeu» (Ciudad de México, 1908), a menudo referido como el discurso del «Dudemos», ilustra la persistencia y desarrollo de esta actitud básica. En él expresa algunas ideas muy modernas sobre las limitaciones de la ciencia, la necesidad de la «discusión perpetua» y la revisión de los conceptos científicos.

La honestidad intelectual de Sierra y su receptividad fundamental son especialmente evidentes en su análisis de las necesidades de la educación en México. Este tema, además, se puede ver como la clave de su pensamiento, ya que en un sentido muy real «El Maestro», como se le llamaba, veía la nación entera como una amplia aula: su pensamiento político, sus ideas sobre la sociedad y su visión de la cultura mexicana en el futuro, estaban unidas inextricablemente a esta visión básica. Por debajo de sus muchos ensayos, artículos y discursos sobre la educación se encuentra una idea muy simple: la gente, virtualmente toda la gente, puede ser educada. Se debería señalar que esta noción aparentemente inocente se podía discutir, y de hecho se discutía, en el México del siglo XIX. Muy vinculada a esta creencia estaba su convicción de que la educación debía ser obligatoria en cualquier sociedad democrática viable. Recordando la experiencia mexicana durante los primeros años de Independencia, Sierra señaló que en los lugares en los que la democracia formal existe sin una educación efectiva, libre y obligatoria, pronto degenera y la gente cae en manos de la corrupción y la tiranía. La educación era central para el pensamiento de Sierra por otra razón fundamental: como persona que aceptaba el organicismo social —con alguna reserva— sostuvo que para que el proceso de selección funcionara correctamente se debía proporcionar un sistema educativo primario de base muy amplia, junto a sus componentes secundarios y más elevados.

Los Estados Unidos a menudo sirvieron a Sierra como modelo de desarrollo y modernidad. Sin embargo, su admiración no era incondicional y él vio claramente la identidad mexicana como algo que debía ser protegido y alimentado. Una vez más, el papel de la educación era decisivo. En un jugoso ensayo, «Americanismo» (México, 1884), habla de un plan del gobierno de Coahuila, un estado fronterizo, para invitar a un grupo baptista norteamericano a establecer una institución de aprendizaje para profesores en la ciudad de Saltillo. Sierra a menudo apoyó la libertad religiosa y el derecho de todos los grupos religiosos a ofrecer enseñanza, pero previó las divisiones que podría ocasionar el que los protestantes yanquis asumieran una responsabilidad que, a su juicio, debía pertenecer al Estado mexicano. Aparte de las cuestiones legales que aquí surgían, Sierra temía sobremanera que este acto violase la «mucho más sagrada ley del patriotismo». Su sentido de la mexicanidad se veía ofendido ante la imagen de los jóvenes mexicanos inclinándose pasmados ante los extranjeros: «No, no permitiremos que el dinero de los contribuyentes mexicanos se gaste... en formar profesores que aprendan a estar de rodillas ante la grandeza americana y a desdeñar su patria... Queremos, al contrario, que se enseñe no a tomar por ideal la insólita prosperidad de los Estados Unidos; éste es un sistema fatal que acaba por producir el desaliento y la desesperanza» *(Obras*, VIII, 139).

En sus copiosos escritos sobre la educación, Sierra fue muy consciente de que la presencia de los indios, a menudo aislados cultural y lingüísticamente del resto de la nación, significaba un problema especial para un país en desarrollo. Estaba convencido de que este grupo no podía ser ignorado o relegado a un estatus de clase secundaria. Y lo que es más importante, su adhesión al darwinismo social no le condujo a aceptar la visión en aquellos momentos muy extendida y fundamentalmente racista, de que el nativo americano era «inferior» y por ello condenado por la naturaleza a vivir pisoteado por grupos «superiores» o «más aptos». En oposición a esta idea, consideraba que el indio era totalmente educable y que el mestizo era «un factor dinámico en nuestra historia» *(Obras*, XI, 131). Tal vez la defensa más elocuente de los puntos de vista radicales de Sierra surgió en 1883 durante su polémica con Francisco G. Cosmes (1850-1907), periodista y positivista de tendencias conservadoras que atacó la idea de que la educación obligatoria fuese práctica en el contexto de la complejidad social y étnica mexicana. Al refutar a Cosmes, Sierra reveló su firme convicción de que la «inferioridad» de cualquier grupo no es una característica innata sino simplemente una cuestión de educación inferior: «Puesto que, en igualdad de circunstancias, de dos individuos o dos pueblos, aquel que es menos instruido es inferior...» *(Obras*, VIII, 110). Sierra demuestra, al explicar su visión de que el indio es educable y por ello la sociedad puede ser modificada y conformada de acuerdo con el esfuerzo humano, una actitud extraordinariamente crítica hacia los evolucionistas sociales doctrinarios, muchos de los cuales mantenían una visión esencialmente racista.

A fin de cuentas, Sierra demuestra una amplitud intelectual y una visión que trasciende claramente las limitaciones de su tiempo. Su comprensión de la evolución, más inteligente que ciegamente mecanicista, su interés por el desarrollo total de la nación mexicana, su reconocimiento del valor de los indios y su apreciación de la cultura mestiza del país prefiguran una visión del siglo XX.

Al igual que en el caso de su vecino norteño, los temas que abordaron los ensayistas centroamericanos durante la mayor parte del siglo XIX se definieron por los acuciantes problemas a los que debían enfrentarse estas naciones emergentes. Además, los problemas de la identidad centroamericana se multiplicaron debido a su proximidad geográfica con México (que con anterioridad había amenazado con absorber el área siguiendo el esquema imperialista de Iturbide) y por las inseguridades respecto a la posibilidad de formar una sola nación que comprendiera toda la región. En cualquier caso, durante un breve periodo de los años 20 del siglo XIX, existieron unas Provincias Unidas de Centroamérica: entre sus defensores se encontró el periodista, profesor y escritor José Cecilio del Valle (1780-1834).

A pesar de haber nacido en Honduras, Valle pasó el mismo número de años de su vida en Guatemala que en su país natal. Además de sus muchas actividades políticas, enseñó economía durante algunos años en la Universidad de San Carlos en Guatemala y cuando murió fue llorado como ciudadano de ambas naciones. Entre sus proyectos ensayísticos más importantes se encuentra el extrañamente titulado *Soñaba el Abad de San Pedro y yo también sé soñar* (Guatemala, 1822), en el que propone una federación hispanoamericana; un periódico, *El amigo de la patria* (Guatemala, 1820), que en algunos aspectos se asemeja a *El pensador mexicano* de Lizardi, y varios discursos, diversos ensayos y tratados políticos.

Como escritor, Valle fue un representante típico de esa importante generación de activistas americanos —hombres como Manuel Moreno en Argentina, Simón Bolívar en Venezuela y Fernández de Lizardi en México— que combinaron el espíritu racionalista de la Ilustración con elementos del idealismo romántico. Como sus más famosos contemporáneos, Valle también muestra en su obra una interesante mezcla de «europeísmo» junto a fuertes simpatías hacia América. Varios textos específicos ilustran estas diversas corrientes, pero su ensayo de 1821, «América», ofrece tal vez el mejor resumen de su pensamiento. El primer párrafo es importante porque Valle presenta en él a la América precolombina como entidad viable y no como mero objeto de la conquista y la colonización europeas. A pesar de la enorme separación geográfica entre el Viejo Mundo y el Nuevo, «los de un hemisferio eran como los del otro, libres, iguales y señores de las propiedades que poseían. Los americanos ignoraban la existencia de Europa: los europeos ignoraban la de América: y esta ignorancia de una y otra parte del Globo, garantizaba la libertad de los dos» *(Pensamiento*, 107). Va más allá al señalar que el indio «cobrizo» tenía pleno derecho a protegerse contra el invasor europeo, que «el color no es un título de superioridad o esclavitud. Cobrizo, moreno o blanco, eres hombre..., y la esencia de hombre te da derechos imprescriptibles... pero la mano de la arbitrariedad no tiene derecho a oprimirte» (pág. 107).

En este punto Valle cambia su enfoque hacia el futuro. Según su visión optimista, los americanos, una vez hayan afirmado totalmente su independencia, continuarán hasta que sobrepasen los logros de los europeos. Dedica el resto del ensayo a describir cómo se logrará esto: los hispanoamericanos deberían, dice, trabajar duro para amasar el suficiente capital como para desarrollar las nuevas naciones, «pero no se arrastrará en las cavernas de la tierra para sacar de sus entrañas los metales que debía enviar al otro Continente» *(Pensamiento*, 117). En lugar de ello, como ciudadanos libres, las gentes del Nuevo Mundo comenzarán a comerciar con beneficio con todas las naciones: «Pabellones de todos los colores pintarán sus puertos y bahías» (pág. 117). Resumiendo, el libre comercio clásico resolverá, según él, la mayoría de los problemas de los países emergentes. Entre los beneficios derivados se encontrarán la expansión de la agricultura y el aumento de la población tanto interna como procedente de la inmigración. Según el punto de vista optimista de Valle los extranjeros se verán atraídos por la promesa, la libertad y la fertilidad de las Américas, y «traerán sus talentos, sus máquinas y sus manos. Brillará la industria europea en los talleres de América; y los hijos de ella desenvolviendo su genio imitarán primero y crearán después» *(Pensamiento*, 119). Así, piensa él, los americanos —incluyendo a los indios oprimidos— «se elevarán al nivel de los europeos». El autor cree que al fin y al cabo Hispanoamérica se convertirá en una verdadera utopía en la que reinará la frase del mentor más admirado de Valle, Jeremy Bentham, «el mayor bien para el mayor número».

Medio siglo después Centroamérica aún tenía un gran camino por delante para cumplir la visión optimista de Valle: el atraso económico y el problema endémico de las dictaduras, aún predominaban. Como en el México de Díaz, y en otras partes, un remedio frecuentemente recomendado para mejorar el gobierno y la sociedad fue la aplicación del pensamiento positivista a los problemas sociales, políticos y económicos. El mayor representante centroamericano de esta tendencia fue el hondureño Ramón Rosa (1848-1893); poeta, hombre de estado y ensayista. A pesar de que escribió mucho sobre temas como educación, política y literatura, su obra más conocida es el ensayo «La Constitución Social de Honduras» (Tegucigalpa, 1880).

Rosa comienza su texto al modo organicista social con una cita del biólogo Linneo y con la observación de que las sociedades «viven, crecen y se perfeccionan bajo la influencia de las ideas» *(Escritos selectos*, 9). Sin embargo, su punto principal es que en el caso de Honduras no han existido ideas guía y sólo la pura ambición política ha sido la que ha determinado la trayectoria nacional. Rechaza los programas de los partidos conservador y liberal ya que sólo significan «cincuenta años de confusión, trivialidades y sinsentidos» *(Escritos*, 12). Su propio programa, el del Partido Progresista, es sin embargo bastante parecido a los del liberalismo clásico del siglo XIX: una economía de *laissez-faire* y una intervención estatal mínima en la sociedad. Aún así el autor no puede recomendar estas políticas para Centroamérica debido al estado atrasado de la región: «La aplicación de estas ideas necesita hábitos firmemente arraigados de trabajo y orden que dependen de la educación moral, intelectual y social» *(Escritos*, 13). Al pensar que estos hábitos faltaban en Honduras, hace un llamamiento al gradualismo en el sentido de la limitación del sufragio y el mantenimiento de un gobierno central fuerte hasta que la educación pueda traer los cambios deseados para la sociedad.

Otros dos ensayos de Rosa merecen al menos una breve mención. El primero, «Importancia de la instrucción pública» (Tegucigalpa, 1874), iguala alguno de los puntos específicos incorporados en la «Constitución Social»: una vez más aboga por un sistema de educación popular básica que sería libre, secular y estatal en vez de privada. Además, recomienda establecer una escuela normal no sólo para la enseñanza profesional de pedagogos, sino también para la creación de una moralidad cívica y social mayor. En resumen, como muchos positivistas a partir de Comte, Rosa vio la educación como la gran transformadora de la sociedad. Finalmente, su breve ensayo «La intolerancia» (Tegucigalpa, 1892) revela a Rosa como un hombre de probidad intelectual impresionante. En él, Rosa, que era un librepensador, refuta el odio vehemente hacia el Catolicismo y el obvio deseo de suprimir la libertad de expresión de los «liberales» estridentes: «¡Vosotros liberales criticáis... a los católicos por ser intolerantes pero vosotros sois aún más intolerantes!» (*Escritos selectos*, 338). Incluso llega a hablar de «los fanáticos sectarios de las religiones positivistas» dando aún más pruebas de su habilidad para trascender la ortodoxia ideológica.

También hubo, por supuesto, ensayistas en las demás naciones de Centroamérica, pero pocos se recuerdan hoy en día. En Costa Rica, por ejemplo, el progreso sustancial se estaba llevando a cabo en el desarrollo de un sistema educativo moderno y de otras instituciones progresivas que más tarde servirían a la nación para separarse de sus vecinos más inestables. Sin embargo, pocos ensayistas dejaron testimonio de estas actividades, documentadas por Luis Acosta Ferrero en *Ensayistas costarricenses*. Es claro que no hubo ensayistas en el siglo XIX comparables con escritores como Roberto Brenes Mesén o Joaquín García Monge quienes, a comienzos del siglo XX darían fe de la importancia de Costa Rica en este género.

Los ensayistas del Caribe hispano se enfrentaron a situaciones algo diferentes que sus homólogos mexicanos y centroamericanos. A pesar de que el marco ideológico general del siglo XIX —la persistente influencia de la Ilustración, seguida por el Liberalismo romántico y luego por el Positivismo— fue esencialmente el mismo a lo largo de la región, los intelectuales cubanos y puertorriqueños tuvieron que enfrentarse al hecho de que la independencia era un deseo más que una realidad. Incluso la República Dominicana alcanzó la Independencia bastante tarde (1844) y se vio expuesta a intentos españoles muy serios de retomar la antigua colonia. A pesar de la situación política, el Caribe hispano mantuvo una actividad literaria vigorosa y, en el caso del ensayo, produjo al menos dos figuras de talla continental: el patriota y educador puertorriqueño Eugenio María Hostos y Bonilla (1839-1903) y uno de los maestros genuinos de las letras hispanoamericanas del siglo XIX, el cubano José Martí (1853-1895).

Antes de hablar de la obra del apóstol, como sus compatriotas llaman a menudo a Martí, se deben hacer algunos comentarios sobre el ensayo cubano de la primera parte del siglo. Pueden destacarse tres escritores, siendo todos ellos en efecto ensayistas filosóficos (o, como los hispanoamericanos a menudo llaman a estas figuras, pensadores) más que estrictamente hombres de letras y que participaron en los primeros movimientos separatistas. El primero fue el Padre Félix Varela y Morales (1787-1853) que, a pesar de su vocación religiosa, destacó en el estudio de la ciencia, la filosofía racionalista y la independencia de España. Muy vinculado a Varela estuvo José Antonio Saco (1797-1879), otro defensor de ideas progresistas como la reforma educativa y la abolición de la esclavitud. El tercero fue el pedagogo y filósofo José de la Luz y Caballero (1810-1862), que defendió la independencia y, de paso, formuló una refutación impresionante de las entonces dominantes ideas hegelianas del determinismo histórico.

Mientras que Varela, Saco, o Luz y Caballero son conocidos sobre todo entre los especialistas de la literatura cubana, la vida y obra de José Martí han sido estudiadas, discutidas y reverenciadas por los hispanoamericanos de prácticamente todas las naciones y en los más diversos niveles de sofisticación. Magnífico poeta además de escritor de prosa, sus obras recopiladas se reúnen en unos 70 volúmenes de una edición. Su compromiso con la causa de la libertad, su profundo humanitarismo que fue más allá de las fronteras políticas, su vida (y muerte) dramática y por último la absoluta excelencia literaria de su obra, son todos factores que hacen de él una presencia especialmente poderosa en las letras hispanoamericanas. La escritura ensayística de Martí fue prolija, polimórfica y bastante difícil de categorizar. Como exiliado político en los Estados Unidos y en otros lugares, se ganó la vida como periodista: por ello muchos de sus mejores ensayos aparecieron por primera vez en periódicos como artículos o reportajes desde el extranjero. Otros textos ensayísticos fueron originalmente discursos dedicados a la causa de la independencia cubana; algunos se programaron como estudios literarios; y otros eran sobre todo panfletos políticos. Una amplia gama de temas se puede encontrar en este abultado *corpus* de escritos: la cuestión cubana, el amplio problema de la identidad hispanoamericana, las culturas extranjeras (sobre todo sus ricos comentarios sobre los Estados Unidos) y un conjunto de intereses sociales, económicos y filosóficos. Pero Martí no escribió ningún ensayo extenso e integral como los que escribieron sus homólogos sudamericanos Domingo Faustino Sarmiento (1811-1888) o José Enrique Rodó (1871-1917).

La posición de Martí como pensador y observador sociopolítico plantea problemas interesantes. A pesar de que escribió en una época en la que el Positivismo y el organicismo social eran fuerzas dominantes en Latinoamérica, demostró una admirable independencia de pensamiento ante estas poderosas tendencias. Recientes polémicas sobre su filiación ideológica a las ideas y los ideales de la Revolución Cubana de 1959 han levantado nuevos temas de discusión. Para los intelectuales que apoyan el régimen de Castro, Martí fue claramente un precursor de la revolución. Otros, sin embargo, lo ven mucho menos radical de lo que los castristas hacen creer y apuntan a su vinculación con las ideas de Simón Bolívar, Henry George y Herbert Spencer —que no eran de izquierdas de ninguna manera—. También señalan su afecto por Norteamérica a pesar de las frecuentes críticas que escribió sobre la sociedad yanqui. La verdad debe estar en algún lugar entre estas dos visiones. Lo que se debe recordar es que Martí no fue un ideólogo; más bien fue un observador perspicaz cuyos ocasionales dardos críticos se vieron atenuados por un notable espíritu generoso. En definitiva, él podía señalar la maldad de la gente o la injusticia de las instituciones y aún así seguir buscando lo bueno: parecía incapaz de odiar.

Uno de los ejemplos más claros del pensamiento de Martí se puede ver en sus ensayos sobre la cuestión de la raza, un problema primordial para los hispanoamericanos del periodo. Las ideas de Martí se exponen en textos como «Mi raza» (Nueva York, 1893), «Nuestra América» (México, 1891) y en varias piezas que hablan de la raza en los Estados Unidos. En todos estos escritos queda claro que es un escritor libre del virulento racismo típico de los positivistas seudo-científicos de su época: «No hay odio de razas porque no hay razas. Los pensadores canijos, los pensadores de lámpara, enhebran y recalientan las razas de librería que el viajero justo y el observador cordial buscan en vano en la justicia de la Naturaleza, donde resalta, en el amor victorioso y el apetito turbulento, la identidad universal del hombre. El alma emana, igual y eterna, de los cuerpos diversos en forma y en color de todos nosotros, sin observar la forma y el color» *(Obras completas,* 1846, II, 112). En su ensayo más admirado sobre este tema, «Mi raza», es aún más elocuente: «Hombre es más que blanco, más que mulato, más que negro... En los campos de batalla muriendo por Cuba han subido juntas por los aires las almas de los blancos y de los negros» *(Obras*, I, 487). En el mismo texto afirma simplemente que «cualquier cosa que divide al hombre, que lo separa, lo especifica o lo agrupa, es un pecado contra la humanidad» (pág. 487). La crítica de Martí hacia las actitudes y políticas racistas norteamericanas es consecuente con estos puntos de vista. En artículos apasionados tales como «El problema del negro» (Buenos Aires, 1889) o su «Los indios en los Estados Unidos» (Buenos Aires, 1885) vuelve a manifestar sus puntos de vista modernos y abiertos. Así en este último ensayo señala que la aparente indolencia y el alcoholismo del indio americano no son inherentes sino que son el resultado de un sistema de abusos de larga duración.

A pesar de que en la base del pensamiento de Martí se encuentra una preocupación específica por Cuba, lo que hemos dicho demuestra que su visión se extendía mucho más allá de los límites de su isla nativa. El texto aislado que mejor revela su ferviente hispanoamericanismo es sin duda «Nuestra América», un ensayo relativamente corto que se puede comparar con el más largo y conocido *Ariel* (1900) del uruguayo José Enrique Rodó. Al igual que en esta obra (a la que antecede en casi una década) el ensayo de Martí es un llamamiento idealista a los hispanoamericanos para que reafirmen su propia identidad y se prevengan frente al creciente poder material y espiritual de los Estados Unidos. Estilísticamente los dos textos también se asemejan bastante: las largas y moduladas frases de Martí, repletas de paréntesis e imaginería llena de color, prefiguran la prosa arielista del cambio de siglo. Pero las similitudes con Rodó no deberían llegar muy lejos. Uno de los puntos clave de Martí es que Hispanoamérica debería desarrollarse en armonía con sus propias realidades indígenas, que se debía desconfiar de los modelos extranjeros. Por ello llama a la reorientación del sistema educativo, para que los jóvenes dejen de mirar al mundo a través de gafas «francesas o yanquis» y para que se establezca una «Universidad Americana» en la que se estudie la historia de los incas, incluso si esto significa eliminar una parte del aprendizaje clásico. Como afirmó sucintamente, «nuestra Grecia es preferible a la Grecia que no es nuestra» *(Obras*, II, 108).

A lo largo de «Nuestra América» y en otras obras, Martí habla de la América hispana como la «América mestiza», subrayando sus elementos indígenas y no europeos. También subraya el papel decisivo del pueblo común, aquellos a los que llama «hombres naturales», en oposición a los «artificialmente letrados». Este es un punto interesante que lo distingue de otro casi contemporáneo, el célebre ensayista argentino Domingo Faustino Sarmiento. En referencia directa a este último afirma que «no hay batalla entre la civilización y la barbarie, sino entre la falsa erudición y la naturaleza» (*Obras*, II, 107). Continúa señalando que las gentes «naturales» sin cultura pueden y deben gobernar, especialmente cuando las clases educadas no han aprendido bien las lecciones del buen gobierno. No es de extrañar que esta visión fuese recibida con entusiasmo por el régimen castrista y sus defensores.

Las referencias de Martí a los Estados Unidos ocupan un lugar importante en sus conclusiones en «Nuestra América». Advierte que además de los peligros internos (el amor por el lujo, por ejemplo), existen amenazas externas para el área en forma de «unas gentes emprendedoras y agresivas que nos ignoran y nos desdeñan». Teme que esta nación «viril», ambiciosa, «de pura sangre» —Norteamérica— se aproveche de la falta de unidad hispanoamericana. Por ello es importante para estas naciones demostrar que están «unidas en espíritu e intenciones» *(Obras*, II, 111). Del mismo modo, es un imperativo que el desdén de los Estados Unidos se mitigue a través de un conocimiento más profundo del mundo latino y de sus gentes. Martí creía, aparentemente, que el contacto, la familiaridad y la comprensión entre naciones podría, de hecho, resolver conflictos. Esta visión distingue su sentimiento antiyanqui del de muchos de sus contemporáneos; lo corrobora su elocuente y a menudo citada afirmación al final de «Nuestra América»: «Uno debe tener fe en lo mejor del hombre y desconfiar en lo peor de él» *(Obras*, II, 112).

Lo dicho nos otorga una visión bastante incompleta de la escritura ensayística de Martí, ya que se han mencionado muy poco sus piezas más informales. Muchas de estas descripciones muy pintorescas de sucesos, gentes y lugares notables, se han incluido en antologías. Dos ejemplos excelentes de este aspecto de su obra serían las impresiones norteamericanas de «El terremoto de Charleston» (Buenos Aires, 1886) y su maravillosa descripción de la enorme nevada de 1888, «Nueva York bajo la nieve» (Buenos Aires, 1891). Éstas se pueden considerar viñetas o esbozos periodísticos más que ensayos en el sentido estricto, pero muestran que Martí fue un escritor de prosa muy creador y preparado cuya manipulación del punto de vista del autor, la adjetivación y el sentido de la estructura fueron muy admirables para su época y a todas luces impresionantes. En definitiva, debido al contenido, la originalidad y la calidad técnica de sus ensayos, Martí debe ser considerado uno de los grandes cultivadores del género en Hispanoamérica.

El cubano Enrique José Varona (1849-1933) nació en realidad antes que Martí, pero su larga vida y el hecho de que muchas de sus obras más importantes se publicaran después de su muerte, hacen de él una figura bisagra entre los siglos XIX y XX. La trayectoria ideológica de Varona comienza con su simpatía por una orientación determinista y positivista bastante acentuada. A medida que desarrolla su pensamiento, comienza a dar más importancia a la libertad de elección o al menos a su idea de que el hombre «se cree libre». Esta idea, expresada de diferentes maneras en sus *Conferencias filosóficas* (La Habana, 1880-1888) sugiere una especie de espacio intermedio entre la afirmación de libertad total y el determinismo estrechamente restrictivo. Otras varias obras muestran los serios intereses filosóficos de Varona: tal vez la más conocida de ellas sea sus *Artículos y discursos. Literatura, política, sociología* (La Habana, 1891).

Como muchos de sus contemporáneos Varona mostró su preocupación por la vulnerable posición de Cuba con respecto a los Estados Unidos. En su conferencia de 1905 en la Universidad de la Habana, «El imperialismo a la luz de la sociología», por ejemplo, se refiere primero a la cuestión general de la expansión imperialista en términos de historia mundial y luego en lo que respecta a la posición específica de Cuba. Como en la mayoría de sus otros escritos políticos, su marco de referencia es claramente el organicismo social: «En el crecimiento de cualquier grupo humano, no vemos leyes distintas a las que presiden al crecimiento de un organismo individual» *(Textos escogidos*, 22). Si los organismos colindantes están débiles, o sufren de una «organización defectuosa» que inhibe el desarrollo, pueden entonces ser absorbidos, según Varona, por una identidad más fuerte y más robusta. No es difícil ver la dirección de su argumentación: la Roma imperial, Gran Bretaña en el siglo XIX y ahora los Estados Unidos son «organismos» poderosos en términos sociopolíticos. Por eso Cuba debe tomar medidas deliberadas para asegurar el desarrollo y la identidad de la nueva nación. Los pasos que se deben seguir para conseguirlo incluyen fomentar la natalidad cubana, diversificar la economía y reforzar el sistema educativo. Aunque algunos aspectos de este programa parecen basados en un pensamiento positivista, Varona también apela a los valores más espirituales: pues aquí como en un ensayo vinculado a éste que se titula «Los cubanos en Cuba» (La Habana, 1888) subraya el papel decisivo que las ideas, las pasiones y las creencias generalmente sostenidas, pueden tener a la hora de dar forma al destino nacional.

Antes de dejar a Varona son necesarias algunas observaciones sobre su obra ensayística más ligera —los pequeños y cortos mini-ensayos y esbozos, frecuentemente humorísticos, que a menudo se encuentran en sus conocidas colecciones *Desde mi belvedere* (La Habana, 1907) y *Violetas y ortigas* (Madrid, 1917). La deliciosa viñeta «No Smoking» es, por ejemplo, un tributo, serio a medias, al desordenado amor que sienten los cubanos por el tabaco, en oposición a las actitudes menos tolerantes de la sociedad anglosajona; «Mi tarjeta», en un tono similar, examina el ritual del intercambio de tarjetas; «El hombre del perro» describe la relación simbiótica del hombre y el perro, pero en este caso el centro de atención está en un animal enorme que da la vuelta a la realidad y saca a su amo de paseo; y en «Renan y Emerson» rinde homenaje a estos autores. En resumen, estos textos informales dan una perspectiva muy humana de un escritor considerado a menudo una de las inteligencias más lúcidas de su época en Cuba.

Puerto Rico, al igual que Cuba, se mantuvo bajo dominio español hasta el final del siglo XIX. No es sorprendente que los escritores de la isla expresen preocupaciones semejantes sobre las cuestiones de la autonomía política y cultural. La vida y obra del ensayista más importante de Puerto Rico, Eugenio María Hostos (1839-1903) ilustran esta situación muy bien. Comparable a Varona por su posición ecléctica entre el positivismo y el idealismo y semejante en algunos aspectos a Martí por su devoción de por vida a la causa independentista, los acontecimientos forzaron a Hostos a convertirse en un ciudadano genuino del hemisferio. Largos periodos de residencia y contribuciones pedagógicas en Chile y la República Dominicana llevaron a ambos países a reclamarlo como ciudadano honorario. Fue un defensor ferviente de la independencia cubana y, si no llega a ser porque el barco se hundió, habría ido a la isla a tomar parte activa en la lucha contra España.

A pesar de que comenzó varias carreras, Hostos dejó memoria de sí como profesor y organizador de instituciones educativas. Una gran parte de sus escritos reflejan, y sufren de, esta devoción por la pedagogía. Por ejemplo, su obra más conocida, la *Moral social*, estaba destinada a servir como libro de texto: su formato y estilo son en gran medida didácticos y revelan una manía por la simetría, común entre los educadores del periodo. A lo largo de esta obra y en otros lugares, Hostos a menudo emplea el vocabulario y las frases típicas de los organicistas sociales. Sin embargo, al igual que sucede en Varona, tras su fachada positivista se revela un idealismo muy profundo. Esto se ve en sus frecuentes llamadas al sentido del deber (o compromiso moral) del lector. En general, su manejo de las ideas positivistas en la *Moral social* y en otras obras lleva a posiciones atípicas del darwinismo radical. En su disertación sobre la raza, por ejemplo, intenta demostrar que la aparente «inferioridad» de negros e indios no es el resultado de una genuina lucha biológica sino el producto de las fuerzas culturales, de lo que él llama «la torpeza sociológica». A lo largo del ensayo, subraya la idea de que la moralidad, el sentido del deber y la consciencia humana han pasado, al igual que los organismos, a través de grados de desarrollo y ahora son claramente superiores a lo que fueron en el pasado. Una vez más y a pesar del uso superficial de las nociones positivistas, su énfasis en estos valores éticos o «morales» lo distinguen de los organicistas sociales ortodoxos.

Hostos se aproxima al punto central de la *Moral social* considerando en primer lugar al individuo, en segundo lugar a la comunidad inmediata, seguida del estado nacional y luego de los estados imperiales. Su análisis demuestra cómo su devoción hacia la independencia antillana podía modificar ciertas posiciones características de los darwinistas. Mientras que estos últimos podrían justificar los estados imperiales entendidos como la personificación política de la «supervivencia del más fuerte», Hostos sostuvo que cualquier estado o imperio fuertemente centralizado es corrupto por su propia naturaleza en tanto que «absorbe la iniciativa de los organismos provinciales y municipales» *(Obras completas*, XVI, 215).

En otras ocasiones habla de la revolución como un «deber moral» a pesar de que sólo ataca alguna vez de frente el control español de Puerto Rico y Cuba.

Hacia el final de la *Moral social*, Hostos examina varias instituciones, profesiones y variadas «actividades de la vida». Esta sección del ensayo contiene varios elementos curiosos: una diatriba contra la novela moderna por ser un género «necesariamente incompleto»; un razonamiento sobre la religión que revela su aprecio por el protestantismo (y, por extensión, por la cultura anglosajona) y un análisis del periodismo bastante crítico. En resumen, el ensayo bienintencionado de Hostos estaba encaminado a instruir, animar y a dar una pauta moral a sus lectores: se pueden respetar sus intenciones, pero éstas no logran ser un exponente de un pensamiento consistente u original. Sin embargo, y para hacer justicia a Hostos, se debería señalar que ésta fue sólo una de sus muchas obras ensayísticas. De hecho, algunos de sus textos menos conocidos pueden contener mejores ejemplos de su prosa explicativa. Al respecto, los críticos han alabado sus discursos, así como ciertos ensayos literarios —su estudio de *Hamlet*, por ejemplo— y muchos esbozos breves e informales que describen gentes y lugares famosos.

Para concluir, se puede decir que los ensayistas del siglo XIX de la Hispanoamérica septentrional se involucraron tan profundamente en los asuntos de sus nuevas naciones —o de las que serían nuevas naciones— que sus actividades literarias nos pueden parecer secundarias. Pero en algunos casos, por ejemplo Martí, o quizás Sierra, la calidad de sus escritos les habría otorgado un puesto entre los mayores ensayistas de Hispanoamérica sin tener en cuenta sus contribuciones en la esfera no literaria.

[18]

EL GÉNERO GAUCHESCO

Josefina Ludmer

LÍMITES DEL GÉNERO

Dos cadenas de usos, entrelazadas, podrían delimitar el espacio del género gauchesco.

Las leyes

El primer límite del género es la ilegalidad popular. Por una parte, la llamada «delicuencia campesina» (el gaucho «vago» no propietario y sin trabajo ni domicilio fijos, la conocida ecuación desposeídos = delincuentes), y, por otra, correlativamente, la existencia de un doble sistema de justicia que diferencia ciudad y campo: la ley de vagos y su corolario, la de levas, regía sobre todo en la campaña. Esta dualidad se liga, a su vez, con la existencia de una ley central, escrita, que enfrenta en el campo al código consuetudinario, oral y tradicional: el ordenamiento jurídico de reglas y prescripciones que funda la comunidad campesina. La «delincuencia» del gaucho no es sino *el efecto de diferencia* entre los dos ordenamientos jurídicos y entre las aplicaciones diferenciales de uno de ellos, y responde a la *necesidad de uso:* de mano de obra para los hacendados y de soldados para el ejército.

Las guerras

El segundo límite del género es la Revolución y las guerras de independencia (1810-1818), que abren la práctica del uso militar del gaucho y su desmarginalización. Con las leyes y las guerras puede establecerse la primera cadena de usos que articula el conjunto del género y le da sentido:

a) utilización del «delincuente» gaucho por el ejército patriota;
b) utilización de su registro oral (su voz) por la cultura letrada: género gauchesco.

Y en adelante:

c) utilización del género para integrar a los gauchos a la ley «civilizada» (liberal y estatal).

La cadena, casi circular, se abre con los textos del uruguayo Bartolomé Hidalgo (escritos entre 1818 y 1821) y concluye con *La vuelta de Martín Fierro* (1879), del argentino José Hernández. Voz y ley se modulan desde el ejército y la guerra al Estado nacional: este pasaje y esta modulación constituye la historia de las formas del género.

La cadena no sólo marca el tiempo del género y le da un sentido; narra también el pasaje entre la «delincuencia» y la «civilización» y sitúa al género como uno de los productores de ese pasaje. Postula además, en el centro, un paralelismo entre el uso del cuerpo del gaucho por el ejército y el uso de su voz por la cultura letrada, que define al género. Por ese uso del cuerpo, que separa a los gauchos de un campo para llevarlos a otro, el de batalla, surge la voz: el primer locutor ficticio de la literatura gauchesca es el gaucho en tanto cantor y patriota. La voz, el registro, aparece escrita, hipercodificada y sujeta a una serie de convenciones formales, métricas y rítmicas; pasa ella también por una institución disciplinaria, la poesía escrita, como el gaucho por el ejército, y se transforma en signo literario. Las dos instituciones, ejército y poesía, se abrazan y complementan. El gaucho puede «cantar» o «hablar» para todos, en verso, porque lucha en los ejércitos de la patria: su derecho a la voz se asienta en las armas. Porque tiene armas debe tener voz, o porque tiene armas toma otra voz. Surge entonces lo que define de entrada al género gauchesco: la lengua como arma. Voz ley y voz arma se enlazan en las cadenas del género.

La voz «gaucho» en la voz del gaucho

La militarización del sector rural durante las guerras de independencia en el Río de la Plata, y el surgimiento correlativo de un nuevo signo social, *el gaucho patriota,* pueden postularse como bases del género en la medida en que permiten el acceso del registro verbal de los gauchos al estatuto de lengua literaria, su única representación escrita. La guerra no es sólo el fundamento sino la materia y la lógica de la gauchesca. También se podría decir: el cambio de sentido de la palabra «gaucho» inaugura el género y es el género. Esas voces nuevas, «patriota», «valiente», producen un escándalo (el mismo que produjo la Revolución): se añaden a «gaucho», se ligan con su sentido anterior, «delincuente» *y no lo anulan del todo.* El sentido queda oscilando, y esa indefinición coincide con la del gaucho mismo: aceptar la disciplina o desertar. El género interviene en esa indefinición y la dramatiza. Trata de indiferenciarla por definiciones, y no solamente toma la voz del patriota para definirlo, sino también para definir al delincuente: *en la voz del gaucho define la palabra «gaucho».* Porque hay dos sentidos de la voz «gaucho», uno nuevo y otro que sigue resonando, porque hay para el gaucho un sistema diferencial y dislocado de leyes y de universos militares y económicos, porque podía aceptar la disciplina o desertar, *hay uso de la voz diferencial del gaucho.*

La segunda cadena de usos se inserta entonces en el centro de la primera, entre el uso del cuerpo por el ejército y el uso de la voz por la cultura de la palabra escrita. Es la cadena de la voz y de los sentidos de la voz:

a) el uso del gaucho por el ejército añade un sentido diferente a la voz «gaucho»;
b) los sentidos de la voz «gaucho» se definen en el uso de la voz diferencial del gaucho: género gauchesco;

y en adelante:

c) el género define el sentido de los usos diferenciales del gaucho.

El uso de la voz del gaucho implica un modo determinado de construcción de esa voz. El género explora el sentido de la palabra «gaucho» sometiéndola a reglas precisas: marcos, límites, interlocuciones, distorsiones y silencios. El género, como el ejército, como la ley, sirve en adelante para definir la palabra «gaucho»; y puede sustituir a la ley (que lo define como «delincuente»), y al ejército (que lo define como «patriota»), porque define las condiciones de uno y otro, y sus sentidos, en la construcción de su voz. Define los usos posibles de la palabra y con ella los de los cuerpos; dice qué es un gaucho, cómo se lo puede dividir entre legal e ilegal, «bueno» y «malo», para qué sirve, qué lugares ocupa, y esto en la voz misma del gaucho. Si los gauchos sirven, la voz tiene un sentido y un uso posible en la literatura; si no son usables, si se sustraen, la voz «gaucho» tiene un sentido negativo. El género explora el sentido de la voz «gaucho» en y por el uso de la palabra del gaucho, y ese uso es a la vez el uso del gaucho. El género es un tratado sobre los usos diferenciales de las voces y palabras que definen los sentidos de los usos de los cuerpos.

El trazado de los límites del género que realizan las dos cadenas separa el universo del género gauchesco (el del uso de la voz del gaucho), del universo de la otra literatura, la de la palabra letrada. De un lado, *Facundo,* de Sarmiento; *El matadero,* de Echeverría; la *Biografía de Rosas,* de Pedro de Angelis; las *Bases*, de Alberdi; la *Excursión a los indios ranqueles*, de Mansilla. Y también las disposiciones, prácticas y leyes referidas a los gauchos. De otro, el género. La zona donde una y otra orilla se tocan está ocupada por los eslabones de las cadenas, que son anillos o alianzas, entre los usos de la voz del gaucho y la palabra letrada.

DISTRIBUCIÓN DE LAS VOCES

El género muestra, en su emergencia, la operación que lo define; ligar dos zonas verbales, la oral y la escrita. En esas zonas distribuye tonos, enunciados, nombres, y asigna funciones y jerarquías. La primera operación consiste en construir la palabra del gaucho como «voz oída»: a la cultura oral cabe el registro en verso y la situación en que se lo emite. Bartolomé Hidalgo (1788- fundó el género porque trazó la primera distribución escrita de la voz del gaucho. En su segundo diálogo, la palabra letrada anuncia y define las voces desde fuera del texto, en el título: «Nuevo diálogo patriótico» (1821), y el subtítulo: «Entre Ramón Contreras, gaucho de la Guardia del Monte, y Chano, capataz de una estancia en las islas del Tordillo». Título y subtítulo funcionan como primer marco de los textos. El segundo marco, interno, es la textualización, en la apertura de los poemas, del contexto oral en que ocurre la canción o, en este caso, el diálogo: los textos incorporan y representan la situación de cantar un cielito o la ocasión en que ocurre el encuentro y diálogo entre los amigos: auditorio presente en el canto o diálogo en el momento del ocio (con saludos, ofrecimiento de bebidas). El pasaje a lo escrito de la escena oral tiene efecto de «producción de realidad». En síntesis, hay afuera un escritor letrado que escribe, «reproduce» o «cita» lo que los «autores orales» «cantan» o «dicen». La primera regla del género es la ficción de reproducción escrita de la palabra oral del otro como palabra del otro y no como la del que escribe. La segunda regla es la construcción del espacio oral, el marco de la «voz oída», en el interior del texto. Son dos palabras nítidamente diferenciadas. El marco letrado del título-subtítulo puede ampliarse y autonomizarse y llegar a constituir, en la primera parte de *Martín Fierro,* la «Carta a Zoilo Miguens», o en la segunda, las «Cuatro palabras de conversación con los lectores». La palabra letrada «da» la voz al «locutor» oral, que se constituye como pliegue e interioridad en relación con lo escrito: como efecto de sujeto. En esta relación ficcional se traza la alianza entre la palabra escrita y la voz oída que define al género. Los dos marcos (el del título y el de la escena oral) contienen el texto mismo, lo que «dice» o «canta» el gaucho. Y lo que dice o canta es la convergencia o alianza entre las dos palabras: el relato o la celebración de acontecimientos políticos y militares, el relato del proceso revolucionario (hasta *Fausto).* En la escena oral, rápidamente transformada en convención (y por lo tanto parodiable), la voz del gaucho habla de lo político, lo oficial, de la vida pública de la patria. Se ligan así la entonación de la voz del gaucho y el enunciado militar y político, y esta relación opera, además, la conjunción del contexto tradicional de difusión oral con el periodismo moderno. El género aparece de entrada como una forma de periodismo popular y así circuló, en folletos y en hojas sueltas. Y también, en los diálogos, como una forma, de teatro popular; ya se tienen los dos subgéneros en que se divide de entrada el género: los textos cantados (los cielitos), y los textos dialogados. Y uno de los rasgos de la literatura para el pueblo, y para un nuevo público, es que se representan, en su interior, las formas de su circulación o reproducción: canto, dos paisanos que hablan, uno que lee para otro.

Los dos «personajes» o voces de Hidalgo son la del gaucho Contreras, el cantor analfabeto de los cielitos, y la de Jacinto Chapo, el capataz que sabe leer y escribir. La zona popular dramatiza el diálogo bélico con el enemigo y conforma el registro polemológico del género en su zona «cantada»; es la posición básica de los cielitos, la lengua-arma: *la posición Contreras*. La zona de la palabra letrada es propagandística y didáctica, se dirige a los gauchos en tanto aliados y constituye la posición básica de los diálogos, la lengua-ley: *la posición Chano*. La alianza entre las dos posiciones es a la vez una conjunción poética y política entre la nueva cultura revolucionaria y la cultura tradicional. La escritura de esta alianza postulada en la realidad y realizada en la literatura constituye la lógica del género y el factor de su transformación en la historia; según la función de las voces escritas y las coyunturas de la guerra, la distribución de las diferentes partes del pacto verbal (que es político, militar, jurídico, y también económico) se modula hasta su cierre en *La vuelta de Martín Fierro*.

El resultado de las diferentes conjunciones que realiza el género produjo un acontecimiento único en la cultura rioplatense: la popularización y «oralización» de lo político (y de lo escrito, «lo literario») y la politización, y escritura, de lo oral-popular. El género gauchesco constituyó una lengua literaria política, politizó la cultura popular, y dejó esa marca fundante en la cultura. Y también popularizó, oralizó y politizó los escritos de la cultura europea, y no hay texto del género que no los contenga: desde las paráfrasis del *Contrato social* en Hidalgo hasta el relato de *Fausto*. La literatura europea puede aparecer en el género que también escribieron poesía culta, como el neoclásico de Hidalgo y el romántico de del Campo), o de un programa político «civilizador» traducido a la oralidad gauchesca (como las glosas del periódico *El Comercio del Plata* en Hilario Ascasubi), o de una serie de consignas antieuropeas como en los textos de Luis Pérez. No hay texto del género que omita la palabra y la cultura europea del que escribe. En uno que puede aparecer ajeno a esa palabra, como *El gaucho Martín Fierro (La ida),* es posible pensar que su publicación *junto con* «El camino trasandino», propuesta de moderninación escrita en la palabra letrada, tendía precisamente a restablecer la dualidad constitutiva del género, aunque en textos autónomos y ligados por contigüidad.

TONOS DE LAS VOCES

Los tonos fundamentales del género gauchesco son el desafío y el lamento, tomados de la voz de los payadores. Bartolomé Hidalgo, el fundador, distribuyó las voces y los tonos en su primer cielito y su primer diálogo. En el «Cielito que compuso un gaucho para cantar la acción de Maipú» (1818), el primer texto gauchesco porque es el primero en que se dice que la voz que canta es la de un gaucho, puede leerse nítidamente el desafío al enemigo español: «Cielito, cielo que sí, / le dijo el sapo a la rana, / cantá esta noche a tu gusto / y nos veremos mañana», y «Cielito, digo que no, / no embrome, amigo Fernando, / si la patria ha de ser libre / para qué anda reculando». Esa voz popular, «oral», se dirige directamente al enemigo y lo desafía, y constituye la lengua arma, militar y política. Se acompaña de una voz «alta», solemne, escrita, que da sentido y dirección al tono oral: «Viva nuestra libertad / y el general San Martín, / y publíquelo la fama / con su sonoro clarín. // Cielito, cielo que sí, de Maipú la competencia / consolidó para siempre / nuestra augusta independencia».

El género constituyó el enunciado de la guerra con el tono del desafío y el duelo verbal; dio dirección, objetivos y espacio a las palabras de la rebeldía popular, y las ligó cada vez con un código universal: la fama, la libertad, la independencia y el héroe que dirige la lucha. El código de la razón universal da sentido y legitima la violencia, y representa la zona letrada de la alianza. Son los nuevos protagonistas, el ideólogo de la revolución y el soldado de la guerra, los que unen sus palabras en la emergencia del género. Los tonos de las voces son simultáneamente acciones verbales, posiciones y funciones en la alianza.

En el primer diálogo de Hidalgo, «Diálogo patriótico interesante», de 1821, aparece el tono del lamento en la voz del gaucho letrado Chano: «Pues bajo de ese entender / empriésteme su atención / y le diré cuanto siente / este pobre corazón; / que, como tórtola amante / que a su consorte perdió / y que anda de rama en rama / publicando su dolor, / ansí yo, de rancho en rancho / y de tapera en galpón, / ando, triste y sin reposo, / cantando, con ronca voz, / de mi patria los trabajos, / de mi destino el rigor» (vv. 69-82). Si el tono del desafío constituye la lengua arma, el del lamento introduce la lengua ley: Chano, el gaucho letrado que se lamenta, inaugura la figura *del que sabe* en el género y la secuencia característica de los diálogos didácticos. Esta secuencia, reiterada a todo lo largo del género, se desarrolla de este modo: reconocimiento del saber del que sabe por parte de aquel a quien se dirige la lección; lamento por la diferencia (entre ricos y pobres, gauchos y no gauchos) ante la ley; enunciación de la ley escrita (sobre todo, definición del robo y su pena), y división de los gauchos entre legales e ilegales. Inculcar la categoría de delito a los gauchos (cuyo código carecía del principio de propiedad privada), es uno de los sentidos de la lección con lamento, en coyuntura de paz.

Si se sigue la modulación de desafíos y lamentos puende trazarse la historia, del género. Los desafíos se dirigen al enemigo político o al rival:

Allá va Cielito y más Cielo
Cielito de la Ensenada
Al que ande sin la divisa
Arrímale una topada

(Luis Pérez, «Cielito Federal», en *El Torito de los Muchachos,* núm. 17, octubre, 1830).

Mira, gaucho salvajón,
que no pierdo la esperanza
y no es chanza,

de hacerte probar qué cosa
es Tin tin y Refalosa
(Hilario Ascasubi, La Refalosa», en *Paulino Lucero o Los Gauchos del Río de la Plata, cantando y combatiendo contra los Tiranos de las Repúblicas Argentina y Oriental del Uruguay,* 1839-1851).

Yo soy toro en mi rodeo
y torazo en rodeo ajeno;
siempre me tuve por güeno
y si me quieren probar
salgan otros a cantar
y veremos quién es menos.
(José Hernández, *El gaucho Martín Fierro,* vv. 61-66).

En el mismo texto, vv. 1151-1164:

Al ver llegar la morena
que no hacía caso de naides,
le dije con la mamúa:
'Va. . . ca. . . yendo gente al baile'.

Mientras el desafío constituye la posición dominante del dominado, el lamento muestra la posición dominada del dominado y su crítica a la injusticia:

¡Ay! en la presente ocasión...
suelto al viento mis pesares,
yo también vengo infeliz
dende allá de Güenos Aires
—dende allá de Güenos Aires;
yo era mozo acomodao,
pero ahora por el tirano
me miro tan desgraciao—.
(Hilario Ascasubi, Los payadores», en *Paulino Lucero).*

Aquí me pongo a cantar
al compás de la vigüela,
que el hombre que lo desvela
una pena estraordinaria,
como el ave solitaria
con el cantar se consuela.
(José Hernández, *El gaucho Martín Fierro,* vv. 1-6).

Los tonos de la voz oída que el género tomó de los payadores para constituirse fueron la base de la construcción de una serie de representaciones que se identificaron con lo nacional argentino. La tradición del género trabajó y debatió el material oral, una tradición musical lo fijó en ciertos movimientos, y a partir de allí se ofrecieron a todo trabajo simbólico que deseaba postularse como argentino. Desafío y lamento son posturas, acciones verbales, y se acompañan de relatos; constituyen además un sistema de integraciones y exclusiones culturales y sociales. Dieron su materia rítmica al tango, que lamenta la ruptura del pacto con la mujer o el amigo, y a la milonga, que pone música al desafío entre hombres rivales o sexos rivales. El grotesco teatral los combinó y alternó para representar otro pacto contradictorio con un nuevo otro, los inmigrantes. Fueron muchas veces politizados, despolitizados, estetizados. El lamento se constituyó en representación popular del pueblo y reapareció en la estética del sufrimiento del realismo social, y el desafío se leyó como representación antipopular del pueblo. En Borges el desafío por el nombre y la violencia contra el letrado de cultura europea se instalaron como núcleos fundantes de su ficción.

Acompañaron cierto nacionalismo lingüístico, contra otros tonos y la amenaza de corrupción de la lengua por parte de las de los inmigrantes; un nacionalismo político como núcleos centrales de la comunidad contra los extranjeros; un nacionalismo popular, contra la oligarquía aliada con lo extranjero; un nacionalismo racista contra indios, negros, inmigrantes. Y sobre la base de los valores universales que se ligaron con las entonaciones, pudo surgir un nacionalismo esencialista, donde la voz del gaucho encarna la esencia del hombre argentino que lucha por la libertad y la justicia.

En el género y sus tonos pudo pensarse el núcleo del nacionalismo por la alianza que lo constituye, por la función de Estado que cumplió, por el sistema de inclusiones y exclusiones que erigió, y por la fusión de lo poético y lo político.

COYUNTURAS Y VARIABLES

El tiempo total del género, que es el del proceso de unificación política y jurídica de la nación después de la Independencia, se hace minúsculo y textual en las coyunturas, según los sectores que se disputan la hegemonía hasta 1880 pasen por momentos de crisis, de radicalización de los conflictos, de guerra, de conciliación y pacificación.

Las coyunturas políticas forman parte del género porque él mismo se define como político y coyuntural. Los textos hasta *Fausto* (1866) son puntuales y periodísticos: registran batallas, celebraciones, tratados de paz, aparición de decretos, y funcionan como crónicas. La especificidad coyuntural del género es compartida, con regímenes diversos, por toda la literatura argentina anterior a 1880. La diferencia reside en la acción de la coyuntura, por una parte, y su representación en los textos, por otra. Esta última es la que se transforma a lo largo del género y lleva a la primera mutación: con *Fausto* cae la fecha y el género aparece como «literatura».

La coyuntura política, que permite tipificar el sistema polémico del género (donde los textos debaten entre sí, y con los anteriores y posteriores que los reescriben), es un modo de ligar la guerra de definiciones de la voz del gaucho, con la guerra de definiciones políticas entre la Independencia y el 80. Las coyunturas deciden los términos del debate sobre los usos de los cuerpos de los gauchos y sobre su integración a la civilización, y definen el lugar cambiante de los escritores. Sólo las diferencias coyunturales pueden dar cuenta de las diferencias entre *La ida* y *La vuelta de Martín Fierro* (1872 y 1879), entre las dos versiones de *Los tres gauchos orientales* de Antonio Lussich (1872 y 1877), entre *Paulino Lucero* y *Santos Vega* de Hilario Ascasubi (el primero, escrito entre 1839 y 1851, y el segundo publicado en 1872). Lo que puede parecer un cambio ideológico de un escritor, se debe, desde el punto de vista del género, a un cambio coyuntural: cada vez se habla de cosas diversas en momentos y posiciones diversas, y por lo tanto cada vez varía la combinación de los tonos y voces en alianza. La ficción teórica de coyuntura como elemento exterior-interior (el género es un conjunto agujereado) representa por lo tanto la variable en las posiciones de locución y de acción, y sus relaciones, en los textos. Las coyunturas afectan situaciones, circuitos de interlocución, jerarquías, grados de antagonismo, tipos de relato y personajes: integran una multiplicidad de datos en el sistema complejo del género.

Se puede esquematizar el juego de las coyunturas según los sectores enfrentados atraviesen momentos de guerra o de paz (casos extremos), y según el sector al que presta su voz el escritor se encuentre en el poder o en la oposición. En cada uno de esos momentos hay dos posiciones posibles:

En la *coyuntura de guerra* la voz del escritor da sentido y dirección a la violencia. Los textos son armas (ejemplo clásico, *Paulino Lucero* de H. Ascasubi); señalan los enemigos y exaltan a los jefes militares de los gauchos. Se trata de lograr la unificación política y militar contra el enemigo usando el cuerpo-voz del gaucho. En la *coyuntura de paz* surge la voz del trabajo y la ley, la lección y la crítica política: se trata de lograr la unificación jurídica contra el delincuente, el «gaucho malo».

El debate propio del género se instala entonces en el interior de cada coyuntura. En la de guerra, crisis y movilización, se disputa el uso del cuerpo del gaucho y su espacio: soldado o trabajador. Este debate incluye otro, quién manda y dirige a los gauchos. El sector agrario, perjudicado por las levas indiscriminadas, reacciona contra el uso exclusivo del gaucho como soldado: la voz se levanta contra el poder militar y los textos toman la forma payadoresca de historia de vida y se tiñen de anarquismo, sobre todo cuando el discurso es enunciado desde la oposición. Los gauchos parecen «cantar» o «hablar» por todo el campo: los textos paradigmáticos son el «Cielito del Blandengue retirado» (anónimo, entre 1821 y 1823), la «Biografía de Rosa» de Luis Pérez (1830), y *El gaucho Martín Fierro* (o *La ida,* 1872). Del otro lado, desde los sectores que postulan una alianza político-militar o exclusivamente militar, como en los textos de H. Ascasubi durante el sitio de Montevideo (entre 1839 y 1851), el gaucho festiviza la guerra y exalta a sus héroes y jefes (y es el gaucho del ejército contrario el que se lamenta por la opresión y la coacción).

Anarquismo o militarismo: la diferencia se lee en las relaciones entre locución y acción. En el primer caso, la voz que canta ha participado en las batallas y en la vida del ejército y cuenta horror y pérdidas; en el segundo, la voz narra las batallas y victorias con distancia periodística y exalta a los jefes. La construcción de las alianzas y la red de tonos difieren radicalmente en cada caso.

En las coyunturas de pacificación o de acuerdo entre los sectores, los escritores asumen una función fundamental. El debate gira alrededor de la educación y civilización de los gauchos y de la separación entre legales e ilegales. Los escritores ya no prestan directamente su voz a algunos de los sectores políticos, sino que parecen hablar por sí mismos, cumpliendo funciones específicas: ley, educación, lengua, poesía. Se debate la figura del que sabe o quien educa, y la legitimidad de su saber. Los textos de coyunturas de paz se distancian de los acontecimientos y se ligan con la literatura letrada de la época (teatro en el caso de los diálogos de Hidalgo, folletín romántico en *Santos Vega* de Ascasubi, novela picaresca en *La vuelta de Martín Fierro).* Los discursos enfrentados son el moralista cristiano, que divide nítidamente a los gauchos entre buenos y malos por naturaleza, y el reformista, que recoge la protesta del gaucho por la injusticia en la aplicación de la ley y propone reformas de las instituciones. Aquí se trata de inculcar a los gauchos la ley civilizada y estatal. *Santos Vega* reproduce la voz de un cura ausente que envía su mensaje cristiano a los gauchos, mientras que en el primer diálogo de Hidalgo y en *La vuelta de Martín Fierro* el que sabe está presente en los textos, recita la ley y enuncia su programa reformista. En los dos casos se trata de que los gauchos abandonen su código oral, consuetudinario, y por lo tanto cambien su categoría de delito.

LA PARODIA DEL GÉNERO

Para periodizar el género según su historia interna puede postularse un primer corte, el de la parodia de *Fausto. Impresiones del gaucho Anastasio el Pollo en la representación de esta ópera* (1866), de Estanislao del Campo (1834-1880). Es el primer texto del género que separa nítidamente literatura y política. Define la primera por exclusión de la última e introduce una secuencia típicamente moderna que puede enunciarse así: autonomización de lo literario, problematización de las construcciones representativas del género, y apertura de un debate nuevo entre los escritores.

El proceso puede sintetizarse en un corte y un cambio de lugar; el corte es el salto producido por la progresiva despolitización de una de las líneas del género, los diálogos sobre la visita del gaucho a la ciudad en ocasión de una celebración política. El cambio de lugar es, en realidad, un desplazamiento de la sección del periódico que enmarca lo escrito: la crónica de la fiesta ya no es cívica y política sino puramente cultural, la de una representación en el teatro Colón. Desde la «Relación de las fiestas mayas» (1822) de B. Hidalgo, pasando por el «Diálogo que tuvo lugar entre el Sr. Chuche Gestos y Antuco Gramajo, con motivo de las fiestas en celebridad del ascenso al mando del ilustre Restaurador de las leyes Brigadier General D. Juan Manuel de Rosas, dedicado por su autor a S.E.» (1835), de Manuel de Araucho (1803-1842), y sobre todo por el primer diálogo de Ascasubi (1807-1875) en Uruguay, «Jacinto Amores, gaucho oriental, haciéndole a su paisano Simón Peñalva, en la costa de Queguay, una completa relación de las fiestas cívicas, que para celebrar el aniversario de la jura de la Constitución oriental, se hicieron en Montevideo en el mes de julio de 1833», hasta llegar a *Fausto,* puede leerse una historia cuyo centro son los pactos (políticos y comerciales) entre ciudad y campo. A medida que lo político pierde peso, lo comercial gana en importancia y autonomía. En *Fausto* se asiste a una despolitización generalizada, que deja solas, como esferas autónomas, la comercial y la cultural, encamadas en los dos protagonistas del diálogo: Laguna y su venta de lana, y Pollo y su visita accidentada al teatro donde asiste a la representación de otro pacto, la venta del alma.

Fausto cierra efectivamente los relatos sobre la visita del gaucho a la ciudad. Pollo cuenta la ópera a su paisano Laguna; el diálogo de las dos culturas, entre el género gauchesco y la poesía culta, constituye el eje del texto. Las dos se parodian entre sí, y la lectura produce risa por el contacto y biasociación de dos modelizaciones aparentemente incompatibles. La parodia de *Fausto* se inscribe en una concepción de la literatura como sistema autónomo, y juega en el interior de esa concepción al leer un sector (género, texto, convención, registro) desde otro, opuesto y alternativo, que aparece como su complemento en el sistema. La parodia representa así un conflicto puramente cultural: en vez de oponer dos sectores políticos, económicos o militares, como en el género anterior, se enfrentan en *Fausto* dos espacios literarios, el culto y el popular. Al parodiar el género gauchesco, al leerlo desde la poesía culta y con sus leyes, se lo constituye en género literario. En *Fausto* el género se literaturiza o estetiza, y también se ficcionaliza por inversión paródica de algunos *topoi* y por exageración paródica de otros.

Lo que el gaucho Pollo contempla en el teatro y cuenta al gaucho Laguna es cómo el doctor Fausto, aprovechando la ausencia del militar hermano de Margarita por la guerra, se alía con el diablo para engañarla. Mientras las figuras del que sabe y del que manda, representadas por la voz de los escritores del género, visitaban el campo para proponer alianzas a los gauchos, el gaucho en la ciudad contempla ahora el espectáculo de su lucha: entre ellos mismos. Y en esa disputa, el escritor, que piensa con Del Campo la construcción de representaciones creíbles y la argentinización de la cultura europea, se distancia como el gaucho, se sitúa en el vaivén, entre las dos culturas y las dos lenguas literarias.

El centro del texto lo constituye la exclusión del código jurídico en el «abogado» Fausto y su pacto perverso, legal e ilegal a la vez, con el diablo. A partir de aquí, *Fausto* cuenta el juego de la pluralidad de las leyes cuando cae la Ley. Puede aparecer entonces, *por primera vez en el género,* un código popular de justicia consuetudinaria, opuesto y enfrentado a la ley letrada: «Cuando a usté un hombre lo ofiende, / ya, sin mirar para atrás, / pela el flamenco y ¡sas! ¡tras! / dos puñaladas le priende. / Y cuando la autoridá / la partida le ha soltao, / usté en su overo rosao / bebiendo los vientos va. / Naides de usté se despega, / porque se haiga desgraciao, / y es muy bien egasajao / en cualquier rancho a que llega» (vv. 921-932). Los elementos de la cultura popular no integrados en alianzas, sin uso para la cultura letrada, establecen otra mirada, otra legalidad y otro consenso, que particularizan la legalidad dominante. Y entonces, de un modo ambiguo y doble, como en la parodia, se enfrentan las culturas en la forma de dos particularismos o especificidades y no ya como centro y periferia. *Fausto,* con su parodia, con su legalidad otra, con la voz del gaucho que es oída como la voz del hombre, aparece como la condición fundante de *Martín Fierro*.

EL CLÁSICO ARGENTINO

LA IDA

Voz y tonos

En el primer canto de la primera parte de *Martín Fierro* se establece la identidad entre la voz del cantor, su palabra, y la voz del gaucho. La presentación del cantor, primer paso del ritual de la payada, despliega esa identidad; el cantor es el que reproduce el código de la cultura oral, y al mismo tiempo se presenta como no letrado, valiente, y gaucho perseguido. La cadena de razonamientos de identidad que despliega el preludio concluye con la implicación mutua de los tonos, desafíos y lamentos.

Todo está en el canto, dice de entrada el cantor, y esto debe ser tomado literalmente porque es el suelo de *La ida*. En el canto está la vida entera del que canta, porque canto y vida se identifican; están los aliados (Dios y lo santos) y los rivales (los otros cantores). Está el juego, la economía pastoril de los rodeos, y el uso de los cuerpos. El canto es el código oral, expresión y a vez cohesión cultural de la comunidad de los gauchos: contiene su literatura, su sistema religioso, social, jurídico, económico y sexual. En el canto del preludio, José Hernández (1834-1886) escribió la ficción de una cultura plena, indivisa, sin Estado, y al mismo tiempo su fractura y división. Por primera vez en el género, emerge una voz que parece no hacer alianza con la cultura letrada, una voz que se funde con una razón y una ley que se oponen radicalmente a los universales iluministas de Hidalgo.

El género se lee por entero desde *La ida*. Allí está su emergencia y su cierre, porque se despliega su lógica, que es la del cantor y la de los usos de la voz del otro. El texto del preludio dice que el uso de la voz, el del cuerpo y el del sentido coinciden. Y lo dice en uno de los textos ejemplares sobre el doble sentido, el doble uso y la doble interpretación. Las voces de Martín Fierro y de Cruz, los dos gauchos (la única alianza del texto), muestran que las palabras quieren decir cosas diferentes según quién o qué razón las use, y que la voz «gaucho» se define de modos opuestos según el registro y el código que la defina: «Soy gaucho, y entiendanló / como mi lengua lo esplica: / para mí la tierra es chica / y pudiera ser mayor; / ni la víbora me pica / ni quema mi frente el sol» (vv. 79-84). El sentido de «gaucho» es libre y sin propiedades en el espacio entero: ni siervo, ni útil. Entonces se instala el tono del lamento, por la diferencia de sentidos de «gaucho» según su lengua y su razón, y la lengua y la razón del código diferencial escrito: «Y atiendan la relación / que hace un gaucho perseguido, / que padre y marido ha sido / empeñoso y diligente, / y sin embargo la gente / lo tiene por un bandido» (vv. 109-114). Hernández llevó el tono del lamento por la diferencia entre los dos órdenes jurídicos hasta el extremo de la no voz: la lógica del cantor perseguido concluye con el estallido de la guitarra, el silencio, y el exilio a otra lengua y otra razón, la de los indios.

Los textos sobre el doble sentido y el choque de dos códigos, son también textos sobre las metamorfosis y el silencio. *La ida* aparece como un campo de transformaciones, de pasaje de cada cosa a su contrario. Y el centro de las transformaciones es el héroe mismo, que resulta un condenado santo, un ilegal legal, un traidor héroe de la justicia.

La biografía

El eje de *La ida* es la biografía oral. Ese relato, referido a un bandido rural, un desertor o un errante, se cantó en todas las regiones con latifundio y en período de transición y modernización: sur de Italia, Andalucía, Brasil; en el folclore argentino se la encuentra como «relación argumento». Narra una serie de acciones en las que un gaucho, en este caso, es acusado por un delito que no cometió o que, según su código (el de la justicia oral no es un delito, y enfrenta a los representantes de la ley. La autobiografía oral es un relato jurídico, constituido enteramente por el juego de la ley; su centro es el sujeto culpable para una, la moderna, escrita y hegemónica, pero inocente para la otra, la propia. Se trata de una biografía colectiva; es la ficción de una sociedad dividida, anterior a la unificación política y jurídica del Estado, y también posterior, cuando los códigos enfrentados siguen agitando todavía las conciencias. Pero lo que hizo de la biografía oral un relato ejemplar en la literatura (y la cultura) argentina, es que su sentido cambia según se la escriba como biografía o se la escriba (y cante) como autobiografía. Según la voz venga de afuera (de arriba) o de abajo y de adentro del sujeto. La escritura de esa vida se dividió entre su uso como biografía por parte de Sarmiento (en *Facundo),* y su uso como autobiografía por parte de Lucio V. Mansilla (en *Una excursión a los indios ranqueles,* 1870) y de José Hernández. El uso biográfico sirvió para atacar al sujeto y ponerlo como ejemplo de barbarie criminal; el uso autobiográfico para defenderlo y atacar a los enemigos políticos del que escribe.

En *La ida* las autobiografías de Fierro y Cruz son relatos violentamente antijurídicos (contra la ley de levas y vagos, que desmentía la igualdad ante la ley y que quitaba mano de obra a los hacendados). Y violentamente antimilitares: es el pasaje por el ejército el que despoja a Martín Fierro y lo transforma en «gaucho malo»; es el comandante del ejército el que quita la mujer a Cruz y abre su cadena de crímenes. En los dos casos el juez decide arbitrariamente y de modos opuestos: a Fierro le aplica la ley de levas porque no votó (y eso no era delito para la ley), y a Cruz (que era un delincuente que huía de la justicia) lo destina a enfrentar a los que enfrentaban la ley de vagos y levas, a los «delincuentes». Dice Cruz que dijo el juez (y lo dice sin usar su lengua, en estilo indirecto): «Y me largó una ploclama / tratándome de valiente, / que yo era un hombre decente, / y que dende aquel momento / me nombraba de sargento / pa que mandara la gente» (2053-2058). La valentía, el valor supremo del código oral (su ley, para sobrevivir en un mundo implacable), puede ser «decencia» o «delincuencia» según a quiénes sirve. Tiene, como el gaucho, como su biografía, dos usos. Por eso Cruz y Fierro, en el momento del enfrentamiento, el momento crucial de *La ida,* uno de un lado y otro del otro, representan los dos códigos; Fierro es delincuente para la ley escrita y valiente para su justicia, y para el código de su lengua literaria; Cruz es valiente «decente» para el código del juez. Cuando Cruz reconoce a Fierro como valiente y deserta para unírsele, invierte la categoría de delito: «Cruz no consiente / que se cometa el delito / de matar ansí un valiente» (vv. 1625-1627). Hernández escribió y arrojó a sus enemigos políticos el texto más radical de la autobiografía oral, el que muestra la existencia de dos órdenes jurídicos y muestra que uno de ellos, usado de un modo diferencial, pone al otro fuera de la ley.

El texto fue leído como una defensa paternalista y liberal-democrática del gaucho, y también como una defensa de los intereses de los hacendados, que deseaban proteger su mano de obra contra las levas indiscriminadas: el peón contra el soldado. Estas lecturas tienen sus marcos en el texto. Pero la lectura que oralizó y folclorizó el poema (y quiso olvidar su construcción de transcripción letrada) se centra en el giro del texto sobre sí mismo, en el encuentro de los dos gauchos. Uno cuenta al otro su vida y las dos son la misma. Los relatos autobiográficos no sólo transmiten una memoria, sino que son el lugar donde se elabora y reproduce una forma de vida, una identidad colectiva.

LA VUELTA

La vuelta de Martín Fierro (1879) es el gran texto estatal y didáctico de la literatura argentina: un espacio de saberes y de maestros diversos, y de instrucciones y consejos (cómo tratar a los indios, cómo cruzar el desierto, cómo hacer trampas en el juego, o cómo pasar la noche bajo las estrellas). Dios es, también, maestro: «En las sagradas alturas / está el maestro principal / que enseña a cada animal / a procurarse el sustento / y le brinda el alimento / a todo ser racional» (vv. 463-468). Pero a la vez es un espacio de conversión y enmienda: todos los que hablan han estado en algún tipo de aparato disciplinario (exilio, cárcel, ejército), y todos narran su pasado, con una promesa final de corrección. Y esas escenas y espacios están construidos sobre oposiciones binarias básicas: consejos «buenos» y «malos», padres y tíos «bueno» y «malos».

La culminación del saber se encuentra en la payada entre Martín Fierro y el Moreno: el duelo a cuchillo de *La ida* se transforma en *La vuelta* en duelo verbal, y constituye una verdadera prueba, condición de los consejos finales a los hijos. El que gana queda legitimado en su saber y puede enseñar. Fierro vence al Moreno porque éste no conoce las tareas del campo: no tiene un saber específico para los gauchos. Fierro, en cambio, es el héroe popular de *La ida* y ahora es viejo, sabe porque ha sufrido, y además es padre de quienes educa. La pluralización hacia la clase de *La ida,* el hecho de que, para constituir un principio de asociación, Fierro se una a Cruz, su igual, es reemplazada ahora por la pluralidad familiar: las dos generaciones representan la relación natural de transferencia de la experiencia.

El Moreno pierde la payada porque su maestro fue un fraile: «Cuanto sé lo he aprendido / porque me lo enseñó un flaire» (vv. 4005). Aquí, en pleno debate de la payada, se conecta *La vuelta* con uno de los debates centrales del género: quién educa a los gauchos. La payada entre Fierro y el Moreno no solamente define el duelo que autoriza a Fierro como maestro, sino que contiene, en boca del negro, la crítica a la desigualdad en la aplicación de la ley: «La Ley se hace para todos, / mas solo al pobre le rige» (vv. 4233-4234), «La Ley es como el cuchillo: / no ofiende a quien lo maneja» (vv. 4245-4246). Tanto en Hidalgo como en Hernández, en los dos extremos del género, al lamento por la desigualdad sigue la escena educativa en la voz del que sabe y educa. Los consejos de Fierro inculcan la ley: no robar, no matar, no beber, trabajar, ser prudente y moderado. Fierro diferencia nítidamente el delito y establece la división definitiva entre gaucho legal e ilegal. La solución que el género propone para terminar con la «delincuencia» campesina y a la vez con la desigualdad en la aplicación de la ley, es la inculcación de la ley escrita, «civilizada», a los gauchos, es decir, el abandono de su código tradicional (que no prohíbe robar ni matar en duelo si se es ofendido; en *La vuelta* los verdaderos criminales son criminales para los dos códigos: los indios y Vizcacha matan mujeres y niños): En este sentido, *La vuelta* sería el texto complementario de *La ida*, con la cual formaría una secuencia: a la denuncia por la injusticia en la aplicación de la ley de vagos-levas a los gauchos, sigue *La vuelta,* el texto didáctico de enunciación de la ley escrita para terminar con la desigualdad, si se abandona el código popular. Sólo desde esta lectura se trataría de textos complementarios, enunciados en coyunturas políticas diferentes.

La folclorización de *Martín Fierro* y su incorporación a la lengua y la cultura argentina, corrigió el texto de la ley del género. El viejo Vizcacha representaba al padre malo y sus consejos eran el antiguo testamento del ladrón de animales, que debía rechazarse y sacrificarse. No hay allí uso del cuerpo para el trabajo. En el otro extremo, el don de los consejos de Fierro, el nuevo testamento de la ley del trabajo. Pero las citas, repeticiones y trasmisiones mezclaron lo escindido, incorporaron lo excluido; hicieron un montaje entre la zona baja del voseo de Vizcacha y la alta del lenguaje casi letrado de Fierro. Construyeron otra alianza por encima de la alianza, donde «hacéte amigo del juez» (Vizcacha), se ligó, por ejemplo, con «los hermanos sean unidos» (Fierro), y «el que nace barrigón es al ñudo que lo fajen» (Vizcacha), con «debe trabajar el hombre para ganarse su pan» (Fierro). Aquí se borra la voz del escritor y se oyen las de los que leyeron y oyeron: la voz de la historia, que en su cadena de usos y siguiendo la ley misma dc la alianza que fundó el género, se apropió de lo que necesitaba, y en su forma misma.

BIBLIOGRAFÍA

BIBLIOGRAFÍA DE BIBLIOGRAFÍAS GENERALES DE LA LITERATURA HISPANOAMERICANA

HENSLEY C. WOODBRIDGE

Esta bibliografía presenta con breves comentarios muchas de las bibliografías generales y diccionarios más importantes en el campo de la literatura hispanoamericana. La mayor parte está ordenada por países y a veces por regiones. Hay una ordenación clasificada dentro de cada país, generalmente por géneros literarios y temas. Hemos tratado de que cada entrada haya sido descrita en detalle de manera que se pueda encontrar fácilmente. Las anotaciones tienen la finalidad de mostrar el campo de aplicación de la obra particular a veces con una valoración de su exactitud, su actualidad, y su utilidad general.

Se notará que la mayoría de estas obras han sido publicadas en las dos últimas décadas. Se están haciendo disponibles los catálogos de bibliotecas (la Biblioteca Nacional del Perú por ejemplo) a escala internacional, se ha hecho un mayor esfuerzo por cubrir la literatura periódica sobre una base actual *(Hispanic American Periodical Index),* están saliendo cada vez más bibliografías de géneros literarios. Aunque no forman parte de esta bibliografía, cada vez aparecen y están en proyecto más bibliografías de autor sobresalientes.

BIBLIOGRAFÍAS E ÍNDICES PERIÓDICOS ACTUALES

Bibliografía de publicaciones japonesas sobre América latina en 1974- (título también en japonés), Tokio, Instituto Iberoamericano de la Universidad de Sofía, 1975-.

Bibliografía clasificada de publicaciones japonesas sobre Latinoamérica. Es la fuente actual para traducciones japonesas de autores latinoamericanos y para la crítica japonesa sobre ellos.

«Bibliografía hispanoamericana», *Revista Hispánica Moderna,* 1-15 (1934-1947). «Bibliografía hispánica», *Revista Hispánica Moderna,* 16-22 (1948-1956). «Bibliografía hispanoamericana», *Revista Hispánica Moderna,* 23-32 (1956-1966); núms. 33-35 (1967-1969).

Durante casi treinta y cinco años fue ésta la bibliografía más completa de su género. Es una bibliografía clasificada que incluye tesis doctorales y reseñas de libros además de libros y artículos. Contiene más de 80.000 entradas numeradas.

Bibliographie der Hispanistik in der Bundesrepublik Deutschland, Osterreich und der deutschprachigen Schweiz, comp., Titus Heydenreich, ed. Christoph Strosetski, Frankfurt-am-Main, Veruert. Editionen der Iberoamericana. Reihe II. Bibliographische Reihe, 4, 1978-1981; Reihe 5, 1982-1986. Ambos vols., 1988; 1987-1989, 1990 (170 págs.)

Los volúmenes contienen secciones dedicadas a la literatura latinoamericana escritas por individuos de las zonas germanoparlantes de Europa, se publicaran donde se publicaran sus materiales.

Bibliographie latine-américaine d'articles, París, Institut d'Hautes Études de l'Amérique latine, 1975.

Semestral. Algunas de las 3.500 entradas anuales tratan de la literatura hispanoamericana.

Bulletin bibliographique Amérique latine: analyse des publications françaises et recherche bibliographique automatisée sur le fichier FRANCIS, 1- (1981-). Semestral. Excelente fuente actual para los estudios sobre Latinoamérica publicados en Francia por los franceses.

Columbus Memorial Library. *Index to Latin American Periodicals. Humanities and Social Sciences,* Boston: G. K. Hall, 1-2 (1961-1962); Metuchen, N.Y.: Scarecrow Press, 3-10, z (1963-junio de 1970).

Index to Latin American Periodical Literature 1929-1960, 8 vols., Boston, G. K. Hall, 1962. Primer suplemento de la misma editorial para 1961-1965, 1968, 2 vols. El *Index* para 1966-1970, 1980, 2 vols., es de la misma editorial.

Estos índices son una reproducción de la sección de periódicos del catálogo-diccionario de esta biblioteca.

Handbook of Latin American Studies, I- (1935-), 1936-, vols. I-XIII, Cambridge, Mass., Harvard University Press, 1936-1951; los vols. XIV-XL fueron publicados en Gainesville, University of Florida Press, 1951-1978; los vols. XLI- se publican en Austin, University of Texas Press, 1979-.

Los vols. I-XXV contienen una bibliografía anotada selectiva de importantes *belles lettres,* historia literaria y crítica literaria que aparecieron durante el año en cuestión. Las literaturas de ciertas áreas o periodos son seleccionadas y anotadas por especialistas en el campo. Con el vol. XXVI, la sección dedicada a la literatura aparece en el volumen de Humanidades, que ahora se alterna con un volumen dedicado a las ciencias sociales. Las bibliografías, sea cual sea el tema, aparecen generalmente en la sección «General Works» de cada volumen. A pesar de su selectividad, ha sido durante mucho tiempo y sigue siendo una fuente de referencia esencial en el campo de la literatura latinoamericana.

Hispanic American Periodicals Index, 3 vols: (1970-1974), Los Angeles, University of California Latin American Center, 1975-. Los volúmenes actuales registran aproximadamente 200 revistas, muchas de las cuales no están en otros índices. Indispensable bibliografía clasificada actual para autores y movimientos.

Índice Español de Humanidades, Madrid, Instituto de Información y Documentación en Ciencias Sociales y Humanidades (ISOCO [y] Centro Nacional de Información Documentación, I, núm. 1 (enero-junio, 1978-).

El primer número reproduce los índices de materias de 171 revistas publicadas en 1976. El índice permite al usuario encontrar materiales sobre un tema dado o un autor.

Leavitt, Sturgis E., Madaline W. Nichols y Jefferson Rea Spell, *Revistas hispanoamericanas: índice bibliográfico 1843-1935,* Santiago de Chile, Fondo Histórico y Bibliográfico José Toribio Medina, 1960 (xiv, 589 págs.).

Índice clasificado de 30.107 entradas halladas en poco más de 50 archivos de periódicos publicados en Hispanoamérica.

MLA International Bibliography of Books and Articles on the Modern Languages and Literatures, MLA, 1956.

Desde 1921 a 1955 cubrió publicaciones de Estados Unidos. Material sobre literatura latinoamericana que comenzando con la edición de 1969 ha aparecido en el volumen II de la bibliografía. Los últimos volúmenes están ordenados por periodos dentro de cada país.

Romanische Bibliographie, Tübingen, Max Niemeyer, 1965-. Bienal, 1967-.

Primeramente aparecía anualmente como suplemento a la *Zeitschrift für romanische Philologie,* 1875/1876-1879; no hubo volúmenes para el año 1923; sí para 1940-1950, 1951-1955, 1956-1960; continúa desde 1961-1962 con dos años por volumen. Ordenación clasificada por regiones. Incluye citas de reseñas de libros. Los volúmenes recientes contienen índice de autores, de reseñantes y temático.

The Year's Work in Modern Language Studies, Cambridge, Modern Humanities Research Association. Volúmenes anuales para 1931-1939, 1950-. El vol. XI abarca los años 1940-1949. Contiene breves anotaciones críticas. Índices de autores y temas.

BIBLIOGRAFÍAS (GENERALES)

Bellini, Giuseppe, *Bibliografia dell'ispanoamericanismo italiano: contributi critici,* Università degli Studi di Venezia, Seminario di Letterature Iberiche e Iberoamericana, Milan: Cisalpino, 1981 (100 págs.).

Cuenta con 1.191 aportaciones italianas al estudio de la literatura latinoamericana publicadas entre 1940 y 1980, ya aparecieran en forma de libro o como artículo en un periódico. Por desgracia no se da la paginación para las entradas incluidas.

Bibliografía general de la literatura latinoamericana, ed. Jorge C. Andrade, Paris, UNESCO, 1972 (1987 págs.).

Cada uno de los tres periodos cronológicos compilados por cuatro destacados eruditos se divide en «Bibliografías generales», «Bibliografías regionales» e «Historias generales».

Bryant, Shasta M., *Selective Bibliography of Bibliographies of Hispanic American Literature,* 2.ª ed., ampliada y revisada, Austin, University of Texas Press, Institute of Latin American Studies, 1976 (x, 100 págs.).

Casi dos tercios de las 662 entradas son bibliografías de autores; casi todas están anotadas.

Buxo, José Pascual, y Antonio Melis (eds.), *Apuntes para una bibliografía crítica de la literatura hispanoamericana.* I, *Historias literarias,* Centro di Ricerche per l'America Latina, Ricerche Letterarie, 3, Florence, Valmartina, 1973 (vii, 133 págs.).

Valoraciones críticas de 144 historias de la literatura latinoamericana además de la literatura de los respectivos países.

Forster, Merlin, «Spanish-American literary bibliography -1967», *Modern Language Journal,* 53 (1969), 85-9.

Foster, David William, «Spanish-American literary bibliography, 1968», *Modern Language Journal,* 53 (1969), 550-4.

— «Bibliografía literaria hispanoamericana 1977-1978-1979, 1982-1983-1984», *Revista Iberoamericana,* 46 (1980), 591-664; 51 (1985), 347-53.

Bibliografías anotadas de obras de referencia publicadas durante los años que figuran en el título del artículo.

Johnson, Harvey L., «Spanish-American literary bibliography, 1969-1970, 1972-1974», *Modern Language Journal,* 55 (1971), 306-11; 56 (1972), 365-72; *Hispanófila,* 54 (1975) 61-68, 69-78; 64 (1978) 93-9.

— «Spanish-American literary bibliography, 1962-1966», *Hispania,* 46 (1963), 557-60; 47 (1964), 766-71; 48 (1965), 856-64; 49 (1966), 793-99; *Modern Language Journal,* 51 (1967), 402-8.

Johnson, Harvey L., y David William Foster, «Bibliografía literaria hispanoamericana 1976», *Revista Iberoamericana,* 44 (1978), 221-9.

Lozano, Stella, *Selected Bibliography of Contemporary Spanish-American Writers,* Latin American Bibliography Series, 8, Los Angeles University of California Latin American Studies Center, 1979 (v, 149 págs.).

Materiales publicados durante el breve periodo 1974-1978, «salvo para las escritoras, en cuyo caso se relacionan materiales sea cual sea la fecha» (pág. iii).

Mundo Lo, Sara de, *Index to Spanish American Collective Biography,* 4 vols., Boston, G. K. Hall, 1981-1985. Vol. I: *The Andean Countries,* 1981 (496 págs. —Chile, Bolivia, Ecuador, Perú, Colombia y Venezuela). Vol. II: *Mexico,* 1982 (xxx, 378 págs.). Vol. III: *The Central American and Caribbean Countries,* 1984 (XXXIII, 360 págs.). Vol. IV: *The River Plate Countries,* 1985 (XXXI, 388 págs.), Argentina, Uruguay y Paraguay.

Una de las obras de referencia más extraordinarias de los años 80 del siglo xx, que proporciona un índice a estudios biográficos publicados en libros. Las anotaciones para cada volumen casi siempre enumeran las bibliografías incluidas. El índice es de biografías en colecciones; no aparecen estudios biográficos de la extensión de un libro.

Okinshevich, Leo, *Latin America in Soviet Writings: A bibliography,* ed. Robert G. Carlton, 2 vols., Baltimore, Md., Johns Hopkins University Press, 1966. Vol. I: 1917-1958. Vol. II: 1959-1964.

Las entradas 2784-3407 (I, 159-91) y las entradas 3412-4423 (II, 186-223) contienen crítica literaria, historias de literatura, y traducciones de autores latinoamericanos.

Rela, Walter, *Guía bibliográfica de la literatura hispano-americana desde el siglo XIX hasta 1970,* Buenos Aires, Pardo, 1971 (613 págs.).

Bibliografía clasificada sin anotaciones de 6.023 entradas.

— *Literatura hispanoamericana: Bibliografía selecta 1970-1980*, Montevideo AS, 1981 (231 págs.).

Sus 1.502 entradas podrían servir como suplemento al libro precedente.

Schnepl, Ryszard, y Kryzsztof Smolana (eds.), «Cultura», en *Bibliografía de Publicaciones sobre América Latina en Polonia 1945-1977* (título también en polaco), Varsovia, Biblioteca Nacional, Instituto de Historia, Academia de Ciencias de Polonia, Sociedad Polaca de Historiadores [y] Sociedad Polaca de Estudios Latinoamericanos, 1978, 100-13.

Muchas de las entradas 628-732 incluyen obras literarias latinoamericanas traducidas al polaco, junto con sus reseñas polacas. Se dan títulos en español de obras en polaco.

Zubatsky, David S., *Latin American Authors: An annotated guide to bibliographies,* Metuchen, Nueva York, Scarecrow Press, 1986 (ix, 332 págs.).

Guía indispensable para bibliografías de autores latinoamericanos que «incluye citas que aparecen en periódicos, libros, tesis doctorales y homenajes» (pág. v).

Autoras

Cortina, Lynn Ellen Rice, *Spanish-American Women Writers,* Nueva York, Garland, 1983 (xi, 292 págs.).

Ordenado por países. Da las fechas de las autoras y las listas de sus publicaciones.

Corvalán, Graciela N. V., *Latin American Women Writers in English Translation: A bibliography,* Latin American Bibliography Series, Los Angeles, California University, Latin American Studies Center, 1980 (iv, 109 págs.).

Se proporcionan datos sobre 282 autoras, cuyas obras o han sido traducidas al inglés o hay estudios críticos o biográficos en inglés sobre ellas.

Cypess, Sandra Messinger, David R. Kohut y Rachelle Moore, *Women Authors of Modern Hispanic South America: A bibliography of literary criticism and interpretation,* Metuchen, N.J., Scarecrow, 1989 (xii, 159 págs.).

Dividida en estudios generales y luego ordenada por países. Aporta estudios críticos sobre 169 autoras.

Knaster, Meri, «Literatura, mass media, and folklore», en M. Knaster (ed.), *Women in Spanish America: An annotated bibliography from pre-Conquest to contemporary times,* Boston, G. K. Hall, 1977, 39-94.

Las entradas 160-414 de esta lista anotada, sumamente selectiva, tratan de autoras hispanoamericanas.

Marting, Diana E. (ed.), *Spanish American Women Writers: A bio-bibliographical source book,* Nueva York, Greenwood Press, 1990 (xxvi, 645 págs.).

— *Escritoras de Hispanoamérica. Una guía bio-bibliográfica,* ed., pról., y revisión de la edición española de Montserrat Ordóñez, Bogotá, Siglo Veintiuno Editores, 1990 (638 págs.).

Cada uno de los cincuenta artículos sobre autoras individuales está dividido en biografía, temas principales, panorama de la crítica, y una bibliografía de las obras de la autora y de las obras sobre la misma. Hay también dos ensayos: «Indian women writers of Spanish America» and «Latina Writers in the US». Hay tres apéndices y también índices de títulos y temas.

Autores negros

Bansart, Andrés, *El negro en la literatura hispanoamericana (bibliografía y hemerografía),* Colección de bolsillo, 2, Valle de Sartenejas, Venezuela, Editorial de la Universidad Simón Bolívar, 1986 (113 págs.).

661 entradas que tratan principalmente de la «Presencia del descendiente de negroafricanos en la literatura hispanoamericana» (pág. v).

Jackson, Richard L., *The Afro-Spanish American Author: An annotated bibliography of criticism,* N.Y., Garland, 1980 (xix, 129 págs.).

Jackson, especialista en autores afro-hispanoamericanos, ha dividido esta bien anotada bibliografía de 562 obras en bibliografías generales, estudios generales, antologías y autores.

— *The Afro-Spanish American Author II; The 1980s: An annotated bibliography of recent criticism*, West Cornwall, Conn., Locust Hill Press, 1989 (xxviii, 154 págs.).

Suplemento con la misma ordenación del volumen anterior.

—, «Studies in Caribbean and South American literature: an annotated bibliography», *Callaloo,* 10- (1987-).

Una de sus secciones es «Afro-Hispanic literature», que ha sido compilada por varios individuos. La bibliografía para 1990 se divide en obras publicadas y traducidas recientemente, entrevistas, estudios de carácter general, estudios sobre poesía, ficción, teatro, y autores individuales.

Williams, Lorna V., «Recent works on Afro-Hispanic literature», *Latin American Research Review,* 22:2 (1987), 245-54.

Valoración crítica de cuatro obras importantes en este campo.

Diccionarios y guías

Becco, Horacio Jorge, *Diccionario de literatura hispanoamericana: autores,* Textos Huemul, Buenos Aires, Huemul, 1984 (313 págs.).

Breve esbozo biográfico seguido de una enumeración de las obras del autor con detalles bibliográficos pertinentes.

Bhalla, Alok, *Latin American Writers: A bibliography with critical and biographical introductions,* Nueva York, Envoy, 1987 (174 págs.).

Cada uno de los dieciocho esbozos biográficos de los escritores hispanoamericanos del siglo XX va acompañado de una bibliografía de las obras del autor, otra de sus libros o de antologías de sus obras en traducción inglesa, además de una bibliografía de crítica en inglés sobre el autor. El impresor del volumen no tiene acentos gráficos.

Forster, David William, *Handbook of Latin American Literature,* 2.ª ed., Nueva York, Garland, 1992 (820 págs.).

Se aportan breves historias de las literaturas de los distintos países. Cada esbozo histórico-literario va seguido de una bibliografía sumamente breve. Participaron en este volumen más de una docena de individuos. Esta edición tiene artículos sobre los grupos hispánicos principales en EE. UU., en películas y en la paraliteratura.

Klein, Leonard S. (ed.), *Latin American Literature in the Twentieth Century: A guide,* Nueva York, Ungar, 1986 (x, 278 págs.).

Basado en las entradas latinoamericanas de la *Encyclopedia of World Literature in the Twentieth Century* (5 vols., Ungar, 1981-1984). Contiene «13 estudios nacionales y regionales..., 92 artículos sobre escritores principales... Un apéndice con artículos sobre Afrocubanismo, Realismo Mágico y Modernismo» (cubierta posterior). Aunque se publicó en 1986 no menciona que García Márquez ganó el Premio Nobel en 1982. Los artículos biográfico-críticos generalmente proporcionan bibliografías de las obras de los autores, además de bibliografías de estudios críticos.

Reichardt, Dieter, *Lateinamerikanische Autores: Literatur-lexikon und Bibliographie der deutschen Übersetzungen,* Tübingen, Erdman, 1972 (719 págs.).

Este diccionario biográfico alemán de autores latinoamericanos está ordenado por países y es una fuente valiosa para sus traducciones al alemán.

Shimose, Pedro (ed.), *Diccionario de autores iberoamericanos,* Madrid, Ministerio de Asuntos Exteriores, 1982 (459 págs.).

Incluye autores hispano- y latinoamericanos además de chicanos.

Solé, Carlos A., y María Isabel Abreu (eds.), *Latin American Writers,* 3 vols., Nueva York, Charles Scribner's Sons, 1989.

Numerosos especialistas proporcionan esbozos biográfico-críticos de 172 autores en artículos que van de 2.500 a 10.000 palabras. Se divide la bibliografía selecta en primeras ediciones, ediciones modernas, traducciones al inglés, estudios biográfico-críticos y bibliografías.

Ensayos

Los ensayistas (University of Georgia), 1- (1976-).

Publica, a intervalos irregulares, bibliografías de estudios sobre ensayistas hispanoamericanos.

Horl, Sabine, *Der Essay als literarische Gattung in Lateinamerika,* Frankfurt, Lang, 1980 (xiii, 100 págs.).

Bibliografía clasificada de 722 entradas.

Ficción

Balderston, Daniel, *The Latin American Short Story: An annotated guide to anthologies and criticism,* Bibliographies and Indexes in World Literature, 34, Nueva York, Greenwood Press, 1992 (xx, 529 págs.).

Esta bibliografía clasificada, parcialmente anotada, está dividida en antologías, generalmente con su contenido, y crítica. Las anotaciones son sumamente útiles. Los tres índices —de autores, críticos, y títulos— debieran hacer que ésta sea fácil de usar.

Becco, Horacio Jorge, «Antologías del cuento hispanoamericano: notas para una bibliografía», en *Narradores latinoamericanos 1929-1979,* vol. II, Memoria del XIX Congreso del Instituto Internacional de Literatura Iberoamericana, 2, Caracas, Centro de Estudios Latinoamericanos Rómulo Gallegos, 1980, 287-327.

Valioso por su lista de 350 antologías del cuento hispanoamericano, págs. 293-327.

Becco, Horacio Jorge, y David William Foster, *La nueva narrativa hispanoamericana: bibliografía,* Buenos Aires, Pardo, 1976 (226 págs.).

Lista no anotada de 1.257 entradas sobre la «nueva» novela y el cuento. En su primera parte incluye las obras, traducciones y crítica de quince autores. En la segunda, «Referencias generales», y en la tercera, «Referencias nacionales».

Brower, Keith H., *Contemporary Latin American Fiction: An annotated bibliography,* Pasadena, Salem Press, 1989 (218 págs.).

Bibliografía, clasificada y anotada, de materiales en inglés sobre veintitrés autores.

Foster, David William, *The Twentieth-Century Spanish American Novel: bibliographical guide,* Metuchen, N.J., Scarecrow, 1975 (227 págs.).

Proporciona «... una bibliografía-guía sobre la crítica relacionada con los 56 novelistas hispanoamericanos que se estudian más frecuentemente en EE. UU...» (pág. vi). Esta bibliografía sin anotar incluye «estudios monográficos básicos sobre la novela hispanoamericana» y divide los materiales sobre autores esencialmente de la misma manera que el libro precedente.

Foster, Jerald, «Towards a bibliography of Latin American short story anthologies», *Latin American Research Review,* 12:2 (1977), 103-8.

Bibliografía anotada críticamente de más de cincuenta obras. Incluye antologías de cuentos latinoamericanos en traducción inglesa.

Luis, William (ed.), *Modern Latin-American Fiction Writers: First series.* Dictionary of Literary Biography, 113, Detroit, Mich., Gale Research, 1992 (404 págs.).

Excelente introducción a la vida y la obra de treinta escritores latinoamericanos de ficción. Los especialistas en los respectivos autores proporcionan una lista de las obras de los mismos junto con sus traducciones al inglés, si las hay; sigue un esbozo biográfico-crítico, con frecuencia bien ilustrado. La bibliografía, dependiendo de cada autor, puede estar dividida en entrevistas, bibliografías, biografías y referencias.

Luis, William, y Ann González, *Modern Latin American Fiction Writers. Second series.* Dictionary of Literary Biography, 145. Detroit Mich.: Gale Research, 1994 (413 págs.).

Formato para treinta y nueve autores, lo mismo que el libro precedente.

Matlowsky, Bernice, *Antologías del cuento hispanoamericano: guía bibliográfica,* Monografías bibliográficas, 3, Washington, Pan American Union, 1950 (48 págs.).

Ordena alfabéticamente setenta y cinco entradas anotadas, por autor o editor, e incluye un índice de autores.

Mechan, Thomas C., «Bibliografía de y sobre la literatura fantástica», *Revista Iberoamericana,* 46: 110-11 (enero-junio de 1980), 243-54.

Ocampo de Gómez, Aurora M., *Novelistas iberoamericanos contemporáneos: obras y bibliografía crítica. Primera parte,* Cuadernos del Centro de Estudios Literarios, 2, 4, 6, 9, 11 (5 partes), México, Universidad Nacional Autónoma de México, 1971-1981.

Aporta fechas y nacionalidad de los novelistas contemporáneos importantes, incluye sus obras y estudios críticos sobre ellas.

Zeitz, Eileen M., y Richard A. Seybolt, «Hacia una bibliografía sobre el realismo mágico», *Hispanic Journal,* 3:1 (1981), 159-67.

Proporciona una bibliografía de estudios críticos generales sobre el Realismo Mágico, y estudios sobre siete autores específicos.

Poesía

Anderson, Robert Roland, *Spanish American Modernism: A selected bibliography,* Tucson, University of Arizona Press, 1970 (xxii, 167 págs.).

Aporta datos referentes a estudios críticos sobre diecisiete autores del periodo modernista. Índice individual para cada autor. Sumamente útil para el periodo tratado.

Celma Valero, María Pilar, *Literatura y periodismo en las revistas del fin de siglo: estudio e índices* (1888-1907), Madrid, Ediciones Júcar, 1991 (898 págs.).

Índice a veinte revistas españolas del periodo que proporciona datos sobre publicaciones de Rubén Darío, Amado Nervo, Ricardo Jaimes Freyre, Julián del Casal, José Santos Chocano y otros.

Hoffman, Herbert H., *Hoffman's Index to Poetry: European and Latin American poetry in anthologies,* Metuchen, N.J., Scarecrow, 1985 (xiii, 672 págs.).

Ofrece índices de poemas de Europa y Latinoamérica que se encuentran en casi 100 antologías. Hay índices de títulos y de primeros versos.

Sefamí, Jacobo, *Contemporary Spanish American Poets: A bibliography of primary and secondary sources,* Bibliographies and Indexes in World Literature, 33, Nueva York, Greenwood Press, 1992 (xix, 245 págs.).

Se aportan datos respecto a publicaciones con extensión de libro de ochenta y cinco poetas nacidos entre 1910 y 1952. Esta bibliografía clasificada va seguida de una lista de bibliografías sobre los autores, y luego sobre estudios críticos divididos en libros y tesis doctorales, ensayos, reseñas, entrevistas. Probablemente más útil para poetas más recientes que para los mejor establecidos.

Zuleta, Emilia de (ed.), *Bibliografía anotada del modernismo,* compilada y anotada por Hilda Gladys Fretes y Esther Bárbara, trabajo técnico por Hebe Pauliello de Chocolous, Cuadernos de la Biblioteca, 5, Mendoza, Universidad Central de Cuyo, Biblioteca Central, 1970 [c. 1973] (138 págs.).

Anota 245 entradas. Pone el énfasis más en el movimiento que en los autores individuales.

Teatro

Acuña, René, *El teatro popular en Hispanoamérica: una bibliografía anotada,* México, Universidad Nacional Autónoma de México, 1979 (114 págs.).

A pesar de su título, no están anotadas todas las obras; evidentemente algunas se conocen de segunda mano. Contiene 380 entradas sobre el teatro popular hispanoamericano. Tiene también una sección de 141 entradas sobre el teatro popular de España.

Allen, Richard, *Teatro hispanoamericano: una bibliografía anotada/Spanish American Theatre, an Annotated Bibliography,* Boston, G. K. Hall, 1987 (633 págs.).

Ordenado por países: aporta breves resúmenes de argumentos y comentario crítico. Al menos una copia está localizada en Estados Unidos.

Becco, Horacio Jorge, *Bibliografía general de las artes del espectáculo en América latina,* París UNESCO, 1977 (118 págs.).

Bibliografía clasificada de 1.797 entradas, muchas de ellas sobre el teatro.

Carpenter, Charles A., «Modern drama studies: an annual bibliography», *Modern Drama,* 17-34 (1974-1991), continuada por Rebecca Cameron *et al.,* 35- (1992-).

Registra «investigación actual, crítica, y comentarios que pueden ser valiosos para estudiantes de literatura dramática moderna» *(Modern Drama,* 18 [1975], 61). Se cambió luego la sección «española» a «hispánica»; abarca el teatro de España, Portugal, Brasil e Hispanoamérica, sea cual sea la lengua.

— «Latin American theater criticism, 1966-1974: some addenda to Lyday and Woodyard», *Revista Interamericana de Bibliografía,* 30 (1980), 246-53.

Alaba a Lyday y Woodward (v. más abajo) y añade 97 entradas.

— «Spanish-American drama», en *Modern Drama Scholarship; and Criticism, 1966-1980: An international bibliography,* University of Toronto Press, 1986, 193-210.

Hebblethwaite, Frank P., *A Bibliographical Guide to the Spanish American Theater,* Basic Bibliographies, 6, Washington, Pan American Union, 1969 (viii, 84 págs.).

Bibliografía clasificada «sobre la historia y crítica del teatro hispanoamericano en su totalidad. No es una compilación de obras dramáticas, ni de estudios acerca de autores individuales, obras de teatro ni teatros» (pág. vi). Quedan anotadas muchas entradas.

Hoffman, Herbert H., *Latin American Play Index,* vol. I: 1920-1962, Metuchen, NJ, Scarecrow, 1984 (v, 147 págs.).

— *Latin American Play Index,* vol. II: 1962-1980, Metuchen, NJ, Scarecrow, 1983 (iv, 131 págs.).

Estos volúmenes proporcionan datos sobre 3.300 obras de teatro de más de 1.000 dramaturgos que han escrito o escriben en español, francés, o portugués.

Jones, Willis Knapp, *Behind Spanish American Footlights,* Austin, University of Texas Press, 1966 (xvi, 609 págs.).

Libro ahora anticuado pero que durante un tiempo fue la historia clásica del teatro hispanoamericano.

Lyday, Leon F., y George W. Woodyard, *A Bibliography of Latin American Theater Criticism 1940-1974,* Guides and Bibliographic Series, 10, Austin, University of Texas Press, Institute of Latin American Studies, 1976 (xvii, 243 págs.).

Están anotadas 2.360 entradas.

Neglia, Erminio, y Luis Ordaz, *Repertorio selecto del teatro hispanoamericano contemporáneo,* 2.ª ed., revisada y aumentada, Tempe, Center for Latin American Studies, Arizona State University, 1980 (xix, 110 págs.).

Contiene dramaturgos contemporáneos ordenados alfabéticamente, con su país correspondiente. Incluye muchas antologías.

— «Recent publications, Materials received and current bibliographies», *Latin American Theater Review,* 3- (1969-).

Publicada en cada número de la *Review,* esta bibliografía es la mayor fuente actual de datos acerca de obras de teatro publicadas recientemente, y también sobre estudios críticos del teatro latinoamericano.

Toro, Fernando de, y Peter Roster, *Bibliografía del teatro hispanoamericano contemporáneo* (1900-1980), 2 vols. Editionen der Iberoamericana Reihe, 2, Bibliographische Reihe, 3, Frankfurt, Vervuert, 1985.

La biografía más completa publicada hasta ahora del teatro hispano-americano contemporáneo. El vol. I es una bibliografía clasificada de 6.952 obras, mientras el vol. II («Crítica», «Libros originales») lo es de 3.132 obras. Desgraciadamente no hay índice.

Trenti Rocamora, José Luis, *El repertorio de la dramática colonial hispanoamericana,* Buenos Aires, ALEA, 1950 (110 págs.).

Trata del teatro del periodo colonial publicado; en un suplemento, se refiere a textos no publicados mantenidos en depósitos.

BIBLIOGRAFÍAS POR PAÍSES

ARGENTINA

Autoras

Cattarossi Arana, Nélida María, *Primer diccionario de escritoras y plásticas de Mendoza,* Buenos Aires, Inca, 1985 (63 págs.).

Bibliografías

Becco, Horacio Jorge, *Bibliografía de bibliografías literarias argentinas,* Basic Bibliographies, 9, Washington, OEA, 1972 (92 págs.).

Excelente fuente para bibliografías de autores y géneros.

Bibliografía argentina de artes y letras, 1-50 (1959-1971).

Inestimable para el periodo tratado. Bibliografía clasificada, a veces anotada, de libros y artículos sobre folklore, arte, teatro, literatura, periodismo, geografía, biografía e historia.

Foster, David William, *Argentine Literature: A research guide,* 2.ª ed., revisada y aumentada, Nueva York, Garland, 1982 (xliii, 778 págs.).

La bibliografía más completa de estudios críticos sobre literatura argentina. Las referencias generales están divididas en treinta secciones. Las dedicadas a setenta y tres autores están divididas en bibliografías, monografías críticas y tesis doctorales, y ensayos críticos.

Catálogo de biblioteca

Universidad de Buenos Aires, *Bibliografía argentina: catálogo de materiales argentinos en las bibliotecas de la Universidad de Buenos Aires,* 7 vols., Boston, G. K. Hall, 1980.

El catálogo comprende aproximadamente 110.000 fichas de autores de libros y panfletos hallados en 17 bibliotecas centrales y 56 bibliotecas departamentales de las Facultades, Escuelas e Institutos de la Universidad de Buenos Aires (pág. xi).

Cuentos

Ardisone, Elena, *Bibliografía de antologías del cuento argentino,* Colección Cuadernos de Biblioteca, 12, Buenos Aires, Centro de Investigaciones Bibliotecológicas, EUDEBA, 1991 (153 págs.).

Chertudi, Susana, *El cuento folklórico y literario regional,* número especial de *Bibliografía Argentina de Artes y Letras,* 16 (1962), 1-35.

Diccionarios

Diccionario de la literatura latinoamericana: Argentina, 2 vols., Washington, Unión Panamericana, 1960-1961.

Los materiales sobre cada autor están divididos en dos secciones: la primera es un esbozo biográfico y crítico; la segunda, una bibliografía de sus obras publicadas por separado y de los estudios críticos que tratan de ellas.

Organbide, Pedro, y Roberto Yalmi, *Enciclopedia de la literatura argentina,* Buenos Aires, Sudamericana, 1970 (639 págs.).

Contiene biografías y comentarios críticos sobre autores argentinos. La mayor parte de las entradas están firmadas por uno de los diecinueve colaboradores, y muchas incluyen muy breves datos bibliográficos sobre materiales acerca del autor.

Prieto, Adolfo, *Diccionario básico de literatura argentina,* Biblioteca Argentina Fundamental, Buenos Aires, Centro Editor de América Latina, 1968 (159 págs.).

Además de breves biografías de autores importantes hay entradas sobre obras literarias y movimientos. No se incluye bibliografía de estudios críticos.

Historia

Arrieta, Rafael Alberto (ed.), *Historia de la literatura argentina,* 6 vols., Buenos Aires, Ediciones Peuser, 1958-1960.

Periódicos literarios

Salvador, Nélida, «Revistas literarias argentinas (1893-1940): aporte para una bibliografía», *Bibliografía Argentina de Artes y Letras,* 9, pt. 2 (1961), 45-115.

Fuente importante para datos sobre revistas literarias argentinas del periodo tratado.

Poesía

Frugoni de Fritzsche, Teresa, *Índice de poetas argentinos,* Guías bibliográficas, 8: Universidad de Buenos Aires, Facultad de Filosofía y Letras, Instituto de Literatura Argentina «Ricardo Rojas», 1963-1968, 4 partes.

Alfabético por autores; títulos por orden cronológico.

González Castro, Augusto, *Panorama de las antologías argentinas,* Buenos Aires, Colombo, 1966 (293 págs.).

Bibliografía extensivamente anotada de antologías poéticas, publicadas principalmente entre 1937 y 1939.

Prodoscini, María del Carmen, *Las antologías poéticas argentinas, 1960-1979,* Universidad de Buenos Aires, Facultad de Filosofía y Letras, Instituto de Literatura Argentina «Ricardo Rojas», 1971 (32 págs.).

Valora las casi veinte antologías poéticas registradas en su «Bibliografía de las antologías poéticas» (págs. 6-7).

Teatro

Ferdis, Rubén, *Diccionario sobre el origen del teatro argentino,* Buenos Aires, Alberto Kleiner Ediciones, 1988 (104 págs.).

Martínez, Martha, «Bibliografía sobre teatro argentino (1955-1976)», *Ottawa Hispánica,* 5 (1983), 89-100.

Las 222 entradas no incluyen estudios sobre dramaturgos individuales; tratan sólo del teatro argentino.

Pepe, Luz E., y María Luisa Punte, *La crítica teatral argentina* (1880-1962), número especial de *Bibliografía Argentina de Artes y Letras,* 27-8 (1966), 6-78.

Bibliografía clasificada del teatro argentino (incluye circo, títeres, teatro infantil, etc.) del periodo tratado.

Poppa, Tito Livio, *Diccionario teatral del Río de la Plata,* Buenos Aires, Carro de Tespis, 1961 (104 págs.).

Incluye dramaturgos desde los comienzos del teatro argentino hasta los años 50 del siglo xx, además de datos sobre los teatros, grupos teatrales, etc.

Zsyas de Lima, Perla, *Diccionario de autores teatrales argentinos (1950-1980),* Buenos Aires, Editorial Rodolfo Alonso, 1981 (188 págs.).

Contiene breves esbozos biográficos de los dramaturgos del periodo y una lista de sus obras publicadas, además de datos sobre las representaciones de sus obras.

BOLIVIA

Bibliografías

Arze, José Roberto, «Ensayo de una bibliografía biográfica boliviana», en *Biobibliografía boliviana,* 1978, La Paz, Amigos del Libro, 1980 (71 págs.). Reimpreso como *Ensayo...*, La Paz, Amigos del Libro, 1981, 203-72.

Contiene 367 biografías, autobiografías, memorias y colecciones de biografías.

Costa de la Torre, Arturo, *Catálogo de la bibliografía boliviana: libros y folletos 1900-1963,* vol. I, La Paz, Universidad Mayor de San Andrés, 1966 (1254 págs.). El vol. II se ocupa de otros temas.

Breves biografías de 3.003 autores; seguida cada una de una lista cronológica de las obras del autor publicadas por separado.

Ortega, Julio, «Manual de bibliografía de la literatura boliviana», *Cuadernos Hispanoamericanos,* 263-4 (1972), 657-71.

Dividido en historia y crítica literaria, antologías y colecciones literarias, obras bibliográficas, fuentes generales, y catálogos, revistas y periódicos bolivianos.

— «Bibliografía selecta de la literatura de Bolivia», *Revista de Crítica Literaria Latinoamericana,* I (1975), 159-60.

Clasificada y anotada.

Diccionarios

Guzmán, Augusto, *Biografías de la literatura boliviana: biografía, evaluación, bibliografía,* Enciclopedia Boliviana, Cochabamba, Amigos del Libro, 1982 (307 págs.).

— (ed.), *Diccionario de la literatura latinoamericana: Bolivia,* Washington, Unión Panamericana, 1957 (xi, 121 págs.).

El material sobre cada autor está dividido en dos secciones: un esbozo biográfico-crítico seguido de una bibliografía de las obras del autor publicadas por separado y de los estudios críticos sobre las mismas.

Ortega, José, y Adolfo Cáceres Romero, *Diccionario de la literatura boliviana,* La Paz, Amigos del Libro, 1977 (337 págs.).

Proporciona datos sobre autores desde 1825, cuando se independizó Bolivia. Incluye una breve biografía, una lista de obras, y una bibliografía de la crítica.

Ficción

Echeverría, Evelio, «Panorama y bibliografía de la novela social boliviana», *Revista Interamericana de Bibliografía,* 27 (1977), 143-52.

La bibliografía (págs. 149-52) se divide en 1904-1952 y 1952-1979.

Paz Soldán, Alba María, «Índice de la novela boliviana (1931-1978)», *Revista Iberoamericana,* 52 (enero-marzo de 1986), 311-20.

Dentro de cada década, ordenado alfabéticamente por novelistas.

Poppe, René, *Índice del cuento minero boliviano,* Cuadernos de Investigación, La Paz, Instituto Boliviano de Cultura, Instituto Nacional de Historia y Literatura, Departamento de Literatura, 1979 (16 págs.).

Índice de los libros de cuentos bolivianos, Primera parte, Cuadernos de Investigación, 2, La Paz, Instituto Boliviano de Cultura, Instituto Nacional de Historia y Literatura, 1979 (13 págs.).

Útiles relaciones de cuentos bolivianos.

Historia

Finot, Enrique, *Historia de la literatura boliviana,* 5.ª ed., La Paz, Gisbert, 1981 (588 págs.).

La historia más completa de la literatura boliviana, sin notas ni bibliografía de estudios críticos. Contiene dos apéndices: Mesa, José de, y Teresa Gisbert, «El período colonial», y Vilela, Luis Felipe, «Los contemporáneos».

Teatro

Soria, Mario T., «Bibliografía de teatro boliviano del siglo XX», en *Teatro boliviano en el siglo XX,* La Paz, Biblioteca Popular Boliviana de «Última Hora», 1980, 211-26.

Obras de teatro, a menudo con datos bibliográficos incompletos, figuran en orden cronológico por el nombre del dramaturgo. Las págs. 227-30 son una lista valiosa de artículos y ensayos sobre el teatro boliviano y los dramaturgos.

CENTROAMÉRICA

Arellano, Jorge Eduardo, «Bibliografía general de la literatura centroamericana», *Boletín Nicaragüense de Bibliografía y Documentación,* 29 (1979), 1-5.

Cincuenta y cinco entradas sin anotar, divididas en obras de referencia, antologías y estudios críticos.

Diccionario de la literatura latinoamericana: América Central, Washington, Unión Panamericana, 1963.

El vol. I abarca Costa Rica, El Salvador y Guatemala; el vol. II, Honduras, Nicaragua y Panamá. Contiene también una «Bibliografía de la literatura centroamericana», algo anticuada, II, 281-92.

El material sobre cada autor se divide en dos secciones: un esbozo biográfico-crítico seguido de una bibliografía de las obras del autor publicadas por separado, y estudios críticos sobre ellas.

CHILE

Bibliografías

Bibliografía chilena de obras en el exilio. Lista parcial. 1973-1985, Santiago, Comité Pro-Retorno de Exiliados Chilenos, Servicio de Extensión de Cultura Chilena (SEREC), 1986 (34 folios mimeografiados).

637 entradas que incluyen obras de autores chilenos exiliados. Debido a las dificultades para obtener las obras de estos autores, no es exhaustiva la lista y las entradas bibliográficas a menudo están incompletas.

Biblioteca Nacional de Chile, *Referencias críticas sobre autores chilenos,* 1-9 (1968-1974); *Referencias... chilenos. Con apéndice sobre autores españoles e iberoamericanos,* 10- (1975-).

El volumen 17, para el año 1982, fue publicado en 1991. Es una bibliografía sobresaliente —la única de su tipo en Latinoamérica— de estudios críticos y biográficos sobre autores chilenos, hispanoamericanos y latinoamericanos, publicados en revistas y periódicos chilenos destacados. Es una gran lástima que haya tardado tanto en salir.

Foster, David William, *Chilean Literature: A working bibliography of secondary sources,* Boston, G. K. Hall, 1978 (xxii, 236 págs.).

Dividida en dos partes principales. «Referencias Generales» tiene veintiocho secciones. Las bibliografías de los cuarenta y seis autores están divididas en bibliografías, tesis doctorales, libros y ensayos de crítica. Índice de críticos.

Jofre, Manuel Alcides, *Literatura chilena en el exilio,* Santiago [Biblioteca Nacional de Chile?], 1983 (74 folios mimeografiados).

Los materiales, sea cual sea el género, están ordenados cronológicamente por autores. Muchas entradas son conocidas sólo de segunda mano, y por esta razón hay muchas incompletas.

Rojas Piña, Benjamín, «Bibliografía de la literatura chilena, 1967-1968», *Revista Chilena de Literatura,* 1 (1970), 97-117.

— «Bibliografía de la literatura chilena, 1969-1970», *Revista Chilena de Literatura,* 23 (1970), 2115-39.

Bibliografías clasificadas que a menudo proporcionan el contenido de las obras citadas.

Catálogo

Welch, Thomas L., *Catálogo de la colección de la literatura chilena en la Biblioteca Colón,* Serie de Documentación e Información, 7, Washington, Secretaría General, Organización de Estados Americanos, 1983 (ix, 154 págs.).

Contiene obras de y sobre autores chilenos, y sobre la literatura chilena, en la Biblioteca Colón.

Diccionarios

Diccionario de la literatura latinoamericana: Chile, Washington; Unión Panamericana, 1958 (2134 págs.).

El material sobre cada autor está dividido en dos secciones: un esbozo biográfico-crítico, seguido de una bibliografía de las obras del autor publicadas por separado, y estudios críticos sobre ellas.

Rojas, Luis Emilio, *Biografía cultural de Chile,* 2.ª ed., Santiago, Gong Ediciones, 1988 (343 págs.).

Incluye las biografías de los autores.

Smulewicz, Efraín, *Diccionario de la literatura chilena,* 2.ª ed., Santiago, Editorial Andrés Bello, 1984 (xviii, 494 págs.).

Contiene numerosos errores.

Ficción

Castillo, Homero, y Raúl Silva Castro, *Historia bibliográfica de la novela chilena,* Charlottesville, Bibliographical Society of the University of Virginia, 1961 (214 págs.).

Proporciona datos sobre novelas y colecciones de cuentos chilenas.

Goić Cedomil, «Bibliografía de la novela chilena del siglo xx», *Boletín de Filología* (Universidad de Chile), 14 (1962), 51-168.

Excluye cuentos y antologías. Contiene 1.232 entradas escritas principalmente entre 1910 y 1961.

Guerra-Cunningham, Lucía, «Fuentes bibliográficas para el estudio de la novela chilena (1843-1960)», *Revista Iberoamericana,* 42: 96-7 (1976), 601-19.

Bibliografía clasificada de estudios generales sobre la novela chilena.

Lastra, Pedro, «Registro bibliográfico de antologías del cuento chileno, 1876-1976», *Revista de Crítica Literaria Latinoamericana,* 5 (1977), 89-111.

Ordenación cronológica. Indica el contenido de las antologías.

Roman-Lagunas, J., «La novela chilena: estudio bibliográfico», 2 vols., tesis doctoral, University of Arizona, 1985 (752 págs.).

Bibliografía muy importante de la novela chilena. El segundo capítulo es una bibliografía clasificada de estudios generales sobre la materia; el 3, una bibliografía anotada de temas especiales, y el 4, una bibliografía de veintinueve novelistas. Las bibliografías clasificadas para algunos de estos autores son las más completas disponibles actualmente.

Villacura Fernández, Maúd, «Bibliografía de narradores chilenos nacidos entre 1935-1949», *Revista Chilena de Literatura,* 4 (1973), 109-28.

Da la lista de los libros y cuentos publicados en antologías, revistas y periódicos, tanto chilenos como extranjeros, además de traducciones, entre 1956 y 1970.

Historia

Silva Castro, Raúl, *Panorama literario de Chile,* Santiago, Editorial Universitaria, 1961 (570 págs.).

Poesía

Escudero, Alfonso M., «Fuentes de consulta sobre los poetas románticos chilenos», *Aisthesis,* 57 (1970), 295-307.

Proporciona materiales biográficos y críticos sobre nueve poetas románticos chilenos.

Teatro

Durán Cerda, Julio. *Repertorio del teatro chileno. Bibliografía, obras, inéditas y estrenadas,* Publicaciones del Instituto de Literatura Chilena, Serie C: Bibliografías y Registros, l, Santiago, Instituto de Literatura Chilena, 1962 (247 págs.).

Bibliografía esencial sobre el teatro chileno con 1.710 obras, además de estudios importantes sobre el teatro en Chile desde 1910.

COLOMBIA

Autoras

Solari, M., «Écriture féminine dans la Colombie contemporaine», tesis doctoral, Universidad de Toulouse, 1982 (335 págs.).

Proporciona datos biobibliográficos sobre las prosistas más representativas de Colombia, en el periodo 1950-1980.

Bibliografía

Orjuela, Héctor H., *Fuentes generales para el estudio de la literatura colombiana, Guía bibliográfica,* Publicaciones del Instituto Caro y Cuervo, Serie bibliográfica, 7, Bogotá, Instituto Caro y Cuervo, 1968 (xl, 863 págs.).

Bibliografía clasificada, a menudo anotada, de la literatura colombiana. Hay copias en bibliotecas norteamericanas y colombianas.

Diccionarios

García Prada, Carlos, *Diccionario de la literatura latinoamericana. Colombia,* Washington, Unión Panamericana, 1959 (ix, 179 págs.).

El material sobre cada autor está dividido en dos secciones: un esbozo biográfico-crítico, seguido de una bibliografía de las obras del autor publicadas por separado, y estudios críticos sobre ellas.

Madrid Malo, Néstor, «Ensayo de un diccionario de la literatura colombiana», *Boletín Cultural y Bibliográfico,* 7 (1964), 401-5, 613-18, 823-8, 1004-11, 1183-94, 1377-86, 1615-21; 9 (1966), 1766-74, 1973-82, 2206-16, 2430-7; 10 (1966), 630-7; 10 (1967), 530-8, 817-25; 10:11 (1967), 84-91; 12:5 (1969), 69-81.

Biografías de autores colombianos, A-C.

Sánchez López, Luis María, *Diccionario de escritores colombianos,* 3.ª ed., aumentada y revisada, Bogotá, Plaza & Janés Editores, 1978 (547 págs.).

A pesar de su extensión, da sólo los datos biográficos imprescindibles y omite las fechas de las obras.

Ficción

Mena, Lucile Inés, «Bibliografía anotada sobre el ciclo de la violencia en la literatura colombiana», *Latin American Research Review,* 13:3 (1978), 95-107.

Enumera setenta y cuatro novelas del periodo y anota treinta y cinco estudios críticos que tratan de la novela colombiana de la «violencia».

Porras Collantes, Ernesto, *Bibliografía de la novela en Colombia: con notas de contenido y crítica de las obras y guías de comentarios sobre los autores,* Publicaciones del Instituto Caro y Cuervo, Serie Bibliográfica, II, Bogotá, Instituto Caro y Cuervo, 1976 (xix, 888 págs.).

Datos bibliográficos sobre 2.326 novelas publicadas hasta 1974 inclusive. Se dan listas de seudónimos y también un índice de títulos y otro cronológico.

Williams, Raymond L., «La novela colombiana 1960-1974: una bibliografía», Chasqui, 5:3 (1976), 27-39.

Datos bibliográficos sobre 149 novelas colombianas.

Historia

Gómez Restrepo, Antonio, *Historia de la literatura colombiana,* 2.ª ed., 4 vols., Bogotá, Imprenta Nacional, 1945-1946.

Combina historia literaria y antología. Se detiene en el siglo XIX.

Poesía

Cobo Borda, J. G., «La nueva poesía colombiana: una década. 1970-1980», *Boletín Cultural y Bibliográfico,* 16: 9-10 (1979), 75-122.

Orjuela, Héctor H., *Las antologías poéticas de Colombia: estudio y bibliografía,* Publicaciones del Instituto Caro y Cuervo, Serie Bibliográfica, 6, Bogotá, Instituto Caro y Cuervo, 1966 (xii, 514 págs.).

Proporciona datos sobre 389 antologías. Da la relación de autores de cada volumen y localiza al menos un ejemplar en una biblioteca de Estados Unidos o de Colombia.

— *Bibliografía de la poesía colombiana,* Publicaciones del Instituto Caro y Cuervo, Serie Bibliográfica, 9, Bogotá, Instituto Caro y Cuervo, 1971 (xxii, 486 págs.).

Se dan datos sobre los libros y folletos principales o traducciones de cada poeta, además de poesía anónima. Las traducciones están inscritas por el nombre del traductor colombiano.

Teatro

Orjuela, Héctor H., *Bibliografía del teatro colombiano,* Publicaciones del Instituto Caro y Cuervo, Serie Bibliográfica, 10, Bogotá, Instituto Caro y Cuervo, 1974 (xxvii, 312 págs.).

Contiene obras de teatro escritas por colombianos además de estudios críticos sobre dramaturgos colombianos y sus obras.

González Cajigao, Fernando, «Adiciones a la *Bibliografía del teatro colombiano»,* en *Materiales para una historia del teatro en Colombia,* Bogotá, Instituto Colombiano de Cultura, 1978, 690-713.

Vitoria Bermúdez, Xorge, «Índice biobibliográfico de autores colombianos de teatro hasta el siglo XIX», *Logos* (Cali), 10 (1974), 7-22.

Proporciona pocos detalles bibliográficos, da la fecha de la primera representación de las obras de teatro enumeradas. Abarca el periodo entre 1610 y 1900.

COSTA RICA

Bibliografía

Dobles Segreda, Luis, «Novela, cuento y artículo literario» y «Teatro», en *Índice bibliográfico de Costa Rica,* San José, Lehmann, 1934, IV, 3-378, 385-429.

Kargleder, Mary, y Warren H. Mory, *Bibliografía selectiva de la literatura costarricense,* San José, Editorial Costa Rica, 1978 (109 págs.).

Bibliografía de la literatura costarricense desde 1869 hasta 1976 inclusive. Ninguna referencia a materiales publicados en antologías, revistas o periódicos a menos que hayan sido publicados por separado. Las traducciones figuran bajo el nombre del traductor si es costarricense.

Cuento

Menton, Seymour, «Índice bibliográfico del cuento costarricense», en *El cuento costarricense: estudio, antología y bibliografía,* Antologías Studium, 8, México, Andrea, Lawrence, University of Kansas Press, 1964, 163-82.

Este notable estudio sobre el cuento costarricense contiene una bibliografía de cuentos publicados en antologías, en colecciones de cuentos y en revistas.

Portuguez de Bolaños, Elizabeth (ed.), «Bibliografía», en *El cuento en Costa Rica: estudio, bibliografía y antología,* San José, Lehmann, 1964, 309-40.

Bibliografía clasificada del cuento costarricense y de las novelas costarricenses que contienen «cuadros costumbristas».

Diccionario

Diccionario de la literatura latinoamericana: América Central, Washington, Unión Panamericana, 1963, I, 2-39.

El material sobre cada autor está dividido en dos secciones: un esbozo biográfico-crítico, seguido de una bibliografía de las obras del autor publicadas por separado, y estudios críticos sobre ellas.

CUBA

Autores negros

Bibliografía de temas afrocubanos, La Habana, Biblioteca Nacional José Martí, 1986 (581 págs.).

Trelles y Govín, Carlos Manuel, «Bibliografía de autores de la raza de color, de Cuba», *Cuba Contemporánea,* 43 (1927), 30-78.

Dividida en materiales sobre escritores negros durante el periodo de esclavitud, los posteriores a ese periodo, periódicos publicados por negros, y obras de todo tipo de los blancos sobre los negros.

Bibliografías

«Bibliografía de la crítica literaria cubana, 1959-1983: la crítica», *Revista de Literatura Cubana,* 3:5 (1985), 132-40.

Incluye crítica cubana de autores tanto cubanos como no cubanos.

«Bibliografía de la literatura cubana», *Revista de Literatura Cubana,* I (1983),101-31.

Libros, artículos y reseñas de libros que tratan de la literatura cubana y fueron publicados en 1981: La primera parte trata de los siglos XVII-XIX; la segunda, de la literatura cubana del siglo XX.

Casal, Lourdes, «A bibliography of Cuban creative literature: 1958-1971», *Cuban Studies Newsletter,* 2:2 (1972), 2-29.

Dividida por géneros literarios. Incluye obras tanto de cubanos residentes en Cuba como de los cubanos residentes fuera. Incluye también traducciones de obras cubanas.

«Classified bibliography», *Cuban Studies/Estudios Cubanos,* 1- (1970-).

Cada número de esta revista semestral tiene una bibliografía clasificada con secciones sobre literatura y lengua.

Fernández, José B., y Roberto G. Fernández, *Índice bibliográfico de autores cubanos, diáspora,* 1959-1979 / *Bibliographical Index of Cuban Authors: Diaspora,* 1959-1979, Miami, Ediciones Universal, 1984 (106 págs.).

Bibliografía clasificada de las obras literarias y lingüísticas de escritores cubanos exiliados.

Foster, David William, *Cuban Literature: A research guide,* Garland Reference Library of the Humanities, 511, Nueva York, Garland, 1985 (512 págs.).

Referencias críticas sobre noventa y ocho autores cubanos precedidas de una bibliografía clasificada y referencias generales sobre la literatura cubana.

Rolo, Lázaro, «Bibliografía de la crítica literaria cubana», *Revista de Literatura Cubana,* 3:5 (1985), 373-93.

181 entradas.

Catálogo

Figueras, Myriam, *Catálogo de la colección de la literatura cubana en la Biblioteca Colón,* Documentation and Information Series, 9, Washington, Secretaría General, Organización de Estados Americanos, 1984 (x, 114 págs.).

Bibliografía clasificada dividida en ocho secciones con índices de autores y títulos.

Diccionarios

Instituto de Literatura y Lingüística de la Academia de Ciencias de Cuba, *Diccionario de la literatura cubana,* 2 vols., La Habana, Letras Cubanas, 1980-1984.

Fuente indispensable para el estudio de autores cubanos, instituciones culturales y revistas literarias. Cada entrada de autor incluye un esbozo biográfico, una lista cronológica de sus obras, y una bibliografía de los estudios críticos y biográficos sobre el mismo. Se omiten los autores exiliados cubanos y se nota cierto prejuicio político con la omisión de un escritor del rango de Guillermo Cabrera Infante. Junto con los diccionarios de literatura mexicana y venezolana, debe figurar como uno de los mejores producidos en Latinoamérica.

Maratos, Daniel C., y Marnesha Hill, *Escritores de la diáspora cubana: manual biobibliográfico* (título también en inglés), Metuchen N. J., Scarecrow Press, 1986 (391 págs.).

Las biografías están tanto en inglés como en español. La bibliografía de cada autor está dividida en obras publicadas fuera de Cuba y estudios críticos sobre el autor.

Martínez, Julio A. (ed.), *Dictionary of Twentieth-Century Cuban Literature,* Nueva York, Greenwood Press, 1990 (xii, 537 págs.).

El prefacio describe así el volumen: «Manual útil en un volumen para la literatura contemporánea, este diccionario proporciona, en una única secuencia alfabética, información de referencia disponible sobre escritores creadores cubanos contemporáneos, en la isla o en el exilio, además de ensayos sobre géneros y movimientos literarios» (pág. ix). Los esbozos biográficos y críticos de los autores van seguidos de una bibliografía de sus libros publicados y otra de las fuentes secundarias.

Ficción

Abella, Rosa, «Bibliografía de la novela publicada en Cuba, y en el extranjero por cubanos, desde 1959 hasta 1965», *Revista Iberoamericana,* 32 (1966), 307-11.

Enumera datos sobre setenta y séis novelas de cubanos, sea cual sea el lugar de publicación.

Casal, Lourdes, «The Cuban novel, 1959-1969: an annotated bibliography», *Abraxas,* 1 (1970), 72-92.

Resume de manera concisa setenta y siete novelas, proporcionando a veces estudios críticos sobre ellas.

Menton, Seymour, «Bibliography», en *Prose Fiction of the Cuban Revolution,* Latin American Monographs, 37, Austin, University of Texas Press, 1975, 287-317.

Excepcional bibliografía clasificada y parcialmente anotada de novelas cubanas, cuentos y antologías de cuentos de cubanos en el exilio, y también prosa de ficción de la Revolución Cubana. Este volumen es el mejor tratamiento de la prosa de ficción de la Revolución Cubana en inglés y probablemente en cualquier idioma.

Sánchez, Julio C., «Bibliografía de la novela cubana», *Islas,* 3 (set.-dic. de 1960), 321-56.

Da una lista de 800 títulos.

Historia

Henríquez Ureña, Max, *Panorama histórico de la literatura cubana,* 2 vols., La Habana, Edición Revolucionaria, 1967.

Remos y Rubio, Juan J., *Historia de la literatura cubana,* 3 vols., Miami, Mnemosyne, 1969.

Reimpresión de la edición de 1945.

Poesía

Bibliografía de la poesía cubana en el Siglo XIX, La Habana, Biblioteca Nacional José Martí, Departamento de Colección Cubana, 1965 (89 págs.).

Lista cronológica de 1.111 obras de poesía de cubanos, publicadas por separado, sin que importe el lugar de publicación.

Montes Huidobro, Matías, y Yara González, *Bibliografía crítica de la poesía cubana (exilio 1959-1971),* Colección Scholar, Madrid, Playor, 1973 (138 págs.).

Además de proporcionar datos bibliográficos sobre las obras de poesía de cubanos fuera de Cuba, muchos de los comentarios sobre estas obras tienen la extensión de una reseña. La anotación a *Cinco poetisas cubanas* ocupa las págs. 20-3.

Teatro

Armenteros Toledo, Marta B., *Festivales de teatro de La Habana:* 1980-1984*: Boletín bibliográfico,* La Habana, Biblioteca Nacional José Martí, 1987 (86 págs.).

Inerarity Romero, Zayda, «Ensayo de una bibliografía para un estudio del teatro cubano hasta el siglo XIX», *Islas,* 36 (mayo-agosto de 1970), 151-71.

Bibliografía clasificada anotada de 100 obras, que la autora considera como las principales fuentes bibliográficas para el estudio del teatro cubano.

Palis, Terry L., «Annotated bibliographical guide to the study of Cuban theater after 1959», *Modern Drama,* 25 (1979), 391-408.

«Las 121 entradas incluyen libros y artículos que contienen información bibliográfica sobre el teatro contemporáneo cubano o estudios críticos acerca del efecto de la revolución cultural cubana sobre la índole de la actividad dramática allí, y una lista de setenta y cuatro obras de teatro, escritas, puestas en escena, y publicadas después de 1955...» (pág. 392).

Rivero Muñiz, José, *Bibliografía del teatro cubano,* La Habana, Biblioteca Nacional José Martí, 1957 (120 págs.).

Basada en la biblioteca que una vez perteneció a Francisco de Paula Coronado. Los autores van desde principios del siglo XIX a los años 50 del siglo XX. Incluye manuscritos inéditos además de obras dramáticas publicadas.

Skinner, Eugene R., «Research guide to post-Revolutionary Cuban drama», *Latin American Theatre Review,* 7:2 (1974), 59-68.

Dividido en bibliografías, artículos y libros, y reseñas. Intenta proporcionar «una guía especializada del teatro cubano post-revolucionario» (pág. 59).

ECUADOR

Bibliografías

Bibliografía de autores ecuatorianos, [Quito] Biblioteca Nacional de Ecuador, 1978 (474 págs.).

Bibliografía clasificada basada en la colección de la biblioteca nacional del país.

Rolando, Carlos, *Las bellas letras en el Ecuador,* Guayaquil, Imprenta y Talleres Municipales, 1944 (xxi, 157 págs.).

Bibliografía importante que pudo haber sido muy mejorada.

Diccionarios

Barriga López, Franklin, y Leonardo Barriga López, *Diccionario de la literatura ecuatoriana,* Colección Letras del Ecuador, 103-4, 106-8, 2.ª ed., revisada y aumentada, 5 vols., Guayaquil, Cultura Ecuatoriana, Núcleo del Guayas, 1980.

Incluye biografías de autores ecuatorianos además de tener entradas sobre instituciones y corporaciones interesadas por la cultura. Da títulos y fechas de obras de un autor y a veces cita a los críticos. Sin embargo, no hay bibliografías sobre estudios críticos de autores particulares.

Diccionario de la literatura latinoamericana: Ecuador, Washington, Unión Panamericana, 1962 (xi, 172 págs.).

El material sobre cada autor se divide en dos secciones: un esbozo biográfico-crítico, seguido de una bibliografía de las obras del autor publicadas por separado, y estudios críticos sobre ellas. Contiene una «Bibliografía de las letras ecuatorianas», útil pero ya anticuada (págs. 167-72).

Historia

Barrera, Isaac J., *Historia de la literatura ecuatoriana,* 4 vols. en 1, Quito, Cultura Ecuatoriana, 1960.

La historia más completa de la literatura ecuatoriana.

Teatro

Luzuriaga, Gerardo, «Bibliografía del teatro ecuatoriano», *Cultura* (Ecuador), 5:13 (mayo-agosto de 1982), 227-32.

— *Bibliografía del teatro ecuatoriano 1900-1980,* Quito, Cultura Ecuatoriana, 1984 (131 págs.).

Proporciona una bibliografía de obras de referencia para el estudio de la literatura y teatro ecuatorianos del periodo cubierto, una bibliografía de obras de teatro publicadas o puestas en escena, y referencias críticas sobre el teatro y dramaturgos ecuatorianos.

EL SALVADOR

Diccionarios

Diccionario de la literatura latinoamericana: América Central, Washington, Unión Panamericana, 1963, I, 141-84.

El material sobre cada autor se divide en dos secciones: un esbozo biográfico-crítico, seguido de una bibliografía de las obras del autor publicadas por separado, y estudios críticos sobre ellas.

Historia

Toruño, Juan Felipe, *Desarrollo literario de El Salvador: ensayo,* San Salvador, Ministerio de Cultura, Departamento Editorial, 1958 (440 págs.).

Gallegos Valdés, Luis, *Panorama de la literatura salvadoreña,* 2.ª ed., San Salvador, UCA Editores, 1989 (483 págs.).

Probablemente la historia más completa de la literatura salvadoreña.

ESTADOS UNIDOS

Literatura chicana

Eger, Ernestina N., *A Bibliography of Criticism of Contemporary Chicano Literature,* Chicano Studies Library Publications, 5, Berkeley, University of California, Chicano Studies Library Publications, 1982 (xxi, 295 págs.).

Excelente bibliografía clasificada que aporta libros, artículos, reseñas y tesis doctorales, publicados o escritos en el campo de la crítica de la literatura chicana, principalmente entre 1960 y 1979.

Foster, Virginia Ramos, «Literature», en David William Foster (ed.), *Sourcebook of Hispanic Culture in the United States,* Chicago, American Library Association, 1982, 86-111.

Setenta y seis entradas bien anotadas en una bibliografía clasificada.

Martínez, Julio A., y Francisco A. Lomeli (eds.), *Chicano Literature: A reference guide,* Westport, Conn., Greenwood, 1985 (xii, 492 págs.).

Los artículos biográfico-críticos sobre autores chicanos escritos por varias docenas de especialistas van seguidos de una lista de las obras más importantes de los autores y de estudios críticos sobre ellas. Hay también artículos sobre diversos géneros literarios.

Trujillo, Roberto G., y Andrés Rodríguez, *Literatura Chicana: Creative and Critical Writings through 1984,* intr. Luis Leal, Oakland, Calif., Floricano, 1985 (xi, 95 págs.).

Se dividen las 783 obras por géneros literarios. Además de los tipos de material corrientes que uno esperaría encontrar, los compiladores incluyen datos sobre periódicos literarios chicanos, y grabaciones video y audio.

Literatura cubanoamericana

Lindstrom, Naomi E., «Cuban American and Continental Puerto Rican Literature», en David William Foster (ed.), *Sourcebook of Hispanic Culture in the United States,* Chicago, American Library Association, 1984, 221-45.

Bibliografía clasificada bien anotada de sesenta y una obras.

GUATEMALA

Diccionarios

Albizúrez Palma, Francisco, *Diccionario de autores guatemaltecos,* Colección Guatemala, 13, Serie José Joaquín Pardo, I, Guatemala, Tipografía Nacional, 1984 (96 págs.).

Proporciona breves esbozos biográficos junto con las obras de los autores y sus fechas. Incluye materiales sobre obras anónimas.

Diccionario de la literatura latinoamericana: América Central, Washington, Unión Panamericana, 1963, I, 86-136.

El material sobre cada autor se divide en dos secciones: un esbozo biográfico-crítico, seguido de una bibliografía de las obras del autor publicadas por separado, y estudios críticos sobre ellas.

Ficción

Ciruti, Joan, «The Guatemalan novel: a critical bibliography», tesis doctoral, Tulanc University, 1959 (263 págs.).

Las págs. 106-253 son una bibliografía crítica de la novela guatemalteca que anota 558 novelas.

Menton, Seymour, «Los señores presidentes y los guerrilleros: The new and the old Guatemalan novel (1976-1982)», *Latin American Research Review,* 19:2 (1984), 93-117.

Dividido en comentario crítico y crítica sobre las novelas del periodo (págs. 93-110), y una lista cronológica, brevemente anotada, de las ochenta y cuatro novelas publicadas entre 1955 y 1982 (págs. 110-17).

Historia

Albizúrez Palma, Francisco, y Catalina Barrios y Barrios, *Historia de la literatura guatemalteca,* 3 vols., Guatemala, Editorial Universitaria de Guatemala, 1981-1987.

Historia extensa con excelentes bibliografías pertinentes por Lourdes Bendfeldt Rojas.

HONDURAS

Diccionarios

Argueta, Mario R., *Diccionario de escritores hondureños,* s.l., s.e., 1986 (110 págs.).

Proporciona un esbozo biográfico muy corto junto con una lista de las obras del autor y sus fechas. Sólo para autores muy importantes se hace un intento de valoración crítica.

Diccionario de la literatura latinoamericana: América Central, Washington, Unión Panamericana, 1963, II, 138-83.

El material sobre cada autor se divide en dos secciones: un esbozo biográfico-crítico, seguido de una bibliografía de las obras del autor publicadas por separado, y estudios críticos sobre ellas.

González, José, *Diccionario de autores hondureños,* Tegucigalpa, Editores Unidos, 1987, 7-83. Las págs. 85-120 son un glosario de términos literarios de S. Turaiev.

Tanto éste como Argueta, *Diccionario* (v. más arriba), debieran consultarse probablemente para los autores de este país. Por lo general, González da datos más completos sobre los escritores que Argueta. Ambos deben ser usados con cuidado. Proporcionan fechas de nacimiento diferentes; González incluye en su lista un solo libro de Murillo Soto, pero Argueta, en la suya, pone tres.

Historia

Paredes, Rigoberto, y Manuel Salinas Paguada, *Literatura hondureña,* Tegucigalpa, Editores Unidos, 1987 (300 págs.).

Once ensayos de diferentes especialistas en este campo.

MÉXICO

Bibliografías

Foster, David William, *Mexican Literature: A bibliography of secondary sources,* 2.ª ed., aumentada y puesta al día, Metuchen, N.J., Scarecrow, 1992- (x, 686 págs.).

Los estudios generales están divididos en veintiocho secciones. Se proporcionan datos sobre ochenta autores mexicanos. La sección sobre cada autor está dividida en bibliografías, monografías críticas y tesis doctorales, y ensayos críticos.

«Historia literaria», *Bibliografía Histórica Mexicana* (Colegio de México), 1- (1967-).

Esta publicación anual incluye principalmente historias y antologías de la literatura mexicana además de biografías de autores. Se excluye la crítica literaria.

Diccionarios

Agras García de Alba, Gabriel, *Biobibliografía de los escritores de Jalisco,* Serie Bibliografías, 9, 2 vols. hasta la fecha, México, Universidad Nacional Autónoma de México, Instituto de Investigaciones Bibliográficas, 1980- (Vol. I: A, cxxvii, 622 págs.; vol. II: *B,* cx, 147 págs.).

Éste y Aranda Pamplona, *Bibliografía,* y Montejano y Aguinaga, *Bibliografía* (v. ambos más abajo) son diccionarios regionales bio-bibliográficos. Cada uno proporciona datos biográficos sobre los escritores además de una lista de las obras publicadas y bibliografía de estudios críticos sobre ellas. Cada uno va precedido por un extenso material a modo de prólogo.

Aranda Pamplona, Hugo, *Biobibliografía de los escritores del estado de México,* Serie Bibliografías, 5, México, Universidad Nacional Autónoma de México, Instituto de Investigaciones Bibliográficas, 1978 (105 págs.).

Lara Valdez, Josefina, *Diccionario bibliográfico de escritores contemporáneos de México,* México, 1988 (247 págs.).

Breves esbozos biográficos de escritores nacidos entre 1930 y 1950, junto con datos sobre sus libros publicados.

Montejano y Aguinaga, Rafael, *Biobibliografía de los escritores de San Luis Potosí,* Serie Bibliografías, 6, México, Universidad Nacional Autónoma de México, Instituto de Investigaciones Bibliográficas, 1979 (lxxx, 439 págs.).

Ocampo de Gómez, Aurora M., y Ernesto Prado Velázquez, *Diccionario de escritores mexicanos,* México, Universidad Nacional Autónoma de México, 1967 (xxvii, 442 págs.).

Diccionario biobibliográfico de escritores mexicanos sumamente útil. Para cada autor se da un esbozo biográfico, además de una lista de sus obras y de estudios críticos sobre él.

Ocampo de Gómez, Aurora M. (ed.), *Diccionario de escritores mexicanos: siglo XX. Desde las generaciones del Ateneo y novelistas de la Revolución hasta nuestros días,* México, Universidad Nacional Autónoma de México, 1988- (Vol. I, A-Ch.).

Formato igual al de la entrada anterior.

Ensayo

Polasky, Sulema Laufer, «Bibliografía selecta anotada sobre la crítica de cinco ensayistas mexicanos», tesis doctoral, University of Cincinnati, 1983 (222 págs.).

Bibliografía útil —aunque hay numerosas omisiones e inconsistencias bibliográficas que debieron ser corregidas— de Antonio Caso, Samuel Ramos, José Vasconcelos, Alfonso Reyes y Octavio Paz, como ensayistas en los campos de la filosofía, sociología, y psicología.

Ficción

Hoffman, Herbert H., *Cuento mexicano index,* Newport Beach, Headway, 1978 (600 págs.).

Este libro contiene los índices de 7.230 cuentos de 490 autores mexicanos nacidos después de 1870 aproximadamente. Todos los libros analizados han sido publicados a partir de 1945. El compilador se refiere a estos libros únicamente por números conectados a una «Lista de libros analizados»; hubiera sido útil una paginación completa.

Iguiniz, Juan B., *Bibliografía de novelistas mexicanos: ensayo biográfico, bibliográfico y crítico,* Monografías Bibliográficas Mexicanas, 3, México, Monografías Bibliográficas Mexicanas, 1926 (xxxv, 432 págs.).

Proporciona breves datos biográficos de autores importantes. Relaciona los libros de los autores pero no incluye estudios críticos.

Leal, Luis, *Bibliografía del cuento mexicano,* Colección Studium, 21, México, Andrea, 1958 (162 págs.).

Contiene el índice de los cuentos contenidos en libros, antologías, periódicos y revistas hasta 1957.

Rutherford, John, *An Annotated Bibliography of the Novels of the Mexican Revolution of 1910-1917 in English and Spanish,* Troy, N. Y. Whitston, 1972 (180 págs.).

Localiza ejemplares en bibliotecas mexicanas. El volumen está en inglés y en español.

Historia

González Peña, Carlos, *History of Mexican Literature,* trad. Gusta Barfield Nance y Florence Johnson Dunstan, 3.ª ed., Dallas, Southern Methodist University Press, 1968 (540 págs.).

Historia clásica de la literatura mexicana; carece de notas al pie y bibliografía.

—, *Historia de la literatura mexicana desde los orígenes hasta nuestros días,* 15.ª ed., México, Editorial Porrúa, 1984 (362 págs.).

Listas de periódicos e índices

Forster, Merlin H., *An Index to Mexican Literary Periodicals,* Metuchen, N.J., Scarecrow, 1966 (276 págs.).

Indica el género literario de 4.036 artículos hallados en 16 revistas publicadas durante el periodo 1920-1960.

Teatro

Lamb, Ruth S., *Mexican Theatre of the Twentieth Century: Bibliography and study,* Claremont, Calif., Ocelot, 1975 (143 págs.).

Excepto por el ensayo introductorio, ésta parece ser una reproducción facsímil de su *Bibliografía del teatro mexicano del siglo XX* (México, Andrea, 1962, 143 págs.).

Incluye una bibliografía del teatro mexicano del siglo xx ordenada por autores, una bibliografía crítica, o textos de obras de teatro.

Monterde García Icazbalceta, Francisco, *Bibliografía del teatro en México,* Monografías Bibliográficas Mexicanas, 28, México, Monografías Bibliográficas Mexicanas, 1933 (lxxx, 649 págs.). Reimpresión: Bibliography and Reference Series, 369, Nueva York, Burt Franklin, 1970.

Extensa bibliografía de obras de teatro por y acerca de mexicanos tanto por mexicanos como por los de otras nacionalidades.

NICARAGUA

Diccionarios

Arellano, Jorge Eduardo, «Diccionario de las letras nicaragüenses. Primera entrega: escritores de la época colonial y el siglo xix», *Cuadernos de Bibliografía Nicaragüense,* 3-4 (1982) (144 págs.).

Diccionario biobibliográfico de 100 escritores nicaragüenses del periodo colonial y del siglo XIX. Estudio sumamente útil para el periodo cubierto.

Cerutti, Franco, «Datos para un futuro diccionario de escritores nicaragüenses (primera parte)», *Revista del Pensamiento Centroamericano,* 168-9 (jul.-dic. de 1980), 1-16; «(segunda parte)», *ibid.,* 172-3 (jul.-dic. de 1981), 6-17.

Se proporcionan esbozos biobibliográficos y críticos sobre dieciséis autores. Las bibliografías incluyen estudios críticos.

Diccionario de literatura latinoamericana: América Central, Washington, Unión Panamericana, 1963, II, 185-236.

El material sobre cada autor está dividido en dos secciones: un esbozo biográfico-crítico, seguido de una bibliografía de las obras del autor publicadas por separado, y estudios críticos sobre ellas.

Historia

Arellano, Jorge Eduardo, *Panorama de la literatura nicaragüense,* 5.ª ed., Managua, Nueva Nicaragua, 1986 (197 págs.).

Sumamente útil por los datos bibliográficos proporcionados. Incluye «Bibliografía fundamental» y un «Fichero de autores nicaragüenses», una bibliografía de y sobre escritores contemporáneos nicaragüenses.

Traducciones al inglés

Woodbridge, Hensley C., «Una bibliografía de la literatura nicaragüense en inglés», *Boletín Nicaragüense de Bibliografía y Documentación,* 8 (nov.-dic. de 1975), 1-5; 18 (1977), 84-97.

La primera parte es una bibliografía de traducciones al inglés de autores nicaragüenses con la excepción de Rubén Darío; la segunda parte es una bibliografía de Rubén Darío en traducción inglesa. Se ha intentado identificar el título en español de todas las traducciones posible.

PANAMÁ

Bibliografía

King, Charles A., «Apuntes para una bibliografía de la literatura de Panamá», *Revista Interamericana de Bibliografía,* 14 (1964), 262-302.

Clasificado por géneros literarios.

Cuento

El cuento en Panamá (estudio, selección, bibliografía), Panama, s. e., 1950, 191-201.

Dividido en «Autores nacionales», «Libros de material vario, que incluyen cuentos», y «Novelas de tema o ambiente panameño».

Diccionario

Diccionario de la literatura latinoamericana: América Central, Washington, Unión Panamericana, 1963, II, 238-80.

El material sobre cada autor está dividido en dos secciones: un esbozo biográfico-crítico, seguido de una bibliografía de las obras del autor publicadas por separado, y estudios críticos sobre ellas.

Historia

Miró, Rodrigo, *La literatura panameña: origen y proceso,* 7.ª ed., Panamá, Litho Editorial Chen, 197 (336 págs.).

Historia de la literatura panameña desde 1502 en adelante. La sección más larga trata de la literatura de este país desde 1903 a 1970. Contiene una bibliografía.

Poesía

Miró, Rodrigo, *Bibliografía poética panameña,* Panamá, Imprenta Nacional, 1942 (61 págs.).

Proporciona datos bibliográficos sobre autores panameños y extranjeros. Hay también una lista cronológica de títulos.

PARAGUAY

Bibliografías

Fernández-Caballero, Carlos F. S., *The Paraguayan Bibliography: A retrospective and enumerative bibliography of printed works of Paraguayan authors,* 2 vols., vol. I: *Aranduka ha kuatianee paraguai rembiapocure,* Washington, Arandú, 1970; vol. II, *Paraguai tai hume: tove paaguai arandú taisarambi ko yuy apere,* Amherst, Seminar on the Acquisition of Latin American Literary Materials, University of Massachusetts Library, 1975 (221 págs.).

Proporciona datos bibliográficos sobre casi 4.000 obras publicadas por separado, escritas o por paraguayos o acerca de Paraguay y publicadas entre 1724 y 1974.

Jones, David Lewis, «Literature», en *Paraguay: A bibliography,* Nueva York, Garland, 1979, 372-415.

Algunas partes, especialmente las de los autores mejor conocidos, parecen ser muy selectivas. Dividido en estudios generales, autores particulares antes de 1935, y autores particulares después de 1935.

Vallejo, Roque, *Antología de la prosa paraguaya,* vol., I, *Generación del 900,* Colección Centauro, Asunción, Pueblo, 1973 (154 págs.).

Breves biografías de veintinueve autores paraguayos seguidas de estudios biográficos y críticos.

Diccionario

Pérez Mavievich, Francisco, *Diccionario de la literatura paraguaya (primera parte),* Biblioteca Colorados Contemporáneos, 7, Asunción, América, 1983 (291 págs.).

Contiene los autores A-Cuento. Proporciona una biografía, una valoración de las obras del autor, y una bibliografía de los materiales por y acerca del mismo. Hay artículos sobre géneros literarios; el que trata del cuento paraguayo abarca las págs. 157-291.

Historia

Centurión, Carlos R., *Historia de las letras paraguayas,* 3 vols., Buenos Aires, Editorial Ayacucho, 1947-1951.

Historia de la literatura paraguaya hasta la primera mitad del siglo XX inclusive.

PERÚ

Bibliografías

Foster, David William, *Peruvian Literature: A bibliography of secondary sources,* Westport, Conn., Greenwood, 1981 (xxix, 324 págs.).

La primera sección es una bibliografía clasificada de estudios generales sobre la literatura peruana y está dividida en veinticuatro secciones. La segunda sección ofrece datos sobre estudios críticos sobre treinta y ocho autores.

Fuente Benavides, Rafael de la, «Autores del primer siglo de la literatura peruana», *Boletín Bibliográfico* (Biblioteca de la Universidad de San Marcos), 9.12, 3-4 (1939), 268-332; 10.12, 1-2 (1940), 81-133.

Diccionario biobibliográfico de autores peruanos de los siglos dieciséis y diecisiete, hasta la letra «F» inclusive.

Pease, Franklin G. Y., «Literatura y lingüística», en *Perú: una aproximación bibliográfica,* México, Centro de Estudios Económicos y Sociales del Tercer Mundo, 1979, 186-205.

Rodríguez Rea, Miguel Ángel, *El Perú y su literatura. Guía bibliográfica,* Lima, Pontificia Universidad Católica del Perú, 1992 (251 págs.).

Las 628 entradas se dividen en «Historias generales», «Antologías y compilaciones», «Diccionarios», «Bibliografías y hemerografías», «Ensayos, estudios y crítica», «Miscelánea», «Índice onomástico», e «Índice temático». Las anotaciones generalmente aportan el contenido del volumen en cuestión o alguna otra indicación del contenido de la obra.

Sánchez, Luis Alberto, *et al., Contribución a la bibliografía de la literatura peruana,* Lima, Universidad Nacional Mayor de San Marcos, 1969 (279 págs.).

Contiene 1.965 referencias anotadas.

Tauro, Alberto, «Bibliografía peruana de literatura». Boletín *de la Biblioteca Nacional,* 13-14:19-20 (1957-1959), 109-298. Reimpresión, Lima [Villanueva], 1959 (194 págs.).

Bibliografía clasificada de 2.097 entradas. Contiene principalmente obras sobre la literatura peruana aparecidas a partir de 1931.

Catálogo de biblioteca

Biblioteca Nacional del Perú, *Catálogo de autores de la colección peruana,* 6 vols., Boston, G. K. Hall, 1979.

«... incluye fichas de catálogo de obras impresas peruanas y de publicaciones sobre el Perú desde 1553 hasta 1977 inclusive que se encuentran en la Biblioteca Nacional» (pág. vii).

Diccionarios

Arriola Grande, Maurilio, *Diccionario literario del Perú: nomenclatura por autores,* 2.ª ed., revisada y aumentada, 2 vols., Lima, Universo, 1983.

Incluye algunos no peruanos que han escrito acerca de la historia y la literatura del Perú. Proporciona una breve biografía, una nota crítica y una evaluación de cada autor. No da ninguna lista de referencias sobre los autores.

Romero de Valle, Emilia, *Diccionario manual de literatura peruana y material afines,* Lima, Universidad Nacional Mayor de San Marcos, Departamento de Publicaciones, 1966 (356 págs.).

Ésta da menos datos sobre autores particulares que Arriola Grande. Sin embargo, proporciona datos sobre movimientos literarios en el Perú, revistas y periódicos, a los que no atiende Arriola Grande.

Ficción

Rodríguez Rea, Miguel Ángel, «El cuento peruano contemporáneo; índice bibliográfico», I, «1900-1930», *Lexis,* 7:2 (1983), 287-309; II, «1931-1945», *Lexis,* 8:2 (1984), 249-73; III, «1946-1950», *Lexis,* 10:2 (1986), 237-50; IV, «1951-1955», *Lexis,* 13:1 (1989), 135-51; V, «1956-1960», *Lexis,* 15:2 (1991), 233-51.

Aporta datos sobre 250 títulos.

Vidal, Luis Fernando, «Las antologías del cuento en el Perú», *Revista de Crítica Literaria Latinoamericana,* 1:2 (1974), 121-38.

Proporciona el contenido de cuarenta y nueve antologías publicadas entre 1908 y 1975.

Villanueva de Puccinelli, Elsa, *Bibliografía de la novela peruana,* Lima, Biblioteca Universitaria, 1969 (xii, 88 págs.).

Además de dar la relación de las obras de los novelistas peruanos, Villanueva de Puccinelli proporciona una cronología.

Historia

Higgins, James, *A History of Peruvian Literature,* Liverpool Monographs in Hispanic Studies, 7, Wolfeboro, N. J., E. Cairns, 1987 (379 págs.).

Erudita, al día y útil historia de la literatura del Perú, en inglés.

Sánchez, Luis Alberto, *La literatura peruana: derrotero para una historia cultural del Perú,* 5 vols., Lima, Ediciones de Ediventas, 1965-1966.

Notable historia con útiles «Apreciaciones sobre fuentes bibliográficas para una historia de la literatura peruana», de 662 entradas: v, 1671-753.

Poesía

Cabel, Jesús, *Bibliografía de la poesía peruana* 65/79, [Lima], Amaru, [1980] (143 págs.).

Da una relación de los poetas peruanos publicados en el Perú o en el extranjero. Volumen dividido en libros, antologías, *plaquetas,* y un suplemento. Incluye 1.249 títulos.

—, *Bibliografía de la poesía peruana 80/84,* [Lima, Biblioteca Universitaria, 1986] (45 págs.).

Incluye 352 títulos.

[Jara, Umberto], «Libros de poesía publicados entre 1980-1989», *Debate,* 11:58 (nov.-dic. de 1989), 67-8.

Contiene 147 títulos.

Monguio, Luis, «Contribución a la bibliografía de la poesía peruana (1915-1950)», en *La poesía postmodernista peruana,* Berkeley, University of California Press, 1954, 207-39.

Proporciona datos sobre 151 títulos.

Rodríguez Rea, Miguel Ángel, «Poesía peruana del siglo xx», *Hueso Húmero,* 7 (oct.-dic., 1980), 133-50; 8 (enero-marzo, 1981), 132-49; 9 (abril-junio, 1981), 148-58; 14 (julio-setiembre, 1982), 186-204.

Esta bibliografía en cuatro partes abarca los años 1901-1920, 1921-1930, 1931-1935 y 1936-1940, e incluye datos sobre 483 obras de poesía de peruanos, sea cual sea su lugar de publicación.

Teatro

Natella, Arthur A., Jr., «Bibliography of the Peruvian theatre, 1946-1970», *Hispanic Journal,* 2:2 (1981), 141-7.

«La lista incluye obras que han sido representadas en la escena peruana, publicadas, o ambas cosas» (pág. 141).

Reverte Bernal, Concepción, «Guía bibliográfica para el estudio del teatro virreinal peruano», *Historiografía y Bibliografía Americanistas,* 29 (1985), 129-50.

Principal fuente bibliográfica para el estudio del teatro en el Perú colonial. Está clasificada y anotada.

PUERTO RICO

Bibliografías

Bravo, Enrique R., *An Annotated Selected Puerto Rican Bibliography: Bibliografía puertorriqueña selecta y anotada,* Nueva York, Urban Center of Columbia University, 1972, 60-84.

Bibliografía bilingüe con una sección clasificada de literatura.

Foster, David William, *Puerto Rican Literature: A bibliography of secondary sources,* Westport, Conn., Greenwood, 1982 (324 págs.).

La primera sección es una bibliografía clasificada de estudios generales sobre la literatura puertorriqueña. La segunda parte proporciona la bibliografía de estudios críticos sobre ochenta autores puertorriqueños.

Hill, Marnesba D., y Harold B. Schleifer, *Puerto Rican Authors: A bibliographic handbook,* Metuchen, N.J., Scarecrow, 1974 (267 págs.).

Diccionario biobibliográfico bilingüe de autores puertorriqueños que da una relación de sus obras pero muy pocas referencias biográficas y críticas.

Pedreira, Antonio S., *Bibliografía puertorriqueña* (1493-1930), prefacio de Francesco Cordasco, *Bibliography and Reference Series,* 496, Nueva York, Burt Franklin, 1974, 487-558.

Publicada originalmente en 1932. Bibliografía clasificada sobre historia literaria que puede resultar útil a veces.

Vivó, Paquita, *The Puerto Rican: An annotated bibliography,* Nueva York, Bowker, 1973, 113-46, 215-16.

Anotaciones útiles sobre la literatura puertorriqueña, historia literaria, y crítica en periódicos.

Diccionarios

Rivera de Álvarez, Josefina, *Diccionario de literatura puertorriqueña,* Río Piedras, La Torre, 1955 (499 págs.).

Después de un «Panorama histórico de la literatura puertorriqueña» (págs. 1-161), hay un diccionario biobibliográfico de autores puertorriqueños. Incluye también entradas sobre instituciones culturales puertorriqueñas.

Ficción

Quiles de la Luz, Lillian, «Índice bibliográfico del cuento en la literatura puertorriqueña (1843-1963)», en *El cuento en la literatura puertorriqueña,* Río Piedras, Editorial Universitaria, 1968, 141-293.

Extensa bibliografía del cuento puertorriqueño tal como se encuentra en libros, antologías y periódicos.

Historia

Cabrera, Francisco Manrique, *Historia de la literatura puertorriqueña,* Río Piedras, Editorial Cultural, 1986 (364 págs.).

Historia clásica que aparece en muchas ediciones.

Rivera de Álvarez, Josefina, *Historia de la literatura puertorriqueña,* 2 vols., San Juan, Editorial del Departamento de Instrucción Pública, 1969.

La historia más completa de la literatura puertorriqueña, con datos bibliográficos extensos.

—, *Literatura puertorriqueña: su proceso en el tiempo,* Madrid, Partenón, 1983 (953 págs.).

Da esbozos biográficos y un panorama histórico.

Teatro

Gonzáles, Nilda, *Bibliografía del teatro puertorriqueño (siglos XIX y XX),* Río Piedras, Editorial Universitaria, 1979 (xx, 223 págs.).

Bibliografía sumamente útil del teatro puertorriqueño, además de crítica acerca de este teatro. Incluye datos sobre obras de teatro publicados e inéditos, y también informaciones sobre ciertas representaciones.

REGIÓN CARIBE

Coll, Edna, *Las Antillas,* Río Piedras, Universidad de Puerto Rico, Editorial Universitaria, 1974 (418 págs.).

Diccionario bibliográfico de novelistas de Cuba, Puerto Rico y la República Dominicana.

Fenwick, M. J., *Writers of the Caribbean and Central America: A bibliography,* 2 vols., Nueva York, Garland, 1992.

Además de los países hispanoparlantes de Centroamérica y el Caribe, incluye Venezuela y Colombia y también las numerosas antiguas colonias británicas, holandesas y francesas en el Caribe. Se dan sólo los detalles bibliográficos mínimos, y la mala corrección de pruebas hace que se deba utilizar el libro con mucha cautela.

Herdeck, Donald E., *et al., Caribbean Writers: A bio-bibliographical encyclopedia,* Washington, Three Continents, 1979 (943 págs.).

La parte IV, «Spanish language literature from the Caribbean», trata de los escritores de Cuba, República Dominicana y Puerto Rico, con bibliografías de estudios críticos sobre la literatura de estas áreas.

Hay breves ensayos sobre las literaturas de cada uno de los países o áreas incluidas. Se ha hecho un esfuerzo por incluir las obras importantes de todos los autores tratados. Sin embargo, se podrían añadir muchas más entradas a las bibliografías biográfico-críticas.

Perrier, José Luis, *Bibliografía dramática cubana, incluye a Puerto Rico y Santo Domingo,* Nueva York, Phos, 1926 (115 págs.).

Los autores de las tres áreas aparecen en una sola lista alfabética; no se incluyen estudios críticos de los autores y sus obras.

REPÚBLICA DOMINICANA

Bibliografías

Olivera, Otto, *Bibliografía de la literatura dominicana* (1960-1982), Lincoln, Nebr. Society of Spanish and Spanish-American Studies, 1985 (86 págs.).

Bibliografía clasificada de 1.181 entradas con una sección sobre publicaciones periódicas e índice.

Romero, Guadalupe, «Bibliografía comentada de la literatura dominicana», *Eme Eme,* 3:14 (1974), 104-56.

173 entradas anotadas divididas en antologías, bibliografías, estudios críticos e historias literarias.

Waxman, Samuel Montefiore, *A Bibliography of the Belles-Lettres of Santo Domingo,* Cambridge, Mass., Harvard University Press, 1931 (31 págs.). Suplementada por Vetilio Alfau Durán, *Clio,* 198 (1956), 154-61. Reimpreso como *Apuntes de bibliografía dominicana en torno a las rectificaciones hechas a la obra del prof. Waxman,* Ciudad Trujillo, Editorial Dominicana, 1956 (8 págs.). Reseñado por y con un suplemento de Pedro Henríquez Ureña y Gilberto Sánchez-Lustrino, *Revista de Filología Española,* 21 (1934), 293-309.

Diccionarios

Contin Aybar, Néstor, *Historia de la literatura dominicana,* 4 vols., San Pedro de Macorís, Universidad Central del Este, 1982-1986.

A pesar de su título, éste es un diccionario biobibliográfico de autores dominicanos, ordenado por periodos cronológicos. Llama la atención la omisión de Juan Bosch.

Tarazona Hijo, Enrique, *Guía biobibliográfica.123 escritores dominicanos vivos,* 1983 [Santo Domingo, Alfa y Omega, 1983], 139.

Proporciona un breve esbozo biográfico de cada autor, además de una lista de sus obras. Excluye los estudios críticos.

Ficción

Alfau Durán, Vetilio, «Apuntes para la bibliografía de la novela en Santo Domingo», *Anales de la Universidad de Santo Domingo,* 23 (1958), 203-24; 24 (1958), 405-35; 26 (1960), 87-100.

Abarca A-F. Incluye breves biografías de autores y, a menudo, resúmenes de las novelas, a veces con comentarios críticos tomados de reseñas o estudios críticos.

Historia

Henríquez Ureña, Max, *Panorama histórico de la literatura dominicana,* 2.ª ed., Santo Domingo, Colección Pensamiento Dominicano, 1966 (337 págs.).

Poesía

Alfau Durán, Vetilio, «Apuntes para la bibliografía poética dominicana», *Clio*, 122 (1965), 34-60; 123 (1968), 107-19; 124 (1969), 53-68; 125 (1970), 50-77.

Después de proporcionar una bibliografía de estudios críticos y antologías de poesía dominicana, se ordenan las obras alfabéticamente por autores.

URUGUAY

Bibliografías

Rela, Walter, *Fuentes para el estudio de la literatura uruguaya, 1835-1968,* [Montevideo], Banda Oriental, 1969 (134 págs.).

Bibliografía clasificada sin anotaciones de 930 entradas.

—, *Literatura uruguaya: bibliografía selectiva* (titulada también en inglés), Special Studies, 26, Tempe, Arizona State University, Center for Latin American Studies, 1986 (86 págs.).

La primera parte de esta obra contiene «Referencias críticas» que tratan de estudios generales y una bibliografía clasificada de estudios críticos, bibliografías, antologías, etc. La segunda parte proporciona datos sobre las obras con extensión de libro de casi 100 autores y sobre los estudios críticos de las mismas.

Welch, Thomas L., *Bibliografía de la literatura uruguaya,* Washington, Organización de Estados Americanos, 1985 (xii, 502 págs.).

Ofrece una lista de 9.239 obras de autores uruguayos en la Biblioteca Colón. Tiene índice de títulos. A diferencia de la mayoría de las obras anteriores, Welch incluye traducciones de estos autores si están en esta biblioteca.

Diccionarios

Diccionario de literatura uruguaya, 2 vols., Montevideo, Arca-Credisol, 1987.

Es éste un excelente diccionario literario nacional comparable a los que existen para Cuba, Perú, México y Venezuela. Para producir esta obra han colaborado más de cincuenta críticos. El material sobre cada autor está dividido en un esbozo biográfico-crítico, una lista de sus obras, y otra de estudios críticos sobre el propio autor. Los esbozos individuales contienen de una a cinco páginas.

Rela, Walter, *Diccionario de escritores uruguayos,* Montevideo, Ediciones de la Plata, 1986 (397 págs.).

Rela proporciona un esbozo biográfico de cada autor; sus comentarios críticos son citas de críticos literarios. Estos esbozos biobibliográficos abarcan de una a siete páginas. Los datos bibliográficos añaden poco a los que se encuentran en su *Literatura uruguaya: bibliografía selectiva* (véase más arriba).

Ficción

Englekirk, John E., y Margaret M. Ramos, *La narrativa uruguaya: estudio critico-bibliográfico,* University of California Publications in Modern Philology, 80, Berkeley University of California Press, 1967 (338 págs.).

Proporciona datos sobre 525 novelas y 7.000 cuentos de 265 autores. Se aportan citas de críticos para muchas de estas obras; hay ejemplares en nueve bibliotecas norteamericanas, españolas y uruguayas.

Historia

Capítulo oriental: la historia de la literatura uruguaya, Montevideo, Centro Editor de América Latina, 1968-1969 (45 fascículos).

Un erudito distinto se ocupa de cada tema diferente de la literatura uruguaya. El último fascículo es un índice de la obra entera.

Poetas mujeres

Moratorio, Arsínoe, «La mujer en la poesía del Uruguay (Bibliografía 1879-1969)», *Revista de la Biblioteca Nacional* (Montevideo), 4 (dic. de 1970), 43-63.

Presenta datos sobre las obras de poetas mujeres publicadas en forma de libro además de reimpresiones y traducciones de sus obras. Éstas se ordenan cronológicamente con cada poeta.

Revistas literarias

Barite, Mario, y María Gladys Ceretta, *Guía de revistas culturales uruguayas 1895-1985,* Montevideo, Ediciones «El Galeón», 1989 (101 págs.).

Se dan datos bibliográficos tales como frecuencia, nombres de colaboradores importantes y lugar de publicación para 239 revistas literarias publicadas durante estos 90 años en el Uruguay.

Teatro

Rela, Walter, *Repertorio bibliográfico del teatro uruguayo, 1816-1964,* Colección Medusa, Montevideo, Editorial Síntesis, 1965 (35 págs.).

Bibliografía clasificada sin anotaciones.

Diccionario de autores teatrales uruguayos, Montevideo, Proyección, 1988 (138 págs.).

Las págs. 5-33 son una «Breve historia del teatro uruguayo (ss. XIX-XX)». Un diccionario biobibliográfico de dramaturgos uruguayos.

VENEZUELA

Autoras

La mujer en las letras venezolanas. Homenaje a Teresa de la Parra en el año internacional de la mujer, 5-26 de octubre de 1975, Caracas, Congreso de la República, 1976 (176 págs.).

Bibliografía extensa de autoras venezolanas.

Bibliografías y panoramas

Becco, Horacio Jorge, *Fuentes para el estudio de la literatura venezolana,* 2 vols., Caracas, Centauro, 1978.

Valiosa bibliografía clasificada de 1.860 entradas.

—, *Bibliografía de bibliografías venezolanas: literatura (1968-1979),* Caracas, Editorial Andrés Bello, 1979 (62 págs.).

Bibliografía clasificada de 250 obras.

Cardozo, Lubio, *Bibliografía de literatura merideña,* Mérida, Universidad de los Andes, Facultad de Humanidades y Educación, Escuela de Letras, Centro de Investigaciones Literarias, 1967 (91 págs.).

Esta bibliografía clasifica 275 libros de escritores del estado de Mérida.

Lovera de Sola, Roberto J., «La literatura venezolana en 1971», *Montalbán,* I (1972), 148-84.

—, «La producción literaria en 1972», *Libros al Día,* 1:10 (1976), 21-8.

—, «Producción literaria 1971. Bibliografía fundamental», *Libros al Día,* 1:15 (1976), 2-28.

Excelente panorama de las *belles lettres* venezolanas para los años tratados.

Niño de Rivas, María Lys, «Escritores actuales de Venezuela, una bibliografía», *ARAISA,* 1975, 349-82.

Da una lista de obras publicadas en los años 1960 y los primeros años 1970. Indica con frecuencia el género literario.

Villasana, Ángel Raúl, *Ensayo de un repertorio bibliográfico venezolano,* 6 vols., Colección Cuatricentenario de Caracas, Caracas, Banco Central de Venezuela, 1969-1979.

Incluye obras publicadas en Venezuela o sobre Venezuela entre 1808 y 1950. Se centra en obras de literatura, historia, y de carácter general.

Diccionarios

Diccionario general de la literatura venezolana (autores), 2 vols., Mérida, Editorial Venezolana, Consejo de Fomento, Consejo de Publicaciones, Universidad de los Andes, 1987.

Donde es posible, se da para cada autor un breve esbozo biográfico, una nota crítica y una lista de las obras del autor y acerca de él. Es éste un diccionario biobibliográfico excepcional.

Ficción

Bibliografía de la novela venezolana, Caracas, Universidad Central de Venezuela, Facultad de Humanidades y Educación, Escuela de Letras, Centro de Estudios Literarios, 1963 (71 págs.).

Se dan datos sobre 324 títulos de 187 autores cuyas obras fueron publicadas entre 1842 y 1962.

Larrazábal Henríquez, Osvaldo, *et al., Bibliografía del cuento venezolano,* Caracas, Universidad Central de Venezuela, Facultad de Humanidades y Educación, Instituto de Investigaciones Literarias, 1975 (315 págs.).

Se dan datos sobre 3.311 cuentos de 332 autores.

Historia

Picón Salas, Mariano, *Estudios de literatura venezolana,* Caracas, Ediciones EDIME, 1961 (320 págs.).

Los ensayos sobre autores particulares siguen la historia literaria general del país.

Índice de periódicos

Ziona Hirshbein, Cesia, *Hemerografía venezolana 1890-1930,* Caracas, Universidad Central de Venezuela, Facultad de Humanidades y Educación, Instituto de Estudios Hispanoamericanos, 1978 (574 págs.).

Útil índice clasificado de la literatura aparecida en revistas venezolanas.

Literatura afrovenezolana

Ramos Guédez, José Marcial, «Literatura afrovenezolana», en *Bibliografía afrovenezolana,* Serie Bibliográfica, 2, Caracas, Instituto Autónomo Biblioteca Nacional y de Servicios de Bibliotecas, 1980, 99-106.

Las entradas 858-936 son una lista sin anotaciones de material elaborado por venezolanos negros o que comenta cómo se presenta a los negros en la literatura venezolana.

Poesía

Becco, Horacio Jorge, y Alberto Amengual, «Antologías poéticas americanas y venezolanas en el siglo XIX», en *Memoria del III Simposio de docentes e investigadores de la literatura venezolana,* vol. I, Mérida, Universidad de los Andes, Facultad de Humanidades y Educación, Instituto de Investigaciones Literarias «Gonzalo Picón Febres», 1984, 238-49.

Dividido en antologías de poesía hispanoamericanas y venezolanas. Proporciona detalles bibliográficos para cada volumen y da la lista de los escritores venezolanos incluidos.

Sembrano Urdaneta, Oscar, *Contribución a una bibliografía general de la poesía venezolana en el siglo XX,* Caracas, Universidad Central de Venezuela, Facultad de Humanidades y Educación, Escuela de Letras, 1979 (367 págs.).

Incluye datos sobre 2.068 volúmenes de poesía de 747 autores. Aporta estudios críticos sobre poetas venezolanos.

Teatro

Greymont, Sally J., «Hacia una bibliografía del teatro venezolano colonial», *Latin American Theatre Review,* 8:2 (1975), 45-9.

Incluye obras que se refieren al teatro precolombino, colonial y folklórico, además de dramaturgos coloniales.

Rojas Uzcátegui, José de la Cruz, y Lubio Cardozo, *Bibliografía del teatro venezolano,* Mérida, Instituto de Investigaciones Literarias «Gonzalo Picón Febres», 1980 (199 págs.).

La bibliografía más extensa del teatro venezolano desde 1801 a 1978.

TRADUCCIONES

Brasileñas (Portuguesas)

Wogan, Daniel S., *A literatura hispano-americana no Brasil 1877-1944: bibliografia de crítica, história, literaria e traduções,* Baton Rouge, Louisiana State University Press, 1948 (98 págs.).

Se anotan brevemente los estudios críticos y se los dispone en orden cronológico. Las traducciones se ordenan por autores.

Inglesas

Christensen, George K., «A bibliography of Latin American plays in English translation», *Latin American Theatre Review,* 6:6 (1973), 29-30.

Se propone dar una relación de las traducciones de obras de teatro tanto publicadas como manuscritas. Muy incompleto.

Freudenthal, Juan R., y Patricia M. Freudenthal, *Index to Anthologies of Latin American Literature in English Translation,* Boston, G. K. Hall, 1977 (xxxvi, 199 págs.).

Da un índice de casi 120 libros y números de periódicos dedicados a la literatura latinoamericana traducida. Lástima que no dé el título original en español o portugués.

Hulet, Claude L., *Latin American Prose in English,* Basic Bibliographies, Washington, Unión Panamericana, 1964 (191 págs.).

Dividida por géneros literarios y, dentro de cada género, por países.

—, *Latin American Poetry in English Translation,* Basic Bibliographies, 2, Washington, Unión Panamericana, 1965 (181 págs.).

Ordenada por países. Con frecuencia se dan los títulos en español o portugués.

Shaw, Bradley A., *Latin American Literature in English Translation: An annotated bibliography,* New York University Press, for Center for Inter-American Relations, 1976 (x, 144 págs.).

Ordenada por géneros y países. Incluye únicamente libros y antologías y casi siempre da el título en la lengua original.

Latin American Literature in English 1975-1978, suplemento a *Review* (Nueva York, Center for Inter-American Relations), 24 (1979), (23 págs.).

Proporciona datos sobre 111 entradas anotadas que suplementan y ponen al día la obra anterior. Las entradas están ordenadas alfabéticamente por autores o redactores y se las dividen en antologías, obras individuales, adiciones al volumen original, y reimpresiones publicadas antes de 1975.

Wilson, Jason, *An A to Z of Latin American Literature in English Translation,* Londres, Institute of Latin American Studies, 1990 (35 págs.).

Proporciona una bibliografía de libros (principalmente ficción y poesía) traducidos al inglés. Se da con frecuencia título original en español o portugués.

BIBLIOGRAFÍA DE BIBLIOGRAFÍAS

Cordeiro, Daniel Raposo, *A Bibliography of Latin American Bibliographies: Social Sciences and Humanities,* Metuchen, N. J., Scarecrow, 1979 (vi, 272 págs.).

Gropp, Arthur E., *A Bibliography of Latin American bibliographies,* Metuchen, N. J., Scarecrow, 1968 (ix, 515 págs.).

—, *A Bibliography of Latin American Bibliographies. Supplement*, Metuchen, N. J., Scarecrow, 1971 (xiii, 277 págs.).

—, *Latin American Bibliographies Published in Periodicals*, 2 vols., Metuchen, N. J., Scarecrow, 1976.

Loroña, Lionel, *A bibliography of Latin American Bibliographies, 1982-1983. Annual report,* Bibliography and Reference Series, 10, Madison, Wis., Seminar on the Acquisition of Latin American Library Materials, 1984 (27 págs.).

—, *Bibliography of Latin American and Caribbean Bibliographies: Annual report, 1984-1985,* Bibliography and References Series, 15, Madison, Wis., Seminar on the Acquisition of Latin American Library Materials, 1986 (128 págs.).

—, *Bibliography of Latin American and Caribbean Bibliographies: Annual report, 1985-1986,* Bibliography and References Series, 17, Madison, Wis., Seminar on the Acquisition of Latin American Library Materials, 1986 (54 págs.).

—, *A Bibliography of Latin American Bibliographies, 1980-1984: Social Sciences and Humanities,* Metuchen, N. J., Scarecrow, 1987 (223 págs.).

—, *Bibliography of Latin American and Caribbean Bibliographies: Annual report, 1986-1987,* Bibliography and References Series, 20, Madison, Wis., Seminar on the Acquisition of Latin American Library Materials, 1987 (64 págs.).

—, *Bibliography of Latin American and Caribbean Bibliographies: Annual report, 1987-1988,* Bibliography and References Series, 23, Madison, Wis., Seminar on the Acquisition of Latin American Library Materials, 1988 (68 págs.).

—, *Bibliography of Latin American and Caribbean Bibliographies: Annual report, 1988-1989,* Bibliography and References Series, 25, Madison, Wis., Seminar on the Acquisition of Latin American Library Materials, 1989 (66 págs.).

—, *Bibliography of Latin American and Caribbean Bibliographies: Annual report, 1989-1990,* Bibliography and References Series, 27, Albuquerque, N.M., Seminar on the Acquisition of Latin American Library Materials, 1990 (48 págs.).

—, *Bibliography of Latin American and Caribbean Bibliographies, 1985-1989: Social Sciences and Humanities,* Metuchen, N. J., Scarecrow, 1992.

—, *Bibliography of Latin American and Caribbean Bibliographies: Annual report, 1990-1991,* Bibliography and References Series, 30, Albuquerque, N.M., Seminar on the Acquisition of Latin American Library Materials, 1992 (125 págs.).

—, *Bibliography of Latin American and Caribbean Bibliographies: Annual report, 1991-1992,* Bibliography and References Series, 3, Albuquerque, N.M., Seminar on the Acquisition of Latin American Library Materials, 1992.

Piedracueva, Haydée, *A Bibliography of Latin American Bibliographies, 1975-1979: Humanities and Social Sciences,* Metuchen, N.J., Scarecrow, 1982 (329 págs.).

Williams, Gayle Ann, *Bibliography of Latin American and Caribbean Bibliographies: Annual report, 1992-1993,* Bibliography and References Series, 34, Albuquerque, N.M., Seminar on the Acquisition of Latin American Library Materials, 1993 (81 págs.).

Todas tienen una ordenación clasificada con índices de autor y tema. Son especialmente excelentes porque proporcionan una bibliografía más o menos actual sobre autores, temas literarios y bibliografía nacional además de índices de periódicos.

Argentina

Geoghegan, Abel Rodolfo, *Bibliografía de bibliografías argentinas, 1807-1970,* Buenos Aires, Casa Pardo, 1970 (130 págs., más 36 págs. de anuncios comerciales).

Bibliografía clasificada por temas.

Colombia

Giraldo Jaramillo, Gabriel, *Bibliografía de bibliografías colombianas,* 2.ª ed., corregida y puesta al día por Rubén Pérez Ortiz, Publicaciones del Instituto Caro y Cuervo, Serie Bibliográfica, 1, Bogotá, Instituto Caro y Cuervo, 1960 (xvi, 204).

Bibliografía clasificada por temas.

Cuba

Fernández Robaina, Tomás, *Bibliografía de bibliografías cubanas: 1859-1972,* La Habana, Biblioteca Nacional «José Martí», Departamento de Hemeroteca e Información de Humanidades, 1973 (340 págs.).

Bibliografía clasificada y anotada; con índice de autores y temas, y de títulos de periódicos.

República Dominicana

Bibliografía de la bibliografía dominicana, Ciudad Trujillo, Roques Román, 1948 (66 págs.).

Bibliografía clasificada.

México

Millares Carlo, Agustín, y José Ignacio Montecón, *Ensayo de una bibliografía de bibliografías mexicanas (la imprenta, el libro, las bibliotecas, etc.),* Biblioteca de la Feria del Libro y Exposición Nacional del Periodismo, México, D.F., 1943 (xvi, 224 págs.).

—, *Ensayo de una bibliografía de bibliografías mexicanas (La imprenta...). Adiciones,* III Feria del Libro y Exposición Nacional del Periodismo y I de Cine y Radio, México, D.F., 1944 (46 págs.).

Aunque anticuadas, éstas siguen siendo las más completas y más precisas de las bibliografías que tratan de México. Clasificadas con índices excelentes.

Perú

Lostaunau Rubio, Gabriel, «Literatura», en *Fuentes para el estudio del Perú (bibliografía de bibliografías),* Lima, Imprenta y Encuadernación Herrera Márquez, 1980, 287-317.

Dividida en «Obras generales», «Poesía», «Teatro», «Cuento y novela», «Literatura infantil» y «Publicaciones periódicas literarias».

Uruguay

Musso Ambrosi, Luis Alberto, *Bibliografía de bibliografías uruguayas, con aportes a la historia del periodismo,* Montevideo, 1964 (vii, 102 págs.).

Bibliografía clasificada de 637 entradas. Tiene índice.

CATÁLOGOS DE COLECCIONES LATINOAMERICANAS EN LOS ESTADOS UNIDOS

Florida

Gainesville University libraries, *Catalog of the Latin American Collection,* 13 vols., primer suplemento, 7 vols., 1979.

Se reproducen casi 210.000 fichas.

Texas

University of Texas Library, *Catalog of the Latin American Collection,* 31 vols., Boston, G. K. Hall, 1969. 1.er suplemento, 5 vols., 1971; 2.º suplemento, 3 vols., 1973; 3.er suplemento , 8 vols., 1975; 4.º suplemento, 3 vols., 1977.

—, *Bibliographic Guide to Latin American Studies, 1979-*, Boston, G. K. Hall, 1980-.

«... sirve como suplemento anual…». (pág. ix) a los catálogos de la Biblioteca de la University of Texas. «Consta de publicaciones catalogadas por la Colección Latinoamericana de la University of Texas, con entradas adicionales de la Biblioteca del Congreso para cobertura total del tema» (pág. iv).

Tulane University

Tulane University Library, *Catalog of the Latin American Library of the Tulane University Library, New Orleans,* 10 vols., Boston, G. K. Hall, 1970. 1.er suplemento, 2 vols., 1973; 2.º suplemento, 2 vols., 1975; 3.er suplemento , 2 vols., 1978.

Estos catálogos de tres notables colecciones latinoamericanas son recursos bibliográficos sumamente valiosos.

VOLUMEN I

DEL DESCUBRIMIENTO AL MODERNISMO

CAPÍTULO I

BREVE HISTORIA DE LA HISTORIA DE LA LITERATURA HISPANOAMERICANA

Lo que sigue representa más una lista de «obras consultadas» que una bibliografía propiamente dicha. En el caso de las antologías, el libro de Beatriz González Stephan *(La historiografía literaria del liberalismo hispanoamericano del siglo XIX)* tiene una lista más completa. Incluyo aquí únicamente las obras con las que he podido trabajar en la extensa colección latinoamericana de Yale. Esto es verdad también para los precursores y las obras de crítica literaria de la lista. Ya que la crítica, no la literatura, es el objeto de estudio de este capítulo, hay muy pocas anotaciones a estas entradas. La bibliografía propiamente dicha, como las otras en esta obra, es selectiva y está anotada. Se recomienda también que el lector consulte las bibliografías de los capítulos sobre la crítica literaria y el ensayo. Las entradas están en lista cronológica a menos que se diga otra cosa.

PRECURSORES (BIBLIÓGRAFOS Y BIBLIÓFILOS)

Beristain de Souza, José Mariano, *Bibliotheca hispanoamericana septentrional; ó, Catálogo y noticia de los literatos, que ó nacidos, ó educados, ó florecientes en la América septentrional española, han dado a luz algún escrito, ó lo han dejado preparado para la prensa,* México, A. Valdés, 1816-1821; ed. reciente, México, Editorial Fuente Cultural, 1947.

Prólogo dirigido «A Fernando VII, Rey Católico de España y las Indias». Quiere demostrar la ilustración de México, y que España no ha sido tiránica ni había venido a América solamente por oro y plata.

Tapia y Rivera, Alejandro, *Biblioteca histórica de Puerto Rico, que contiene varios documentos de los siglos XV, XVI, XVII y XVIII,* Puerto Rico, Imprenta de Márquez, 1954.

Odriozola, Manuel de, *Colección de documentos literarios del Perú,* Lima, A. Alfaro, 1863-1867.

García Icazbalceta, Joaquín, *Bibliografía mexicana del siglo XVI. Primera parte. Catálogo razonado de libros impresos en México de 1539 á 1600. Con biografías de autores y otras ilustraciones. Precedido de una noticia de la introducción de la imprenta en México,* México, Andrade & Morales, 1886; ed. moderna, preparada por Agustín Millares Carlo, México, Fondo de Cultura Económica, 1954.

Dice que comenzó su trabajo en 1846. Hubo más tarde una dispersión de colecciones mexicanas que ha dado lugar a la aparición de obras en catálogos de ediciones raras. Añade el autor que si bien la ha llamado *Primera parte* no tiene intención de escribir otras, aunque «quien lo haga rendirá un gran servicio a las letras y a la patria» (pág. viii).

Medina, José Toribio, *Bibliotheca americana. Catálogo breve de mi colección de libros relativos a la América Latina; con un ensayo de bibliografía de Chile durante el período colonial,* Santiago, Typus Authoris, 1888.

Lista de su propia e importante colección.

—, *Bibliotheca hispanoamericana, 1493-1810,* vol. I: *1493-1600,* Santiago, Fondo Histórico y Bibliográfico José Toribio Medina, 1958.

Edición facsímil del volumen publicado, 1898-1907. Esencial para trazar el derrotero de la circulación de libros y la evolución de las actividades editoriales. Las entradas tienen anotaciones detalladas.

ANTOLOGÍAS (1824-1928)

La lira argentina, o colección de las piezas poéticas, dadas a luz en Buenos Ayres durante la guerra de su independencia, Buenos Aires, 1824; ed. moderna por Pedro Luis Barcía, Buenos Aires, Academia Argentina de las Letras, 1982.

El Parnaso Oriental, ó Guirnalda poética de la República Uruguaya, 2 vols., Buenos Aires, Imprenta de la Libertad, 1835; ed. moderna por Gustavo Gallina, Montevideo, Imprenta «El Siglo Ilustrado», 1927.

Gutiérrez, Juan María (ed.), *América poética. Colección escojida de composiciones en verso escritas por americanos en el presente siglo,* Valparaíso, Imprenta del Mercurio, 1846.

Ortiz, José Joaquín (ed.), *El Parnaso granadino; colección escojida de poesías nacionales por JJO,* Bogotá, Imprenta de Ancízar, 1848.

Ureta, J. M. (ed.), *Lira patriótica del Perú. Colección escojida de poesías nacionales desde la proclamación de la independencia hasta el dia,* Lima, Imprenta de D. Fernando Velarde, 1853.

Borda, José Joaquín (ed.), *La lira granadina. Colección de poesías nacionales, escojidas y publicadas por JJB i José María Vergara i Vergara,* Bogotá, Imprenta de «El Mosaico», 1860.

Palma, Ricardo, *Dos poetas (Don Juan María Gutiérrez y Doña Dolores Ventenilla),* Valparaíso, G. Helfmann, 1861.

Polo, José Toribio (ed.), *El Parnaso peruano; ó repertorio de poesías nacionales antiguas y modernas, precedidas del relato y biografía de su autor,* Lima, J. E. del Campo, 1862.

Giraldez, Tomás (ed.), *La guirnalda argentina.Poesías de jóvenes argentinos,* compilado por T. Giraldez, Buenos Aires, Imprenta de La Bolsa, 1863.

Cortés, José Domingo, *Inspiraciones patrióticas de la América Republicana,* compiladas por J. D. Cortés, Valparaíso, Imprenta de la Patria, 1864.

Mistura para el bello sexo. Repertorio de canciones y yaravíes cantables, antiguos y modernos, para recreo del bello sexo, Arequipa, Imprenta de Francisco Ibáñez, 1865.

Molestina, Vicente Emilio (ed.), *Lira ecuatoriana. Colección de poesías líricas nacionales,* escogidas y ordenadas con notas biográficas por V. E. Molestina, Guayaquil, Calvo & Cia, 1866.

Corona poética ofrecida al pueblo peruano el 28 de julio de 1866, Lima, Imprenta dirigida por J. R. Montemayor, 1866.

Molestina, Vicente Emilio (ed.), *Literatura ecuatoriana. Colección de antigüedades literarias, fábulas, epigramas, sátiras y cuadros de costumbres nacionales,* escogidas y ordenadas con notas biográficas por V. E. Molestina, Lima, Alfaro & Cia., 1868.

Cortés, José Domingo (ed.), *Parnaso peruano,* Valparaíso, Imprenta Albin de Cox & Taylor, 1871.

Prólogo interesante sobre el estado de las letras nacionales.

Corpancho, Godofredo (ed.), *Lira patriótica, o colección escogida de poesías sobre asuntos patrióticos para ejercicios de declamación,* Lima, 1873.

Palma, Ricardo (ed.), *Lira americana; colección de poesías de los mejores poetas del Perú, Chile y Bolivia,* París, Bouret et fils, 1873.

Cortés, José Domingo (ed.), *Parnaso arjentino; poesías líricas,* Santiago, Imprenta A. Bello, 1873.

Tiene prólogo y notas biográficas.

Castellanos, José (ed.), *Lira de Quisqueya. Poesías dominicanas*, escogidas por J. Castellanos con notas biográficas sobre los autores, Santo Domingo, Imprenta de García Hermanos, 1874.

Cortés, José Domingo (ed.). *América poética; poesías selectas americanas con noticias biográficas de los autores coleccionados,* París, A. Bouret, 1875.

—, *Poetisas americanas, ramillete poético del bello sexo hispanoamericano,* París, Bouret et fils, 1875. Dice también «México, Librería de A. Bouret e hijo», pero el libro fue impreso en París.

Rojas, José María (ed.), *Biblioteca de escritores venezolanos contemporáneos,* ordenada, con notas biográficas por J. M. Rojas, Caracas, Rojas Hermanos, 1975. Dice también «Paris, Jouyet et Roger Editeurs»; ed. moderna, prólogo de Manuel Alfredo Rodríguez, Caracas, Concejo Municipal del Distrito Federal, 1975.

Cortés, José Domingo (ed.), *Prosistas americanos. Trozos escojidos de literatura coleccionados i extractados de autores mejicanos-uruguayos-bolivianos-ecuatorianos-cubanos-venezolanos-peruanos-chilenos-arjentinos-colombianosamericanos,* París, Tipografía La Hure, 1875.

Las páginas preliminares contienen detalles curiosos acerca del editor.

Dr. Laso de los Vélez (ed.), *Poetas de la América Meridional. Colección escogida de poesías de Bello, Berro, Chacón, Echeverría, Figueroa, Lillo, Madrid, Maitin, Mármol, Navarrete y Valdés,* La Habana, Alejandro Chao/Barcelona, Gaspar Homededeu, 1875. Impreso en Barcelona.

Magariños Cervantes, Alejandro (ed.), *Álbum de poesías coleccionadas con algunas breves notas por AMC,* Montevideo, Imprenta de la Tribuna, 1878.

La ficha en la Biblioteca Sterling Memorial de Yale dice: «Biblioteca Americana publicada en París por Don Alejandro Magariños Cervantes. Para los volúmenes de la Biblioteca de Yale que pertenecen a esta colección véanse los títulos individuales bajo MC,A, 1815-1893», pero aparecen únicamente sus novelas.

Sama, Manuel María (ed.), *Poetas puerto-riqueños,* Producciones en verso, escogidas y coleccionadas por D. José M. Monge, D. Manuel M. Sama y D. Antonio Ruiz Quiñones. Precedidas de un prólogo de D. José M. Monge, Mayagüez, M. Fernández, 1879.

«Yaravíes quiteños», Congrès International des Americanistes, 4.ª sesión, Madrid, 1881. *Actas de la cuarta reunión,* Madrid, 1882-1883.

Menéndez Pelayo se refiere a Jiménez de Espada como «nuestro primer americanista».

García Salas, José María (ed.), *El Parnaso centroamericano (primera parte),* Guatemala, Ministerio de Educación Pública, 1962; publicada originalmente en Guatemala, Imprenta de Pedro Arenales, 1882.

Lagomaggiore, Francisco (ed.), *América literaria; producciones selectas en prosa y verso,* compiladas por F. Lagomaggiore, Buenos Aires, Imprenta de «La Nación», 1883.

Coronado, Martín (ed.), *Literatura americana. Trozos escogidos en prosa y en verso. Originales de autores nacidos en América Latina,* 2 vols., Buenos Aires, pero dice, «Imp. Paul Dupont 1884-París».

Riva Palacio, Vicente (ed.), *El Parnaso mexicano. J. Joaquín Fernández Lizardi. Su retrato y biografía con el juicio crítico de sus obras y poesías escogidas de varios autores,* ed. gen. el Sr. Gral. C. VRP, México, Librería La Ilustración, 1885.

Añez, Julio, (ed.), *Parnaso colombiano; colección de poesías escogidas,* primer estudio de D. José Rivas Groot, Bogotá, Librería Colombiana, Camacho Roldán & Tamayo, 1886-1887.

Prólogo sustancioso.

—, *Parnaso venezolano,* Serie I, vol. I: *Curaçao, 1887-90,* [Venezuela].

Un poeta por volumen; el primero es Bello.

Uriarte, Ramón (ed.), *Galería poética centro-americana. Colección de poesías de los mejores poetas del Centro,* precedida por breve información biográfica y reseñas críticas de cada uno de los autores incluidos; 2.ª ed., Guatemala, Tip. «La Unión», 1888.

Pío Chavez, Manuel, y Manuel Rafael Valdivia, *Lira arequipeña. Colección de las más selectas poesías de los vates antiguos y modernos,* Arequipa, M. P. Chaves, 1889; ed. moderna, Artemio Peraltilla Díaz, Lima, Editorial El Sol, 1972.

Estrada, José Manuel (ed.), *Lira argentina; recopilación de poesías selectas de poetas argentinos,* Buenos Aires, P. M. Carballido & Cia., 1989.

Figueroa, Pedro Pablo (ed.), *Prosistas y poetas de América moderna,* Bogotá, Casa Editorial de J. J. Pérez, 1891.

Ya incluye a Rubén Darío.

Calcaño, Julio (ed.), *Parnaso venezolano; colección de poesías de autores venezolanos desde mediados del siglo XVIII hasta nuestros dias,* con sección introductoria sobre los orígenes y el progreso de la poesía en Venezuela por J. Calcaño, vol. I, Caracas, Tip. «El Cojo», 1892. Primer volumen.

Mera, Juan León (ed.), *Antología ecuatoriana. Cantares del pueblo ecuatoriano;* compilación J. L. Mera, con ensayo introductorio, y notas sobre el lenguaje coloquial, Academia Ecuatoriana, Quito, Imprenta de la Universidad Central del Ecuador, 1892.

Vigil, José María (ed.), *Poetisas mexicanas, siglos XVI, XVII, XVIII y XIX,* Antología formada por encargo de la Junta de Señoras correspondiente de la Exposición de Chicago, México, Oficina Tipográfica de la Secretaría de Fomento, 1893, ed. moderna, Ana Elena Díaz Alejo y Ernesto Prado Velázquez, Universidad Nacional Autónoma de México, *c.* 1977.

Mistura para el bello sexo. Canciones y yaravíes, novísima compilación, Arequipa, Imprenta de La Bolsa, 1893.

Romagosa, Carlos (ed.), *Joyas poéticas americanas. Colección de poesías escogidas. Originales de autores nacidos en América,* Córdoba, Argentina, Imprenta La Minerva, 1897.

Incluye poesía en español, inglés, portugués y francés, con traducciones al español.

Ugarte, Manuel (ed.), *La joven literatura hispanoamericana. Antología de prosistas y poetas,* París, Librería Armand Colin, 1906.

He visto solamente esta tercera edición, lo que indica que se vendió bien el libro.

Parnaso venezolano. Selectas composiciones poéticas coleccionadas por CBA, con ensayo sobre el desarrollo y el estado actual de la poesía lírica en Venezuela por el Sr. General Pedro Arisimendi Brito, Barcelona y Buenos Aires, 1906; ed. aumentada de Juan González Camargo, Barcelona, Maucci, 1917?

La nueva lira criolla; guarachas, canciones; décimas y cantares de la guerra, 6.ª ed., aumentada, La Habana, La Moderna Poesía, 1907.

Donoso, Armando (ed.), *Parnaso chileno,* aumentado por la Baronesa de Wilson, Barcelona, Maucci, 1910.

Ortiz, Alberto (ed.), *Parnaso nicaragüense; antología completa de sus mejores poetas,* Barcelona, Maucci, 1912.

García Calderón, Ventura (ed.), *Parnaso peruano,* compilado por V. G. Calderón, Barcelona, Maucci, 1914.

Bazil, Oswaldo (ed.), *Parnaso dominicano; compilación completa de los mejores poetas de la República de Santo Domingo,* Barcelona, Maucci, [*c.* 1915).

Méndez Pereira, Octavio (ed.), *Parnaso panameño,* prólogo y biografías por O. Méndez Pereira, Panamá, Tip. el Istmo, 1916.

Donoso, Armando (ed.), *Pequeña antología de poetas chilenos contemporáneos,* Santiago, Ediciones de Filosofía, Arte y Literatura, 1917.

Bazil, Oswaldo (ed.), *Parnaso antillano; compilación completa de los mejores poetas de Cuba, Puerto Rico y Santo Domingo,* Barcelona, Maucci, [1918?]. Prólogo fechado, «Barcelona, 17 de noviembre de 1916».

Oyuela, Calixto (ed.), *Antología poética hispano-americana; con notas biográficas y críticas,* 5 vols., Buenos Aires, A. Estrada & Cia., 1919-1920.

Del Valle, Adrián (ed.), *Parnaso cubano; selectas composiciones poéticas,* ed. aumentada, Barcelona, Maucci, 1920.

Prólogo fechado «Habana, julio de 1906».

Caro Grau, Francisco (ed.), *Parnaso colombiano. Nueva antología esmeradamente seleccionada,* 3.ª ed., Barcelona, Maucci, s. f. Prólogo firmado, 1920.

Bolívar Coronado, Rafael (ed.), *Parnaso costarricense; selección esmerada de los mejores poetas de Costa Rica,* Barcelona, Maucci, [1922?].

Brissa, José (ed.), *Parnaso ecuatoriano. Antología de las mejores poesías del Ecuador,* escogidas por J. Brissa, Barcelona, Maucci, s. f.

El sello de Yale indica su adquisición en 1929.

Pagano, José León (ed.), *El Parnaso argentino; poesías selectas,* con 21 ilustraciones, 5.ª ed., Barcelona, Maucci, 191?

—, «La poesía americana», sirve como prólogo a un ensayo de Juan María Gutiérrez.

Esteva, Adalberto A. (ed.), *El parnaso mexicano; antología completa de sus mejores poetas con numerosas notas biográficas,* 2 vols., notas de A. A. Esteva y José Pablo Rivas, Barcelona, Maucci, 191?

Erazo, Salvador (ed.), *Parnaso salvadoreño; antología esmeradamente seleccionada de los mejores poetas de la República del Salvador,* Barcelona, Maucci, s.f.

Donoso, Armando (ed.), *Nuestros poetas. Antología chilena moderna,* prólogo y notas Armando Donoso, Santiago, Nascimento, s. f.

Torres Rivera (ed.), *Parnaso puertorriqueño. Antología esmeradamente seleccionada de los mejores poetas de Puerto Rico,* Barcelona, Maucci, [1921].

Artucio Ferreira, Antonio (ed.), *Parnaso uruguayo, 1905-1922,* Barcelona, Maucci, 1992.

De Vitis, Michael Angelo (ed.), *Parnaso paraguayo; selectas composiciones poéticas,* Barcelona, Maucci, [1925].

Porta Mences, Humberto (ed.), *Parnaso guatemalteco (1750-1928),* con notas biográficas y bibliográficas. Guatemala, C. A. [Tip. Nacional], 1928.

CRÍTICA LITERARIA (orden alfabético)

Amunátegui, Gregorio Víctor, *Informes presentados al decano de la Facultad de Humanidades sobre la Historia de la literatura colonial de Chile (1541-1810), por S. S. Gregorio V. Amunátegui i B. Vicuña Mackenna;* encuadernado junto con J. T. Medina, *Historia de la literatura colonial de Chile,* Santiago, El Mercurio, 1878.

Amunátegui, Miguel Luis, *Vida de Don Andrés Bello,* Santiago, impreso por Pedro G. Ramírez, 1882.

—, *Don José Joaquín de Mora. Apuntes biográficos,* Santiago, Imprenta Nacional, 1888.

Amunátegui y Solar, Domingo, *Bosquejo histórico de la literatura chilena. Período colonial,* Santiago, Imprenta Universitaria, 1918.

Bachiller y Morales, Antonio, *Apuntes para la historia de las letras, y de la instrucción pública de la Isla de Cuba,* 3 vols., La Habana, Imprenta de P. Massana, 1859-1861; ed. moderna, La Habana, Academia de Ciencias de Cuba, Instituto de Literatura y Lingüística, 1965.

Barros Arana, Diego, *Bibliotheca americana. Collection d'ouvrages inédits ou rares sur l'Amérique,* 3 vols., París, A. Franck, 1862-1864.

La única obra publicada parece haber sido *Purén indómito,* el poema épico del capitán Fernando Álvarez de Toledo.

Bartres Jáuregui, Antonio, *Literatura americana. Colección de artículos,* Guatemala, Tip. de «El Progreso», 1879.

Blanco-Fombona, Rufino (ed.), *Autores americanos juzgados por los españoles,* París y Buenos Aires, Casa Editorial Hispano-americana, 1913.

Interesantes «Dos palabras por vía de introducción...»

Echeverría, Esteban, *Obras completas de D. Esteban Echeverría,* Buenos Aires, C. Casaralle, Imprenta y Librería de Mayo, 1870-1874.

Fernández Guerra y Orbe, Luis, *D. Juan Ruiz de Alarcón y Mendoza, Obra premiada en público certamen de la Real Academia Española,* Madrid, Rivadeneyra, 1871.

Figueroa, Pedro Pablo, *Miscelánea biográfica americana (estudios históricos, críticos y literarios),* Santiago, Imprenta de la Unión, 1888.

Fombona Palacio, Manuel, *Poetas españoles y americanos,* 2.ª ed., Caracas, Librería Española de L. Puig Ros, 1881.

García Icazbalceta, Joaquín, *Francisco Terrazas y otros poetas del siglo XVI,* Madrid, Ediciones J. García Turranzas, 1962.

—, (ed.), *México en 1554,* de Cervantes de Salazar, Francisco, 3 diálogos en latín traducidos por J. García Icazbalceta, notas por Julio Jiménez Rueda, Universidad Nacional Autónoma de México, 1952.

García Merou, Martín, *Confidencias literarias,* Buenos Aires, Imprenta Casa Editora «Argos», 1893.

Chismes literarios picantes.

Gutiérrez, Juan María, *Estudios histórico-literarios,* selección, prólogo y notas de Ernesto Morales, Buenos Aires, Ángel Estrada & Cia., 1940.

«Noticias sobre un libro curioso y rarísimo, impreso en América al comenzar el siglo XVII», *Revista del Río de la Plata,* 6:21 (1873), 86-105.

Sobre *Miscelánea Austral* de Diego de Dávalos.

Lastarria, José Victoriano, *Recuerdos literarios; datos para la historia literaria de la América española i del progreso intelectual en Chile,* 2.ª ed., Santiago, M. Servat, 1885.

—, *Lastarria,* prólogo y selección de Luis Enrique Délano, México, Ediciones de la Secretaría de Educación Pública, 1944.

Medina, José Toribio, *Historia de la literatura colonial de Chile,* Santiago, 1878; encuadernado junto con Gregorio V. Amunátegui y B. Vicuña Mackenna, *Informes presentados al decano de la Facultad de humanidades sobre la Historia de la literatura colonial de Chile (1541-1810),* (ver arriba).

Mera, Juan León, *Ojeada histórico-crítica sobre la poesía ecuatoriana desde su época más remota hasta nuestros días,* 2.ª ed., seguida de nuevos apéndices, Barcelona, Imprenta de J. Cunil Sala, 1893; ed. moderna de Raúl Silva Castro, Santiago, 1968.

Oyuela, Calixto, *Estudios y artículos literarios,* Buenos Aires, Imprenta de P. E. Coni e hijos, 1889.

—, *Estudios literarios,* prólogo de Álvaro Melián Lafinur, 2 vols., Buenos Aires, Academia Argentina de Letras, 1943.

Oyuela, Calixto (ed.), *Trozos escogidos de la literatura castellana desde el siglo XII hasta nuestros días (España y América),* Buenos Aires, A. Estrada, 1885.
—, *José Mármol. Poesías escogidas,* Buenos Aires, Agencia General de Librería y Publicaciones, 1922.
Sosa, Francisco, *Escritores y poetas sudamericanos,* México, Oficina Tip. de la Secretaría de Fomento, 1890.
Torres Caicedo, José María, *Ensayos biográficos y de crítica literaria sobre los principales publicistas, historiadores, poetas y literatos de América Latina,* 3 vols., París, Guillaumin & Cia., 1863-1868.
—, *Ensayos biográficos y de crítica literaria sobre los principales poetas y literatos hispano-americanos. Primera serie,* vol. II, París, Librería de Guillaumin & Cia., 1863.
—, *Ensayos biográficos y de crítica literaria sobre los principales publicistas, historiadores, poetas y literatos de la América Latina. Segunda serie,* París, Baudry, Librería Europea, Dramard-Baudry & Cia., Sucesores, 1868.
Ugarte, Manuel, *Las nuevas tendencias literarias,* Valencia, F. Sempere & Cía., 1908 (?).
Vergara y Vergara, José María, *Historia de la literatura en Nueva Granada. Parte Primera. Desde la conquista hasta la independencia (1538-1820),* Bogotá, Imprenta de Echeverría Hnos., 1867.
Wilson, Baronesa de, *El mundo literario americano. Escritores contemporáneos. Semblanzas. Poesías. Apreciaciones. Pinceladas,* 2 vols., Barcelona, Maucci, 1903.

PERIÓDICOS Y REVISTAS

La Biblioteca Americana o Miscelánea de Literatura, Artes i Ciencias. Por una sociedad de americanos, Londres, G. Marchant, 1823.

Dirigida por Andrés Bello.

El repertorio Americano, 1-4 (oct. de 1826-ag. de 1827), Londres, Bossanges, Barthés & Lowell, 1826-1827.

Dirigida también por Andrés Bello, fue ésta la más influyente de las dos revistas.

Revista Española de Ambos Mundos, 1-4 (1853-1855), Madrid, Est. Tip. de Mellado. Dirigida por Alejandro Magariños Cervantes (1825-1893).
Revista del Rio de la Plata; periódico mensual de historia y literatura de América, Buenos Aires, Imprenta de Mayo, 1871-1877.

Dirigida por Juan María Gutiérrez.

El Museo de Ambas Américas, 1-3: 1-36 (1842), Valparaíso.

Fundado en Valparaíso, Chile, por el colombiano García del Río.

Revista de Santiago, I (abril de 1848), Santiago, Imprenta Chilena.

Dirigida por Lastarria.

Revista de Buenos Aires. Memoria y noticias para servir a la historia antigua de la República Argentina, redactada y publicada por los fundadores de la *Revista de Buenos Aires,* Buenos Aires, Imprenta de Mayo, 1865.

Dirigida por J. M. Gutiérrez.

Correo de Comercio, I, Buenos Aires, Real Imprenta de Niños Expósitos, 1810-1811.

Archivo americano y espíritu de la prensa del mundo, I (l2 de junio de 1843).

Revista del Río de la Plata; periódico mensual de historia y literatura de América, Buenos Aires, Imprenta de Mayo, 1871-1877.

Revista chilena, 1-16 (enero de 1875 - junio de 1880), Santiago, J. Núñez, 1875-1880.

Miguel Luis Amunátegui es uno de los redactores.

HISTORIAS LITERARIAS (orden alfabético)

Anderson Imbert, Enrique, *Historia de la literatura hispanoamericana,* 2 vols., México y Buenos Aires, Fondo de Cultura Económica, 1954.

—, *Spanish American Literature: A history,* trad. de John V. Falconieri, 2 vols., Detroit, Wayne State University Press, 1963; 2.ª ed., revisada y puesta al día por Elaine Malley, 1969.

Arrom, José Juan, *Esquema generacional de las letras hispanoamericanas. Ensayo de un método,* Bogotá, Instituto Caro y Cuervo, 1963; 2.ª ed., 1977.

Aubrun, Charles V., *Histoire des lettres hispano-américaines,* París, Armand Colin, 1954.

Bazin, Robert, *Histoire de la littérature américaine de langue espagnole,* París, Hachette, 1953.

Bellini, Giuseppe, *Historia de la literatura hispanoamericana,* Madrid, Castalia, 1985.

Coester, Alfred, *The Literary History of Spanish America,* Nueva York, Macmillan, 1916.

Díez-Echarri, Emiliano, y José María Roca Franquesa, *Historia de la literatura española e hispanoamericana,* 2.ª ed., Madrid, Aguilar, 1966.

Franco, Jean, *An Introduction to Spanish American Literature,* Cambridge University Press, 1968.

Gallo, Uro, y Guiseppe Bellini, *Storia della letteratura ispanoamericana,* Milán, Nuova Accademia Editrice, 1958.

Gallo escribió las tres primeras partes, y Bellini la cuarta y última.

Goic, Cedomil, *Historia y crítica de la literatura hispanoamericana: Época colonial,* Barcelona, Editorial Crítica, Grupo Grijalbo, 1988.

Hamilton, Carlos, *Historia de la literatura hispanoamericana,* Nueva York, Las Américas, 1961.

Henríquez Ureña, Pedro, *Literary Currents in Hispanic America,* Cambridge, Mass., Harvard University Press, 1945.

—, *Historia de la cultura en la América Hispánica,* México, Fondo de Cultura Económica, 1947.

—, *Las corrientes literarias en la América Hispánica,* México, Fondo de Cultura Económica, 1949.

Lazo, Raimundo, *Historia de la literatura hispanoamericana,* México, Editorial Porrúa, vol. I, 1965; vol. II, 1967.

Leal, Luis, *Breve historia de la literatura hispanoamericana,* Nueva York, Knopf, 1971.

Leguizamón, Julio A., *Historia de la literatura hispanoamericana,* 2 vols., Buenos Aires, Editoriales Reunidas, 1945.

Madrigal, Luis Íñigo (ed.), *Historia de la literatura hispanoamericana,* Madrid, Cátedra, 1982.

Menéndez Pelayo, Marcelino, *Antología de poetas hispanoamericanos,* publicada por la Real Academia Española de la Lengua, vol. I: *México y América Central,* Madrid, Est. Tipográfico «Sucesores de Rivadeneyra», 1893.

Rodríguez Monegal, Emir (ed.), *The Borzoi Anthology of Latin American Literature: From the time of Columbus to the twentieth century,* 2 vols., Nueva York, Knopf, 1977.

Sánchez, Luis Alberto, *Nueva historia de la literatura americana,* Buenos Aires, Ediciones Ercilla, 1937.

Shimose, Pedro, *Historia de la literatura latinoamericana,* Madrid, Playor, 1989.

Torres Ríoseco, Arturo, *The Epic of Latin American Literature,* Los Angeles, University of California Press, 1942; publicado en español como *La gran literatura iberoamericana,* Buenos Aires, Emecé, 1945.

Valbuena Briones, Ángel, *Literatura hispanoamericana,* Madrid, Gili, 1962; publicado como 4.º volumen de *Historia de la literatura española* de Ángel Valbuena Prat, Barcelona, Gili, 1963.

BIBLIOGRAFÍA SECUNDARIA

Ardao, Arturo, *Génesis de la idea y el nombre de América Latina,* Caracas, Centro de Estudios Rómulo Gallegos, 1980.

Estudio de Torres Caicedo y otros, con una antología de textos pertinentes.

Campra, Rosalba, «La búsqueda de categorías críticas en el siglo XIX: *Escritores y poetas sudamericanos* de Francisco Sosa», *Filología* (Instituto de Filología y Literaturas Hispánicas «Dr. Amado Alonso»), 22, 2 (1987), 27-43.

Lúcido e informativo con respecto al proyecto de Sosa de 1890, un libro de ensayos sobre varios autores sudamericanos que revelaría y promovería la existencia de una literatura latinoamericana.

—, «Las antologías hispanoamericanas del siglo XIX: proyecto literario y proyecto político», *Casa de las Américas,* 162 (1987), 37-46.

Artículo innovador que revela la importancia, desde un punto de vista crítico, histórico y político, de antologías de poesía en la Hispanoamérica del siglo XIX.

Carilla, Emilio, «El primer biógrafo de Alberdi (José María Torres Caicedo)», *Thesaurus* (Boletín del Instituto Caro y Cuervo), 43:1 (1988), 1-11.

Informativo con respecto a las relaciones literarias entre latinoamericanos en París a mediados del siglo XIX.

—, «José María Torres Caicedo, 'descubridor' de la literatura argentina», *Thesaurus* (Boletín del Instituto Caro y Cuervo), 44:2 (1989), 334-68.

Completa información en el artículo anterior.

Carpentier, Alejo, «Literatura y conciencia política en América Latina», en *Tientos y diferencias. Ensayos,* Universidad Nacional Autónoma de México, 1964.

Sólido con respecto a las relaciones entre escritores latinoamericanos durante el siglo XIX, y la interacción de literatura y política.

Cordero, Luis Agustín, *Nicolás Antonio, bibliógrafo americanista*, Lima, Universidad Nacional Mayor de San Marcos, Seminario de Historia Rural Andina, 1980.

Sobre el famoso colector y bibliógrafo.

Fernández Moreno, César, (ed.), *América latina en su literatura*, México, Siglo XXI / UNESCO, 1972.

Ensayos importantes por Antonio Cándido, Haroldo de Campos, Rubén Bareiro Saguier, José Luis Martínez y otros sobre temas relacionados con la cuestión de la historia literaria latinoamericana.

—, *Latin America in its Literature,* ed. Ivan A. Schulman, Nueva York, Holmes & Meier, 1980.

Flitter, Derek, *Spanish Romantic Literary Theory and Criticism*, Cambridge University Press, 1991.

Excelentes bases para los orígenes del Romanticismo en España, con información útil para Latinoamérica.

González Echevarría, Roberto, «Nota crítica sobre *The Borzoi Anthology of Latin American Literature,* de Emir Rodríguez Monegal», en su *Isla a su vuelo fugitiva: ensayos críticos sobre literatura hispanoamericana,* Madrid, Porrúa, 1983, 227-34.

Sobre el concepto de la historia literaria latinoamericana de Rodríguez Monegal.

—, *The Voice of the Masters: Writing and authority in modern Latin American literature,* Austin, University of Texas Press, 1985.

Nueva apreciación del concepto de la literatura en relación con la cuestión de la identidad cultural en la América Latina.

—, «Reflections on *Espejo de paciencia*», *Cuban Studies,* 16 (1986), número especial sobre «La aparición de la nacionalidad cubana», ed. Enrico Mario Santí, 101-22.

Sobre la fundación de la literatura cubana y la publicación de la primera edición de la epopeya renacentista *Espejo de paciencia.*

—, «Reflexiones sobre *Espejo de paciencia*», *Nueva Revista de Filología Hispánica* (El Colegio de México), 35:3 (1987), 571-90.

—, *Myth and Archive: A theory of Latin American narrative,* Cambridge University Press, 1990.

Intento de escribir la historia de la narrativa latinoamericana desde la perspectiva de sus relaciones con formas de discurso no literarias.

González-Stephan, Beatriz, *La historiografía literaria del liberalismo hispanoamericano del siglo XIX,* La Habana, Casa de las Américas, 1987.

El mejor estudio hasta la fecha sobre la historia de la historiografía literaria latinoamericana.

Losada, Alejandro, *Los modos de producción cultural en América Latina 1840-1970,* São Paulo, Ed. Graal, 1980.

Intento de redefinir la producción cultural en la América Latina utilizando un enfoque derivado del marxismo.

—, «Bases para un proyecto de una historia social de la literatura en América Latina (1780-1970)», *Revista Iberoamericana,* 114-15 (1981), 167-88.

Derivado de la entrada anterior, enfocado más en la literatura.

Paz, Octavio, *Los hijos del limo: del romanticismo a la vanguardia,* Barcelona, Seix Barral, 1974.

La poesía moderna como reacción contra la modernidad.

Pizarro, Ana (ed.), *Hacia un historia de la literatura hispanoamericana,* México, El Colegio de México/Universidad Simón Bolívar, 1987.

Ensayos sobre la historia literaria latinoamericana desde una perspectiva sociológica.

Rama, Ángel, *La ciudad letrada,* Hanover, N.H. Ediciones del Norte, 1984.

Recuenta la historia de la literatura latinoamericana considerando la evolución de las elites cultas.

Rodríguez Monegal, Emir, *El otro Andrés Bello,* Caracas, Monte Ávila, 1969.

Estudio fundamental con énfasis en el exilio de Bello en Londres, donde publicó sus grandes revistas y absorbió el espíritu romántico.

Sarlo Sabajanes, Beatriz, *Juan María Gutiérrez: historiador y crítico de nuestra literatura,* Buenos Aires, Editorial Escuela, 1967.

El estudio más completo de uno de los fundadores de la literatura latinoamericana.

Shumway, Nicolas, *The Invention of Argentina,* Berkeley, University of California Press, 1991.

Creación de mitos nacionales en la Argentina y relación de este proceso con la literatura.

Suberscaseaux, Bernardo, *Cultura y sociedad liberal en el siglo XIX: (Lastarria, ideologia y literatura),* Santiago, Editorial Aconcagua, 1981.

El mejor estudio de la actividad literaria en el Chile decimonónico.

Tauro, Alberto, *Manuel Odriozola: prócer, erudito, bibliotecario,* Lima, Universidad Nacional Mayor de San Marcos, 1964.

Estudio del erudito y bibliotecario peruano.

Capítulo 2

CULTURAS EN CONTACTO: MESOAMÉRICA, LOS ANDES Y LA TRADICIÓN ESCRITA EUROPEA

FUENTES PRIMARIAS Y SECUNDARIAS

Libros

Acuña, René, y Robert Carmack, *Título de los señores de Totonicapán,* Universidad Nacional Autónoma de México.

Historia quiché-maya desde sus orígenes hasta mediados del siglo xv.

Adorno, Rolena, *Guaman Poma: Writing and resistance in colonial Peru,* Austin, University of Texas Press, 1986.

Apropiación de la cultura literaria e intelectual europea por Guaman Poma.

—, *Cronista y príncipe: la obra de Felipe Guaman Poma de Ayala,* Lima, Pontificia Universidad Católica,1989.

Estudio de la escritura de Guaman Poma que sondea sus intereses andinos algo más profundamente que la monografía en lengua inglesa de la autora *(Guaman Poma: Writing and resistance).*

— (ed.), *From Oral to Written Expression: Native Andean chronicles of the early colonial period,* Latin American Series, 4, Syracuse University, Maxwell School of Citizenship and Public Affairs, 1982. Ensayos sobre Titu Cussi Yupanqui, Juan de Santacruz Pachacuti Yamqui, Guaman Poma de Ayala y las tradiciones huarochiranas.

Alva Ixtlilxóchitl, Fernando de, *Nezahualcoyotl Acolmiztli,* ed. Edmundo O'Gorman, México, Gobierno del Estado, 1972.

—, *Obras históricas,* ed. Edmundo O'Gorman, Serie de historiadores y cronistas de Indias, 4, 2 vols., Universidad Nacional Autónoma de México, 1975-1977.

—, *Historia de la nación chichimeca,* ed. Germán Vázquez Chamorro, Madrid, Historia 16, 1985.

Alvarado Tezozomoc, Hernando, *Crónica mexicana escrita hacia el año de 1598* [1598], ed. Manuel Orozco y Berra, México, Editorial Leyenda, 1944.

Reimpresión de la edición de 1878.

—, *Crónica mexicayotl* [1609], trad. Adrián León Instituto de Investigaciones Históricas, Primera Serie Prehispánica, 3, Universidad Nacional Autónoma de México, 1975.

Reimpresión de la edición de 1949.

Arguedas, José María (trad.), *Canciones y cuentos del pueblo quechua,* Lima, Huascarán, 1949.

—, *Tupac Amaru Kamaz Taytanchisman. Haylli-Taki. A Nuestro Padre Creador Tupac Amaru. Himno-Canción,* Lima, Salqantay, 1962.

—, *Dioses y hombres de Huarochirí,* Lima, Museo Nacional de Historia e Instituto de Estudios Peruanos, 1966.

Primera traducción al español del manuscrito huarochirano, ensayo biobibliográfico sobre Ávila por Pierre Duviols.

Arguedas, José María, y Francisco Izquierdo Ríos, *Mitos, leyendas y cuentos peruanos,* Lima, Ministerio de Educación Pública, 1947.

Arias Larreta, Abraham, *Literaturas aborígenes. Azteca. Incaica. Maya-Quiché,* Los Angeles, Sayari, 1951.

Arrom, José Juan, *Mitología y artes prehispánicas de las Antillas,* México, Siglo Veintiuno Editores, 1975.

Asturias, Miguel Ángel, y J. M. González de Mendoza (eds. y trads.), *Popol-vuh o Libro del consejo de los indios quichés,* Buenos Aires, Editorial Losada, 1965.

Traducción muy literaria del *Popol Vuh,* basada en la versión francesa de Georges Raynaud.

Barrera Vázquez, Alfredo (ed. y trad.), *El libro de los cantares de Dzitbalché,* Serie Investigaciones, 9, Universidad Nacional Autónoma de México, Instituto Nacional de Antropología, 1965.

Transcripción del texto yucateco maya con traducción al español.

Baudot, Georges, *Utopía e historia en México. Los primeros cronistas de la civilización mexicana (1520-1569)* [1977], trad. Vicente González Loscertales, Madrid, Espasa-Calpe, 1983.

Temprana actividad misionera franciscana y escritos etnográficos franciscanos en la Nueva España.

Bethell, Leslie (ed.), *The Cambridge History of Latin America,* vol. I y II: *Colonial Latin America,* Cambridge University Press, 1984.

Incluye ensayos sobre la Mesoamérica precolombina y los Andes (Miguel León-Portilla, John V. Murra), el trauma de la conquista (Nathan Wachtel), sociedades nativas bajo la autoridad colonial (Charles Gibson), y literatura y vida intelectual coloniales (Jacques Lafaye).

Bierhorst, John, *Cantares mexicanos: Songs of the Aztecs,* Stanford University Press, 1985.

Edición bilingüe náhuatl/inglés de *Cantares* prehispánicos. Acompañada por *A Nahuatl-English Dictionary and Concordance to the «Cantares Mexicanos».*

Borgia Steck, Francisco, *El primer colegio de México,* México, Centro de Estudios Franciscanos, 1944.

Breve historia del Colegio de Santacruz de Tlaltelolco.

Brasseur de Bourbourg, Charles Etienne, *Rabinal-Achi ou le drame-ballet du tun,* Collection de Documents dans les Langues Indigènes, 2, parte 2, París, Arthus Bertrand, 1862.

Única versión disponible del texto completo del Rabinal Achi.

Brinton, Daniel G., *Aboriginal American Authors and Their Productions: Especially those in the native languages. A chapter in the history of literature,* Philadelphia, D. G. Brinton, 1883.

La primera introducción, en inglés, a la cultura verbal de los pueblos nativos americanos como literatura.

Brinton, Daniel G. (ed.), *The Güegüence; a comedy ballet in the Nahuatl-Spanish dialect of Nicaragua,* Philadelphia, D. G. Brinton, 1883.

Primera introducción, en inglés, a la cultura verbal de los pueblos nativos americanos como literatura.

—, *The Annals of the Cakchiquels,* Philadelphia, D. G. Brinton, 1885.

—, *Ancient Mexican Poetry,* Philadelphia, D. G. Brinton, 1887.

Primera publicación de la literatura del México precolombino; selecciones del ms. de la *Colección de Cantares Mexicanos,* descubierto por Vigil en la Biblioteca Nacional de México en 1880.

Burkhart, Louise, *The Slippery Earth: Nahua-Christian moral dialogue in sixteenth-century Mexico,* Tucson, University of Arizona, 1989.

La confrontación ideológica entre creencias nahuas y cristianas, basada en el estudio de textos doctrinales en náhuatl.

Carmack, Robert M., *Quichean Civilization: The ethnohistoric, ethnographic and archaeological sources,* Berkeley y Los Angeles, University of California, 1973. Vista de conjunto de textos y fuentes quichés y relacionados con el quiché.

—, *The Quiché Mayas of Utatlán: The evolution of a highland Guatemala kingdom,* Norman, University of Oklahoma, 1981.

Desarrollo y declive de la sociedad y la cultura prehispánica quiché, basado en fuentes nativas.

Caso, Alfonso, *El pueblo del sol,* México, Fondo de Cultura Económica, 1953.

Estudio clásico de la cultura azteca.

Chang-Rodríguez, Raquel, La *apropiación del signo: tres cronistas indígenas del Perú,* Tempe, Arizona State University, Center for Latin American Studies, 1988.

El relato de Titu Cussi Yupanqui y las crónicas de Joan de Santacruz Pachacuti Yamqui y Felipe Guaman Poma de Ayala.

Chimalpahin Quauhtlehuanitzin, Domingo de San Antón Muñón, *Relaciones originales de Chalco Amaquemecan,* ed. y trad. Silvia Rendón, México, Fondo de Cultura Económica, 1965.

Traducción al español de varias relaciones de Chimalpahin.

—, *Octava relación,* ed. y trad. José Rubén Romero Galván, Universidad Nacional Autónoma de México, 1983.

La *Octava relación* de Chimalpahin, traducida del náhuatl al español.

Clendinnen, Inga, *Ambivalent Conquests: Maya and Spaniard in Yucatan, 1517-1570,* Cambridge University Press, 1987.

Contacto intercultural entre españoles y mayas en Yucatán.

Cline, Howard F. (ed.), *Guide to Ethnohistorical Sources, Part Two, Handbook of Middle American Indians,* vol. XIII, Austin, University of Texas Press, 1973.

Obra de referencia fundamental, especialmente sobre los escritos de los misioneros.

Cline, Howard F., Charles Gibson, y H. B. Nicholson (eds.), *Guide to Ethnohistorical Sources, Part Three, Handbook of Middle American Indians,* vol. XIV, Austin, University of Texas Press, 1975.

Vista de conjunto y censo de manuscritos pictóricos mesoamericanos nativos.

—, *Guide to Ethnohistorical Sources, Part Four, Handbook of Middle American Indians,* vol. XV, Austin, University of Texas Press, 1975.

Obra de referencia fundamental sobre manuscritos de prosa colonial de Mesoamérica.

Covarrubias, Sebastián de, *Tesoro de la lengua castellana o española* [1611, 1674], ed. Martín de Riquer, Barcelona, S. A. Horta, 1943.

Diccionario y fuente de referencia cultural indispensable para los estudios españoles y españoles coloniales.

Craine, Eugene R., y Reginald C. Reindorp, *The Códex Pérez and the Book of Chilam Balam of Maní,* Norman, University of Oklahoma, 1979.

Traducción al inglés de tradiciones históricas de los mayas de tierra baja.

Durán, Fray Diego de, *Historia de las Indias de Nueva España y islas de tierra firme,* 2 vols., México, Editora Nacional, 1951.

Durand-Forest, Jacqueline de, *L'Histoire de la vallée de Mexico selon Chimalpahin Quauhtlehuanitzin: (du XIe au XVIe siècle), troisième relation de Chimalpahin Quauhtlehuanitzin,* 2 vols., París, L'Harmattan, 1987.

Duverger, Christian, *La conversion des Indiens de Nouvelle Espagne,* París, Seuil, 1987.

Incluye el texto de los *Coloquios* de Sahagún.

Duviols, Pierre, *La destrucción de las religiones andinas (conquista y colonia)* [1971], trad. de Albor Maruenda, Universidad Nacional Autónoma de México, 1977.

Campañas eclesiásticas contra la religión nativa en el Perú colonial, subrayando las técnicas de aculturación y supresión de los movimientos nacionalistas.

Edmonson, Munro S. (ed.), *Sixteenth-Century Mexico: The work of Sahagún,* Albuquerque, University of New Mexico, 1974.

Antología de ensayos de eruditos conocidos sobre Sahagún y sus obras.

—, *Supplement to the Handbook of Middle American Indians,* vol. III: *Literatures,* Austin, University of Texas Press, 1985.

Conocidos eruditos estudian las tradiciones coloniales nahuas, yucatecas mayas, tzotziles, quichés, y mayas chortis.

Edmonson, Munro S. (trad.), *The Ancient Future of the Itza. The Book of Chilam Balam of Tizimin,* Austin, University of Texas Press, 1982.

Traducción inglesa de un texto clásico maya de tierra baja.

—, *Heaven-born Mérida and Its Destiny: The Book of Chilam Balam of Chumayel*, Austin, University of Texas Press, 1986.

Farfán, José Mario Benigno, *El drama quechua Apu Ollantay,* Publicaciones Runa-Simi I, Lima, 1952.

Farriss, Nancy, *Maya Society under Colonial Rule: The collective enterprise of survival,* Princeton University, 1984.

Los mayas yucatecas durante el periodo colonial. Ver capítulo sobre las elites mayas y apéndice sobre fuentes.

Garibay, Ángel María, *Historia de la literatura náhuatl, Primera parte (Etapa autónoma: de c. 1430 a 1521), Segunda parte: El trauma de la conquista (1521-1750)* [1953-4], 2.ª ed., 2 vols., México, Porrúa, 1971.

Extraordinario estudio de las tradiciones en lengua náhuatl y español; clasificación basada en tipos tradicionales nahuas y géneros europeos.

Garibay, Ángel María (ed. y trad.), *Poesía náhuatl,* 3 vols., Universidad Nacional Autónoma de México, 1964-1968.

Monumental edición bilingüe español/náhuatl y traducción de las dos colecciones principales de lírica prehispana náhuatl, los *Cantares mexicanos* y los *Romances de los señores de la Nueva España.* El Vol. I incluye la *Relación* de Pomar (1582).

Gibson, Charles, *The Aztecs under Spanish Rule: A history of the Indians of the Valley of Mexico, 1519-1810,* Stanford University, 1964.

Estudio clásico de las sociedades nativas del México central bajo el dominio español.

Goody, Jack, *The Domestication of the Savage Mind,* Cambridge University Press, 1977.

La adquisición de la capacidad de leer y escribir por sociedades orales.

Goody, Jack (ed.), *Literacy in Traditional Societies,* Cambridge University Press, 1968.

Incluye el influyente ensayo de Ian Watt y Jack Goody sobre «The consequences of literacy» (Las consecuencias de la alfabetización).

Gruzinski, Serge, *La Colonisation de l'imaginaire: sociétés indigènes et occidentalisation dans le Mexique espagnol, XVIe-XVIIIe siècle,* París, Gallimard, 1988.

Transformación de la memoria y difusión de las creencias europeas mediante la introducción de la escritura alfabética en la sociedad indígena mexicana bajo el colonialismo.

Guaman Poma de Ayala, Felipe, *Nueva corónica y buen gobierno,* eds. John V. Murra, Rolena Adorno, y Jorge L. Urioste, 3 vols., Madrid, Historia 16, 1987.

Segunda edición revisada de una publicada en 1980 (México, Siglo Veintiuno Editores), traducción de los textos en quechua por Urioste, nuevos ensayos introductorios.

Guillén Guillén, Edmundo, *Versión Inca de la conquista,* Lima, Milla Batres, 1974.

Relatos presenciales de las guerras de conquista de 1532-1536 por supervivientes de los ejércitos incaicos.

Gutiérrez Estévez, Manuel, *Biografías y confesiones de los indios de América, Arbor: Ciencia, Pensamiento y Cultura,* 515-16 (1988), 9-244.

Estudios sobre escritura biográfica y autobiográfica y testimonio confesional amerindios desde la época colonial hasta la actualidad.

Harrison, Regina, *Signs, songs, and memory in the Andes: Translating Quechua language and culture,* Austin, University of Texas, 1989.

Importante contribución al estudio de los problemas de la transmisión cultural y las tradiciones orales del quechua ecuatoriano (en particular las canciones de mujeres) de los Andes.

Hemming, John, *The Conquest of the Incas,* Londres, Macmillan, 1970.

La conquista del Tawantinsuyu, las relaciones en desarrollo entre españoles y andinos, y el destino de los supervivientes de la casa real incaica.

Horcasitas, Fernando, *El teatro náhuatl: épocas novohispana y moderna. Primera parte,* prólogo Miguel León-Portilla, Monografías del Instituto de Investigaciones Históricas, Serie de Cultura Náhuatl, Monografías, 17. Universidad Nacional Autónoma de México, 1974.

Jákfalvi-Leiva, Susana, *Traducción, escritura, y violencia colonizadora: un estudio de la obra del Inca Garcilaso de la Vega,* Latin American Series, 7, Maxwell School of Citizenship and Public Affairs, Syracuse University, 1984.

Las teorías del Inca Garcilaso sobre lenguaje y traducción literaria.

Karttunen, Frances, y James Lockhart, *The Art of Nahuatl Speech: The Bancroft Dialogues,* UCLA Latin American Center Publications, 65, Los Angeles, University of California, 1987.

Textos nahuas y traducciones al inglés de los diálogos *huehuehtlahtolli.*

Keen, Benjamin, *The Aztec Image in Western Thought* [1971], New Brunswick, N.J., Rutgers University, 1985.

Estudio clásico de la cultura colonial mexicana, historiográfica e intelectual.

Klor de Alva, J. Jorge, H. B. Nicholson y Eloise Quiñones Keber (eds.), *The Work of Bernardino de Sahagún: Pioneer ethnographer of sixteenth-century Aztec Mexico,* Albany, Institute for Mesoamerican Studies, y Austin, University of Texas Press, 1988.

Estudios sobre Sahagún por conocidos eruditos.

Lara, Jesús (ed. y trad.), *Tragedia del fin de Atawallpa,* Cochabamba, Bolivia, Imprenta Universitaria, 1957.

—, *La literatura de los quechuas: ensayo y antología* [1969], 4.ª ed., La Paz, Editorial «Juventud», 1985.

Estudio y antología de las tradiciones en lengua quechua clasificadas como poesía, teatro, relatos; excluidas las obras históricas.

León-Portilla, Miguel, *Literaturas precolombinas de México,* México, Pormaca, 1964.

Estudio de la producción cultural verbal del México antiguo como literatura, ampliado en la versión inglesa, *Precolumbian Literatures of Mexico,* Norman, University of Oklahoma, 1969.

—, *Literatura del México antiguo. Los textos en lengua náhuatl,* Caracas, Biblioteca Ayacucho, 1978.

La colección más completa, de este autor, de textos nahuas traducidos al español.

—, *Toltecayotl. Aspectos de la cultura Náhuatl,* México, Fondo de Cultura Económica, 1980.

Conceptos y métodos nahuas para preservar la historia.

—, *Literaturas de Anáhuac y del Incario, la expresión de dos pueblos del sol,* México, SEP/Universidad Nacional Autónoma de México, 1982.

Producciones culturales precolombinas de Mesoamérica y los Andes sacadas de textos coloniales.

—, *Los franciscanos vistos por el hombre nahuatl: testimonios indígenas del siglo XVI,* Serie de Cultura Nahuatl Monografías, 21, Universidad Nacional Autónoma de México, 1985.

—, *The Broken Spears: The Aztec account of the conquest of Mexico,* trad. Lysander Kemp, Boston, Beacon Press, 1962.

—, *Aztec Thought and Culture: A study of the ancient Nahuatl mind,* trad. Jack Emory Davis, Norman, University of Oklahoma, 1963.

León-Portilla, Miguel (ed.), *Visión de los vencidos: Relatos indígenas de la Conquista,* trad. A. Garibay, Universidad Nacional Autónoma de México, 1959.

Relaciones de indígenas americanos de las conquistas españolas.

— (ed.), *Cantos y crónicas del México antiguo,* Madrid, Historia 16, 1986.

Textos escogidos en español de la expresión cultural nahua con una introducción informativa a este campo de estudio.

— (ed. y trad.), *Coloquios y doctrina cristiana: los diálogos de 1524,* Universidad Nacional Autónoma de México y Fundación de Investigaciones Sociales, A.C., 1986.

Traducción al español del texto nahua de los *Coloquios;* incluye la versión en español de Sahagún y un facsímil del manuscrito original.

Lienhard, Martin, *La voz y su huella,* La Habana, Casa de las Américas, 1990.

El tratamiento reciente más completo de las tradiciones orales y escritas en Latinoamérica desde el periodo precolombino hasta el colonial y el contemporáneo.

—, *Testimonios, cartas y manifiestos indígenas,* Caracas, Biblioteca Ayacucho, 1992.

Importante compilación de ejemplos de textos escritos, dictados o hablados que forman parte del *corpus* en vías de desarrollo de la textualidad indígena americana.

Liss, Peggy K., *Mexico under Spain, 1521-1556: Society and the origins of nationality,* University of Chicago Press, 1975.

Ideologías españolas del colonialismo en la Nueva España y los orígenes de la identidad mexicana.

Lockhart, James, *The Nahuas after the Conquest,* Stanford University Press, 1992.

Monumental historia social y cultural de los indios del México central desde el siglo XVI al XVIII, basada fundamentalmente en fuentes en lenguas indígenas.

Lockhart, James, y Stuart B. Schwartz, *Early Latin America. A history of colonial Spanish America and Brazil,* Cambridge University Press, 1983.

López-Baralt, Mercedes, *El mito taíno: raíz y proyecciones en la Amazonía continental,* Río Piedras, Puerto Rico, Huracán, 1977.

Mitología taína recogida por Pané y su relación con las tradiciones arahuacas de la región amazónica.

—, *Icono y conquista: la Crónica de Indias ilustrada como texto cultural,* Madrid, Hiperión, 1988.

Estudio semiótico del texto iconográfico de la *Nueva corónica y buen gobierno.*

MacCormack, Sabine, *Religion in the Andes: Vision and imagination in early colonial Peru,* Princeton, Princeton University, 1991.

Estudio monumental de la teorización europea y el pensamiento andino acerca de la religión y la conversión religiosa en los Andes.

Mace, Carroll Edward, *Two Spanish-Quiché Dance-dramas of Rabinal,* Tulane Studies in Romance Languages and Literatures, 3, New Orleans, Tulane University, 1970.

Versiones en quiché y español de dos bailes-drama contemporáneos con un prólogo que hace hincapié en los antecedentes pre-colombinos y coloniales.

Mannheim, Bruce, *The language of the Inka since the European invasion,* Austin, University of Texas Press, 1991.

La primera historia sintética de la lengua quechua y las fuerzas sociales y políticas que han influido en ella; indispensable para situar documentos literarios y escritos en su contexto social y cronológico.

Martin, Luis, *The Intellectual Conquest of Peru: The Jesuit College of San Pablo, 1568-1767,* Nueva York, Fordham University, 1968.

La primera fundación jesuita en Hispanoamérica y su actividad en el Perú colonial.

Martínez, José Luis, *Nezahualcóyotl: vida y obra,* México, Fondo de Cultura Económica, 1972.

Vida y obra del noble y poeta precolombino acolhua Nezahualcóyotl; útil para el estudio de Alva Ixtlilxochitl.

Mediz Bollo, Antonio (ed.), *Libro de Chilam Balam de Chumayel,* Biblioteca del Estudiante Universitario, 21, 4.ª ed., Universidad Nacional Autónoma de México, 1979.

Reimpresión de la edición de 1941 de la traducción al español del texto chumayel.

Meneses, Teodoro L. (ed. y trad.), *Teatro quechua colonial: antología,* Lima, Ediciones Edubanco, 1983.

Antología del teatro colonial quechua; incluye la *Tragedia del fin de Atahualpa.*

Monterde, Francisco, *Teatro indígena prehispánico (Rabinal Achi),* Biblioteca del Estudiante Universitario, 71, Universidad Nacional Autónoma de México, 1955.

Traducción al español del *Rabinal Achi.*

Muñoz Camargo, Diego, *Historia de Tlaxcala,* ed. Germán Vázquez Chamorro, Madrid, Historia 16, 1987.

Ocaranza, Fernando, *Capítulos de la historia franciscana,* 2 vols., México, 1933-1934.

—, *El imperial colegio de indios de la Santa Cruz de Santiago Tlaltelolco,* México, 1934.

Historia y documentos acerca del Colegio.

Ong, Walter J., *Orality and Literacy: The technologizing of the word,* Londres y Nueva York, Methuen, 1982.

Impacto de la cultura escrita e impresa en el pensamiento y la expresión tradicionales en Occidente.

Ortiz, Fernando, *Contrapunteo cubano del tabaco y el azúcar* [1940], Caracas, Biblioteca Ayacucho, 1978.

Introducción del concepto de transculturación.

Ortiz Rescaniere, Alejandro, *De Adaneva a Inkarri (una visión indígena del Perú),* Lima, Retablo de Papel, 1973.

Ossio, Juan M., *Ideología mesiánica del mundo andino,* Lima, Ignacio Prado Pastor, 1973.

Ensayos sobre creencias e ideologías espirituales andinas nativas.

Pané, Fray Ramón, *Relación acerca de las antigüedades de los indios,* ed. José Juan Arrom, 8.ª ed., México, Siglo Veintiuno Editores, 1988.

Versión revisada y aumentada de la edición de 1974; incluye apéndices sobre los taínos.

Pease, Franklin G. Y., *El Dios creador andino,* Lima, Mosca Azul, 1973.

La religión andina enfocada a través del concepto del dios creador, desde el Viracocha precolombino al Inkarri de tiempos coloniales y contemporáneos.

Porras Barrenechea, Raúl, *Los cronistas del Perú (1528-1650) y otros ensayos,* ed. Franklin Pease G. Y., Lima, Banco del Crédito del Perú, 1986.

Estudio clásico de historiografía sobre los Andes y la conquista española de sus pueblos; incluye la monografía de 1948 sobre Guaman Poma.

Pupo-Walker, Enrique, *Historia, creación y profecía en los textos del Inca Garcilaso de la Vega,* Madrid, José Porrúa Turanzas, 1982.

Meditaciones valiosas sobre *La Florida del Inca.*

Quiroga, Pedro de, *Coloquios de la verdad* [1563], ed. Julián Zarco Cuevas, Sevilla, Tip. Zarzuela, 1922.

Diálogos sobre los apuros de la colonización para los colonizados, escritos por un sacerdote español.

Ravicz, Marilyn Ekdahl (ed.), *Early Colonial Religious Drama in Mexico: From Tzompantli to Golgotha,* Washington, Catholic University of America Press, 1970.

Traducciones al inglés de dramas religiosos coloniales en náhuatl con una introducción general al tema.

Recinos, Adrián (ed.y trad.), *Popol Vuh: Las antiguas historias del Quiché,* México y Buenos Aires, Fondo de Cultura Económica, 1947.

—, *Memorial de Sololá. Título de los señores de Totonicapán,* trad. Dionisio José Chonay, México y Buenos Aires, Fondo de Cultura Económica, 1950.

—, *Crónicas indígenas de Guatemala,* Guatemala, Editorial Universitaria, 1957. Traducciones españolas de *títulos* y crónicas indígenas de los mayas de tierra alta.

Recinos, Adrian, y Delia Goetz (trad.), *The Annals of the Cakchiquels,* Norman, University of Oklahoma, 1953.

Ricard, Robert, *The Spiritual Conquest of Mexico,* trad. Leslie Byrd Simpson, Berkeley y Los Angeles, University of California, 1966.

Estudio clásico de métodos misioneros de frailes mendicantes desde 1523 a 1572, basado en el punto de vista de los misioneros.

Rivet, Paul, y Georges de Créqui-Monfort, *Bibliographie des langues aymará et kicua,* vol. I, París, Institut d'Ethnologie, 1951.

Inventario esencial de escritos en lengua quechua del periodo colonial.

Roys, Ralph L. (trad. y ed.), *The Book of Chilam Balam of Chumayel,* Washington, Carnegie Institution, 1933.

Traducción crítica del más famoso de los *Libros de Chilam Balam.* Una segunda edición fue publicada por la Universidad de Oklahoma (1967).

Sahagún, Fr. Bernardino de, *Florentine Codex: Book 12: The conquest of Mexico,* no. 14, part XIII, eds. Arthur J. O. Anderson y Charles E. Dibble, 2.ª ed., Santa Fe, School of American Research y University of Utah, 1975.

Versión azteca de la conquista de México.

—, *Florentine Codex: General history of the things of New Spain,* trad. y ed. Arthur J. O. Anderson y Charles E. Dibble, Monographs of the School of American Research, 14, Santa Fe, School of American Research y University of Utah, 1982.

Edición revisada, autorizada, en traducción al inglés, de la *Historia general de las cosas de Nueva España.*

Salomon, Frank, *Native Lords of Quito in the Age of the Incas: the political economy of North Andean chiefdoms,* Cambridge University Press, 1986.

Relaciones políticas y económicas de sociedades septentrionales andinas antes de la invasión española. Útil prefacio sobre las tradiciones cronísticas nativas y europeas.

Salomon, Frank, y George L. Urioste, *The Huarochirí Manuscript: A testament of ancient and colonial Andean religion,* Austin, University of Texas Press, 1991.

Edición decisiva inglés-quechua de los mitos y relatos huarochiranos, que revela el panorama cultural andino y sus presuposiciones más profundas.

Scharlau, Birgit (ed.), *Bild-Wort-Schrift,* Tübingen, G. Narr-Verlag, 1989.

Imagen/palabra/escritura: ensayos sobre modos de comunicación verbal y pictórica de los indígenas americanos en la época anterior a la conquista y en la colonial.

Scharlau, Birgit, y Mark Münzel, *Qellqay. Mündliche Kultur und Schrifttradition bei Indianern Lateinamerikas,* Frankfurt, Campus-Verlag, 1986.

Tradiciones orales transcritas en la época colonial y su relación con las formas, tradicionales y anteriores a la conquista, de mantener historiales.

Schroeder, Susan, *Chimalpahin and the kingdoms of Chalco,* Tucson, University of Arizona Press, 1991.

Estudio importante sobre el cronista de lengua náhuatl y la mentalidad de los nahuas en el periodo colonial.

Spalding, Karen, *Huarochiri: An Andean society under Inca and Spanish Rule,* Stanford University, 1984.

Cambios en la sociedad andina desde la época pre-incaica a fines del siglo XVIII en la provincia de Huarochiri.

Stern, Steve J., *Peru's Indian Peoples and the Challenge of Spanish Conquest: Huamanga to 1640,* Madison, University of Wisconsin, 1982.

La creación de la sociedad colonial en Huamanga y los cambios en el sistema laboral como consecuencia de la resistencia nativa.

Street, Brian V., *Literacy in Theory and Practice,* Cambridge University Press, 1984.

Szemiński, Jan, *Un Kuraca, un dios y una historia (Relación de antigüedades de este reyno del Pirú por don Juan de Santa Cruz Pachacuti Yamqui Salca Mayhua),* Serie monográfica de antropología social e historia, 2, Jujuy, Argentina, Universidad de Buenos Aires, 1987.

El pensamiento andino en sus circunstancias históricas coloniales, en los escritos de Pachacuti Yamqui.

Taylor, Gerald (ed. y trad.), *Ritos y tradiciones de Huarochiri del siglo XVII,* Lima, Instituto de Estudios Peruanos e Instituto Francés de Estudios Andinos, 1987.

Traducción al español del manuscrito huarochirano con estudio biográfico de Ávila por Antonio Acosta.

Tedlock, Barbara, *Time and the Highland Maya,* Albuquerque, University of New Mexico, 1982.

Estudio etnográfico del concepto de tiempo de los quiché basado en fuentes documentales y en el aprendizaje personal con un adivino quiché.

Tedlock, Dennis, *The Spoken Word and the Work of Interpretation,* Philadelphia, University of Pennsylvania, 1983.

Cuestiones teóricas y problemas interpretativos referentes a la oralidad y la poética oral.

Tedlock, Dennis (ed. y trad.), *Popol Vuh, A Mayan Book of Myth and History,* Nueva York, Simon & Schuster, 1985.

Traducción y comentario sobre «El Libro Maya de los Albores de la Vida», utilizando los conocimientos de la cultura contemporánea quiché.

Titu Cussi Yupanqui, Diego de Castro, *Ynstrucción del Ynga don Diego de Castro Titu Cussi Yupanqui...*, ed. Luis Millones Santa Gadea, Lima, El Virrey, 1985.

Todorov, Tzvetan, *The Conquest of America: The question of the other,* trad. Richard Howard, Nueva York, Harper Colophon, 1985.

Ensayo sobre la comunicación y la conquista, e intentos europeos de comprender la alteridad en el siglo XVI.

Urioste, George (trad.), *Hijos de Pariya Qaqa: la tradición oral de Waru Chiri,* Latin American Series, 6, Syracuse University, Maxwell School of Citizenship and Public Affairs, 1983.

Transcripción del quechua y traducción al español del manuscrito huarochirano.

Vega, El Inca Garcilaso de la, *Comentarios reales de los Incas, primera y segunda partes* [1609, 1617], en *Obras completas del Inca Garcilaso de la Vega, II-IV,* ed. Carmelo Sáenz de Santa María, Biblioteca de Autores Españoles, 133-5, Madrid, Atlas, 1963-1965.

Wachtel, Nathan, *Sociedad e ideología: ensayos de historia* y *antropología andinas,* Lima, Instituto de Estudios Andinos, 1973.

Incluye un ensayo comparativo sobre El Inca Garcilaso de la Vega y Felipe Guaman Poma de Ayala.

—, *The Vision of the Vanquished: The Spanish conquest of Peru through Indian eyes, 1530-70* [1971], trad. Ben y Siân Reynolds, Nueva York, Harper & Row, 1977.

Estudio etnohistórico del trauma de la conquista, y resistencia a los procesos de aculturación en los Andes.

Wolf, Eric, *Sons of the Shaking Earth: The people of Mexico and Guatemala - their land, history, and culture,* University of Chicago, 1959.

Síntesis clásica de pueblos y cultura mesoamericanos.

Zamora, Margarita, *Language, Authority, and Indigenous History in the Comentarios reales de los Incas,* Cambridge University Press, 1988.

El lenguaje como estrategia retórica y aspecto del proceso de integración cultural en la primera parte de los *Comentarios reales.*

Piezas más breves

Acosta, Antonio, «Estudio biográfico sobre Francisco de Ávila», en Taylor (ed. y trad.), *Ritos y tradiciones de Huarochirí del siglo XVII,* Lima, Instituto de Estudios Peruanos e Instituto Francés de Estudios Andinos, 1987, 553-616. La vida de Ávila y sus relaciones con la comunidad huarochirana.

Adorno, Rolena, «La *ciudad letrada* y los discursos coloniales», *Hispamérica,* 48 (1987), 3-24.

Protestas moriscas y andinas contra la represión cultural en España y en el Virreinato del Perú.

—, «Nuevas perspectivas en los estudios literarios coloniales hispanoamericanos», *Revista de Crítica Literaria Latinoamericana,* 28 (1988), 11-28.

Examen de las nuevas tendencias en los estudios literarios coloniales.

Albó, Xavier, «Jesuitas y culturas indígenas, Perú, 1568-1606: Su actitud, métodos y criterios de aculturación», *América Indígena,* 36:3,4 (1966), 249-308, 395-445.

La actividad misionera jesuita, y respuesta de los nativos colonizados.

Ballesteros Gaibrois, Manuel, «Relación entre fray Martín de Murúa y Felipe Guaman Poma de Ayala», en Roswith Hartman y Udo Oberem (eds.), *Estudios americanistas,* I: *Libro jubilar en homenaje a Hermann Trimborn,* 2 vols., Collectanea Instituti Anthropos, 20, St. Augustin, Hans Yolker und Kulturen, Anthropos Institut, 1978-1979, I, 39-47.

—, «Dos cronistas paralelos: Huaman Poma y Martín de Murúa (Confrontación de las series reales gráficas)», *Anales de Literatura Hispanoamericana,* 9:10 (1981), 15-66.

Barrera Vázquez, Alfredo, y Sylvanus Griswold Morley (eds. y trads.), «The Maya chronicles», en *Contributions to American Anthropology and History,* Carnegie Institution of Washington, 1949, 1-85.

Estudio crítico y traducción al inglés de crónicas mayas en los *Libros de Chilam Balam de Maní, Tizimín y Chumayel.*

Bode, Barbara, «The Dance of the Conquest of Guatemala», en B. Bode (ed.), *The Native Theatre in Middle America,* Middle American Research Institute Publication, 27, Nueva Orleans, Tulane University, 1961, 204-92.

Estudio detallado de la *Danza de la Conquista de Guatemala* con texto en español, partitura musical, y censo de los manuscritos existentes.

Brotherston, Gordon, «Continuity in Maya writing: new readings of two passages in the *Book of Chilam Balam of Chumayel*», en Norman Hammond y Gordon R. Wiley (eds.), *Maya Archaeology and Ethnohistory,* Austin, University of Texas Press, 1979, 241-58.

Análisis de la supervivencia de tradiciones mayas a pesar de las sucesivas invasiones de extranjeros.

Edmonson, Munro S., «Quiché literature», en Edmonson (ed.), *Supplement to the Handbook of Middle American Indians,* vol. III: *Literatures,* ed. gen. V. R. Bricker, Austin, University of Texas Press, 1985, 107-32.

Visión de conjunto de la producción cultural quiché organizada por géneros y siglos.

Edmonson, Munro S., y Victoria R. Bricker, «Yucatecan Mayan literature», en Edmonson (ed.), *Supplement,* vol. III (véase entrada anterior), 44-63.

Análisis de las estructuras y géneros de tradiciones escritas yucatecas mayas.

Farfán, José María Benigno, «Poesía folklórica quechua», *Revista del Instituto de Antropología* (Tucumán), 2 (1942), 531-625.

Gibson, Charles, «The Aztec aristocracy in colonial Mexico», *Comparative Studies in Society and History,* 2 (1959-1960), 169-96.

Categorías y papeles de la aristocracia indígena en el México colonial.

—, «A survey of Middle American prose manuscripts in the native historical tradition», en Cline *et al.* (eds.), *Guide to Ethnohistorical Sources, Part Four. Handbook of Middle American Indians,* vol. XV (véase más arriba), 311-21.

Gibson, Charles, y John B. Glass, «A census of Middle American prose manuscripts in the native historical tradition», en Cline *et al.* (eds.), *Guide,* vol. XV (véase más arriba), 322-400.

Censo indispensable de escritos históricos mesoamericanos.

Glass, John B., «Annotated references», en Cline *et al.* (eds.), *Guide,* vol. XV (véase entrada anterior), 537-724.

Lista anotada de las obras citadas en Cline, Gibson, y Nicholson (eds.), *Guide, Part Three* and *Guide, Part Four* (véase más arriba). Todas las ediciones y traducciones referentes a los años 1968-1969.

González Echevarría, Roberto, «José Arrom, autor de la *Relación acerca de las antigüedades de los indios* (picaresca e historia)», en *Relecturas: estudios de literatura cubana,* Caracas, Monte Ávila, 1976, 17-35.

Reflexión valiosa sobre la escritura y el colonialismo.

Harrison, Regina, «Modes of discourse: the *Relación de antigüedades deste reyno del Pirú* by Joan de Santacruz Pachacuti Yamqui Salcamaygua», en Adorno (ed.), *From Oral to Written Expression* (véase más arriba), 65-99.

Patrones de lenguaje en los discursos rituales quechuas consignados por Santacruz Pachacuti.

Imbelloni, José, «La tradición peruana de las cuatro edades del mundo en una obra rarísima impresa en Lima en el año 1630», *Anales de Arqueología y Etnología,* 5 (1994), 55-94.

Comparación de tradiciones históricas en Pachacuti Yamqui, Guaman Poma, y escritores eclesiásticos españoles.

Jiménez Moreno, Wigberto, «Síntesis de la historia precolonial del valle de México», *Revista Mexicana de Estudios Antropológicos,* 15, primera parte (1954-1955), 219-36.

Resumen de las historias étnicas del México central en la época anterior a la conquista.

—, «La historiografía tetzcocana y sus problemas», *Revista Mexicana de Estudios Antropológicos,* 18 (1962), 81-5.

Periodización prehistórica y colonial de historiografía sobre Texcoco.

Klor de Alva, J. Jorge, «Spiritual conflict and accommodation in New Spain: toward a typology of Aztec responses to Christianity», en George A. Collier, Renato I. Rosaldo, y John D. Wirth (eds.), *The Inca and Aztec States (1400-1800): Anthropology and history,* Nueva York, Academic Press, 1982, 345-66.

Klor de Alva, J. Jorge (trad.), «The Aztec-Spanish dialogues (1524)», *Alcheringa,* 4:2 (1980), 52-193.

Traducción al inglés del texto náhuatl del *Libro de los coloquios.*

Kubler, George, «The Quechua in the colonial world», en *Handbook of South American Indians,* vol. II: *Andean Civilizations,* Washington, Smithsonian Institution, 1946; reimp. Nueva York, Cooper Square Publishers, 1963, 331-410.

Obra de referencia fundamental sobre la estructura cultural y el cambio en la sociedad andina bajo el dominio español.

León-Portilla, Miguel, «Testimonios nahuas sobre la conquista espiritual», *Estudios de Cultura Nahuatl,* 11 (1974), 11-36.

Incluye el estudio del *nepantlismo.*

—, «Nahuatl literature», en Edmonson (ed.), *Supplement* (véase más arriba), 7-43.

Visión de conjunto de las tradiciones escritas en náhuatl y de las supervivencias precolombinas en las producciones coloniales.

Leinhard, Martin, «La crónica mestiza en México y el Perú hasta 1620: apuntes para su estudio histórico-literario», *Revista de Crítica Literaria Latinoamericana,* 9 (1983), 105-15.

Hipótesis acerca de la producción historiográfica de escritores nativos y mestizos.

—, «La épica incaica en tres textos coloniales (Juan de Betanzos, Titu Cussi Yupanqui, el Ollantay), *Lexis,* 9:1 (1985), 61-85.

López-Baralt, Luce, «Crónica de la destrucción de un mundo: la literatura aljamiado-morisca», *Bulletin Hispanique,* 82 (1980), 16-58.

Las tradiciones culturales moriscas escritas en España durante el siglo xvi.

MacCormack, Sabine, «Pachacuti: miracles, punishments, and Last Judgment. Visionary past and prophetic future in early colonial Peru», *American Historical Review,* 93 (1988), 960-1006.

La persistencia de los andinos en interpretar el mundo según su propia experiencia cultural dinámica.

—, «Atahualpa y el libro», *Revista de Indias,* 48:184 (1988), 693-714.

El choque entre culturas orales y escritas en la historiografía sobre la confrontación del príncipe Inca con la palabra escrita.

Mannheim, Bruce, «*Una nación acorralada:* Southern Peruvian Quechua language planning and politics in historical perspective», *Language and Society,* 13:3 (1984), 291-309.

Historia de la política lingüística colonial en el Perú.

—, «On the sibilants of colonial southern Peruvian Quechua», *International Journal of American Linguistics,* 54:2 (1988), 168-208.

Incluye una visión de conjunto de textos quechuas del periodo colonial.

Mignolo, Walter D., «La historia de la escritura y la escritura de la historia», en Merlin H. Forster y Julio Ortega (eds.), *De la crónica a la nueva narrativa mexicana: coloquio sobre literatura mexicana,* Oaxaca, México, Oasis, 1986, 13-28.

Cómo entendían la escritura de la historia los historiadores del siglo XVI, con una discusión de *Toltecayotl* de León-Portilla (1980, véase más arriba).

—, «La lengua, la letra, el territorio (o la crisis de los estudios literarios coloniales)», *Dispositio,* 10 (1986), 137-61.

Crítica de las ideas recibidas sobre la literatura colonial y tendencias eruditas actuales.

—, «Anahuac y sus otros: la cuestión de la letra en el Nuevo Mundo», *Revista de Crítica Literaria Latinoamericana,* 28 (1988), 29-53.

Formulación teórica para el estudio de las producciones culturales escritas, orales, y escritas/orales mixtas del periodo colonial temprano.

Muñoz Camargo, Diego, «Descripción de la ciudad y provincia de Tlaxcala», en René Acuña (ed.), *Relaciones geográficas del siglo XVI: Tlaxcala, t. IV,* Universidad Nacional Autónoma de México, 1984.

Pachacuti Yamqui Salcamayhua, Joan de Santacruz, «Relación de antigüedades deste reyno del Pirú», en Francisco Esteve Barba (ed.), *Crónicas peruanas de interés indígena,* Biblioteca de Autores Españoles, 209, Madrid, Atlas, 1968, 281-319.

Pease, Franklin G. Y., «Introducción», en Felipe Guamán Poma de Ayala, *Nueva corónica y buen gobierno,* ed. Franklin Pease G. Y., Caracas, Biblioteca Ayacucho, 1980, ix-lxix.

Introducción extensa a Guaman Poma, su mundo, y su obra.

Pomar, Juan Bautista, «Relación de Tezcoco», en *Nueva colección de documentos para la historia de México,* ed. Joaquín García Icazbalceta, 5 vols., México, Imprenta de Francisco Díaz de León, 1886-1892, III, 1-69.

Hay edición posterior en Garibay (ed. y trad.), *Poesía náhuatl* (véase más arriba), 149-219.

—, «Relación de la ciudad y provincia de Tezcoco», en René Acuña (ed.), *Relaciones geográficas del siglo XVI: México,* t. III, Universidad Nacional Autónoma de México, 1986.

Rowe, John Howland, «Inca culture at the time of the Spanish Conquest», en *Handbook of South American Indians,* vol. II: *Andean Civilizations,* ed. Julian H. Steward, Washington, Smithsonian Institution, 1946; reimp. Nueva York, Cooper Square Publishers, 183-330.

Estudio y descripción etnográfica fundamentales de la cultura incaica basados en fuentes del siglo XVI.

—, «The Incas under Spanish colonial institutions», *Hispanic American Historical Review,* 37 (1957), 155-99.

Visión de conjunto de las instituciones coloniales españolas que afectaron más directamente a los nativos de los Andes.

Roys, Ralph L., «Guide to the Codex Pérez», *Contributions to American Anthropology and History,* Washington, Carnegie Institution, 1949.

—, «The prophecies of the Maya Tuns or Years in the Books of Chilam Balam of Tizimin and Maní», *Contributions to American Anthropology and History,* Washington, Carnegie Institution, 1949.

Roys, Ralph L. (ed. y trad.), «The Maya Katun prophecies of the Books of Chilam Balam, Series I», *Contributions to American Anthropology and History,* Washington, Carnegie Institution, 1960.

Estudio y traducción de la literatura profética en lengua yucateca-maya y letra europea.

Salomon, Frank, «Chronicles of the impossible: notes on three Peruvian indigenous chroniclers», en Adorno (ed.), *From Oral to Written Expression* (véase más arriba), 9-39.

Las complejidades culturales de los escritores nativos andinos coloniales.

Scharlau, Birgit, «Abhangigkeit und Autonomie: die Sprachreflexionen des Inca Garcilaso de la Vega», en Hans-Josef Niedérehe (ed.), *Akten des Deutschen Hispanistentages Wolfenbüttel, 28.2. - 1.3.1985,* Hamburgo, Helmut Buske, 1986, 235-53.

Las ideas sobre el lenguaje del Inca Garcilaso y su relación con las tradiciones lingüísticas de la España de los siglos XVI y XVII.

—, «Mündliche überlieferung-Schriftlich gefasst: zur 'Indianischen Historiographie' im kolonialen Peru», *Komparatistische Hefte,* 15-16 (1987), 135-45.

Las tradiciones orales «puestas en escritura» en la historiografía del Perú colonial.

—, «Escrituras en contacto: el caso del México colonial», en *Actes du XVIIIème Congrès International de Linguistique et Philologie Romanes,* Tübingen, Niemeyer, 1989.

La transición de la escritura pictográfica a la alfabética en el México colonial temprano.

Schroeder, Susan, «Chimalpahin's view of Spanish ecclesiastics in colonial Mexico», en Susan E. Ramírez (ed.), *Indian-Religious Relations in Colonial Spanish America,* Latin American Series, 9, Maxwell School of Citizenship and Public Affairs, Syracuse University, 1989, 21-38.

—, «Indigenous sociopolitical organization in Chimalpahin», en Herbert Harvey (ed.), *Land and Politics in the Valley of Mexico,* Albuquerque, University of New Mexico, 1991, 141-62.

Solano, Francisco de, «El intérprete: uno de los ejes de la aculturación», en *Terceras jornadas americanistas de la Universidad de Valladolid: estudios sobre política indigenista española en América,* Universidad de Valladolid, 1975, 265-78.

Funciones del intérprete nativo en la época colonial.

Spalding, Karen, «The colonial Indian: past and future research perspectives», *Latin American Research Review,* 7:1 (1972), 47-76.

Problemas en el estudio de las sociedades nativas en Hispanoamérica con énfasis en las andinas.

Szemiński, Jan, «Las generaciones del mundo según don Felipe Guamán Poma de Ayala», *Histórica,* 7:1 (1983), 69-109.

Conceptos andinos de la creación, la divinidad y el tiempo, en la *Nueva corónica* de Guaman Poma.

—, «De la imagen de Wiraqucan según las oraciones recogidas por Joan de Santa Cruz Pachacuti Yamqui Salcamaygua», *Histórica,* 9:2 (1985), 247-64.

Análisis de textos rituales sobre el concepto de la deidad en Santa Cruz Pachacuti.

Tedlock, Barbara, «On a mountain in the dark: encounters with the Quiché Maya culture hero», en Gary H. Gossen (ed.), *Symbol and Meaning beyond the Closed Community: Essays in Mesoamerican ideas,* Studies on Culture and Society, I, SUNY-Albany, Institute for Mesoamerican Studies, 1986, 125-138.

Símbolos de resistencia en bailes-drama nativos.

Tedlock, Dennis, «Hearing a voice in an ancient text: Quiché Maya poetics in performance», en Joel Sherzer y Anthony C. Woodbury (eds.), *Native American Discourse: Poetics and rhetoric,* Cambridge University Press, 1987, 140-75.

Análisis de un parlamento del Rabinal Achi.

Vázquez, Juan Adolfo, «The field of Latin American Indian literatures», *Latin American Indian Literatures,* 1:1 (1977), 1-33.

Ensayo bibliográfico sobre tradiciones precolombinas, coloniales y contemporáneas de Mesoamérica, Sudamérica y el Caribe.

El autor agradece a Dennis Tedlock, Wayne Ruwet, y también a Birgit Scharlau, Susan Schroeder, Walter Mignolo y Osvaldo Pardo sus valiosos comentarios.

CAPÍTULO 3

LOS PRIMEROS CINCUENTA AÑOS DE HISTORIOGRAFÍA HISPANA SOBRE EL NUEVO MUNDO: EL CARIBE, MÉXICO Y AMÉRICA CENTRAL

FUENTES PRIMARIAS

Casas, Fray Bartolomé de las, *Brevísima relación de la destrucción de las Indias,* ed. André Saint-Lu, Madrid, Cátedra, 1987.

—, *The Spanish Colonie,* Nueva York, Readex Microprint Corporation, 1966. Reimpresión de la versión inglesa de 1583 de la *Brevísima relación de la destrucción de las Indias,* basada en la traducción francesa de Jacques de Miggrode.

Colón, Cristóbal, *Textos y documentos completos,* ed. Consuelo Varela, 2.ª ed., Madrid, Alianza Editorial, 1984.

—, *Diario de a bordo,* ed. Luis Arranz, Madrid, Historia 16, 1985.

—, *The Voyages of Christopher Columbus,* trad. y ed. Cecil Jane, Londres, The Argonaut Press, 1930.

Textos en español y versiones en inglés de los diarios de Colón y los relatos de otros escritores de los cuatro viajes.

—, *Journals and Other Documents on the Life and Voyages of Christopher Columbus,* trad. y ed. Samuel Eliot Morison, Nueva York, The Heritage Press, 1963.

Versiones en inglés de los diarios de Colón, relatos de otros escritores de los viajes, y también cartas importantes escritas por Colón.

—, *Diario of Christopher Columbus's First Voyage to America, 1492-1493,* trad. Oliver Dunn y James E. Kelley, Jr., Norman, University of Oklahoma Press, 1989.

La edición más reciente, y bilingüe del diario de Colón, con una útil concordancia.

Cortés, Hernán, *Cartas de relación,* ed. Mario Hernández, Madrid, Historia 16, 1985.

—, *Letters from Mexico,* trad. Anthony R. Pagden, Nueva York, Grossman Publishers, 1971.

Traducción autorizada de todas las cartas principales de Cortés, incluida la primera.

Fernández de Oviedo, Gonzalo, *Historia general y natural de las Indias,* ed. Juan Pérez de Tudela Bueso, Biblioteca de Autores Españoles, 117, 5 vols., Madrid, Ediciones Atlas, 1959.

—, *Sumario de la natural historia de las Indias,* ed. Manuel Ballesteros, Madrid, Historia 16, 1986.

—, *Natural History of the West Indies,* trad. y ed. Sterling A. Stoudemire, University of North Carolina Studies in the Romance Languages and Literatures, 32, Chapel Hill, University of North Carolina Press, 1959.

Traducción de *Sumario de la natural historia de las Indias,* con anotaciones útiles.

López de Gómara, Francisco, *Cortés: The life of the Conqueror by his secretary,* trad. y ed. Lesley Byrd Simpson, Berkeley, University of California Press, 1964.

Traducción excerptada de la segunda parte de la *Historia general de las Indias* de este autor.

Mártir de Anglería, Pedro, *Décadas del Nuevo Mundo,* ed. Luis Arocena, Buenos Aires, Bajel, 1944.

—, *De orbe novo. The Eight Decades of Peter Martyr d'Anghera,* trad. y ed. Frances Augustus MacNutt, 2 vols., Nueva York y Londres, G. P. Putnam's Sons, 1912.

Núñez Cabeza de Vaca, Alvar, *Naufragios,* ed. E. Pupo-Walker, Madrid, Castalia, 1993.

—, *Castaways,* trad. Frances López-Morillas, ed. E. Pupo-Walker, Berkeley, University of California Press, 1993.

La mejor traducción.

Rodríguez Freyle, Juan, *The Conquest of New Granada,* trad. William C. Atkinson, Londres, The Folio Society, 1961.

FUENTES SECUNDARIAS

(Obras citadas o relacionadas con el estudio de la historiografía del Nuevo Mundo temprano; véanse ensayos bibliográficos al final del Volumen I de la *Cambridge History of Latin America* para fuentes históricas *per se.)*

Libros

Alegría Ricardo E., *Apuntes en torno a la mitología de los indios taínos de las Antillas Mayores y sus orígenes suramericanos,* Barcelona, Centro de Estudios Avanzados de Puerto Rico y el Caribe, 1978.

Contiene un estudio de la obra de Pané y una comparación de los mitos taínos con los sudamericanos.

Arrom, José Juan, *Mitología y artes prehispánicas de las Antillas,* México, Siglo Veintiuno Editores, 1975.

Contiene interpretaciones importantes de los mitos taínos.

—, *Esquema generacional de las letras hispanoamericanas. Ensayo de un método,* 2.ª ed., Bogotá, Instituto Caro y Cuervo, 1977.

Útil esquema de bibliografía y literatura latinoamericana.

Austin, J. L., *How to do things with Words,* Cambridge, Mass., Harvard University Press, 2.ª ed., 1975.

Las conferencias clásicas de Austin de 1955 sobre teoría del acto de habla.

Bataillon, Marcel, *Erasmo y España. Estudios sobre la historia espiritual del siglo XVI,* trad. Antonio Alatorre, 2.ª ed., México, Fondo de Cultura Económica, 1966.

Estudio autorizado de la influencia de Erasmo en España.

Boorstin, Daniel J., *The Discoverers,* Nueva York, Random House, 1985.

Aporta excelente información de fondo sobre los viajes y el pensamiento de Colón.

Carbia, Rómulo D., *La crónica oficial de las Indias Occidentales,* Ediciones Buenos Aires, 1940.

Estudio de las crónicas y los cronistas oficiales en el Nuevo Mundo.

Carpentier, Alejo, El *arpa y la sombra,* México, Siglo Veintiuno Editores, 1979.

Incisiva novela histórica sobre la vida y los escritos de Colón.

Casas, Bartolomé de las, *Historia de las Indias,* ed. Agustín Millares Carlo, 3 vols., México, Fondo de Cultura Económica, 1951.

La historia global de las Indias de Las Casas con estudio preliminar de Lewis Hanke.

Curtius, Ernst Robert, *European Literature and the Latin Middle Ages,* trad. Willard R. Trask, Bollingen Series, Princeton University Press, 1973.

Fuente fundamental sobre formas y temas retóricos.

Díaz del Castillo, Bernal, *Historia verdadera de la conquista de la Nueva España,* ed. Miguel León-Portilla, 2 vols., Madrid, Historia 16, 1984.

Versión famosa de la conquista de México contada por un soldado de la infantería de Cortés, en una edición bien anotada.

—, *The Discovery and Conquest of Mexico, 1517-1521,* trad. A. P. Maudley, pref. Irving A. Leonard, Nueva York, Farrar, Straus, Giroux, & Cudahy, 1956.

Traducción excerptada de la *Historia verdadera.*

Elliott, J. H., *The Old World and the New: 1492-1650,* Cambridge University Press, 1970.

Estudio decisivo del impacto del Nuevo Mundo sobre el Viejo.

Esteve Barba, Francisco, *Historiografía indiana,* Madrid, Gredos, 1964.

Visión de conjunto de la historiografía temprana del Nuevo Mundo.

Feuter, Eduard, *Historia de la historiografía moderna,* trad. Ana María Ripullone, Buenos Aires, Nova, 1953.

Contiene una visión de conjunto y discusiones incisivas de la historiografía española y del Nuevo Mundo.

Friede, Juan, y Benjamin Keen (eds.), *Bartolomé de las Casas in History: Toward an understanding of the man and his work,* Dekalb, Northern Illinois University Press, 1971.

Véase especialmente el artículo de Venancio D. Carro sobre el renacimiento teológico-jurídico español y su relación con el pensamiento de Las Casas.

Gerbi, Antonello, *Nature in the New World: From Christopher Columbus to Gonzalo Fernández de Oviedo,* trad. Jeremy Moyle, Pittsburgh University Press, 1985.

Los estudios más extensos sobre Mártir y Oviedo disponibles en inglés.

Goic, Cedomil (ed.), *Historia y crítica de la literatura hispanoamericana,* vol. I: *Época colonial,* Páginas de Filología, Barcelona, Editorial Crítica, Grupo Grijalbo, 1988.

Compilación de artículos significativos publicados anteriormente sobre temas y autores coloniales, con excelente información bibliográfica.

Hanke, Lewis, *Bartolomé de las Casas: An interpretation of his life and writing,* La Haya, Martinus Nijhoff, 1951.

Estudio extenso por el autor de muchas obras valiosas sobre Las Casas.

Henríquez Ureña, Pedro, *Literary Currents in Hispanic America,* Cambridge, Mass., Harvard University Press, 1949.

Análisis importante de la aparición de una cultura latinoamericana, comenzando con Colón.

Hogden, Margaret T., *Early Anthropology in the Sixteenth and Seventeenth Centuries,* Philadelphia, University of Pennsylvania Press, 1964.

Conocimientos detallados de relatos de viaje y etnografías tempranas.

Íñigo Madrigal, Luis (ed.), *Historia de la literatura hispanoamericana,* vol. I, Madrid, Cátedra, 1982.

Contiene excelentes artículos originales sobre la cultura, historiografía e historiógrafos del Nuevo Mundo.

Johnson, Julie Greer, *Women in Colonial Spanish American Literature: Literary images,* Contributions in Women's Studies, 43, Westport, Conn., Greenwood Press, 1983.

Discute el mito de las Amazonas en un capítulo sobre mujeres en los escritos históricos tempranos.

Leonard, Irving A., *Books of the Brave,* ed. Rolena Adorno, Berkeley, University of California Press, 1992.

Historia clásica del impacto de las novelas de caballería en el Nuevo Mundo.

León Portilla, Miguel (ed.), *Visión de los vencidos. Relatos indígenas de la Conquista,* 10.ª ed., México, Universidad Nacional Autónoma de México, 1984.

Véase la «Relación de 1528», un texto contemporáneo de nuestro periodo.

López Baralt, Mercedes, El *mito taíno: raíz y proyecciones en la Amazonía continental,* Río Piedras, Puerto Rico, Huracán, 1976.

Estudio detallado de los mitos presentados por Pané y sus antecedentes sudamericanos.

Menéndez Pidal, Ramón, *La lengua de Colón,* Madrid, Austral, 1942.

Ensayo sobre los antecedentes lingüísticos de Colón.

Morison, Samuel Eliot, *Admiral of the Ocean Sea: A life of Christopher Columbus,* 2 vols., Boston, Little, Brown & Co., 1942.

Fuente fundamental sobre la vida y los viajes de Colón con información detallada sobre la navegación.

O'Gorman, Edmundo, *The Invention of America,* Bloomington, Indiana University Press, 1961.

Estudio innovador de cómo unos escritores europeos inventaron, en vez de descubrir, América.

—, *Cuatro historiadores de Indias,* México, Sepsetentas, 1979.

Los importantes prefacios de O'Gorman a sus ediciones de Mártir, Oviedo, Las Casas, Acosta.

Pagden, Antony R., *The Fall of Natural Man: The American Indian and the origins of comparative ethnology,* Cambridge University Press, 1982.

Análisis detallado de los debates sobre los indios americanos.

Pastor, Beatriz, *Discurso narrativo de la conquista de América,* La Habana, Casa de las Américas, 1983.

Extenso tratamiento innovador de las *lettres* coloniales desde una perspectiva literaria e ideológica. Una edición revisada fue publicada por Ediciones del Norte, Hanover, N.H., 1987. (Las referencias en este capítulo son a la edición de 1983.)

Prescott, William H., *History of the Conquest of Mexico and History of the Conquest of Peru,* Nueva York, The Modern Library, s.f.

La venerable historia romántica de las conquistas.

Pupo-Walker, Enrique, *La vocación literaria del pensamiento histórico en América; desarrollo de la prosa de ficción: siglos XVI, XVII, XVIII, y XIX,* Madrid, Gredos, 1982.

Metodología y análisis innovadores sobre la aparición de la ficción en la América Latina desde el siglo XVI al XIX.

Rodríguez Freyle, Juan, *El carnero,* ed. Dario Achury Valenzuela, Caracas, Biblioteca Ayacucho, 1979.

Historia de Nueva Granada; incluye relatos proto-literarios.

Salas, Alberto Mario, *Tres cronistas de Indias: Pedro Mártir de Anglería. Gonzalo Fernández de Oviedo. Bartolomé de las Casas,* México, Fondo de Cultura Económica, 1959.

Sigue siendo la fuente fundamental de información sobre la vida y los escritos de estos autores.

Sánchez Alonso, Benito, *Historia de la historiografía española,* 3 vols., Madrid, Consejo Superior de Investigaciones Científicas, 1941-1950.

Contiene un resumen útil de las características y los textos de la historiografía colonial.

Todorov, Tzvetan, *The Conquest of America: The question of the other,* trad. Richard Howard, Nueva York, Harper & Row, 1984.

Metodología sugerente y atrevidos análisis de los textos; enfocado en los indios.

Wilgus, Curtis A., *The Historiography of Latin America: A guide to historical writing 1500-1800,* Metuchen, N.J., Scarecrow, 1975.

Bibliografía minuciosa anotada de textos mayores y menores del periodo.

Artículos

Álvarez López, Enrique, «La historia natural en Fernández de Oviedo», *Revista de Indias,* 17: 69-70 (1957), 541-601.

Examen de las contribuciones de Oviedo a las ciencias naturales por el famoso historiador natural.

Avalle Arce, Juan Bautista, «Las hipérboles del padre Las Casas», *Revista de la Facultad de Humanidades,* Universidad Autónoma de San Luis Potosí, I (1960), 33-55.

Admirable análisis estilístico de la *Brevísima relación* de Las Casas.

Carreño, Antonio, «*Naufragios,* de Alvar Núñez Cabeza de Vaca: una retórica de la crónica colonial», *Revista Iberoamericana,* 140 (1987), 499-516.

Excelente análisis retórico de las crónicas; comparación de la Picaresca y los *Naufragios.*

Elliott, J. H., «The mental world of Hernán Cortés», *Transactions of the Royal Historical Society,* 17 (1967), 411-58.

Admirable examen de las bases intelectuales de Cortés.

—, «Cortés, Velázquez and Charles V», prefacio a Anthony R. Pagden, *Letters from Mexico,* Nueva York, Grossman Publishers, 1971, xi-lxvii.

Introducción magistral al fondo histórico y a las estrategias narrativas de las cartas de Cortés.

Frankl, Victor, «Hernán Cortés y la tradición de las Siete Partidas», *Revista de Historia de América,* 53-4 (1962), 9-74.

Análisis pionero de la *Primera carta* de Cortés.

González Echevarría, Roberto, «José Arrom, autor de la *Relación acerca de las antigüedades de los indios* (picaresca e historia)», en *Relecturas: estudios de literatura cubana,* Caracas, Monte Ávila, 1976, 17-35.

—, «Humanismo, retórica y las crónicas de la conquista», en *Isla a su vuelo fugitiva,* Madrid, José Porrúa Turanzas, 1983, 9-25.

Invernizzi Santa Cruz, Lucía, «Naufragios e infortunios: discurso que transforma fracasos en triunfos», *Dispositio,* 11, 28-9 (1986), 99-111.

Lafaye, Jacques, «Les miracles d'Alvar Núñez Cabeza de Vaca (1527-1536)», *Bulletin Hispanique,* 64 (1962), 136-53.

Lagmanovich, David, «Los *Naufragios* de Alvar Núñez como construcción narrativa», *Kentucky Romance Quarterly,* 25:1 (1978), 27-37.

Lewis, Robert E., «Los *Naufragios* de Alvar Núñez: historia y ficción», *Revista Iberoamericana,* 120-1 (1982), 681-94.

Los cuatro artículos anteriores son estudios importantes de *Naufragios* desde una perspectiva literaria.

MacLeod, Murdo J., «Self-promotion: the *relaciones de méritos y servicios* and their historical and political interpretation», comunicación inédita leída en el congreso «Book of the Américas», Brown University, Providence, Rhole Island, junio de 1987.

Descripción única de la forma, el contenido y el contexto de la relación en Mesoamérica.

Mignolo, Walter D., «El metatexto historiográfico y la historiografía indiana», *Modern Language Notes,* 96 (1981), 358-402.

Interesante examen de los géneros de historia y crónica en la historiografía del Nuevo Mundo desde una postura teórica moderna.

Molloy, Sylvia, «Alteridad y reconocimiento en los *Naufragios* de Alvar Núñez Cabeza de Vaca», *Nueva Revista de Filología Hispánica,* 35:2 (1987), 425-49.

Tratamiento matizado e innovador de la apología y la autobiografía en *Naufragios.*

Olschki, Leonardo, «What Columbus saw on landing in the West Indies», *Proceedings of the American Philosophical Society,* 84 (1941), 633-59.

Estudio básico de las reacciones de Colón en el *Diario* ante los aspectos naturales y humanos del Nuevo Mundo.

Otté, Enrique, «Aspiraciones y actividades heterogéneas de Gonzalo Fernández de Oviedo, cronista», *Revista de Indias,* 18:71 (1958), 9-61.

Actividades comerciales y políticas de Oviedo.

Palm, Erwin W., «España ante la realidad americana», *Cuadernos Americanos,* 38:2 (1948), 135-67.

Influencias medievales en el *Diario* de Colón.

Pupo-Walker, Enrique, «Pesquisas para una nueva lectura de los *Naufragios* de Alvar Núñez Cabeza de Vaca», *Revista Iberoamericana,* 140 (1987), 517-39.

—, «Notas para la caracterización de un texto seminal: los *Naufragios* de Alvar Núñez Cabeza de Vaca», *Nueva Revista de Filología Hispánica,* 38:1 (1990), 163-96.

Dos estudios decisivos que hacen justicia a los múltiples aspectos de *Naufragios.*

Vásquez, Josefina Zoraida, «El indio americano y su circunstancia en la obra de Oviedo», *Revista de Indias,* 17:69-70 (1957), 433-519.

Fundamental para un entendimiento matizado de las posturas de Oviedo sobre los indios.

Zamora, Margarita, «'Todas son palabras formales del Almirante': Las Casas y el *Diario* de Colón», *Hispanic Review,* 57 (1989), 25-41.

Intervenciones de Las Casas en el *Diario* de Colón.

Capítulo 4

HISTORIADORES DE LA CONQUISTA Y COLONIZACIÓN DEL NUEVO MUNDO: 1550-1620

FUENTES PRIMARIAS

Acosta, José de, *Historia natural y moral de las Indias* [1590], ed. Edmundo O'Gorman, México, Fondo de Cultura Económica, 1962.

Alva Ixtlilxóchitl, Fernando de, *Historia de la nación chichimeca* [1608-1625?], ed. Germán Vázquez Charmono, Madrid, Historia 16, 1985.

Casas, Fray Bartolomé de las, *Historia de las Indias* [1527-1562], ed. Agustín Millares Carlo, 3 vols., México, Fondo de Cultura Económica, 1951.

Cieza de León, Pedro de, *El señorío de los Incas* [155?], ed. Manuel Ballesteros, Madrid, Historia 16, 1985.

—, *Historia del descubrimiento y conquista del Perú,* ed. Carmelo Sáenz de Santa María, Madrid, Historia 16, 1986.

—, *La crónica del Perú* [1553], ed. Manuel Ballesteros, Madrid, Historia 16, 1984.

—, *The Incas,* trad. Harriet de Onís, ed. Victor Wolfgang von Hagen, Norman, University of Oklahoma Press, 1959.

Traducción editada de la *Crónica del Perú.*

Díaz de Guzmán, Ruy, *La Argentina* [1612], ed. Enrique de Gandía, Madrid, Historia 16, 1986.

Díaz del Castillo, Bernal, *Historia verdadera de la conquista de la Nueva España,* ed. Miguel León-Portilla, 2 vols., Madrid, Historia 16, 1984.

—, *The Discovery and Conquest of Mexico, 1517-1521,* trad. A. P. Maudley, pref. Irving A. Leonard, Nueva York, Farrar, Straus, Giroux, & Cudahy, 1956.

Traducción resumida de la larga obra de Bernal.

Durán, Fray Diego de, *Historia de las Indias de Nueva España e islas de tierra firme* [1570-1581], ed. Ángel María Garibay, 2 vols., México, Porrúa, 1967.

—, *The Aztecs,* trads. y eds. Doris Heyden y Fernando Horcasitas, Nueva York, Orion, 1964.

Edición abreviada e ilustrada.

Guaman Poma de Ayala, Felipe, *El primer nueva corónica y buen gobierno* [1615], eds. John V. Murra y Rolena Adorno, 3 vols., México, Siglo Veintiuno Editores, 1980.

Herrera y Tordesillas, Antonio de, *Historia general de los hechos de los castellanos en las islas y tierra firme del mar océano* [1601-1615], ed. y notas, Mariano Guesta Domingo, 4 vols., Universidad Complutense de Madrid, 1991.

Inés de la Cruz, «Fundación del convento de San José» [1625], ms., Archivo del Convento de San José de México. (Véanse también Muriel, *Cultura femenina novohispana,* y Sigüenza y Góngora, *Parayso occidental,* más abajo.)

Landa, Diego de, *Relación de las cosas de Yucatán* [1566], ed. Miguel Rivera, Madrid, Historia 16, 1985.

—, *Yucatán Before and After the Conquest,* trad. y notas William Gates, Nueva York, Dover Publications, 1978.

Reimpresión de una edición limitada de 1937.

López de Gómara, Francisco, *Historia general de las Indias y la conquista de México* [1552], ed. Jorge Gurria Lacroix, 2 vols., Caracas, Biblioteca Ayacucho, 1979.

Mariana de la Encarnación, «Relación de la fundación del Convento antiguo de Santa Teresa» [1641], Biblioteca Perry-Castañeda, University of Texas, Austin, MS G 79. (Véanse también Muriel, *Cultura femenina novohispana,* y Arenal y Schlau, *Untold Sisters,* más abajo.)

—, *Chronicle of the Founding of the Ancient Convento de Santa Teresa,* trad. Amanda Powell, 1989; excerptos del español original, traducidos, en Arenal y Schlau, *Untold Sisters,* 368-74 (más abajo).

Motolinía, Fray Toribio de, *Historia de los indios de la Nueva España* [1541?], ed. Edmundo O'Gorman, México, Porrúa, 1969.

—, *Motolinía's History of the Indians of New Spain,* trad. Francis Borgia Steck, Washington, Academy of American Franciscan History, 1951.

Edición anotada con un estudio biobibliográfico.

Pachacuti Yamqui, Juan de Santacruz, «Relación de antigüedades deste reino del Perú» [1613], en Francisco Esteve Barba (ed.), *Crónicas peruanas de interés indígena,* Biblioteca de Autores Españoles, 209, Madrid Atlas, 1968, 281-319.

Sahagún, Fray Bernardino de, *Historia general de las cosas de Nueva España* [1577], ed. Alfredo López Austin y Josefina García Quintana, 2 vols., México, Alianza Editorial Mexicana, 1989.

—, *Florentine Codex: General history of the things of New Spain,* trads. y eds. Charles E. Dibble y Arthur J. O. Anderson, Santa Fe: School of American Research, y University of Utah, 1950-1982.

Contiene la única paleografía completa del texto náhuatl.

Suárez de Peralta, Juan, *Tratado del descubrimiento de las Indias* [1589], ed. Federico Gómez de Orozco, México, Secretaría de Educación Pública, 1949.

Tezozomoc, Hernando Alvarado, *Crónica mexicana* [1598], ed. Manuel Orozco y Berra, México, Porrúa, 1975.

Titu Cussi Yupanqui, Diego de Castro, *Relación de la conquista del Perú* [1570], Lima, Biblioteca Universitaria, 1973.

Valdivia, Pedro de, *Cartas de relación de la conquista de Chile* [1545-1552], ed. Mario Ferreccio Podesta, Santiago, Editorial Universitaria, 1970.

Vega, Garcilaso Inca de la, *Comentarios reales de los Incas* [1609], ed. Ángel Rosenblat, Buenos Aires, Emecé, 1943.

—, *Historia general del Perú* [1617], 2 vols., Buenos Aires, Peuser, 1959.

Zárate, Agustín de, *Historia del descubrimiento y conquista del Perú,* ed. Jan M. Kermeni, Lima, Imprenta D. Miranda, 1944.

FUENTES SECUNDARIAS

Libros

Adorno, Rolena (ed.), *From Oral to Written Expression: Native Andean chronicles of the early colonial period,* Latin American Series, 4, Syracuse University, Maxwell School of Citizenship and Public Affairs, 1982.

Contiene artículos sobre Guaman Poma, Pachacuti Yanqui y Titu Cussi Yupanqui.

—, *Guamán Poma de Ayala: Writing and resistance in colonial Peru,* Austin, University of Texas Press, 1986.

Indispensable tratamiento multidisciplinario de la obra.

Arenal, Electa, y Stacey Schlau, *Untold Sisters: Hispanic nuns in their own works,* Albuquerque, University of New Mexico Press, 1989.

Contiene excerptos de *vidas* tanto en español como en inglés.

Arrom, José Juan, *Certidumbre de América,* La Habana, Anuario Bibliográfico, 1959.

Contiene un estudio destacado del término «criollo».

Bacigalupo, Marvyn Helen, *A Changing Perspective: Attitudes toward creole society in New Spain (1521-1610),* Londres, Tamesis Books, 1981.

Análisis bien documentado de la idea de lo criollo.

Bethell, Leslie (ed.), *Colonial Spanish America,* Cambridge University Press, 1987.

Contiene artículos históricos clave de Elliott y otros.

Blanco, José Joaquín, *La literatura en la Nueva España. Conquista y Nuevo Mundo,* México, Cal y Arena, 1989.

Historia literaria de la época colonial desde una perspectiva mexicana.

Burkholder, Mark A., y Lyman Johnson, *Colonial Latin America,* Oxford University Press, 1990.

Historia del periodo concisa, útil y al día.

Chang-Rodríguez, Raquel (ed.), *Prosa hispanoamericana virreinal,* Barcelona, Borrás Ediciones, 1978.

Contiene artículos sobre el Inca Garcilaso y otros.

Clendinnen, Inga, *Ambivalent Conquests: Maya and Spaniard in Yucatan, 1517-1570,* Cambridge University Press, 1987.

Historia que trata la época de Diego de Landa en la península.

Elliott, J. H., *Imperial Spain 1459-1716,* Nueva York, St. Martin's Press, 1963.

Estudio definitivo de historia económica, social, e intelectual.

— (ed.), *Poder y sociedad en la España de los Austrias,* Barcelona, Editorial Crítica, 1982.

Recoge artículos importantes que reflejan el debate histórico sobre el siglo XVII.

Florescano, Enrique, *Memoria mexicana. Ensayo sobre la reconstrucción del pasado: época prehispánica -1821,* México, Mortiz, 1987.

Consideración de la idea cambiante de un pasado nacional.

Franco, Jean, *Plotting Women: Gender and representation in Mexico,* Nueva York, Columbia University Press, 1989.

Contiene capítulos importantes sobre escritoras coloniales.

Goic, Cedomil (ed.), *Historia y crítica de la literatura hispanoamericana: época colonial,* Barcelona, Editorial Crítica, 1988.

Contiene una sección de artículos sobre el Inca Garcilaso.

Gonzalbo Aizpuru, Pilar, *Las mujeres en la Nueva España: educación y vida cotidiana,* México, El Colegio de México, 1987.

Estudia la educación de la mujer en conventos y hogares mexicanos.

González Echevarría, Roberto, *Myth and Archive: A theory of Latin American narrative,* Cambridge University Press, 1990.

Decisivo tratamiento de las raíces legales de la narrativa colonial.

Israel, J. I., *Race, Class and Politics in Colonial Mexico: 1610-1670,* Oxford University Press, 1975.

Versa sobre la formación de grupos mestizos, mulatos y criollos.

Lafaye, Jacques [1974], *Quetzalcóatl y Guadalupe: la formación de la conciencia nacional en México,* 2.ª ed., México, Fondo de Cultura Económica, 1985.

Historia cultural de la identidad mexicana.

—, *Quetzalcóatl and Guadalupe: the formation of Mexican National Consciousness 1531-1813,* University of Chicago Press, 1974.

Lavrin, Asunción (ed.), *Sexuality and Marriage in Colonial Latin America,* Lincoln, University of Nebraska Press, 1989.

Recoge artículos sobre la estructura familiar colonial.

Leonard, Irving A., *Books of the Brave: being an account of books and men in the Spanish Conquest and settlement of the sixteenth-century New World,* Cambridge, Mass., Harvard University Press, 1949.

Estudio clásico de las novelas de caballería y las crónicas.

—, *Baroque Times in Old Mexico: Seventeenth-century persons, places, and practices,* Ann Arbor, University of Michigan Press, 1959.

Historia cultural del periodo muy divertida.

León-Portilla, Miguel, y Ángel María Garibay (eds.), *The Broken Spears: The Aztec account of the conquest of Mexico,* trad. Lysander Kemp, Boston, Beacon Press, 1962.

Prosa y poesía aztecas del siglo XVI.

Maravall, José Antonio, *Culture of the Baroque: Analysis of a historical structure,* trad. Terry Cochran, Minneapolis University of Minnesota Press, 1986.

Estudio meticuloso de la sociedad del siglo XVII en España.

Martín, Luis, *Daughters of the Conquistadores: Women of the viceroyalty of Peru,* Albuquerque, University of New Mexico Press, 1983.

Historia social de las culturas tanto familiar como conventual.

Méndez, María Águeda (ed.), *Catálogo de textos marginados novohispanos. Inquisición Siglos XVIII y XIX,* México, Archivo General de la Nación/El Colegio de México/Universidad Nacional Autónoma de México, 1992.

Inestimable catálogo de textos confiscados por la Inquisición en México.

Muriel, Josefina, *Cultura femenina novohispana,* México, Universidad Autónoma de México, 1982.

Extensas descripciones y resúmenes de escritoras.

Picón-Salas, Mariano, *De la Conquista a la Independencia: tres siglos de historia cultural hispanoamericana,* México, Fondo de Cultura Económica, 1944.

Incluye un estudio seminal de la literatura barroca en América.

Pupo-Walker, Enrique, *Historia, creación y profecía en los textos del Inca Garcilaso de la Vega,* Madrid, José Porrúa Turanzas, 1982.

Discute el uso de la historiografía renacentista por el Inca Garcilaso.

—, *La vocación literaria del pensamiento histórico en América; desarrollo de la prosa de ficción: siglos XVI, XVII, XVIII y XIX,* Madrid, Gredos, 1982.

Colección de ensayos que incluye discusión sobre Garcilaso.

Ross, Kathleen, *The Baroque Narrative of Carlos de Sigüenza y Góngora: A New World Paradise,* Cambridge University Press, 1993.

Discute la pertinencia de las obras de Sigüenza y Góngora en la ficción e historiografía de Hispanoamérica.

Sigüenza y Góngora, Carlos de, *Parayso occidental,* México, Juan de Ribera, 1684.

Contiene resúmenes de obras de Inés de la Cruz.

Todorov, Tzvetan, *The Conquest of America: The question of the other,* trad. Richard Howard, Nueva York, Harper Colophon, 1985.

Polémico tratamiento de los signos culturales y la conquista.

Varner, John Grier, *El Inca: The life and times of Garcilaso de la Vega,* Austin, University of Texas Press, 1968.

Autorizado y entretenido estudio biográfico.

Zamora, Margarita, *Language, Authority, and Indigenous History in the Comentarios reales de los incas,* Cambridge University Press, 1988.

Estudia la importancia de la filología en los *Comentarios.*

Zapata, Roger A., *Guamán Poma, indigenismo y estética de la dependencia en la cultura peruana,* Minneapolis, Institute for the Study of Ideologies and Literature, 1989.

Analiza el texto de Guaman Poma y su recepción moderna en el Perú.

Artículos

Adorno, Rolena, «Discourses on colonialism: Bernal Díaz, Las Casas and the twentieth-century reader», *Modern Language Notes,* 103:2 (marzo de 1988), 239-58.

Estudia a Bernal Díaz como encomendero en oposición a Las Casas.

—, «Arms, letters and the native historian in early colonial Mexico», en René Jara y Nicholas Spadaccini (eds.), *1492-1992: Re-discovering colonial writing,* Minneapolis, Prisma Institute, 1989, 201-24.

—, «The warrior and the war community: constructions of the civil order in Mexican Conquest history», *Dispositio,* 15:36-8 (1989), 225-46.

Dos discusiones de la obra de Alva Ixtlilxóchitl.

Beverley, John, «Barroco de estado: Góngora y el gongorismo», en *Del Lazarillo al Sandinismo: estudios sobre la función ideológica de la literatura española e hispanoamericana,* Minneapolis, Institute for the Study of Ideologies and Literature, 1987, 77-97.

Estudia la época barroca desde una perspectiva marxista.

Castro-Klarén, Sara, «Dancing and the sacred in the Andes: from the *Taqui-Oncoy* to 'Rasu-Niti'», *Dispositio,* 15:36-8 (1989), 169-85.

Análisis de respuestas culturales andinas a la colonización.

Concha, Jaime, «La literatura colonial hispano-americana: problemas e hipótesis», *Neohelicon,* 4:1-2 (1976), 31-50.

Acercamiento sociocultural al Inca Garcilaso y otros.

Gandía, Enrique de, «Introducción» a su edición de Díaz de Guzmán, *La Argentina,* citada arriba, 7-48.

Aporta una historia completa si bien tendenciosa de la obra.

González-Echevarría, Roberto, «José Arrom, autor de la *Relación acerca de las antigüedades de los indios* (picaresca e historia)», en *Relecturas: estudios de literatura cubana,* Caracas, Monte Ávila, 1976, 17-35.

Ensayo importante sobre la *relación* y la picaresca.

—, «Humanismo, retórica y las crónicas de la conquista», en *Isla a su vuelo fugitiva,* Madrid, José Porrúa Turanzas, 1983, 9-25.

Trata el fondo retórico de la obra de Bernal Díaz.

Hanke, Lewis, «Bartolomé de las Casas, historiador», estudio preliminar a la edición de Las Casas, *Historia de las Indias,* citada arriba, ix-lxxxvi.

Estudio indispensable de las fuentes y la política de la obra.

Lavalle, Bernard, «El Inca Garcilaso de la Vega», en Luis Íñigo Madrigal (ed.), *Historia de la literatura hispanoamericana: época colonial,* Madrid, Cátedra, 1982, 135-43.

Breve ensayo biobibliográfico.

León-Portilla, Miguel, «Introducción» a su edición de Bernal Díaz del Castillo, *Historia verdadera,* citada arriba, vol. A, 7-58.

Excelente visión de conjunto de la obra y su trascendencia.

MacCormack, Sabine, «Atahualpa and the book», *Dispositio,* 15:36-8 *(1989),* 141-68.

Analiza versiones andinas del encuentro Atahualpa-Pizarro.

Mariscal, Mario, «Prólogo» a su edición de Tezozomoc, *Crónica mexicana,* México, Universidad Nacional Autónoma de México, 1943, ix-xlvi.

Útil visión de conjunto de los aspectos indígenas del texto.

Mignolo, Walter D., «Cartas, crónicas y relaciones del descubrimiento y la conquista», en Luis Íñigo Madrigal (ed.), *Historia de la literatura hispanoamericana*: *época colonial,* Madrid, Cátedra, 1982, 57-116.

Sugerente análisis tipológico de textos coloniales.

Moraña, Mabel, «Barroco y conciencia criolla en Hispanoamérica», *Revista de Crítica Literaria Latinoamericana,* 14:28 (1988), 229-51.

Discute el problema de la dependencia en el Barroco de Indias.

Myers, Kathleen, «Autobiographical writing in Spanish American convents, 1650-1800: a bibliographical essay», en *Word from New Spain*: *The spiritual autobiography of Madre María de San José* (1656-1719), Liverpool University Press, 1993, 209-14.

Útil discusión de trabajo sobre la escritura de las religiosas coloniales.

O'Gorman, Edmundo, «Prólogo» a su edición de José de Acosta, *Historia natural,* citada arriba, xi-liii.

El análisis más completo disponible del texto de Acosta.

—, «Estudio introductorio» a su edición de Alva Ixtlilxóchitl, *Obras históricas,* vol. I, México, Universidad Nacional Autónoma de México, 1975, 1-257.

Estudio exhaustivo de las obras completas del autor.

Simpson, Leslie Byrd, «El siglo olvidado de México», apéndice a Woodrow Borah, *El siglo de la depresión en Nueva España,* México, Secretaría de Educación Pública, 1975, 141-54.

TePaske, John J., y Herbert S. Klein, «The seventeenth-century crisis in New Spain: myth or reality?», *Past and Present,* 90 (1981), 116-35.

Polémico estudio de los ciclos económicos en la Nueva España.

Vázquez, Germán, «Introducción» a su edición de Alva Ixtlilxóchitl, *Historia de la nación,* citada arriba, 7-41.

Visión de conjunto de los acercamientos históricos actuales a la obra.

Capítulo 5

LOS HISTORIADORES DEL PERIODO COLONIAL: 1620-1700

FUENTES PRIMARIAS

Ávila, Francisco de, *Dioses y hombres de Huarochirí; narración quechua recogida por Francisco de Ávila,* trad. José María Arguedas, Lima, Musco Nacional de Historia y el Instituto de Estudios Peruanos, 1966.

Calancha, Antonio de la, *Corónica moralizada de la provincia del orden de San Augustín Nuestro Padre,* Barcelona, P. Lacavalleria, 1638.

—, *Crónicas agustinas del Perú,* 2 vols., Madrid, Consejo Superior de Investigaciones Científicas, 1972.

Cobo, Bernabé, *Historia del Nuevo Mundo,* Sevilla, E. Rasco, 1890-1895.

Fernández de Piedrahita, Lucas, *Historia general de las conquistas del Nuevo Reino de Granada,* Antwerp, J. T. Verdussen, 1688.

—, *Noticia historial de las conquistas del Nuevo Reino de Granada,* Bogotá, Editorial Kelly, 1973.

Núñez de Pineda y Bascuñán, Francisco, *Cautiverio feliz del maestro de campo, jeneral Don Francisco Núñez de Pineda y Bascuñán, y razón individual de las guerras dilatadas del reino de Chile,* Santiago, Imprenta del Ferrocarril, 1863.

—, *El cautiverio feliz,* ed. Ángel González, Santiago, Zig-Zag, 1974.

Ovalle, Alonso de, *Histórica relación del reyno de Chile,* Roma, F. Cavallo, 1646.

—, *Histórica relación del reino de Chile,* Santiago, Instituto de Literatura Chilena, 1969.

—, *An Historical Relation of the Kingdom of Chile,* Roma, F. Cavallo, 1649.

Rodríguez Freyle, Juan, *Conquista i descubrimiento del Nuevo reino de Granada de las Indias Occidentales del mar Océano, i fundación de la ciudad de Santa Fé,* Bogotá, Pizano & Pérez, 1859.

—, *El Carnero,* Bogotá, Editorial Bedout, 1973.

Ruiz de Montoya, Antonio, *Conquista espiritual hecha por los religiosos de la Compañía de Jesús en las provincias del Paraguay, Paraná, Uruguay, y Tape,* Madrid, Imprenta del Reyno, 1639.

—, *Conquista espiritual hecha por los religiosos de la Compañía de Jesús,* Bilbao, Corazón de Jesús, 1892.

Sigüenza y Góngora, Carlos de, *Glorias de Querétaro,* México, Bernardo Calderón, 1680.

—, *Teatro de virtudes políticas que constituyen un príncipe,* México, Bernardo Calderón, 1680.

—, *Parayso Occidental, plantado y cultivado en su magnífico Real Convento de Jesús María,* México, Juan de Ribera, 1684.

—, *Infortunios que Alonso Ramírez natural de la ciudad de S. Juan de Puerto Rico padeció, assí en poder de Ingleses Piratas,* México, Bernardo Calderón, 1690.

—, *Libra astronómica y philosófica,* México, Bernardo Calderón, 1690.

—, *Mercurio volante con la noticia de la recuperación de las provincias del Nuevo México,* México, Bernardo Calderón, 1693.

—, *Piedad heroyca de Don Fernando Cortés,* México, Librería Religiosa, 1898.

—, *Alboroto y motín de los indios de México,* ed. Irving A. Leonard, México, Talleres Gráficos del Museo Nacional de Arqueología, Historia, y Etnografía, 1932.

—, *Seis obras,* ed. William Bryant, Caracas, Biblioteca Ayacucho, 1984.

Simón, Pedro, *Noticias historiales de las conquistas de tierra firme en las Indias Occidentales,* Cuenca, D. de la Yglesia, 1627.

—, *Historial de la expedición de Pedro de Ursúa al Marañón y de las aventuras de Lope de Aguirre,* Lima, Sanmartí, 1942.

Solís, Antonio de, *Historia de la conquista de México,* Madrid, Imprenta de Bernardo de Villadiego, 1684.

—, *Historia de la conquista de México,* México, Porrúa, 1978.

—, *The History of the Conquest of Mexico,* Londres, H. Lintot, 1753.

Torres, Bernardo de, *Crónica de la provincia peruana de los ermitaños de San Augustín Nuestro Padre,* Lima, Imprenta de Julián Santos de Saldafia, 1657.
Villarroel, Gaspar de, *Gobierno eclesiástico-pacífico y unión de los dos cuchillos, pontificio y regio,* Madrid, Domingo García Morras, 1656-7.
—, *Gobierno eclesiástico pacífico,* Quito, Ariel, 1975.

FUENTES SECUNDARIAS

Libros

Anadón, José, *Pineda y Bascuñán, defensor del araucano: vida y escritos de un criollo chileno del siglo XVII,* Santiago, Editorial Universitaria Seminario de Filología Hispánica, 1977.

Estudio biográfico de Pineda y Bascuñán; buena fuente de referencia.

Arocena, Luis Antonio de Solís, *Cronista indiano: Estudio sobre las formas historiográficas del barroco,* Buenos Aires, Editorial Universitaria, 1963.

Estudio clásico de Solís y su trabajo como *cronista mayor.*

Bethell, Leslie (ed.), *The Cambridge History of Latin America,* vol. I: *Colonial Latin America,* Cambridge University Press, 1984.

Estudio general de la historia política, social, económica e institucional de Latinoamérica.

Carbia, Rómulo D., *La crónica oficial de las Indias Occidentales,* Ediciones Buenos Aires, 1940.

Visión de conjunto histórica del establecimiento y el desarrollo de la *crónica mayor.*

Carilla, Emilio, *La literatura barroca en Hispanoamérica,* Nueva York, Anaya, 1972.

Vision de conjunto general del Barroco hispanoamericano.

Casas de Faunce, María, *La novela picaresca latinoamericana,* Madrid, Editorial Planeta, 1977.

Historia del género picaresco en la literatura latinoamericana.

Chang-Rodríguez, Raquel, *Violencia y subversión en la prosa colonial hispanoamericana, siglos XVI y XVII,* Madrid, José Porrúa Turanzas, 1982.

Estudio valioso de las dimensiones sociales y políticas de *El Carnero, Cautiverio feliz,* e *Infortunios de Alonso Ramírez,* entre otros.

Herman, Susan, *The «Conquista y descubrimiento del Nuevo Reino de Granada», Otherwise Known as «El carnero»: The «Corónica», the «Historia», and the «Novela»,* tesis doctoral, Yale University, 1978.

El estudio más completo hasta la fecha sobre las tipologías discursivas de este texto.

Jara, René, y Nicholas Spadaccini (eds.), *1492-1992: Re-discovering colonial writing,* Minneapolis, The Prism Institute, 1989.

Colección de ensayos que examinan la experiencia colonial a través de una amplia serie de escritos históricos.

Leonard, Irving A., *Don Carlos de Sigüenza y Góngora*: *A Mexican savant of the seventeenth century,* Berkeley, University of California Press, 1919.

Primer estudio importante sobre Sigüenza como el intelectual principal de México en la colonia tardía.

—, *Baroque Times in Old Mexico. Seventeenth-century persons, places, and practices,* Ann Arbor, University of Michigan Press, 1959.

Estudio fundamental de la cultura literaria del México barroco.

Mason, Margaret L., *Literary and Historical Aspects of Rodríguez Freile's «El carnero»,* tesis doctoral, University of Kentucky, 1980.

Morales Pradilla, Próspero, *Los pecados de Inés de Hinojosa,* Bogotá, Plaza & Janés, 1986.

Novela reciente basada en las hazañas de Inés de Hinojosa relatadas en *El carnero.*

Pollard, Dennis, *Rhetoric, Politics, and the King's justice in Pineda y Bascuñán's «Cautiverio feliz»,* tesis doctoral, University of Michigan, 1986.

Estudio profundo de tipologías discursivas e intenciones políticas en *Cautiverio feliz.*

Pupo-Walker, Enrique, *La vocación literaria del pensamiento histórico en América: desarrollo de la prosa de ficción*: *siglos XVI, XVII, XVIII y XIX,* Madrid, Gredos, 1982.

Investigación muy original de las cualidades literarias de la historiografía colonial.

Ross, Kathleen, *Carlos de Sigüenza y Góngora's «Parayso Occidental»*: *Baroque narrative in a colonial convent,* tesis doctoral, Yale University, 1985.

Única investigación completa hasta la fecha de una de las obras menos conocidas de Sigüenza.

—, *The Baroque Narrative of Carlos Sigüenza y Góngora: A New World Paradise,* Cambridge University Press, 1994.

Excelente estudio de la pertinencia general de las obras de Sigüenza y Góngora. La autora se centra en *Paraíso occidental.*

Vidal, Hernán, *Socio-historia de la literatura colonial hispanoamericana: tres lecturas orgánicas,* Minneapolis, Institute for the Study of Ideologies and Literature, 1985.

Ejemplo típico de estudio sociológico de la literatura y la historiografía de la Hispanoamérica colonial.

Artículos

Alstrum, James, «The real and the marvelous in a tale from *El Carnero*», *Kentucky Romance Quarterly,* 29 (1982), 115-24.

Examen de los aspectos literarios del episodio de Juana García; se trazan paralelos con escritores modernos, especialmente Alejo Carpentier.

Arrom, José J., «A contrafuerza de la sangre, o un 'caso ejemplar' del Perú virreinal», *Kentucky Romance Quarterly,* 23 (1976), 319-26.

Estudio seminal de un relato de la *Crónica de la provincia peruana* de Bernardo de Torres.

—, «Carlos de Sigüenza y Góngora: relectura criolla de los *Infortunios de Alonso Ramírez*», *Thesaurus,* 41 (1987), 23-46.

Cuidadoso análisis textual de *Infortunios,* realizado a la luz de la investigación existente; examina las diferencias entre lecturas historicistas y retóricas.

Benso, Silvia, «La técnica narrativa de Juan Rodríguez Freyle», *Thesaurus,* 32 (1977), 95-165.

Amplia monografía que resume las tendencias estilísticas de Freyle.

Bost, David H., «From conflict to mediation: humanization of the Indian in *Cautiverio feliz*», *South Eastern Latin Americanist,* 29 (1985), 8-15.

Estudio de la caracterización del indio en la obra de Pineda.

Burrus, E. J., «Sigüenza y Góngora's efforts for readmission into the Jesuit order», *Hispanic American Historical Review,* 33 (1953), 387-91.

Ejemplo típico de erudición biográfica sobre figuras coloniales.

Carilla, Emilio, «Literatura barroca y ámbito colonial», *Thesaurus,* 24 (1969), 417-2-5.

Visión de conjunto de las tendencias literarias y artísticas del Barroco en la América Latina.

Chang-Rodríguez, Raquel, «Apuntes sobre sociedad y literatura hispanoamericanas en el siglo XVII», *Cuadernos Americanos,* 33 (1974), 131-44.

Excelente sinopsis de autores importantes y textos del siglo diecisiete.

—, «El 'Prólogo al lector' de *El carnero:* guía para su lectura», *Thesaurus,* 29 (1974), 177-81.

Interpretación del prólogo como una manera de entender las intenciones del autor.

Cummins, J. S., «*Infortunios de Alonso Ramírez:* 'A just history of fact'?», en *Bulletin of Hispanic Studies,* 61 (1984), 295-303.

Lectura historicista de *Infortunios.*

Foster, David William, «Notes toward reading Juan Rodríguez Freyle's *El carnero:* the image of the narrator», *Revista de Estudios Colombianos,* 1 (1986), 1-15.

Se centra en los objetivos del narrador como clave para entender la intención de la obra.

Gimbernat de González, Ester, «Mapas y texto: para una estrategia del poder», *Modern Language Notes,* 95 (1980), 388-99.

Estudio del texto como documento de poder y persuasión.

Giraldo Jaramillo, Gabriel, «Don Juan Rodríguez Freyle y *La Celestina», Boletín de Historia y Antigüedades,* 27 (1940), 582-6.

Uno de los primeros en examinar las corrientes literarias en *El carnero.*

González, Aníbal, «*Los infortunios de Alonso Ramírez*: picaresca e historia», *Hispanic Review,* 51 (1983), 189-204.

Excelente ejemplo de teorías críticas contemporáneas aplicadas a la historiografía colonial hispanoamericana.

González Echevarría, Roberto, «José Arrom, autor de la *Relación acerca de las antigüedades de los indios* (picaresca e historia)», en *Relecturas*: *estudios de literatura cubana,* Caracas, Monte Ávila, 1976, 17-35.

Crucial para entender el significado literario y jurídico de la relación.

Hamilton, Roland, «El Padre Bernabé Cobo y las lenguas indígenas de América», *Lexis,* 2 (1978), 91-6.

Estudio lingüístico de *Historia del Nuevo Mundo* de Cobo.

Johnson, Julie Greer, «Picaresque elements in Carlos de Sigüenza y Góngora's *Los infortunios de Alonso Ramírez», Hispania,* 64 (1981), 60-7.

Comparación de *Infortunios* con *Lazarillo de Tormes* y *Guzmán de Alfarache.*

Lagmanovich, David, «Para una caracterización de *Infortunios de Alonso Ramírez», Sin nombre,* 2 (1974), 7-14.

Breve examen de las distintas tendencias narrativas de esta obra.

Leal, Luis, «El *Cautiverio feliz* y la crónica novelesca», en Raquel Chang-Rodríguez (ed.), *Prosa hispanoamericana virreinal,* Barcelona, Hispam, 1978, 113-140.

Examen de los rasgos novelescos de *Cautiverio feliz.*

MacCormack, Sabine, «Antonio de la Calancha: un agustino del siglo XVII en el Nuevo Mundo», *Bulletin Hispanique,* 84 (1982), 60-94.

Demuestra la influencia de la *Ciudad de Dios* de San Agustín sobre los escritos de Calancha.

—, 'The heart has its reasons': predicaments of missionary Christianity in early colonial Peru», *Hispanic American Historical Review,* 65 (1985), 443-66.

Tratamiento exhaustivo de los distintos patrones de evangelización en el Perú colonial temprano.

Martinengo, Alessandro, «La cultura literaria de Juan Rodríguez Freyle», *Thesaurus,* 19 (1964), 274-99.

Estudio tradicional de fuentes e influencias.

Ortiz, Gloria M., «Juan Rodríguez Freyle: su actitud ante la mujer en *El carnero»,* en Justina Ruiz de Conde *et al.* (eds.), *Essays in Honor of Jorge Guillén on the Occasion of his 85th Year,* Cambridge, Mass., Abedul, 1978, 52-63.

Examina las legendarias opiniones de Rodríguez Freyle sobre la mujer.

Pérez Blanco, Lucrecio, «Novela ilustrada y desmitificación de América», *Cuadernos americanos,* 41 (1982), 176-95.

Refuta la aserción de que *Infortunios* parece una novela picaresca; afirma que la novela griega ejerció más influencia en su composición literaria.

Pupo-Walker, Enrique, «*El carnero* y una forma seminal del relato afrohispano», en Reinaldo Sánchez (ed.), *Homenaje a Lydia Cabrera,* Miami, Editorial Universal, 1978, 251-7.

Importancia de Juana García para la ficción posterior de influencia africana.

—, «La reconstrucción imaginativa del pasado en *El carnero* de Rodríguez Freyle», *Nueva Revista de Filología Hispánica,* 27 (1978), 346-58.

Brillante análisis de la disposición literaria de *El Carnero,* centrado en la presencia de *La Celestina.*

Ramos, Demetrio, «The chronicles of the early seventeenth century: how they were written», *The Americas,* 27 (julio de 1965), 41-53.

Estudio histórico de la tensión entre los historiadores de la Corona y los sacerdotes.

Ross, Kathleen, *'Alboroto y motín de México':* una noche triste criolla», *Hispanic Review,* 56 (1988), 181-90.

Estudio lúcido de este texto algo olvidado; leído contra el horizonte de «clásicos» del siglo XVI tales como Hernán Cortés.

Sibirsky, Saúl, «Carlos de Sigüenza y Góngora (1645-1700): la transición hacia el iluminismo criollo en una figura excepcional», *Revista Iberoamericana,* 32 (en.-dic. de 1966), 195-207.

Útil visión de conjunto de las obras principales de Sigüenza.

Stoetzer, O. Carlos, «Historia intelectual del período colonial», *Inter-American Review of Bibliography,* 29 (1979), 171-96.

Evaluación bibliográfica de los periodos principales de la historia latinoamericana; útil historia de las instituciones educativas.

Tomanek, Thomas J., «Barrenechea's *Restauración de la Imperial y conversión de almas infieles* –the first novel written in Spanish America», *Revue des Langues Vivantes,* 40, (1974) 257-68.

Único estudio de un texto poco conocido.

Zamora, Margarita, «Historicity and literariness: Problems in the literary criticism of Spanish American colonial texts», *Modern Language Notes,* 102 (1987), 334-46.

Importante revaloración de las aproximaciones críticas a la historiografía hispanoamericana.

CAPÍTULO 6
LÍRICA COLONIAL

Ya que la lírica en la América Latina colonial es esencialmente una parte de la poesía española de la Edad de Oro, se deben consultar las obras eruditas y bibliográficas fundamentales, además de críticos como Dámaso Alonso, R. O. Jones, Rafael Lapesa, Fernando Lázaro Carreter, Antonio Rodríguez Moñino, Elias Rivers, Arthur Terry, Bruce Wardropper, Edward M. Wilson y otros.

ANTOLOGÍAS MODERNAS

Chang Rodríguez, Raquel, y R. de la Campa, *Poesía hispanoamericana colonial: historia y antología,* Madrid, Alhambra, 1985.

Antología oportuna, si bien algo convencional, con prefacios y bibliografías informativas.

Méndez Plancarte, Alfonso (ed.), *Poetas novohispanos. Primer siglo (1521-1621),* notas de A. Méndez Plancarte, México, Universidad Nacional Autónoma de México, 1942.

—, *Poetas novohispanos. Segundo siglo (1621-1721),* México, Universidad Nacional Autónoma de México, 1944.

Elegante e informativa antología por uno de los especialistas más autorizados en este campo.

ESTUDIOS GENERALES

Alonso, Dámaso, «Influjo de Góngora en el siglo XVII y el XVIII: en la América española», en *Góngora y el Polifemo,* Madrid, Gredos, 1961, 240-4.

Aporta aclaraciones útiles.

Arenal, Electa, y Stacey Schlau, *Untold Sisters: Hispanic nuns in their own works,* Albuquerque, University of New Mexico Press, 1989.

Innovador y autorizado.

Arrom, José Juan, *Esquema generacional de las letras hispanoamericanas. Ensayo de un método,* 2.ª ed., Bogotá, Instituto Caro y Cuervo, 1977.

Los capítulos sobre la literatura colonial son los mejores del libro.

Beverly, John, «Sobre Góngora y el gongorismo colonial», *Revista Iberoamericana,* 114-15 (1981), 33-44.

Intento de interpretación marxista del Barroco colonial.

Buxó, José Pascual, *Góngora en la poesía novo-hispana,* México, Universidad Nacional Autónoma de México, 1960.

Enumeración algo mecánica pero útil de las figuras gongorinas copiadas por los poetas en Nueva España.

Carilla, Emilio, *El gongorismo en América,* Facultad de Filosofía y Letras de la Universidad de Buenos Aires, 1946.

Sigue siendo útil por alguna información.

Carpentier, Alejo, «Problemática de la actual novela latinoamericana», en *Tientos y diferencias,* México, Universidad Nacional Autónoma de México, 1964, 5-46.

Importante declaración sobre lo barroco de la literatura latinoamericana.

Cheesman Jiménez, Javier, «Nota sobre Cristóbal de Arriaga Alarcón, poeta de la Academia Antártica», *Boletín del Instituto Riva-Agüero,* 1 (1951), 341-8.

Aunque Arriaga es un poeta muy menor, este artículo proporciona información útil acerca de la actividad poética en Lima en el siglo dieciséis tardío.

Colombí-Monguio, Alicia de, «Las visiones de Petrarca en la América virreinal», *Revista Iberoamericana,* 120-1 (1982), 563-86.

Sobre las traducciones de la Canzone 323 de Petrarca por Enrique Garcés, Diego Dávalos y Figueroa, y Juan de Guevara. Excelente análisis de la diferencia de interpretación de la *imitatio* entre poetas renacentistas y barrocos.

Durán, Manuel, y Roberto González Echevarría, *Calderón y la crítica: historia y antología,* Madrid, Gredos, 1976.

Algunos de los artículos incluidos están relacionados con la poética barroca.

—, *El Barroco en América. XVII Congreso del Instituto Internacional de Literatura Iberoamericana,* vol. I, Madrid, Ediciones Cultura Hispánica del Centro Iberoamericano de Cooperación, 1978.

Contiene muchos artículos tanto sobre el Barroco colonial como el Neobarroco contemporáneo; algunos son buenos.

Gilman, Stephen, «An introduction to the ideology of the Baroque in Spain», *Symposium,* I (1946), 82-107.

Crucial para la historia de las ideas.

González Echevarría, Roberto, «El 'monstruo de una especie y otra': *La vida es sueño,* III, 2,725», *Co-Textes* (Centre d'Etudes et Recherches Sociocritiques, Université Paul Valéry, Montpellier), 3 (1982), 27-58.

Sobre una figura clave de la poética barroca.

—, *Celestina's Brood*: *continuities of the Baroque in Spain and Latin America,* Durham, Duke University Press, 1993.

Ensayos sobre la literatura Barroca de la Edad de Oro y colonial en España y Latinoamérica.

Henríquez Ureña, Pedro, «La cultura y las letras coloniales en Santo Domingo», en Emma Susana Speratti Piñero (ed.), *Obra crítica,* prólogo de Jorge Luis Borges, México, Fondo de Cultura Económica, 1960, 331-444.

Convincente en los detalles de los primeros años del Imperio Español en América.

Hesse, Everett W., «Calderón's popularity in the Spanish Indies», *Hispanic Review,* 23 (1955), 12-27.

Detalles sobre representaciones.

Leonard, Irving A., *Books of the Brave*: *being an account of books and of men in the Spanish Conquest and settlement of the sixteenth-century New World,* Cambridge, Mass., Harvard University Press, 1949.

Sigue siendo la obra clásica sobre la circulación de libros en la América Latina colonial.

—, *Baroque Times in Old Mexico*: *Seventeenth-century persons, places, and practices,* Ann Arbor, University of Michigan Press, 1959.

Relación no superada de la activida poética en el México del siglo diecisiete.

Lezama Lima, José, *La expresión americana,* La Habana, Instituto Nacional de Cultura, 1957.

Osadas e influyentes declaraciones sobre la centralidad del Barroco en la cultura latinoamericana.

Menéndez Pelayo, Marcelino, *Antología de poetas hispano-americanos. Publicada por la Real Academia Española,* vol. I: *México y América Central,* Madrid, Est. Tipográfico «Sucesores de Rivadeneyra», 1893.

Sigue siendo una introducción formidable, a pesar del paternalismo molesto y otros prejuicios del autor.

Miró Quesada, Aurelio, *El primer virrey-poeta en América (Don Juan de Mendoza y Luna, Marqués de Montesclaros),* Madrid, Gredos, 1962.

El Marqués fue virrey de Nueva España y luego de Nueva Castilla, donde fue promotor cultural y un poeta menor.

Osorio Romero, Ignacio, *Floresta de gramática, poética y retórica en Nueva España* (1521-1767), México, Universidad Nacional Autónoma de México, 1980.

Bibliografía de libros y tratados sobre gramática, poética y retórica importados a Nueva España o impresos allí.

Parker, Alexander A., «*Polyphemus and Galatea:* A study in the interpretation of a baroque poem», en Luis de Góngora, *Polyphemus and Galatea,* trad. Gilbert F. Cunningham, Austin, University of Texas Press, 1977.

Introducción profunda y autorizada a la poética barroca.

Paz, Octavio, *Los hijos del limo*: *del romanticismo a la vanguardia,* Barcelona, Seix Barral, 1974.

Importante exposición sobre la historia moderna de la poesía en lengua española.

Picón Salas, Mariano, *De la Conquista a la Independencia*: *tres siglos de historia cultural hispanoamericana,* México, Fondo de Cultura Económica, 1944.

Excelente historia del «Barroco de Indias», que relaciona la poesía con otras artes.

Reyes, Alfonso, «Letras de la Nueva España», en *Obras completas,* vol. XII, México, Fondo de Cultura Económica, 1983, 279-395.

Elegante y pedagógicamente útil.

Roggiano, Alfredo, *En este aire de América,* México, Editorial Cultura, 1966.

Acerca de Gutierre de Cetina, Juan de la Cueva, y Eugenio de Salazar.

—, «Poesía renacentista en la Nueva España», *Revista de Crítica Literaria Latinoamericana,* (Lima), 14:28 (1988), 69-83.

Revisa y amplía el trabajo sobre Eugenio de Salazar.

Ross, Kathleen, «'Alboroto y motín de México': una noche triste criolla», *Hispanic Review,* 56 (1988), 181-90.

Aunque enfocado en la prosa, el artículo hace una original contribución a nuestro entendimiento de la transición del Renacimiento al Barroco en la literatura del Nuevo Mundo.

Ryan, Hewson A., «Una bibliografía gongorina del siglo XVII», *Boletín de la Real Academia Española,* 33:140 (set.-dic. de 1953), 427-67.

Importante para entender el gongorismo en América.

Sabat de Rivers, Georgina, *Estudios de literatura hispanoamericana: Sor Juana Inés de la Cruz y otros poetas barrocos de la colonia,* Barcelona, Promociones y Publicaciones Universitarias, S:S., 1992.

Ensayos autorizados sobre poetas coloniales.

Sarduy, Severo, «El barroco y el neobarroco», en *América Latina en su literatura,* ed. e intr. César Fernández Moreno, México, Siglo Veintiuno Editores UNESCO, 1972, 167-84.

Influyente exposición sobre las relaciones entre la literatura neobarroca moderna latinoamericana y el Barroco.

Schons, Dorothy, «The influence of Góngora on Mexican literature during the seventeenth-century», *Hispanic Review,* 7 (1939), 22-34.

Sigue siendo una de las mejores piezas sobre el tema.

Tauro, Alberto, *Esquividad y gloria de la Academia Antártica,* Lima, Huascarán, 1948.

Todavía valioso por parte de su información sobre la actividad poética peruana a finales del siglo dieciséis y comienzos del diecisiete.

Terry, Arthur, «A note on metaphor and conceit in the *Siglo de Oro», Bulletin of Hispanic Studies,* 31 (1954), 91-7.

Excelente análisis de conceptos clave de la poética del siglo diecisiete.

—, «The continuity of renaissance criticism: poetic theory in Spain between 1535 and 1650», *Bulletin of Hispanic Studies,* 31 (1954), 27-36.

Teoría poética desde los defensores de *mimesis* en el siglo XVI, que siguen la *Poética* de Aristóteles, hasta los partidarios de la metáfora, que siguen la *Retórica.* Esencial para el Barroco colonial.

Varela, Consuelo, «La obra poética de Hernando Colón», *Anuario de Estudios Americanos,* 40 (1983), 185-201.

Dieciocho poemas en español y uno en latín por el hijo del descubridor, con un buen prefacio.

Weckmann, Luis, *La herencia medieval de México,* México, El Colegio de México, 1984.

Extenso y rico en detalles, con información útil sobre la poesía popular.

Wilson, Edward M., «The four elements in the imagery of Calderón», *Modern Language Review,* 31 (1936), 34-47.

Artículo clásico sobre el funcionamiento de la imaginería barroca, indispensable para entender poetas como Matías de Bocanegra y Sor Juana Inés de la Cruz.

ROMANCERO

Mejía Sánchez, Ernesto, *Romances* y *corridos nicaragüenses,* México, Imprenta Universitaria, 1946.

Antología bien informada, con un prefacio excelente. Contiene romances modernos que vuelven al Medioevo.

Menéndez Pidal, Ramón, *Los romances de América y otros estudios,* Buenos Aires, Espasa-Calpe Argentina, 1943.

El ensayo titular es un clásico sobre el tema.

—, *Romancero colombiano. Homenaje a la memoria del Libertador Simón Bolívar en su primer centenario*: *1783-1883,* Bogotá, Imprenta de La Luz, 1883.

Contiene *romances* firmados por poetas como Rafael Núñez, Teodoro Valenzuela y Ricardo Carrasquilla, que cubren toda la vida de Bolívar.

Reynolds, Winston A., *Romancero de Hernán Cortés; estudio y textos de los siglos XVI y XVII,* Madrid, Ediciones Alcalá, 1967.

La investigación exhaustiva del autor aportó sólo nueve *romances.* Buen estudio y antología.

Simmons, Merle E., *The Mexican Corrido as a Source for the Interpretive Study of Modern Mexico* (1870-1950), Bloomington, Indiana University Press, 1957.

Traza brevemente la evolución del corrido desde el romance y luego estudia el México moderno a la luz de aquél.

—, *A Bibliography of the Romance and Related Forms in Spanish America,* Bloomington, Indiana University Press, 1963.

La referencia clásica.

Cancionero peruano del siglo XVII, ed. Raquel Chang-Rodríguez, Lima, Pontificia Universidad Católica del Perú, 1983.

Buena edición de poesía cortés generalmente efímera, con introducción informativa a la poesía del siglo diecisiete en el Perú.

—, *«Flores de baria poesía»,* prólogo, edición, crítica e índices de Margarita Peña, México, Universidad Nacional Autónoma de México, 1980.

Excelente edición de este manuscrito de 1577, con un prefacio importante.

AUTORES

ANÓNIMO

Cornejo Polar, Antonio (ed.), *Discurso en loor de la poesía. Estudio y edición,* Separata de la Revista *Letras* (Lima), 68-g (1964).

AMARILIS

Textos

«Epístola a Belardo», en Chang-Rodríguez y de la Campa, *Poesía hispanoamericana colonial,* v. más arriba, 196-204.

Buen texto, prefacio, y algunas notas.

Secundarios

Sabat de Rivers, Georgina, «Amarilis: innovadora peruana de la epístola horaciana», *Hispanic Review,* 58 (1990), 455-67.

Útil visión de conjunto de la tradición de la epístola horaciana, y cómo Amarilis cambia esa tradición.

BERNARDO DE BALBUENA

Textos

La grandeza mexicana y compendio apologético en alabanza de la poesía, estudio preliminar de Luis Adolfo Domínguez, 2.ª ed., México, Porrúa, 1975.

Hasta hace poco la edición más accesible, contiene información fidedigna y texto.

Grandeza mexicana, edición crítica de José Carlos González Boixo, Roma, Bulzoni Editori, 1988.

Excelente edición con información al día.

Siglo de oro en las selvas de Erífile, edición, introducción y notas de José Carlos González Boixo, Xalapa, México, Clásicos Mexicanos Universidad Veracruzana, 1989.

Es actualmente la edición clásica.

Secundarios

Entrambasaguas, Joaquín de, «Los sonetos de Bernardo de Balbuena», *Revista de Letras* (Universidad de Puerto Rico en Mayagüez), 1:4 (1969), 483-504.

Estudia los once sonetos incluidos en *Siglo de Oro en las selvas de Erífile,* y uno que apareció en los preliminares de un libro de otra persona. Persuasivo en cuanto al valor de Balbuena como poeta lírico.

Fucilla, Joseph G., «Bernardo de Balbuena's *Siglo de Oro* and its sources», *Hispanic Review,* 15:1 (1947), 101-19.

Las fuentes son Virgilio, Petrarca, el Inca Garcilaso, Boscán y Gálvez de Montalvo.

Horne, John van, *El Bernardo of Bernardo de Balbuena. A study of the poem with particular attention to its relation to the epics of Boiardo and Ariosto and to its significance in the Spanish Renaissance,* Urbana, University of Illinois Press, 1927.

La primera, y todavía la mejor, edición crítica, fuente de todas las ediciones autorizadas.

—, *Bernardo de Balbuena. Biografía y crítica,* Guadalajara, Imprenta Font, 1940.

La información más autorizada sobre Balbuena.

Rama, Ángel, «Fundación del manierismo hispanoamericano por Bernardo de Balbuena», *The University of Dayton Review,* 16:2 (1983), 13-22.

Perspicaz en los conceptos, y particularmente en los símbolos.

Roggiano, Alfredo, «Instalación del barroco hispánico en América: Bernardo de Balbuena», en Raquel Chang-Rodríguez y Donald A. Yates (eds.), *Homage to Irving A. Leonard. Essays on Hispanic art, history and literature,* East Lansing, Michigan State University Latin American Studies Center, 1977, 61-74.

Bueno en el contexto.

Rojas Garcidueñas, José, *Bernardo de Balbuena. La vida y la obra,* México, Instituto de Investigaciones Estéticas, Universidad Nacional Autónoma de México, 1958.

Vida muy convencional y obras muy dependientes de Van Horne.

Gutierre de Cetina

Textos

Cetina, Gutierre de, *Sonetos y madrigales completos,* ed. Begoña López Bueno, Madrid, Cátedra, 1981.

La mejor edición, con amplia información biográfica y bibliográfica.

Secundarios

Peña, Margarita, «Poesía de circunstancias: dos epístolas en un cancionero novohispano», *Anuario de Estudios Americanos,* 36 (1979), 503-30.

Transcripción y comentario de las epístolas, contenidas en *Flores de baria poesía,* intercambiadas por Baltazar del Alcázar y Gutierre de Cetina. Excelente respecto a las relaciones de Cetina con la actividad poética en Nueva España.

MATÍAS DE BOCANEGRA

Textos

«Canción a la vista de un desengaño», en Alfonso Méndez Plancarte (ed.), *Poetas novohispanos, Segundo siglo* (1621-1721), México, Universidad Nacional Autónoma de México, 1944, 93-101.

Secundarios

Colombí-Monguió, Alicia de, «El poema del padre Matías de Bocanegra: trayectoria de una imitación», *Thesaurus,* 36 (1981), 1-21.

Rastrea las fuentes de «Canción» a través de *Canzone delle visione* de Petrarca y a través de Fray Luis, Quevedo y Calderón.

—, «La 'Canción famosa a un desengaño' del Padre Juan de Arriola, S. I. (texto y contexto imitativos)», *Anuario de Letras* (México), 20 (1982), 215-49.

Imitaciones de la «Canción» de Bocanegra en el siglo dieciocho.

JUAN DE LA CUEVA

Capote, Higinio, «La epístola quinta de Juan de la Cueva», *Anuario de Estudios Americanos,* 9 (1952), 597-616.

Transcripción y comentario de la epístola de Cueva, escrita en México, y que contiene una larga descripción de la ciudad de México que podría ser un antecedente de *Grandeza mexicana* de Balbuena.

DIEGO DÁVALOS Y FIGUEROA

Textos

Dávalos y Figueroa, Diego, *Miscelánea austral,* Lima, Antonio Ricardo, 1602.

Secundarios

Cisneros, Luis Jaime, «Sobre literatura virreinal peruana (asedio a Dávalos y Figueroa)», *Anuario de Estudios Americanos* (Sevilla), 12 (1955), 219-52.

Relación detallada de la actividad poética en el Perú a finales del siglo dieciséis y comienzos del diecisiete.

Cheesman Jiménez, Javier, «Un poeta de la Academia Antártica: Antonio Falcón de Villarroel», *Letras Peruanas. Revista de Humanidades* (Lima), 1:3 (1951), 71-2.

Falcón de Villarroel considerado fundador de la Academia Antártica.

Colombí-Monguió, Alicia de, *Petrarquismo peruano: Diego Dávalos y Figueroa y la poesía de la Miscelánea Austral,* Londres, Tamesis Books, 1985.

El mejor libro escrito jamás sobre la poesía latinoamericana colonial.

Lohmann Villena, Guillermo, «El licenciado Francisco Falcón (1521-1587). Vida, escritos y actuación en el Perú de un procurador de indios», *Anuario de Estudios Americanos,* 27 (1970), 131-94.

Sobre un tío de Antonio Falcón de Villarroel, fundador de la Academia Antártica; contiene información interesante sobre la vida cultural en el Perú virreinal.

—, «Enrique Garcés, descubridor del mercurio en el Perú, poeta y arbitrista», *Anuario de Estudios Americanos* (Sevilla), 5 (1948), 439-82.

Artículo biográfico bien documentado y absorbente sobre Garcés, quien, además de sus hazañas metalúrgicas, tradujo a Petrarca y Camoens al español mientras estuvo en el Perú.

HERNANDO DOMÍNGUEZ CAMARGO

Textos

Obras, ed. Rafael Torres Quintero, estudios de Alfonso Méndez Plancarte, Joaquín Antonio Peñalosa, y Guillermo Hernández del Alba, Biblioteca de Publicaciones del Instituto Caro y Cuervo, 15, Bogotá, Instituto Caro y Cuervo, 1960.

La edición clásica.

Antología poética, prólogo, selección y notas de Eduardo Mendoza Varela, Medellín, Colombia, Bedout, 1969.

Edición popular.

Obras completas, ed. Giovanni Meo Zilio, Caracas, Biblioteca Ayacucho, 1986.

La edición más fácilmente asequible.

Secundarios

Carilla, Emilio, «Domínguez Camargo y su 'Romance al Arroyo de Chillo'», y «Las *Obras completas* de Domínguez Camargo», en *Estudios de literatura hispanoamericana,* Bogotá, Instituto Caro y Cuervo, 1977, 15-43.

El primer ensayo vincula el famoso «Romance» a un pasaje de Góngora, el segundo es una reseña informativa de las *Obras.*

Diego, Gerardo, «La poesía de Hernando Domínguez Camargo en nuevas vísperas», *Thesaurus,* 16:2 (1961), 281-310.

Recuerda su «descubrimiento» de Domínguez Camargo en 1927, y alaba su poesía.

Gimbernat de González, Ester, «Apeles de la re-inscripción: a propósito del *Poema heróico* de Hernando Domínguez Camargo», *Revista Iberoamericana,* 53:140 (1987), 569-79.

Sobre el uso de símbolos en el *Poema* y la relación de la poesía de Domínguez Camargo con la pintura.

Loveluck, Juan, «Lectura de un texto barroco: un romance de Domínguez Camargo», en *El barroco en América: XVII Congreso del Instituto Internacional de Literatura Iberoamericana,* vol. I, Madrid, Ediciones Cultura Hispánica, 1978, 289-95.

Glosa del «romance», que analiza sus rasgos estilísticos.

JUAN DE ESPINOSA MEDRANO, EL LUNAREJO

Textos

Apologético en favor de Don Luis de Góngora principe de los poetas lyricos de Espana, contra Manvel de Faria y Sovsa, Cauallero Portugues, que dedica Al Exm. S. Don Lvis Mendez de Haro, Dvqve de Olivares, sv avtor el D. Ivan de Espinosa Medrano, Colegial Real en el insigne Seminario de S. Antonio el Magno, Cathedratico de Artes y Sagrada Theologia en el: Cura Rector de la Santa Iglesia Cathedral de la Ciudad del Cuzco, cabeça de los Reynos del Peru en el nuevo Mundo. Año de 1662, Lima, Imprenta de Iuan de Queuedo y Zarate, 1662.

Primera edición rarísima. Copia en la Biblioteca Beinecke de la Universidad de Yale.

García Calderón, Ventura, «Juan de Espinosa Medrano. *Apologético en favor de D. Luis de Góngora», Revue Hispanique,* 65 (1925), 397-538.

Primera edición moderna del *Apologético,* basada en la edición de 1694, con prefacio interesante.

—, *Apologético,* selección, prólogo y cronología Augusto Tamayo y Vargas, Caracas, Biblioteca Ayacucho, 1982.

La mejor edición disponible. Contiene otras obras de Espinosa Medrano.

Secundarios

Cisneros, Luis Jaime, «Relectura del *Lunarejo*: *el 'Can del Cielo'», Lexis* (Pontificia Universidad Católica del Perú), 4:2 (1980), 171-7.

Corrige erratas en ediciones modernas.

—, «La polémica Faria-Espinosa Medrano: planteamiento crítico», *Lexis* (Pontificia Universidad Católica del Perú), 11:1 (1987), 1-62.

Información valiosa, pero la conclusión discutible es que el *Apologético* fue un ejercicio académico de retórica, porque refuta sólo parte de la crítica de Faria a Góngora.

Cisneros, Luis Jaime, y Pedro Guibovich Pérez, «Juan de Espinosa Medrano, un intelectual cuzqueño del seiscientos: nuevos datos biográficos», *Revista de Indias,* 48:182-3 (1988), 327-47.

Resume todas las pruebas documentales en torno a Espinosa Medrano, y da nueva información extraída de archivos.

Giordano, Jaime, «Defensa de Góngora por un comentarista americano», *Atenea* (Revista Trimestral de Ciencias, Letras y Artes, Universidad de Concepción, Chile), año 38, 152:393 (jul.-set. de 1961), 226-41.

Pieza temprana sobre la revalorización reciente de Espinosa Medrano.

González Echevarría, Roberto, «Poética y modernidad en Juan de Espinosa Medrano, el 'Lunarejo'», *Revista de Estudios Hispánicos* (Universidad de Puerto Rico), Número especial de *Letras coloniales,* ed. Mercedes López Baralt, año 19 (1992), 221-37.

Estudio del *Apologético* basado en la primera edición y en los recientes análisis del Barroco.

Hopkins, Eduardo, «Poética de Espinosa Medrano en el *Apologético en favor de D. Luis de Góngora», Revista de Crítica Literaria Latinoamericana* (Lima), 4:7-8 (1977-1978), 105-18.

Interesantes observaciones sobre retórica.

Howell, Susana, «Una nueva lectura del *Apologético,* de Espinosa Medrano», *Revista de Archivos Bibliotecas y Museos* (Madrid), 82:3 (jul.-set. de 1979), 583-91.

Acertados puntos de vista sobre la relación del *Apologético* con la poética moderna.

Jammes, Robert, «Juan de Espinosa Medrano et la poésie de Góngora», *Caravelle. Cahiers du Monde Hispanique et Luso-Brésilien,* 7 (1966), 127-42.

Buena información de los debates sobre Góngora, con interpretación cuestionable del *Apologético.*

Núñez Cáceres, Javier, «Propósito y originalidad del *Apologético* de Juan de Espinosa Medrano», *Nueva Revista de Filología Hispánica* (El Colegio de México), 32:1 (1983), 170-5.

Afirma que la propensión polémica del *Lunarejo,* como la de Sor Juana y Sigüenza y Góngora tenía el propósito de demostrar que los americanos no eran bárbaros.

Sor Juana Inés de la Cruz

Textos

El sueño, edición y prosificación e introducción y notas del Dr. Alfonso Méndez Plancarte, México, Imprenta Universitaria, 1951.

Edición sumamente útil, con versión en prosa del «Primero sueño».

Obras completas de Sor Juana Inés de la Cruz, edición, prólogo y notas de Alfonso Méndez Plancarte, México y Buenos Aires, Fondo de Cultura Económica, 1952.

Sigue siendo la edición clásica.

Poesía, teatro y prosa, edición y prólogo de Antonio Castro Leal, México, Porrúa —Colección de Escritores Mexicanos—, 1985.

La edición más accesible, sin notas.

Obras completas, prólogo de Francisco Monterde, México, Porrúa, 1977.

Edición popular de obras completas.

Inundación castálida, edición, introducción y notas de Georgina Sabat de Rivers, Madrid, Clásicos Castalia, 1982.

La mejor edición, ofrece información detallada y fidedigna sobre la primera publicación de la poesía de Sor Juana.

A Woman of Genius. The intellectual autobiography of Sor Juana Inés de la Cruz, trad. Margaret Sayers Peden, fotografías de Gabriel North Seymour, Salisbury, Connecticut, Lime Rock Press, 1982.

Excelente traducción de la «Respuesta a Sor Filotea».

A Sor Juana Anthology, trad. e intr. Alan S. Trueblood, prefacio de Octavio Paz, Cambridge, Mass., Harvard University Press, 1988.

Las mejores traducciones al inglés de la poesía de Sor Juana, con una introducción excelente.

Secundarios

Bénassy-Berling, Marie-Cécile, *Humanisme et réligion chez Sor Juana Inés de la Cruz: la femme et la culture au XVII siècle,* París, Publications de La Sorbonne, 1982.

El mejor estudio global de Sor Juana y su entorno intelectual, desde una perspectiva católica comprensiva y bien informada.

Durán, Manuel, «El drama intelectual de Sor Juana y el antiintelectualismo hispánico», *Cuadernos Americanos,* 4 (julio-agosto de 1963), 2-38-53.

Sigue siendo uno de los mejores artículos sobre los dilemas intelectuales de Sor Juana.

Gates, Eunice Joiner, «Reminiscences of Góngora in the works of Sor Juana Inés de la Cruz», *PMLA,* 54 (1939), 1041-58.

Sigue siendo un estudio importante, del que se han beneficiado muchos.

Johnson, Julie Greer, «A comical lesson in creativity from Sor Juana», *Hispania,* 71 (1988), 441-4.

Ve «Ovillejos» como una crítica de la visión convencional de las mujeres en la tradición poética.

Leonard, Irving A., «The 'encontradas correspondencias' of Sor Juana Inés de la Cruz: an interpretation», *Hispanic Review,* 23 (1955), 33-47.

Relaciona el recurso poético de enfrentar contrarios con el predicamento intelectual de Sor Juana.

Luciani, Frederick, «Anamorphosis in a sonnet by Sor Juana Inés de la Cruz», *Discurso Literario,* 5:2 (1986), 423-32.

Ejemplar y atenta lectura de un soneto de Sor Juana.

—, «El amor desfigurado: el ovillejo de Sor Juana Inés de la Cruz», *Texto Crítico* (Lima), 34-5 (1986), 11-48.

Uno de los mejores artículos sobre Sor Juana; brillante análisis de «Ovillejos».

—, «The burlesque sonnets of Sor Juana Inés de la Cruz», *Hispanic Journal,* 8:1 (1986), 85-95.

El más extenso análisis de los sonetos burlescos de Sor Juana.

—, «Octavio Paz on Sor Juana Inés de la Cruz: the metaphor incarnate», *Latin American Literary Review,* 15:30 (1987), 6-25.

Crítica sensible y penetrante del libro de Paz sobre Sor Juana.

Paz, Octavio, *Sor Juana Inés de la Cruz, o las trampas de la fe,* Barcelona, Seix Barral, 1982.

No sólo el mejor libro sobre Sor Juana, sino uno de los mejores sobre la poesía colonial.

Perelmúter Pérez, Rosa, *Noche intelectual: la oscuridad idiomática en el «Primero sueño»,* México, Universidad Nacional Autónoma de México, 1982.

Análisis detallado de la técnica poética en «Primero sueño».

Sabat de Rivers, Georgina, *El «Sueño» de Sor Juana Inés de la Cruz: tradiciones literarias y originalidad,* Londres, Tamesis Books, 1977.

El mejor estudio global de las fuentes de «Primero sueño».

—, «Sor Juana: la tradición clásica del retrato poético», en Merlin H. Foster y Julio Ortega (eds.), *De la crónica de la nueva narrativa mexicana. Coloquio sobre literatura mexicana,* México, Oasis, 1986, 79-93.

Excelente discusión del fondo tradicional de los poemas-retrato de Sor Juana.

Terry, Arthur, «The tenth muse: recent work on Sor Juana Inés de la Cruz», *Bulletin of Hispanic Studies,* 66:2 (1989), 161-6.

Incisiva visión de conjunto.

Diego de Mexía de Fernangil

Textos

Primera parte del Parnaso Antártico, de obras amatorias, con las 21 Epístolas de Ovidio, i el in Ibin, en tercetos. Dirigidas a do Iuan Villela, Oydor en la Chancillería de los Reyes. Por Diego Mexia, natural de la ciudad de Sevilla; i residente en la de los Reyes, en los riquissimos Reinos del Piru. Año 1608. Con Privilegio; En Sevilla. Por Alfonso Rodríguez Gamarra.

Hay una edición facsímil, con prefacio, de Trinidad Barrera, Roma, Bulzoni Editori, 1990.

Secundarios

Pociña, Andrés, «El 'sevillano Diego Mexía de Fernangil y el humanismo en Perú a finales del siglo XVI», *Anuario de Estudios Americanos,* 40 (1983), 163-84.

Mateo de Rosas Oquendo

Textos

Sátira hecha por Mateo Rosas de Oquendo a las cosas que pasan en el Pirú, año de 1598, estudio y edición crítica por Pedro Lasarte, Madison, The Hispanic Seminary of Literary Studies, 1990.

Excelente edición e introducción.

Secundarios

Leal, Luis, «Picaresca hispanoamericana: de Oquendo a Lizardi», en Andrew P. Debicki y Enrique Pupo-Walker (eds.), *Estudios de literatura hispanoamericana en honor a José J. Arrom,* Chapel Hill, North Carolina Studies in the Romance Languages and Literatures, 1974, 47-58.

Carlos de Sigüenza y Góngora

Textos

Poemas, recopilados y ordenados por Irving A. Leonard, con un estudio preliminar de E. Abreu Gómez, Madrid, Talleres Tipográficos de G. Sáez, 1931.

Excelente edición e introducción.

Secundarios

Leonard, Irving A., *Don Carlos de Sigüenza y Góngora: A Mexican savant of the seventeenth century,* Berkeley, University of California Press, 1929.

Sigue siendo la introducción a Sigüenza más autorizada y mejor escrita.

Francisco de Terrazas

Textos

Poesías, edición, prólogo y notas de Antonio Castro Leal, Biblioteca Mexicana, 3, México, Librería de Porrúa Hermanos, 1941.

Edición clásica.

Secundarios

García Icazbalceta, Joaquín, *Francisco de Terrazas y otros poetas del siglo XVI,* Madrid, Biblioteca Tenanitle/Ediciones José Porrúa, 1962.

Recogido de las obras completas de Icazbalceta, fue escrito este ensayo en 1883. Resumen de lo poco que se conoce de Terrazas, cita largos pasajes de su poema épico incompleto *Nuevo mundo y conquista.*

Juan del Valle y Caviedes

Textos

Obras completas, ed. Daniel R. Reedy, Caracas, Biblioteca Ayacucho, 1984.

La edición más disponible.

Obra completa, edición y estudios de María Leticia Cáceres, Luis Jaime Cisneros y Guillermo Lohmann Villena, Lima, Banco de Crédito del Perú, 1990.

Ahora la edición clásica.

Juan del Valle y Caviedes. Obra poética 1. *Diente del Parnaso (Manuscrito de la Universidad de Yale),* edición, introducción y notas de Luis García Abrines Calvo, Jaén, Diputación Provincial de Jaén, 1993.

Modifica la lectura de muchos poemas y añade información sobre el poeta, desconocida hasta ahora.

Secundarios

Cáceres, María Leticia, *La personalidad y obra de D. Juan del Valle y Caviedes,* Arequipa, Imprenta Editorial El Sol, 1975.

Vida convencional y obras, pero con información interesante sobre las ediciones.

Luciani, Frederick, «Juan del Valle y Caviedes: *El amor médico*», *Bulletin of Hispanic Studies,* 64 (1987), 337-48.

Aunque se centra en el teatro, es una de las mejores piezas sobre Caviedes en general.

Reedy, Daniel D., *The Poetic Art of Juan del Valle y Caviedes,* Chapel Hill, University of North Carolina Press, 1964.

La vida más al día y obras.

Torres, Daniel R., «*Diente del Parnaso* de Caviedes: de la sátira social a la literaria», *Mester,* 18 (1989), 115-ZI.

Afirma que la sátira de los médicos es también una declaración indirecta sobre la poética.

Capítulo 7

POESÍA ÉPICA

Siglas:
BL/YU = Biblioteca Beinecke, Yale University
BRC/UPR-RP = Biblioteca Regional del Caribe, Universidad de Puerto Rico, Río Piedras
HSA = Hispanic Society of America, Nueva York
LL/IU = Biblioteca Lilly, Indiana University
NL = Biblioteca Newberry, Chicago
NYPL = Biblioteca Pública de Nueva York

FUENTES PRIMARIAS

Álvarez de Toledo, Fernando, *Purén indómito,* ed. Diego Barros Arana, Biblioteca Americana, Collection d'Ouvrages Inédits ou Rares sur l'Amérique, París, Librairie A. Franck Leipzig, A. Franck'sche Verlags-Buchhandlung, 1862.

Primera edición del manuscrito original de la Biblioteca Nacional de Madrid.

Balbuena, Bernardo de, *El Bernardo, o Victoria de Roncesvalles. Poema heroyco*, Madrid, Diego Flamenco, 1624.

Primera edición. En HSA.

—, *El Bernardo,* Biblioteca Ilustrada de Gaspar & Roig, Madrid, Imprenta de Gaspar & Roig, 1852.

Edición completa de la obra.

Barco Centenera, Martín del, *Argentina y conquista del Río de la Plata,* Lisboa, Pedro Craasbeck, 1602.

Primera edición.

—, *La Argentina. Poema histórico, estudios de Juan María Gutiérrez y Enrique Peña,* Buenos Aires, Talleres de la Casa Jacobo Peuser, 1912.

Reimpresión facsímil de la primera edición de 1602.

Belmonte Bermúdez, Luis de, *La Hispálica,* ed. Santiago Montoto, Sevilla, Imprenta y Librería de Sobrino de Izquierdo, 1921.

Excelente contribución a nuestro conocimiento de la obra literaria de Belmonte Bermúdez.

Carvajal y Robles, Rodrigo de, *Poema heroyco del asalto y conquista de Antequera,* Ciudad de los Reyes, Geronymo de Contreras, 1627.

Primera edición.

Poema del asalto y conquista de Antequera, ed. Francisco López Estrada, Anejo IX del *Boletín de la Real Academia Española,* Madrid, Imprenta de la Real Academia Española, 1963.

Excelente edición basada en la primera edición de Lima de 1627.

Castellanos, Juan de, *Primera parte de las elegías de varones ilustres de Indias,* Madrid, Viuda de Alonso Gómez, 1589.

Primera edición. En LL/IU.

Domínguez Camargo, Hernando, *San Ignacio de Loyola, fundador de la Compañía de Jesús. Poema heroyco,* Madrid, Joseph Fernández de Buendía, 1666.

Primera edición. En HSA.

—, *San Ignacio de Loyola, fundador de la Compañía de Jesús. Poema heroico,* prólogo de Fernando Arbeláez, Bogotá, Empresa Nacional de Publicaciones, Editorial ABC, 1956.

—, *Obras, Rafael Torres Quintero (ed.), estudios de Alfonso Méndez Plancarte, Joaquín Antonio Peñalosa y Guillermo Hernández de Alba,* Biblioteca de Publicaciones del Instituto Caro y Cuervo, 15, Bogotá, Instituto Caro y Cuervo, 1960.

La edición y estudios que acompañan son magníficos. La edición correcta de las obras completas de Domínguez Camargo.

Dorantes de Carranza, Baltasar, *Sumaria relación de las cosas de la Nueva España, paleografía de José María de Ágreda y Sánchez,* México, Imprenta del Museo Nacional, 1902.

Relación de los descendientes legítimos de los conquistadores y los primeros pobladores españoles.

Ercilla y Çúñiga, Alonso de, *La Araucana* [Pt. I], Madrid, Pierres Cossin, 1569.

Primera edición. En HSA.

—, *Primera, segunda y tercera partes de la Araucana,* Pedro Bellero, 1597.

Una de las dos ediciones que fueron impresas en 1597. En LL/IU.

Escobar y Mendoza, Antonio, *Nueva Jerusalén María Señora, poema heroyco. Parte segunda,* México, Imprenta de la Bibliotheca Mexicana, 1759.

Relación de la vida, las virtudes, y los milagros de la Virgen María. En LL/IU; Biblioteca John Carter Brown/Boston University.

Microfilm en BRC/UPR-RP.

Escoiquiz, Juan de, *México conquistada,* 3 vols., Madrid, Imprenta Real, 1798.

Poema sobre la conquista de México escrito por el tutor de Fernando VII, el que fue también Canónigo de Zaragoza.

Hojeda, Fray Diego de, *La Christiada,* Sevilla, Diego Pérez, 1611.

Primera edición. En HSA.

—, *La Christiada,* ed. Mary Helen Patricia Corcoran, Washington, Catholic University of America Press, 1935.

Edición moderna basada en el manuscrito 831z de la Biblioteca del Arsenal de París.

—, *La Cristiada,* prólogo Rafael Aguayo Spencer, 2 vols., Lima, Editorial PTCM, 1947.

Edición preparada para divulgar la obra.

Lobo Lasso de la Vega, Gabriel de, *Cortés valeroso y Mexicana* [Pt. I], Madrid, Pedro Madrigal, 1588.

Primera edición. En HSA.

—, *Mexicana,* ed. José Amor y Vázquez, Biblioteca de Autores Españoles, 231, Colección Rivadeneira, Real Academia Española, Madrid, Ediciones Atlas, 1970. (Contiene «Primera parte de Cortés valeroso».)

Edición moderna basada en la primera edición; incluye un estudio preliminar cuidadosamente documentado.

Mendoza y Monteagudo, Juan de, *Las guerras de Chile,* Santiago, s. e., 1888.

La única edición conocida de este poema del siglo diecisiete.

Miramontes Zuázola, Juan de, *Armas antárticas,* ed. Jacinto Jijón y Caamaño, Quito, 1911.

Reimpresión de la primera edición preparada por el Coronel Zegarra.

—, *Armas antárticas, prólogo y cronología de Rodrigo Miró,* Caracas, Biblioteca Ayacucho, 1978.

Edición moderna del poema de principios del siglo diecisiete, sin indicación de lugar y fecha de publicación.

Oña, Pedro, *Arauco domado,* ed. José Toribio Medina, edición crítica de la Academia Chilena correspondiente de la Real Academia Española, Santiago, Imprenta Universitaria, 1917.

La mejor edición de esta obra de Oña.

Oviedo y Herrera, Luis Antonio de, *Vida de Santa Rosa de Santa María, natural de Lima, y patrona del Perú. Poema heroico,* Madrid, Juan García Infancón, 1711.

Junto con *Nueva Jerusalén María Señora,* es un ejemplo de epopeya sagrada con un personaje femenino. En LL/IU.

Pané, Fray Ramón, *Relación acerca de las antigüedades de los indios. Primer tratado escrito en América,* ed. José Juan Arrom, México, Siglo XXI Editores, 1974.

Peralta Barnuevo Rocha Benavides, Pedro de, *Lima fundada o conquista del Perú,* Lima, Francisco Sobrino y Bados, 1732.

Primera edición. En LL/IU.

Piñero Ramírez, Pedro, *Luis de Belmonte y Bermúdez. Estudio de La Hispálica,* Serie Primera, 5, Sevilla, Publicaciones de la Diputación Provincial de Sevilla, Sección Literatura, 1976.

Estudio de la vida y obra de Belmonte Bermúdez.

Reyna Zeballos, Miguel, *La eloquencia del silencio. Poema heroyco,* Madrid, Diego Miguel de Peralta, 1738.

Obra dedicada al confesor de Felipe V; ejemplo del gusto literario de la época. Primera edición. En LL/IU.

Ruiz de Alarcón y Mendoza, Juan, *Comedias,* ed. Juan Eugenio Hartzenbusch, Biblioteca de Autores Españoles, 20, Madrid, Imprenta de Rivadeneira, 1852.

La edición autorizada.

Ruiz de León, Francisco, *Hernandía, Triumphos de la fe y gloria de las armas españolas. Poema heroyco,* Madrid, Imprenta de la Viuda de Manuel Fernández, y del Supremo Consejo de la Inquisición, 1755.

Primera edición. En LL/IU.

Saavedra y Guzmán, Antonio de, *El peregrino indiano,* Madrid, Pedro Madrigal, 1599.

Primera edición. En LL/IU; NYPL.

Sáenz de Ovecuri, Diego, *Thomasiada al Sol de la Iglesia, y su Doctor Santo Thomas de Aquino,* Guatemala, Joseph Pineda Ybarra, 1667.

Buena muestra de metros poéticos con los que el autor canta a Santo Tomás de Aquino. Primera edición. En LL/IU.

Sigüenza y Góngora, Carlos, *Oriental planeta evangélico,* México, Doña María de Benavides, 1700.

No hay edición moderna, que se sepa. Primera edición. En HSA.

Solís, Antonio de, *Historia de la conquista de México, población y progresos de la américa Septentrional, conocida por el nombre de Nueva España,* Madrid, Imprenta de Bernardo Peralta, 1732.

Una de las varias ediciones de la historia de Solís que circulaban en los siglos diecisiete y dieciocho.

En LL/IU.

Terrazas, Francisco de, *Poesías,* ed. Antonio Castro Leal, Biblioteca Mexicana, 3, México, Librería de Porrúa Hermanos, 1941.

Edición de todos los poemas atribuidos a Terrazas, que incluye los fragmentos de *Nuevo Mundo y Conquista* consultados por Dorantes de Carranza.

Vaca Alfaro, Enrique, *Festejos del Pindo, sonoros contentos del Helicón* [...] *Poema Heróico,* Córdoba, Andrés Carrillo de Paniagua, 1662.

Un ejemplo de epopeya sagrada peninsular, escrito en alabanza de la Inmaculada Concepción de María.

Primera edición. En HSA.

Valdés, Rodrigo de, *Poema heroyco hispano-latino panegyrico de la fundación, y grandezas de la* [...] *ciudad de Lima,* Madrid, F. Garabito de León y Messía, 1687.

Ejemplo de poema épico; edición bilingüe en latín-español. Primera edición. En BL/YU.

Villagrá, Gaspar Pérez de, *Historia de la Nueva México*, Alcalá, Luys Martínez, 1610.

Primera edición. En LL/IU, NL, NYPL.

Xufré del Águila, Melchor, *Compendio historial del descubrimiento, conquista y guerra del Reyno de Chile, con otros dos discursos,* Lima, Francisco Gómez Pastrana, 1630.

Primera edición de toda la obra conocida de Xufré del Águila.

FUENTES SECUNDARIAS

Libros

Beristáin y Souza, José Mariano, *Biblioteca hispanoamericana septentrional* [1521-1850], vols. I-IV, 3.ª ed., México, Ediciones Fuente Cultural, 1947.

El mejor catálogo bibliográfico de escritores coloniales mexicanos.

Blanco, José Joaquín, *La literatura en la Nueva España. Conquista y Nuevo Mundo,* México, Cal y Arena, 1989.

Ensayo carente de una bibliografía sistemática.

Caravaggi, Giovanni, *Studi sull'epica ispanica del Rinascimento,* Istituto di Letteratura Spagnola e Ispano-Americana, 25, Università di Pisa, 1974.

Colección de ensayos magníficamente documentados sobre la epopeya hispánica.

Chevalier, Maxime, *L'Arioste en Espagne (1530-1650). Recherches sur l'influence du «Roland Furieux»,* Institut d'Etudes Ibériques et Ibéroaméricaines de l'Université de Bordeaux, 1966.

Estudio fundamental para el entendimiento de la transmisión de la epopeya renacentista. Documentado y erudito.

Cuesta Mendoza, Antonio, *Historia eclesiástica de Puerto Rico colonial,* vol. I: 1508-1700, Ciudad Trujillo, Ed. Imprenta Arte y Cine, 1948.

Revisión histórica de la Iglesia puertorriqueña y sus principales dirigentes. Tono algo anticuado.

—, *Descubrimiento y conquista de América. Cronistas, poetas, misioneros y soldados. Antología,* ed. Margarita Peña, Clásicos Americanos, 14, México, SEP/Universidad Nacional Autónoma de México, 1982.

Antología de crónicas de las Indias.

Deyermond, Alan D., *Historia de la literatura española,* Vol. I: *La Edad Media,* trad. Luis Alonso López, Letras e Ideas, Instrumenta I, 5.ª ed., Barcelona, Ariel, 1979.

Buena visión de conjunto histórica y de juicios críticos correctos respecto a la literatura medieval.

Diccionario Porrúa de historia, biografía y geografía de México, 2 vols., 3.ª ed, México, Porrúa, 1964.

Buena obra de referencia.

Flores de baria poesía, ed. Margarita Peña, Seminario de Literatura Española, Facultad de Filosofía y Letras, México, Universidad Nacional Autónoma de México, 1980.

Libro de poesías líricas variadas al estilo de Petrarca, recogidas en México en 1577.

Gallardo, Bartolomé José, *Ensayo de una biblioteca española de libros raros y curiosos,* ed. M. R. Barco del Valle y J. Sancho Rayón, vols. I-IV, Madrid, Imprenta y Fundición de Manuel Tello, 1889.

Catálogo fundamental de autores españoles e hispanoamericanos anteriores al siglo diecinueve.

Geigel Sabat, Fernando A., *Balduino Enrico,* Barcelona, Editorial Araluce, 1934.

Estudio del sitio puesto a la ciudad de San Juan de Puerto Rico, en 1624, por el general Balduino Enrico. Se menciona a Bernardo de Balbuena.

Medina, José Toribio, *Biblioteca hispano-americana (1493-1810),* vols. I y II, Santiago 1898.

Catálogo de escritores relacionados con Hispanoamérica.

Mejía Sánchez, Ernesto, *Gaspar Pérez de Villagrá en la Nueva España,* Cuadernos del Centro de Estudios Literarios, México, Universidad Nacional Autónoma de México, 1971.

Hechos antes desconocidos de la personalidad de Pérez Villagrá.

Menéndez Pelayo, Marcelino, *Historia de la poesía hispanoamericana,* ed. Enrique Sánchez Reyes, vol. II, Santander, Consejo Superior de Investigaciones Científicas, 1948.

Obra de referencia obligatoria. En su época, importante aportación.

Menéndez Pidal, Ramón, *La epopeya castellana a través de la literatura española,* Buenos Aires, Espasa-Calpe Argentina, 1945.

Estudio de los momentos principales en la epopeya castellana y la influencia de ésta en el romance y el teatro.

Pierce, Frank, *La poesía épica del Siglo de Oro,* trad. J. C. Cayol de Bethencourt, Biblioteca Románica Hispánica, 2, Estudios y Ensayos, 2.ª ed., Madrid, Gredos, 1968.

El estudio más sistemático y documentado sobre el tema. Obra de referencia obligatoria.

Rojas Garcidueñas, José, *Bernardo de Balbuena. La vida y la obra,* Estudios de Literatura, Instituto de Investigaciones Estéticas, México, Universidad Nacional Autónoma de México, 1958.

La biografía de Balbuena y un análisis crítico de su obra.

Vila Vilar, Enriqueta, *Historia de Puerto Rico (1600-1650),* prológo de Francisco Morales Padrón, Sevilla, Escuela de Estudios Hispanoamericanos, 1974.

Contiene referencias a Bernardo de Balbuena.

Artículos

Diego, Gerardo, «Un verso de Domínguez Camargo», en Cedomil Goic (ed.), *Historia y crítica de la literatura hispanoamericana,* Vol. 1: *Época colonial,* Páginas de Filología, Barcelona, Editorial Crítica, Grupo Grijalbo, 1988, 241-2.

Un poeta descubre a otro poeta en un ensayo penetrante y lúcido.

Goic, Cedomil, «Alonso de Ercilla y la poesía épica», en C. Goic (ed.), *Historia y crítica de la literatura hispanoamericana,* Vol. I: *Época colonial,* Páginas de Filología, Barcelona, Editorial Crítica, Grupo Editorial Grijalbo, 1988, 196-215.

Estudio inestimable. Contiene una biobibliografía y estudios críticos de Ercilla, autores épicos, y textos.

González Echevarría, Roberto, «Reflexiones sobre *Espejo de paciencia,* de Silvestre de Balboa», separata de *Nueva Revista de Filología Hispánica,* 35:2 (1987), 571-90.

Revive la polémica en torno a Balboa y su poema.

Wogan, Daniel, «Ercilla y la poesía mexicana», *Revista Iberoamericana*, 3:6 (1941).

Estudio que traza las influencias de Ercilla sobre la epopeya mexicana desde el siglo dieciséis al diecinueve.

CAPÍTULO 8

TEATRO HISPANOAMERICANO DEL PERIODO COLONIAL

FUENTES PRIMARIAS

Acevedo, Francisco de, *El pregonero de Dios y Patriarca de los pobres*, ed. Julio Jiménez Rueda, Textos de Literatura Mexicana, 3, México, Imprenta Universitaria, 1945.

Edición bien preparada.

Arrom, José Juan, y José Rojas Garcidueñas (eds.), *Tres piezas teatrales del Virreinato*, México, Universidad Nacional Autónoma de México, Instituto de Investigaciones Estéticas, 1976.

Contiene textos cuidadosamente editados e introducciones excelentes.

Bramón, Francisco, *Auto del triunfo de la Virgen y gozo mexicano*, ed. Agustín Yáñez, Textos de Literatura Mexicana, 1, México, Imprenta Universitaria, 1945.

Edición bien preparada.

Brinton, Daniel G. (ed.), *The Güegüence; a comedy ballet in the Nahuatl-Spanish dialect of Nicaragua*, Brinton's Library of Aboriginal American Literature, 3, Philadelphia, D. G. Brinton, 1883.

Sigue siendo el estudio y texto más autorizados de la obra.

Bryant, William C. (ed.), «La *Relación de un ciego*, pieza dramática de la época colonial», *Revista Iberoamericana*, 44 (1978), 569-75.

Primera impresión moderna del texto, con prefacio y notas.

Centeno de Osma, Gabriel, *El pobre más rico, comedia quechua del siglo XVI*, ed. José M. B. Farfán y Humberto Suárez Álvarez, Monumenta Linguae Incaicae, 2, Lima, Editorial Lumen, 1938.

Facsímil del manuscrito quechua con traducción al español.

Cid Pérez, José, y Dolores Martí de Cid (eds.), *Teatro indio precolombino*, Madrid, Aguilar, 1964.

Antología anotada, con una profunda introducción y análisis de textos.

—, *Teatro indoamericano colonial,* Madrid, Aguilar, 1973.

Antología con introducción y análisis de textos.

Cornyn, John H., y Byron McAfee (eds.), «Tlacahuapahualiztli», *Tlalocan,* 1 (1944), 314-51.

Edición del texto náhuatl con traducción al inglés.

Cruz, Sor Juana Inés de la, *Obras completas,* ed. Alfonso Méndez Plancarte y Alberto G. Salceda, Biblioteca Americana, 18, 21, 27, 32, México, Fondo de Cultura Económica, 1951-1957.

Los volúmenes III y IV, dedicados al teatro de Sor Juana, contienen textos bien anotados y excelentes introducciones.

Cueto y Mena, Juan de, *Obras,* ed. Archer Woodford, Bogotá, Instituto Caro y Cuervo, 1952.

Edición bien anotada.

González de Eslava, Fernán, *Coloquios espirituales y sacramentales,* ed. José Rojas Garcidueñas, Colección de Escritores Mexicanos, 74, 75, México, Porrúa, 1958.

Excelente edición de las obras teatrales completas de González de Eslava.

Hunter, William A. (ed. y trad.), *The Calderonian Auto Sacramental «El Gran Teatro del mundo»: An edition and translation of a Nahuatl version,* New Orleans, Tulane University, Middle American Research Institute, 1960.

Estudio y traducción al español de una versión náhuatl de mediados del siglo diecisiete del auto de Calderón.

Jiménez Rueda, Julio (ed.), *Sufrir para merecer, Boletín del Archivo General de la Nación* (México), 20 (1949), 379-459.

Transcripción del manuscrito original, durante mucho tiempo inédita.

Johnson, Harvey Leroy (ed.), *An Edition of «Triunfo de los Santos», With a Consideration of Jesuit School Plays in Mexico Before 1650,* tesis doctoral, Philadelphia, University of Pennsylvania, 1941.

Edición cuidadosamente anotada con profunda introducción.

Llamosas, Lorenzo de las, *Obras,* ed. Rubén Vargas Ugarte, Clásicos peruanos, 3, Lima, 1950.

Incluye la zarzuela de Llamosas, desfigurada por las supresiones del editor, y sin la loa y el sainete que la acompañaron originalmente.

Llanos, Bernardino de, *Égloga por la llegada del padre Antonio de Mendoza representada en el colegio de San Ildefonso (siglo XVI),* trad. y ed. José Quiñones Melgoza, México,

Universidad Nacional Autónoma de México, Instituto de Investigaciones Filológicas, 1975.

Traducción al español del original latino, con excelente introducción y notas.

—, *Diálogo en la visita de los inquisidores, representado en el Colegio de San Ildefonso (siglo XVI), y otros poemas inéditos,* trad. y ed. José Quiñones Melgoza, México, Universidad Nacional Autónoma de México, Instituto de Investigaciones Filológicas, 1982.

Traducción al español del original latino, con excelente introducción y notas.

Meneses, Teodoro L. (ed. y trad.), *Teatro quechua colonial: antología,* Lima, Ediciones Edubanco, 1983.

Nuevas traducciones españolas de obras de teatro quechua, incluye la primera edición de *El rapto de Proserpina* de Espinosa Medrano.

Ocaña, Diego de, *Comedia de Nuestra Señora de Guadalupe y sus milagros,* ed. Teresa Gisbert, Biblioteca Paceña, Cuadernos de Teatro, 1, La Paz, Alcaldía Municipal, 1957.

Edición bien preparada.

Orbea, Fernando de, *Comedia nueva: la conquista de Santa Fe de Bogotá,* Bogotá, Publicaciones del Ministerio de Educación de Colombia, 1950.

Transcripción inédita del manuscrito original.

Ravicz, Marilyn Ekdahl (ed.), *Early Colonial Religious Drama in Mexico: From Tzompantli to Golgotha,* Washington, Catholic University of America Press, 1970.

Versiones en inglés bien anotadas de obras de teatro náhuatl; contiene excelente introducción.

Ripoll, Carlos, y Andrés Valdespino (eds.), *Teatro hispanoamericano: antología crítica,* Vol. I, Nueva York, Anaya-Book Co., 1972.

Interesante selección de textos bien anotados.

Rojas Garcidueñas, José (ed.), *Autos y coloquios del siglo XVI,* Biblioteca del Estudiante Universitario, 4, México, Ediciones de la Universidad Nacional Autónoma, 1939.

Útil edición de obras de teatro mexicanas de la época colonial; destinada al uso estudiantil más que al erudito.

Valle y Caviedes, Juan del, *Obra completa,* ed. Daniel R. Reedy, Caracas, Biblioteca Ayacucho, 1984.

Cuidada y erudita edición de las obras de Valle y Caviedes.

Vargas Ugarte, Rubén (ed.), *De nuestro antiguo teatro: colección de piezas dramáticas de los siglos XVI, XVII, y XVIII,* Biblioteca Histórica Peruana, 4, Lima, Universidad Católica del Perú, Instituto de Investigaciones Históricas, 1943.

Volumen indispensable de obras de teatro raras de la época colonial, algunas desfiguradas por las supresiones del editor.

FUENTES SECUNDARIAS

Libros

Anderson-Imbert, Enrique, *Crítica interna,* Madrid, Taurus, 1961.

Incluye un capítulo sobre *Los sirgueros de la Virgen,* de Bramón.

Arias Larreta, Abraham, *Literaturas aborígenes de América: azteca, incaica, maya, quiché,* 10.ª ed., San José, Costa Rica, Editorial Indoamérica, 1976.

Buena fuente de información sobre el teatro indígena anterior a la Conquista.

Arrom, José Juan, *Estudios de literatura hispanoamericana,* La Habana, 1950.

Incluye ensayos sobre letras cubanas tempranas y *entremeses* coloniales.

—, *Historia del teatro hispanoamericano: época colonial*, 2.ª ed., México, Ediciones de Andrea, 1967.

Sigue siendo la mejor síntesis del teatro colonial hispanoamericano; algunas referencias no están ya al día.

Arróniz, Othón, *Teatros y escenarios del siglo de oro,* Biblioteca Románica Hispánica, Estudios y Ensayos, 260, Madrid, Gredos, 1977.

Historia inestimable de teatros y arte teatral en la España del Siglo de Oro y la Nueva España colonial.

—, *Teatro de evangelización en Nueva España,* México, Universidad Nacional Autónoma de México, 1979.

Buena síntesis del tema; contiene en apéndice la *Égloga pastoril* de Juan de Cigorondo, anteriormente inédita.

Ballinger, Rex Edward, *Los orígenes del teatro español y sus primeras manifestaciones en la Nueva España,* tesis, Universidad Nacional Autónoma de México, México, 1951.

Incluye texto de *Loa satírica* en náhuatl/español.

Bocanegra, Mathias de, *Jews and the Inquisition of Mexico: The great auto de fe of 1649,* trad. y ed. Seymour B. Liebman, Lawrence, Kans., Coronado Press, 1974.

Relación contemporánea del auto de fe; ofrece la percepción sobre el espectáculo de masas en el México colonial.

Camacho Guizado, Eduardo, *Estudios sobre literatura colombiana, siglos XVI-XVII,* Bogotá, Ediciones Universidad de los Andes, 1965.

Útil principalmente por su reproducción de *Laurea crítica* de Fernández de Valenzuela.

Díaz del Castillo, Bernal, *Historia verdadera de la conquista de la Nueva España,* Colección «Sepan Cuantos...», 5, México, Porrúa, 1960.

Hace la crónica de los espectáculos de masas en el México del siglo dieciséis.

Garibay K., Ángel María, *Historia de la literatura náhuatl,* Biblioteca Porrúa, 1, 5, México, Porrúa, 1953-1954.

Fundamental fuente de información; contiene capítulos dedicados al teatro anterior a la conquista y al teatro misionero.

Horcasitas, Fernando, *El teatro náhuatl: épocas novohispana y moderna,* Instituto de Investigaciones Históricas, Serie de Cultura Náhuatl, Monografías, 17, México, Universidad Nacional Autónoma de México, 1974.

Historia autorizada, con una antología de las versiones españolas del teatro náhuatl y una lista descriptiva de manuscritos.

Johnson, Julie Greer, *Women in Colonial Spanish American Literature: Literary images,* Contributions in Women's Studies, 43, Westport, Conn., Greenwood Press, 1983.

Contiene un capítulo sobre las mujeres en el teatro colonial.

Leal, Rine, *La selva oscura: historia del teatro cubano desde sus orígenes hasta 1868,* vol. I, La Habana, Editorial Arte y Literatura, 1975.

Excelente y bien documentado estudio, particularlmente útil por la información sobre el elemento africano en el teatro temprano de Cuba.

Leonard, Irving A., *Baroque Times in Old Mexico: Seventeenth-century persons, places, and practices,* Ann Arbor, University of Michigan Press, 1959.

Estudio clásico, particularmente útil por la información sobre la circulación de libros europeos en las colonias españolas.

Lohmann Villena, Guillermo, *El arte dramático en Lima durante el Virreinato,* Publicaciones de la Escuela de Estudios Hispanoamericanos de la Universidad de Sevilla, 12, Madrid, 1945.

Historia exhaustiva basada en documentos de archivos, algunos de los cuales están reproducidos en apéndice.

María y Campos, Armando de, *Guía de representaciones teatrales en la Nueva España,* Colección La Máscara, I, México, B. Costa/Amic Editor, 1959.

Da la relación de las representaciones teatrales en la Nueva España por años, y reseña los documentos referentes al teatro colonial mexicano.

Monterde, Francisco, *Cultura mexicana: aspectos literarios,* México, Editora Intercontinental, 1946.

Contiene un capítulo sobre el teatro profano de Sor Juana.

Oeste De Bopp, Marianne, *Influencia de los misterios y autos europeos en los de México (anteriores al Barroco),* México, 1951.

Comparación formal y temática del teatro religioso temprano de México con el de Europa.

Olavarría y Ferrari, Enrique de, *Reseña histórica del teatro en México, 1538-1911,* Biblioteca Porrúa, 21, 3.ª ed., México, Porrúa, 1961.

Edición puesta al día de una historia magistral del teatro de México, compilada por primera vez hacia finales del siglo diecinueve.

Paz, Octavio, *Sor Juana Inés de la Cruz, o las trampas de la fe,* Barcelona, Seix Barral, 1982.

Estudio importante de la vida y obras de Sor Juana, y de la cultura colonial mexicana.

Pedro, Valentín de, *América en las letras españolas del Siglo de Oro,* Buenos Aires, Sudamericana, 1954.

Visión de conjunto de obras de teatro españolas del Siglo de Oro ambientadas en el Nuevo Mundo.

Pérez, María Esther, *Lo americano en el teatro de sor Juana Inés de la Cruz,* Torres Library of Literary Studies, 20, Eastchester, N.Y., Eliseo Torres, 1975.

Valioso estudio del teatro de Sor Juana; va más allá del tema estricto sugerido por el título.

Pla, Josefina, El *teatro en el Paraguay,* Colección Camalote, 1, 2.ª ed., Asunción, Diálogo, 1967.

Volumen delgado pero jugoso, especialmente útil por la información sobre el teatro jesuita en lengua guaraní.

Reyes, Alfonso, *Letras de la Nueva España,* Colección Tierra Firme, 40, México, Fondo de Cultura Económica, 1948.

Contiene capítulos sobre el teatro misionero y criollo.

Ricard, Robert, *La conquète spirituelle du Mexique,* Travaux et Mémoires de l'Institut d'Ethnologie, 20, Université de Paris, 1933.

Estudio clásico del tema, con mucha información útil sobre el teatro misionero.

—, *The Spiritual Conquest of Mexico,* trad. Leslie Byrd Simpson, Berkeley y Los Angeles, University of California, 1966.

Rojas Garcidueñas, José, *El teatro de Nueva España en el siglo XVI,* SepSetentas, 101, 2.ª ed., México, Secretaría de Educación Pública, 1973.

Edición puesta al día del original de 1935; visión de conjunto de autores, textos y tendencias teatrales.

Saz, Agustín del, *Teatro hispanoamericano,* Vol. I, Barcelona, Editorial Vergara, 1963.

Historia útil del teatro hispanoamericano hasta el siglo diecinueve inclusive.

Schilling, Hildburg, *Teatro profano en la Nueva España,* México, Universidad Nacional Autónoma de México, 1958.

Historia inestimable basada en materiales de archivos, algunos de los cuales están reproducidos en apéndice.

Shergold, N. D., *A History of the Spanish Stage from Medieval Times until the End of the Seventeenth Century,* Oxford, Clarendon Press, 1967.

Útil para la contextualización literaria e histórica del teatro hispanoamericano colonial.

Sten, María, *Vida* y *muerte del teatro náhuatl,* SepSetentas, 120, México, Secretaría de Educación Pública, 1974.

Síntesis del teatro anterior a la conquista y la presencia del elemento indígena en el teatro mexicano hasta el siglo veinte inclusive.

Suárez Radillo, Carlos Miguel, *El teatro barroco hispanoamericano: ensayo de una historia crítico-antológica,* 3 vols., Madrid, José Porrúa Turanzas, 1981.

Historia minuciosa del teatro hispanoamericano desde aproximadamente 1600 a 1750, con resúmenes de obras.

Torres-Ríoseco, Arturo, *Ensayos sobre literatura latinoamericana,* Berkeley, University of California Press, 1953.

Contiene capítulos sobre el teatro indígena, González de Eslava, y Sor Juana.

Trenti Rocamora, J. Luis, *El teatro en la América colonial,* Buenos Aires, Editorial Huarpes, 1947.

Historia del teatro colonial en América del Norte y del Sur, con énfasis en la Argentina.

Weber de Kurlat, Frida, *Lo cómico en el teatro de Fernán González de Eslava,* Universidad de Buenos Aires, Facultad de Filosofía y Letras, 1963.

Útil y extenso estudio de un dramaturgo bastante olvidado.

Artículos

Arrom, José Juan, «Cambiantes imágenes de la mujer en el teatro de la América virreinal», *Latin American Theater Review,* 12:1 (1978), 5-15.

Relaciona la representación de personajes femeninos con los sucesivos periodos y movimientos del teatro colonial.

Arrom, José Juan, y José Manuel Rivas Sacconi, «La *Laurea crítica* de Fernando Fernández de Valenzuela, primera obra teatral colombiana», *Thesaurus,* 14 (1959), 161-85.

Primera impresión moderna del texto, con prefacio y comentario.

Betancourt, Helia, «El protocolo de Julián Bravo (1599): primer contrato de una agrupación teatral en América», *Latin American Theater Review,* 19:1 (1986), 17-22.

Texto del contrato de un grupo teatral español emigrado a Lima.

Daniel, Lee A., «The *loa:* one aspect of the Sorjuanian mask», *Latin American Theater Review,* 16:2 (1983), 43-50.

Útil introducción a las dieciocho loas de Sor Juana.

Dauster, Frank, «De los recursos cómicos en el teatro de Sor Juana», *Caribe,* 2:2 (1977), 41-54.

Análisis de técnica cómica en las comedias y sainetes de Sor Juana.

Hanrahan, Thomas, «El tocotín, expresión de identidad», *Revista Iberoamericana,* 36 (1970), 51-60.

Análisis del uso del tocotín en el teatro colonial mexicano, con énfasis en el teatro jesuita.

Henríquez Ureña, Pedro, «El teatro de la América española en la época colonial», Emma Susana Speratti Piñero (ed.), *Obra crítica,* México, Fondo de Cultura Económica, 1960, 698-718.

Excelente síntesis del teatro hispanoamericano colonial.

Hesse, Everett W., «Calderón's popularity in the Spanish Indies», *Hispanic Review,* 2-3 (1955), 12-2-7.

Observaciones basadas en la relación de las representaciones conocidas de obras de teatro de Calderón en las colonias (incluida como apéndice).

Hunter, William A., «The seventeenth-century Nahuatl *entremés* 'In ilamatzin ihuan in piltontli'», *Kentucky Foreign Language Quarterly,* 5 (1958), 26-34.

Descripción y comentario de este entremés inédito.

Icaza, Francisco A. de, «Cristóbal de Llerena y los orígenes del teatro en la América española», *Revista de Filología Española,* 8 (1921), 121-30.

Primera impresión moderna del entremés de Llerena, con prefacio y comentario.

Jiménez Rueda, Julio (ed.), «Documentos para la historia del teatro en la Nueva España», *Boletín del Archivo General de la Nación* (México), 15 (1944) 101-44.

Texto de una serie de documentos relacionados con el control civil y eclesiástico del teatro en el México colonial.

Johnson, Harvey L., «Nuevos datos para el teatro mexicano en la primera mitad del siglo XVII», *Revista de Filología Hispánica,* 4 (1942), 127-51.

Resúmenes de y comentario sobre las actas del consejo municipal de la ciudad de México relacionadas con el teatro (1601-1643).

—, «Noticias dadas por Tomás Gage, a propósito del teatro en España, México y Guatemala (1624-1637)», *Revista Iberoamericana,* 8 (1944), 257-73.

Observaciones de testigos oculares sobre el teatro colonial resumidas de *A New Survey of the West Indies* de Thomas Gage (1648).

Jones, Willis Knapp, «Women in the early Spanish American theatre», *Latin American Theater Review,* 4:1 (1970), 23-34.

Discute la aparición gradual de actrices en las escenas coloniales.

Leonard, Irving A., «Notes on Lope de Vega's works in the Spanish Indies», *Hispanic Review,* 6 (1938), 277-93.

Ofrece pruebas documentales de la popularidad de Lope en las colonias.

Luciani, Frederick, «Juan del Valle y Caviedes: *El Amor Médico», Bulletin of Hispanic Studies,* 64 (1987), 337-48.

Relaciona el *baile* de Valle y Caviedes con su más amplio cuerpo de verso satírico.

Lyday, Leon F., «The Colombian theatre before 1800», *Latin Arnerican Theater Review,* 4:1 (1970), 35-50.

Visión de conjunto del teatro colonial colombiano.

Meneses, Teodoro L., «Ciertas reminiscencias de algunos clásicos en el monólogo de Yauri Ttito del drama quechua *El pobre más rico:* contribución a la datación de esta pieza», *Sphinx,* 4, 10-12 (1940), 119-23.

Halla posibles fuentes en Góngora y Calderón y sugiere que se feche el drama en el siglo diecisiete.

Merrim, Stephanie, «Narciso *desdoblado:* Narcissistic stratagems in *El divino Narciso* and the *Respuesta a sor Filotea de la Cruz», Bulletin of Hispanic Studies,* 64 (1987), 111-17.

Excelente ejemplo de la nueva dirección crítica en la investigación de Sor Juana.

Oeste de Bopp, Marianne, «Autos mexicanos del siglo XVI», *Historia Mexicana,* 3 (1953) 112-23.

Sintetiza la presencia de elementos indígenas en el teatro misionero.

Parker, Alexander A., «The Calderonian sources of *El divino Narciso* by Sor Juana Inés de la Cruz», *Romanistisches Jahrbuch,* 19 (1968), 257-74.

Indispensable para la comprensión del contexto literario del auto de Sor Juana.

Paso y Troncoso, Francisco del, «Comédies en langue naualt», en *Congrès International des Américanistes (XIIe session tenue a Paris en 1900),* París, Ernest Leroux, Editeur, 1902, 309-16.

Contiene la traducción al francés del entremés anónimo náhuatl.

Pasquariello, Anthony M., «The *entremés* in sixteenth-century Spanish America», *The Hispanic American Historical Review,* 32 (1952), 44-58.

Visión de conjunto de los entremeses de González de Eslava y Llerena.

—, «The evolution of the *loa* in Spanish America», *Latin American Theater Review,* 3:2 (1970), 5-19.

Síntesis del desarrollo del género desde el siglo dieciséis al dieciocho inclusive.

—, «The seventeenth-century interlude in the New World secular theater», en Raquel Chang-Rodríguez, Donald A. Yates (eds.), *Homage to Irving A. Leonard: Essays on Hispanic art, history and literature,* East Lansing, Michigan State University, Latin American Studies Center, 1977, 105-13.

Visión de conjunto de los entremeses de Sor Juana y de los de Valle y Caviedes.

Reverte Bernal, Concepción, «Guía bibliográfica para el estudio del teatro virreinal peruano», *Historiografía y Bibliografía Americanistas,* 29 (1985), 129-50.

Da la relación de fuentes bibliográficas primarias y secundarias sobre el teatro peruano hasta el siglo dieciocho inclusive.

Reynolds, Winston A., «El demonio y Lope de Vega en el manuscrito mexicano *Coloquio de la nueva conversión y bautismo de los cuatro últimos reyes de Tlaxcala en la Nueva España*», *Cuadernos Americanos,* 163 (1969), 172-84.

Halla fuentes importantes en Lope de Vega.

Ricard, Robert, «Sur *El divino Narciso* de Sor Juana Inés de la Cruz», *Mélanges de la Casa de Velázquez,* 5 (1969), 309-29.

Análisis y estudio de las fuentes del auto de Sor Juana.

Rojo, Grínor, y Kathleen Shelly, «El teatro hispanoamericano colonial», en Luis Íñigo Madrigal (ed.), *Historia de la literatura hispanoamericana,* Vol. I, Madrid, Cátedra, 1982, 319-52.

Síntesis del teatro colonial desde el siglo dieciséis al dieciocho inclusive.

Trexler, Richard C., «We think, they act: clerical readings of the missionary theatre in 16th century New Spain», en Steven L. Kaplan (ed.), *Understanding Popular Culture: Europe from the Middle Ages to the nineteenth century,* Berlin, Mouton, 1984, 189-227.

Interesante análisis de los primitivos etnógrafos españoles en el México colonial como «creadores» de cultura.

Capítulo 9
CULTURA VIRREINAL

Alberto, Solange, *Del gachupín al criollo. O de cómo los españoles de México dejaron de serlo,* México, El Colegio de México, 1992.

Arenal, Electa, y Stacey Schlau (eds.), *Untold Sister: Hispanic Nuns in Their Own Works,* Albuquerque, University of New Mexico Press, 1989.

Arte y mística del barroco, México, Consejo Nacional para la Cultura y las Artes, 1994.

Astuto, Louis Philip, *Eugenio Espejo: reformador ecuatoriano de la Ilustración (1747-1795),* México, Fondo de Cultura Económica, 1969.

Barreda y Laos, Felipe, *Vida intelectual de la colonia,* Lima, L. I. Rosso, 1937.

Bartolache, José Ignacio (ed.), *Mercurio Volante* (1771-1773).

Benavides, Alfredo, *La arquitectura en el Virreinato del Perú y la Capitanía General de Chile,* 3.ª ed., Santiago, Andrés Bello, 1988.

Beristain y Souza, José Mariano, *Bibliotheca hispano-americana septentrional,* Amecameca, Tip. del Colegio Católico, 1883-1897.

Bernard, Carmen, y Serge Gruzinski, *De l'idolatrie. Une archéologie de sciences religieuses,* París, Seuil, 1988.

Brading, David, *The First America: The Spanish monarchy, creole patriots, and the liberal state, 1492-1867,* Cambridge University Press, 1991.

Burke, Marcus, *Pintura y escultura en Nueva España: el barroco,* México, Grupo Azabache, 1991.

Busto, José Antonio del, *Reseña histórica del arte colonial peruano,* Lima, Pontificia Universidad Católica, 1983.

Caldas y Tenorio, Francisco José (ed.), *Semanario del Nuevo Reino de Granada,* 3 vols., Bogotá, Editorial Minerva S. A., 1942.

Cardozo Galué, Germán, *Michoacán en el siglo de las luces,* México, El Colegio de México, 1973.

Carreño, Alberto María, *La real y pontificia Universidad de México, 1536-1865,* México, Universidad Nacional Autónoma de México, 1961.

Castañeda, Carmen, *La educación en Guadalajara durante la colonia, 1555-1821,* Guadalajara, El Colegio de Jalisco y El Colegio de México, 1984.

Cervantes de Salazar, Francisco, *México en 1554,* México, Universidad Nacional Autónoma de México, 1964.

Cevallos-Candau, Javier, *et al., Coded Encounters: Writing, gender, and ethnicity in colonial Latin America,* Amherst, University of Massachusetts Press, 1994.

Chiaramonte, José Carlos, *La Ilustración en el Río de la Plata,* Buenos Aires, Puntosur Editores, 1989.

Cruz de Amenaba, Isabel, *Arte y sociedad en Chile, 1550-1650,* Santiago, Editorial de la Universidad Católica de Chile, 1986.

Dumbar Temple, Ella, *La universidad: libros de posesiones de cátedras y actos académicos,* Lima, Comisión Nacional del Sesquicentenario de la Independencia del Perú, 1974.

Eguiara y Eguren, J. J., *Prólogos a la bibliotheca americana,* México, Fondo de Cultura de México, 1944.

Elliot, John H., *The Old World and the New, 1492-1650,* Cambridge University Press, 1972.

Esteve Barba, Francisco, *Historiografía indiana,* Madrid, Gredos, 1964.

—, *Historia General de América.* Vol. XXVII: *Cultura virreinal,* ed. Antonio Ballesteros, Barcelona, Salvat, 1965.

Fernández del Castillo, Francisco (compilador), *Libros y libreros en el siglo XVI,* México: Archivo General de la Nación y Fondo de Cultura Económica, 1981.

Friede, Juan, *La censura española del siglo XVI y los libros de historia de América,* México, Editorial Cultura, 1959.

Furlong, Guillermo, *Bibliotecas argentinas durante la dominación hispánica,* Buenos Aires, Editorial Huarpes, 1944.

—, *Matemáticos argentinos durante la dominación hispánica,* Buenos Aires, Editorial Huarpes, 1945.

—, *La cultura femenina en la época colonial,* Buenos Aires, Editorial Kapelusz, 1951.

—, *Historia social y cultural del Río de la Plata, 1536-1810,* 2 vols., Buenos Aires, Tipografía Editora Argentina, 1969.

Gallegos Rocaful, José María, *El pensamiento mexicano en los siglos XVI y XVII,* México, Centro de Estudios Filosóficos, 1951.

García Ayluardo, Clara, y Manuel Ramos Medina (eds.), *Manifestaciones religiosas en el mundo colonial americano,* Vol. I: *Espiritualidad barroca colonial. Santos y demonios en América,* México, Universidad Iberoamericana, 1993.

García Izcabalceta, José, *Bibliografía mexicana del siglo XVI,* ed. Agustín Millares Carlo, México, Fondo de Cultura Económica, 1954.

Gerbi, Antonelli, *La naturaleza de las Indias Nuevas. De Cristóbal Colón a Gonzalo Fernández de Oviedo,* trad. Antonio Alatorre, México, Fondo de Cultura Económica, 1978.

Gisbert, Teresa, *Iconografía y mitos indígenas en el arte,* La Paz, Librería Gisbert, 1980.

Gómez Hurtado, Álvaro, y Francisco Gil Tovar, *Arte virreinal de Bogotá,* Bogotá, Villegas Editores, 1987.

Gonzalbo Aizpuru, Pilar, *Historia de la educación en la época colonial: el mundo indígena,* México, El Colegio de México, 1990.

—, *Historia de la educación en la época colonial: la educación de los criollos y la vida urbana,* México, El Colegio de México, 1990.

González Casanova, Pablo, *El misoneísmo y la modernidad cristiana en el siglo XVIII,* México, El Colegio de México, 1948.

Gruzinski, Serge, *La colonisation de l'imaginaire. Sociétés indigènes et occidentalisation dans le Mexique espagnol, XVIe-XVIIe siècles,* París, Gallimard, 1988.

Guijo, Gregorio de, *Diario,* México, Editorial Porrúa, 1951.

Hanke, Lewis, *Aristotle and the American Indians. A study in race prejudice in the modern world,* Bloomington, University of Indiana Press, 1975.

Henríquez Ureña, Pedro, *Historia de la cultura en la América Hispana,* México, Fondo de Cultura Económica, 1947.

Hernández de Alba, Guillermo, *Documentos para la historia de la educación en Colombia (1540-1653),* Bogotá, Patronato Colombiano de Artes y Ciencias, 1969.

Jacobsen, J. V., *Educational Foundations of the Jesuits in Sixteenth Century New Spain,* Berkeley, University of California Press, 1938.

Jiménez Rueda, Julio, *Historia de la cultura en México: El virreinato,* México, Editorial Cultura, 1950.

Johnson, Julie Greer, *The Book in the Américas: The role of books and printing in the development of culture and society in colonial Latin America,* Providence, Rhode Island, The John Carter Brown Library, 1988.

Kelemen, Pál, *Baroque and Rococo Art in Latin America,* 2 vols., Nueva York, Dover, 1967.

Lanning, John Tate, *Academic Culture in the Spanish Colonies,* Nueva York, Oxford University Press, 1940.

—, *The University in the Kingdom of Guatemala,* Ithaca, Cornell University Press, 1955.

—, *Eighteenth Century Enlightenment in the University of San Carlos de Guatemala,* Ithaca, Cornell University Press, 1956.

León, Nicolás, *Bibliografía mexicana del siglo XVIII,* 5 vols., México, Imp. de F. Díaz de León, 1902-1908.

Leonard, Irving A., *Books of the Brave: Being an account of books and men in the Spanish Conquest and settlement of the sixteenth century New World,* Cambridge, Mass., Harvard University Press, 1949.

—, *Baroque Times in Old Mexico,* Ann Arbor, University of Michigan Press, 1959.

—, *Don Carlos de Sigüenza y Góngora. Un sabio mexicano del siglo XVII,* México, Fondo de Cultura Económica, 1984.

León Pinelo, Antonio de, *El paraíso en el Nuevo Mundo,* 2 vols., Lima, Imprenta Torres Aguirre, 1943.

Lewis, Robert E., *The Humanistic Historiography of Francisco López de Gómara (1511-59),* Ann Arbor, University of Michigan Press, 1987.

Lohmann Villena, Guillermo, *Juan de Matienzo: Autor del «Gobierno del Perú». Su personalidad y obra,* Sevilla, Escuela de Estudios Hispano-Americanos, 1966.

López-Baralt, Mercedes (ed.), *Iconografía política del Nuevo Mundo,* Río Piedras, Universidad de Puerto Rico, 1990.

Luna Díaz, Lorenzo M. *et al., La Real Universidad de México: Estudios y textos,* 2 vols., México, Universidad Nacional Autónoma de México, 1987.

Malagón Barceló, Javier, y José M. Ots Capdequi, *Solórzano y Pereira y la política indiana,* 2.ª ed., México, Fondo de Cultura Económica, 1983.

Marzal, Manuel M., *La transformación religiosa peruana,* Lima, Pontificia Universidad Católica del Perú, 1983.

Maza, Francisco de *et al., Cuarenta siglos de plástica mexicana,* México, Editorial Herrero, 1970.

Medina, José Toribio, *Cosas de la colonia: apuntes para la crónica del siglo XVIII en Chile,* Santiago, Fondo Histórico y Bibliográfico José Toribio Medina, 1952.

—, *Historia de la imprenta en los antiguos dominios españoles de América y Oceanía,* Santiago, Fondo Histórico y Bibliográfico, 1958.

Melquíades, Andrés Martín, *Los recogidos: nueva visión de la mística española: 1500-1700,* Madrid, Fundación Universitaria Española, 1975.

—, *Mercurio Peruano de historia, literatura, y noticias públicas,* Lima, 1791-1795.

Miranda, José, *España y Nueva España en la época de Felipe II,* México, Universidad Nacional Autónoma de México, 1962.

Moreno Navarro, Isidoro, *Los cuadros del mestizaje americano: estudio antropológico del mestizaje,* Madrid, José Porrúa Turanzas, 1973.

Mugaburu, José y Francisco, *Chronicle of Colonial Lima. The diary of Joseph and Francisco Mugaburu, 1640-1697,* trad. y ed. Robert Ryal Miller, Norman, University of Oklahoma Press, 1975.

Muriel, Josefina, *Cultura femenina virreinal,* México, Universidad Nacional Autónoma de México, 1982.

Navarro, Bernabé, *Cultura mexicana moderna en el siglo XVIII,* México, Universidad Nacional Autónoma de México, 1964.

Otero, Gustavo A., *La vida social del coloniaje: S. XVI, XVII, XVIII,* La Paz, 1975.

Pagden, Anthony, *The Fall of the Natural Man: The American Indian and the origins of comparative Ethnology,* Cambridge University Press, 1982.

—, *Spanish Imperialism and the Political Imagination,* New Haven, Yale University Press, 1990.

Pereira Salas, Eugenio, *Historia del arte en el reino de Chile,* Buenos Aires, Ediciones de la Universidad de Chile, 1965.

Perez-Marchand, Monelisa, *Dos etapas ideológicas del siglo XVIII en México a través de los papeles de la Inquisición,* México, Universidad Autónoma Nacional de México, 1945.

Picón-Salas, Mariano, *De la conquista a la independencia. Tres siglos de historia cultural hispanoamericana,* México, Fondo de Cultura Económica, 1969

Rojas Abrigo, Alicia, *Historia de la pintura en Chile,* Santiago, Talleres de Impresos Vicuña, 1981.

Romero, José Luis, *Latinoamérica: las ciudades y las ideas,* México, Siglo Veintiuno Editores, 1976.

Salas, Alberto M., *Tres cronistas de Indias,* México, Fondo de Cultura Económica, 1986.

Santa Cruz y Espejo, Javier Eugenio, *Primicias de la cultura en Quito,* Quito, Archivo Municipal, 1947.

Sartori, Marco, *Arquitectura y urbanismo en Nueva España, Siglo XVI,* México, Grupo Azabache, 1992.

Sebastián, Santiago, *El barroco iberoamericano: mensaje iconográfico,* Madrid, Ediciones Encuentro, 1990.

Shafer, Robert Jones, *The Económic Societies in the Spanish World, 1763-1821,* Syracuse, Nueva York, Syracuse University Press, 1958.

Solórzano y Pereira, Juan, *Política indiana* [1648], Madrid, Compañía IberoAmericana de Publicaciones, 1930.

Torre Revello, José, *El libro, la imprenta y el periodismo en América durante la dominación española,* Buenos Aires, Publicaciones del Instituto de Investigaciones Históricas, 1940.

Toussaint, Manuel, *Colonial Art in Mexico,* Austin, University of Texas Press, 1967.

Tovar de Teresa, Guillermo, *Pintura y escultura del Renacimiento en México,* México, INAH, 1979.

—, *México barroco,* México, SAHOP, 1981.

—, *Pintura y escultura en Nueva España, 1557-1640,* México, Grupo Azabache, 1992.

Trabulse, Elías, *Ciencia y religión en el siglo XVII,* México, El Colegio de México, 1974.

—, *Historia de la ciencia en México,* México, Conacyt, Fondo de Cultura Económica, 1983.

Valcarcel, Luis E., *Ruta cultural del Perú,* Lima, Editorial Cultura Ecléctica, 1939.

Vargas, O. P., José María, *La cultura de Quito colonial,* Quito, Editorial «Santo Domingo», 1941.

Vargas Lugo, Elisa, *México barroco: vida y arte,* México, Salvat, 1993.

Vargas Ugarte, Rubén, *Historia de la iglesia en el Perú,* 5 vols., Lima y Burgos, 1953-1961.

Viqueira Albán, Juan Pedro, *¿Relajados o reprimidos? Diversiones públicas y vida social en la ciudad de México durante el siglo de las luces,* México, Fondo de Cultura Económica, 1987.

Weckman, Luis, *La herencia medieval en México,* 2 vols., México, Comex, 1984.

Zavala, Silvio, *El mundo americano en la época colónial,* México, Editorial Porrúa, 1967.

Artículos

Fernández de Recas, Guillermo S., «Libros y libreros de mediados del siglo XVII en México», *Boletín de la Biblioteca Nacional de México,* 12:1-2 (1961).

Furlong, Guillermo, «León Pinelo y su Paraíso en el Nuevo Mundo», en *Nacimiento y desarrollo de la filosofía en el Río de la Plata,* Buenos Aires, G. Kraft, 1952.

Lavallé, Bernard, «Las 'doctrinas' de frailes como reveladoras del incipiente criollismo sudamericano», *Anuario de Estudios Americanos,* 36 (1979), 447-65.

Lavrin, Asunción, «Misión e historiografía de la iglesia en el período colonial americano», *Anuario de Estudios Americanos,* 41:2 (1989), 11-54.

Malagón Barceló, Javier, «The role of the letrados in the colonization of the Américas», *The Américas,* 18:2 (1961), 1-17.

Capítulo 10

EL SIGLO XVIII: FORMAS NARRATIVAS, ERUDICIÓN Y SABER

FUENTES PRIMARIAS

Acosta Enríquez, José Mariano, *Sueño de sueños,* prólogo y selección de Julio Jiménez Rueda, México, Universidad Nacional Autónoma de México, 1945.

Edición bien preparada.

Alcedo y Bejarano, Antonio de, *Diccionario geográfico-histórico de las Indias occidentales o América,* 5 vols., Madrid, Benito Cano (otros impresores para los vols. II-V), 1786-1789.

Totalmente inaccesible hoy en día.

—, *Diccionario geográfico-histórico de las Indias occidentales o América,* vols. CCV-CCVIII, ed. Ciriaco Pérez-Bustamante, Madrid, Biblioteca de Autores Españoles, 1967.

Importante reedición con un profundo ensayo introductorio.

Alegre, Javier, *Historia de la Compañía de Jesús en Nueva España, que estaba escribiendo el P. Francisco Javier Alegre al tiempo de su expulsión,* [1767], 3 vols., México, Carlos María Bustamante, 1841-1842.

Fuente importante para los historiadores.

—, *Memorias para la historia de la provincia que tuvo la compañía de Jesús en Nueva España* [1771], ed. J. Jijón Caamaño, 2 vols., México, Porrúa, 1940-1941.

Compendio de la *Historia.*

—, *Historia de la provincia de la Compañía de Jesús de Nueva España,* eds. Ernest J. Burrus y Félix Zubillaga, 4 vols., Roma, Institutum Historicum S. J., 1956.

Excelente edición con abundantes anotaciones.

Alzate, José Antonio, «Elogio histórico del doctor don José Ignacio Bartolache», *Gacetas de la literatura de México,* 4 vols., Puebla, Oficina de Hospital de San Pedro, 118-311, 1, 405-13.

Elogio publicado el 3 de agosto de 1790, menos de dos meses después de la muerte de Bartolache.

Arrate y Acosta, José Martín Félix de, *Llave del Nuevo Mundo, Antemural de las Indias Occidentales (La Habana descripta: noticias de su fundación, aumentos y estado)* [1761], La Habana, Sociedad Económica de Amigos del País, 1830.

Intro. (I-XV) por Pedro Pascual Sirgado y Zequeira (sin firma). Edición bien preparada.

—, *Llave del Nuevo Mundo,* ed. Julio J. Le Riverend Brusone, México, Fondo de Cultura Económica, 1949.

El ensayo introductorio estudia la evolución de la historiografía cubana y refleja el impulso nacionalista detrás de mucha de la historia literaria latinoamericana primitiva.

—, *Llave del Nuevo Mundo, Antemural de las Indias Occidentales,* La Habana, Comisión Nacional Cubana de la UNESCO, 1964.

Edición bien preparada.

Arzáns de Orsúa y Vela, Bartolomé, *Historia de la villa imperial de Potosí* [1705-1736], ed. Lewis Hanke y Gunnar Mendoza, 3 vols., Providence, R. I. Brown University Press, 1965.

Edición excelente; los estudios introductorios son indispensables para los estudiosos de Arzáns.

—, *Tales of Potosí,* trad. Francés M. López-Morillas, ed. R. C. Padden, Providence, R. I., Brown University Press, 1975.

Introducción informativa y cuentos escogidos deliciosamente traducidos, que hace la edición Hanke/Mendoza accesible a lectores que hablan inglés.

Azara, Félix de, *Apuntamientos para la historia natural de los quadrúpedos del Paraguay y Río de la Plata,* 2 vols., Madrid, 1802.

El texto había aparecido en francés en 1801 *(Essais sur l'Histoire Naturelle des Quadrupèdes de la Province du Paraguay,* 2 vols., París, 1801).

—, *Apuntamientos para la historia natural de los Páxaros del Paraguay y del Río de la Plata,* 3 vols., Madrid, 1802-1805.

Edición bien preparada.

—, *Voyages dans l'Amérique Méridionale,* ed. C. A. Walckenaer, notas de G. Cuvier y M. Sonnini, 4 vols., París, 1809.

Edición francesa que sirvió de fuente para las traducciones posteriores al español.

—, *Descripción e historia del Paraguay y del Río de la Plata,* 2 vols., Madrid, 1847. (Vol. I: *Descripción;* Vol. II: *Historia.*)

Publicada póstumamente por el sobrino de Azara; más conocido en español como *Viajes por la América meridional.*

—, *Geografía física y esférica de las provincias del Paraguay y Misiones guaranies,* Anales del Musco Nacional de Montevideo, 1904.

Edición basada en un manuscrito de 1790 de la Bibliotcca Nacional de Montevideo.

—, *Viajes por la América meridional,* 2 vols., Madrid, Espasa-Calpe, 1941.

Edición útil.

—, *Memoria sobre el estado rural de Río de la Plata y otros informes*, Buenos Aires, Bajel, 1943.

Edición útil que incluye una larga introducción biobibliográfica por Julio César González.

Bartolache, José Ignacio, *Lecciones matemáticas que en la Real Universidad de México dictaba Josef Ignacio Bartolache... primer quaderno,* México, Imprenta de la Biblioteca Mexicana, 1769.

Fuente clave.

—, *El Mercurio Volante con Noticias Importantes y Curiosas sobre Varios Asuntos de Física i Medicina,* 1-16 (17 de oct. de 1772 – 10 de feb. de 1773), México, Imprenta de D. F. de Zúñiga.

Considerada por muchos la primera revista médica de América.

—, *Mercurio Volante (1772-1773),* intr. Roberto Moreno, México, Universidad Nacional Autónoma de México, 1979.

Introducción muy útil y texto completo de una publicación de 1772-1773.

Beristáin de Souza, José Mariano, *Biblioteca hispanoamericana septentrional,* [1816], 3 vols., México, Universidad Nacional Autónoma de México, 1980.

Edición facsímil bien preparada de esta importante fuente bibliográfica.

Bueno, Cosme, *Disertaciones geográficas y científicas,* Vol. 3, 1-260, en Manuel de Odriozola (ed.), *Documentos literarios del Perú,* Lima, 1872.

Fuente clave.

—, *Geografía del Perú virreinal (siglo XVIII),* ed. Daniel Valcárcel, Lima, Instituto de Historia de la Universidad de San Marcos, 1951.

Incluye descripciones referentes solamente al Perú moderno.

Buffon, Georges-Louis Leclerc, *Natural History,* 10 vols., Londres, 1947.

Fuente clave para el debate sobre la naturaleza y civilización del Nuevo Mundo.

Caldas, Francisco José de, *Semanario del Nuevo Reyno de Granada,* [1807-1808], reimpr., París, Librería Castellana, 1849.

Reedición del original, con un breve prefacio biográfico e índice de problemas.

Campillo y Cosío, José del, *Nuevo sistema de gobierno económico para la América: con males y daños que le causa el que hoy tiene, de los que participa como España: y remedios universales para que la primera tenga considerables ventajas, y la segunda mayores intereses,* Madrid, Imprenta de B. Cano, 1789.

Estudio económico clásico escrito en el siglo dieciocho; dividido en dos partes que tratan de los problemas y remedios sugeridos.

Carrió de la Vandera, Alonso, *El lazarillo de ciegos caminantes... en Gijón, en la Imprenta de la Rovada. Año de 1773,* Lima, 1776.

Primera edición, que dio lugar a la confusión general respecto a la fecha y lugar de publicación, e identidad del autor.

—, *El lazarillo de ciegos caminantes,* ed. Martiniano Leguizamón, Buenos Aires, Biblioteca de la Junta de Historia y Numismática Americana, 1908.

Las divisiones de capítulo de Leguizamón proporcionaron base para futuras ediciones.

—, *El lazarillo de ciegos caminantes,* ed. Emilio Carilla, Barcelona, Labor, 1973.

Edición bien preparada con introducción y abundantes notas.

—, *El lazarillo de ciegos caminantes,* ed. A. Llorente Medina, Caracas, Biblioteca Ayacucho, 1985.

Edición bien preparada con estudio introductorio, cronología y apéndices de las otras obras existentes de Carrió de la Vandera.

—, *El lazarillo. A guide for inexperienced travelers between Buenos Aires and Lima,* trad. Walter D. Kline, Bloomington, Indiana University Press, 1965.

Traducción editada con prefacio de Irving A. Leonard y glosario de términos españoles.

Castillo y Guevara, Francisca Josefa de la Concepción del, *Afectos espirituales,* 2 vols., Bogotá, Biblioteca Popular de Cultura Colombiana / Ministerio de Educación, 1942.

Edición cuidadosamente preparada.

—, *Mi Vida,* Bogotá, Biblioteca Popular de Cultura Colombiana / Ministerio de Educación, 1942.

Edición cuidadosamente preparada de la autobiografía espiritual.

—, *Obras completas,* intr. Darío Achury Valenzuela, 2 vols., Bogotá, Banco de la República, 1968.

Excelente edición con estudio introductorio exhaustivo por el mayor especialista en las obras de la Madre Castillo.

Caulín, Fray Antonio, *Historia coro-gráphica. Natural y evangélica de la Nueva Andalucía...* [1779], ed. Pablo Ojer, Caracas, Academia Nacional de la Historia / Fuentes para la Historia Colonial de Venezuela, 1966.

Edición cuidadosamente preparada.

Cavo, Andrés, *Los tres siglos de México...,* ed. Carlos María Bustamante, México, L. Abadiano y Valdés, 1836-1839.

Bustamante añadió notas explicativas tomadas de la historia de los jesuitas de Alegre y un «Suplemento» que abarca los años 1767-1820.

—, *Los Tres Siglos de Méjico,* México, Imprenta de J. R. Navarro, 1852.

Reimpresión de una edición anterior.

Clavijero, Francisco Javier, *Storia antica del Messico,* 4 vols., Cesena, Italia, Gregorio Biasini, 1780-1781.

Primera edición, en italiano.

—, *Storia della California,* 2 vols. en uno, Venecia, M. Fenzo, 1789.

Publicada póstumamente.

—, *Historia antigua de México,* trad. del italiano por José Joaquín de Mora, 2 vols., Londres, R. Ackermann, 1826.

Hay numerosas reediciones de esta traducción al español.

—, *Historia de la antigua o Baja California...*, trad. del italiano por Nicolás García de San Vicente, México, Imprenta del Museo Nacional de Arqueología, Historia y Etnografía, 1933.

Traducción útil.

—, *Historia antigua de México, primera edición del original escrito en castellano por el autor...*, ed. Mariano Cuevas, 4 vols.., México, Porrúa, 1945.

Fuente importante.

—, *Historia antigua de México,* ed. Mariano Cuevas, 4 vols., México, Porrúa, 1964.

Reimpresión ampliada y revisada de la edición de 1945.

—, *Historia antigua de México,* ed. Rafael García Granados, 2 vols., México, Editora Nacional, 1970.

Edición bien preparada.

—, *The History of Mexico,* trad. del italiano por Charles Cullen, 2 vols., Londres, G. G. J. & J. Robertson, 1787.

Traducción excelente.

—, *The History of Mexico,* 3 vols., Philadelphia, Budd Bartram / T. Dobson, 1804.

La primera de muchas reediciones de la traducción de Cullen de 1787.

—, *The History of (Lower) California,* trad. y ed. Sara E. Lake y A. A. Gray, Stanford University Press, 1937; California, Manessier Publishing Company, 1971.

Traducción útil.

—, *The History of Mexico,* intr. Burton Feldman, 2 vols., Nueva York, Garland, 1979.

Reedición reciente sumamente útil de la traducción de Cullen de 1787.

Conde y Oquendo, Francisco Javier, *Discurso sobre la elocuencia. El Album Mexicano, periódico de literatura, arte y bellas letras,* México, Ignacio Cumplido, 1849, 1, 380-85, 454-7.

Extractos del tratado anteriormente inédito de Conde y Oquendo sobre la oratoria.

—, *Disertación histórica sobre la aparición de la portentosa imagen de María Sra. de Guadalupe de México*, 2 vols., México, Imprenta de la Voz de la Religión, 1852.

Primera edición del ensayo comenzado en 1794 para refutar los escritos de Bartolache sobre la Virgen de Guadalupe.

Durand, José (ed.), *Gaceta de Lima,* 2 vols. [1756-1762, 1762-1765], Lima, COFIDE, 1982.

Valiosa fuente primaria con un prólogo bien investigado.

Eguiara y Eguren, Juan José de, *Prólogos a la «Biblioteca Mexicana»,* ed. Federico Gómez de Orozco, México, Fondo de Cultura Económica, 1944.

Primera traducción al español de los prólogos, publicada como edición bilingüe.

—, *Biblioteca mexicana,* trad. del latín por Benjamín Fernández Valenzuela, intr. Ernesto de la Torre Villar y Ramiro Navarro de Anda, México, Universidad Nacional Autónoma de México, 1986-1990.

Extenso proyecto de publicación, no superado como fuente.

Fonseca, Onofre de, *Historia de la milagrosa aparición de Nuestra Señora de la Caridad. Patrona de Cuba y de su Santuario en la Villa del Cobre,* Santiago de Cuba, Escuela Tipográfica «Don Bosco», 1935.

El manuscrito de Onofre data de 1703, pero se perdió y luego fue reescrito por Bernardino Ramírez en 1782.

Gamarra y Dávalos, Juan Benito Díaz de, *Tratados. Errores del entendimiento humano. Memorial ajustado. Elementos de filosofía moderna,* ed. José Gaos, México, Universidad Nacional Autónoma de México, 1947.

Selecciones y traducciones de los escritos de Díaz de Gamarra con introducción, cronología y bibliografía.

Gumilla, José, *El Orinoco ilustrado,* intr. Constantino Bayle, S. J., Madrid, Aguilar, 1945.

Viva narración de viaje.

Haenke, Thaddeaus Peregrinus, *Descripción del Reyno de Chile,* intr. de Agustín Edwards, Santiago, Nascimento, 1942.

Fuente útil.

Humboldt, Alejandro de, *Cartas americanas,* trad. Marta Traba, ed. Charles Minguet, Caracas, Biblioteca Ayacucho, 1980.

Cartas escritas desde América, la mayor parte después de 1800; extensa cronología y bibliografía.

Juan, Jorge, y Antonio de Ulloa, *Relación histórica del viaje a la América Meridional...,* Madrid, Antonio Marín, 1748.

Primera edición del tratado descriptivo de Juan y Ulloa sobre la flora, fauna, ciudades y habitantes sudamericanos. Fuente importante.

—, *Dissertación histórica, y geográphica sobre el meridiano de demarcación entre los dominios de España, y Portugal, y los parages por donde passa en la América Meridional, conforme a los tratados, y derechos de cada estado, y las mas seguras, y modernas observaciones,* Madrid, Antonio Marín, 1749.

Trata de las fronteras hispano-portuguesas en el Nuevo Mundo.

—, *Noticias secretas de América sobre el estado naval, militar, y político de los reynos del Perú y provincias de Quito...,* Londres, Imprenta de R. Taylor, 1826.

Primera edición del manuscrito, «Discurso y reflecciones políticas sobre los reynos del Peru», destinado por sus autores para circulación limitada. Fuente clave.

—, *Discourse and Political Reflections on the Kingdoms of Peru* [1749], trad. John J. Tepaske y Besse A. Clement, intr. John J. Tepaske, Norman, University of Oklahoma Press, 1978.

Traducción cuidadosamente preparada basada en una copia manuscrita de las *Noticias secretas;* edición esbelta, con un excelente estudio introductorio.

León y Gama, Antonio de, *Descripción histórica y cronológica de las dos piedras que con ocasión del nuevo empedrado que se está formando en la plaza principal de México, se hallaron en ella el año de 1790* [1792], ed. Carlos María de Bustamante, 2.ª ed. México, Imprenta del Ciudadano Alejandro Valdés, 1832.

Importante edición del intento de León y Gama de descifrar el significado de la Piedra del Sol y la Estatua de Coatlicue.

Llano Zapata, José Eusebio, *Memorias histórico-físicas-apologéticas de la América Meridional,* ed. Ricardo Palma, intr. biográfica de Manuel de Mendiburu, Lima, Imprenta y Librería de San Pedro, 1904.

Edición bien preparada del manuscrito presentado a Carlos III en 1761. Este primer volumen trata de temas históricos y científicos; al parecer se han perdido otros dos volúmenes sobre flora y fauna.

Mier Noriega, Fray Servando Teresa de, *Historia de la Revolución de Nueva España, antiguamente Anahuac...,* 2 vols., Londres, Imprenta de Guillermo Glindon, 1813.

—, *Memorias,* ed. Antonio Castro Leal, 2 vols., México, Porrúa, 1946; 2.ª ed., 1971.

Publicadas por primera vez en 1856.

—, *Ideario político,* ed. Edmundo O'Gorman, Caracas, Biblioteca Ayacucho, 1978.

Volumen muy útil, que reúne cartas, discursos y memorándums; excelente prólogo y bibliografía.

Molina, Juan Ignacio, *Compendio de la historia geográfica, natural y civil del reyno de Chile,* Madrid, Don Antonio de Sancha, 1788 (Parte I), 1795 (Parte II).

Escrito originalmente en italiano; fuente clave.

—, *The Geographical, Natural, and Civil History of Chili,* 2 vols., Londres, Longman, Hurst, Rees, & Orme, 1809.

Excelente traducción con notas y apéndice.

Morell de Santa Cruz, Pedro Agustín, *Historia de la isla y catedral de Cuba,* prefacio de Francisco de Paula Coronado, La Habana, Imprenta «Cuba Intelectual», 1919.

Útil edición y ensayo introductorio. La historia de Morell de Santa Cruz contiene el texto de *Espejo de paciencia* de Balboa.

Moxó, Benito María de, *Cartas mejicanas* [1805], 2.ª ed., Génova, Tip. de Luis Pellas, 1837.

Útil punto de comparación con Clavijero; edición bien preparada.

Muñoz, Juan Batista, «Memoria sobre las apariciones y el culto de Nuestra Señora de Guadalupe de México. Leída en la Real Academia de la Historia por su individuo supernumerario Don Juan Bautista Muñoz», en *Memorias de la Real Academia de la Historia,* Vol. V, Madrid, 1817, 205-24.

Texto del discurso de Muñoz sobre las fuentes historiográficas del culto guadalupano.

—, *Historia del nuevo mundo* [1793], intr. José Alcina Franch, México, Aguilar, 1975.

Edición cuidadosamente preparada de esta fuente clave.

Mutis, José Celestino, *Flora de la real expedición botánica del Nuevo Reino de Granada,* Madrid, Cultura Hispánica, 1963.

Muy difícil de localizar.

—, *Archivo epistolar,* ed. Guillermo Hernández de Alba, 2 vols., Bogotá Editorial Kelly, 1968.

Colección muy completa de la vasta correspondencia de Mutis.

Olavide y Jáuregui, Pablo de, *El evangelio en triunfo o Historia de un filósofo desengañado,* 8.ª ed., 4 vols., Madrid, Don Josef Doblado, 1808.

Edición clásica del texto.

—, *Obras dramáticas desconocidas,* ed. Estuardo Núñez, Lima, Biblioteca Nacional del Perú, 1971.

Edición cuidadosamente preparada de obras anteriormente inéditas.

—, *Obras narrativas desconocidas,* ed. Estuardo Núñez, Lima, Biblioteca Nacional del Perú, 1971.

Edición cuidadosamente preparada de obras anteriormente inéditas.

Oviedo y Baños, José de, *Historia de la conquista y población de la provincia de Venezuela,* Madrid, Gregorio Hermosilla, 1723.

Muy difícil de localizar.

—, *Historia de la conquista y población de la provincia de Venezuela,* Caracas, Domingo Navas Spínola, 1824.

Muy difícil de localizar.

—, *Historia de la conquista y población de la provincia de Venezuela,* ed. Cesáreo Fernández Duro, Madrid, Biblioteca de los Americanistas, 1885.

Edición anotada que incluye índice de nombres de persona y apéndice de documentos.

—, *Historia de la conquista y población de la provincia de Venezuela,* ed. Caracciola Parra León, Analectas de historia patria, Caracas, Parra León Hnos. / Editorial Sur América, 1935.

Excelente prólogo de Parra León.

—, *Historia de la conquista y población de la provincia de Venezuela,* Nueva York, Paul Adams / Scribner's, 1940.

Lujoso facsímil de la edición de 1824, con introducción de Adams, mapas, fotografías, e índice. Reeditada al año siguiente en formato un poco menos lujoso.

—, *Historia de la conquista y población de la provincia de Venezuela,* intr. Guillermo Morón, Biblioteca de Autores Españoles, Historiadores de Indias, 107, Madrid, Ediciones Atlas, 19.

Edición bien preparada.

—, *Historia de la conquista y población de la provincia de Venezuela,* Caracas, Homenaje al Cuatricentenario de la Fundación de Caracas / Barcelona, Ariel, 1967.

Reproducción facsímil de la edición de 1824 de Domingo Navas Spínola. La introducción de Pedro Grases incluye una extensa bibliografía.

—, *The Conquest and Settlement of Venezuela,* trad. e intr. Jeannette Johnson Varner, prólogo de John Lombardi, Berkeley, University of California Press, 1987.

Excelente edición de interés especial para lectores de lengua inglesa con estudio introductorio detallado, completa bibliografía y glosario.

Pauw, Cornelius de, *Recherches philosophiques sur les Américains,* 3 vols., Londres, 1771.

Fuente importante para el debate sobre la civilización del Nuevo Mundo.

Raynal, Guillaume-Thomas, *A Philosophical and Political History of the Settlements and Trade of the Europeans in the East and West Indies,* trad. J. O. Justamond, 3.ª ed., 6 vols., Londres, 1798.

Fuente clave para el debate sobre la civilización del Nuevo Mundo.

Reynel Hernández, Marcos, *El peregrino con guía y medecina universal del alma,* 1750-1761.

Autobiografía espiritual; muy difícil de localizar.

Ribera, Nicolas Joseph de, *Descripción de la isla de Cuba,* intr. y notas de Hortensia Pichardo Viñals, La Habana, Instituto Cubano del Libro, 1973.

Edición bien preparada.

Robertson, William, *The Works of William Robertson D. D.,* 8 vols., Oxford, 1825.

Fuente clave para el debate sobre la historia natural y la civilización del Nuevo Mundo.

Santa Cruz y Espejo, Francisco Javier Eugenio de, *Escritos del Dr. Francisco Javier Eugenio Santa Cruz y Espejo,* prólogo y notas de Federico González Suárez, 2 vols., Quito, Imprenta Municipal, 1912.

Colección de gran alcance de muchos escritos anteriormente inéditos.

—, *El nuevo Luciano de Quito,* 1779, ed. y notas de Aurelio Espinosa Pólit, prólogo de Isaac J. Barrera, Quito, Imprenta del Ministerio de Gobierno, 1943.

Edición anotada y bien preparada.

—, *Primicias de la Cultura de Quito* (1792), Quito, Unión Nacional de Periodistas del Ecuador, 1944.

Edición cuidadosamente preparada del prospecto y los siete únicos números que se publicaron.

—, *Primicias de la Cultura de Quito,* Publicaciones del Archivo Municipal, 23, Quito, Archivo Municipal, 1947.

Edición facsímil.

—, *Escritos médicos, comentarios e iconografía,* Quito, Imprenta de la Universidad, 1952.

Colección bien preparada de los escritos de Espejo sobre temas médicos, algunos anteriormente inéditos; incluye «Reflexiones médicas» y «Memoria sobre el corte de Quinas».

—, *Primicias de la Cultura de Quito,* Quito, Publicaciones del Museo de Arte e Historia de la Municipalidad de Quito, 29, 1958.

Edición útil.

—, *Obra educativa,* ed. Philip L. Astuto, Caracas, Biblioteca Ayacucho, 1981.

Volumen cuidadosamente preparado que incluye *El nuevo Luciano de Quito, Marco Porcio Catón* y *La ciencia blancardina.*

—, *Obras escogidas,* intr. Hernán Rodríguez Castelo, 2 vols., Guayaquil, Clásicos Ariel, s.f.

Incluye referencias bibliográficas.

Ulloa, Antonio de, *Noticias americanas: entretenimientos phísico-históricos, sobre la América Meridional y Septentrional oriental...,* Madrid, Manuel de Mina, 1772.

Fuente clave para la historia natural de Hispanoamérica.

Unanúe, José Hipólito, *Observaciones sobre el clima de Lima,* Madrid, 1815.

Fuente clave; difícil de conseguir.

—, *Obras científicas y literarias,* 3 vols., Barcelona, Serra Hnos. & Russell, 1914.

Volumen importante que recoge los muchos y diversos escritos de Unanúe e incluye un estudio biográfico introductorio.

Urrutia y Montoya, Ignacio José de, *Obras,* 2 vols., La Habana, Imprenta El Siglo XX / Academia de la Historia de Cuba, 1931.

Edición bien preparada.

Velasco, Juan de, *Historia del reino de Quito en la América Meridional* [1789-1791], ed. Aurelio Espinosa Pólit, 2 vols., Puebla, México, Biblioteca Mínima Ecuatoriana, 1960.

Edición definitiva de la obra de Velasco y base para reediciones posteriores.

—, *Historia del reino de Quito en la América Meridional,* ed. Alfredo Pareja Diezcanseco, Caracas, Biblioteca Ayacucho, 1981.

Edición muy útil que incluye cronología y bibliografía.

FUENTES SECUNDARIAS

Libros

Achury Valenzuela, Darío, *Análisis crítico de los «Afectos espirituales»,* Bogotá, Biblioteca de Cultura Colombiana, 1962.

Estudio exhaustivamente detallado de los *Afectos* de la Madre Castillo; texto de cada *Afecto* seguido de un comentario sobre su lenguaje, estructura, fuentes y posición dentro de la totalidad de la obra.

Actas del simposium CCL aniversario nacimiento de Joseph Celestino Mutis, ed. Paz Martín Ferrero, Cádiz, Diputación Pcial. de Cádiz / Editorial La Voz, 1986.

Varios artículos de interés sobre Mutis, la ciencia farmacológica, y expediciones científicas, aunque el lugar del simposio (Cádiz) conduce a un enfoque sobre la Ilustración española.

Aldridge, A. Owen, *The Ibero-American Enlightenment,* Urbana y Chicago, University of Illinois, 1971.

Colección clave de ensayos sobre la Ilustración en España, Latinoamérica y Angloamérica.

Arcila Farias, Eduardo, *Reformas económicas del siglo XVIII en Nueva España.* Vol. I: *Ideas económicas, comercio y régimen de comercio libre;* Vol. II: *Industria, minería y Real Hacienda,* México, SepSetentas, 1974; reimpr., *El siglo ilustrado en América.*

Reformas económicas del siglo XVIII en Nueva España, Caracas, Ed. del Ministerio de Educación, 1955.

Información importante sobre las reformas económicas de los Borbones.

Arciniegas, Germán, *Latin America: A cultural history,* Nueva York, Knopf, 1968. (Trad., *El continente de siete colores,* Sudamericana, 1965).

Obra clásica para lectores de lengua inglesa, ya algo anticuada.

Arenal, Electa, y Stacey Schlau, *Untold Sisters: Hispanic nuns in their own works,* Albuquerque, University of New Mexico Press, 1989.

Incluye extractos escogidos de escritos de varias monjas latinoamericanas del siglo dieciocho (con breves comentarios introductorios y traducción inglesa).

Arias Divito, Juan Carlos, *Las expediciones científicas españolas durante el siglo XVIII,* Madrid, Cultura Hispánica, 1968.

Abundante información sobre expediciones científicas, en particular sobre la expedición botánica a la Nueva España.

Arrom, José Juan, *Esquema generacional de las letras hispanoamericanas. Ensayo de un método,* Bogotá, Instituto Caro y Cuervo, 1963.

Historia literaria clásica que incluye referencias a muchos escritores del siglo dieciocho, aunque resulte ahora menos persuasivo el esquema generacional que cuando se propuso inicialmente.

—, *Certidumbre de América; estudios de letras, folklore y cultura,* 2.ª ed., Madrid, Gredos, 1971.

Importante colección de ensayos, incluye el estudio de Arrom sobre la leyenda de la Virgen del Cobre de Cuba.

Batllori, Miguel, S. J., *El Abate Viscardo. Historia y mito de la intervención de los jesuitas en la independencia de Hispanoamérica,* Caracas, Instituto Panamericano de Geografía e Historia, 1953.

Fondo útil sobre las consecuencias históricas de la expulsión de los jesuitas.

Bernal, Ignacio, *A History of Mexican Archaeology: The vanished civilizations of Middle America,* Londres, Thames & Hudson, 1980.

El Cap. 4, «The Age of Reason (1750-1825)», trata de Clavijero y León y Gama.

Bobb, Bernard E., *The Viceregency of Antonio María Bucareli in New Spain, 1771-1779,* Austin, University of Texas Press, 1962.

Valioso fondo histórico.

Brading, David, *The First America: The Spanish monarchy, creole patriots, and the liberal state, 1492-1867,* Cambridge University Press, 1991.

Historia cultural impresionante y de largo alcance; menciona numerosos escritores importantes del siglo dieciocho.

Buechler, Rose Marie, *Gobierno, minería y sociedad: Potosí y el «Renacimiento» borbónico 1776-1810,* 2 vols., La Paz, Biblioteca Minera Boliviana, 1989; trad. inglesa y ed. revisada, *The Mining Society of Potosí 1776-1810,* Syracuse University Press, 1981.

Estudio exhaustivamente detallado que proporciona un valioso fondo para la lectura de la *Historia* de Arzans.

Bueno, Salvador, *Historia de la literatura cubana,* 3.ª ed., La Habana, Editora del Ministerio de Educación / Editora Nacional de Cuba, 1963.

Menciona escritores cubanos del s. XVIII a menudo no incluidos en otras partes.

Burkholder, Mark A., *Politics of a Colonial Career: José Baquijano and the Audiencia of Lima,* Albuquerque, University of New Mexico, 1980; Wilmington, Del., Scholarly Resources, 1990.

Biografía política bien investigada de un aristócrata criollo borbónico.

Calderón Quijano, José Antonio (ed.), *Los virreyes de Nueva España en el Reinado de Carlos IV,* 2 vols., Escuela de Estudios Hispano-americanos de Sevilla, 1972.

Valioso fondo histórico; cada capítulo está dedicado a un virrey diferente.

Cardozo Galué, Germán, *Michoacán en el Siglo de las Luces,* México, El Colegio de México, 1973.

Enfoque bastante limitado; apéndice interesante de documentos procedentes de los archivos de Michoacán.

Carilla, Emilio, *El libro de los misterios: «El lazarillo de ciegos caminantes»,* Madrid, Gredos, 1976.

Obra clave en la que Carilla sintetiza y amplía sus numerosos artículos sobre *El lazarillo.*

Cassirer, Ernst, *The Philosophy of the Enlightenment,* trad. Fritz C. A. Koelln y James P. Pettegrove, 1951; reimpr., Boston, Beacon Press, 1955.

Estudio clásico sobre la Ilustración.

Chiaramonte, José Carlos, *Pensamiento de la Ilustración. Economía y sociedad iberoamericanas en el siglo XVIII,* Caracas, Biblioteca Ayacucho, 1979.

Antología esencial de pensadores del s. XVIII, con el *caveat* de que Chiaramonte tiende a sobreenfatizar la importancia del pensamiento peninsular e ignora a algunas figuras latinoamericanas.

Deck, Allan F., *Francisco Javier Alegre: A study in Mexican literary criticism,* Roma y Tucson, Jesuit Historical Institute, 1976.

Recurso clave para cualquier estudio de Alegre.

Decorme, Gerard, *La obra de los jesuitas mexicanos durante la época colonial* (1752-1767), 2 vols., México, Antigua Librería Robredo de José Porrúa & Hijos, 1941. (Vol. I: *Funciones y obras;* Vol. II: *Las misiones.*)

Estudio exhaustivamente investigado.

Defourneaux, Marcelin, *Pablo de Olavide ou l'Afrancesado (1725-1803),* Presses Universitaires de Paris, 1959.

Estudio de la vida y las obras enfocado en la influencia francesa; bibliografía útil.

Domínguez Ortiz, Antonio, *Sociedad y estado en el siglo XVIII español,* Barcelona, Ariel, 1976.

Fondo histórico útil.

García-Pabón, Leonardo, *Espacio andino, escritura colonial y patria criolla: la historia de Potosí en la narrativa de Bartolomé Arzans,* tesis doctoral, University of Minnesota, 1990.

Valioso suplemento a la bibliografía de Arzans, que plantea que la *Historia* aporta un espacio para la representación de la consciencia criolla.

Gerbi, Antonello, *The Dispute of the New World. The history of a polemic, 1750-1900,* trad. Jeremy Moyle, ed. revisada y ampliada, University of Pittsburgh Press, 1973. Trad. de *La disputa del Nuevo Mondo: storia de una polemica 1750-1900,* Milán y Nápoles, Riccardo Ricciardi Editore, 1955.

Fascinante historia cultural.

Hanke, Lewis, *Bartolomé Arzans de Orsúa y Vela's «History of Potosi»,* Providence, R.I., Brown University, 1965.

Referencia muy importante; el apéndice contiene traducción inglesa de los títulos del capítulo de Arzans y una extensa bibliografía.

Henríquez Ureña, Max, *Panorama histórico de la literatura cubana,* La Habana, Editorial Arte y Literatura, 1978.

Muy buena visión de conjunto de la literatura cubana temprana.

Hernández Luna, Juan, *José Antonio Alzate: estudio biográfico y selección,* México, Secretaría de Educación Pública, 1945.

Introducción y antología útiles, aunque no se incluyen los escritos mejor conocidos de Alzate (por ejemplo, el ensayo sobre los colorantes de la cochinilla o la descripción de Xochicalco).

Lafaye, Jacques, *Quetzalcóatl and Guadalupe: The formation of Mexican national consciousness 1531-1813,* University of Chicago Press, 1974. (Trad. *Quetzalcóatl et Guadalupe,* París, Gallimard, 1974.)

Absorbente historia cultural.

Lafuente, Antonio, y Antonio Mazuecos, *Los caballeros del puntofijo: ciencia, política y aventura en la expedición geodésica hispanofrancesa al virreinato del Perú en el siglo XVIII,* Madrid, Serbal / Consejo Superior de Investigaciones Científicas, 1987.

Lujoso volumen con excelentes reproducciones de mapas y documentos de la expedición geodésica de Juan y Ulloa.

Lanning, John Tate, *Academic Culture in the Spanish Colonies,* Londres y Nueva York, Oxford University Press, 1940.

Ensayos clásicos (pronunciados originalmente como una serie de conferencias) con referencias a numerosos pensadores del siglo dieciocho.

—, *The University in the Kingdom of Guatemala,* Ithaca, N.Y., Cornell University Press, 1955.

Estudio clásico de la cultura académica en la Guatemala colonial.

—, *The Eighteenth-Century Enlightenment in the University of San Carlos de Guatemala,* Ithaca, N.Y., Cornell University Press, 1956.

Estudio clásico de la erudición y de las ideas en una universidad española colonial.

Lazo, Raimundo, *La literatura cubana. Esquema histórico (desde sus orígenes hasta 1966),* La Habana, Editora Universitaria, 1967.

Fuente útil para escritores cubanos del dieciocho.

—, *Historia del la literatura hispanoamericana. El periodo colonial (1492-1780),* La Habana, Instituto de Libro, 1968.

Breves menciones de la Madre Castillo, Alegre, Clavijero, Alzate.

Lezama Lima, José, *La expresión americana,* Madrid, Alianza Editorial, 1969.

Ensayo fascinante sobre la cultura latinoamericana, aunque contiene poca información sobre el siglo dieciocho.

Lockhart, James, y Stuart B. Schwartz, *Early Latin America: a history of colonial Spanish America and Brazil,* Cambridge University Press, 1983.

Valioso fondo histórico.

Lohmann Villena, Guillermo, *Pedro de Peralta. Pablo de Olavide,* Lima, Biblioteca Hombres del Perú, 1964.

Estudios de la vida y las obras de dos figuras importantes del Perú colonial.

López Segrera, Francisco, *Los orígenes de la cultura cubana (1510-1790),* La Habana, Unión de Escritores y Artistas de Cuba, 1969.

Ensayo bastante general que sostiene que el siglo dieciocho aportó las condiciones necesarias para el desarrollo de la cultura cubana.

Luque Alcaide, Elisa, *La educación en Nueva España en el siglo XVIII,* Escuela de Estudios Hispano-Americanos de Sevilla, 1970.

Historia detallada, con capítulos dedicados a la educación de los criollos, las mujeres, y los indios.

Maneiro, Juan Luis, y Manuel Fabri, *Vidas de mexicanos ilustres del siglo XVIII,* ed. Bernabé Navarro, México, Universidad Nacional Autónoma de México, 1956.

Fuente esencial para el estudio del México del siglo dieciocho.

Maza, Francisco de la, *El guadalupanismo mexicano,* México, Porrúa & Obregón, 1953.

Historia muy completa de la leyenda de la Virgen de Guadalupe.

Méndez Plancarte, Gabriel (ed.), *Humanistas de siglo XVIII,* México, Universidad Nacional Autónoma de México, 1941.

Fragmentos antologizados de obras de jesuitas mexicanos; otra fuente esencial para el estudio del México dieciochesco.

Menéndez Pelayo, Marcelino, *Historia de la poesía hispanoamericana,* 2 vols., Madrid, Librería General de Victoriano Suárez, 1911 (I), 1913 (II). Las referencias del texto provienen de II.

Miranda, José, *Humboldt y México,* México, Universidad Nacional Autónoma de México, 1962.

Estudio bien investigado que incluye una introducción sobre el México del dieciocho.

Morales Borrero, María Teresa, *La Madre Castillo: su espiritualidad y su estilo,* Bogotá, Instituto Caro y Cuervo, 1968.

Compara el estilo de los *Afectos* y el de la *Vida.*

Morner, Magnus (ed.), *The Expulsion of the Jesuits from Latin America,* Nueva York, Knopf, 1965.

Útil colección de ensayos.

Morón, Guillermo, *José de Oviedo y Baños,* Caracas, Fundación Eugenio Mendoza, 1958.

Sostiene que el valor literario de la obra de Oviedo y Baños reside en su impulso épico, en los pasajes descriptivos y en las anécdotas.

Muriel, Josefina, *Cultura femenina novohispana,* México, Universidad Autónoma de México, 1982.

El estudio de Muriel sobre las mujeres en el México colonial es, junto con los estudios de Lavrin, Arenal y Schlau, fuente esencial sobre este tema.

Myers, Kathleen, *Becoming a Nun in Seventeenth-Century Mexico: An edition of the spiritual autobiography of María de San Joseph (Volumen I)*, tesis doctoral, Providence, R.I., Brown University, 1986.

Fuente valiosa para la escritura de convento del siglo diecisiete tardío y del temprano siglo dieciocho.

Navarro, Bernabé, *Cultura mexicana moderna en el siglo XVIII,* México, Universidad Nacional Autónoma de México, 1983.

Obra esencial para entender la evolución del pensamiento moderno en México (que Navarro distingue del pensamiento ilustrado europeo).

Onís, Carlos W. de, *Las polémicas de Juan Bautista Muñoz*, Madrid, José Porrúa Turanzas, 1984.

Historia intelectual que habla de la polémica entre Muñoz y Clavijero.

Pupo-Walker, Enrique, *La vocación literaria del pensamiento histórico en América; desarrollo de la prosa de ficción: siglos XVI, XVII, XVIII, y XIX,* Madrid, Gredos, 1982.

Rama, Ángel, *La ciudad letrada,* Hanover, N.H. Ediciones del Norte, 1984.

Estudio fascinante del lenguaje y la escritura en las colonias españolas.

Rodríguez Castelo, Hernán (ed.), *Letras de la Audiencia de Quito (Período Jesuítico),* Caracas, Biblioteca Ayacucho, 1984.

Antología con una útil introducción; dedica un capítulo a escritores espirituales y otro a oradores sagrados.

Romero, José Luis (ed.), *Pensamiento político de la emancipación,* 2.ª ed., 2 vols., vol. I: *1790-1809;* vol. II: *1810-1815,* 1977; Caracas, Biblioteca Ayacucho, 1985.

Fuente excelente sobre escritores y pensadores del dieciocho.

Ronan, Charles, *Francisco Javier Clavigero S. J. (1731-1787). Figure of the Mexican Enlightenment: His life and works,* Chicago, Loyola University Press, 1977.

Estudio biobibliográfico exhaustivamente investigado.

Sainz, Enrique, *La literatura cubana de 1700 a 1790,* La Habana, Letras Cubanas, 1983.

Valiosa referencia para identificar escritores cubanos del siglo dieciocho poco conocidos.

Sánchez, Luis Alberto, *La literatura peruana: derrotero para una historia espiritual del Perú,* 2 vols., Lima, «La Opinión Nacional», 1929.

Útil para identificar escritores peruanos del siglo dieciocho poco conocidos.

Sarrailh, Jean, *L'Espagne eclairée de la seconde moitié du XVIIIe siècle,* París, Librairie C. Klincksieck, 1964; trad. española, *La España ilustrada de la segunda mitad del siglo XVIII,* México, Fondo de Cultura Económica, 1957.

Estudio clásico sobre la Ilustración española.

Shafer, Robert Jones, *Economic Societies in the Spanish World (1763-1821),* Syracuse, N.Y., Syracuse University Press, 1958.

Fondo útil.

Soto Paz, Rafael (ed.), *Antología de periodistas cubanos,* La Habana, Empresa Editora de Publicaciones, 1943.

Fuente útil sobre los periódicos cubanos tempranos.

Stolley, Karen, *«El lazarillo de ciegos caminantes»: un itinerario crítico,* Hanover, N.H., Ediciones del Norte, 1992.

Análisis de las estrategias narrativas empleadas por Carrió de la Vandera.

Tavera Alfaro, Xavier, *El nacionalismo en la prensa mexicana del siglo XVIII,* México, Club de Periodistas de México, 1963.

Habla de la importancia de la literatura periódica para difundir el pensamiento ilustrado en el México anterior a la independencia.

Temple, William Edward, *José Antonio Alzate y Ramírez and the «Gacetas de literatura de México»: 1768-1795,* tesis doctoral, Tulane University, 1986.

Estudio exhaustivamente investigado sobre la vida y las obras de Alzate.

Toribio Medina, José, *La imprenta en Bogotá (1739-1821),* Santiago, Imprenta Elzeviriana, 1904.

Fuente bibliográfica clave.

—, *La imprenta en la Habana (1707-1810). Notas bibliográficas,* Santiago, Imprenta Elzeviriana, 1904.

Fuente bibliográfica clave.

—, *La imprenta en Quito (1760-1818),* Santiago, Imprenta Elzeviriana, 1904.

Fuente bibliográfica clave.

—, *Notas bibliográficas referentes a las primeras producciones de la Imprenta en algunas ciudades de la América Española (1754-1823),* Santiago, Imprenta Elzeviriana, 1904.

Fuente bibliográfica clave.

Valcárcel, Daniel, *La rebelión de Túpac Amaru,* México, Fondo de Cultura Económica, 1947.

Valioso fondo histórico.

Valle, Enid Mercedes, *La obra narrativa de Pablo de Olavide y Jáuregui,* tesis doctoral, University of Michigan, 1987.

La lectura más completa de las obras narrativas de Olavide hasta la fecha.

Vargas, Fray José María, *Historia de la cultura ecuatoriana,* Quito, Editorial Casa de la Cultura Ecuatoriana, 1965.

Útil para identificar escritores ecuatorianos del dieciocho.

Whitaker, Arthur Preston, *The Huancavelica Mercury Mine,* Cambridge, Mass., Harvard University Press, 1941; reimpr., Westport, Conn., Greenwood Press, 1971.

Fondo histórico útil para leer a Arzans.

Whitaker, Arthur Preston (ed.), *Latin America and the Enlightenment,* intr. Federico de Onís, 2.ª ed., 1942, Ithaca, Cornell University Press, 1961.

Colección de ensayos clásica.

Artículos

Anderson, Benedict, «Creole pioneers», en *Imagined Communities,* ed. revisada, 1983, Londres y Nueva York, Verso, 1991, 47-65.

Sostiene que en el desarrollo del nacionalismo jugaron un papel clave los funcionarios del gobierno criollo y los editores provinciales.

Antoni, Claudio G., «Women of the early modern period. A late baroque devotional writer: Madre Castillo», *Vox Benedictina,* 4:2 (1987), 155-68.

Breve introducción, con extractos de *Mi vida* traducidos.

Arcila Farias, Eduardo, «Ubicación de Oviedo y Baños en la historiografía», en *Cuatro ensayos de historiografía,* Caracas, Ministerio de Educación, 1957, 33-9; reimpr. en Germán Carrera Damas (ed.), *Historia de la historiografía venezolana,* Caracas, Universidad Central de Venezuela, 1961, 45-8.

Ensayo bien investigado sobre la relación entre Oviedo y Baños y la escuela erudita de historiografía.

Astuto, Philip L., «Eugenio Espejo: A man of the enlightenment in Ecuador», *Revista de Historia de América,* 44 (1957), 369-91.

Artículo bien investigado.

—, «Eugenio Espejo: crítico dieciochesco y pedagogo quiteño», *Revista Hispánica Moderna,* 34:3-4 (1968), 513-22.

Artículo muy útil por el fondo y el análisis textual; señala el uso del diálogo por Espejo para exponer sus teorías pedagógicas en *El nuevo Luciano* y *La ciencia blancardina.*

Bataillon, Marcel, «Introducción a Concolorcorvo y a su itinerario de Buenos Aires a Lima», *Cuadernos Americanos,* 111:4 (1960), 197-216.

De importancia fundamental; argumenta definitivamente contra la posibilidad de un autor indio, y habla del narrador dividido o doble.

Beerman, Eric, «Eugenio Espejo and La Sociedad Económica de los Amigos del País de Quito», en Alberto Gil Novales (ed.), *Homenaje a Noël Salomon: Ilustración española e independencia de América,* Barcelona, Universidad Autónoma de Barcelona, 1979, 381-7.

Fondo histórico útil sobre las «sociedades de amigos» en general y el papel de Espejo en la fundación de la sociedad de Quito.

Betrán, Antonio, «La priora de Santa Rosa de Santa María, una monja fuera de lo común», *México Desconocido,* 181 (1992), 68-70; en inglés, 23-4.

Dada la inaccesibilidad de los escritos de María Anna Águeda de San Ignacio y la escasez de estudios críticos, es ésta una introducción útil —si bien muy básica.

Beuchot, Mauricio, «La ley natural como fundamento de la ley positiva en Francisco Xavier Alegre», *Dieciocho,* 14:1-2 (1991), 124-9.

Discusión bastante densa sobre los principios filosóficos de Alegre.

Bose, Walter B. L., «*El lazarillo de ciegos caminantes* y su problema histórico», *Labor de los Centros de Estudio* (La Plata), 2, 24:3 (1941), 219-87.

Bose es un historiador del sistema postal colonial que aporta un fondo valioso para el texto.

Brown, Laura, y Felicity Nussbaum, «Revising critical practices. An introductory essay», en Brown y Nussbaum (eds.), *The New Eighteenth Century,* Nueva York, Methuen, 1987, 1-22.

Ensayo introductorio sólido en el que aboga por una crítica interdisciplinar de la ideología en los estudios del siglo dieciocho.

Buesa Oliver, Tomás, «Sobre Cosme Bueno y algunos de sus coetáneos», *Homenaje a Fernando Antonio Martínez,* Bogotá, Instituto Caro y Cuervo, 1979, 332-72.

Artículo bien investigado que habla de Bueno, Azara, Alcedo, Carrió de la Vandera.

Calvo, Abel, «Feijóo y su concepto de la conquista española de América», en *Fray Benito Jerónimo Feijóo y Montenegro: estudios reunidos en conmemoración del II centenario de su muerte (1764-1964),* Universidad de la Plata, Facultad de Humanidades y Ciencias de la Educación 1965, 281-92.

Identifica los ensayos de Feijoo de mayor interés sobre los escritores latinoamericanos del dieciocho.

Carilla, Emilio, «Feijóo y América», en *Fray Benito Jerónimo Feijóo y Montenegro: estudios reunidos en conmemoración del II centenario de su muerte (1764-1964),* Universidad de la Plata, Facultad de Humanidades y Ciencias de la Educación, 1965, 293-310.

Enumera los ensayos que mencionan a América.

Cody, W. F., «An index to the periodicals published by José Antonio Alzate y Ramírez», *Hispanic American Historical Review,* 33 (1953), 442-75.

Útil recurso bibliográfico.

Crocker, Lester, «The Enlightenment: what and who?», *Studies in Eighteenth-Century Culture,* 17 (1987), 335-47.

Defourneaux, Marcelin, «Pablo de Olavide: l'homme et le mythe», *Cahiers du Monde Hispanique et Luso-brésilien,* 7 (1966), 167-78.

Estudio biográfico.

Espín Lastra, Alfonso, «Biblioteca General de la Universidad Central Sección de libros coloniales que pertenecen a la Universidad de San Gregorio Magno y luego a la Biblioteca del doctor Eugenio Espejo», *Cuadernos de Arte y Poesía* (Quito), 9, (1960), 107-47.

Estudio bibliográfico bien investigado sobre Santa Cruz y Espejo.

Galindo y Villa, Jesús, «El enciclopedista Antonio Alzate», *Memorias de la Academia «Antonio Alzate»,* 54 (1934), 1-14.

Ensayo bien investigado sobre la vida y obras de Alzate.

Garza G., Baudelio, «Análisis de tres aspectos de una obra narrativa de Pablo de Olavide», *Cathedra* (Facultad de Filosofía y Letras de la Universidad de Monterrey), 2 (1975), 39-56.

Análisis estructural de «El incógnito o el fruto de la ambición».

Gimbernat de González, Ester, «El discurso sonámbulo de la Madre Castillo», *Letras Femeninas,* 13:1-2 (1987), 42-52.

Análisis del tema autobiográfico en *Mi vida.*

Goic, Cedomil, «La novela hispanoamericana colonial», en Luis Íñigo Madrigal (ed.), *Historia de la literatura hispanoamericana,* Vol. I: *Época colonial,* Madrid, Cátedra, 1982, 369-406.

Útil discusión de numerosas obras del dieciocho, aunque la caracterización de estas narraciones coloniales como «novelas» puede parecer problemática al lector.

González del Valle, Francisco, «Un trabajo inédito del Padre José Agustín Caballero. *El curso de Filosofía Electiva,* introducción», *Revista Cubana,* 17:2 (1943), 143-61.

De interés histórico y bibliográfico.

González Stephan, Beatriz, «The early stages of Latin American historiography», en René Jara y Nicholas Spadaccini (eds.), *1492-1992: Rediscovering colonial writing,* Minneapolis, Minn., Prisma Institute, 1989, 291-322.

Ensayo útil, con menciones específicas de Eguiara y Llano y Zapata.

Grases, Pedro, «La historia de la provincia de Venezuela de José de Oviedo y Baños (1723)», en *De la Imprenta en Venezuela,* Caracas, Ediciones de la Facultad de Humanidades y Educación, 1979.

Escrito con ocasión de la reedición de la historia de Oviedo y Baños; útil visión de conjunto de la historia de la publicación de la obra.

Johnson, Julie Greer, «Feminine satire in Concolorcorvo's *El lazarillo de ciegos caminantes», South Atlantic Bulletin,* 45:1 (1980), 11-20; reimpr. en Julie Greer Johnson, *Women in Colonial Spanish American Literature: Literary images,* Westwood, Conn., Greenwood Press, 1983, 87-114.

Habla de la representación de la mujer en *El lazarillo.*

—, «*El nuevo luciano* and the satiric art of Eugenio Espejo», *Revista de Estudios Hispánicos,* 23:3 (1989), 67-85.

Artículo bien investigado que aporta una útil introducción a la vida y obras satíricas de Espejo.

Karsen, Sonja, «Alexander von Humboldt in South America: From the Orinoco to the Amazon», *Studies in Eighteenth-Century Culture,* 16 (1986), 295-302.

Visión de conjunto bastante general que habla de los viajes de Humboldt y Bonpland a Sudamérica, 1799-1804.

Kerson, Arnold L., «José Rafael Campoy and Diego José Abad: two enlightened figures of eighteenth-century Mexico», *Dieciocho,* 7:2 (1984), 130-45.

Habla de estas dos figuras en particular dentro del contexto más general de la comunidad de escritores y eruditos jesuitas en el México del siglo dieciocho.

Lafaye, Jacques, «Conciencia nacional y conciencia étnica en la Nueva España: un problema semántico», en James W. Wilkie, Michael C. Meyer, Edna Monjón de Wilkie (eds.), *Contemporary Mexico: Papers of the IV International Congress of Mexican History,* Berkeley, University of California Press/México, El Colegio de México, 1976, 38-46.

Habla de la ambigüedad del término «nación» en el periodo anterior a la independencia, con mención particular de Clavijero y Eguiara.

—, «Literature and intellectual life in colonial Spanish America», en Leslie Bethell (ed.), *The Cambridge History of Latin America,* Vol. II: *Colonial Latin America,* Cambridge University Press, 1984, 663-704.

Estudio de fondo bien investigado. Se proyectaron ocho volúmenes.

Lemmon, Alfred E., «The Mexican Jesuit expulsos of 1767: theological and philosophical writings», *Xavier Review* (New Orleans), 1:1-2 (1980-1981), 53-7.

Menciona a Clavijero, Landívar, Abad, Alegre, Cavo, Guevara y Bazoazabal.

Leonard, Irving, «Pedro de Peralta: Peruvian polygraph (1664-1743)», *Revista Hispánica Moderna,* 39 (1968), 690-9.

Ensayo sobre la vida y las obras que incluye una mención fascinante de las notas marginales de Peralta a *Lima fundada* (695).

Le Riverend Brusone, Julio J., «Comentario en torno a las ideas sociales de Arrate», *Revista Cubana,* 17:2 (1943), 326-41.

Se centra en los argumentos económicos de Arrate sobre la esclavitud en Cuba.

—, «Carácter y significación de los tres primeros historiadores de Cuba», *Revista Bimestre Cubana,* 65:1-2-3 (1950), 152-80.

Habla de Urrutia y Montoya y Arrate.

—, «Notas para una bibliografía cubana de los siglos XVII y XVIII», *Universidad de la Habana,* 29-30 (1950), 128-231.

Brusone proporciona transcripciones anotadas de las entradas pertenecientes a escritores cubanos en la *Biblioteca* de Beristáin, con una breve nota introductoria y algunos documentos incluidos en apéndices.

Lerner, Isaías, «The *Diccionario* of Antonio de Alcedo as a source of enlightened ideas», en A. Owen Aldridge (ed.), *The Ibero-American Enlightenment,* Urbana y Chicago, University of Illinois Press, 1981, 71-93.

Artículo bien investigado que incluye excelentes notas bibliográficas y muchas citas interesantes de las entradas del *Diccionario*.

—, «Sobre dialectología en las letras coloniales: el vocabulario de Antonio de Alcedo», *Sur* (enero-dic. de 1982), 117-29.

Otro artículo cuidadosamente investigado por Lerner.

Lohmann Villena, Guillermo, «La biblioteca de un peruano de la Ilustración: el contador Miguel Feijó de Sosa», *Revista de Indias,* 174 (1984), 367-84.

Inventario de una biblioteca personal del siglo dieciocho.

Macera Dall'Orso, Pablo, «Bibliotecas peruanas del siglo XVIII» [1962], en *Trabajos de historia,* 4 vols., Lima, Instituto Nacional de Cultura, 1977, I, 183-312.

Artículo bien investigado que documenta las difíciles condiciones materiales que limitaban las bibliotecas peruanas del dieciocho y que describe varias bibliotecas privadas, universitarias y religiosas.

—, «Lenguaje y modernismo peruano del siglo XVIII» (1963), en *Trabajos de historia,* 4 vols., Lima, Instituto Nacional de Cultura, 1977, II, 9-77.

Artículo denso y bien investigado que sostiene la importancia ideológica de los cambios lingüísticos en las colonias.

—, «El indio y sus intérpretes peruanos del siglo XVIII» [1964], en *Trabajos de historia,* 4 vols., Lima, Instituto Nacional de Cultura, 1977, II, 303-16.

El artículo intenta explicar la falta de interés por los estudios indigenistas en el Perú del siglo dieciocho.

—, «El indio visto por los criollos y españoles», en *Trabajos de historia,* 4 vols., Lima, Instituto Nacional de Cultura, 1977, II, 317-24.

Continuación del artículo anterior.

Marañón, Gregorio, «Vida y andanzas de don Pablo de Olavide», en Manuel Cisneros (ed.), *Seis temas peruanos,* Madrid, Espasa-Calpe, 1960, 99-113.

Estudio biobibliográfico.

Margáin, Carlos R., «Don Antonio León y Gama (1735-1802). El primer arqueólogo mexicano. Análisis de su vida y obra», en *Memorias del Primer Coloquio Mexicano de Historia de la Ciencia,* 2 vols., México, Sociedad Mexicana de Historia de la Ciencia y la Tecnología, 1964, II, 149-83.

Estudio definitivo hasta la fecha sobre León y Gama.

Martín, Juan Luis, «José Martín Félix de Arrate y Mateo de Acosta, el primero que se sintió Cubano», *Revista de la Biblioteca Nacional* (La Habana), 1:4 (1950), 32-60.

Historia familiar con bibliografía anotada de las fuentes de Arrate.

Mazzara, Richard A., «Some picaresque elements in Concolorcorvo's *El lazarillo de ciegos caminantes», Hispania,* 46:1 (1963), 313-7.

Ensayo claro que habla de la relación amo / esclavo y el tema del vagabundeo.

McPheeters, D. W., «The distinguished Peruvian scholar Cosme Bueno 1711-1798», *Hispanic American Historical Review,* 35:4 (1955) 484-91.

Útil introducción a la vida y obras de Bueno con un enfoque especial sobre las *Descripciones de provincias.*

Minguet, Charles, «Alejandro de Humboldt ante la Ilustración y la independencia de Hispanoamérica», en Alberto Gil Novales (ed.), *Homenaje a Noël Salomon: Ilustración española e Independencia americana,* Universidad Autónoma de Barcelona, 1979, 69-79.

Valiosa visión de conjunto de los escritos de Humboldt sobre Latinoamérica.

—, «América hispánica en el Siglo de las Luces», *Cuadernos Americanos,* 1:1 (1987), 30-41.

Sostiene que se pueden ver los efectos de la Ilustración en el siglo dieciocho tardío.

Moreno, Rafael, «Creación de la nacionalidad mexicana», *Historia Mexicana,* 12 (1963), 531-51.

Artículo bastante general, centrado en la refutación por Alzate y Bartolache de las acusaciones europeas de la inferioridad americana.

—, «La concepción de la ciencia en Alzate», *Historia Mexicana,* 13 (1964), 346-78.

Observa el carácter enciclopédico de las publicaciones de Alzate.

Moreno, Roberto, «José Antonio de Alzate y los virreyes», *Cahiers du Monde Hispanique et Luso-brésilien,* 12 (1969), 97-114.

Subraya el carácter polémico de Alzate.

—, «Ensayo biobibliográfico de Antonio de León y Gama», *Boletín del Instituto de Investigaciones Bibliográficas* (México), 2 (1970), 43-135.

El estudio biobibliográfico sobre León y Gama más completo hasta la fecha.

—, «Las notas de Alzate a la *Historia antigua* de Clavijero», *Estudios de Cultura Nahuatl,* 10 (1973), 359-92.

Artículo bien investigado que cuenta la relación literaria entre Alzate y Clavijero.

—, «El indigenismo de Clavijero y de Alzate», en *Estudios sobre la política indigenista española en América,* 3 vols., Seminario de Historia de América / Universidad de Valladolid, 1977, 111, 43-52.

Persuasivo argumento de que el neo-aztequismo es central en la Ilustración mexicana.

Morón, Guillermo, «José de Oviedo y Baños», en *Los cronistas y la historia,* Caracas, Ediciones del Ministerio de Educación, 1957, 85-155.

Estudio muy completo, escrito originalmente como introducción a la *Historia* para la edición de Biblioteca de Autores Españoles.

Navarro, Bernabé, «Alzate, símbolo de la cultura Ilustrada Mexicana», *Memoria y Revista de la Academia Nacional de Ciencias,* 54 (1952), 85-97.

Refleja el interés del autor por la filosofía moderna como elemento clave de la Ilustración mexicana.

Parra León, Caracciolo, «Oviedo y Baños: historia de Venezuela», en *Analectas de historia patria,* Caracas, Parra León Hnos., 1935, iv-xlvi.

Estudio exhaustivo de la vida y obras de Oviedo y Baños. De gran interés.

Perricone, Catherine R., «La Madre Castillo: mística para América», en Manuel Criado de Val (ed.), *Santa Teresa y la literatura mística hispánica. Actas del I Congreso Internacional sobre la Literatura Mística Hispánica,* Madrid, EDI, 1984, 1671-742.

Sostiene que existe relación entre la escritura mística de la Madre Castillo y la tradición del amor cortés.

Phelan, John Leddy, «Neo-Aztecism in the eighteenth century and the genesis of Mexican nationalism», en Stanley Diamond (ed.), *Culture in History: Essays in honor of Paul Radin,* Nueva York, Octagon, 1981, 760-70.

Análisis de las actitudes de los criollos cultos hacia los indios.

Planchart, Julio, «Oviedo y Baños y su *Historia de la conquista y población de la provincia de Venezuela»,* en *Discursos,* Caracas, Tip. Americana, 1941, 5-57; reimpr. en *Temas críticos,* Caracas, Ministerio de Educación Nacional, 1948, 207-48.

Lectura cuidadosa de la *Historia* que comienza con alabanzas de su «venezolanidad».

Portuondo, José Antonio, «Los comienzos de la literatura cubana (1510-1790)», en *Panorama de la literatura cubana,* Universidad de la Habana / Centro de Estudios Cubanos, 1970, 7-85.

Identifica escritores cubanos frecuentemente pasados por alto en las historias literarias más generales.

Pupo-Walker, Enrique, «En el azar de los caminos virreinales: relectura de *El lazarillo de ciegos caminantes»,* en *La vocación literaria del pensamiento histórico en América,* Madrid, Gredos, 1982, 647-70.

Ensayo importante enfocado en la relación de la tradición historiográfica y el papel desempeñado por el narrador doble.

Real Díaz, José J., «Don Alonso Carrió de la Vandera, autor del 'Lazarillo de ciegos caminantes'», *Anuario de Estudios Americanos* (Sevilla), 13 (1956), 387-416.

Estudio importante que relegó al olvido la especulación sobre un autor indígena.

Rivera-Rodas, Oscar, «Niveles diegéticos en las crónicas de Arzans», *Revista Iberoamericana,* 134 (1986), 2-28.

Artículo persuasivo que analiza el marco temporal de la *Historia.*

Robledo Palomeque, Angela Inés, «La escritura mística de la Madre Castillo y el amor cortesano: religiones de amor», *Thesaurus,* 42 (1987), 379-89.

Clásico artículo sobre «vida y obras», basado principalmente en *Mi vida.*

Ruiz Castañadea, María del Carmen, «La segunda *Gazeta de México (1728-1739, 1742)», Boletín del Instituto de Investigaciones Bibliográficas,* 2:1 (1970), 23-42.

Fondo interesante sobre una temprana gaceta mexicana.

Soons, Alan, «An idearium and its literary presentation in 'El lazarillo de ciegos caminantes'», *Romanische Forschungen,* 91 (1979), 92-5.

Análisis de las cuestiones sociohistóricas planteadas en el texto.

Tavera Alfaro, Xavier, «Periodismo dieciochesco», *Historia mexicana,* 2 (1952), 110-15.

Habla del papel de Alzate en la difusión de la Ilustración científica y filosófica dentro del ambiente político en desarrollo en el México del siglo dieciocho.

Torre Revello, José, «Viajeros, relaciones, cartas y memorias (Siglos XVII, XVIII y primer decenio del XIX)», en Ricardo Levene (ed.), *Historia de la nación Argentina,* Vol. IV: *El momento histórico del virreinato del Río de la Plata,* Buenos Aires, Ateneo, 1940, 545-85.

Menciona a Concolorcorvo y Félix de Azara.

Torres, Bibiano, «La epidemia de Matlalzahuatl de 1736-1739», en *Estudios sobre la política indigenista española en América,* 3 vols., Seminario de Historia de América / Universidad de Valladolid, 1975-1976, II, 189-95.

Fondo histórico de la epidemia mencionada por Alegre y Cavo que condujo a la designación de la Virgen de Guadalupe como santa patrona de la Ciudad de México.

Waldron, Kathy, «The sinners and the bishop in colonial Venezuela: the *Visita* of Bishop Mariano Martí, 1771-1784», en Asunción Lavrin (ed.), *Sexuality & Marriage in Colonial Latin America,* Lincoln, Nebr., y Londres, University of Nebraska Press, 1989, 156-77.

De interés particular porque las investigaciones de Martí reflejan el interés más general en el siglo dieciocho por las reformas ilustradas basadas en el recogimiento metódico de información.

Whilhite, John F., «The Enlightenment in Latin America: tradition versus change», *Dieciocho,* 3:1 (1980), 18-26.

Observa los intereses científicos y económicos de muchos escritores del dieciocho.

Wilson, Iris Higbie, «Scientists in New Spain: the eighteenth century expeditions», *Journal of the West,* 1:1 (1967), 24-44.

Visión de conjunto bastante elemental de la Real Expedición Científica a la Nueva España y la expedición de Malaspina destinada a circunnavegar el globo; introducción útil para lectores de lengua inglesa al ambiente de la expedición científica en Latinoamérica en el siglo dieciocho.

Zapata, Roger, «El 'Otro' del *Lazarillo», Dieciocho,* 13:1-2 (1990), 58-70.

Sostiene que la obra de Carrió de la Vandera refleja una visión colonialista que intenta defender las estructuras coloniales españolas en desintegración.

Capítulo 11

POESÍA LÍRICA EN LOS SIGLOS XVIII Y XIX

Más que cualquier otro periodo de la historia de la literatura latinoamericana, el siglo dieciocho exige una lectura —y a menudo un redescubrimiento— de los textos primarios, en vez de un repaso de fuentes secundarias, en sí escasas. El presente ensayo y la bibliografía siguiente han sido guiados por esa premisa, que se ha extendido también a la discusión de la muy desatendida lírica decimonónica. Hay ediciones excelentes de algunas figuras particulares: Heredia *(Poesías completas)* y Olmedo *(Poesías completas)* —aunque, como sugieren las fechas, debieran ser examinadas o al menos debieran hacerse disponibles en reimpresiones más accesibles—, y se ha publicado más recientemente a Melgar *(Poesías completas)* y Pardo y Aliaga *(Poesías);* también Barcia *(La lira argentina)* ha proporcionado un espléndido texto para una antología importante del periodo. Por otra parte, la antología de J. M. Gutiérrez, *América poética,* no se ha reimpreso nunca. Lo que es verdad para tales figuras cuya importancia se reconoce universalmente, se extiende por supuesto a autores menos conocidos y a la gran masa de poesía dispersa en publicaciones periódicas o de acceso aún más difícil, aunque Miranda y González Casanova *(Sátira anónima del siglo XVIII),* el facsímil del *Mercurio Peruano* (1965) y la obra ejemplar de Hernández de Alba y Hernández Peñalosa *(Poemas en alabanza de los defensores de Cartagena de Indias en 1741)* atestiguan la factibilidad de ampliar significativamente el cuerpo textual. El campo se ensancha aún más y las necesidades de investigación se hacen más urgentes, si, como yo he sostenido, se debe separar de la disciplina de antropología la literatura indígena, reconocer a los expedicionarios científicos como la cima de las letras ilustradas, y, más generalmente, superar la división entre verso y prosa. Por desgracia, no he podido seguir esas direcciones dentro de las restricciones presentes, y por consiguiente la bibliografía de fuentes primarias representa sólo una muestra de las ediciones más o menos accesibles de los autores mencionados en el texto. Nótese, sin embargo, que sí incluyo la prosa crítica decimonónica entre las fuentes primarias, ya que creo que se deben estudiar estos textos por derecho propio para una valoración adecuada del Romanticismo, y no meramente como punto de entrada a la poesía que les atañe.

En cuanto a las fuentes secundarias, la situación es, en todo caso, más drástica que respecto a los textos primarios. El caso de Gómez de Avellaneda, sin embargo, señala el camino a seguir. Respondieron primero al largo descuido, con resultados modestos, Alzaga y Núñez *(Ensayo de diccionario del pensamiento vivo de la Avellaneda),* Fontanella («Mystical diction and imagery in Gómez de Avellaneda and Carolina Coronado») e, incluso, Cabrera y Zaldívar *(Homenaje a Gertrudis Gómez de Avellaneda);* Miller, «Gertrude the Great», es más útil. Luego, finalmente, el gran avance de Kirkpatrick, *Las Románticas;* véase también Harter, «Gertrudis Gómez de Avellaneda». Se pueden multiplicar los casos ya que nadie, con excepción de Bello, ha recibido la atención debida (incluso Bello es tema de estudio más frecuentemente por su obra en prosa, pero véase Bareiro Saguier [«La poesía de Andrés Bello»], además de la excelente discusión de Rivera-Rodas, [*La poesía hispanoamericana del siglo XIX*], citada en el texto). Bajo esta luz, he enfocado una parte considerable de la bibliografía en los estudios de literatura inglesa de carácter teórico. Es cada vez más frecuente afirmar que el Romanticismo latinoamericano es un fenómeno aparte, inconmensurable, con tendencias europeas (afirmación que, en sí, constituye una postura romántica). Es suficientemente verdadero esto, si no se exagera el punto, pero no obvia el estudio de las literaturas contemporáneas en otras partes para una aclaración tanto de los contrastes como de los puntos en común. Es más, buena parte de la discusión teórica en los estudios literarios angloamericanos y del continente europeo durante la última generación ha surgido precisamente de la lectura de las literaturas de los siglos XVIII y XIX en esas zonas. El pasar por alto estos adelantos es un desatino aún mayor que el aplicar teorías extranjeras a la literatura hispánica sin preocuparse de la especificidad del contexto cultural ni de la tradición literaria. Las entradas incluidas aquí sugieren la variedad de estrategias de lectura que se están explorando en otras partes. Podría añadir que si los estudios dieciochescos y decimonónicos en las letras latinoamericanas van a adoptar un enfoque más comparativo, tal esfuerzo bien podría empezar más cerca de casa a través de una reconsideración de la tradición peninsular, aunque proceder así significará superar los prejuicios del mismo periodo en cuestión. Los estudios críticos de la literatura peninsular de los siglos XVIII y XIX necesitan también renovación y refuerzo, aunque, en particular respecto al siglo dieciocho, están muy adelantados respecto a la crítica latinoamericana. Las obras de Sebold (v.g. *El rapto de la mente)* y Arce *(La poesía del siglo ilustrado),* junto con las de Dérozier *(Manuel Josef Quintana et la naissance du libéralisme en Espagne),* Demerson *(Don Juan Meléndez Valdés y su tiempo)* y Polt *(Batilo),* mencionadas en el presente ensayo, proporcionan la base necesaria para los estudios latinoamericanos del periodo.

FUENTES PRIMARIAS (INCLUYENDO LAS ANTOLOGÍAS)

Alegre, Javier, *Opúsculos inéditos latinos y castellanos del P. Francisco Javier Alegre (veracruzano) de la Compañía de Jesús*, México, Imprenta de Francisco Díaz de León, 1889.

Poesía de una de las figuras sobresalientes de la escuela neolatina; incluye su traducción anotada de Boileau.

Amunátegui, Miguel Luis, y Gregorio Víctor Amunátegui, *Juicio crítico de algunos poetas hispano-americanos,* Santiago, Imprenta del Ferrocarril, 1861.

Medida decisiva del gusto de mediados del siglo diecinueve, este esfuerzo temprano en la historia de la crítica latinoamericana merece atención por su valiosa información, su alcance continental, y su atinado juicio, con frecuencia reñido con la gran aceptación obtenida por los poetas en estudio en sus propios contextos nacionales.

Baralt, Rafael María, *Obras literarias publicadas e inéditas de Rafael María Baralt,* ed. e intr. Guillermo Díaz-Plaja, Biblioteca de Autores Españoles, 204, Madrid, Real Academia Española, 1967.

Textos en prosa y verso con una introducción informativa de Díaz-Plaja.

Barcia, Pedro Luis, *La lira argentina o Colección de las piezas poéticas dadas a luz en Buenos Aires durante la guerra de su independencia* [Buenos Aires, 1824], Biblioteca de la Academia Argentina de las Letras, Serie Clásicos Argentinos, 25, Buenos Aires, Academia Argentina de las Letras, 1982.

Ejemplar presentación editorial de una antología decimonónica de suma importancia.

Bareiro Saguier, Rubén (ed.), *Literatura guaraní del Paraguay,* Biblioteca Ayacucho, 70, Caracas, Biblioteca Ayacucho, 1980.

Instructiva colección sobre literatura indígena.

Barrera Vásquez, Alfredo (trad. y ed.), El *libro de los cantares de Dzitbalché,* Serie Investigaciones, 9, México, Instituto Nacional de Antropología, 1965.

Colección de poesía lírica yucateca maya compilada en el siglo dieciocho; incluye facsímiles y transcripciones de los textos originales, traducciones, una breve introducción y excelentes notas.

Bello, Andrés, *Obra literaria,* ed. e intr. Pedro Grases, cronología Oscar Sambrano Urdaneta, Biblioteca Ayacucho, 50, Caracas, Biblioteca Ayacucho, 1985.

Edición muy accesible y anotada de las obras literarias de la figura intelectual más sobresaliente de principios del siglo diecinueve; la colección incluye su poesía completa además de valiosos ensayos que incluyen crítica literaria dedicada a figuras como J. M. Heredia y J. J. Olmedo.

Bolívar, Simón, *Cartas del Libertador,* ed. Vicente Lecuna, 10 vols., Caracas, Lit. y Tip. del Comercio, 1929.

Fuente fundamental para el estudio de América en el periodo de la Independencia.

Caro, José Eusebio, *Antología. Verso y prosa,* Biblioteca Popular de Cultura Colombiana, Bogotá, Editorial Iqueima, 1951.

Edición moderna de uno de los poetas principales del periodo romántico.

Carilla, Emilio (ed.), *Poesía de la Independencia,* Biblioteca Ayacucho, 59, Caracas, Biblioteca Ayacucho, 1979.

Buena antología basada en los hallazgos de Carilla, *La literatura de la independencia hispanoamericana.*

Castillo, Francisca Josefa del, *Afectos espirituales,* Clásicos Colombianos, 2-3, 2 vols., Bogotá, Biblioteca Popular de Cultura Colombiana, 1942.

Guía piadosa a la vía mística: obra en prosa muy importante; incluye la poesía de la Madre Castillo.

Castillo Andraca y Tamayo, Fray Francisco del, *Obras de Fray Francisco del Castillo Andraca y Tamayo,* intr. y notas de Rubén Vargas Ugarte, S. J., Clásicos Peruanos, 2, Lima, Editorial Studium, 1948.

Excelente edición de un poeta dieciochesco muy interesante.

Cortés, José Domingo (ed.), *Poetisas americanas. Ramillete poético del bello sexo hispano-americano,* París y México, Librería de A. Bouret & hijos, 1875.

La compilación más extensa de la poesía de mujeres en el siglo diecinueve: tesoro de nombres poco estudiados y completamente olvidados.

De la Campa, Antonio R., y Raquel Chang-Rodríguez, *Poesía hispanoamericana colonial. Historia y antología,* Madrid, Alhambra, 1985.

Más una antología que una historia literaria; no obstante, son muy informativas las breves introducciones a cada escritor y es excelente la selección de autores del dieciocho.

Echeverría, Esteban. *Dogma socialista,* intr. Alberto Palcos, Biblioteca de Autores Nacionales y Extranjeros referente a la República Argentina, 2, Universidad Nacional de La Plata, 1940.

Inestimable colección de textos en prosa de Echeverría, J. M. Gutiérrez y otros.

—, *«El matadero» y «La cautiva» de Esteban Echeverría,* suivis *de trois essais de Noé Jitrik,* Annales littéraires de l'Univérsité de Besançon, 103, París, Les Belles Lettres, 1969.

La edición de estos importantes textos de Echeverría merece atención por la inclusión de los valiosos ensayos de Jitrik.

Edmonson, Munro S., «The songs of Dzitbalche: a literary commentary», *Tlalocan,* 9 (1982), 173-208.

Transcripción y traducción al inglés de esta compilación del siglo dieciocho de poesía lírica maya, con un breve pero valioso comentario.

Falcao Espalter, Mario, *Antología de poetas uruguayos,* vol. I, Montevideo, Claudio García, 1922.

Buena selección pero sin aparato crítico.

Flores, Ángel, *The Literature of Spanish America,* 5 vols., Nueva York, Las Américas, 1966.

Antología clásica de uso particular para el lector con un dominio limitado del español, ya que en las notas se incluyen extensas traducciones en prosa de muchos pasajes.

Gautier, Théophile, *Oeuvres completes,* vol. XI, Ginebra, Slatkine Reprint, 1978.

Figura principal del Romanticismo francés; el volumen incluye su *Histoire du romantisme* (1884).

Ghiraldo, Alberto, *Antología americana,* 4 vols., Madrid, Renacimiento, 1923.

No muy conocida, esta colección ofrece, sin embargo, la selección más representativa, entre todas las antologías, de la prosa y poesía del siglo dieciocho tardío y del siglo diecinueve.

Gómez de Avellaneda, Gertrudis, *Obras literarias,* vol. I. *Poesías líricas,* intr. Nicasio Gallego, «Apuntes biográficos» de Nicomedes Pastor Díaz, Madrid, Rivadeneyra, 1869.

Colección de poesía compilada tarde en la carrera de la mujer cubana que había llegado a ser la principal figura literaria en España a mediados del siglo; asombrosamente poco estudiada.

Gutiérrez, Juan María (ed.), *América poética. Coleccion escojida de composiciones en verso, escritos por americanos en el presente siglo. Parte lírica,* Valparaíso, Imprenta del Mercurio, 1846.

La primera antología de poesía lírica de todo el continente de Hispanoamérica: es éste un texto de suma importancia que requiere urgentemente reimpresión en una edición crítica.

—, *Estudios biográficos y críticos sobre algunos poetas sud-americanos anteriores al siglo XIX,* Buenos Aires, Imprenta del Siglo, 1865.

Investigación inaugural de la literatura colonial, que incluye ensayos sobre Sor Juana, Aguirre, Lavardén y Olavide, por el mejor crítico literario hispanoamericano del siglo diecinueve.

Gutiérrez, Ricardo, y Olegario Víctor Andrade, *Selección de poemas. Ricardo Gutiérrez/Olegario Víctor Andrade,* Biblioteca Argentina Fundamental, 7, Buenos Aires, Centro Editor de América Latina, 1967.

Dos estimables poetas del tardío siglo diecinueve en formato popular.

Gutiérrez González, Gregorio, *Poesías,* Bogotá, Editorial de Cromos, 1926.

Colección de uno de los mejores poetas de mediados del siglo diecinueve; sin aparato crítico.

Heredia, José María, *Poesías completas. Homenaje de la Ciudad de la Habana en el centenario de la muerte de Heredia. 1839-1939,* Colección Histórica Cubana y Americana, 3, 2 vols., Municipio de la Habana, 1940.

Excelente edición crítica de la poesía completa del poeta más importante del periodo.

Hernández de Alba, Guillermo, y Guillermo Hernández Peñalosa (eds.), *Poemas en alabanza de los defensores de Cartagena de Indias en 1741,* Publicaciones del Instituto Caro y Cuervo, 50, Bogotá, Instituto Caro y Cuervo, 1982.

Excelente edición de poemas, documentos relacionados y material introductorio.

Luz y Caballero, José de la, «Filósofos cubanos. El presbítero José Agustín Caballero», *Revista de Cuba,* 3 (1878), 481-91.

Reimpresión del texto de 1835 *(Diario de la Habana)* del elogio de un filósofo cubano por otro; breve retrato de una época intelectual.

Manzano, Juan Francisco, y Gabriel de la Concepción Valdés, *Autobiografía, cartas y versos (La Habana 1937)/Poesías completas de Plácido (París 1862),* Nendeln, Kraus Reprint, 1970.

Mejor en prosa que en verso, la relación por Manzano de su vida como esclavo en Cuba es un documento de gran importancia tanto para la historia social como para la literaria. Su obra está vinculada en este volumen con una reimpresión de la ed. en 1862 de la poesía de Plácido (véase Valdés, *Los poemas más representativos de Plácido).*

Martí, José, *Obras completas. Edición conmemorativa del centenario de su natalicio,* ed. M. Isidro Méndez, Mariano Sánchez Roca y Rafael Marquina, 2 vols., La Habana, Editorial Lux, 1953.

Colección en dos volúmenes de los escritos de la figura intelectual más destacada de las letras hispanoamericanas de finales del siglo diecinueve.

Meléndez Valdés, Juan, *Obras en verso,* ed. John H. R. Polt y Georges Demerson, Colección de Autores Españoles del Siglo XVIII, 28, Oviedo, Cátedra Feijoo-Centro de Estudios del Siglo XVIII, 1981-1983.

Edición crítica ejemplar.

Melgar, Mariano, *Poesías completas,* ed. Aurelio Miró Quesada, Estuardo Núñez, Antonio Cornejo Polar, Enrique Aguirre y Raúl Bueno Chávez, Clásicos Peruanos, 1, Lima, Academia Peruana de la Lengua, 1971.

Edición crítica excelente.

Menéndez Pelayo, Marcelino, *Antología de poetas hispano-americanos,* 4 vols., Madrid, Sucesores de Rivadeneyra, 1895.

La selección más amplia en la con mucho más asequible antología, compilada por un investigador infatigable, cuya gran erudición, gusto horaciano, y prejuicios colonialistas han dominado la investigación en este campo.

Mercurio peruano, ed. facsímil, 6 vols., Lima, Biblioteca Nacional del Perú, 1965.

Reimpresión de una de las publicaciones periódicas más importantes de la Ilustración latinoamericana.

Miranda, José, y Pablo González Casanova (eds.), *Sátira anónima del siglo XVIII,* Letras Mexicanas, México, Fondo de Cultura Económica, 1953.

Antología muy valiosa de poesía anónima de México, con un útil ensayo introductorio de González Casanova.

Navarrete, Manuel, *Poesías profanas,* Biblioteca del Estudiante Universitario, 7, México, Ediciones de la Universidad Nacional Autónoma, 1939.

Accesible colección del poeta más importante del México de finales del siglo dieciocho.

Ochoa, Anastasio de, *Poesías de un mexicano,* 2 vols., Nueva York, Lanuza, Mendia, 1828.

Colección de gran importancia.

Olmedo, José Joaquín, *Poesías completas,* ed. Aurelio Espinosa Pólit, Biblioteca Americana, Literatura Moderna, Poesía, México, Fondo de Cultura Económica, 1947.

Edición excelente que incluye valiosas notas; el ensayo introductorio sigue siendo el mejor texto sobre Olmedo.

Pacheco, José Emilio (ed.), *La poesía mexicana del siglo XIX (antología),* México, Empresas Editoriales, 1965.

Buena selección de poesía, y aún mejor por las valiosas notas introductorias a cada uno de los autores de la antología y una útil bibliografía; Pacheco dice claramente, sin embargo, que encuentra poco de interés en el periodo.

Pardo y Aliaga, Felipe, *Poesías de don Felipe Pardo y Aliaga,* ed., intr. y notas de Luis Monguió, Berkeley, University of California Press, 1973.

Excelente edición de un importante poeta peruano de mediados del siglo diecinueve, que incluye una introducción muy informativa y una bibliografía exhaustiva.

Peralta Barnuevo Rocha Benavides, Pedro de, *Lima fundada / o conquista del Peru, / poema heroico / en que se decanta / toda la historia del descubrimiento y sujecion de sus provincias / por D. Francisco Pizarro / Marqués de los Atabillos, inclito y primer gobernador de este vasto imperio* [1732], ed. Manuel de Odriozola, Colección de Documentos Literarios del Perú, I, Lima, Establecimiento de Tipografía y Encuadernación de Aurelio Alfaro, 1863.

Epopeya extremadamente larga de la historia colonial del Perú: muy representativa del encuentro entre el estilo barroco y el espíritu de la Ilustración nuevamente en desarrollo.

Quintana, Manuel José, «Noticia histórica y literaria de Meléndez», en Ferrer del Río (ed.), *Obras completas del Excmo. Sr. D. Manuel José Quintana,* Biblioteca de Autores Españoles, 19, Madrid, Imprenta de Hernando & Co., 1898, 109-21.

Valiosas reflexiones críticas por el principal hombre de letras de España en el primer cuarto del siglo diecinueve. N.B. A pesar del título del volumen, BAE 19 no está de ningún modo completa.

—, *Poesías completas,* ed. Albert Dérozier, Madrid, Clásicos Castalia, 16, Madrid, Castalia, 1980.

Edición magnífica, con una excelente introducción y notas, de la poesía completa del autor español con mayor impacto en la formación de la poesía hispanoamericana de principios del siglo diecinueve. La fortuna de Quintana ha declinado durante el último siglo; su estrella subirá de nuevo.

Rivera, Jorge B. (ed.), *Poesía gauchesca,* prólogo de Ángel Rama, Biblioteca Ayacucho, 29, Caracas, Biblioteca Ayacucho, 1977.

Excelente antología de poesía gauchesca.

Rivera de Álvarez, Josefina, y Manuel Álvarez Nazario, *Antología general de la literatura puertorriqueña: prosa-verso-teatro,* vol. I: *Desde los orígenes hasta el realismo y naturalismo,* Madrid, Ediciones Partenón, 1982.

Colección valiosa con notas críticas útiles.

Rodríguez Castelo, Hernán (ed.), *Letras de la Audiencia de Quito (período jesuita),* Biblioteca de Ayacucho, 112, Caracas, Biblioteca Ayacucho, 1984.

Excelente colección que incluye la poesía completa de Juan Bautista Aguirre. Véase la valiosa introducción del editor, con una sección extensa dedicada a Aguirre.

Salaverry, Carlos Augusto, *Salaverry, Poesía,* ed. Alberto Escobar, Biblioteca de Cultura, Lima, Universidad Nacional Mayor de San Marcos, Patronato del Libro Universitario, 1958.

Colección con aparato crítico modesto.

Sanfuentes, Salvador, *Obras escogidas de D. Salvador Sanfuentes,* Edición de la Academia Chilena, Santiago, Imprenta Universitaria, 1921.

Selección de la obra de un poeta decimonónico importante.

Santa Cruz y Espejo, Francisco Javier Eugenio de, *Obra educativa,* ed. Philip L. Astuto, Biblioteca Ayacucho, 89, Caracas, Biblioteca Ayacucho, 1981.

Incluye los textos principales de un importante prosista que articula una poética de transición como reacción al estilo barroco y al método escolástico.

Shelley, Percy Bysshe, *Selected Poetry and Prose of Percy Bysshe Shelley,* ed. Carlos Baker, Nueva York, Modern Library, 1951.

Edición accesible con introducción de Baker.

Terralla Landa, Esteban, *Lima por dentro y fuera,* ed. Alan Soons, Exeter Hispanic Texts, University of Exeter, 1978.

Edición moderna con glosario de este importante poema satírico publicado originalmente en 1797.

Urbina, Luis G., Pedro Henríquez Ureña y Nicolás Rangel, *Antología del centenario. Estudio documentado de la literatura mexicana durante el primer siglo de independencia. 1800-1821* [1910], México, Porrúa, 1985.

La mejor antología crítica de todas las literaturas nacionales de este periodo, que incluye, entre otros elementos del más grande valor, una importante introducción de Urbina.

Ureña de Henríquez, Salomé, *Poesías completas. Edición conmemorativa del centenario de su nacimiento 1850-1950,* Biblioteca Dominicana; Serie I, vol. 4, Ciudad Trujillo, Impresora Dominicana, 1950.

La edición incluye alguna prosa de la autora además de una extensa introducción de Joaquín Balaguer y una bibliografía crítica.

Valdés, Gabriel de la Concepción (Plácido), *Los poemas más representativos de Plácido (edición crítica),* eds. Frederick S. Stimson y Humberto E. Robles, Estudios Hispanófila, 40, Chapel Hill, N.C., Estudios Hispanófila, 1976.

Útil edición moderna.

Varela, Juan Cruz, *Poesías,* intr. Manuel Mujica Láinez, Biblioteca de Clásicos Argentinos, 9, Buenos Aires, Estrada, 1934.

Colección extensa; urge una nueva edición crítica.

Zequeira y Arango, Manuel de, *Poesías [de] Zequeira y Rubalcava,* La Habana, Comisión Nacional Cubana de la UNESCO, 1964.

FUENTES SECUNDARIAS

Libros

Abraham, Nicolas, y Maria Torok, *L'écorce et le noyau,* La Philosophie en effet, Anasémies, 2, París, Aubier-Flammarion, 1978.

Revisión radical de Freud que proporciona una base teórica para el poema melancólico. En español ha aparecido un ensayo: Abraham y Torok, «El duelo o la melancolía: introyectar-incorporar», trad. de Marina Pérez de Mendiola, *Revista de Estudios Hispánicos,* 22:3 (1988), 93-107.

Abrams, M. H., *The Mirror and the Lamp: Romantic theory and the critical tradition,* Oxford University Press, 1953.

Estudio seminal de la poética romántica centrado en la literatura inglesa.

—, *The Correspondent Breeze: Essays on English Romanticism,* Nueva York, Norton, 1984.

Importante colección de ensayos; véase en especial «Structure and style in the greater romantic lyric» (págs. 76-108), publicado originalmente en 1965.

Alzaga, Florinda, y Ana Rosa Núñez, *Ensayo de diccionario del pensamiento vivo de la Avellaneda,* Coleción Clásicos Cubanos, Miami, Ediciones Universales, 1975.

Un tesauro.

Arce, Joaquín, *La poesía del siglo ilustrado,* Madrid, Alhambra, 1981.

Estudio esencial de la poesía española del dieciocho.

Batllori, Miguel, *La cultura hispano-italiana de los jesuitas expulsos. Españoles-hispano-americanos-filipinos,* Madrid, Gredos, 1966.

Estudio inestimable de la contribución cultural de los jesuitas.

Berruezo León, María Teresa, *La lucha de Hispanoamérica por su independencia en Inglaterra. 1800-1830,* Madrid, Ediciones de Cultura Hispánica, 1989.

Estudio altamente informativo de las interrelaciones de las muchas figuras hispánicas importantes del periodo que se cruzaron en el camino en Londres.

Bloom, Harold, *The Anxiety of Influence. A theory of poetry,* Nueva York, Oxford University Press, 1973.

Piedra angular del esfuerzo de gran alcance de Bloom para renovar el concepto teórico de la historia literaria.

Bravo Villasante, Carmen, *Una vida romántica: La Avellaneda,* Madrid, Cultura Hispánica, 1986.

Biografía puesta al día.

Brown, Marshall, *Preromanticism,* Stanford University Press, 1991.

Estudio importante, teóricamente informado, centrado en la literatura inglesa y alemana, que redefine el periodo.

Cabrera, Rosa M., y Gladys B. Zaldivar (eds.), *Homenaje a Gertrudis Gómez de Avellaneda. Memorias del simposio en el centenario de su muerte,* Miami, Ediciones Universal, 1981.

Colección desigual y sorprendentemente escasa, dada la magnitud del tema; es, sin embargo, un primer paso en la revitalización de los estudios de Gómez de Avellaneda.

Cáceres Romero, Adolfo, *Nueva historia de la literatura boliviana,* vol. I: *Literaturas aborígenes (Aimara-Quechua-Callawaya-Guarin),* La Paz y Cochabamba, Bolivia, Editorial los Amigos del País, 1987.

Valiosa introducción general a las literaturas indígenas de cuatro grupos lingüísticos de Bolivia, desde la época precolombina al presente.

Carilla, Emilio, *La literatura de la independencia hispanoamericana (neoclasicismo y prerromanticismo),* Editorial Universitaria de Buenos Aires, 1964.

Temprana visión de conjunto informativa, durante mucho tiempo una obra clásica en este campo.

Cevallos Candau, Francisco J., *Juan Bautista Aguirre y el barroco colonial,* Madrid, Edi-6, 1983.

Tratamiento extenso.

Del Pino, Díaz, (ed.), *Revista de Indias,* 180 (1987).

Valioso número especial dedicado a las expediciones científicas del periodo de la Ilustración.

Demerson, Georges, *Don Juan Meléndez Valdés y su tiempo (1754-1817),* Madrid, Taurus, 1971.

Biografía importante.

Dérozier, Albert, *Manuel Josef Quintana et la naissance du libéralisme en Espagne,* París, Les Belles Lettres, 1968.

Excelente biografía que incluye nuevas e importantes percepciones de la obra de Quintana y la literatura del periodo.

Freud, Sigmund, *The Standard Edition of the Psychological Works of Sigmund Freud,* ed. general de James Strachey, vol. XIV, Londres, Hogarth, 1957.

El volumen contiene, entre otros ensayos, «Mourning and melancholia» (1917).

Gilbert, Sandra M., y Susan Gubar, *The Madwoman in the Attic: The woman writer and the nineteenth-century literary imagination,* New Haven, Yale University Press, 1979.

Estudio que marca el hito de adaptar la teoría del revisionismo de H. Bloom al estudio de la escritura de las mujeres en el siglo diecinueve.

Henríquez Ureña, Pedro, *Literary Currents in Hispanic America,* [1945], Nueva York, Russell & Russell, 1963.

La mejor historia literaria de Latinoamérica en un volumen.

Jiménez Rueda, Julio, *Letras mexicanas en el siglo XIX,* México, Fondo de Cultura Económica, 1944.

Los capítulos 1-7 están dedicados a la historia de la sociedad y a las artes del México dieciochesco: buena introducción.

Kernan, Alvin, *The Imaginary Library. An essay on literature and society,* Princeton University Press, 1982.

Véase la argumentación teórica general del Capítulo 1 —acerca de la institución social de la literatura—, que se desarrolla más en Kernan, *Printing Technology* (a continuación).

—, *Printing Technology, Letters and Samuel Johnson,* Princeton University Press, 1987.

Estudio del impacto de la nueva tecnología y la extensa cultura de la imprenta en la formación de la literatura como institución social, y dentro de ella la figura de los escritores románticos.

Kirkpatrick, Susan, *Las Románticas. Women writers and subjectivity in Spain, 1835-1850,* Berkeley, University of California Press, 1989.

Tal vez el mejor libro suelto de crítica en los estudios hispánicos en el área cubierta por este capítulo. Sobresale la discusión sobre Gómez de Avellaneda.

—, *La bótanica en la expedición Malaspina, 1789-1794. Pabellón Villanueva, Real Jardín Botánico, Oct.-Nov. 1989,* Colección «Encuentros», Madrid, Turner, 1989.

Excelente colección de ensayos ilustrados; su alcance excede lo indicado por el título.

Lara, Jesús, *La poesía quechua,* México, Fondo de Cultura Económica, 1947.

Estudio valioso. Incluye una antología bilingüe.

Lindenberger, Herbert, *The History in Literature: On value, genre, institutions,* Nueva York, Columbia University Press, 1990.

Conjunto de estimulantes ensayos teóricos sobre temas del Romanticismo al modo del Nuevo Historicismo.

Losada, Alejandro, *La literatura en la sociedad de América Latina. Perú y el Río de la Plata 1837-1880,* Editionen der Iberoamericana, 3, Frankfurt, Klaus Dieter Vervuert, 1983.

Estudio estimulante y teóricamente sofisticado.

Ortega y Gasset, José, *La deshumanización del arte y otros ensayos de estética,* Madrid, Revista de Occidente en Alianza Editorial, 1984.

Textos importantes de Ortega, cuya obra tuvo un impacto formativo sobre las letras latinoamericanas en el siglo pasado.

Paz, Octavio, *Los hijos del limo. Del romanticismo a la vanguardia,* Biblioteca Breve, Barcelona, Seix Barral, 1974.

El estudio del Romanticismo más influyente en las letras hispánicas: tesis fascinante, brillantemente sostenida, y el antagonista principal de mi propio ensayo. Como he afirmado, Paz lee mal —o de hecho deja sin leer— las letras del dieciocho y por consiguiente ofrece una visión desvirtuada del siglo diecinueve.

—, *Sor Juana Inés de la Cruz o las trampas de la fe,* México, Fondo de Cultura Económica, 1982.

Excelente estudio sobre Sor Juana y el clima intelectual en la época de la colonia.

Picón-Salas, Mariano, *Formación y proceso de la literatura venezolana,* Caracas, Editorial Cecilio Acosta, 1940.

Historia informativa, especialmente útil para los siglos dieciocho y diecinueve.

Polt, John H. R., *Batilo. Estudios sobre la evolución estilística de Meléndez Valdés,* University of California Publications in Modern Philology, 119; Textos y Estudios del Siglo XVIII, 15, Berkeley, University of California Press, Oviedo, Centro de Estudios del Siglo XVIII, 1987.

El mejor estudio disponible de este fundamental poeta peninsular.

Pratt, Mary Louise, *Imperial Eyes. Travel Writing and Transculturation,* Londres, Routledge, 1992.

Excelente libro de discusiones detalladas y teóricamente sofisticadas sobre la literatura de viaje; fundamento sobre el que se puede reconstruir el campo de estudios de las letras latinoamericanas de los siglos XVIII y XIX.

Puig-Samper, Miguel Ángel, *Crónica de una expedición romántica al Nuevo Mundo. La Comisión Científica del Pacífico (1862-1866),* Madrid, Centro de Estudios Históricos/Consejo Superior de Investigaciones, Departamento de Historia de la Ciencia, 1988.

Estudio meticuloso con muchas reproducciones de notable calidad gráfica.

Rama, Ángel, *La ciudad letrada,* Hanover, New Hampshire, Ediciones del Norte, 1984.

Provocadora discusión de la historia de las relaciones entre la escritura y el poder en Latinoamérica.

Rivera-Rodas, Oscar, *La poesía hispanoamericana del siglo XIX (Del romanticismo al modernismo),* Madrid, Alhambra, 1988.

El mejor estudio de comienzos del siglo diecinueve actualmente disponible.

Sebold, Russell P., *El rapto de la mente. Poética y poesía dieciochescas,* Madrid, Editorial Prensa Española, 1970.

Lectura fundamental en la discusión de la literatura peninsular del siglo dieciocho.

Siskin, Clifford, *The Historicity of Romantic Discourse,* Nueva York, Oxford University Press, 1988.

Interesante argumentación teórica.

Soler Cañas, Luis, *Negros, gauchos y compadres en el cancionero de la Federación (1830-1848),* Buenos Aires, Instituto de Investigaciones Históricas Juan Manuel Rosas, 1958.

Buena introducción a las figuras marginales en la poesía del periodo.

Stafford, Barbara Maria, *Voyage into Substance: Art, science, nature and the illustrated travel account, 1760-1840,* Cambridge, MIT University Press, 1984.

Relación asombrosamente extensa.

Artículos

Bareiro Saguier, Rubén, «La poesía de Andrés Bello: lectura actualizada del significado», *Revista Nacional de Cultural/Consejo Nacional de Cultura* (Caracas), 43249 (1983), 144-60.

Excelente estudio sobre Bello que subraya el papel del exilio en su poesía.

Carullo, Sylvia G., «Una aproximación a la poesía afro-argentina de la época de Juan Manuel de Rosas», *Afro-Hispanic Review,* (1985), 15-22.

Informativo.

Edmonson, Munro S., y Victoria R. Bricker, «Yucatecan Mayan literature», en M. S. Edmonson (ed.), *Supplement to the Handbook of Middle American Indians,* vol. III: *Literatures,* ed. gen. Victoria Reifler Bricker, con ayuda de Patricia A. Andrews, Austin, University of Texas Press, 1985, 44-63.

Estudio introductorio sumamente útil.

Fontanella, Lee, «Mystical diction and imagery in Gómez de Avellaneda and Carolina Coronado», *Latin American Literary Review,* 19 (1981), 47-55.

Resultados modestos.

González Echevarría, Roberto, «Álbums, ramilletes, parnasos, liras y guirnaldas: fundadores de la historia literaria latinoamericana», *Hispania,* 75:4 (1992), 875-83.

Versión preliminar del estudio de la historiografía literaria latinoamericana incluida en estos volúmenes.

Gossen, Gary H., «Tzotzil literature», en M. S. Edmondson (ed.), *Supplement to the Handbook of Middle American Indians,* vol. III: *Literatures,* ed. gen. Victoria Reifler Bricker, con ayuda de Patricia A. Andrews, Austin, University of Texas Press, 1985, 64-106.

Estudio introductorio sumamente útil.

Griffith, Reginald Harvey, «The progress pieces of the eighteenth century», *Texas Review,* 5 (1920), 218-33.

Ensayo dedicado a un subgénero de la poesía inglesa del dieciocho relacionada con las famosas silvas de Bello.

Grünfeld, Mihai, «Cosmopolitismo modernista y vanguardista: una identidad latinoamericana divergente», *Revista Iberoamericana,* 146-7 (1989), 33-41.

Excelente ensayo que sugiere una perspectiva que puede aplicarse con gran provecho a los siglos dieciocho y diecinueve.

Harter, Hugh A., «Gertrudis Gómez de Avellaneda», en Diane Marting (ed.), *Spanish American Women Writers: A bio-bibliographical source book,* Nueva York, Greenwood Press, 1990, 210-25.

Valiosa introducción a la autora y a la crítica relacionada.

Johnson, Julie Greer, «*El nuevo luciano* and the satiric art of Eugenio Espejo», *Revista de Estudios Hispánicos,* 23:3 (1989), 67-85.

Excelente ensayo que presta la debida atención a la obra de Santa Cruz y Espejo.

Leonard, Irving A., «A great savant of colonial Peru: Don Pedro de Peralta», *Philological Quarterly,* 12 (1933), 54-72.

Buen estudio biográfico de Peralta.

Martínez Baeza, Sergio, «La introducción de la imprenta en el Nuevo Mundo (los primeros impresos americanos: 1535-1810)», *Atenea,* 451 (1985), 81-98.

Sucinta historia de la imprenta en la América colonial, que pone al día el estudio clásico de José Toribio Medina.

Meehan, Thomas C., y John T. Cull, «'El poeta de las adivinanzas': Esteban de Terralla y Landa», *Revista de Crítica Literaria Latinoamericana,* 19 (1984), 127-57.

Mucha y útil información sobre Terralla, con una favorable reseña crítica de *Lima por dentro y fuera.*

Miller, Beth K., «Gertrude the Great: Avellaneda, nineteenth-century feminist», en Beth Miller (ed.), *Women in Hispanic Literature: Icons and fallen idols,* Berkeley, University of California Press, 1983, 201-14.

Paso valioso en la recuperación de una de las escritoras más importantes del periodo.

Noriega, Julio E., «Wallparrimachi: transición y problematización en la poesía quechua», *Revista de Crítica Literaria Latinoamericana,* 133 (1991), 209-25.

Penetrante estudio que distingue entre historia y leyenda y que reflexiona sobre las implicaciones ideológicas de la recepción de Wallparrimachi.

Paravisini-Gebert, Lizabeth, «Salomé Ureña de Henríquez (1850-1897)», en Diana Marting (ed.), *Spanish American Women Writers: A bio-bibliographical sourcebook,* Westport, Conn., Greenwood Press, 1990.

Introducción breve pero valiosa a una fuente de referencia muy importante.

Rivers, Elias, «Góngora y el Nuevo Mundo», *Hispania,* 75 (1992), 857-61.

Visión de conjunto de las relaciones intertextuales entre el Barroco latinoamericano y el peninsular.

Sacks, Peter M., *The English Elegy. Studies in the genre from Spenser to Yeats,* Baltimore y Londres, Johns Hopkins University Press, 1985.

El capítulo I proporciona una excelente introducción teórica a la elegía.

Sommer, Doris, «El otro Enriquillo», *Hispamérica,* 30 (1981), 117-45.

Excelente análisis ideológico; modelo para un estudio necesario de la obra contemporánea de Zorrilla de San Martín. Se incluyó el ensayo en inglés («The other Enriquillo») en su importante libro, *One Master for Another: Populism as patriarchal rhetoric in Dominican novels,* Nueva York, Lanham, 1983.

Stolley, Karen, «*El Lazarillo de ciegos caminantes*»*: un itinerario crítico,* Hanover, N.H. Ediciones del Norte, 1992.

Excelente estudio de un texto decisivo del siglo dieciocho.

Zaldumbide, Gonzalo, «Estudio preliminar», en Juan Bautista de Aguirre, S.I., *Poesías y obras oratorias,* ed. Zaldumbide y Aurelio Espinosa Pólit, Clásicos Ecuatorianos, 3, Quito, Ediciones del Instituto Cultural Ecuatoriano, Imprenta del Ministerio de Educación, 1943.

Excelente introducción a Aguirre en una edición que, una vez más, atrajo la atención del público hacia su poesía.

Capítulo 12

TEATRO HISPANOAMERICANO DEL SIGLO XVIII

FUENTES PRIMARIAS

Barranca, José Sebastián (trad.), *Ollanta o La severidad de un padre y la clemencia de un rey,* Lima, Imprenta Liberal, 1868.

Primera traducción al español del texto.

Castillo Andraca y Tamayo, Francisco del, *Obras,* ed. Rubén Vargas Ugarte, Clásicos Peruanos, 2, Lima, Editorial Studium, 1948.

Incluye *Mitrídates* y una selección de loas, entremeses y sainetes.

Castro, José Agustín de, *Miscelánea de poesías sagradas y humanas,* 2 vols., Puebla, México, P. de la Rosa, 1797.

Rara colección de obras, merecedora de una edición moderna.

Cid Pérez, José, y Dolores Martí de Cid (eds.), *Teatro indio precolombino,* Madrid, Aguilar, 1964.

Antología anotada, con una meticulosa introducción y análisis de textos.

—, *Teatro indoamericano colonial,* Madrid, Aguilar, 1973.

Antología con introducción y análisis de textos.

—, *El amor de la estanciera,* Publicaciones del Instituto de Literatura Argentina, 4, núm. 1, Buenos Aires, Imprenta de la Universidad, 1925.

Primera impresión moderna de la obra de teatro, precedida por una «noticia» de Mariano G. Bosch.

Halty, Nuria, y Howard Richardson (trad.), «*Ollantay*», *First Stage,* 6 (1967), 12-36.

Útil traducción inglesa del texto.

Lara, Jesús (ed. y trad.), *Tragedia del fin de Atawallpa,* Cochabamba, Bolivia, Imprenta Universitaria, 1957.

Traducción española con una meticulosa introducción.

Lohmann Villena, Guillermo (ed.), *Un tríptico del Perú virreinal: el Virrey Amat, el Marqués de Sotoflorido y La Perricholi,* North Carolina Studies in the Romance Languages and Literatures, 15, Chapel Hill, University of North Carolina, 1976.

Texto de *Drama de dos palanganas* prologado por un detallado estudio del contexto histórico.

Markham, Clements R. (trad.), *Ollanta, An Ancient Inca Drama,* Londres, Trubner & Co., 1871.

Primera traducción inglesa del texto.

Meneses, Teodoro L. (ed. y trad.), *Teatro quechua colonial, antología,* Lima, Ediciones Edubanco, 1983.

Nuevas traducciones españolas de obras de teatro quechuas con meticulosas introducciones.

Pacheco Zegarra, Gabino (ed. y trad.), *Ollantai, drame en vers quechuas du temps des Incas,* París, Maisonneuve & Cie., 1878.

Traducción francesa de la obra.

—, *Ollantay, drama quechua,* Buenos Aires, Editorial Americana, 1942.

Fiel traducción española de la obra.

Peralta Barnuevo, Pedro de, *Obras dramáticas,* ed. Irving A. Leonard, Santiago, Imprenta Universitaria, 1937.

Edición anotada con introducción.

—, *Obras dramáticas cortas,* ed. Elvira Ampuero *et al.,* Lima, Ediciones de la Biblioteca Universitaria, 1964.

Textos de piezas dramáticas breves prologadas por ensayos coescritos sobre Peralta Barnuevo.

Pita, Santiago de, *El príncipe jardinero* y *fingido Cloridano,* ed. José Juan Arrom, La Habana, Consejo Nacional de Cultura, 1963.

Edición anotada con introducción.

Pleyto y querella de los guajolotes, Puebla, México, Ediciones Teatro Universitario, 1958.

Edición no anotada con breve introducción; forma de folleto.

Ravicz, Marilyn Ekdahl (ed.), *Early Colonial Religious Drama in Mexico: From Tzompantli to Golgotha,* Washington, Catholic University of America Press, 1970.

Versiones inglesas bien anotadas de obras de teatro náhuatl; contiene una excelente introducción.

Ripoll, Carlos, y Andrés Valdespino (eds.), *Teatro hispanoamericano: antología crítica,* vol. I, Nueva York, Anaya-Book Co., 1972.

Interesante selección de textos bien anotados.

Sánchez, Luis Alberto (ed.), *Drama de los [sic] palanganas Veterano y Bisoño,* Lima, Editorial Jurídica, 1977.

Edición anotada con introducción y apéndice; contiene las reproducciones de los documentos históricos pertinentes.

Vargas Ugarte, Rubén (ed.), *De nuestro antiguo teatro: colección de piezas dramáticas de los siglos XVI, XVII y XVIII,* Biblioteca Histórica Peruana, 4, Lima, Universidad Católica del Perú, Instituto de Investigaciones Históricas, 1943.

Volumen indispensable de obras de teatro coloniales raras, algunas desfiguradas por las supresiones del editor.

Vela, Eusebio, *Tres comedias,* ed. Jefferson Rea Spell y Francisco Monterde, México, Imprenta Universitaria, 1948.

Edición bien anotada con una meticulosa introducción.

FUENTES SECUNDARIAS

Libros

Arrom, José Juan, *Historia de la literatura dramática cubana,* Yale Romanic Studies, 23, New Haven, Yale University Press, 1944.

Excelente y breve historia; incluye ilustraciones.

—, *Historia del teatro hispanoamericano (época colonial),* 2.ª ed., México, Ediciones de Andrea, 1967.

Sigue siendo la mejor síntesis del teatro colonial hispanoamericano; algunos referentes ya no están al día.

Barrera, Isaac J., *Historia de la literatura ecuatoriana,* Quito, Casa de la Cultura Ecuatoriana, 1960.

Imponente historia, con capítulos sobre el teatro colonial y una breve selección de textos dramáticos en apéndice.

Bosch, Mariano G., *Teatro antiguo de Buenos Aires, piezas del siglo XVIII, su influencia en la educación popular,* Buenos Aires, El Comercio, 1904.

Contiene textos en su mayoría peninsulares; algunos datos sobre dramaturgos coloniales y textos.

—, *Historia del teatro en Buenos Aires,* Buenos Aires, El Comercio, 1910.

Contiene algunos capítulos sobre el periodo colonial y una breve selección de textos dramáticos en apéndice.

Descalzi, Ricardo, *Historia crítica del teatro ecuatoriano,* 6 vols., Quito, Casa de la Cultura Ecuatoriana, 1968.

Incluye algunos capítulos sobre el teatro colonial y una breve selección de textos dramáticos.

Gisbert, Teresa, *Teatro virreinal en Bolivia,* La Paz, Biblioteca de Arte y Cultura Boliviana, Dirección Nacional de Informaciones de la Presidencia de la República, 1962.

Visión de conjunto, muy breve, del teatro boliviano del periodo colonial.

Horcasitas, Fernando, *El teatro náhuatl: épocas novohispana y moderna,* Monografías del Instituto de Investigaciones Históricas, Serie de Cultura Náhuatl, 17, México, Universidad Nacional Autónoma de México, 1974.

Historia autorizada, con una antología de versiones españolas de teatro náhuatl y una lista descriptiva de los manuscritos.

Johnson, Julie Greer, *Women in Colonial Spanish American Literature: Literary images,* Contributions in Women's Studies, 43, Westport, Conn., Greenwood Press, 1983.

Contiene un capítulo sobre la mujer en el teatro colonial.

Jones, Willis Knapp, *Behind Spanish American Footlights,* Austin, University of Texas Press, 1966.

Historia útil del teatro hispanoamericano, organizada por países.

Lohmann Villena, Guillermo, *El arte dramático en Lima durante el Virreinato,* Publicaciones de la Escuela de Estudios Hispanoamericanos de la Universidad de Sevilla, 12, Madrid, 1945.

Extensa historia basada en documentos de archivo, algunos de los cuales se reproducen en apéndice; incluye una breve selección de textos.

María y Campos, Armando de, *Guia de representaciones teatrales en la Nueva España,* Colección La Máscara, 1, México, B. Costa / Amic Editor, 1959.

Da una lista de las representaciones teatrales conocidas en la Nueva España por años y reseña los documentos referentes al teatro colonial mexicano.

Olavarría y Ferrari, Enrique de, *Reseña histórica del teatro en México, 1538-1911,* Biblioteca Porrúa, 21, 3.ª ed., México, Porrúa, 1961.

Edición puesta al día de una magistral historia del teatro mexicano, compilada inicialmente hacia finales del siglo diecinueve.

Pla, Josefina, *El teatro en el Paraguay,* Colección Camalote, 1, 2.ª ed., Asunción, Diálogo, 1967.

Especialmente útil por su información sobre el teatro jesuita en lengua guaraní.

Rela, Walter (ed.), *Breve historia del teatro uruguayo,* vol. I, Buenos Aires, Editorial Universitaria, 1966.

Incluye una breve introducción y selección de textos.

Reverte Bernal, Concepción, *Aproximación crítica a un dramaturgo virreinal peruano: Fr. Francisco del Castillo («El Ciego de la Merced»),* Universidad de Cádiz, 1985.

Excelentes análisis críticos de las obras de teatro de Castillo, tanto de las de duración normal como de las piezas dramáticas breves.

Rojas, Ricardo, *Un titán de los Andes,* Buenos Aires, Editorial Losada, 1939.

Sintetiza la erudición textual, arqueológica e histórica sobre la leyenda de *Ollántay.*

Sánchez, Luis Alberto, *El doctor Océano: estudios sobre don Pedro de Peralta Barnuevo,* Lima, Universidad Nacional Mayor de San Marcos, 1967.

Incluye un ensayo útil sobre el teatro de Peralta Barnuevo.

Saz, Agustín del, *Teatro hispanoamericano,* vol. I, Barcelona, Editorial Vergara, 1963.

Útil historia del teatro hispanoamericano hasta el siglo diecinueve inclusive.

Schilling, Hildburg, *Teatro profano en la Nueva España,* México, Universidad Nacional Autónoma de México, 1958.

Inestimable historia basada en materiales de archivo; incluye un análisis meticuloso de *La pérdida de España* de Vela.

Suárez Radillo, Carlos Miguel, *El teatro barroco hispanoamericano: ensayo de una historia crítico-antológica,* 3 vols., Madrid, José Porrúa Turanzas, 1981.

Historia meticulosa del teatro hispanoamericano desde 1600, aproximadamente, hasta 1750, con extractos de obras de teatro.

—, *El teatro neoclásico* y *costumbrista hispanoamericano: una historia crítico-antológica,* 2 vols., Madrid, Ediciones Cultura Hispánica, Instituto de Cooperación Iberoamericana, 1984.

Historia meticulosa del teatro hispanoamericano desde 1750, aproximadamente, hasta 1850, con extractos de obras de teatro.

Trenti Rocamora, J. Luis, *El teatro en la América colonial,* Buenos Aires, Editorial Huarpes, 1947.

Historia del teatro colonial en las Américas, con énfasis en la Argentina.

Artículos

Arrom, José Juan, «Cambiantes imágenes de la mujer en el teatro de la América virreinal», *Latin American Theater Review,* 12:1 (1978), 5-15.

Relaciona la representación de los personajes femeninos con los periodos y movimientos sucesivos del teatro colonial.

Castagnino, Raúl H., «El teatro menor de Pedro de Peralta Barnuevo», en *Escritores hispanoamericanos, desde otros ángulos de simpatía,* Buenos Aires, Nova, 1971, 103-15.

Resumen descriptivo de las piezas dramáticas breves de Peralta Barnuevo.

Hesse, Everett W., «Calderón's popularity in the Spanish Indies», *Hispanic Review,* 23 (1955), 12-27.

Observaciones basadas en la lista compilada de representaciones conocidas de las obras de teatro de Calderón en las colonias (incluida como apéndice).

Hills, Elijah Clarence, «The Quechua drama *Ollanta», Romanic Review,* 5 (1914), 127-76.

Estudio indispensable de *Olláantay.*

Johnson, Harvey L., «Loa representada en Ibagué para la jura del rey Fernando VI», *Revista Iberoamericana,* 7 (1944), 293-308.

Texto de la loa bien anotado con introducción.

—, *«La Historia de la Combención de San Pablo,* drama guatemalteco del siglo XVIII», *Nueva Revista de Filología Hispánica,* 4 (1950), 115-60.

Texto de la obra bien anotado con una meticulosa introducción.

Leonard, Irving A., «An early Peruvian adaptation of Corneille's *Rodogune», Hispanic Review,* 5 (1937), 172-6.

Breve discusión de *La Rodoguna* de Peralta Barnuevo.

—, «El teatro en Lima, 1790-93», *Hispanic Review,* 8 (1940), 93-112.

Lista de las representaciones sacada de materiales de archivo, con un resumen interpretativo.

—, «The 1790 theater season of the Mexico City Coliseo», *Hispanic Review,* 19 (1951), 104-20.

Lista de las representaciones sacada de materiales de archivo, con un resumen interpretativo.

—, «The theater season of 1791-1792 in Mexico City», *Hispanic American Historical Review,* 31 (1951), 349-64.

Lista de las representaciones sacada de materiales de archivo, con un resumen interpretativo.

Lohmann Villena, Guillermo, y Raúl Moglia, «Repertorio de las representaciones teatrales en Lima hasta el siglo XVIII», *Revista de Filología Hispánica,* 5 (1943) 313-43.

Lista cronológica de las obras de teatro representadas en Lima desde 1563 hasta 1793.

Pasquariello, Anthony M., «Two eighteenth-century Peruvian interludes, pioneer pieces in local color», *Symposium,* 6 (1952), 385-90.

Estudio de los entremeses de Peralta Barnuevo y Monforte y Vera.

—, «The evolution of the *loa* in Spanish America», *Latin American Theater Review,* 3:2 (1970), 5-19.

Estudio de la evolución del género basado en análisis de textos individuales.

—, «The evolution of the *sainete* in the River Plate area», *Latin American Theater Review,* 17:1 (1983), 15-24.

Estudio de la evolución del género basado en análisis de textos individuales.

Reverte Bernal, Concepción, «Guía bibliográfica para el estudio del teatro virreinal peruano», *Historiografía y Bibliografía Americanistas,* 29 (1985), 129-50.

Proporciona la lista de fuentes bibliográficas primarias y secundarias sobre el teatro peruano hasta el siglo dieciocho inclusive.

Spell, Jefferson R., «The theater in New Spain in the early eighteenth century», *Hispanic Review,* 15 (1947), 137-64.

Estudio histórico basado principalmente en materiales de archivo.

Tamayo Vargas, Augusto, «Obras menores en el teatro de Peralta», *Revista Histórica* (Instituto Histórico del Perú), 27 (1964), 82-93.

Útil estudio de las piezas dramáticas breves de Peralta Barnuevo.

Trenti Rocamora, J. Luis, «La primera pieza teatral argentina», *Boletín de Estudios de Teatro* (Buenos Aires), 4 (1946), 224-34.

Texto anotado de una loa de Fuentes del Arco, con introducción.

—, «El teatro porteño durante el período hispánico», *Estudios* (Buenos Aires), 78 (1947), 408-34.

Visión de conjunto histórica del teatro colonial en Buenos Aires.

—, «El teatro y la jura de Carlos IV en Arequipa», *Mar del Sur,* 1:5 (1949), 28-35.

Texto anotado del entremés con introducción.

Vargas Ugarte, Rubén, «Un coloquio representado en Santiago en el siglo XVIII», *Revista Chilena de Historia y Geografía,* 111 (1948), 18-55.

Texto del *Coloquio de la Concepción* con una introducción breve.

CAPÍTULO 13

LA NOVELA HISPANOAMERICANA DEL SIGLO XIX

FUENTES PRIMARIAS

Acevedo Díaz, Eduardo, *Ismael,* en *La Tribuna Nacional,* Buenos Aires, 1888.

—, *Nativa,* en *La Opinión Pública,* Montevideo, 1889-1890.
—, *El grito de gloria,* La Plata, Ernesto Richelet, 1893.
Aguirre, Nataniel, *Juan de la Rosa – Memorias del último soldado de la independencia,* en *El Heraldo de Cochabamba,* Cochabamba, 1885.
Alberdi, Juan Bautista, *Peregrinación de Luz del Día, o viaje y aventuras de la Verdad en el Nuevo Mundo,* Buenos Aires, C. Casavalle, 1871.
Altamirano, Ignacio Manuel, *Clemencia,* en *El Renacimiento,* México, 1869.
—, *El Zarco – episodios de la vida mexicana en 1861-63,* México, J. Ballescá & Cía., 1901.
—, *Clemencia,* trad. y ed. Elliot B. Scher y Nell Walker, Boston, D. C. Heath, 1944.
—, *Christmas in the Mountains,* trad. y ed. Harvey L. Johnson, Gainesville, University of Florida Press, 1961.
Ancona, Eligio, *La cruz y la espada,* 2 vols., París, Rosa & Bouret, 1866.
—, *Los mártires del Anáhuac,* México, José Bastiza, 1870.
Anónimo, *Jicotencal,* Philadelphia, Guillermo Stavely, 1826.
Aréstegui, Narciso, *El Padre Horán – escenas de la vida del Cusco,* en *El Comercio,* Lima, 1848.
Argerich, Juan Antonio, *Inocentes o culpables,* Buenos Aires, El Courrier de la Plata, 1884.
Barbará, Federico, *El prisionero de Santos Lugares,* Buenos Aires, Las Artes, 1857.
Betancourt, José Ramón, *Una feria de la Caridad en 183...,* La Habana, Soler, 1858.
Bilbao, Manuel, *El inquisidor mayor, o Historia de unos amores,* Lima, José María Manterola, 1852 (primera parte); Lima, Imp. del Correo, 1852 (segunda parte).
Blest Gana, Alberto, *La aritmética en el amor – novela de costumbres,* Valparaíso, El Mercurio, 1860.
—, *El pago de las deudas – novela de costumbres,* Valparaíso, El Mercurio, 1861.
—, *Martín Rivas – novela de costumbres político-sociales,* Santiago, La Voz de Chile, 1862.
—, *El ideal de un calavera – novela de costumbres,* Santiago, La Voz de Chile, 1863.
—, *Durante la reconquista – novela histórica,* 2 vols., París, Garnier Hnos., 1897.
Bonó, Pedrof, *El montero – novela de costumbres,* en *El Correo de Ultramar,* París, 1856.
Cabello de Carbonera, Mercedes, *Blanca Sol,* Lima, Carlos Prince, 1889.
—, *Las consecuencias,* Lima, Torres Aguirre, 1889.
—, *El conspirador – autobiografía de un hombre público,* Lima, La Voce d'Italia, 1892.
Cambacérès, Eugenio, *Pot-pourri – silbidos de un vago,* Buenos Aires, M. Biedma, 1882.
—, *Música sentimental – silbidos de un vago,* París, Hispano-Americana, 1884.
—, *Sin rumbo – estudios,* Buenos Aires, M. Biedma, 1885.
—, *En la sangre,* en *Sud-América,* Buenos Aires, 1887.
Campo, Ángel de (Micrós), *La Rumba,* en *El Nacional,* México, 1891.
Cané, Miguel, *Esther,* en Alejandro Magariños Cervantes (ed.), *Biblioteca Americana* IV, Buenos Aires, Imp. de Mayo, 1858.
—, *La familia de Sconner,* en Alejandro Magariños Cervantes (ed.), *Biblioteca Americana* IV, Buenos Aires, Imp. de Mayo, 1858.
Carrasquilla, Tomás, *Frutos de mi tierra,* Bogotá, Librería Nueva, 1896.
Cisneros, Luis Benjamín, *Julia, o Escenas de la vida de Lima,* París, Rosa & Bouret, 1861.
—, *Edgardo, o Un joven de mi generación – romance americano-español,* París, Rosa & Bouret, 1864.

Covarrubias, Juan, *Gil Gómez el insurgente, o La hija del médico – novela histórica mexicana,* México, Manuel Castro, 1859.
—, *La clase media – novela de costumbres mexicanas,* México, Manuel Castro, 1859.
—, *La sensitiva,* México, Manuel Castro, 1859.
—, *El diablo en México – novela de costumbres,* México, Manuel Castro, 1860.
Cuéllar, José Tomás de, *La linterna mágica,* 7 vols., México, Ignacio Cumplido, 1871-1872 (incluye: I: *Ensalada de pollos,* II: *Historia de Chucho el Ninfo,* III: *Isolina la ex-figurante,* IV: *Las jamonas,* V-VI: *Las gentes que «son así»,* VII: *Gabriel el cerrajero o las hijas de mi papá); La linterna mágica,* 2.ª ed., 5 vols., Barcelona, Tip. Espasa & Cía., 1889-1890 (incluye: *Los mariditos IV); La linterna mágica,* 3.ª ed., 19 vols., Santander, Blanchard, 1890-1892 (incluye: *Los fuereños y la nochebuena VII, Las posadas XIX).*
—, *Baile y cochino,* México, Filomeno Mata, 1886.
Delgado, Rafael, *La Calandria,* en *Revista nacional de Letras y Ciencias,* México, 1890.
Díaz, Eugenio, *Manuela,* en *El Mosaico,* Bogotá, 1858.
Echeverría, José Antonio, *Antonelli,* en *El Album,* La Habana, 1839.
Estrada, Santiago, *El hogar en la pampa,* Buenos Aires, El Siglo, 1866.
Fernández de Lizardi, José Joaquín, *El periquillo sarniento,* 3 vols., México, Alejandro Valdés, 1816 (incompleto); 5 vols., México, Galván, 1830-1831 (completo).
—, *Noches tristes,* México, Mariano de Zúñiga y Ontiveros, 1818 (incompleto); *Noches tristes y día alegre,* México, Alejandro Valdés, 1819 (completo).
—, *La Quijotita y su prima,* 3 vols., México, Mariano de Zúñiga y Ontiveros, 1818-1819.
—, *Vida y hechos del famoso caballero don Catrín de la Fachenda,* México, Alejandro Valdés, 1832.
Frías, Heriberto, *¡Tomochic!,* en *El Demócrata,* México, 1894 (incompleto); *¡Tomochic! – Episodios de la campaña de Chihuahua, 1892 – relación escrita por un testigo presencial,* Rio Grande City, Texas, Jesús T. Recio, 1894 (completo).
Galván, Manuel de Jesús, *Enriquillo,* Santo Domingo, Colegio de San Luis Gonzaga, 1879 (incompleto); *Enriquillo – leyenda histórica dominicana,* Santo Domingo, García Hnos., 1882 (completo).
Gamboa, Federico, *Suprema ley,* París y México, Vda. de Ch. Bouret, 1896.
—, *Metamorfosis,* Tip. Nacional de la Ciudad de Guatemala, 1899.
—, *Santa,* Barcelona, Talleres Araluce, 1903.
García Merou, Martín, *Ley social,* Buenos Aires, M. Biedma, 1885.
Gómez de Avellaneda, Gertrudis, *Sab,* Madrid, Calle del Barco, 1841.
—, *Guatimozín, último emperador de México,* 4 vols., Madrid, D. A. Espinosa, 1846.
—, *Sab – Autobiography,* 2.ª ed., trad. Nina Scott, Austin, University of Texas Press, 1993.
Gorriti, Juana Manuela, *La quena,* en *Revista de Lima,* Lima, 1845.
—, *El tesoro de los incas,* en *Sueños y realidades,* II, Buenos Aires, Imp. de Mayo, 1865.
Grandmontagne, Francisco, *Teodoroforonda – evoluciones de la sociedad argentina,* 2 vols., Buenos Aires, La Vasconia, 1896.
Groussac, Paul, *Fruto vedado – costumbres argentinas,* en *Sud-América,* Buenos Aires, 1884.
Guerra, Rosa, *Lucía de Miranda,* Buenos Aires, Americana, 1860.
Gutiérrez, Eduardo, *Juan Moreira,* en *La Patria Argentina,* Buenos Aires, 1879-1880.
—, *Santos Vega,* Buenos Aires, Imp. de la Patria Argentina, 1880.

—, *Hormiga negra,* en *La Patria Argentina,* Buenos Aires, 1881.
—, *El Chacho,* Buenos Aires, N. Tomassi, 1886.
Gutiérrez, Juan María, *El Capitán de Patricios,* en *El Correo del Domingo,* Buenos Aires, 1864.
Holmberg, Eduardo L., *Dos partidos en lucha – fantasía científica,* Buenos Aires, El Arjentino, 1875.
Hostos, Eugenio María de, *La peregrinación de Bayoán – novela,* Madrid, El Comercio, 1863.
Inclán, Luis G., *Astucia, el Gefe de los Hermanos de la Hoja, o los charros contrabandistas de la rama,* 2 vols., México, Inclán, 1865.
Isaacs, Jorge, *María,* Bogotá, Gaitán, 1867.
—, *María: A South American romance,* trad. Rollo Ogden, Nueva York y Londres, Harper & Brothers, 1890; ed. reimpr. Ralph Hayward Keniston, Nueva York, Ginn & Co., 1918; ed. reimpr. John Warshaw, Boston, D. C. Heath, 1926.
Lapuente, Laurindo, *El Herminio de la Nueva Troya,* Buenos Aires, La Reforma Pacífica, 1857.
López, Lucio V., *La gran aldea – costumbres bonaerenses,* en *Sud-América,* Buenos Aires, 1884.
López, Vicente Fidel, *La novia del hereje o La Inquisición de Lima,* Buenos Aires, Imp. de Mayo, 1854.
—, *La loca de la guardia – cuento histórico,* Buenos Aires, Imp. de Mayo, 1896.
Magariños Cervantes, Alejandro, *Caramurú,* 2 vols., Madrid, Aguirre & Cía., 1850 [1848].
Mansilla, Eduarda, *El médico de San Luis,* Buenos Aires, La Paz, 1860.
—, *Lucía Miranda,* en *La Tribuna,* Buenos Aires, 1860.
Mármol, José, *Amalia,* 2 vols., Montevideo, Uruguayana, 1851 (incompleto); 8 vols., Buenos Aires, Americana, 1855 (completo).
Matto de Turner, Clorinda, *Aves sin nido,* Lima, Carlos Prince, 1889.
—, *Herencia,* Lima, Matto Hnos., 1895.
Mera, Juan León, *Cumandá o un drama entre salvajes,* Quito, J. Guzmán Almeida, 1879.
—, *Cumandá,* trad. y ed. Pastoriza Flores, Nueva York, D. C. Heath, 1932.
Meza y Suárez Inclán, Ramón, *Mi tío el empleado,* Barcelona, L. Tasso Serra, 1887.
—, *Don Aniceto el tendero,* Barcelona, L. Tasso Serra, 1889.
Milla y Vidaurre, José (Salomé Jil), *La hija del adelantado,* Guatemala, Imp. de la Paz, 1866.
—, *Los nazarenos,* Guatemala, Imp. de la Paz, 1867.
—, *El visitador,* Guatemala, E. Goubaud & Cía., 1897.
Miró, José María, *La bolsa,* en *La Nación,* Buenos Aires, 1891.
Mitre, Bartolomé, *Soledad,* La Paz, La Época, 1847.
Morúa Delgado, Martín, *Sofía,* La Habana, Álvarez & Cía, 1891.
—, *La familia Unzúazu,* La Habana, La Prosperidad, 1901.
Nieto, Juan José, *Yngermina o La hija de Calamar – novela histórica, o recuerdos de la Conquista,* Kingston, Jamaica, R. J. de Córdoba, 1844.
Ocantos, Carlos María, *Quilito,* París, Garnier Hnos., 1891.
—, *Promisión,* Madrid, I. Moreno, 1897.
Palma y Romay, Ramón de, *Una Pascua en San Marcos,* en *El Álbum,* La Habana, 1838.

Payno, Manuel, *El fistol del diablo,* en *La Revista Científica y Literaria,* México, 1845-1846.

—, *Los bandidos de Río Frío – novela naturalista humorística, de costumbres, de crímenes y de horrores, por Un Ingenio de la Corte,* 2 vols., Barcelona, J. F. Parres & Cía., s.f. [1889-1891].

Picón Febres, Gonzalo, *El sargento Felipe,* en *El Cojo Ilustrado,* Caracas, 1899.

Podestá, Manuel T., *Irresponsable,* Buenos Aires, La Tribuna Nacional, 1889.

Rabasa, Emilio, *La Bola,* México, Alfonso E. López & Cía., 1887.

—, *La gran ciencia,* México, Alfonso E. López & Cía., 1887.

—, *El cuarto poder,* México, Spíndola & Cía., 1888.

—, *Moneda falsa,* México, Spíndola & Cía., 1888.

Reyles, Carlos, *Beba,* Montevideo, Dornaleche y Reyes, 1894.

Riofrío, Miguel, *La emancipada,* en *La Unión,* Quito, 1863.

Sicardi, Francisco A., *Libro extraño,* 2 vols., Barcelona, El Anuario, s.f. (5 vols. Publicado originalmente en Buenos Aires, 1894-1903).

Sioen, Aquiles, *Buenos Aires en el año 2080,* Buenos Aires, Librería del Colejio, 1879.

Solar, Alberto del, *Contra la marea,* Buenos Aires, F. Lajouane, 1894.

Suárez y Romero, Anselmo, *Francisco,* Nueva York, N. Ponce de León, 1880.

Viana, Javier de, *Gaucha,* Montevideo, A. Barreiro y Ramos, 1899 (incompleto); Montevideo, O. M. Bertani, 1913 (completo).

Villafañe, Segundo I., *Emilio Love,* Buenos Aires, Mackern & McLean, 1888.

—, *Horas de fiebre,* Buenos Aires, Juan A. Alsina, 1891.

Villaverde, Cirilo, *El espetón de oro,* en *El Álbum,* La Habana, 1838.

—, *Cecilia Valdés,* en *La siempreviva,* La Habana, 1839, (incompleto); Cecilia *Valdés o La loma del ángel,* La Habana, Lino Valdés, 1839 (incompleto); Nueva York, El Espejo, 1882 (completo).

—, *La joven de la flecha de oro,* en *La Cartera Cubana,* La Habana, 1840.

—, *El guajiro,* en *Faro Industrial de La Habana,* La Habana, 1842.

—, *El penitente,* en *Faro Industrial de La Habana,* La Habana, 1844.

—, *Cecilia Valdés, or Angel's Hill – A novel of Cuban customs,* trad. y ed. Sydney G. Gest, Nueva York, Vantage Press, 1962.

Yepes, José Ramón, *Iguaraya,* en *La Revista Álbum de Familia,* Caracas, 1872.

Zeno Gandía, Manuel, *La charca – crónicas de un mundo enfermo,* Ponce, M. López, 1894.

FUENTES SECUNDARIAS

Libros

Acevedo Escobedo, Antonio, *La ciudad de México en la novela,* México, Secretaría de Obras y Servicios, 1973.

Examina el impacto de la modernización en la Ciudad de México tal como se representa en la novela mexicana.

Alegría, Fernando, *Historia de la novela hispanoamericana,* México, Ediciones de Andrea, 1965.

Bosquejo histórico de la novela hispanoamericana, dividida por periodos y países.

—, *Nueva historia de la novela hispanoamericana,* Hanover, N.H., Ediciones del Norte, 1986.

Historia ecléctica y no muy precisa de la novela hispanoamericana. Énfasis en el siglo veinte.

Alonso, Carlos J., *The Spanish American Regional Novel: Modernity and autochthony,* Cambridge University Press, 1990.

Obra sobresaliente sobre la novela criollista, particularmente interesante por sus puntos de vista sobre las cuestiones de modernidad y autoctonía.

Anderson, Benedict, *Imagined Communities: Reflections on the origin and spread of nationalism,* Londres y Nueva York, Verso, 1983.

Estudio provocativo y conciso del nacionalismo como fenómeno cultural y literario.

Anderson, Theodore, *Carlos María Ocantos, Argentine Novelist,* New Haven, Yale University Press, 1934.

Estudio tradicional de la vida, época y obras de Ocantos.

Anderson Imbert, Enrique, *Estudios sobre escritores de América,* Buenos Aires, Raigal, 1954.

Incluye excelentes capítulos sobre la novela histórica decimonónica y también sobre *María,* de Isaacs, y *Enriquillo,* de Galván.

Arciniegas, Germán, *Genio y figura de Jorge Isaacs,* Buenos Aires, EUDEBA, 1967.

Útil introducción a la vida y obra de Jorge Isaacs.

Azuela, Mariano, *Cien años de novela mexicana,* México, Botas, 1947.

La novela mexicana vista por un novelista mexicano. Notas interesantes sobre Ignacio Manuel Altamirano y Manuel Payno.

Bakhtin, Mikhail Mikhailovich, *The Dialogic Imagination,* trad. Caryl Emerson y Michael Holquist, ed. Michael Holquist, Austin, University of Texas Press, 1981.

Importante e influyente colección de ensayos, extraordinariamente útil para contestar la pregunta: ¿qué es una novela?

Barbagelata, Hugo D., *La novela en Hispanoamérica,* Montevideo, El Libro Inglés, 1946.

Estudio tradicional general de la novela hispanoamericana. Énfasis en el siglo diecinueve.

Barreda, Pedro, *The Black Protagonist in the Cuban Novel,* Amherst, University of Massachusetts, 1979.

Estudio bien documentado con énfasis en la novela cubana del siglo diecinueve.

—, *Bibliografía de la novela venezolana,* Caracas, Centro de Estudios Literarios, Universidad Central de Venezuela, 1963.

Ofrece una lista de títulos por orden alfabético y cronológico.

Blasi, Alberto O., *Los fundadores: Cambacérès, Martel, Sicardi,* Buenos Aires, Eds. Culturales Argentinas, 1962.

Sólido estudio que reconoce a Cambacérès, Miró (Martel), y Sicardi como los fundadores de la novela argentina moderna.

Braudel, Fernand, *Civilization and Capitalism 15th-18th Century,* trad. Sian Reynolds, 3 vols., Nueva York, Harper & Row, 1981-1984.

Importante e influyente estudio de la época que precedió al desarrollo industrial.

Brushwood, John S., *Mexico in its Novel: A nation's search for identity,* Austin, University of Texas Press, 1966.

Subraya las relaciones entre la novela y la identidad nacional en México.

—, *Genteel Barbarism: Experiments in analysis of nineteenth-century Spanish-American novels,* Lincoln, Nebr., y Londres, University of Nebraska, 1981.

Incluye estudios estructuralistas de *Guatimozín, Amalia, Martín Rivas, María, Mi tío el empleado, Aves sin nido, Suprema ley, El sargento Felipe.*

Cabrera, Rosa M., y Gladys B. Zaldívar (eds.), *Homenaje a Gertrudis Gómez de Avellaneda. Memorias del simposio en el centenario de su muerte,* Miami, Ediciones Universal, 1981.

Importante colección de artículos sobre las obras de Avellaneda. Colaboraciones de Julio Hernández-Miyares, Mildred B. Boyer, Alberto Gutiérrez de la Solana y Concepción T. Alzola se cuentan entre los mejores estudios de *Sab* y *Guatimozín.*

—, *The Cambridge History of Latin America,* III, IV, ed. Leslie Bethell, Cambridge University Press, 1985, 1986.

La mejor colección disponible de obras históricas especializadas en Latinoamérica en el siglo diecinueve.

Cantonnet, María Ester, *Las vertientes de Javier de Viana,* Montevideo, Alfa, 1969.

Discute la producción literaria de Viana y su búsqueda de una literatura nacional uruguaya.

Carilla, Emilio, *El romanticismo en la América Hispánica,* 2 vols., Madrid, Gredos, 1967.

Uno los textos más informativos nunca escritos sobre el Romanticismo hispanoamericano.

Carrillo, Francisco, *Clorinda Matto de Turner y su indigenismo literario,* Lima, Ediciones de la Biblioteca Universitaria, 1967.

Sólido estudio de los criterios políticos y sociales de Matto de Turner.

Castagnaro, R. Anthony, *The Early Spanish American Novel,* Nueva York, Las Américas, 1971.

Excelente estudio de la novela hispanoamericana del siglo diecinueve.

Castillo, Homero, y Raúl Silva Castro, *Historia bibliográfica de la novela chilena,* México, Ediciones de Andrea, 1961.

Lista alfabética de autores. No es una historia.

Castro Arenas, Mario, *La novela peruana y la evolución social,* Lima, Cultura y Libertad, 1965.

Aproximación social y tradicional a la novela peruana.

Castro Leal, Antonio, *La novela del Méjico colonial* I, México, Aguilar, 1964.

Aporta detallada información sobre la novela histórica mexicana.

Cometta Manzoni, Aida, *El indio en la novela de América,* Buenos Aires, Futuro, 1960.

Obra útil que estudia al indio como personaje principal de la novela hispanoamericana. Énfasis en el siglo diecinueve.

Conde, Pedro, *Notas sobre el «Enriquillo»,* Santo Domingo, Taller, 1978.

Importante comentario sobre el papel desempeñado por el *Enriquillo* de Galván en la formulación de una identidad nacional ficticia en la República Dominicana.

Cornejo Polar, Antonio, *La novela peruana: siete estudios,* Lima, Horizonte, 1977.

Incluye una crítica amplia de la actitud positivista hacia el indio de Clorinda Matto de Turner.

—, *La formación de la tradición literaria en el Perú,* Lima, Centro de Estudios y Publicaciones, 1989.

Obra convincente que hace hincapié en las relaciones entre la identidad nacional y la tradición literaria en el Perú.

Cotarelo y Mori, Emilio, *La Avellaneda y sus obras,* Madrid, Tip. de Archivos, 1930.

Bien documentada, biográfica y crítica monografía sobre la vida y obras de Gertrudis Gómez de Avellaneda. Cuestiona la sinceridad abolicionista de Avellaneda.

Cueva, Agustín, *La literatura ecuatoriana,* Buenos Aires, Cedal, 1968.

Aporta interesantes comentarios críticos sobre *Cumandá* de Mera.

Curcio Altamar, Antonio, *Evolución de la novela en Colombia,* Bogotá, Instituto Caro y Cuervo, 1957.

Estudia la evolución de la novela colombiana desde la época colonial hasta 1965. Obra tradicional. Bibliografía.

Díaz Arrieta, Hernán (Alone), *Don Alberto Blest Gana,* Santiago, Nascimento, 1940.

Estudia la influencia de Balzac en las novelas de Blest Gana.

Englekirk, John E., y Margaret M. Ramos, *La narrativa uruguaya: estudio crítico-bibliográfico,* Berkeley y Los Angeles, University of California Press, 1967.

Incluye un largo ensayo introductorio, y listas alfabéticas de autores y fuentes secundarias.

Englekirk, John E., y Gerald E. Wade, *Bibliografía de la novela colombiana,* México, Ed. Universitaria, 1950.

Lista alfabética de autores.

Figarola Caneda, Domingo, *Gertrudis Gómez de Avellaneda: biografía, bibliografía e iconografía,* Madrid, Sociedad General Española de Librería, 1929.

Estudio profundo de la vida y obras de Avellaneda.

Fishburn, Evelyn, *The Portrayal of Immigration in Nineteenth Century Argentine Fiction (1845-1902),* Berlín, Colloquium, 1981.

Útil monografía que estudia al inmigrante europeo como personaje literario en la Argentina del siglo diecinueve.

Flores, Ángel, *Narrativa hispanoamericana 1816-1981: historia y antología,* 2 vols., México, Siglo Veintiuno Editores, 1981.

Muy útil. Incluye información bibliográfica sobre obras de y sobre: José Joaquín Fernández de Lizardi, Esteban Echeverría, Eugenio Díaz, Cirilo Villaverde, Juana Manuela Gorriti, José Milla y Vidaurre, Alberto Blest Gana, Jorge Isaacs, Nataniel Aguirre, Eugenio Cambacérès, Mercedes Cabello de Carbonera, Eduardo Acevedo Díaz, Clorinda Matto de Turner, Manuel Zeno Gandía, Emilio Rabasa, Tomás Carrasquilla y Carlos Reyles.

Ford, Jeremiah D. M., y Maxwell I. Raphael, *A Bibliography of Cuban Belles Lettres,* Cambridge, Mass., Harvard University Press, 1933.

Muy útil para la literatura cubana del siglo diecinueve. Parte I: bibliografías, diccionarios, historias de la literatura y antologías; parte II: lista alfabética de autores; parte III: obras anónimas o colectivas; parte IV: periódicos.

Foster, David William, *The Argentine Generation of 1880: Ideology and cultural texts,* Columbia, University of Missouri, 1990.

La obra más reciente sobre la producción literaria de la llamada *Generación del 80.*

Freire, Tabaré, *Javier de Viana, modernista,* Montevideo, Universidad de la República, 1957.

Estudia los rasgos modernistas en la producción literaria de Viana.

García, Germán, *La novela argentina: un itinerario,* Buenos Aires, Sudamericana, 1952.

Estudio claro y extenso de la novela argentina. Énfasis en el siglo veinte.

—, *El inmigrante en la novela argentina,* Buenos Aires, Hachette, 1970.

Obra excelente sobre el inmigrante europeo como personaje principal en la novela argentina. Énfasis en el siglo diecinueve.

Garganigo, John F., *El perfil del gaucho en algunas novelas de Argentina y Uruguay,* Montevideo, Síntesis, 1966.

Monografía breve sobre el gaucho como personaje en algunas novelas argentinas y uruguayas. Énfasis en el siglo diecinueve.

—, *Javier de Viana,* Nueva York, Twayne's World Authors Series, 1972.

Conciso y excelente estudio de la vida y obras de Javier de Viana.

Girard, René, *La violence et le sacré,* París, Bernard Grasset, 1972.

Una importante e influyente obra antropológica, pertinente para mi definición de la identidad nacional como sentimiento relacionado con el deseo mimético.

Glass, Elliot S., *México en las obras de Emilio Rabasa,* México, Diana, 1974.

Examina la vida social en México a través de las obras de Rabasa.

Goiĉ, Cedomil, *La novela chilena – los mitos degradados,* Santiago, Editorial Universitaria, 1968.

Impresionante análisis de ocho novelas chilenas. Énfasis en el siglo veinte.

—, *Historia de la novela hispanoamericana,* Ed. Univ. de Valparaíso, 1972.

Traza un desarrollo de la novela hispanoamericana según las generaciones.

Gómez Tejera, Carmen, *La novela en Puerto Rico,* San Juan, Universidad de Puerto Rico, 1947.

Historia de la novela puertorriqueña, organizada por temas.

González, Manuel Pedro, *Trayectoria de la novela en México,* México, Juan Pablos, 1951.

Estudio ecléctico y algo arbitrario de la novela mexicana.

González Echevarría, Roberto, *Myth and Archive: A theory of Latin American narrative,* Cambridge University Press, 1990.

Obra sobresaliente que estudia el origen y la evolución de la narrativa latinoamericana. Subraya la importancia del discurso científico europeo como fuente principal de la novela latinoamericana decimonónica.

González Stephan, Beatriz, *La historiografía literaria del liberalismo hispanoamericano del siglo XIX,* La Habana, Casa de las Américas, 1987.

Discute el carácter manipulador de la historiografía literaria hispanoamericana del siglo diecinueve.

Grases, Pedro, *La primera versión castellana de «Atala»,* Caracas, 1955.

Estudio de la influencia de *Atala* sobre el Romanticismo hispanoamericano.

Guzmán, Augusto, *La novela en Bolivia 1847-1954,* La Paz, Juventud, 1955.

Aporta una útil información sobre el *Juan de la Rosa* de Nataniel Aguirre.

Guzmán, Julia M., *Manuel Zeno Gandía: del romanticismo al naturalismo,* Madrid, Hauser y Menet, 1960.

Visión de conjunto de la vida y obras de Zeno Gandía.

—, *Apuntes sobre la novelística puertorriqueña,* San Juan, Coquí, 1969.

Sobre todo una interpretación de las obras de Manuel Zeno Gandía.

Hakala, Marcia, *Emilio Rabasa: novelista innovador mexicano en el Siglo XIX*, México, Porrúa, 1974.

Reconoce a Rabasa como el fundador de la novela moderna mexicana.

Halperin Donghi, Tulio, *El pensamiento de Echeverría,* Buenos Aires, Sudamericana, 1951.

Una obra importante sobre las ideas de Esteban Echeverría y su impacto en la Generación de 1837.

Henríquez Ureña, Pedro, *Las corrientes literarias en la América Hispánica,* México y Buenos Aires, Fondo de Cultura Económica, 1949.

Importante estudio de las distintas corrientes literarias en Hispanoamérica.

Hernández de Norman, Isabel, *La novela romántica en las Antillas,* Nueva York, Ateneo Puertorriqueño, 1969.

Extenso estudio de la novela romántica en Cuba, Puerto Rico y la República Dominicana.

Hernández Sánchez-Barba, Mario, *Historia y literatura en Hispano-América (1492-1820): la versión intelectual de una experiencia,* Valencia, Castalia, 1978.

Historia intelectual de la Hispanoamérica colonial. Subraya la importancia literaria de las obras científicas europeas en el siglo dieciocho.

Iguiniz, Juan B., *Bibliografía de novelistas mexicanos: ensayo biográfico y crítico; precedido de un estudio histórico de la novela mexicana,* México, Monografías Bibliográficas, 1926.

Incluye: 1) un breve estudio de la novela mexicana, 2) una lista de obras sobre la novela mexicana, 3) resúmenes biográficos, 4) lista alfabética de autores.

Jiménez Rueda, Julio, *Letras mexicanas en el siglo XIX,* México, Fondo de Cultura Económica, 1944.

Estudio tradicional de la literatura mexicana decimonónica.

Kristal, Efraín, *The Andes Viewed from the City: Literary and political discourse on the Indian in Peru, 1848-1930,* Nueva York, Peter Lang, 1987.

Estudia el diálogo entre la novela y la reforma social en el Perú.

Levy, Kurt L., *Tomás Carrasquilla,* Boston, Twayne's World Author Series, 1980.

Obra clara y concisa sobre la vida y obras de Carrasquilla.

Litchblau, Myron I., *The Argentine Novel in the Nineteenth Century,* Nueva York, Spanish-American Printing Co., 1959.

Este estudio incluye listas cronológicas de 1) novelas argentinas decimonónicas, 2) fuentes bibliográficas, 3) libros y artículos sobre autores y novelas particulares, 4) libros y artículos sobre la novela argentina en general. Descriptivo, pero extraordinariamente útil.

Loveluck, Juan M. (ed.), *La novela hispanoamericana,* Santiago, Editorial Universitaria, 1963.

Colección de obras generales sobre la novela hispanoamericana.

Ludmer, Josefina, *El género gauchesco – un tratado sobre la patria,* Buenos Aires, Sudamericana, 1988.

Estudio profundo del gaucho como personaje literario y también como icono patriótico.

Luis, William, *Literary Bondage: Slavery in Cuban narrative,* Austin, University of Texas Press, 1990.

Obra sólida. Excelentes capítulos sobre *Francisco,* de Suárez y Romero; la *Autobiografía,* de Manzano, y *Cecilia Valdés,* de Villaverde.

Lyotard, Jean-François, *La condition postmoderne: rapport sur le savoir,* París, Minuit, 1979.

Importante e influyente obra especialmente útil por sus reflexiones sobre los distintos paradigmas del saber.

Martínez, José Luis, *La expresión nacional: letras mexicanas del siglo XIX,* México, Editorial Universitaria, 1955.

Una de las obras más importantes jamás escritas acerca de las letras mexicanas decimonónicas.

Marting, Diane E. (ed.), *Women Writers of Spanish America: An annotated bio-bibliographical guide,* Nueva York, Greenwood Press, 1987.

Importante obra biobibliográfica con una lista de más de 1.000 nombres. Contiene resúmenes biográficos y entradas anotadas.

McGrady, Donald, *La novela histórica en Colombia, 1844-1959,* Bogotá, Kelly, 1962.

Sólido estudio de la novela histórica en Colombia. Énfasis en el siglo diecinueve.

—, *Jorge Isaacs,* Nueva York, Twayne's World Author Series, 1972.

Excelente introducción a la vida y obras de Isaacs.

Mejía Duque, Jaime, *Isaacs y María: el hombre y su novela,* Bogotá, La Carreta, 1979.

Instructivo análisis de las relaciones entre la vida de Isaacs y su *María.*

Meléndez, Concha, *La novela indianista en Hispanoamérica (1832-1889),* Madrid, Librería y Casa Editorial Hernando, 1934.

Sigue siendo una obra útil. Habla de las fuentes europeas y americanas relacionadas con la ficción indianista. Énfasis en obras de Avellaneda, Galván, y Mera. Bibliografía.

Menton, Seymour, *Historia crítica de la novela guatemalteca,* Guatemala, Editorial Universitaria, 1960.

Dedica un capítulo a las novelas de José Milla. Reconoce que *El visitador* es una de las mejores novelas históricas hispanoamericanas del periodo.

—, *La novela colombiana: planetas y satélites,* Bogotá, Plaza & Janés, 1978.

Sólido estudio de diez novelas colombianas. Énfasis en el siglo veinte.

Morand, Carlos, *Visión de Santiago en la novela chilena,* Santiago, Aconcagua, 1977.

Examina el impacto de la modernización en Santiago de Chile tal como aparece en la novela chilena.

Navarro, Joaquina, *La novela realista mexicana,* México, Compañía General de Ediciones, 1955.

Meticuloso estudio de la novela realista mexicana. Reconoce que Emilio Rabasa fue el primero de los escritores realistas mexicanos.

Onega, Gladys S., *La inmigración en la literatura argentina, 1810-1910,* Santa Fe, Univ. Nacional del Litoral, 1965.

Estudia la inmigración europea como tema principal de la novela argentina.

Pérez-Firmat, Gustavo, *The Cuban Condition: Translation and identity in modern Cuban literature,* Cambridge University Press, 1989.

Obra sobresaliente que estudia la identidad cubana como producto de una refundición autoconsciente de modelos extranjeros.

Picón-Salas, Mariano, *De la Conquista a la Independencia: tres siglos de historia cultural hispanoamericana,* México, Fondo de Cultura Económica, 1944.

Inspirada y concisa historia cultural de Hispanoamérica antes de la Independencia.

Poblete Varas, Hernán, *Genio* y *figura de Alberto Blest Gana,* Buenos Aires, EUDEBA, 1968.

Excelente introducción a la vida y obras de Blest Gana.

Porras Collantes, Ernesto, *Bibliografía de la novela en Colombia,* Bogotá, Instituto Caro y Cuervo, 1976.

Excelente bibliografía anotada. Incluye una lista de obras sobre autores y novelas particulares.

Portantiero, Juan Carlos, *Realismo y realidad en la narrativa argentina,* Buenos Aires, Procyón, 1961.

Se concentra en los rasgos realistas de la novela argentina.

Portuondo, José Antonio, *Capítulos de literatura cubana,* La Habana, Letras Cubanas, 1981.

Enfoque marxista sobre la literatura cubana. Capítulos sobre Gertrudis Gómez de Avellaneda y el grupo de Domingo Delmonte.

Prieto, Adolfo, *Proyección del rosismo en la literatura argentina,* Rosario, Argentina, Instituto de Letras, 1959.

Investiga la representación histórica del terror de Rosas en las letras argentinas.

Pupo-Walker, Enrique, *La vocación literaria del pensamiento histórico en América: desarrollo de la prosa de ficción: siglos XVI, XVII, XVIII, y XIX,* Madrid, Gredos, 1982.

Obra sobresaliente que estudia la orientación literaria y dialógica del discurso historiográfico temprano en Hispanoamérica.

Rama, Ángel, *La ciudad letrada,* Hanover, N. H., Ediciones del Norte, 1984.

Investiga la relación entre la escritura y el desarrollo urbano en Hispanoamérica.

Ramos, Julio, *Desencuentros de la modernidad en América Latina: literatura y política en el siglo XIX,* México, Fondo de Cultura Económica, 1989.

Estudio conciso y claro que cuestiona la coherencia de la modernidad hispanoamericana a través de las obras de José Martí y otros.

Ratcliff, D. F., *Venezuelan Prose Fiction,* Nueva York, Instituto de las Españas, 1933.

Estudio tradicional de la novela venezolana.

Read, J. Lloyd, *The Mexican Historical Novel (1826-1910),* Nueva York, Instituto de las Españas, 1939.

Aporta útiles descripciones de tramas y personajes en la novela histórica mexicana del siglo diecinueve. Bibliografía.

Rivera, Jorge B., *El folletín y la novela popular,* Buenos Aires, Centro Editor de la América Latina, 1968.

Monografía interesante sobre el impacto en los lectores latinoamericanos de las novelas europeas por fascículos.

Rodríguez Monegal, Emir, *Eduardo Acevedo Díaz: dos versiones de un tema,* Montevideo, Eds. del Río de la Plata, 1963.

La mejor obra disponible sobre las novelas de Acevedo Díaz.

—, *El otro Andrés Bello,* Caracas, Monte Ávila, 1969.

Importante estudio de la vida, época y escritos de Bello.

Rojas, Ángel F., *La novela ecuatoriana,* México y Buenos Aires, Fondo de Cultura Económica, 1948.

Incluye un excelente capítulo sobre *Cumandá* de Mera.

Rojas, Ricardo, *Historia de la literatura argentina,* 4.ª ed., 9 vols., Buenos Aires, Guillermo Kraft, 1957.

Obra importante. El volumen VIII estudia la novela argentina del siglo diecinueve.

Rusich, Luciano, *El inmigrante italiano en la novela argentina del 80,* Madrid, Playor, 1974.

Estudia el tema del inmigrante italiano en la novela argentina.

Sánchez, Julio C., *La obra novelística de Cirilo Villaverde,* Madrid, De Orbe Novo, 1973.

Meticulosa aproximación sociológica a las obras de Villaverde.

Sánchez, Luis Alberto, *Proceso y contenido de la novela hispanoamericana,* Madrid, Gredos, 1953.

Visión de conjunto generacional de la novela hispanoamericana. Obra importante.

—, *Escritores representativos de América*, Madrid, Gredos, 1963.

Incluye interesantes ensayos sobre Tomás Carrasquilla, Jorge Isaacs y José Milla.

Santovenia, Emeterio S., *Personajes y paisajes de Villaverde,* La Habana, Academia Nacional de Artes y Letras, 1955.

Obra interesante. Villaverde emerge como el cronista ideal de la nación cubana.

Sarlo, Beatriz, *Juan María Gutiérrez: historiador y crítico de nuestra literatura,* Buenos Aires, Escuela, 1967.

Estudio conciso de la vida y obras de Juan María Gutiérrez.

Schwartz, Kessel, *A New History of Spanish American Fiction,* I, University of Miami Press, 1972.

Estudio sólido y bien documentado. Excelente bibliografía de fuentes secundarias.

Shaw, Bradley A., *Latin American Literature in English Translation: An annotated bibliography,* Nueva York University, 1976.

La bibliografía más extensa de su tipo. 624 entradas en la lista.

Silva Castro, Raúl, *Alberto Blest Gana,* Santiago, Zig-Zag, 1955.

Obra larga, aunque algo desorganizada, sobre la vida y producción dc Blest Gana.

—, *Panorama de la novela chilena* (1843-1953), México, Fondo de Cultura Económica, 1955.

Visión de conjunto tradicional de la novela chilena. Bibliografía.

Sommer, Doris, *Foundational Fictions: The national romances of Latin America,* Berkeley, University of California Press, 1991.

Obra excelente e innovadora, que revela la complicidad de la historia de amor romántica con el nacionalismo, las celebraciones patrióticas y los programas de consolidación nacional latinoamericanos.

Sosa, Enrique, *La economía en la novela cubana del siglo XIX,* La Habana, Letras Cubanas, 1978.

Examina el impacto de la economía de plantación en la sociedad cubana tal como se representa en la novela decimonónica.

Suárez-Murias, Marguerite C., *La novela romántica en Hispanoamérica,* Nueva York, Hispanic Institute in the United States, 1963.

Útil e informativa introducción a la novela romántica hispanoamericana.

Torres Rioseco, Arturo, *Bibliografía de la novela mejicana,* Cambridge, Mass., Harvard University Press, 1933.

Lista alfabética de autores.

—, *La novela en la América Hispana,* Berkeley, University of California Press, 1939.

Uno de los primeros estudios generales sobre la novela hispanoamericana. Énfasis en el siglo diecinueve.

Uslar Pietri, Arturo, *Breve historia de la novela hispanoamericana,* Caracas y Madrid, Edime, 1954.

Subraya la importancia del costumbrismo. Sostiene que *Amalia,* de Mármol, es la primera novela hispanoamericana.

Villanueva de Puccinelli, Elsa, *Bibliografía de la novela peruana,* Lima, Biblioteca Universitaria, 1969.

Proporciona una lista de títulos en orden alfabético y cronológico.

Viñas, David, *Literatura argentina y realidad política,* Buenos Aires, Jorge Álvarez, 1964.

Estudia la relación entre literatura y política en la sociedad argentina. Incluye un convincente capítulo sobre *Amalia,* de Mármol.

Wallerstein, Immanuel, *The Modern World-System,* 2 vols., Nueva York, Academic Press, 1974-1980.

Importante e influyente estudio económico de los orígenes y consolidación de la economía mundial europea.

Warner, Ralph E., *Historia de la novela mexicana en el siglo XIX,* México, Antigua Librería Robredo, 1953.

Visión de conjunto tradicional de la novela mexicana decimonónica.

White, Hayden, *Metahistory: The historical imagination in nineteenth-century Europe,* Baltimore, Johns Hopkins University Press, 1973.

Importante e influyente obra, especialmente relevante respecto a mis puntos de vista sobre la relación apriorística entre el deseo de un escritor por un proyecto nacional dado y el modelo retórico seguido por su obra.

Williams, Raymond Leslie, *The Colombian Novel 1844-1987,* Austin, University of Texas Press, 1991.

Visión de conjunto de más de cien obras. Enfatiza el carácter regional de la novela colombiana. Bibliografía.

Williams Alzaga, Enrique, *La pampa en la novela argentina,* Buenos Aires, Ángel Estrada & Cía., 1955.

Estudia la vida del campo en la novela argentina.

Yáñez, Mirta (ed.), *La novela romántica latinoamericana,* La Habana, Casa de las Américas, 1978.

Colección de piezas importantes sobre la novela romántica hispanoamericana. Incluye ensayos de Emilio Carilla, Pedro Henríquez Ureña, Fernando Alegría, Luis Alberto Sánchez, Julio A. Leguizamón, Alberto Zum Felde, Ezequiel Martínez Estrada, Noé Jitrik, David Viñas, Juan Carlos Ghiano, Enrique Anderson Imbert, Jaime Mejía Duque, Concha Meléndez y otros. Énfasis en *Facundo, María, Enriquillo* y *El Zarco.*

Yepes Boscán, G., *La novela indianista en Venezuela,* Maracaibo, Venezuela, Universidad de Zulia, 1965.

Estudio descriptivo de la novela indianista en Venezuela. Énfasis en el siglo diecinueve.

Young, Robert J., *La novela costumbrista de «Cecilia Valdés»,* Universidad Nacional Autónoma de México, 1949.

Lectura costumbrista interesante de *Cecilia Valdés* de Villaverde.

Zamudio Zamora, José, *La novela histórica en Chile,* Santiago, Flor Nacional, 1949.

Obra tradicional sobre la novela histórica chilena. Reconoce que *Durante la reconquista,* de Blest Gana, es la mejor novela histórica chilena.

Zum Felde, Alberto, *La narrativa en Hispanoamérica,* Madrid, Aguilar, 1964.

Aporta notas interesantes sobre las particularidades de la novela hispanoamericana.

Artículos

Aínsa, Fernando, «'La tierra prometida' como motivo en la narrativa argentina», *Hispamérica,* 53-4 (1989), 3-23.

Estudia el tema de la tierra prometida en las novelas de Groussac, Ocantos y otros.

Alba-Buffill, Elio, «Loveira y Zeno Gandía: representantes del naturalismo en las Antillas», en *Estudios literarios sobre Hispanoamérica (homenaje a Carlos M. Raggi y Ageo),* San José, Círculo de Cultura Panamericano, 1976, 85-96.

Reconoce las obras de Loveira y Zeno Gandía como las primeras novelas naturalistas en el Caribe.

Allen, Martha, «La personalidad literaria de Carlos Reyles», *Revista Iberoamericana,* 25 (1947), 91-115.

Importante artículo sobre las obras de Reyles.

Álvarez García, Imeldo, «La obra narrativa de Cirilo Villaverde», prólogo a *Cecilia Valdés* de Villaverde, I, La Habana, Letras Cubanas, 1979.

Estudio informativo sobre la vida, época y obras de Villaverde.

Anderson Imbert, Enrique, Prólogo a Jorge Isaacs, *María,* ed. E. Anderson Imbert, México y Buenos Aires, Fondo de Cultura Económica, 1951.

Meticuloso estudio de *María* con un apéndice interesante.

—, «Notas sobre la novela histórica en el siglo XIX», en Arturo Torres-Rioseco (ed.), *La novela iberoamericana,* Albuquerque, University of New Mexico Press, 1952, 3-24.

Perspicaz artículo sobre la novela hispanoamericana decimonónica.

Apter Cragnolino, Aida, «Ortodoxia naturalista, inmigración y racismo en *En la sangre* de Eugenio Cambaceres», en Raquel Chang-Rodríguez y Gabriella de Beer (eds.), *La historia en la literatura iberoamericana: memorias del XXVI Congreso del Instituto Internacional de Literatura Iberoamericana,* Hanover, N.H., Ediciones del Norte, 1989, 225-35.

Crítica de los prejuicios sociales de Cambacérès en *En la sangre.*

Araya, Guillermo, Prólogo a Alberto Blest Gana, *Martín Rivas,* 2.ª ed., Madrid, Cátedra, 1983.

Se centra en el tratamiento de la historia y de la sociedad chilenas en *Martín Rivas.*

Arias, Augusto, Prólogo a Juan León Mera, *Cumandá,* ed. A. Arias, Quito, Casa de la Cultura Ecuatoriana, 1948.

Aporta información interesante sobre Mera y el fondo de *Cumandá.*

Arrieta, Rafael A., «Esteban Echeverría y el romanticismo en el Plata», en *Historia de la literatura argentina,* II, Buenos Aires, Peuser, 1958, 19-111.

Excelente capítulo sobre Echeverría y la aparición de la literatura romántica en la región del Río de la Plata.

Arrufat, Antón, «El nacimiento de la novela en Cuba», *Revista Iberoamericana,* 152-3 (1991), 747-57.

Interpretación socio-económica de la aparición de la novela cubana.

Bancroft, Robert I., «El *Periquillo Sarniento* and *Don Catrin:* which is the masterpiece?», *Revista Hispánica Moderna,* 34 (1968), 227-41.

Atractiva comparación de las dos mejores novelas de Lizardi.

Barreda, Pedro, «Abolicionismo y feminismo en la Avellaneda: lo negro como artificio narrativo en *Sab», Cuadernos Hispanoamericanos,* 342 (1978), 613-26.

Comentarios sobre las ideas respecto al abolicionismo y el feminismo de Avellaneda.

Barrera, Trinidad, «Estudio preliminar», prólogo a Juan León Mera, *Cumandá o un drama entre salvajes,* ed. T. Barrera, Sevilla, Alfar, 1989.

Introducción larga y bien documentada a *Cumandá,* de Juan León Mera.

Beane, Carol A., «Los contornos discursivos del África de *María*», en Raquel Chang-Rodríguez y Gabriella de Beer (eds.), *La historia en la literatura iberoamericana: memorias del XXVI Congreso del Instituto Internacional de Literatura Iberoamericana*, Hanover, N.H., Ediciones del Norte, 1989, 201-12.

Profunda crítica al episodio de Nay y Sinar en *María,* de Isaacs.

Beck, Phyllis Powers, «Eugenio Cambaceres: The vortex of controversy», *Hispania,* 56 (1963), 755-9.

Nota interesante sobre el carácter contradictorio del estilo de Cambacérès.

Bello, Andrés, *«Bosquejo histórico de la constitución del gobierno de Chile durante el primer período de la revolución. Desde 1810 hasta 1814,* por Don José Victorino Lastarria», en *Obras completas,* XIX, Caracas, Ministerio de Educación, 1957, 2234. [*El Araucano,* 7 de enero de 1848.]

—, «Colección de los viajes y descubrimientos que hicieron por mar los españoles desde fines del siglo XV», en *Obras completas,* XIX, Caracas, Ministerio de Educación, 1957, 445-84. [*El Repertorio Americano,* III, abril de 1827.]

—, «Modo de escribir la historia», en *Obras completas,* XIX, Caracas, Ministerio de Educación, 1957, 229-42. [*El Araucano,* 28 de enero de 1848.)

—, «Modo de estudiar la historia», en *Obras completas,* XIX, Caracas, Ministerio de Educación, 1957, 146. [*El Araucano,* 7 de febrero de 1848.]

—, «*La Araucana,* por Don Alonso de Ercilla y Zúñiga», en *Obras completas,* IX, 2.ª ed., Caracas, Ministerio de Educación, 1981, 349-62. [*El Araucano,* 5 de febrero de 1841.]

Benarós, León, «Eduardo Gutiérrez: un descuidado destino», prólogo a *El Chacho* de E. Gutiérrez, Buenos Aires, Hachette, 1960.

Excelente introducción a las obras de Gutiérrez.

Benítez-Rojo, Antonio, «Power/sugar/literature: toward a reinterpretation of Cubanness», *Cuban Studies,* 16 (1986), 9-31.

Estudia la relación entre el azúcar y la literatura en los escritos de Villaverde, Palma y Romay, Suárez y Romero y otros miembros del círculo de Domingo Delmonte.

Blasi, Alberto, «Orígenes de la novela argentina: Manuel T. Podestá», en Alan M. Gordon y Evelyn Rugg (eds.), *Actas del Sexto Congreso Internacional de Hispanistas,* University of Toronto, 1980, 111-14.

Nota interesante sobre *Irresponsable* de Podestá.

Borgeson, Paul W., Jr., «Problemas de técnica narrativa en dos *novellas* de Lizardi», *Hispania,* 3 (1986), 504-11.

Compara el estilo narrativo de *Noche triste y día alegre* con el de *Don Catrín.*

Bremer, Thomas, «Historia social de la literatura e intertextualidad: funciones de la lectura en las novelas latino-americanas del siglo XIX (el caso del 'libro en el libro')», *Revista de Crítica Literaria Latinoamericana,* 24 (1986), 31-49.

Estudia la intertextualidad en *Amalia,* de Mármol, y *María,* de Isaacs.

Brown, Donald F., «Chateaubriand and the story of Feliciana in Jorge Isaacs's *María», Modern Language Notes,* 62 (1947), 326-9.

Sobre la influencia de Chateaubriand en *María,* de Isaacs.

Brown, James W., «Heriberto Frías, a Mexican Zola», *Hispania,* 50 (1967), 467-71.

Compara el método de Frías con el de Zola.

Brushwood, John S., «Juan Díaz Covarrubias: Mexico's martyr novelist», The *Americas,* 10 (1958), 301-6.

Sobre todo una nota biobibliográfica.

«The Mexican understanding of Realism and Naturalism», *Hispania,* 43 (1960), 521-8.

Artículo interesante sobre la aparición de la ficción no romántica en México.

—, «Heriberto Frías sobre el comportamiento social y la mujer redentora», *Hispania,* 46 (1962), 7-49-53.

Aproximación sociológica a *¡Tomochic!* de Frías.

Bueno, Salvador, «Los temas de la novela cubana», *Asomante,* 4 (1960), 39-48.

Describe las principales corrientes temáticas de la novela cubana.

—, «El negro en *El Periquillo Sarniento:* antirracismo de Lizardi», *Cuadernos Americanos,* 183 (1972), 124-39.

Observa los criterios democráticos de Lizardi sobre el negro.

—, «La narrativa antiesclavista en Cuba de 1835 a 1839», *Cuadernos Hispanoamericanos,* 451-2 (1988), 169-86.

Estudio tradicional de las narraciones abolicionistas producidas en Cuba durante el periodo 1835-1839.

Burns, E. Bradford, «Bartolomé Mitre: The historian as novelist, the novel as history», *Revista Interamericana de Bibliografía,* 32 (1982), 155-267.

Artículo brillante acerca de las ideas de Mitre sobre el papel de la novela.

Cabrera Saqui, Mario, Prólogo a Anselmo Suárez y Romero, *Francisco – el ingenio o Las delicias del campo,* La Habana, Ministerio de Educación, 1947.

Excelente pieza sobre la vida y las obras de Suárez y Romero.

Camurati, Mireya, «Blest Gana, Lukács y la novela histórica», *Cuadernos Americanos,* 197 (1974), 88-99.

Aproximación lukacsiana a las novelas de Blest Gana.

Cánepa, Gina, «Folletines históricos del Chile independiente y su articulación con la novela naturalista», *Revista de Crítica Literaria Latinoamericana,* 30 (1989), 249-58.

Estudia la relación entre el folletín chileno temprano y la novela naturalista.

Carlos, Alberto J., «*René, Werther y La nouvelle Héloise* en la primera novela de la Avellaneda», *Revista Iberoamericana,* 60 (1965), 223-38.

Observa las influencias europeas en *Sab* de Avellaneda.

Carricaburu, Norma, «Carnaval y carnavalización en la generación del 80», *Filología,* 1 (1987), 183-205.

Lectura bakhtiniana de la producción literaria de la llamada Generación del 80 en la Argentina.

Castillo, Homero, y Raúl Silva Castro, «Algunas observaciones y notas sobre Eugenio Cambaceres», prólogo a Cambacérès, *Obras completas,* ed. E. M. S. Danero, Santa Fe, Castellví, 1956.

Proporciona información útil sobre la vida y obras de Cambacérès.

Castro Leal, Antonio, Prólogo a José Tomás de Cuéllar, *Ensalada de pollos – baile y cochino,* ed. A. Castro Leal, México, Porrúa, 1946.

Aporta una interesante información sobre la vida y obras de Cuéllar.

Colón Zayas, Eliseo R., «La escritura ante la formación de la conciencia nacional: *La peregrinación de Bayoán,* de Eugenio María de Hostos», *Revista Iberoamericana,* 140 (1987), 617-34.

Lectura fundacional de la novela de Hostos.

Concha, Jaime, Prólogo a Alberto Blest Gana, *Martín Rivas,* Caracas, Biblioteca Ayacucho, 1977.

Sólida aproximación social a *Martín Rivas,* de Blest Gana.

Cornejo Polar, Antonio, Prólogo a Clorinda Matto de Turner, *Aves sin nido,* La Habana, Casa de las Américas, 1974.

Sólida obra crítica acerca de las limitaciones de las ideas de Matto de Turner sobre el indio.

Cros, Edmund, «Space and textual genetics: magical consciousness and ideology in *Cumandá*», *Sociocriticism,* 4-5 (1986-1987), 35-72.

Relaciona la ideología conservadora de Mera con su tratamiento mágico de la selva en *Cumandá.*

Cruz, Mary, Prólogo a Gertrudis Gómez de Avellaneda, *Sab,* La Habana, Arte y Literatura, 1976.

Observa la influencia del *Bug-Jargal* de Victor Hugo en la novela de Avellaneda.

Danero, E. M. S., Prólogo a Lucio V. López, *La gran aldea,* Buenos Aires, Albatros, 1939.

Sostiene que *La gran aldea* es la primera novela argentina moderna.

Davis, Jack Emory, «Picturesque 'Americanismos' in the works of Fernández de Lizardi», *Hispania,* 54 (1961), 74-81.

Observa rasgos pintorescos en el estilo de Lizardi.

—, «Algunos problemas lexicográficos en *El Periquillo sarniento*», *Revista Iberoamericana,* 23 (1968), 163-71.

Trata el uso de Lizardi del habla popular.

Delgado, Jaime, «El *Guatimozín* de Gertrudis Gómez de Avellaneda», en *XVII Congreso del Instituto Internacional de Literatura Iberoamericana,* Madrid, Centro Iberoamericano de Cooperación/Universidad Complutense de Madrid, 1978, 959-70.

Artículo importante sobre *Guatimozín* de Avellaneda.

Dellepiane, Angela B., «Ciencia y literatura en un texto de Eduardo L. Holmberg», en Keith McDuffie y Rose Minc (eds.), *Homenaje a Alfredo A. Roggiano,* Pittsburgh, IILI, 1990, 457-76.

Artículo interesante sobre la novela darwinista de Holmberg *Dos partidos en lucha.*

Epple, Juan Armando, «Eugenio Cambaceres y el naturalismo en Argentina», *Ideologies and Literatures,* 3 (1980), 16-50.

Meticuloso artículo interdisciplinario sobre el Naturalismo de Cambacérès.

—, «Mercedes Cabello de Carbonera y el problema de la novela moderna en el Perú», en Silverio Muñoz (ed.), *Doctores y proscritos: la nueva generación de latinoamericanistas chilenos en U.S.A»,* Minneapolis, Institute for the Studies of Ideologies and Literatures, 1987, 23-48.

Estudia el nacimiento de la novela moderna en el Perú decimonónico. Aproximación sociológica.

Etcheverry, José Enrique, «Historia, nacionalismo y tradición en la obra de Eduardo Acevedo Díaz», en Arturo Torrez-Rioseco (ed.), *La novela iberoamericana,* Albuquerque, University of New Mexico Press, 1952, 155-65.

Lectura nacionalista de las obras de Acevedo Díaz.

Fivel-Demoret, Sharon Romeo, «The production and consumption of propaganda literature: The Cuban anti-slavery novel», *Bulletin of Hispanic Studies,* 1 (1989), 1-12.

Trata de *Sab*, *Francisco el ranchador*, y *Petrona y Rosalía* como panfletos abolicionistas.

Foster, David William, «Manuel T. Podestá's *Irresponsable:* Naturalism ideologically revised», *Romance Notes,* 3 (1987), 215-21.

Nota interesante sobre la manipulación por Podestá de las ideas sociales de Zola.

—, «*La gran aldea* as ideological document», *Hispanic Review,* I (1988), 73-87.

Artículo sólido que estudia la novela de Lucio V. López como texto crítico de su época.

Foucault, Michel, «Qu'est-ce qu'un auteur?», *Bulletin de la Société Française de Philosophie,* 3 (1969), 73-104.

Importante e influyente ensayo, relevante respecto a mi punto de vista sobre la formación del discurso en Hispanoamérica.

Fox-Lockert, Lucía, «Contexto político, situación del indio y crítica a la Iglesia de Clorinda Matto de Turner», en Keith McDuffie y Alfredo Roggiano (eds.), *Texto/Contexto en la literatura iberoamericana: memoria del XIX Congreso del Instituto Internacional de Literatura Iberoamericana,* Madrid, IILI, 1980, 89-94.

Se centra en las discrepancias de Matto de Turner respecto a la Iglesia Católica.

Franco, Jean, «En espera de una burguesía: la formación de la intelligentsia mexicana en la época de la Independencia», en José Amor y Vázquez, A. David Kossoff, Geoffrey W. Ribbans (eds.), *Actas del VIII Congreso de la Asociación Internacional de Hispanistas,* Madrid, Istmo, 1986, 21-36.

Excelente estudio de la situación del intelectual en la sociedad mexicana durante los años 20 del siglo diecinueve. Contribuye a un mejor entendimiento del papel de Fernández de Lizardi como escritor.

Friol, Roberto, «La novela cubana en el siglo XIX», *Unión,* 4 (1968), 179-207.

El mejor artículo disponible sobre la novela cubana decimonónica.

García Cabrera, Estela, «La Conquista y colonización a la luz de Manuel de Jesús Galván», *Horizontes,* 61 (1987), 5-12.

Nota sobre *Enriquillo,* de Galván, como texto histórico.

Garrels, Elizabeth, «El 'espíritu de la familia' en *La novia del hereje*», *Hispamérica,* 46-7 (1987), 3-2-4.

Análisis sólido de la novela de Vicente Fidel López como un romance de familia.

Godoy, Bernabé, «Lo permanente y lo transitorio en el *Periquillo*», *EtCaetera,* 2 (1951), 1-22.

Lectura nacionalista de *Periquillo,* de Lizardi.

Goiĉ, Cedomil, «La novela hispanoamericana colonial», en Luis Íñigo Madrigal (ed.), *Historia de la literatura hispanoamericana,* vol. I: *Época colonial,* Madrid, Cátedra, 1982, 369-406.

Artículo bien documentado sobre las obras de ficción que precedieron a *El Periquillo sarniento.*

González, Aníbal, «Turbulencias en *La charca,* de Lucrecio a Manuel Zeno Gandía», *MLN* (1983), 208-25.

El mejor artículo disponible sobre *La charca,* de Zeno Gandía.

González, Eduardo, «American theriomorphia: the presence of *Mulatez* in Cirilo Villaverde and beyond», en Gustavo Pérez Firmat (ed.), *Do the Américas Have a Common Literature?,* Durham, Duke University Press, 1990, 177-97.

Lectura atractiva sobre raza/género en *Cecilia Valdés,* de Villaverde.

González, Reynaldo, «Para una lectura historicista de *Cecilia Valdés»,* *Casa de las Américas,* 129 (1981), 84-92.

Sólida lectura historicista de *Cecilia Valdés,* de Villaverde.

González Cruz, Luis F., «Influencia cervantina en Lizardi», *Cuadernos Hispanoamericanos,* 286 (1974), 188-203.

Observa la influencia de Cervantes sobre *La Quijotita y su prima* y *Don Catrín de la fachenda.*

Gotschlich Reyes, Guillermo, «Grotesco y tragicomedia en *El ideal de un calavera* de Alberto Blest Gana», *Revista Chilena de Letras,* 29 (1987), 119-48.

Interesante lectura de la novela de Blest Gana como obra tragicómica.

Graña, Cecilia, «Buenos Aires en *Amalia:* la ciudad desierta», *Nueva Revista de Filología Hispánica,* I (1985-1986), 194-218.

Habla de la descripción de Buenos Aires por Mármol.

Grass, Roland, «José López-Portillo y Rojas y la revolución agraria en México», *Cuadernos Americanos,* 146 (1966), 240-6.

Relaciona *La parcela,* de López-Portillo y Rojas, con las novelas de la Revolución Mexicana.

Guerra-Cunningham, Lucía, «Estrategias femeninas en la elaboración del sujeto romántico en la obra de Gertrudis Gómez de Avellaneda», *Revista Iberoamericana,* 132-3 (1985), 707-22.

Compara las estrategias feministas en *Sab* y *Dos mujeres,* de Avellaneda.

—, «La visión marginal en la narrativa de Juana Manuela Gorriti», *Ideologies & Literatures,* 2 (1987), 59-76.

Estudia los personajes de Gorriti como entes marginales.

Henríquez Ureña, Max, «Influencias francesas en la novela de la América española», en Juan Loveluck (ed.), *La novela hispanoamericana,* Santiago, Editorial Universitaria, 1966, 145-52.

Estudia las influencias francesas sobre la novela hispanoamericana.

Henríquez Ureña, Pedro, «Apuntaciones sobre la novela en América», *Humanidades,* 15 (1927), 133-46.

Comentarios indispensables sobre el nacimiento, el desarrollo y las particularidades de la novela hispanoamericana.

Jackson, Richard L., «Slavery, racism and autobiography in two early black writers: Juan Francisco Manzano and Martín Morúa Delgado», en William Luis (ed.), *Voices from Under. Black narrative in Latin America and the Caribbean,* Westport, Conn., Greenwood Press, 1984, 55-64.

Estudia la liberación e integración social de los negros en las obras de Manzano y Morúa Delgado.

Johnston, Marjorie C., «José Milla, retratista de costumbres guatemaltecas», *Hispania,* 32 (1949), 449-52.

Presenta a José Milla como escritor *costumbrista.*

Knowlton, E. C., «China and the Philippines in *El Periquillo sarniento*», *Hispanic Review,* 30 (1962-1963), 336-47.

Interesante artículo sobre la influencia de los relatos asiáticos de Juan González de Mendoza sobre el *Periquillo* de Lizardi.

Lagos-Pope, María Inés, «Estructura dual y sociedad patriarcal en *María*», *Revista de Estudios Colombianos,* 8 (1990), 12-20.

Crítica importante de los criterios de Isaacs.

Laguerre, Enrique, Prólogo a Manuel Zeno Gandía, *La charca,* Caracas, Biblioteca Ayacucho, 1978.

Útil introducción a las obras de Zeno Gandía. Bibliografía.

Lamb, Ruth S., «The *Costumbrismo* of the Pensador Mexicano and Micrós», *The Modern Language Journal,* 35 (1951), 193-8.

Observa los rasgos costumbristas en las obras de Joaquín Fernández de Lizardi y Ángel de Campo.

Latcham, Ricardo A., «Blest Gana y la novela realista», *Anales de la Universidad de Chile,* 112 (1958), 30-46.

Reconoce a Blest Gana como el padre de la novela realista en Hispanoamérica.

Lazo, Raimundo, Prólogo a Cirilio Villaverde, *Cecilia Valdés,* ed. R. Lazo, México, Porrúa, 1979.

Decisivo estudio de la novela de Villaverde.

Leal, Luis, «*Jicotencal,* primera novela histórica en castellano», *Revista Iberoamericana* 49 (1960), 9-31.

Excelente artículo sobre *Jicotencal,* que propone a Félix Varela como su autor.

Leante, César, «*Cecilia Valdés,* espejo de la esclavitud», *Casa de las Américas,* 89 (1975), 19-25.

Estudia la sociedad esclavista cubana en *Cecilia Valdés,* de Villaverde.

Lewald, H. Ernest, «La Bolsa como símbolo y crónica en la literatura argentina», *Chasqui,* 2-3 (1983), 19-26.

Estudia la Bolsa como tema literario en la literatura argentina.

Lewis, Bart L., «Literature and society: Madame de Staël and the Argentine Romantics», *Hispania,* 4 (1985), 740-6.

Observa la influencia de Madame de Staël sobre la novela argentina decimonónica.

—, «Recent criticism of nineteenth-century Latin American literature», *Latin American Research Review,* 2 (1985), 182-8.

Útil artículo-reseña.

Lipp, Solomon, «The popular novel in nineteenth-century Latin America», *Canadian Review of Comparative Literature,* 3 (1982), 406-23.

Estudia el surgimiento de la novela popular latinoamericana. Énfasis en las obras de Eduardo Gutiérrez.

López Michelsen, A., «Ensayo sobre la influencia semítica en *María», Revista de las Indias,* 62 (1944), 5-10.

Subraya las influencias semíticas sobre *María,* de Isaacs.

Losada, Alejandro, «El surgimiento del realismo social en la literatura de América Latina», *Ideologies and Literatures,* 11 (1979), 20-55.

Estudia el surgimiento de la consciencia social en la literatura latinoamericana del siglo diecinueve.

Lozano, Carlos, «*El Periquillo sarniento* y la *Histoire de Gil Blas de Santillana», Revista Iberoamericana,* 40 (1955), 263-74.

Obra meticulosa que estudia la influencia de *Gil Blas* sobre *El Periquillo.*

Luis, William, «*Cecilia Valdés:* el nacimiento de una novela antiesclavista», *Cuadernos Hispanoamericanos,* 451-2 (1988), 187-93.

Proporciona información útil sobre la génesis de *Cecilia Valdés,* de Villaverde.

Madrigal, Luis Íñigo, «La novela naturalista hispanoamericana», en Ricardo Vergara (ed.), *La novela hispanoamericana: descubrimiento e invención de América,* Ed. Univ. de Valparaíso, 1973, 71-94.

Extensa visión de conjunto de la novela naturalista hispanoamericana.

Magnarelli, Sharon, «The love story: reading and writing in Jorge Isaacs' *María»,* en *The Lost Rib – Female Characters in the Spanish-American Novel,* Londres y Toronto, Bucknell University, 1985, 19-37.

Importante lectura feminista de *María.*

Marinello, Juan, «Americanismo y cubanismo literarios», en *Ensayos* [1932], La Habana, Arte y Literatura, 1977, 47-60.

Ensayo seminal que subraya el carácter paradójico de la literatura hispanoamericana.

Martínez, Dámaso, «Nacimiento de la novela: José Mármol», en *Historia de la literatura argentina* I, Buenos Aires, Centro Editor de América Latina, 1980, 265-88.

Observa una influencia de la novela francesa sobre *Amalia,* de Mármol.

Martínez, José Luis, «Fernández de Lizardi y los orígenes de la novela en México», en *La expresión nacional,* México, Editorial Universitaria, 1955, 7-26.

Excelente capítulo sobre la importancia nacionalista de las obras de Lizardi.

Marún, Gioconda, «Relectura de *Sin rumbo:* floración de la novela moderna», *Revista Iberoamericana,* 135-6 (1986), 377-92.

Atenta lectura de *Sin rumbo,* de Eugenio Cambacérès, como novela modernista temprana.

Mathieu, Corina, «La presencia de Rosas en la literatura argentina», *Selecta,* 2 (1981), 152-5.

Nota interesante sobre el tratamiento de Rosas en la literatura argentina.

McGrady, Donald, Prólogo a Jorge Isaacs, *María,* ed. D. McGrady, Barcelona, Labor, 1970.

Uno de los textos más interesantes e informativos sobre *María.*

Mejía, Gustavo, Prólogo a Jorge Isaacs, *María,* ed. G. Mejía, Caracas, Biblioteca Ayacucho, 1978.

Serio acercamiento interdisciplinario a *María.* Relaciona la novela de Isaacs con la decadencia del terrateniente tradicional en Colombia en el siglo diecinueve.

Menton, Seymour, «*Frutos de mi tierra o Jamones y solomos»,* prólogo a Tomás Carrasquilla, *Frutos de mi tierra,* ed. S. Menton, Bogotá, Instituto Caro y Cuervo, 1972.

Una de las mejores obras disponibles sobre *Frutos de mi tierra.*

Meyer, Elvira V. de, «El nacimiento de la novela: José Mármol», en *Historia de la literatura argentina,* I, Buenos Aires, Centro Editor de América Latina, 1967, 216-39.

Excelente capítulo sobre los escritos de Mármol.

Mignolo, Walter D., «Aspectos del cambio literario (a propósito de la *Historia de la novela hispanoamericana* de Cedomil Goic», *Revista Iberoamericana,* 42 (1976), 31-49.

Excelente discusión de la *Historia de la novela hispanoamericana* de Cedomil Goic.

Miliani, Domingo, «Gonzalo Picón Febres», prólogo a Gonzalo Picón Febres, *La literatura venezolana en el siglo XIX,* Caracas, Presidencia de la República, 1972.

Introducción informativa a la vida y obras de Picón Febres.

Millán, María del Carmen, Prólogo a Ángel de Campo, *Ocios y apuntes,* y *La rumba,* México, Porrúa, 1958.

Obra importante. Observa la presencia de múltiples estilos en *La rumba.*

Miller, Beth K., «Gertrude the Great: Avellaneda, nineteenth-century feminist», en Beth Miller (ed.), *Women in Hispanic Literature: Icons and fallen idols,* Berkeley, University of California Press, 1983, 201-14.

Atractivo artículo que estudia a Avellaneda como feminista.

Molloy, Sylvia, «Paraíso perdido y economía terrenal en *María», Sin Nombre,* 3 (1984), 36-55.

Excelente lectura de *María,* de Isaacs, como texto circular que intenta conservar el pasado.

Moore, Ernest A., «Heriberto Frías and the novel of the Mexican Revolution», *Modern Language Forum,* 1 (1942), 12-27.

Relaciona *¡Tomochic!* de Frías con la novela de la Revolución Mexicana.

Moraña, Mabel, «*El Periquillo sarniento* y la ciudad letrada», *Revista de Estudios Hispánicos,* 3 (1989), 113-26.

Interesante artículo que estudia la relación de *Periquillo* con la sociedad de su época.

Navia Romero, Walter, «Introducción y análisis de *Juan de la Rosa»,* prólogo a Nataniel Aguirre, *Juan de la Rosa,* ed. W. Navia Romero, Cochabamba, Bolivia, Los Amigos del Libro, 1969.

Obra convincente sobre *Juan de la Rosa,* de Aguirre.

Novo, Salvador, Prólogo a Luis G. Inclán, *Astucia, el jefe de los Hermanos de la Hoja, o Los charros contrabandistas de la Rama* I, ed. S. Novo, México, Porrúa, 1946.

Proporciona información útil sobre la vida y las obras de Inclán.

Nunn, Marshall, «Las obras menores de Cirilo Villaverde», *Revista Iberoamericana,* 14 (1948), 255-61.

Artículo útil sobre las novelas de Villaverde distintas de *Cecilia Valdés.*

Onís, Federico de, «Tomás Carrasquilla, precursor de la novela moderna», prólogo a T. Carrasquilla, *Obras completas,* I, Madrid, EPESA, 1952.

Estudio serio que presenta a Carrasquilla como precursor de la novela hispanoamericana contemporánea.

Ordóñez, Montserrat, «Soledad Acosta de Samper: una nueva lectura», *Nuevo Texto Crítico,* 2 (1989), 49-55.

Lectura constructiva de las novelas de Acosta de Samper.

Pagés Larraya, Antonio, Prólogo a Eduardo L. Holmberg, *Eduardo L. Holmberg – cuentos fantásticos,* ed. A. Pagés Larraya, Buenos Aires, Hachette, 1957.

Proporciona información sobre la vida y las obras de Holmberg.

Paz Soldán, Alba María, «Narradores y narración en la novela *Juan de la Rosa* de Nataniel Aguirre», *Revista Iberoamericana,* 134 (1986), 29-52.

Estudio serio de *Juan de la Rosa* como programa nacional para la Bolivia del siglo diecinueve.

Percas de Ponseti, Helena, «Sobre la Avellaneda y su novela *Sab»,* *Revista Iberoamericana,* 54 (1962), 347-57.

Observa ciertas coincidencias entre Avellaneda y su personaje Carlota.

Pereda Valdés, Ildefonso, «El campo uruguayo a través de tres grandes novelistas: Acevedo Díaz, Javier de Viana y Carlos Reyles», *Journal of Inter-American Studies,* 8 (1966), 535-40.

Interesante estudio comparado del tratamiento del campo uruguayo por Díaz, Viana y Reyles.

Perus Coinet, Françoise, «*María* de Jorge Isaacs o la negación del espacio novelesco», *Nueva Revista de Filología Hispánica,* 2 (1987), 721-51.

Crítica general de *María,* de Isaacs.

Picón Garfield, Evelyn, «Desplazamientos históricos: *Guatimozín, último emperador de Méjico* de Gertrudis Gómez de Avellaneda», en Raquel Chang-Rodríguez y Gabriella de Beer (eds.), *La historia en la literatura iberoamericana: Memorias del XXVI Congreso del Instituto Internacional de Literatura Iberoamericana,* Hanover, N.H., Ediciones del Norte, 1989, 97-107.

Se centra en la problemática caracterización de Hernán Cortés por Avellaneda en *Guatimozín.* Artículo importante.

Portuondo, Aleida T., «Vigencia política y literaria de Martín Morúa Delgado», *Círculo,* 9 (1980), 199-212.

Artículo informativo sobre la vida y las obras de Morúa Delgado.

Puente, A. M. Eligio de la, Prólogo a Ramón de Palma y Romay, *Cuentos cubanos,* La Habana, Cultural, 1928.

Revisión extensa e informativa de las obras narrativas de Palma y Romay.

Prólogo a Cirilo Villaverde, *Dos Amores,* La Habana, Cultural, 1930.

El texto crítico más importante sobre esta novela.

Pupo-Walker, Enrique, «Relaciones internas entre la poesía y la novela de Jorge Isaacs», *Boletín del Instituto Caro y Cuervo,* 22 (1967), 45-59.

Artículo interesante sobre las relaciones entre la *María* de Isaacs y su poesía.

Rama, Ángel, «La modernización literaria latinoamericana (1870-1910)», *Hispamérica,* 35 (1983), 3-19.

Estudia el impacto de la modernización en la literatura latinoamericana.

Ramírez, Oscar M., «Oligarquía y novela folletín: *En la sangre* de Eugenio Cambaceres», *Ideologies and Literatures,* 1 (1989), 249-69.

Estudio sociológico de *En la sangre* como novela por entregas en *El Sud-Americano.*

Ramos Escandón, Carmen, «The novel of Porfirian México: a historian's source: problems and methods», *Ideologies and Literatures,* 3 (1981), 118-33.

Estudio serio del Realismo mexicano durante el Porfiriato.

Rela, Walter, Prólogo a Carlos Reyles, *Beba,* Montevideo, Barreiro y Ramos, 1965.

Una de las obras más importantes sobre *Beba,* de Reyles.

Reyes, Alfonso, «*El Periquillo sarniento* y la crítica mexicana», en A. Reyes, *Obras completas,* IV, México, Fondo de Cultura Económica, 1956, 169-78.

Crítica de las obras y popularidad de Lizardi.

Reyes Nevares, Salvador, Prólogo a Ignacio Manuel Altamirano, *Obras completas,* México, Oasis, 1959.

Seria introducción a la vida, la época y las obras de Altamirano.

Reyes Palacios, Felipe, Prólogo a *El Periquillo Sarniento,* en *Obras de José Joaquín Fernández de Lizardi,* VIII, México, Universidad Nacional Autónoma de México, 1982.

Decisivo estudio del *Periquillo,* de Lizardi.

Rivera, Juan Manuel, «*La peregrinación de Bayoán:* fragmentos de una lectura disidente», *Revista de Crítica Literaria Latinoamericana,* 30 (1989), 39-55.

Estudio interesante de la novela de Hostos como ficción autobiográfica.

Rodríguez Coronel, Rogelio, Prólogo a Ignacio Manuel Altamirano, *El Zarco,* La Habana, Casa de las Américas, 1976.

Acercamiento marxista a la novela de Altamirano.

Rodríguez Monegal, Emir, Prólogo a Eduardo Acevedo Díaz, *El grito de gloria,* ed. E. Rodríguez Monegal, Montevideo, Ministerio de Instrucción Pública, 1964.

Una de las mejores obras disponibles sobre *El grito de gloria.*

—, Prólogo a su edición de *Nativa* de Eduardo Acevedo Díaz, ed. E. Rodríguez Monegal, Montevideo, Ministerio de Instrucción Pública, 1964.

Una de las mejores obras disponibles sobre *Nativa.*

—, «La novela histórica: otra perspectiva», en Roberto González Echevarría (ed.), *Historia y ficción en la narrativa hispanoamericana,* Caracas, Monte Ávila, 1984, 169-83.

Incluye interesantes comentarios sobre las novelas históricas de Acevedo Díaz.

Sacoto, Antonio, Prólogo a Miguel Riofrío, *La emancipada,* Universidad de Cuenca, 1983.

Proporciona información útil acerca de las ideas liberales de Riofrío.

—, «Mujer y sociedad en tres novelas ecuatorianas», en Raquel Chang-Rodríguez y Gabriella de Beer (eds.), *La Historia en la literatura iberoamericana: memorias del XXVI Congreso del Instituto Internacional de Literatura Iberoamericana,* Hanover, N.H., Ediciones del Norte, 1989, 213-23.

Incluye un importante comentario sobre *La emancipada,* de Riofrío.

Sainz de Medrano Arce, Luis, «Historia y utopía en Fernández de Lizardi», en Raquel Chang-Rodríguez y Gabriella de Beer (eds.), *La Historia en la literatura iberoamericana: memorias del XXVI Congreso del Instituto Internacional de Literatura Iberoamericana,* Hanover, N.H., Ediciones del Norte, 1989, 77-83.

Lectura utópica del episodio de Saucheofú en el *Periquillo* de Lizardi.

Salper, Roberta L., «La economía de latifundio y el nacimiento de la literatura nacional en el Caribe», *Cuadernos Hispanoamericanos,* 429 (1986), 101-13.

Relaciona el nacimiento de las literaturas nacionales en Cuba y Puerto Rico con la economía de latifundio.

Schade, George D., «El arte narrativo en *Sin rumbo*», *Revista Iberoamericana,* 44 (1978), 17-29.

Estudia el estilo y las técnicas literarias de Cambacérès.

Schulman, Iván, «Reflections on Cuba and its antislavery literature», *Annals of the Southeastern Conference on Latin American Studies,* 7 (1976), 59-67.

Estudia la influencia de Domingo Delmonte en la literatura abolicionista cubana.

—, «Sociedad colonial, sociedad esclavista: La Habana de *Cecilia Valdés»,* en Gilbert Paolini (ed.), *La Chispa '87: Selected proceedings,* New Orleans, Tulane University, 1987, 281-9.

Examina el impacto de la sociedad esclavista en La Habana, tal como se representa en *Cecilia Valdés,* de Villaverde.

Sklodowska, Elzbieta, «*María* de Jorge Isaacs ante la crítica», *Thesaurus,* 3 (1983), 617-24.

Artículo interesante que comenta las muchas lecturas de *María.*

Solomon, Noel, «La crítica del sistema colonial de la Nueva España en *El Periquillo sarniento», Cuadernos Americanos,* 138 (1965), 167-79.

Estudia a Fernández de Lizardi como intelectual liberal.

Sommer, Doris, «The other Enriquillo», en *One Master for Another: Populism as patriarchal rhetoric in Dominican novels,* Nueva York, University Press of America, 1983, 51-92.

Brillante lectura revisionista de *Enriquillo,* de Galván.

—, «El mal de *María:* (Con)fusión en un romance nacional», *MLN,* 2 (1989), 439-74.

Uno de los artículos más destacados que se haya escrito jamás sobre *María.*

Spell, Jefferson Rhea, «The génesis of the first Mexican novel», *Hispania,* 14 (1931), 53-58.

Observa ciertos rasgos comunes entre Periquillo y Fernández de Lizardi.

—, «A textual comparison of the first four editions of *El Periquillo sarniento», Hispanic Review,* 31 (1963), 134-47.

El Periquillo de Lizardi visto a través de sus diferentes ediciones.

—, «New light on Fernández de Lizardi and his *El Periquillo sarniento», Hispania,* 4 (1963), 753-4.

Aporta nueva información sobre la vida de Lizardi.

Subercaseaux, Bernardo, «Nacionalismo literario, realismo y novela en Chile (1850-1860)», *Revista de Crítica Literaria Latinoamericana,* 5 (1979), 21-31.

Lectura nacionalista de las novelas de Blest Gana.

Tamayo Vargas, Augusto, Prólogo a Narciso Aréstegui, *El Padre Horán,* I, Lima, Universo, 1969.

Proporciona útil información sobre Narciso Aréstegui y sus obras.

Tanner, Roy L., «Dimensions of historic imagination: nineteenth-century Spanish American narrative», *Discurso Literario,* 1 (1986), 265-78.

Estudia el tratamiento de la historia en las novelas hispanoamericanas tempranas.

—, «La presencia de Ricardo Palma en *Aves sin nido*», *Hispanic Journal,* 1 (1986), 97-107.

Observa la influencia de las *Tradiciones peruanas* de Palma sobre la novela de Matto de Turner.

Tudisco, Blondet, y Antonio Tudisco, Textos introductorios a Cirilo Villaverde, *Cecilia Valdés o La loma del ángel,* Nueva York, Las Américas, 1964.

Incluye una nota biográfica sobre Cirilo Villaverde, una extensa descripción de los personajes de la novela, una interesante nota lingüística, y una pobre bibliografía de las obras de Villaverde.

Velázquez, Rogerio M., «La esclavitud en la *María* de Jorge Isaacs», *Universidad de Antioquia,* 33 (1957), 91-104.

Crítica de las opiniones paternalistas de *María* sobre la esclavitud.

Verbitsky, Bernardo, «Juan Moreira», prólogo a Eduardo Gutiérrez, *Juan Moreira,* ed. María T. F. de Fritzche y Bernardo Verbitsky, Buenos Aires, EUDEBA, 1961.

Breve comentario que subraya la importancia de *Juan Moreira* en el teatro popular de la Argentina.

Vidal, Hernán, «*Cumandá:* apología del estado teocrático», *Revista Latinoamericana de Crítica Literaria,* 6 (1980), 199-212.

Lectura convincente de *Cumandá,* de Juan León Mera.

Visca, Arturo Sergio, Prólogo a Javier de Viana, *Gaucha,* Montevideo, Biblioteca Artigas, 1956.

Excelente estudio de los personajes de Javier de Viana en *Gaucha.*

Vogeley, Nancy, «Mexican newspaper culture on the eve of Mexican Independence», *Ideologies and Literatures,* 4 (1983), 358-77.

Resalta la importancia cultural del periodismo en la época de Fernández de Lizardi.

—, «The concept of 'the people' in *El Periquillo sarniento*», *Hispania,* 3 (1987), 457-67.

Observa la presencia de una temprana conciencia de clase en *El Periquillo,* de Lizardi.

Wade, Gerald, y John Englekirk, «Introducción a la novela colombiana», *Revista Iberoamericana,* 30 (1949-1950), 231-51.

Artículo informativo sobre la novela colombiana.

Warshaw, Jacob, Prólogo a Jorge Isaacs, *María,* Boston, D. C. Heath, 1926.

Considera que Edgar Allan Poe fue uno de los escritores que ejerció más influencia sobre Isaacs.

Yáñez, Agustín, «Estudio preliminar», prólogo a Agustín Yáñez (ed.), *El Pensador mexicano,* México, Universidad Nacional Autónoma de México, 1962.

Estudio serio que subraya la importancia de la cultura popular en las obras de Fernández de Lizardi.

Yunque, Álvaro, Prólogo a Eduardo Gutiérrez, *Croquis y siluetas militares,* ed. Álvaro Yunque, Buenos Aires, Hachette, 1956.

Estudio detallado de las obras de Gutiérrez desde una perspectiva social.

Zavala, Iris, «Puerto Rico, siglo XIX: literatura y sociedad», *Sin Nombre,* 7 (1977), 726; 8 (1977), 7-19.

Descripción convincente de la sociedad y la cultura puertorriqueñas en el siglo diecinueve.

Capítulo 14

LA NARRATIVA BREVE EN HISPANOAMÉRICA: 1835-1915

FUENTES PRIMARIAS

Acevedo Díaz, Eduardo, *El combate de la tapera y otros cuentos,* ed. Ángel Rama, Montevideo, Arca, 1965.

Alberdi, Juan Bautista, *Escritos satíricos y de crítica literaria,* ed. José A. Oría, Buenos Aires, Angel Strada & Cía., 1945.

Alonso, Manuel A., *El Gíbaro. Cuadro de costumbres de la Isla de Puerto Rico,* Barcelona, Juan Olivares Impresor, 1849.

Altamirano, Ignacio Manuel, *Paisajes y leyendas, tradiciones y costumbres de México,* México Antigua Librería Robredo, 1949.

Álvarez, José Sixto (Fray Mocho), *Cuentos de Fray Mocho,* Buenos Aires, Biblioteca de Caras y Caretas, 1906.

Asencio Segura, Manuel, *Artículos, poesías y comedias,* Lima, Carlos Príncipe Impresor, 1885.

Bachiller y Morales, Antonio, *Tipos y costumbres de la isla de Cuba,* ed. Miguel de Villa, La Habana, Librería M. Villa, 1881.

Benítez Rojo, A., y M. Benedetti (eds.), *Un siglo del relato latinoamericano,* La Habana, Casa de las Américas, 1976.

Contiene obras en prosa de José María Heredia.

Betancourt, José Victoriano, *Artículos de costumbres,* La Habana, Publicaciones del Ministerio de Educación, 1941.

Caicedo Rojas, José, *Apuntes de ranchería y otros escritos escogidos,* Bogotá, Biblioteca Popular de Cultura, 1945.

Cárdenas Rodríguez, José María de, *Colección de artículos satíricos y de costumbres,* prólogo de Cirilo Villaverde, La Habana, Consejo Nacional de Cultura, 1963.

Carrasquilla, Tomás, *Cuentos de Tomás Carrasquilla,* ed. Benigno A. Gutiérrez, Medellín, Colombia, Editorial Bedeout, 1956.

Carrión, Miguel de, *Inocencia,* La Habana, Alberto Castillo, Editor, 1903.

Castellanos, Jesús, *De tierra adentro,* La Habana, Imp. Cuba y América, 1906.

—, *La conjura,* Madrid, Revista Archivos, 1909.

Una novela y varios cuentos.

—, *Obras,* 2 vols., La Habana, Academia Nacional de Artes y Letras, 1915-1916.

Cuéllar, José Toms de, *La linterna mágica,* ed. Mauricio Magdaleno, México, Biblioteca del Estudiante Universitario, 1941.

Como la mayoría de sus contemporáneos, que figuran inmediatamente en la lista, Cuéllar escribió ante todo cuadros de costumbres y unas pocas narraciones líricas.

—, *Ensalada de pollos y baile y cochino,* ed. Antonio Castro Leal, México, Porrúa, 1946.

Delgado, Rafael, *Cuentos y notas,* México, Imprenta de V. Agüeros, 1902.

D'Halmar, Augusto, *La lámpara y el molino,* Santiago, Imprenta Nueva York, 1914.

Incluye nueve cuentos.

Díaz Castro, Eugenio, *Novelas y cuadros de costumbres,* Bogotá, Biblioteca Popular Colombiana, 1985.

Echeverría, Esteban, *Antología de prosa y verso,* ed. Osvaldo Pellettieri, Buenos Aires, Editorial Belgrano, 1981.

Gerchunoff, Alberto, *The Jewish Gauchos of the Pampas,* Prudencio de Pereda, Nueva York, Abelar-Schumann, 1955.

Gorriti, Juana Manuela, *Sueños y realidades,* 2 vols., La Revista de Buenos Aires, 1865.

Groot, José Manuel, *Historias y cuadros de costumbres,* Bogotá, Biblioteca Popular Colombiana, 1951.

Güiraldes, Ricardo, *Cuentos de muerte y de sangre,* Buenos Aires, Librería La Facultad, 1915.

Iglesia, Álvaro de la, *Tradiciones cubanas,* intr. Jesús Castellanos, La Habana, Imprenta de Meresma y Pérez, 1911.

Lastarria, José Victoriano, *Antaño y Ogaño: novelas y cuentos de la vida hispanoamericana,* Valparaíso, Imprenta del Mercurio, 1885.

Lillo, Baldomero, *Subterra. Cuadros mineros,* Santiago, Imprenta Moderna, 1904.

—, *Sub sole,* Santiago, Imprenta Universitaria, 1907.

—, *Relatos populares,* ed. J. S. González Vera, Santiago, Nacimiento, 1942.

—, *The Devil's Pit and Other Stories,* trad. Esther Dillon y Ángel Flores, Washington, Unión Panamericana, 1959.

Lugones, Leopoldo, *La guerra gaucha,* Buenos Aires, Arnaldo Moen & Hnos., 1905.
—, *Las fuerzas extrañas,* Buenos Aires, A. Moen & Hnos., 1906.
Matto de Turner, Clorinda, *Tradiciones cuzqueñas y leyendas,* ed. José G. Cassió, Cuzco, Librería e Imprenta H. G. Rozas, 1917.
Mera, Juan León, *Novelitas ecuatorianas,* Quito, Casa de la Cultura Ecuatoriana, 1948.
Milla y Vidaurre, José (Salomé Jil), *El visitador,* Guatemala, Centro Editorial Universitaria, 1960.
—, *Los nazarenos,* Guatemala, Editorial José Pineda Ibarra, 1967.
Montalvo, Juan, *Narraciones,* ed. César E. Arroyo, Madrid, Imprenta A. Marzo, 1919.
—, *Prosa narrativa,* ed. Matilde Calvo Gárgano, Buenos Aires, Plus Ultra, 1966.
Obligado, Pastor S., *Tradiciones argentinas,* Barcelona, Montaner & Simón Editores, 1903.
Palma, Clemente, *Cuentos malévolos,* intr. Miguel de Unamuno, Barcelona, Salvat, 1904.
Palma, Ramón, *Cuentos cubanos,* ed. Eligio de la Puente, La Habana, Cultural, 1928.
Palma, Ricardo, *Tradiciones peruanas,* ed. Edith Palma, 5.ª ed., Madrid, Aguilar, 1964.

Contiene la selección más amplia de textos.

—, *Cien tradiciones peruanas,* ed. José M. Oviedo, Caracas, Biblioteca Ayacucho, 1977.

La mejor edición.

Pardo Aliaga, Felipe, *El espejo de mi tierra,* Lima, Imprenta José María de la Concha, 1840.
Payno, Manuel, *El fistol del diablo: novela de costumbres mexicanas,* ed. Antonio Castro Leal, México, Porrúa, 1976.
Payró, Roberto, *Pago chico,* Buenos Aires, Rodríguez Gile, 1908.
—, *Nuevos cuentos de pago chico,* Buenos Aires, Imprenta Minerva, 1928.
Prieto, Guillermo, *Costumbres* y *fiestas de indios,* México, Siglo Veintiuno Editores, 1842.
—, *Musa callejera,* México, Imprenta Universitaria, 1940.
Riva Palacio, Vicente, *Cuentos del General,* Madrid, Librería Soler, 1896.
Roa Bárcena, José María, *Lanchitas,* México, Imprenta de I. Escalante, 1878.
Rojas, Arístides, *Leyendas históricas de Venezuela,* Caracas, Imprenta de la Patria, 1890.
Sierra, Justo, *Cuentos románticos,* [1896], ed. Antonio Castro Leal, México, Editorial México, 1934.
Tapia y Rivera, Alejandro, *Mis memorias. Puerto Rico cómo lo encontré y cómo lo dejo,* Río Piedras, Editorial Dil, 1979.
Vallejo, José J. (Jotabeche), *Obras de José J. Vallejo,* ed. Alberto Edwards, vol. I, Santiago, Biblioteca de Escritores de Chile, 1911.
Vergara y Vergara, José María, *Las tres tazas,* Bogotá, Ministerio de Educación, 1936.
Viana, Javier de, *Campo,* Montevideo, Barreiro Ramos, 1896.
—, *Gurí y otras novelas,* Montevideo, Barreiro y Ramos, 1901.
—, *Matachines,* Montevideo, Bertani, 1910.
—, *Leña seca,* Montevideo, Bertani, 1911.
Villaverde, Cirilo, *Cuentos de mi abuelo. El penitente,* Nueva York, M. M. Hernández, 1889.
Wilde, Eduardo, *Trini y otros relatos,* Buenos Aires, EUDEBA, 1960.

—, *Cuentos y otras páginas,* ed. T. Frugoni de Fritzsche, Buenos Aires, Plus Ultra, 1965.

FUENTES SECUNDARIAS

Allen, Walter, *The Short Story in English,* Nueva York, Oxford University Press, 1981.

Alonso, Carlos J., *The Spanish American Regional Novel: Modernity and autochthony,* Cambridge University Press, 1990.

Análisis agudo de la problemática relación de Latinoamérica con la modernidad.

Alva, Florencio (ed.), *Siemprevivas: los mejores cuentos de los mejores prosistas nacionales*, Buenos Aires, Otras Edits., 1924.

Contiene textos que no se encuentran fácilmente en otras antologías.

Anderson Imbert, Enrique, *El arte de la prosa de Juan Montalvo,* México, El Colegio de México, 1948.

El mejor estudio extenso sobre Montalvo.

Anderson Imbert, Enrique, y E. Florit, *Literatura hispanoamericana,* Nueva York, Holt, Rinehart, & Winston, 1970.

Las referencias a «La Tísica» proceden de esta fuente.

Anderson Imbert, Enrique, y Lawrence B. Kiddle (eds.), *Veinte cuentos hispanoamericanos del siglo XX,* Nueva York, Appleton-Century Crofts, 1956.

Esboza el desarrollo del cuento en Hispanoamérica. Contiene una selección amplia de textos.

Aparicio Laurencio, Ángel, *Trabajos desconocidos y olvidados de José María Heredia,* Madrid, Ediciones Universal, 1972.

Útil comentario sobre las obras en prosa de Heredia.

Ara, Guillermo, *Leopoldo Lugones,* Buenos Aires, Mandrágora, 1958.

Descriptiva visión de conjunto de las obras de Lugones.

Araya Orlandi, Julio, y Alejandro Ramírez, *Augusto D'Halmar: obras, estilo, técnica,* Santiago, Editorial El Pacífico, 1960.

Estudio biográfico y estilístico.

Aurora, Shirley L., *Proverbial Comparisons in Ricardo Palma's Tradiciones Peruanas,* Berkeley, University of California Press, 1966.

Útil visión de conjunto de los patrones analógicos.

Balderston, Daniel, *The Latin American Short Story: An annotated guide to anthologies and criticism,* Westport, Conn., Greenwood Press, 1992.

La bibliografía más completa del cuento en Hispanoamérica y Brasil.

Baquero Goyanes, Mariano, *El cuento español en el siglo XIX,* Madrid, CSIC, 1949.

Rico en información objetiva. Esclarece indirectamente los rasgos comunes de los costumbristas peninsulares e hispanoamericanos.

Barba Salinas, Manuel (ed.), *Antología del cuento salvadoreño 1880-1955,* San Salvador, Ministerio de Cultura, 1952.

La mejor fuente general para autores activos en el cambio de siglo.

Barrera, Inés, y Eulalia Barrera (eds.), *Tradiciones y leyendas del Ecuador,* Quito, Imp. Nacional, 1947.

Combina diferentes modalidades de la narrativa breve.

Bécquer, Gustavo A., *Obras completas,* Madrid, Aguilar, 1969.

Betancourt, José V., *Artículos de costumbres,* La Habana, Publicaciones del Ministerio de Educación, 1941.

Benítez Rojo, A., y M. Benedetti (eds.), *Un siglo del relato latinoamericano,* La Habana, Casa de las Américas, 1976.

Contiene obras en prosa de José María Heredia.

Borges, Jorge Luis, *El idioma de los argentinos,* Buenos Aires, M. Gleizer, 1928.

Comentario irónico pero revelador sobre los textos de Wilde y sobre la literatura argentina.

Borges, Jorge Luis, y Betina Edelbergh, *Leopoldo Lugones,* Buenos Aires, Editorial Troquel, 1955.

Bueno, Salvador, *Policromía y sabor de costumbristas cubanos,* Santiago de Cuba, Universidad de Oriente, 1953.

—, *Costumbristas cubanos del siglo XIX,* Caracas, Biblioteca Ayacucho, 1985.

Extensa antología de autores representativos. Introducción útil; el material bibliográfico está incompleto.

Las citas de A. Bachiller y Morales, Francisco Baralt y Luis V. Betancourt fueron tomadas de esta antología.

— (ed.), *Antología del cuento en Cuba 1902-1952,* La Habana, Ediciones del Ministerio de Educación, 1953.

Las referencias a J. Castellanos, «La agonía de la Garza», están tomadas de esta fuente.

Las antologías de este autor contienen la mejor selección de cuentos producidos en torno a 1900. Esta antología y *Cuentos cubanos,* a continuación, no están bien redactados.

— (ed.), *Cuentos cubanos del siglo XIX,* La Habana, Artes y Literatura, 1975.

Extensa selección de autores. No está bien organizada.

Burgos, Fernando (ed.), *Antología del cuento hispanoamericano,* México, Porrúa, 1991.

Buena y amplia selección de cuentos. Contiene información bibliográfica útil y fidedigna.

Carilla, Emilio, *El romanticismo en la América Hispánica,* 2 vols., Madrid, Gredos, 1967.

Útil por la información objetiva, carente de contenido analítico.

Castellanos, Jesús, *La agonía de la garza,* La Habana, Artes y Letras, 1979.

Castro Rawson, Margarita (ed.), *El costumbrismo en Costa Rica,* San José, Editorial Costa Rica, 1966.

Contiene un estudio introductorio informativo y una amplia selección de textos. El Costumbrismo era una forma narrativa notable en Costa Rica, y este estudio es la investigación más meticulosa sobre el tema.

Coester, Alfred (ed.), *Cuentos de la América Española,* Nueva York, Ginn & Co., 1920.

Sólo en las antologías se pueden encontrar narraciones costumbristas que no se han reimpreso en este siglo. Este libro de texto contiene una selección amplia de cuadros de costumbres de Manuel Fernández Juncos, Francisco de Sales Pérez, Luis Orrego Luco, Clorinda Matto de Turner y muchos otros.

—, *Correspondencia entre Sarmiento y Lastarria, 1844-1888,* ed. María L. del Pino, Buenos Aires, Artes Gráficas Bartolomé Chiesino, 1954.

Dorn, Georgette M., *Latin America, Spain and Portugal, an Annotated Bibliography of Paperback Books,* Washington, Hispanic Foundation of the Library of Congress, 1971.

Cubre una amplia gama de temas. No son numerosas las entradas literarias.

Duffey, Frank M., *The Early Cuadro de Costumbres in Colombia*, Studies in Romance Languages, 26, Chapel Hill, University of North Carolina, 1956.

Estudio extenso y bien organizado. Se centra en textos colombianos pero buena parte de lo que descubre es aplicable al Costumbrismo hipanoamericano.

Echeverría, Amílcar (ed.). *Antología del cuento clásico centroamericano,* Guatemala, Biblioteca de Cultura Popular, 1961.

Muchos de los textos escogidos son cuadros de costumbres. Seis para cada país.

Escobar, Alberto (ed.), *Cuentos y cuentistas,* Caracas, Librería Cruz del Sur, 1951.

Selección adecuada de cuentistas venezolanos tempranos.

—, *La narración en el Perú,* Lima, Editorial Juan Mejía Baca, 1960.

Antología con una visión de conjunto de su temática. Bastante informativa.

—, *Antología general de la prosa en el Perú,* 3 vols., Lima, Fundación del Banco Continental, 1986.

Incluye una amplia selección de textos. Véase también Escobar (ed.), *La narración en el Perú.*

Fabbiani, Mario (ed.), *Cuentos y cuentistas,* Caracas, Librería Cruz del Sur, 1951.

Mediana selección de cuentistas venezolanos tempranos.

Flores, Ángel (ed.), *Historia y antología del cuento y la novela en Hispanoamérica,* Nueva York, Las Américas, 1959.

Ofrece una amplia selección de cuentos y fragmentos de novelas escritas principalmente entre 1816 y 1885. Los datos bibliográficos están incompletos.

—, *Spanish Stories: Cuentos españoles,* NuevaYork, Bantam Books, 1960.

A pesar de su título, incluye cuentos de Ricardo Palma y Benito Lynch. Edición bilingüe. Éste y los 2 volúmenes de más abajo están limitados a las formas tempranas del cuento en la América Latina.

Flores, Ángel, y Dudley Poore (eds.), *Fiesta in November; stories from Latin America,* Boston, Houghton Mifflin, 1942.

Contiene cuentos de autores que comenzaron a escribir con el cambio al siglo veinte, tales como Eduardo Barrios (Chile), José Rubén Romero (México) y Abraham Valdelomar (Perú), entre otros.

Frank, Waldo (ed.), *Tales from the Argentine,* trad. Anita Brenner, Nueva York, Farrar & Rinehart, 1930.

Contiene cuentos de R. Güiraldes, R. Payró, Lucio V. López, Lugones y Sarmiento.

García, Germán, *Roberto Payró: testimonio de una vida y realidad de una literatura,* Buenos Aires, Nova, 1961.

Garganigo, John F., *Javier de Viana,* NuevaYork, Twayne Series, 1972.

Visión de conjunto bien organizada y perceptiva de las obras de Viana.

Ghiano, Juan Carlos, *El matadero de Echeverría y el costumbrismo,* Buenos Aires, EUDEBA, 1968.

Estudio informativo.

González Echevarría, Roberto, *Myth and Archive: A theory of Latin American narrative,* Cambridge University Press, 1990.

Lúcido e innovador análisis de los discursos que se han incluido en la narrativa latinoamericana desde la época colonial hasta el presente.

Güiraldes, Ricardo, *Obras completas,* Buenos Aires, Emecé, 1962.

Halperin Donghi, Renata (ed.), *Cuentistas argentinos del siglo XIX,* Buenos Aires, Editorial Universitaria, 1950.

La mayor parte de los cuentos escogidos fueron escritos al modo costumbrista.

Holguín, Andrés (ed.), *Los mejores cuentos colombianos,* vol. I, Lima, Editora Latinoamericana, 1959.

Útil pero mal organizado.

Irving, Washington, *The Life and Letters of Washington Irving,* ed. P. M. Irving, vol. II, Nueva York, G. P. Putnam's Sons, 1863.

James, Henry, *The Notebooks of Henry James,* Nueva York, Oxford University Press, 1947.

—, *The Ambassadors,* Nueva York, W. W. Norton & Co., 1964.

Jones, Willis K. (ed.), *Spanish American Literature in Translation,* 2 vols., Nueva York, Frederick Ungar, 1963.

El vol. I contiene selecciones en prosa de Montalvo, Palma, Sarmiento y C. Villaverde.

Kason, Nancy M., *Breaking Traditions: The fiction of Clemente Palma,* Lewisburg, Penn., Bucknell University Press, 1988.

El mejor estudio sobre C. Palma.

Kingsley, M. B., *Estudio costumbrista de la obra de Facundo. José T. de Cuéllar,* México, Universidad Nacional Autónoma de México, 1944.

Describe casi toda la ficción breve producida por Cuéllar.

Lamb, Ruth (ed.), *Antología del cuento guatemalteco,* México, Ediciones de Andrea, 1959.

Bien organizado y bien concebido. Ofrece una buena selección de textos.

Lancelotti, Mario A. (ed.), *El cuento argentino, 1840-1940,* Buenos Aires, Editorial Universitaria, 1964.

Selección amplia de narraciones breves, textos decimonónicos. Pobre presentación.

Lanuza, Eduardo, *Genio* y *figura de Roberto Payró,* Buenos Aires, EUDEBA, 1965.

Vida y obras de Payró. Monografía informativa.

Laplaces, Alberto, *Eduardo Acevedo Díaz,* Montevideo, Claudio García, 1931.

Estudio general descriptivo.

— (ed.), *Antología del cuento uruguayo,* 2 vols., Montevideo, C. García & Cía., 1943.

La fuente más completa disponible.

Larra, Mariano J., *Artículos,* Barcelona, Editorial Planeta, 1966.

Lastra, Pedro, *El cuento hispanoamericano del siglo XIX,* Santiago, Editorial Universitaria, 1972.

Visión de conjunto informativa y perceptiva de la narrativa costumbrista. Contiene entradas bibliográficas raras.

Latcham, Ricard (ed.), *Antología del cuento hispanoamericano contemporáneo 1910-1956,* Santiago, Zig-Zag, 1958.

Incluye varios textos (por países) rara vez escogidos para un libro de este tipo. Ofrece escasos datos biográficos y bibliográficos.

Leal, Luis, *Historia del cuento hispanoamericano,* [*1966*], México, Ediciones de Andrea, 1971.

Sigue siendo el libro más útil sobre este tema. Resume en su segundo capítulo los logros de los costumbristas principales. Contiene abundante información bibliográfica. Las citas de Alfonso Reyes sobre A. Nervo y las de Jorge Luis Borges sobre Lugones se toman de este libro.

— (ed.), *Antología del cuento mexicano,* México, Ediciones de Andrea, 1957.

Corpus breve pero representativo de textos costumbristas. Contiene información bibliográfica.

Levine, Suzanne J., *Latin America: Fiction and poetry in translation,* Nueva York, Center for Interamerican Relations, 1970.

Describe el contenido de cada publicación. Con frecuencia una buena lista de ediciones bilingües.

Levy, Kurt L., *Vida y obra de Tomás Carrasquilla, genitor del regionalismo en la literatura hispanoamericana,* Medellín, Colombia, Editorial Bedout, 1958.

Ensayo descriptivo, principalmente biográfico.

Lida, María Rosa, *El cuento popular hispanoamericano y la literatura,* Buenos Aires, Editorial Losada, 1941.

Documenta el impacto del folklore y las leyendas clásicas en la ficción hispanoamericana.

Lindo, Hugo (ed.), *Antología del cuento moderno centroamericano,* San Salvador, Universidad Autónoma de El Salvador 1959.

La mejor fuente disponible de su tipo.

López-Morillas, Juan, *El Krausismo español: perfil de una aventura intelectual,* México, Fondo de Cultura, 1980.

Luque Muñoz, Henry (ed.), *Narradores colombianos del siglo XIX,* Bogotá, Instituto Colombiano de Cultura, 1976.

Complementa la antología de Holguín descrita más arriba. Ofrece una buena selección de costumbristas conocidos. Mal editado.

Mancisidor, José (ed.), *Cuentos mexicanos del siglo XIX,* México, Editorial Nueva España, 1947.

Complementa la selección de Leal. Véase más arriba.

Manzor, Antonio (ed.), *Antología del cuento hispanoamericano,* Santiago, Zig-Zag, 1940.

Están representados varios autores románticos. Es deficiente la descripción de autores y textos.

Marroquín, Lorenzo, José María Rivas Groot, *Pax,* Bogotá, La Oveja Negra, 1986.

Describe la vida y las obras de Rivas Groot, que colaboró en la preparación de este libro.

Matlowsky, Bernice D., *Antologías del cuento hispanoamericano: guía bibliográfica, Monografías Bibliográficas,* 3, Washington, Unión Panamericana, 1950.

Breve guía bibliográfica. Útil principalmente para obras impresas antes de la Segunda Guerra Mundial. Contiene entradas en inglés. Anticuada pero meticulosa.

Mazlish, Bruce, *A New Science: the breakdown of connections at the birth of sociology,* Nueva York, Oxford University Press, 1989.

Mazzei, Ángel (ed.), *Treinta cuentos argentinos 1800-1940,* Buenos Aires, Editorial Guadalupe, 1968.

Complementa la antología de Pagés Larraya descrita más abajo.

Meléndez, Concha (ed.), *Antología de autores puertorriqueños. El cuento,* San Juan, Ediciones del Gobierno del Estado Libre Asociado de Puerto Rico, 1957.

El Costumbrismo fue una forma narrativa destacada en las letras puertoriqueñas. Está bien representada en esta antología.

Menton, Seymour (ed.), *El cuento costarricense: estudio, antología y bibliografía,* México, Ediciones de Andrea, 1964.

La mejor fuente general. Bien organizado, informativo. Contiene un comentario perspicaz sobre el cuento de Justo Sierra «Fiebre amarilla».

—, *El cuento hispanoamericano,* 2 vols., México, Fondo de Cultura Económica, 1976.

La antología de su tipo más conocida. Es limitado su aparato erudito, y se incluyen muy pocos cuentos tempranos. Buena selección de autores que escribieron alrededor de 1900. Contiene información bibliográfica.

—, *The Spanish American Short Story,* Berkeley, University of California Press, 1980.

Incluye textos de Carrasquilla, Echeverría, Lastarria, López Portillo, Lillo, Payno, Viana y Zeledón, entre otros.

Muy utilizada.

Mesonero Romanos, Ramón, *Obras completas,* Madrid, Renacimiento, 1925.

Miró Quezada, Luis, *Felipe Pardo Aliaga, 1806-1906,* Lima, Imprenta Lucero, 1906.

Estudio biográfico de interés general.

Montesinos, José F., *Costumbrismo y novela: ensayo sobre el redescubrimiento de la realidad española,* Madrid, Editorial Castalia, 1960.

Aunque se centra en el Costumbrismo peninsular, mucho de lo que contiene es aplicable a autores hispanoamericanos. Estudio muy sólido.

Montgomery, Clifford M., *Early Costumbrista Writers in Spain, 1750-1830,* Monographs in Romance Languages, Philadelphia, University of Pennsylvania, 1931.

Describe las etapas iniciales del Costumbrismo hispánico.

Nolasco, Sócrates (ed.), *El cuento en Santo Domingo,* 2 vols., Santo Domingo, Librería Dominicana, 1957.

Ofrece una amplia gama de textos desde costumbristas hasta formas contemporáneas. No está bien editado.

Oviedo, José Miguel, *Genio* y *figura de Ricardo Palma,* Buenos Aires, EUDEBA, 1965.

El mejor estudio general.

—, *Antología crítica del cuento hispanoamericano 1830-1920,* Madrid, Alianza Editorial, 1989.

Aunque breve, es ésta la mejor antología disponible. Están bien documentados autores y textos. Su estudio introductorio y los ensayos dedicados a los siete primeros autores son muy agudos y contienen nuevos datos biográficos y bibliográficos.

Pagés Larraya, Antonio (ed.), *Veinte relatos argentinos, 1838-1887,* Buenos Aires, Editorial Plus Ultra, 1974.

En esta antología figuran de manera particular los costumbristas principales.

Picón Padilla, Eduardo (ed.), *Antología del cuento colombiano,* 2 vols., Bogotá, Ministerio de Educación Nacional, 1959.

El vol. I contiene una buena selección de cuentos tempranos.

Picón Salas, Mariano, *Formación y proceso de la literatura venezolana,* Caracas, Editorial Cecilia Acosta, 1940.

El capítulo 11 caracteriza el Costumbrismo en Venezuela. Mucho de lo que dice el autor respecto a esto es aplicable a otros países hispanoamericanos.

—, *De la Conquista a la Independencia: tres siglos de historia cultural hispanoamericana,* México, Fondo de Cultura Económica, 1944.

Resumen impresionante de la historia intelectual de Hispanoamérica.

— (ed.), *Satíricos y costumbristas venezolanos,* 2 vols., Lima, Festival del Libro Venezolano, 1958.

La mejor fuente de su tipo, con una introducción perspicaz.

Poe, Edgar Allan, *The Works of Edgar Allan Poe,* vol. II, Nueva York, Charles Scribners & Sons, 1914.

Reyes, Alfonso, *Obras completas,* 17 vols., México, Fondo de Cultura, 1962.

Rivera Rivera, Modesto, *Concepto y expresión del costumbrismo en Manuel A. Alonso Pacheco,* San Juan, Instituto de la Cultura Puertorriqueña, 1980.

El mejor estudio sobre Alonso como costumbrista.

Rodó, José Enrique, *Escritos de la Revista Nacional de Literatura y Ciencias Sociales,* ed. José P. Segundo y J. A. Zubillaga, Montevideo, Ministerio de Instrucción Pública, 1946.

Rodríguez Monegal, Emir (ed.), *The Borzoi Anthology of Latin American Literature,* 2 vols., Nueva York, Knopf, 1977.

Contiene unos pocos cuentos de autores que escribieron alrededor de1900.

Rojas, Manuel (ed.), *Los costumbristas chilenos,* Santiago, Zig-Zag, 1957.

La mejor selección de su tipo disponible. No está bien editada.

Sanín Cano, *Letras colombianas,* Bogotá y México, Fondo de Cultura, 1944.

Describe la relevancia del costumbrismo en la ficción colombiana y la continuidad de esa modalidad narrativa en el siglo veinte.

Sanz y Díaz, José (ed.), *Antología de cuentistas hispanoamericanos,* Madrid, Aguilar, 1964.

Ofrece ejemplos tempranos de la ficción breve romántica. La información sobre autores y bibliografía es con frecuencia incorrecta.

Sayers Peden, Margaret, *The Latin American Short Story: A critical history,* Boston, Twayne, 1983.

Visión de conjunto de este género clara y bien escrita, pero esquemática. Se centra en los autores del siglo veinte.

Silva, José A., *Obras completas,* Bogotá, Banco de la República, 1965.

Silva Castro, Raúl (ed.), *Cuentistas chilenos del siglo XIX,* Santiago, Prensas de la Universidad de Chile, 1934.

La mejor selección de formas tempranas del cuento.

Torres-Rioseco, Arturo (ed.), *Short Stories of Latin America,* trad. Zoila Nelken y Rosalie Torres-Rioseco, Nueva York, Las Américas, 1963.

Las selecciones de H. Quiroga y el cubano Félix Pita Rodríguez son de interés especial.

Turrell, Charles A. (ed.), *Spanish American Short Stories,* Nueva York, MacMillan & Co., 1920.

Watson, Magda, *El cuadro de costumbres en el Perú decimonónico,* Lima, Universidad Católica del Perú, 1980.

El mejor estudio del Costumbrismo en el Perú.

Wordsworth, William, *The Poetical Works of W. Wordsworth,* ed. Edward Dowden, 3 vols., Londres, George Bell & Sons, 1893.

Zanetti, Susan (ed.), *Costumbristas de América Latina,* Buenos Aires, Centro Editor de América Latina, 1973.

Ofrece una amplia selección de textos de José Milla, Pardo Aliaga y otros costumbristas importantes. No está bien editado.

Artículos

Aristizábal, Luis H., «Las tres tazas: De Santa Fé a Bogotá, a través del cuadro de costumbres», *Boletín Cultural y Bibliográfico,* (Bogotá), 25 (1988), 61-79.

Estudio valioso. Ilustra la conexión entre el cuadro de costumbres y las ilustraciones gráficas. Buena parte de la bibliografía está incompleta.

Arrom, Juan José, «Mitos taínos en las letras de Cuba, Santo Domingo y México», en *Certidumbre de América; estudios de letras, folklore y cultura,* 2.ª ed., Madrid, Gredos, 1971.

Ofrece una muestra bastante buena de textos y algunos datos bibliográficos.

Barrenechea, Ana María, «Notas al estilo de Sarmiento», *Revista Iberoamericana,* 21 (1956), 275-94.

Aclara el estilo ecléctico de Sarmiento. Muestra indirectamente el impacto del Costumbrismo en sus textos más imaginativos.

Barrera, Trinidad, «Introducción» a Juan León Mera, *Cumandá o un drama entre salvajes,* Sevilla, Ediciones Alfar, 1989, 9-66.

Resume la investigación actual sobre Mera.

Bello, Andrés, «Modos de estudiar la historia», en *Obras completas,* XIX, Caracas, Ministerio de Educación, 1957, 243-52.

Bueno, Salvador, «Ensayo introductorio sobre Jesús Castellanos», en *Antología del cuento en Cuba,* La Habana, Ediciones del Ministerio de Educación, 1953, 9-15.

Contiene escasa información. Se ha escrito muy poco sobre este escritor talentoso.

—, «Costumbristas cubanos del siglo XIX», en *Temas y personajes de la literatura cubana,* La Habana, Ediciones Unión, 1964, 51-73.

Cannizo, María, «The article of manners and customs in Puerto Rico», *Hispania,* 38 (1955), 472-5.

Castillo, Homero, «José V. Lastarria y el cuento chileno», *Symposium,* 13 (1959), 121-7.

Documenta el estado marginal del cuento a mediados del siglo diecinueve.

—, «El mendigo, primer relato novelesco de Chile», *Quaderni Ibero-Americani,* 27 (1961), 158-64.

Comentario general sobre este texto importante de Lastarria.

Castro Leal, Antonio, «Introducción» a Justo Sierra, *Cuentos románticos,* México, Editorial México, 1946.

Visión de conjunto general de la ficción breve de Sierra.

D'Halmar, Augusto, «Cuento como cuento un cuento», *Atenea,* 25 (1948), 8-19.

Anécdotas reveladoras sobre el proceso creador.

Dumas, Claude, «Montalvo y Echeverría: problemas de estética literaria en América Latina del siglo XIX», *Juan Montalvo en Francia. Annales Littéraires de l'Université de Besançon* (París), 190 (1976), 77-86.

Sitúa a Montalvo en el contexto de la polémica sobre la unicidad de la literatura hispanoamericana.

Edberg, George J., «The Guatemalan José Milla and his *cuadros», Hispania,* 44 (1961), 666-74.

Resumen descriptivo.

González Pérez, Aníbal, «El periodismo en las *Tradiciones peruanas* de Ricardo Palma», *La Torre,* 5 (1988), 113-38.

Excelente estudio del uso de los recursos periodísticos por Palma.

Jiménez Rueda, Julio, «Introducción» a José M. Roa Bárcena, *Relatos,* México, Universidad Nacional Autónoma de México, 1955.

Discusión útil aunque muy general de los cuentos de Roa Bárcena.

Kirkpatrick, Susan, «The ideology of *Costumbrismo», Ideologies and Literature,* 2:7 (1978), 28-34.

Agudo análisis de las diversas corrientes ideológicas que afectaron a los costumbristas.

Landarech, Alfonso María, «Itinerario del cuento salvadoreño», en *Estudios literarios,* San Salvador, Ministerio de Cultura, 1959, 22-32.

Revisión cronológica de autores y textos.

Leal, Luis, «José Tomás Cuéllar (Facundo)», en su *Breve historia del cuento mexicano,* México, Ediciones de Andrea, 1956, 48-50.

Visión de conjunto de su ficción.

—, «Dos cuentos olvidados de Vicente Riva Palacio», *Anales del Instituto de Investigaciones Estéticas,* México, Universidad Nacional Autónoma de México, 27 (1958), 63-70.

Los cuentos discutidos son «Los azotes» y «Un buen negocio».

—, «Riva Palacio, Vicente», en *Historia del cuento hispanoamericano,* México, Ediciones de Andrea, 1971, 25-6.

Resumen de las obras de ficción de Riva Palacio.

Leslie, John K., «Problems relating to Sarmiento's *Artículos críticos y literarios», Modern Language Notes,* 61 (1946), 289-99.

Inventario de narraciones breves y ensayos.

Lezama Lima, José, «Verba criolla», en *Tratados de La Habana,* Madrid, Editorial Anagrama, 1971.

Loayza, Luis, «Palma y el pasado», en *El sol de Lima,* Lima, La Mosca Azul Editores, 1974, 89-115.

Incisiva información sobre el uso de la historia por Palma.

Marshall E., «Las obras menores de Cirilo Villaverde», *Revista Iberoamericana,* 14:28 (1948), 255-62.

Documenta la producción de Villaverde como costumbrista.

Moreno Fraginals, Manuel, «Anselmo Suárez Romero», *Revista de la Biblioteca Nacional José Martí,* 22 (1950), 28-42.

Valoración histórica de los textos de Romero.

Oría, José A., «Alberdi Figarillo: contribución al estudio de la influencia de Larra en el Río de la Plata», *Humanidades,* 25 (1936), 223-83.

Estudio general pero útil de la recepción de los textos de Larra.

Osea, Mario, «Sobre siete cuentos maestros de la literatura chilena», *Atenea,* 25 (1948), 34-62.

Se centra en textos de Federico Gana, D'Halmar, Barrios y M. Latorre, entre otros.

Oviedo, José Miguel, «Juana Manuela Gorriti», en *Antología crítica del cuento hispanoamericano, 1820-1920,* Madrid, Alianza Editorial, 1989, 89-90.

Resume la limitada investigación disponible sobre la ficción breve de Gorriti.

Portuondo, José Antonio, «Jesús Castellanos escritor», en *Cuentos cubanos contemporáneos,* México, Editorial Leyenda, 1946.

Pupo-Walker, Enrique, «Elaboración y teoría en los cuentos de Ricardo Güiraldes», *Cuadernos Hispanoamericanos,* 225 (1977), 165-72.

—, «El cuadro de costumbres, el cuento y la posibilidad de *un* deslinde», *Revista Iberoamericana,* 102-3 (1978), 1-15.

Rechaza los vínculos formales supuestamente existentes entre el cuento y el cuadro de costumbres.

—, «Reflexiones para otras lecturas del relato costumbrista», *Revista de Estudios Hispánicos,* 2 (1990), 15-36.

Comenta la interacción discursiva entre las ciencias sociales y la narrativa costumbrista.

Rojas, Ricardo, «Vida y obras de Alberdi», en *La literatura Argentina,* III, Buenos Aires, Kraft Editores, 1920, 505-35.

Resumen útil de la vida y las obras.

Scari, Robert M., «Ciencia y ficción en los cuentos de Leopoldo Lugones», *Revista Iberoamericana,* 30 (1964), 163-87.

Sedwick, Ruth, *Baldomero Lillo,* New Haven, Yale University Press, 1956.

Valoración global adecuada de la producción literaria de Lillo.

Spell, Jefferson R., «The *costumbristas* movement in Mexico», *PMLA,* 50 (1935), 290-315.

Profunda relación histórica del Costumbrismo.

Torres Manzo, Carlos, «Perfil y esencia de Rafael Delgado», *Cuadernos Americanos,* 40 (1953), 247-61.

Enumera los rasgos generales de las obras de Delgado.

Torriente, Loló de la, «Jesús Castellanos: un precursor», *El Mundo* (La Habana) 61, (4 de junio de 1962), 20.

Vergara de Bietti, Noemí, «Eduardo Wilde, padre del humorismo argentino», en *Humoristas del 80,* Buenos Aires, Plus Ultra, 1976, 19-38.

Este estudio relaciona a Wilde con los recursos estilísticos usados por los costumbristas que escribieron a la manera de Roberto Payró y sus seguidores.

CAPÍTULO 15

EL TEATRO HISPANOAMERICANO DEL SIGLO XIX

Esta bibliografía no incluye estudios de dramaturgos individuales. El lector interesado deberá consultar también fuentes tales como las revistas *Latin American Theater Review* y *Gestos,* y el *Handbook of Latin American Studies.*

FUENTES SECUNDARIAS

Arrom, José Juan, *Historia de la literatura dramática cubana,* New Haven, Yale University Press, 1944.

La mejor y más temprana introducción general por el fundador de los estudios del teatro hispanoamericano en los Estados Unidos.

—, *Historia del teatro hispanoamericano: época colonial,* 2.ª ed., México, Ediciones de Andrea, 1967.

Aunque trata principalmente el periodo colonial, aporta un fondo inestimable para entender el siglo diecinueve.

—, *Esquema generacional de las letras hispanoamericanas. Ensayo de un método,* 2.ª ed., Bogotá, Instituto Caro y Cuervo, 1977.

El mejor ezfuerzo para sintetizar la literatura hispanoamericana dentro de una estructura generacional.

Blanco Amores de Pagella, Ángela, *Iniciadores del teatro argentino,* Buenos Aires, Ministerio de Cultura y Educación, 1972.

Útil comentario crítico acompañado de una desorganizada selección antológica de fragmentos.

Carella, Tulio, *El sainete criollo,* Buenos Aires, Hachette, 1967.

Excelente introducción general.

Castagnino, Raúl, *Literatura dramática argentina,* 1717-1967, Buenos Aires, Pleamar, 1968.

La mejor historia general para todo el periodo.

—, *Teatro argentino premoreirista,* Buenos Aires, Plus Ultra, 1969.

Estudio conciso del teatro regional popular desde 1717 hasta *Solané* inclusive.

Cruz, Jorge (ed.), *Teatro argentino romántico,* Buenos Aires, Ministerio de Cultura y Educación, 1972.

La introducción es un resumen útil; incluye textos de dos obras de Mármol y una traducción de Hugo.

Dauster, Frank, *Historia del teatro hispanoamericano: siglos XIX y XX,* 2.ª ed., México, Ediciones de Andrea, 1973.

La visión de conjunto más al día, aunque necesita ser revisada.

Durán Cerda, Julio, *Panorama del teatro chileno, 1842-1959,* Santiago, Edit. del Pacífico, 1959.

Antología histórica que incluye textos de Barros Grez y el movimiento romántico activo.

Ghiano, Juan Carlos, *Teatro gauchesco primitivo,* Buenos Aires, Losange, 1957.

Los textos más importantes del teatro popular desde aproximadamente 1780, con una introducción polémica pero inteligente.

González Cajiao, Fernando, *Historia del teatro en Colombia,* Bogotá, Instituto Colombiano de Cultura, 1986.

Extensa historia que abarca desde los rituales precolombinos hasta 1985 inclusive.

González Freire, Natividad (ed.), *Teatro cubano del siglo XIX,* 2 vols., La Habana, Editorial Arte y Literatura, 1975.

Incluye las obras más representativas.

Jorge Lafforgue (ed.), *Teatro rioplatense (1886-1930),* prólogo de David Viñas, Caracas, Biblioteca Ayacucho, 1977.

Acercamiento revisionista marxista y textos de obras de teatro desde *Moreira* hasta el *grotesco* inclusive.

Leal, Rine, *Breve historia del teatro cubano,* La Habana, Letras Cubanas, 1980.

Especialmente interesante por su enfoque sobre el teatro popular.

—, *La selva oscura,* 2 vols., La Habana, Editorial Arte y Literatura, 1975, 1982.

Imponente historia del teatro cubano desde sus comienzos hasta 1902.

Leal, Rine (ed.), *Teatro bufo siglo XIX,* La Habana, Editorial Arte y Literatura, 1975.

Los comentarios del editor tratan principalmente del contexto histórico y el contenido social y étnico y sus implicaciones.

—, *Teatro mambí,* La Habana, Letras Cubanas, 1978.

Seis obras de teatro desde la lucha por la independencia.

—, *Comedias cubanas siglo XIX,* 2 vols., La Habana, Letras Cubanas, 1979.

Obras de teatro representativas, e incluso *sainetes.*

Luzuriaga, Gerardo, y Richard Reeve (eds.), *Los clásicos del teatro hispanoamericano,* México, Fondo de Cultura Económica, 1975.

Incluye obras de Gorostiza, Ascensio Segura, Barros Grez, y Sánchez, y *Juan Moreira.*

Magaña Esquivel, Antonio (ed.), *Teatro mexicano del siglo XIX,* México, Fondo de Cultura Económica, 1972.

Seis obras de teatro, desde 1810 a 1847.

Magaña Esquivel, Antonio, y Ruth Lamb, *Breve historia del teatro mexicano,* México, Ediciones de Andrea, 1958.

Estudio bien documentado que abarca desde el periodo prehispánico hasta 1958.

Marco, Susana, Abel Posadas, Marta Speroni y Griselda Vignolo, *Teoría del género chico criollo,* Editorial Universitaria de Buenos Aires, 1975.

Estudio sociológico del *sainete orillero;* no fidedigno en los juicios estéticos, pero informativo.

Marial, José, *Teatro y país,* Buenos Aires, Agon, 1984.

Cubre el periodo 1810-1983; bastante detallado al tratar del siglo diecinueve.

Mazzei, Ángel, *Dramaturgos post-románticos,* Buenos Aires, Ministerio de Educación y Cultura, 1970.

El teatro rural y su transición a un movimiento menos antisocial, con textos de *Moreira* y obras de teatro de Leguizamón y Granada.

Monasterios, Rubén, *Un estudio crítico y longitudinal del teatro venezolano,* Caracas, Universidad Central de Venezuela, 1974.

Historia general de un movimiento poco estudiado.

Morfi, Angelina, *Historia crítica de un siglo de teatro puertorriqueño,* San Juan, Instituto de Cultura Puertorriqueña, 1980.

Sustituye a todo trabajo anterior sobre el teatro puertorriqueño; el apéndice incluye una obra de teatro de Méndez Quiñones.

Morgado, Benjamín, *Histórica relación del teatro chileno,* Santiago, SEREC, 1985.

Historia general.

Olavarría y Ferrari, Enrique de, *Reseña histórica del teatro en México, 1538-1911,* Biblioteca Porrúa, 21, 3.ª ed., México, Porrúa, 1961.

Introducción inestimable al siglo diecinueve de un activo participante. Publicada inicialmente en 1880, esta edición está revisada y aumentada.

Ordaz, Luis (ed.), *El drama rural,* Buenos Aires, Hachette, 1959.

Antología histórica del desarrollo del teatro rural.

—, *Breve historia del teatro argentino,* vols. I-VI, Buenos Aires, Editorial Universitaria, 1962-1963.

Excelente antología histórica dedicada al siglo diecinueve y comienzos del siglo veinte.

—, *Teatro argentino,* Buenos Aires, Centro Editor de América Latina, 1979-1980.

Antología que cubre el siglo diecinueve y el veinte hasta el *grotesco* de los años 30. Los vols. I a IV tratan el siglo diecinueve hasta Sánchez inclusive, el vol. VI se ocupa del *sainete.*

Pereira Salas, Eugenio, *Historia del teatro en Chile desde sus orígenes...*, Santiago, Universidad de Chile, 1974.

Información detallada hasta aproximadamente 1849.

Rela, Walter, *Teatro uruguayo,* 1807-1979, Montevideo, Ediciones de la Alianza, 1980.

Buena introducción general.

Reyes, Carlos José, y Maida Watson Espener, *Materiales para una historia del teatro en Colombia,* Bogotá, Instituto Colombiano de Teatro, 1978.

Colección de artículos que abarcan todo el campo del teatro colombiano.

Reyes de la Maza, Luis, *Cien años de teatro en México (1810-1910),* México, Secretaría de Educación Pública, 1972.

Resumen de los prólogos a la inestimable serie de Reyes de la Maza; verdadera historia social del teatro.

—, *Circo, maroma, y teatro (1810-1910),* México, Universidad Nacional Autónoma de México, 1985.

Panorama detallado del siglo entero.

Ripoll, Carlos, y Andrés Valdespino, *Teatro hispanoamericano. Antología crítica: siglo XX,* Nueva York, Anaya Book Co., 1973.

La mejor antología general del periodo, con ejemplos del Neo clasicismo, Romanticismo, Costumbrismo, el teatro *jíbaro* puertorriqueño, y tres obras de teatro de Sánchez.

Rojas Uzcátegui, José de la Cruz, *Historia y crítica del teatro venezolano (siglo XIX),* Mérida, Venezuela, Universidad de los Andes, 1986.

Principalmente listas detalladas y resúmenes de obras de teatro, importante porque el material es virtualmente desconocido.

—, *El teatro en la Independencia: piezas teatrales,* 2 vols., Lima, Comisión Nacional del Sesquicentenario de la Independencia del Perú, 1974.

Una de las pocas fuentes para el teatro peruano temprano, esta antología incluye una buena porción de materiales no fácilmente disponibles en otra parte.

Capítulo 16

EL ENSAYO EN LA SUDAMÉRICA ESPAÑOLA: DE 1800 HASTA EL MODERNISMO

FUENTES PRIMARIAS

Alberdi, Juan Bautista, *Obras completas,* 8 vols., Buenos Aires, La Tribuna Nacional, 1886.

Aunque lejos de ser completa, esta edición contiene los textos más conocidos de Alberdi.

—, *Escritos póstumos,* 16 vols., Buenos Aires, Imprenta Europea, 1895-1901.

Obra esencial recogida en su mayor parte del largo exilio europeo de Alberdi.

—, *Grandes y pequeños hombres del Plata*, París, Garnier Hnos., 1912.

Colección de ensayos editados de manera anónima. Especialmente importante como comentario sobre las presidencias de Mitre y Sarmiento, la Guerra Paraguaya, y sobre *Historia de Belgrano* e *Historia de San Martín,* de Mitre.

—, *Las «Bases» de Alberdi,* ed. Jorge M. Mayer [1852], Buenos Aires, Sudamericana, 1969.

Magnífica edición crítica de las *Bases y puntos de partida para la organización política de la República Argentina,* de Alberdi, 1852.

Artigas, José Gervasio, *Archivo Artigas,* 20 vols., Montevideo, Comisión Nacional Archivo Artigas, 1950-1981.

Proyecto asombroso, este intento de recoger todas las notas, discursos, cartas y decretos de Artigas, no está completo todavía.

—, *José Artigas, documentos: compilación y prólogo,* ed. Oscar H. Bruschera, La Habana, Casa de las Américas, 1971.

Buena y representativa colección de escritos de Artigas que, en su mayor parte, permite a éste hablar por sí mismo.

Bello, Andrés, *Obras completas,* 15 vols., Santiago P. G. Ramírez, 1881-1893.

Aunque más antigua y menos completa que el título siguiente, ésta sigue siendo una edición de las obras más significativas de Bello eminentemente útil.

—, *Obras completas,* 22 vols., Caracas, Ediciones del Ministerio de Educación, 1951.

Las obras y periodos principales son introducidos por ensayos breves de una variedad de eruditos.

—, *Obras literarias,* ed. Pedro Grases, Caracas, Biblioteca Ayacucho, 1979.

Incluye los ensayos sobre literatura además de mucha de la poesía de Bello. Los comentarios de Grases merecen gran atención.

Bilbao, Francisco, *Obras completas,* ed. Manuel Bilbao, 2 vols., Buenos Aires, Casa del Gobierno Provincial, 1865.

Sigue siendo el muestrario más completo de la obra de Bilbao. Algunas de sus obras religiosas menos conocidas son accesibles únicamente en esta edición.

—, *El evangelio americano,* ed. Alejandro Witker, Caracas, Biblioteca Ayacucho, 1988.

Incluye bibliografía, el *Evangelio* completo, y extractos de otras obras, e incluso *La sociabilidad chilena.* El ensayo introductorio de Witker es, sin embargo, tendencioso y no fidedigno.

Bolívar, Simón, *Obras completas,* ed. Vicente Lecuna, 3 vols., La Habana, Edición Lex, 1950.

No están realmente completas pero se aproximan a ello.

—, *Escritos políticos,* ed. Graciela Soriano, Madrid, Alianza Editorial, 1969.

Antología barata con buena introducción.

Echeverría, Esteban, *Dogma socialista* [1837], Buenos Aires, El Ateneo, 1947.

También contiene el texto completo de *Ojeada retrospectiva sobre el movimiento intelectual en el Plata desde el año '37,* de 1846.

—, *Obras completas,* ed. Juan María Gutiérrez, 5 vols., [1870-1874], Buenos Aires, Ediciones Antonio Zamora, 1951.

Contiene todos los textos más conocidos de Echeverría además de un ensayo biográfico de Juan María Gutiérrez.

Hernández, José, *Prosas de José Hernández,* ed. Enrique Herrero, Buenos Aires, Editorial Futuro, 1944.

Contiene la famosa biografía del Chacho (Ángel Vicente Peñaloza) por Hernández, que es también un ataque importante contra Sarmiento, Mitre y el liberalismo argentino en general.

—, *Artículos periodísticos de José Hernández,* ed. Walter Rela, Montevideo, Editorial El Libro Argentino, 1967.

Buena muestra de la obra de Hernández como periodista. Contiene piezas de diversos periodos de su carrera.

Lastarria, José Victorino, *Miscelánea histórica y literaria,* Valparaíso, Mercurio, 1855.

—, *Obras completas,* 14 vols., Santiago, Imprenta Barcelona, 1906-1934.

Organizadas por temas, p. ej. discursos parlamentarios, crítica literaria, escritos históricos, etc.

—, *Recuerdos literarios,* ed. Raúl Silva Castro, Santiago, Zig-Zag, 1967.

Una de las varias ediciones de la obra más perdurable de Lastarria. Inteligente ensayo introductorio del editor.

Montalvo, Juan, *Siete tratados,* 2 vols., París, Garnier, 1930.

Incluye introducción por Rufino Blanco Fombona. Publicado de nuevo en México por la Secretaría de Educación Pública en 1947 con una introducción de Antonio Acevedo Escobedo.

—, *Las catilinarias, El Cosmopolita, El Regenerador,* ed. Benjamín Carrión, Caracas, Biblioteca Ayacucho, 1977.

Excelente introducción a algunas de las obras menos conocidas de Montalvo. Las satíricas *Catilinarias* fueron publicadas durante un periodo de tiempo en Panamá; *El Cosmopolita* y *El Regenerador* eran revistas que Montalvo redactó y llenó en gran medida con su propia prosa. Buen ensayo preliminar de Carrión.

—, *Capítulos que se le olvidaron a Cervantes,* 2 vols., Quito, Ediciones Sesquicentena, 1987.

Una de las pocas versiones completas de esta obra póstuma.

—, *Diario, cuentos, artículos, páginas inéditas,* 2 vols., Municipio de Ambato, 1987.

Extensa selección de las obras menos famosas de Montalvo; algunas coinciden en parte con *Las catilinarias,* de más arriba.

—, *Geometría moral,* Municipio de Ambato, 1987.

Buena edición de una de las obras mejor conocidas de Montalvo. Incluye una bibliografía.

—, *Selections from Juan Montalvo,* trad. y ed. Frank MacDonald y Nancy Cook Brooks, Tempe, Arizona State University, Center for Latin American Studies, 1984.

Aunque no sean particularmente ingeniosas, figuran éstas entre las pocas traducciones inglesas disponibles de la obra de Montalvo.

Moreno, Mariano, *Escritos de Mariano Moreno,* ed. Norberto Piñero, Buenos Aires, Biblioteca del Ateneo, 1896.

Antología que sigue siendo la más completa disponible. Tiene el texto completo del *Plan de operaciones.*

Sarmiento, Domingo Faustino, *Obras de D. F. Sarmiento,* 52 vols., Buenos Aires, Imprenta Mariano Moreno, 1895-1900.

Impresionante colección de la obra de Sarmiento, aunque no completa. Incluye cartas, discursos, y libros importantes.

—, *Civilización y barbarie: vida de Juan Facundo Quiroga,* ed. Raimundo Lazo [1845], México, Porrúa, 1977.

Edición barata con una buena introducción. También es digna de consultar la edición de la Biblioteca Ayacucho, 1977, con un ensayo introductorio de Noé Jitrik.

FUENTES SECUNDARIAS

Libros

Anderson Imbert, Enrique, *El arte de la prosa en Juan Montalvo,* México, El Colegio de México, 1948.

Uno de los pocos estudios extensos de la obra de Montalvo. Escribiendo desde una perspectiva marcadamente estilística, Anderson concluye que el genio de Montalvo yace más en su lenguaje que en sus ideas.

Ardao, Arturo, *Espiritualismo y positivismo en el Uruguay,* México, Fondo de Cultura Económica, 1956.

Buen análisis del Positivismo uruguayo y su variada recepción.

Assunçao, Fernando O., y Wilfredo Pérez, *Artigas: jefe de los orientales,* Montevideo, Próceres, 1982.

Único volumen publicado de lo que se supone que será una biografía en cinco volúmenes. Si los volúmenes subsiguientes son tan buenos como el primero, ésta será la biografía definitiva de Artigas.

Belaúnde, Víctor Andrés, *Bolívar y el pensamiento de la revolución hispanoamericana,* Madrid, Editorial Cultura Hispana, 1959.

Buena descripción del pensamiento de Bolívar comparado con las corrientes intelectuales de otras partes de Hispanoamérica.

Bernstein, Harry, *Making an Inter-American Mind,* Gainesville, University of Florida, 1961.

Preocupado ante todo por los acontecimientos panamericanos. Cierta distorsión de los movimientos nacionales.

—, *Biblioteca de mayo: colección de obras y documentos para la historia argentina,* 18 vols., Buenos Aires, Congreso de la Nación, 1960.

Reimpresión esencial de muchos de los documentos más importantes de la historia argentina durante el periodo de Independencia. Incluye memorias, reimpresiones de periódicos y edictos del gobierno.

Bunkley, Allison Williams, *The Life of Sarmiento,* Princeton University Press, 1952.

Magnífica biografía que lleva bien su edad. Guía excepcional no sólo de la vida de Sarmiento sino también de los documentos que dejó.

Cardozo, Efraín, *Apuntes de historia cultural del Paraguay,* Asunción, Universidad Católica Nuestra Señora de la Asunción, 1985.

Historia cultural general que abarca los avances artísticos, literarios e intelectuales.

Carrión, Benjamín, *El pensamiento vivo de Montalvo,* Buenos Aires, Editorial Losada, 1961.

Útil estudio de la obra de Montalvo, si bien falto de sentido crítico.

Castellanos, Alfredo, *Vida de Artigas,* Montevideo, Medina Editor, 1954.

Buena biografía breve con amplia discusión de las ideas principales de Artigas.

Crawford, William Rex, *A Century* of *Latin American Thought,* 2.ª ed., Cambridge, Mass., Harvard University Press, 1961.

Obra pionera marcada por una claridad excepcional. Buena bibliografía.

Davis, Harold Eugene, *Latin American Social Thought,* University Press of Washington, 1961.

Sobre todo una antología con buenas introducciones y alguna información bibliográfica. Algunas de las traducciones son las únicas disponibles.

—, *Latin American Thought: A historical introduction,* Baton Rouge, Louisiana State University, 1972.

Ambiciosa visión de conjunto del pensamiento precolonial al moderno. Bibliografía excelente. Dedica bastante atención a pensadores cristianos y conservadores —un área con frecuencia descuidada.

Demicheli, Alberto, *Artigas, el fundador: su proyección histórica,* Buenos Aires, Ediciones Depalma, 1978.

Preocupado principalmente por las ideas de Artigas sobre la Ley y el Estado.

Donoso, Ricardo, *Las ideas políticas en Chile,* Santiago, Universidad de Chile, 1967.

Buen resumen de los debates políticos desde la independencia.

Feinmann, Juan Pablo, *Filosofía y nación,* Buenos Aires, Editorial Legasa, 1982.

Buenos ensayos sobre Moreno y Alberdi y su relación con el pensamiento europeo.

Francovich, Guillermo, *La filosofía en Bolivia,* La Paz, Juventud, 1966.

Historia amplia que abarca desde la época colonial hasta el presente.

—, *Fuentes de la filosofía latinoamericana,* Washington, Organización de Estados Americanos, 1967.

Bibliografía temprana todavía útil por los materiales publicados antes de 1965.

Fuenzalida Grandón, Alejandro, *Lastarria i su tiempo: su vida, obras e influencia en el desarrollo político e intelectual de Chile,* Santiago, Imprenta Cervantes, 1893.

Publicado de nuevo en 1911 por la Imprenta Barcelona, también en Santiago. A pesar de su edad, ésta sigue siendo una biografía útil.

Gandía, Enrique de, *Historia de las ideas políticas en la Argentina,* 5 vols., Buenos Aires, Depalma, 1960-1968.

Aunque escrita desde un punto de vista marcadamente nacionalista, ésta es no obstante una útil historia intelectual de la Argentina.

Gómez Robledo, Antonio, *Idea y experiencia de América,* México, Fondo de Cultura Económica, 1947.

Penetrante ensayo interpretativo con considerable información histórica.

Grases, Pedro, *Estudios sobre Andrés Bello,* 2 vols., Barcelona, Seix Barral, 1981.

Ensayos sobre diversos temas. Todo lo escrito por Grases sobre Bello es lectura necesaria y fascinante.

Halperín Donghi, Tulio, *El pensamiento de Echeverría,* Buenos Aires, Sudamericana, 1951.

Estudia cómo se desarrollaron las ideas de Echeverría, cómo se relacionan con el pensamiento europeo, y cómo corresponden a las corrientes intelectuales de la época.

—, *Tradición política española e ideología revolucionaria de Mayo,* Buenos Aires, EUDEBA, 1961.

Estudio magnífico lleno de información. Aunque el contexto histórico es principalmente la Argentina, el libro es una guía indispensable para las ideas de toda Hispanoamérica durante los primeros años de independencia.

—, *José Hernández y sus mundos,* Buenos Aires, Sudamericana, 1985.

El estudio más meticuloso y mejor documentado hecho jamás sobre Hernández, sin lugar a dudas. El rechazo de Halperín hacia su tema de estudio, sin embargo, tanto como hombre como icono nacionalista, lo lleva a veces a retratar a Hernández con negatividad indebida.

—, *Politics, Economics and Society in Argentina in the Revolutionary Period,* trad. Richard Southern, Nueva York, Cambridge University Press, 1975.

—, *Handbook of Latin American Studies,* Washington, Hispanic Foundation, Biblioteca del Congreso, publicado anualmente.

La mejor fuente de información en español o inglés para publicaciones recientes sobre Latinoamérica, todos los temas.

Henríquez Ureña, Pedro, *Literary Currents in Hispanic America,* Cambridge, Mass., Harvard University Press, 1945.

—, *Historia de la cultura en la América Hispánica,* México, Fondo de Cultura Económica, 1947.

Dos obras pioneras en la historia literaria y crítica hispanoamericana.

Ingenieros, José, *La evolución de la ideas argentinas,* 2 vols., Buenos Aires, Taller Gráfico Argentino de L. J. Rosso, 1918-1920.

A pesar de su edad y sus prejuicios liberales, ésta sigue siendo una obra excepcionalmente útil y legible.

Jaramillo Uribe, Jaime, *El pensamiento colombiano en el siglo XIX,* Bogotá, Temis, 1964.

Jitrik, Noé, *Muerte y resurrección de Facundo,* Buenos Aires, Centro Editor de América, 1968.

Provocador ensayo sobre la obra de Sarmiento, el hombre Facundo y las metamorfosis experimentadas por una y otro en la vida intelectual argentina.

Jorrín, Miguel, y John D. Martz, *Latin American Political Thought and Ideology,* Chapel Hill, University of North Carolina Press, 1970.

Presenta la perspectiva de un científico social sobre algunos de los textos y autores considerados aquí.

Levene, Ricardo, *Ensayo histórico sobre la revolución de Mayo y Mariano Moreno,* 3 vols., Buenos Aires, Editorial Peuser, 1960.

Biografía detallada y bien investigada. Levene arguye, de modo poco convincente, en contra de la autenticidad del *Plan de operaciones.*

—, *Los fundadores en la filosofía de América Latina,* Washington, Organización de Estados Americanos, 1970.

Continuación del título anterior, aumentada y puesta al día.

Masur, Gerhard, *Simón Bolívar,* 2.ª ed., Albuquerque, University of New Mexico Press, 1969.

Buena biografía con extensa información bibliográfica.

Mata, G. Humberto, *Sobre Montalvo o desmitificación de un mitificador,* Cuenca, Cénit, 1961.

Colección de ensayos, de calidad diversa, dedicados al debate que Montalvo sigue inspirando entre sus compatriotas.

Mayer, Jorge M., *Alberdi y su tiempo,* EUDEBA, 1963.

Magnífica biografía y también una extensa guía para los acontecimientos y bibliografía de todo el periodo.

Mead, Robert, *Breve historia del ensayo hispanoamericano,* México, Studium, 1956.

Buena reseña de ensayos y ensayistas mayores. Incluye alguna información bibliográfica. También disponible en una segunda edición bajo el título *Historia del ensayo hispanoamericano,* publicada en 1973 con la colaboración de Peter G. Earle.

Mijares, Augusto, *Lo afirmativo venezolano,* Caracas, Ediciones de la Fundación Eugenio Mendoza, 1963.

Aunque se preocupa principalmente por establecer valores positivos nacionales, este libro contiene abundante información sobre debates intelectuales de todo tipo.

—, *El Libertador,* 2.ª ed., Caracas, Arte, 1965.

Excelente biografía de Bolívar.

Murillo, Fernando, *Andrés Bello: historia de una vida y de una obra,* Caracas, Casa de Bello, 1986.

Magnífica biografía. Incluye extensa bibliografía y también una excelente introducción de Pedro Grases.

Palacios, Alfredo L., *Esteban Echeverría,* Buenos Aires, La Tribuna Nacional, 1951.

Buena biografía literaria. Bibliografía escasa y ya anticuada.

Pérez Vila, Manuel, *La formación intelectual de Bolívar,* Caracas, Sociedad Bolivariana de Venezuela, 1964.

Describe las fuentes y las experiencias que informan el pensamiento de Bolívar.

Romero, José Luis, *Las ideas políticas en la Argentina,* México, Fondo de Cultura Económica, 1946.

Obra fundamental, llena de información pero deteriorada por referencias bibliográficas incompletas.

Sala de Touron, Luica, Nelson de la Torre y Julio C. Rodríguez, *Artigas y su revolución agraria,* México, Siglo Veintiuno Editores, 1978.

Aunque se preocupa principalmente por los asuntos económicos, este libro reseña no sólo las ideas de Artigas sobre la reforma agraria sino también sus intentos de realizarla. Bibliografía útil.

Salazar Bondy, Augusto, *Historia de las ideas en el Perú contemporáneo,* 2 vols., Lima, Francisco Moncloa Editores, 1965.

Aunque trata principalmente de la vida intelectual del siglo veinte, esta extensa historia contiene también abundante información sobre los avances intelectuales más tempranos.

Shumway, Nicolas, *The Invention of Argentina,* Berkeley, University of California Press, 1991.

Visión de conjunto de los avances intelectuales en la Argentina entre 1800 y 1880, en la medida que se relacionan con la formación de la nación. Bibliografía extensa.

Subercaseaux, Bernardo S., *Cultura y sociedad liberal en el siglo XIX: Lastarria, ideología y literatura,* Santiago, Editorial Aconcagua, 1981.

Magnífica biografía intelectual de Lastarria y también una guía indispensable para prácticamente todo el debate que tuvo lugar durante la vida de Lastarria. Buena bibliografía.

Zea, Leopoldo, *Dos etapas del pensamiento hispano-americano,* México, El Colegio de México, 1949.

Obra esencial. Particularmente buena respecto al Positivismo hispanoamericano.

—, *El pensamiento latinoamericano,* 2 vols., México, Pormaca, 1965.

Aunque incrementada considerablemente, esta entrada abarca mucho del terreno cubierto por el título anterior.

Zum Felde, Alberto, *Proceso intelectual del Uruguay,* Montevideo, Editorial Claridad, 1941.

Buena y sólida historia. Bibliografía útil, pero ya anticuada.

Artículos

Abellán, José L., «Introducción», en *Siete tratados: réplica a un sofista seudocatólico,* Madrid, Editora Nacional, 1977, 9-53.

Aunque esta edición contiene sólo uno de los tratados, el ensayo introductorio proporciona una buena visión de conjunto de la vida de Montalvo y particularmente el atractivo que éste ejerció sobre escritores españoles tan diferentes como Valera y Unamuno.

Bader, Thomas, «Early positivist thought and ideological conflict in Chile», *The Americas,* 26 (abril, 1970), 376-93.

Buena introducción con bibliografía.

Rodó, José Enrique, «Montalvo», en Emir Rodríguez Monegal (ed.), *Obras completas,* Madrid, Aguilar, 1967, 589-627.

Ensayo largo y justamente famoso publicado originalmente hacia 1906.

Capítulo 17

EL ENSAYO EN MÉXICO, CENTROAMÉRICA Y EL CARIBE EN EL SIGLO XIX

FUENTES PRIMARIAS

Fernández de Lizardi, José Joaquín, *Obras,* 10 vols., México, Universidad Nacional Autónoma de México, 1963-1982.

La edición clásica de sus obras.

Hostos, Eugenio María de, *Moral social,* Santo Domingo, Imp. de García Hnos., 1888, *Obras completas,* 20 vols., La Habana, Obispo y Bernaza, 1939.

Las referencias en el texto son a esta edición.

Martí, José, *Obras completas,* prólogo M. Isidro Méndez, 2 vols., La Habana, Lex, 1946.

Una de las varias ediciones de sus obras completas. Las referencias en el texto son a esta edición.

—, *Obras completas,* 2 vols., La Habana, Centro de Estudios Martianos, 1983.

Edición más reciente y más clásica de las obras completas.

—, *The America of José Martí: Selected writings,* José de Onís, Nueva York, Noonday, 1953.

Una de las varias traducciones de los escritos de Martí respecto a Estados Unidos y Latinoamérica.

—, *Inside the Monster. Writings on the United States and American imperialism,* trad. Elinor Randall, L. A. Baralt, J. de Onís y R. H. Foner, ed. Philip S. Foner, Nueva York, Monthly Review Press, 1973.

—, *Our America: Writings on Latin America and the struggle for Cuban Independence,* trad. Elinor Randall, J. de Onís y R. H. Foner, ed. Philip S. Foner, Nueva York, Monthly Review Press, 1977.

Ramírez, Ignacio, *Obras completas de Ignacio Ramírez,* 2 vols., México, Editorial Nacional, 1952.

Rosa, Ramón, *Escritos selectos,* ed. R. Heliodoro Valle, Buenos Aires, W. M. Jackson, 1946.

Antología representativa con notas e introducción. Las referencias a la obra de Rosa en el texto son a esta edición.

Sierra, Justo, *México, su evolución social,* 2 vols., México y Barcelona, J. Ballescá & Cía., 1900-1902.

—, *Obras completas del maestro Justo Sierra,* 14 vols., México, Universidad Nacional Autónoma de México, 1948.

—, *The Political Evolution of the Mexican People,* trad. C. Ramsdell, notas e intr. E. O'Gorman, prólogo A. Reyes, Austin, University of Texas Press, 1969.

Valle, José Cecilio del, *Obras de José Cecilio del Valle,* compiladas por José del Valle y Jorge del Valle-Matheu, 2 vols., Guatemala, Tip. Sánchez de Guise, 1929-1930; otras *Obras* salieron en Tegucigalpa, Honduras, en 1914.

Las referencias en el texto son a la edición de Guatemala de 1929-1930.

—, *El pensamiento vivo de José Cecilio del Valle,* ed. y prólogo Rafael del Valle, 3.ª ed., San José, Editorial Universitaria Centroamericana, 1982.

Buena selección de los ensayos más importantes de Valle. Las referencias en el texto son a esta edición.

Varona, Enrique José, *Desde mi belvedere,* edición definitiva, Barcelona, Maucci, 1917.

—, *Obras de Enrique José Varona,* La Habana, Edición Oficial, 1936.

Edición incompleta de sus obras completas, pero incluye algunos textos principales como *Estudios literarios* y *filosóficos, Violetas y ortigas,* etc.

—, *Textos escogidos,* ensayo interpretativo y selección R. Lazo, México, Porrúa, 1968.

Introducción útil, bibliografía y selección representativa. Las referencias en el texto son a esta edición.

FUENTES SECUNDARIAS

Libros

Anuario del Centro de Estudios Martianos, La Habana, Centro de Estudios Martianos, 1978-.

Serie bibliográfica anual que continúa el *Anuario martiano* (véase a continuación).

—, *Anuario martiano,* La Habana, Consejo Nacional de Cultura, 1969-1975.

Informe anual en fascículos sobre la bibliografía de Martí.

Crawford, William Rex, *A Century of Latin American Thought,* 2.ª ed., Cambridge, Mass., Harvard University Press, 1961.

Publicada originalmente en 1944, se ha convertido en una referencia clásica para este campo.

Davis, Harold Eugene, *Latin American Thought: A historical introduction,* Baton Rouge, Louisiana State University Press, 1972.

Concisos y valiosos resúmenes de pensadores y ensayistas menores y mayores.

Earle, Peter G., y Robert G. Mead, *Historia del ensayo hispanoamericano,* México, Ediciones De Andrea, 1973.

Versión puesta al día de la más temprana *Breve historia* de Mead. Entradas breves pero muy informativas.

Fernández Retamar, Roberto, *Calibán, apuntes sobre la cultura en nuestra América,* Buenos Aires, Editorial la Pléyade, 1973.

Importante para la relación entre las ideas de Martí, Rodó y otros del tardío siglo diecinueve.

Ferrero Acosta, Luis, *Ensayistas costarricenses,* San José, Antonio Lehmann, 1971.

Uno de los pocos estudios sobre el tema; incluye algunos materiales sobre el siglo diecinueve.

Garfield, Evelyn Picón, e Ivan Schulman, *Las entrañas del vacío: ensayos sobre la modernidad hispanoamericana,* México, Ediciones Cuadernos Americanos, 1984.

El Capítulo 4, págs. 79-96, contiene alguna información valiosa sobre Martí y su lugar en la historia literaria.

González Obregón, Luis, Don, *José Joaquín Fernández de Lizardi,* México, Botas, 1938.

La bibliografía de la obra de Lizardi en este estudio es especialmente valiosa.

Hostos, Adolfo de, *Índice hemero-bibliográfico de Eugenio María de Hostos,* San Juan, Comisión Pro-celebración del Centenario de Hostos, 1940.

Valioso por fechar los muchos artículos, piezas periodísticas, etc., no publicados de Hostos.

Mañach, Jorge, *Martí el apóstol,* 3.ª ed., Buenos Aires y México, Espasa-Calpe, 1946.

Probablemente el mejor conocido de los muchos estudios básicos sobre Martí. Otros estudios importantes incluyen los de J. C. Ghiano, J. Marinello, E. Martínez Estrada, A. Iduarte, F. Lizaso, E. Roig de Leuchsenring.

Mantecón, José L. *et al., Bibliografía general de don Justo Sierra,* México, Universidad Nacional Autónoma de México, 1969.

Muy valiosa por fechar con exactitud las obras de Sierra.

Stabb, Martin S., *In Quest of Identity: Patterns in the Spanish American essay of ideas, 1890-1960,* Chapel Hill, University of North Carolina Press, 1967.

Aunque gran parte del estudio trata del siglo veinte, se incluye un análisis considerable del tardío siglo diecinueve.

Vitier, Medardo, *Varona, maestro de juventudes,* La Habana, Trópico, 1937.

—, *Del ensayo americano,* México, Fondo de Cultura Económica, 1945.

Estudios interpretativos de los principales ensayistas del siglo diecinueve y temprano siglo veinte.

Yáñez, Agustín, *Don Justo Sierra: su vida, sus ideas, y su obra,* México, Universidad Nacional Autónoma de México, 1962.

Zea, Leopoldo, *Dos etapas del pensamiento en Hispano américa: del romanticismo al positivismo,* México, El Colegio de México, 1949.

Uno de los estudios verdaderamente clásicos del pensamiento hispanoamericano decimonónico.

Zum Felde, Alberto, *Índice crítico de la literatura hispanoamericana, Vol. II: El ensayo y la crítica,* México, Guaranía, 1954.

Abundante material sobre los ensayistas importantes como Martí, Hostos y Varona.

Artículos

Ainsa, Fernando, «Hostos y la unidad de América Latina», *Cuadernos Americanos,* 3:16 (1989), 67-86.

Sobre las ideas de Hostos acerca de la unidad latinoamericana relacionadas con el tema utópico.

Cárdenas, Eliana, «José Martí y la identidad latinoamericana», *Plural,* 125 (1981), 16-24.

Carpentier, Alejo, «Martí y Francia», en *La novela latinoamericana en vísperas de un nuevo siglo y otros ensayos*, México, Siglo Veintiuno Editores, 1981.

Originalmente en Casa de las Américas, 87 (nov.- dic., 1974), 62-72.

Fernández Retamar, Roberto, «José Martí en los orígenes del antiimperialismo latino americano», *Casa de las Américas,* 25 (julio-agosto, 1985), 3-11.

Uno de los portavoces principales de la Cuba revolucionaria habla de Martí en el contexto del imperialismo.

Fornet Betancourt, Raúl, «José Martí y el problema de la raza negra en Cuba», *Cuadernos Americanos,* 16 (julio-agosto, 1989), 124-39.

Franco, Jean, «La heterogeneidad peligrosa: escritura y control social en vísperas de la independencia mexicana», *Hispamérica*, 12 (abr.-ag., 1983), 3-34.

Comentarios sobre la ideología de Lizardi.

Guerra Cunningham, Laura, «Feminismo e ideología liberal en el pensamiento de Eugenio María de Hostos», *Cuadernos Americanos,* 16 (jul.-ag., 1989), 139-50.

Lagmanovich, David, «Lectura de un ensayo 'Nuestra América' de José Martí», en Ivan A. Schulman, *Nuevos asedios al modernismo,* Madrid, Taurus, 1987, 235-45.

Comenta este ensayo básico de Martí.

Merrell, Floyd, «Justo Sierra y la educación positivista de México», *Hispanófila,* 33 (mayo, 1990), 67-78.

Ramos, Julio, «La escritura del corresponsal: lectura de las escenas norteamericanas de José Martí», *Escritura: Revista de Teoría y Crítica Literarias,* 6 (julio-dic., 1981), 329-53.

Sobre los reportajes de Martí en Norteamérica.

Ripoll, Carlos, «Martí y el socialismo», conferencia del II Congreso Cultural de Verano del CCP y la Univ. de Miami, en Alba-Buffill, Elio, *et al., José Martí ante la crítica actual,* Miami, Círculo de Cultura Panamericana, 1983.

Le Riverend Brusone, Julio J., «Los Estados Unidos: Martí, crítico del capitalismo financiero, 1880-9», *Casa de las Américas,* 24 (set.-oct., 1983), 3-13.

Sacoto, Antonio, «El americanismo de Martí», *Cuadernos Americanos,* 258 (en.-feb., 1985), 162-9.

Schulman, Ivan A., «Desde los Estados Unidos: Martí y las minorías étnicas y culturales», *Los Ensayistas,* 10-11 (mar., 1981), 139-52.

Vogeley, Nancy, «The concept of 'the people' in *El Periquillo sarmiento*», *Hispania*, 70 (set., 1987), 457-67.

Aunque trata de la novela, comenta el énfasis de Lizardi en el habla coloquial y las clases bajas.

Zea, Leopoldo, «Hostos como conciencia latinoamericana», *Cuadernos Americanos,* 16 (julio-agosto, 1989), 49-57.

CAPÍTULO 18

EL GÉNERO GAUCHESCO

FUENTES SECUNDARIAS

Libros

Albarracín-Sarmiento, Carlos, *Estructura del Martín Fierro,* Amsterdam, John Benjamin, 1981.

Delimitación del tiempo y el espacio de la narración y de los acontecimientos narrados, y un examen de la facticidad del texto y de su recepción.

Anderson Imbert, Enrique, *Análisis del Fausto,* Buenos Aires, Centro Editor de América Latina, 1969.

Análisis textual del poema basándose en su génesis y sus formas, además de una valoración de las lecturas del poema.

Azeves, Ángel, *La elaboración literaria del Martín Fierro,* Universidad de La Plata, 1960.

Analiza las fuentes y tradiciones literarias del poema. Comentario sobre algunos de sus versos.

—, *Con el Martín Fierro,* Buenos Aires, Editorial Remitido, 1968.

Reseña los antecedentes gauchescos, épicos y picarescos del poema. Notas para la enseñanza del poema a nivel universitario.

Borello, Rodolfo A., *El poema Martín Fierro,* Mendoza, Ediciones Cuyo Hispánico, 1972.

Análisis argumental y formal del texto y de los elementos nacionales que contiene.

—, *Hernández: poesía y política,* Buenos Aires, Plus Ultra, 1973.

Biografía de Hernández, junto con un análisis textual y estilístico de *Martín Fierro*. Incluye una bibliografía completa de las ediciones del poema y de los estudios críticos actuales hasta 1973 inclusive.

Borello, Rodolfo A., *et al., Trayectoria de la poesía gauchesca,* Buenos Aires, Plus Ultra, 1977.

Cuatro ensayos sobre el género gauchesco, sus orígenes y sus características, de Horacio J. Becco, Rodolfo Borello, Adolfo Prieto y Félix Weinberg.

Borges, Jorge Luis, *Aspectos de la literatura gauchesca,* Montevideo, Número, 1950.

—, *El Martín Fierro,* Buenos Aires, Columba, 1953.

Análisis textual de las dos partes del poema en relación con otras obras gauchescas. Los ensayos de Borges sobre el género gauchesco son un elemento importante para entender su literatura.

Brumana, Herminia, *Nuestro hombre,* Buenos Aires, Rosso, 1939.

Interesante por la perspectiva femenina de la autora en el análisis de Martín Fierro desde el punto de vista de libertad y justicia.

Cali, Américo, *Martín Fierro ante el derecho penal,* 2.ª ed., Buenos Aires, Abeledo-Perrot, 1979.

Análisis jurídico de los crímenes cometidos y formas de legalidad que se hacen cumplir a lo largo del poema, además de un juicio y absolución del protagonista.

Canal-Feijóo, Bernardo, *De las «aguas profundas» en el Martín Fierro,* Buenos Aires, Fondo Nacional de las Artes, 1973.

Análisis del texto desde la perspectiva del simbolismo bíblico y masónico que lo informa.

Carreto, Andrés, *Ida y vuelta de José Hernández,* Buenos Aires, Corregidor, 1972.

Biografía de José Hernández y un estudio histórico-político del poema.

Coni, Emilio A., *El gaucho. Argentina-Brasil-Uruguay,* Buenos Aires, Sudamericana, 1945.

Estudio exhaustivo y polémico de la historia del gaucho, de la palabra «gaucho», y de la literatura gauchesca desde una perspectiva anti-gaucho.

Cortázar, Augusto Raúl, *Poesía gauchesca argentina. Interpretada con el aporte de la teoría folklórica,* Buenos Aires, Guadalupe, 1969.

Documenta ampliamente las contribuciones oral y folklórica a la constitución del género.

Chávez, Fermín, *José Hernández,* 2.ª ed., Buenos Aires, Plus Ultra, 1973.

Biografía del poeta y una lectura antiliberal del poema. Incluye un apéndice con varios documentos.

Fernández Latour de Botas, Olga, *Prehistoria de Martín Fierro,* Buenos Aires, Platero, 1977.

Análisis documentado de los elementos folklóricos del poema, desde la perspectiva de las relaciones socioculturales y del patrimonio cultural del gaucho.

García, Néstor, *Análisis socio-estructural de la obra de J. Hernández,* Universidad de Buenos Aires, 1972.

Análisis textual, informado por una lectura de la sociología de la literatura de Lucien Goldmann.

Halperín Donghi, Tulio, *José Hernández y sus mundos,* Buenos Aires, Sudamericana, 1985.

La biografía más importante y más al día de José Hernández como periodista y como uno de los formuladores de una ideología ruralista en la Argentina.

Leumann, Carlos A., *El poeta creador: cómo hizo Hernández «La vuelta de Martín Fierro»,* Buenos Aires, Sudamericana, 1945

Estudio de los manuscritos de *La vuelta* y sus variantes, desde la perspectiva del proceso creador; compara a Hernández con Dostoievski y Poe.

Losada Guido, Alejandro, *Martín Fierro: gaucho, héroe, mito,* Buenos Aires, Plus Ultra, 1967.

Examina las relaciones entre contexto sociohistórico e intención del autor; análisis del género gauchesco y del Martín Fierro como símbolo mítico.

Ludmer, Josefina, *El género gauchesco. Un tratado sobre la patria,* Buenos Aires, Sudamericana, 1988.

Constitución e historia del género desde el punto de vista de sus tonos y sus relaciones con la Ley y el Estado, y como fundación de una tradición nacional.

Lugones, Leopoldo, *El payador,* Buenos Aires, Otero & Cía., 1916.

Considera al *Martín Fierro* como poema épico de ascendencia grecorromana y como el libro nacional argentino.

Lynch, John, *Juan Manuel de Rosas,* Buenos Aires, Emecé, 1984.

Uno de los estudios históricos más extensos de Rosas y los gauchos entre 1829 y 1852.

Martínez Estrada, Ezequiel, *Muerte y transfiguración de Martín Fierro,* Buenos Aires y México, 2.ª ed., 2 vols., Fondo de Cultura Económica, 1958.

Figura entre los ensayos más importantes sobre la obra clásica. Inaugura una nueva clase de crítica fenomenológica y psicoanalítica del texto y su mundo.

Mujica Lainez, Manuel, *Vida de Aniceto el Gallo (Hilario Ascasubi),* Buenos Aires, Emecé, 1943.

—, *Vida de Anastasio el Pollo (Estanislao del Campo),* Buenos Aires, Emecé, 1948.

Estas dos biografías de escritores importantes gauchescos están escritas en forma casi novelística y ambas están ampliamente documentadas.

Pagés Larraya, Antonio, *Prosas de Martín Fierro,* Buenos Aires, Raigal, 1952.

Estudio crítico y antología de los escritos periodísticos y políticos de Hernández que arrojan luz sobre el poema.

Rama, Ángel, *Los gauchipolíticos rioplatenses. Literatura y sociedad,* Buenos Aires, Calicanto, 1976.

Uno de los estudios más importantes del género gauchesco y su transformación de poesía política en poesía social.

Rodríguez Molas, Ricardo, *Luis Pérez y la biografía de Rosas escrita en 1830,* Buenos Aires, Clío, 1957.

Introducción crítica e histórica que precede al texto de uno de los poetas gauchescos menos estudiados.

—, *Historia social del gaucho,* Buenos Aires, Marú, 1968.

Historia del gaucho como clase social desde los tiempos coloniales hasta la época de la transformación del gaucho en peón rural. Contiene un valioso apéndice de documentos.

Rojas, Ricardo, *Historia de la literatura argentina,* vols. I y II, Buenos Aires, Editorial Losada, 1948.

Uno de los primeros y fundamentales estudios del género. Traza las conexiones entre la poesía gauchesca y la poesía de los *payadores,* representantes de una conciencia popular. Postula al *Martín Fierro* como canto épico de la democracia.

Romano, Eduardo, *Sobre poesía popular argentina,* Buenos Aires, Centro Editor de América Latina, 1983.

Distingue entre poesía popular, tradicional y «cultivada» y define el género y sus derivaciones posteriores en el tango y a través de la literatura del siglo veinte.

Sansone de Martínez, Eneida, *La imagen en la poesía gauchesca,* Montevideo, Universidad de la República, 1962.

Análisis de la canción gauchesca, sus distintas partes (presentación, desafío y *payada),* y de las imágenes presentadas en cada parte.

Tiscornia, Eleuterio F., *La lengua de Martín Fierro,* Universidad de Buenos Aires, 1930.

Se estudia la lengua del texto clásico como una función de la variedad dialectal y se la analiza respecto a su vocabulario, morfología y sintaxis, para descubrir en su imaginería los rasgos psicológicos de los hablantes.

Unamuno, Miguel de, *El gaucho Martín Fierro,* Buenos Aires, Americalee, 1967.

Examina la primera parte del *Martín Fierro* desde una perspectiva filológica y social para concluir que es un símbolo de la cultura popular argentina y también de una universalidad hispánica.

Varios autores, *Martín Fierro. Un siglo,* Buenos Aires, Xerox Argentina, 1972.

Artículos sobre las fuentes críticas fundamentales del poema; repaso de la vida y obra de Hernández; apéndice de documentos con recepciones críticas del texto en el momento de su publicación; bibliografía completa puesta al día, y facsímil de la primera edición del *Martín Fierro.*

Villanueva, Amaro, *Crítica y pico,* Santa Fe, Colmegna, 1945.

Análisis de los preludios del *Martín Fierro* además de los de otros textos del género. Examina las lecturas del *Fausto* desde el momento de su publicación.

Weinberg, Félix, *Juan Gualberto Godoy: literatura y política,* Buenos Aires, Sola Hachette, 1970.

Estudio del poema de Godoy, *Carro,* junto con un análisis de sus textos gauchescos desde la perspectiva política y polémica de la época.

Zorraquín Becú, Horacio, *Tiempo y vida de José Hernández (1834-1886),* Buenos Aires, Emecé, 1972.

Importante biografía política del poeta, bien documentada.

Artículos

Borges, Jorge Luis, «La poesía gauchesca», en *Discusión,* Buenos Aires, Emecé, 1950.

Borges fue uno de los primeros críticos que insistieron en los aspectos convencionales y cultos del género. Breve historia comparada de la poesía gauchesca.

Bunge, Carlos O., «El derecho en la literatura gauchesca», en *Estudios jurídicos,* Madrid, Espasa-Calpe, 1926.

Uno de los primeros ensayos en tratar los problemas jurídicos que se debaten en el género gauchesco.

Ludmer, Josefina, «La lengua como arma. Fundamentos del género gauchesco», en Lía Schwartz e Isaías Lerner (eds.), *Homenaje a Ana María Barrenechea,* Madrid, Castalia, 1984.

Analiza la aparición del género desde la perspectiva de los varios usos de las voces y sus tonos orales.

Rama, Ángel, «Prólogo» a *Poesía gauchesca,* Caracas, Biblioteca Ayacucho, 1977.

Análisis del género como sistema literario y como invención de un público.

ÍNDICES

ÍNDICE

ÍNDICE GENERAL